中國國家圖書館編

國家圖書館藏敦煌遺書

第十五冊　北敦〇一〇〇一號——北敦〇一〇六一號

北京圖書館出版社

圖書在版編目(CIP)數據

國家圖書館藏敦煌遺書·第十五册/中國國家圖書館編;任繼愈主編. —北京:北京圖書館出版社,2005.12

ISBN 7-5013-2957-5

Ⅰ.國… Ⅱ.①中…②任… Ⅲ.敦煌學—文獻 Ⅳ.K870.6

中國版本圖書館 CIP 數據核字(2005)第 136363 號

書　　名　國家圖書館藏敦煌遺書·第十五册
著　　者　中國國家圖書館編　任繼愈主編
責任編輯　徐　蜀　孫　彦
封面設計　李　璀

出　　版　北京圖書館出版社　(100034　北京西城區文津街 7 號)
發　　行　010-66139745　66151313　66175620　66126153
　　　　　66174391(傳真)　66126156(門市部)
E-mail　cbs@nlc.gov.cn(投稿)　btsfxb@nlc.gov.cn(郵購)
Website　www.nlcpress.com
經　　銷　新華書店
印　　刷　北京文津閣印務有限責任公司

開　　本　八開
印　　張　56.5
版　　次　2005 年 12 月第 1 版第 1 次印刷
印　　數　1-150 册(套)

書　　號　ISBN 7-5013-2957-5/K·1240
定　　價　990.00 圓

編輯委員會

主　　編　任繼愈

常務副主編　方廣錩

副 主 編　李際寧　張志清

編委（按姓氏筆畫排列）　王克芬　王姿怡　吴玉梅　胡新英　陳　穎　黄　霞（常務）　劉玉芬

出版委員會

主　任　詹福瑞

副主任　陳　力

委　員（按姓氏筆畫排列）　李　健　姜　紅　郭又陵　徐　蜀　孫　彦

攝製人員（按姓氏筆畫排列）

于向洋　王富生　王遂新　谷韶軍　張　軍　張紅兵　張　陽　曹　宏　郭春紅　楊　勇　嚴　平

目錄

来滅後
能生信
三四五佛而種
諸善根聞是章句
須菩提如来悉知悉見是諸衆生
无量福德何以故是諸衆生无復我相人相
衆生相壽者相无法相亦无非法相何以故
是諸衆生若心取相則爲著我人衆生壽者
若取法相即著我人衆生壽者何以故若取
非法相即著我人衆生壽者是故不應取法
不應取非法以是義故如来常說汝等比丘
知我說法如筏喩者法尚應捨何況非法
須菩提於意云何如来得阿耨多羅三藐三
菩提耶如来有所說法耶須菩提言如我解
佛所說義无有定法名阿耨多羅三藐三菩
提亦无有定法如来可說何以故如来所說
法皆不可取不可說非法非非法所以者何一
切賢聖皆以无爲法而有差别須菩提於
意云何若人滿三千大千世界七寶以用布

BD01001 號　金剛般若波羅蜜經　（13–1）

菩提耶如来有所說法耶須菩提言如我解
佛所說義无有定法名阿耨多羅三藐三菩
提亦无有定法如来可說何以故如来所說
法皆不可取不可說非法非非法所以者何一
切賢聖皆以无爲法而有差别須菩提於
意云何若人滿三千大千世界七寶以用布
施是人所得福德寧爲多不須菩提言甚多
世尊何以故是德福即非福德性是故如来
說福德多若復有人於此經中受持乃至四
句偈等爲他人說其福勝彼何以故須菩提
一切諸佛及諸佛阿耨多羅三藐三菩提法
皆從此經出須菩提所謂佛法者即非佛法
須菩提於意云何須陁洹能作是念我得須
陁洹果不須菩提言不也世尊何以故須陁
洹名爲入流而无所入不入色聲香味觸法
是名須陁洹須菩提於意云何斯陁含能作
是念我得斯陁含果不須菩提言不也世尊
何以故斯陁含名一往来而實无往来是名
斯陁含須菩提於意云何阿那含能作是念
我得阿那含果不須菩提言不也世尊何以
故阿那含名爲不来而實无来是故名阿那
含須菩提於意云何阿羅漢能作是念我得
阿羅漢道不須菩提言不也世尊何以故實
无有法名阿羅漢世尊若阿羅漢作是念我
得阿羅漢道即爲著我人衆生壽者世尊佛
說我得无諍三昧人中最爲第一是第一離
欲阿羅漢我不作是念我是離欲阿羅漢世
尊我若作是念我得阿羅漢道世尊則不說

BD01001 號　金剛般若波羅蜜經　（13–2）

无有法名阿羅漢世尊若阿羅漢作是念我
得阿羅漢道即爲着我人衆生壽者世尊佛
説我得无諍三昧人中冣爲第一是第一離
欲阿羅漢我不作是念我是離欲阿羅漢世
尊我若作是念我得阿羅漢道世尊則不説
須菩提是樂阿蘭那行者以須菩提實无所
行而名須菩提是樂阿蘭那行
佛告須菩提於意云何如来昔在然燈佛所
於法有所得不世尊如来在然燈佛所於法
實无所得須菩提於意云何菩薩莊嚴佛土
不不也世尊何以故莊嚴佛土者則非莊嚴
是名莊嚴是故須菩提諸菩薩摩訶薩應如
是生清淨心不應住色生心不應住聲香味
觸法生心應无所住而生其心須菩提譬如
人身如須弥山王於意云何是身爲大不
言甚大世尊何以故佛説非身是名
須菩提如恒河中所有沙數如是沙等恒河
於意云何是諸恒河沙寧爲多不須菩提言
甚多世尊但諸恒河尚多无數何况其沙須
菩提我今實言告汝若有善男子善女人以
七寶滿尒所恒河沙數三千大千世界以用
不須菩提言甚多世尊佛告須
若善男子善女人於此經中乃至受持
四　　等爲他人説而此福德勝前福德復
次須菩提隨説是經乃至四句偈等當知此
處一切世間天人阿脩羅皆應供養如佛塔

若善男子善女人於此經中乃至受持
四　　等爲他人説而此福德勝前福德復
次須菩提隨説是經乃至四句偈等當知此
處一切世間天人阿脩羅皆應供養如佛塔
廟何况有人盡能受持讀誦須菩提當知是
人成就冣上第一希有之法若是經典所在
之處則爲有佛若尊重弟子
尒時須菩提白佛言世尊當何名此經我等
云何奉持佛告須菩提是經名爲金剛般若
波羅蜜以是名字汝當奉持所以者何須菩
提佛説般若波羅蜜則非般若波羅蜜須菩
提於意云何如来有所説法不須菩提白佛
言世尊如来无所説須菩提於意云何三千
大千世界所有微塵是爲多不須菩提言甚
多世尊須菩提諸微塵如来説非微塵是名
微塵如来説世界非世界是名世界須菩提
於意云何可以三十二相見如来不不也世
尊何以故如来説三十二相即是非相是名三
十二相須菩提若有善男子善女人以恒河
沙等身命布施若復有人於此經中乃至
受持四句偈等爲他人説甚福甚多
尒時須菩提聞説是經深解義趣涕淚悲泣
而白佛言希有世尊佛説如是甚深經典我
從昔来所得慧眼未曾得聞如是之經世尊
若復有人得聞是經信心清淨則生實相當
知是人成就第一希有功德世尊是實相者
則是非相是故如来説名實相世尊我今得

從昔来所得慧眼未曾得聞如是之經世尊
若復有人得聞是經信心清淨則生實相當
知是人成就第一希有功德世尊是實相者
則是非相是故如来說名實相世尊我今得
聞如是經典信解受持不足為難若當来世
後五百歲其有衆生得聞是經信解受持
是人則為第一希有何以故此人无我相人相
衆生相壽者相所以者何我相即是非相人
相衆生相壽者相即是非相何以故離一切
諸相則名諸佛
佛告須菩提如是如是若復有人得聞是經
不驚不怖不畏當知是人甚為希有何以故
須菩提如来說第一波羅蜜非第一波羅蜜
是名第一波羅蜜須菩提忍辱波羅蜜如来
說非忍辱波羅蜜何以故須菩提如我昔為
歌利王割截身體我於尓時无我相无人相
无衆生相无壽者相何以故我於往昔節節
支解時若有我相人相衆生相壽者相應生
瞋恨須菩提又念過去於五百世作忍辱仙
人於尓所世无我相无人相无衆生相无壽
者相是故須菩提菩薩應離一切相發阿耨
多羅三藐三菩提心不應住生心不應住
聲香味觸法生心應生无所住心若心有住
則為非住是故佛說菩薩心不應住色布施
須菩提菩薩為利益一切衆生應如是布施
如来說一切諸相即是非相又說一切衆生
則非衆生須菩提如来是真語者實語者如

聲香味觸法生心應生无所住心若心有住
則為非住是故佛說菩薩心不應住色布施
須菩提菩薩為利益一切衆生應如是布施
如来說一切諸相即是非相又說一切衆生
則非衆生須菩提如来是真語者實語者如
語者不誑語者不異語者須菩提如来所得
法此法无實无虛須菩提若菩薩心住於法
而行布施如人入闇則无所見若菩薩心不
住法而行布施如人有目日光明照見種種
色須菩提當来之世若有善男子善女人能
於此經受持讀誦則為如来以佛智慧悉知
是人悉見是人皆得成就无量无邊功德
須菩提若有善男子善女人初日分以恒河
沙等身布施中日分復以恒河沙等身布施
後日分亦以恒河沙等身布施如是无量百
千万億劫以身布施若復有人聞此經典信
心不逆其福勝彼何况書寫受持讀誦為人
解說須菩提以要言之是經有不可思議不
可稱量无邊功德如来為發大乘者說為發
最上乘者說若有人能受持讀誦廣為人說
如来悉知是人悉見是人皆得成就不可量
不可稱无有邊不可思議功德如是人等則
為荷擔如来阿耨多羅三藐三菩提何以故
須菩提若樂小法者著我見人見衆生見壽
者見則於此經不能聽受讀誦為人解說須
菩提在在處處若有此經一切世間天人阿
修羅所應供養當知此處則為是塔皆應恭
敬作礼圍遶以諸華香而散其處

者見則於此經不能聽受讀誦為人解說須
菩提在在處處若有此經一切世間天人阿
脩羅所應供養當知此處則為是塔皆應恭
敬作禮圍遶以諸華香而散其處
復次須菩提善男子善女人受持讀誦此經
若為人輕賤是人先世罪業應墮惡道以今
世人輕賤故先世罪業則為消滅當得阿耨多
羅三藐三菩提須菩提我念過去无量阿
僧祇劫於然燈佛前得值八百四千万億那
由他諸佛悉皆供養承事无空過者若復有
人於後末世能受持讀誦此經所得功德於
我所供養諸佛功德百分不及一千万億分
乃至筭數譬喻所不能及須菩提若有善男
子善女人於後末世有受持讀誦此經所得
功德我若具說者或有人聞心則狂亂狐疑
不信須菩提當知是經義不可思議果報亦
不可思議
尒時須菩提白佛言世尊善男子善女人發
阿耨多羅三藐三菩提心云何應住云何降
伏其心佛告須菩提善男子善女人發阿耨
多羅三藐三菩提者當生如是心我應滅度
一切衆生滅度一切衆生已而无有一衆生
實滅度者何以故若菩薩有我相人相衆生
相壽者相則非菩薩所以者何須菩提實无
有法發阿耨多羅三藐三菩提者須菩提於
意云何如來於然燈佛所有法得阿耨多羅
三藐三菩提不不也世尊如我解佛所說義

BD01001 號　金剛般若波羅蜜經　（13–7）

實滅度者何以故若菩薩有我相人相衆生
相壽者相則非菩薩所以者何須菩提實无
有法發阿耨多羅三藐三菩提者須菩提於
意云何如來於然燈佛所有法得阿耨多羅
三藐三菩提不不也世尊如我解佛所說義
佛於然燈佛所无有法得阿耨多羅三藐三
菩提佛言如是如是須菩提實无有法如來
得阿耨多羅三藐三菩提須菩提若有法
如來得阿耨多羅三藐三菩提然燈佛則
不與我受記汝於來世當得作佛号釋迦
牟尼以實无有法得阿耨多羅三藐三菩
提是故然燈佛與我受記作是言汝於來世
當得作佛号釋迦牟尼何以故如來者即諸
法如義若有人言如來得阿耨多羅三藐三
菩提須菩提實无有法佛得阿耨多羅三藐
三菩提須菩提如來所得阿耨多羅三藐三
菩提於是中无實无虛是故如來說一切法
皆是佛法須菩提所言一切法者即非一切
法是故名一切法須菩提譬如人身長大須
菩提言世尊如來說人身長大則為非大身
是名大身須菩提菩薩亦如是若作是言我
當滅度无量衆生則不名菩薩何以故須菩
提无有法名為菩薩是故佛說一切法无我
无人无衆生无壽者須菩提若菩薩作是言
我當莊嚴佛土是不名菩薩何以故如來說
莊嚴佛土者即非莊嚴是名莊嚴須菩提若
菩薩通達无我法者如來說名真是菩薩
須菩提於意云何如來有肉眼不如是世尊如

BD01001 號　金剛般若波羅蜜經　（13–8）

无人无衆生无壽者須菩提若菩薩作是言
我當莊嚴佛土是不名菩薩何以故如來說
莊嚴佛土者即非莊嚴是名莊嚴須菩提若
菩薩通達无我法者如來說名真是菩薩
須菩提於意云何如來有肉眼不如是世尊如
來有肉眼須菩提於意云何如來有天眼不
如是世尊如來有天眼須菩提於意云何如
來有慧眼不如是世尊如來有慧眼須菩提
於意云何如來有法眼不如是世尊如來有
法眼須菩提於意云何如來有佛眼不如是
世尊如來有佛眼須菩提於意云何恒河中
所有沙佛說是沙不如是世尊如來說是沙
須菩提於意云何如一恒河中所有沙有如
是等恒河是諸恒河所有沙數佛世界如是
寧為多不甚多世尊佛告須菩提尒所國土
中所有衆生若干種心如來悉知何以故如
來說諸心皆為非心是名為心所以者何須
菩提過去心不可得現在心不可得未來心
不可得須菩提於意云何若有人滿三千大
千世界七寶以用布施是人以是因緣得福
多不如是世尊此人以是因緣得福甚多須
菩提若福德有實如來不說得福德多以福
德无故如來說得福德多
須菩提於意云何佛可以具足色身見不不
也世尊如來不應以具足色身見何以故如來
說具足色身即非具足色身是名具足色身須
菩提於意云何如來可以具足諸相見不不

BD01001號　金剛般若波羅蜜經　（13–9）

菩提若福德有實如來不說得福德多以福
德无故如來說得福德多
須菩提於意云何佛可以具足色身見不不
也世尊如來不應以具足色身見何以故如來
說具足色身即非具足色身是名具足色身須
菩提於意云何如來可以具足諸相見不不
也世尊如來不應以具足諸相見何以故如
來說諸相具足即非具足是名諸相具足須
菩提汝勿謂如來作是念我當有所說法莫
作是念何以故若人言如來有所說法即為
謗佛不能解我所說故須菩提說法者无法
可說是名說法須菩提白佛言世尊佛得阿
耨多羅三藐三菩提為无所得耶如是如是
須菩提我於阿耨多羅三藐三菩提乃至无
有少法可得是名阿耨多羅三藐三菩提復
次須菩提是法平等无有高下是名阿耨多
羅三藐三菩提以无我无人无衆生无壽者
脩一切善法則得阿耨多羅三藐三菩提須
菩提所言善法者如來說非善法是名善
法
須菩提若三千大千世界中所有諸須弥山
王如是等七寶聚有人持用布施若人以此
般若波羅蜜經乃至四句偈等受持為他人
說於前福德百分不及一百千萬億分乃至
筭數譬喻所不能及
須菩提於意云何汝等勿謂如來作是念我
當度衆生須菩提莫作是念何以故實无有
衆生如來度者若有衆生如來度者如來則

BD01001號　金剛般若波羅蜜經　（13–10）

說於前福德百分不及一百千萬億分乃至
筭數辟喻所不能及
須菩提於意云何汝等勿謂如來作是念我
當度衆生須菩提莫作是念何以故實无有
衆生如來度者若有衆生如來度者如來則
有我人衆生壽者須菩提如來說有我者則
非有我而凡夫之人以爲有我須菩提凡夫
者如來說則非凡夫須菩提於意云何可以
十二相觀如來不須菩提言如是如是以
三十二相觀如來佛言須菩提若以三十二
相觀如來者轉輪聖王則是如來須菩提白
佛言世尊如我解佛所說義不應以三十
二相觀如來尒時世尊而說偈言
若以色見我 以音聲求我 是人行耶道 不能見如來
須菩提汝若作是念如來不以具足相故得
阿耨多羅三藐三菩提須菩提莫作是念如
來不以具足相故得阿耨多羅三藐三菩提
須菩提汝若作是念發阿耨多羅三藐三菩
提者說諸法斷滅莫作是念何以故發阿耨多
羅三藐三菩提者於法不說斷滅相須菩
提若菩薩以滿恒河沙等世界七寶布施若
復有人知一切法无我得成於忍此菩薩勝
前菩薩所得功德須菩提以諸菩薩不受福
德須菩提菩薩所作福德不應貪著是故說
不受福德須菩提若有人言如來若來若去
若坐若卧是人不解我所說義何以故如來
者无所從来亦无所去故名如來
須菩提若善男子善女人以三千大千世界

BD01001 號　金剛般若波羅蜜經　（13–11）

德須菩提菩薩所作福德不應貪著是故說
不受福德須菩提若有人言如來若來若去
若坐若卧是人不解我所說義何以故如來
者无所從来亦无所去故名如來
須菩提若善男子善女人以三千大千世界
碎爲微塵於意云何是微塵衆寧爲多不
甚多世尊何以故若是微塵衆實有者佛則
不說是微塵衆所以者何佛說微塵衆則非微
塵衆是名微塵衆世尊如來所說三千大千
世界則非世界是名世界何以故若世界實
有者則是一合相如來說一合相則非一合
相是名一合相須菩提一合相者則是不可說
但凡夫之人貪著其事須菩提若人言佛說
我見人見衆生見壽者見須菩提於意云何
是人解我所說義不世尊是人不解如來所
說義何以故世尊說我見人見衆生見壽
者見即非我見人見衆生見壽者見是名我
見人見衆生見壽者見須菩提發阿耨多羅
三藐三菩提心者於一切法應如是知如是
見如是信解不生法相須菩提所言法相者
如來說即非法相是名法相須菩提若有人
以滿无量阿僧祇世界七寶持用布施若有
善男子善女人發菩薩心者持於此經乃至
四句偈等受持讀誦爲人演說其福勝彼云
何爲人演說不取相如如不動何以故
一切有爲法 如夢幻泡影 如露亦如電 應作如是觀
佛說是經已長老須菩提及諸比丘比丘尼
優婆塞優婆夷一切世間天人阿脩羅聞佛

BD01001 號　金剛般若波羅蜜經　（13–12）

相是名一合相須菩提一合相者則是不可說
但凡夫之人貪著其事須菩提若人言佛說
我見人見衆生見壽者見須菩提於意云何
是人解我所說義不世尊是人不解如來所
說義何以故世尊說我見人見衆生見壽
者見即非我見人見衆生見壽者見是名我
見人見衆生見壽者見須菩提發阿耨多羅
三藐三菩提心者於一切法應如是知如是
見如是信解不生法相須菩提所言法相者
如來說即非法相是名法相須菩提若有人
以滿无量阿僧祇世界七寶持用布施若有
善男子善女人發菩薩心者持於此經乃至
四句偈等受持讀誦為人演說其福勝彼云
何為人演說不取相如如不動何以故
一切有為法如夢幻泡影如露亦如電應作如是觀
佛說是經已長老須菩提及諸比丘比丘尼
優婆塞優婆夷一切世間天人阿脩羅聞佛
所說皆大歡喜信受奉行

金剛般若波羅蜜經

BD01001號　金剛般若波羅蜜經　（13–13）

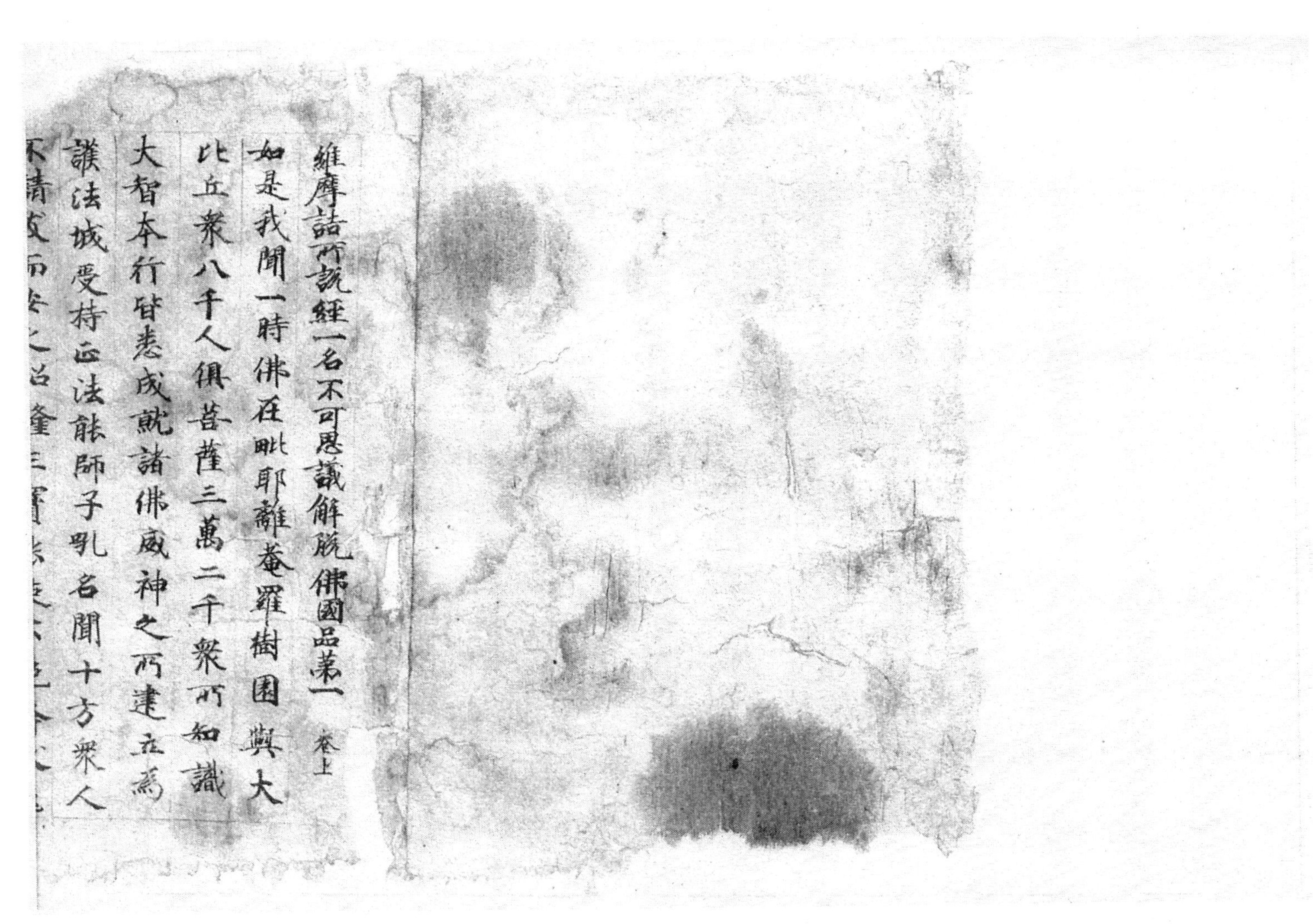

維摩詰所說經一名不可思議解脫佛國品第一　卷上
如是我聞一時佛在毗耶離菴羅樹園與大
比丘衆八千人俱菩薩三萬二千衆所知識
大智本行皆悉成就諸佛威神之所建立為
護法城受持正法能師子吼名聞十方衆人
不請友而安之紹隆三寶[illegible]

BD01002號　維摩詰所說經卷上　（11–1）

如是我聞一時佛在毗耶離菴羅樹園與大
比丘衆八千人俱菩薩三萬二千衆所知識
大智本行皆悉成就諸佛威神之所建立為
護法城受持正法能師子吼名聞十方衆人
不請友而安之紹隆三寶能使不絶降伏魔
怨制諸外道悉已清淨永離蓋纏心常安住
无礙解脫念定總持辯才不斷布施持戒忍
辱精進禪定智慧及方便力无不具足逮无
所得不起法忍已能隨順轉不退輪善解法
相知衆生根蓋諸大衆得无所畏功德智慧
以脩其心相好嚴身色像第一捨諸世間所
有飾好名稱高遠踰於須弥深信堅固猶若
金剛法寶普照而雨甘露於衆言音微妙第一
深入緣起斷諸邪見有无二邊无復餘習
演法无畏猶師子吼其所講說乃如雷震无
有量已過量集衆法寶如海導師了達諸法
妙之義善知衆生往來所趣及心所行近
无等等佛自在慧十力无畏十八不共關閉
一切諸惡趣門而生五道以現其身為大醫
王善療衆病應病與藥令得服行无量功德
皆成就无量佛土皆嚴淨其見聞者无不蒙
益諸有所作亦不唐捐如是一切功德皆悉
具足其名曰等觀菩薩不等觀菩薩等不等
觀菩薩定自在王菩薩法自在王菩薩法相
菩薩光相菩薩光嚴菩薩大嚴菩薩寶積

皆成就无量佛土皆嚴淨其見聞者无不蒙
益諸有所作亦不唐捐如是一切功德皆悉
具足其名曰等觀菩薩不等觀菩薩等不等
觀菩薩定自在王菩薩法自在王菩薩法相
菩薩光相菩薩光嚴菩薩大嚴菩薩寶積
菩薩辯積菩薩寶手菩薩寶印手菩薩常舉
手菩薩常下手菩薩常慘菩薩喜根菩薩喜王
菩薩辯音菩薩虛空藏菩薩執寶炬菩薩寶
菩薩寶見菩薩帝網菩薩明網菩薩无緣
觀菩薩慧積菩薩寶勝菩薩天王菩薩壞魔
菩薩電得菩薩自在王菩薩功德相嚴菩薩
師子吼菩薩雷音菩薩山相擊音菩薩香象
菩薩白香象菩薩常精進菩薩不休息菩薩
妙生菩薩華嚴菩薩觀世音菩薩得大勢菩
薩梵網菩薩寶杖菩薩无勝菩薩嚴土菩薩
金髻菩薩珠髻菩薩弥勒菩薩文殊師利法
王子菩薩如是等三萬二千人俱
復有萬梵天王尸棄等從餘四天下來詣佛
所而聽法復有萬二千天帝亦從餘四天下
來在會坐幷餘大威力諸天龍神夜叉乾闥
婆阿脩羅迦樓羅緊那羅摩睺羅伽等悉來
會坐諸比丘比丘尼優婆塞優婆夷俱來會
坐彼時佛與无量百千之衆共敬圍繞而為
說法譬如須弥山王顯于大海安處衆寶師
子之座蔽於一切諸來大衆
尒時毗耶離城有長者子名曰寶積與五百

說法辟如須彌山王顯于大海安處衆寶師
子之座蔽於一切諸來大衆
尒時毗耶離城有長者子名曰寶積與五百
長者子俱持七寶蓋來詣佛所頭面礼足各
以其蓋共供養佛佛之威神令諸寶蓋合成
一蓋遍覆三千大千世界而此世界廣長之相
悉於中現又此三千大千世界諸須弥山雪
山目真隣陁山摩訶目真隣陁山香山寶山
金山黑山鐵圍山大鐵圍山大海江[illegible]流
泉源及日月星辰天宮龍宮諸尊神[illegible]心
現於寶蓋中又十方諸佛諸佛說法亦[illegible]
寶蓋中尒時一切大衆覩佛神力嘆未曾有
合掌礼佛瞻仰尊顔目不暫捨長者子寶積
即於佛前以偈頌曰
目淨脩廣如青蓮　心淨已度諸禪定
久積淨業稱无量　導衆以寂故稽首
既見大聖以神變　普現十方无量土
其中諸佛演說法　於是一切悉見聞
法王法力超群生　常以法財施一切
能善分別諸法相　於第一義而不動
已於諸法得自在　是故稽首此法王
說法不有亦不无　以因緣故諸法生
无我无造无受者　善惡之業亦不亡
始在佛樹力降魔　得甘露滅覺道成

BD01002 號　維摩詰所說經卷上　（11–4）

已於諸法得自在　是故稽首此法王
說法不有亦不无　以因緣故諸法生
无我无造无受者　善惡之業亦不亡
始在佛樹力降魔　得甘露滅覺道成
已无心意无受行　而悉摧伏諸外道
三轉法輪於大千　其輪本來常清淨
天人得道此為證　三寶於是現世間
以斯妙法濟群生　一受不退常寂然
度老病死大醫王　當礼法海德无邊
毀譽不動如須弥　於善不善等以慈
心行平等如虛空　孰聞人寶不敬承
今奉世尊此微蓋　於中現我三千界
諸天龍神所居宮　揵闥婆等及夜叉
悉見世間諸所有　十力哀現是化變
衆覩希有皆嘆佛　今我稽首三界尊
大聖法王衆所歸　淨心觀佛靡不欣
各見世尊在其前　斯則神力不共法
佛以一音演說法　衆生隨類各得解
皆謂世尊同其語　斯則神力不共法
佛以一音演說法　衆生各各隨所解
普得受行獲其利　斯則神力不共法
佛以一音演說法　或有恐畏或歡喜
或生猒離或斷疑　斯則神力不共法
稽首十力大精進　稽首已得无所畏
稽首住於不共法　稽首一切大導師
稽首能斷衆結縛　稽首已到於彼岸

BD01002 號　維摩詰所說經卷上　（11–5）

佛以一音演說法　或有恐畏或歡喜
或生猒離或斷疑　斯則神力不共法
稽首十力大精進　稽首已得无所畏
稽首住於不共法　稽首一切大導師
稽首能斷衆結縛　稽首已到於彼岸
稽首能度諸世間　稽首永離生死道
悉知衆生來去相　善於諸法得解脫
不著世間如蓮華　常善入於空寂行
達諸法相无罣礙　稽首如空無所依
尒時長者子寶積說此偈已白佛言世尊是
五百長者子皆已發阿耨多羅三藐三菩提
心願聞得佛國土清淨唯願世尊說諸菩薩
淨土之行佛言善哉寶積乃能為諸菩薩問
於如來淨土之行諦聽諦聽善思念之當為
汝說於是寶積及五百長者子受教而聽佛
言寶積衆生之類是菩薩佛土所以者何菩
薩隨所化衆生而取佛土隨所調伏衆生而
取佛土隨諸衆生應以何國入佛智慧而取
佛土隨諸衆生應以何國起菩薩根而取佛
土所以者何菩薩取於淨國皆為饒益諸衆
生故譬如有人欲於空地造立宮室隨意无
礙若於虛空終不能成菩薩如是為成就衆
生故願取佛國願取佛國者非於空也寶積
當知直心是菩薩淨土菩薩成佛時不諂衆
生來生其國深心是菩薩淨土菩薩成佛時
具足功德衆生來生其國大乘心是菩薩淨

礙若於虛空終不能成菩薩如是為成就衆
生故願取佛國願取佛國者非於空也寶積
當知直心是菩薩淨土菩薩成佛時不諂衆
生來生其國深心是菩薩淨土菩薩成佛時
具足功德衆生來生其國大乘心是菩薩淨
土菩薩成佛時大乘衆生來生其國布施是
菩薩淨土菩薩成佛時一切能捨衆生來生
其國持戒是菩薩淨土菩薩成佛時行十善
道滿願衆生來生其國忍辱是菩薩淨土菩
薩成佛時三十二相莊嚴衆生來生其國精
進是菩薩淨土菩薩成佛時勤脩一切功德衆
生來生其國禪定是菩薩淨土菩薩成佛時
攝心不亂衆生來生其國智慧是菩薩淨土
菩薩成佛時正定衆生來生其國四无量心
是菩薩淨土菩薩成佛時成就慈悲喜捨衆
生來生其國四攝法是菩薩淨土菩薩成佛
時解脫所攝衆生來生其國方便是菩薩淨
土菩薩成佛時於一切法方便无礙衆生來
生其國卅七道品是菩薩淨土菩薩成佛時
念處正勤神足根力覺道衆生來生其國迴
向心是菩薩淨土菩薩成佛時得一切具足
功德國土說除八難是菩薩淨土菩薩成佛
時國土无有三惡八難自守戒行不譏彼闕
是菩薩淨土菩薩成佛時國土无有犯禁
之名十善是菩薩淨土菩薩成佛時命不中
夭大富梵行所言誠諦常以軟語眷屬不離

時國土无有三惡八難自守戒行不譏彼闕
是菩薩淨土菩薩成佛時國土无有犯禁
之名十善是菩薩淨土菩薩成佛時命不中
夭大富梵行所言誠諦常以軟語眷屬不離
善和諍訟言必饒益不嫉不恚正見衆生來
生其國如是寶積菩薩隨其直心則能發行
隨其發行則得深心隨其深心則意調伏隨
意調伏則如說行隨如說行則能迴向隨其
迴向則有方便隨其方便則成就衆生隨成
就衆生則佛土淨隨佛土淨則說法淨隨說
法淨則智慧淨隨智慧淨則其心淨隨其
心淨則一切功德淨是故寶積若菩薩欲得
淨土當淨其心隨其心淨則佛土淨
尒時舍利弗承佛威神作是念若菩薩心淨
則佛土淨者我世尊本為菩薩時意豈不
淨而是佛土不淨若此佛知其念即告之言於
意云何日月豈不淨耶而盲者不見對曰不
也世尊是盲者過非日月咎舍利弗衆生罪
故不見如來佛國嚴淨非如來咎舍利弗我
見此土清淨而汝不見尒時螺髻梵王語舍利
弗勿作是意謂此佛土以為不淨所以者何我
見釋迦牟尼佛土清淨譬如自在天宮舍利
弗言我見此土丘陵坑坎荊蕀沙礫土石諸
山穢惡充滿螺髻梵言仁者心有高下不依
佛慧故見此土為不淨耳舍利弗菩薩於一

BD01002 號　維摩詰所說經卷上　（11–8）

弗言我見此土丘陵坑坎荊蕀沙礫土石諸
山穢惡充滿螺髻梵言仁者心有高下不依
佛慧故見此土為不淨耳舍利弗菩薩於一
切衆生悉皆平等深心清淨依佛智慧則
能見此佛土清淨於是佛以足指案地即時
三千大千世界若干百千珎寶嚴飾譬如寶
莊嚴佛无量功德寶莊嚴土一切大衆嘆未曾
有而皆自見坐寶蓮華佛告舍利弗汝且觀
是佛土嚴淨舍利弗言唯然世尊本所不見
本所不聞今佛國土嚴淨悉現佛語舍利弗
我佛國土常淨若此為欲度斯下劣人故示
是衆惡不淨土耳譬如諸天共寶器食隨其
福德飯色有異如是舍利弗若人心淨便見
此土功德莊嚴當佛現此國土嚴淨之時
寶積所將五百長者子皆得无生法忍八萬四
千人發阿耨多羅三藐三菩提心佛攝神足
於是世界還復如故求聲聞乘三萬二千天
及人知有為法皆悉无常遠塵離垢得法
眼淨八千比丘不受諸法漏盡意解

方便品第二

尒時毗耶離大城中有長者名維摩詰已曾
供養无量諸佛深植善本得无生忍辯才无
礙遊戲神通逮諸摠持獲无所畏降魔勞怨
入深法門善於智度通達方便大願成就明
了衆生心之所趣又能分別諸根利鈍久於

BD01002 號　維摩詰所說經卷上　（11–9）

佘時毗邪離大城中有長者名維摩詰已曾
供養无量諸佛深植善本得无生忍辯才无
碍遊戲神通逮諸惣持獲无所畏降魔勞怨
入深法門善於智度通達方便大願成就明
了衆生心之所趣又能分別諸根利鈍久於
佛道心已純淑決定大乘諸有所作能善思
量住佛威儀心大如海諸佛咨嗟弟子釋梵
世主所敬欲度人故以善方便居毗耶離資
財无量攝諸貧民奉戒清淨攝諸毀禁以忍
調行攝諸恚怒以大精進攝諸懈怠一心禪
寂攝諸亂意以決定慧攝諸无智雖為白衣
奉持沙門清淨律行雖處居家不著三界示
有妻子常脩梵行現有眷屬常樂遠離雖服
寶飾而以相好嚴身雖復飲食而以禪悅為味
若至博弈戲處輙以度人受諸異道不毀
正信雖明世典常樂佛法一切見敬為供養
中最執持正法攝諸長幼一切治生諧偶雖
獲俗利不以喜悅遊諸四衢饒益衆生入治
正法救護一切入講論處導以大乘入諸學
堂誘開童蒙入諸婬舍示欲之過入諸酒肆
能立其志若在長者長者中尊為說勝法若
在居士居士中尊斷諸貪著若在剎利剎利
中尊教以忍辱若在婆羅門婆羅門中尊除
其我慢若在大臣大臣中尊教以正法若在
王子王子中尊示以忠孝若在內官內官中

BD01002號　維摩詰所說經卷上　（11–10）

奉持沙門清淨律行雖處居家不著三界示
有妻子常脩梵行現有眷屬常樂遠離雖服
寶飾而以相好嚴身雖復飲食而以禪悅為味
若至博弈戲處輙以度人受諸異道不毀
正信雖明世典常樂佛法一切見敬為供養
中最執持正法攝諸長幼一切治生諧偶雖
獲俗利不以喜悅遊諸四衢饒益衆生入治
正法救護一切入講論處導以大乘入諸學
堂誘開童蒙入諸婬舍示欲之過入諸酒肆
能立其志若在長者長者中尊為說勝法若
在居士居士中尊斷諸貪著若在剎利剎利
中尊教以忍辱若在婆羅門婆羅門中尊除
其我慢若在大臣大臣中尊教以正法若在
王子王子中尊示以忠孝若在內官內官中

BD01002號　維摩詰所說經卷上　（11–11）

說一切衆生則非衆生須菩
來是真語者實語者如語者不誑語者不
異語者須菩提如來所得法此法无實无虛
須菩提若菩薩心住於法而行布施如人入
闇則无所見若菩薩心不住法而行布施如
人有目日光明照見種種色須菩提當來之
世若有善男子善女人能於此經受持讀誦
則為如來以佛智慧悉知是人悉見是人皆
得成就无量无邊功德
須菩提若有善男子善女人初日分以恒河
沙等身布施中日分復以恒河沙等身布施
後日分亦以恒河沙等身布施如是无量百
千万億劫以身布施若復有人聞此經典信
心不逆其福勝彼何況書寫受持讀誦為人
解說須菩提以要言之是經有不可思議不
可稱量无邊功德如來為發大乘者說為發
最上乘者說

BD01003號　金剛般若波羅蜜經

（9-1）

後日分亦以恒河沙等身布施如是无量百
千万億劫以身布施若復有人聞此經典信
心不逆其福勝彼何況書寫受持讀誦為人
解說須菩提以要言之是經有不可思議不
可稱量无邊功德如來為發大乘者說為發
最上乘者說若有人能受持讀誦廣為人說
如來悉知是人悉見是人皆得成就不可量
不可稱无有邊不可思議功德如是人等則
為荷擔如來阿耨多羅三藐三菩提何以故
須菩提若樂小法者著我見人見衆生見壽
者見則於此經不能聽受讀誦為人解說須
菩提在在處處若有此經一切世間天人阿
脩羅所應供養當知此處則為是塔皆應
恭敬作礼圍繞以諸華香而散其處
復次須菩提若善男子善女人受持讀誦此
經若為人輕賤是人先世罪業應墮惡道以
今世人輕賤故先世罪業則為消滅當得阿
耨多羅三藐三菩提須菩提我念過去无量
阿僧祇劫於然燈佛前得值八百四千万億
那由他諸佛悉皆供養承事无空過者若復
有人於後末世能受持讀誦此經所得功德
於我所供養諸佛功德百分不及一千万億
分乃至算數譬喻所不能及須菩提若善男
子善女人於後末世有受持讀誦此經所得
功德我若具說者或有人聞心則狂亂狐疑
不信須菩提當知是經義不可思議果報亦

BD01003號　金剛般若波羅蜜經

（9-2）

有人於後末世能受持讀誦此經所得功德
於我所供養諸佛功德百分不及一千万億
分乃至筭數譬喻所不能及須菩提若善男
子善女人於後末世有受持讀誦此經所得
功德我若具說者或有人聞心則狂亂狐疑
不信須菩提當知是經義不可思議果報亦
不可思議
尒時須菩提白佛言世尊善男子善女人發
阿耨多羅三藐三菩提心云何應住云何降
伏其心佛告須菩提善男子善女人發阿耨
多羅三藐三菩提者當生如是心我應滅度
一切衆生滅度一切衆生已而无有一衆生
實滅度者何以故若菩薩有我相人相衆生
相壽者相則非菩薩所以者何須菩提實无
有法發阿耨多羅三藐三菩提者須菩提於
意云何如來於然燈佛所有法得阿耨多羅
三藐三菩提不不也世尊如我解佛所說義
佛於然燈佛所无有法得阿耨多羅三藐三
菩提佛言如是如是須菩提實无有法如來
得阿耨多羅三藐三菩提須菩提若有法如
來得阿耨多羅三藐三菩提者然燈佛則不
與我受記汝於來世當得作佛号釋迦牟尼
以實无有法得阿耨多羅三藐三菩提是故
然燈佛與我受記作是言汝於來世當得作
佛号釋迦牟尼何以故如來者即諸法如義
若有人言如來得阿耨多羅三藐三菩提須
菩提實无有法佛得阿耨多羅三藐三菩提

BD01003 號　金剛般若波羅蜜經　（9–3）

以實无有法得阿耨多羅三藐三菩提是故
然燈佛與我受記作是言汝於來世當得作
佛号釋迦牟尼何以故如來者即諸法如義
若有人言如來得阿耨多羅三藐三菩提須
菩提實无有法佛得阿耨多羅三藐三菩提
須菩提如來所得阿耨多羅三藐三菩提於
是中无實无虛是故如來說一切法皆是佛
法須菩提所言一切法者即非一切法是故名
一切法
須菩提譬如人身長大須菩提言世尊如來
說人身長大則爲非大身是名大身須菩提
菩薩亦如是若作是言我當滅度无量衆生
則不名菩薩何以故須菩提實无有法名爲
菩薩是故佛說一切法无我无人无衆生无
壽者須菩提若菩薩作是言我當莊嚴佛土
是不名菩薩何以故如來說莊嚴佛土者即
非莊嚴是名莊嚴須菩提若菩薩通達无我
法者如來說名真是菩薩
須菩提於意云何如來有肉眼不如是世尊
如來有肉眼須菩提於意云何如來有天眼
不如是世尊如來有天眼須菩提於意云何
如來有慧眼不如是世尊如來有慧眼須菩
提於意云何如來有法眼不如是世尊如來
有法眼須菩提於意云何如來有佛眼不如
是世尊如來有佛眼須菩提於意云何恒河
中所有沙佛說是沙不如是世尊如來說是
沙須菩提於意云何如一恒河中所有沙有

BD01003 號　金剛般若波羅蜜經　（9–4）

有法眼須菩提於意云何如来有佛眼不如
是世尊如来有佛眼須菩提於意云何恒河
中所有沙佛說是沙不如是世尊如来說是
沙須菩提於意云何如一恒河中所有沙有
如是等恒河是諸恒河所有沙數佛世界如
是寧為多不甚多世尊佛告須菩提尒所國
土中所有衆生若干種心如来悉知何以故
如来說諸心皆為非心是名為心所以者何
須菩提過去心不可得現在心不可得未来
心不可得
須菩提於意云何若有人滿三千大千世界
七寶以用布施是人以是因緣得福多不如
是世尊此人以是因緣得福甚多須菩提若
福德有實如来不說得福德多以福德无故
如来說得福德多
須菩提於意云何佛可以具足色身見不不
也世尊如来不應以色身見何以故如来說
具足色身即非具足色身是名具足色身須
菩提於意云何如来可以具足諸相見不不
也世尊如来不應以具足諸相見何以故如
来說諸相具足即非具足是名諸相具足須
菩提汝勿謂如来作是念我當有所說法莫
作是念何以故若人言如来有所說法即為
謗佛不能解我所說故須菩提說法者无法
可說是名說法
須菩提白佛言世尊佛得阿耨多羅三藐三

BD01003號　金剛般若波羅蜜經　（9–5）

菩提汝勿謂如来作是念我當有所說法莫
作是念何以故若人言如来有所說法即為
謗佛不能解我所說故須菩提說法者无法
可說是名說法
須菩提白佛言世尊佛得阿耨多羅三藐三
菩提為无所得邪如是如是須菩提我於阿
耨多羅三藐三菩提乃至无有少法可得是
名阿耨多羅三藐三菩提復次須菩提是法
平等无有高下是名阿耨多羅三藐三菩提
以无我无人无衆生无壽者脩一切善法則
得阿耨多羅三藐三菩提須菩提所言善法
者如来說非善法是名善法
須菩提若三千大千世界中所有諸須弥山
王如是等七寶聚有人持用布施若人以此
般若波羅蜜經乃至四句偈等受持為他人
說於前福德百分不及一百千万億分乃至
筭數譬喻所不能及
須菩提於意云何汝等勿謂如来作是念我
當度衆生須菩提莫作是念何以故實无有
衆生如来度者若有衆生如来度者如来則
有我人衆生壽者須菩提如来說有我者則
非有我而凡夫之人以為有我須菩提凡夫
者如来說則非凡夫須菩提於意云何可以
三十二相觀如来不須菩提言如是如是以
三十二相觀如来佛言須菩提若以三十
二相觀如来者轉輪聖王則是如来須菩提
白佛言世尊如我解佛所說義不應以三十

BD01003號　金剛般若波羅蜜經　（9–6）

三十二相觀如來不須菩提言如是如是以
三十二相觀如來佛言須菩提若以三十
二相觀如來者轉輪聖王則是如來須菩提
白佛言世尊如我解佛所說義不應以三十
二相觀如來尒時世尊而說偈言
若以色見我 以音聲求我 是人行邪道 不能見如來
須菩提汝若作是念如來不以具足相故得
阿耨多羅三藐三菩提須菩提莫作是念如
來不以具足相故得阿耨多羅三藐三菩提
須菩提汝若作是念發阿耨多羅三藐三菩
提者說諸法斷滅相莫作是念何以故發阿
耨多羅三藐三菩提者於法不說斷滅相須
菩提若菩薩以滿恒河沙等世界七寶布施
若復有人知一切法无我得成於忍此菩薩
勝前菩薩所得功德須菩提以諸菩薩不受
福德故須菩提白佛言世尊云何菩薩不受
福德須菩提菩薩所作福德不應貪著是故
說不受福德
須菩提若有人言如來若來若去若坐若卧是
是人不解我所說義何以故如來者无所從
來亦无所去故名如來
須菩提若善男子善女人以三千大千世界
碎為微塵於意云何是微塵衆寧為多不甚
多世尊何以故若是微塵衆實有者佛則不
說是微塵衆所以者何佛說微塵衆則非微
塵衆是名微塵衆世尊如來所說三千大千

BD01003 號　金剛般若波羅蜜經　（9–7）

來亦无所去故名如來
須菩提若善男子善女人以三千大千世界
碎為微塵於意云何是微塵衆寧為多不甚
多世尊何以故若是微塵衆實有者佛則不
說是微塵衆所以者何佛說微塵衆則非微
塵衆是名微塵衆世尊如來所說三千大千
世界則非世界是名世界何以故若世界實
有者則是一合相如來說一合相則非一合
相是名一合相須菩提一合相者則是不可
說但凡夫之人貪著其事須菩提若人言佛
說我見人見衆生見壽者見須菩提於意云
何是人解我所說義不世尊是人不解如來
所說義何以故世尊說我見人見衆生見壽者
見即非我見人見衆生見壽者見是名我
見人見衆生見壽者見須菩提發阿耨多羅
三藐三菩提心者於一切法應如是知如是
見如是信解不生法相須菩提所言法相者
如來說即非法相是名法相
須菩提若有人以滿无量阿僧祇世界七寶
持用布施若有善男子善女人發菩薩心者
持於此經乃至四句偈等受持讀誦為人演
說其福勝彼云何為人演說不取於相如如
不動何以故
一切有為法 如夢幻泡影 如露亦如電 應作如是觀
佛說是經已長老須菩提及諸比丘比丘尼優
婆塞優婆夷一切世間天人阿脩羅聞佛所
說皆大歡喜信受奉行

BD01003 號　金剛般若波羅蜜經　（9–8）

何是人解我所說義不世尊是人不解如來
所說義何以故世尊說我見人見衆生見壽者
見即非我見人見衆生見壽者見是名我
見人見衆生見壽者見須菩提發阿耨多羅
三藐三菩提心者於一切法應如是知如是
見如是信解不生法相須菩提所言法相者
如來說即非法相是名法相
須菩提若有人以滿无量阿僧祇世界七寶
持用布施若有善男子善女人發菩薩心者
持於此經乃至四句偈等受持讀誦為人演
說其福勝彼云何為人演說不取於相如如
不動何以故
一切有為法如夢幻泡影如露亦如電應作如是觀
佛說是經已長老須菩提及諸比丘比丘尼優
婆塞優婆夷一切世間天人阿脩羅聞佛所
說皆大歡喜信受奉行

金剛波若羅蜜經

BD01003號　金剛般若波羅蜜經　　（9–9）

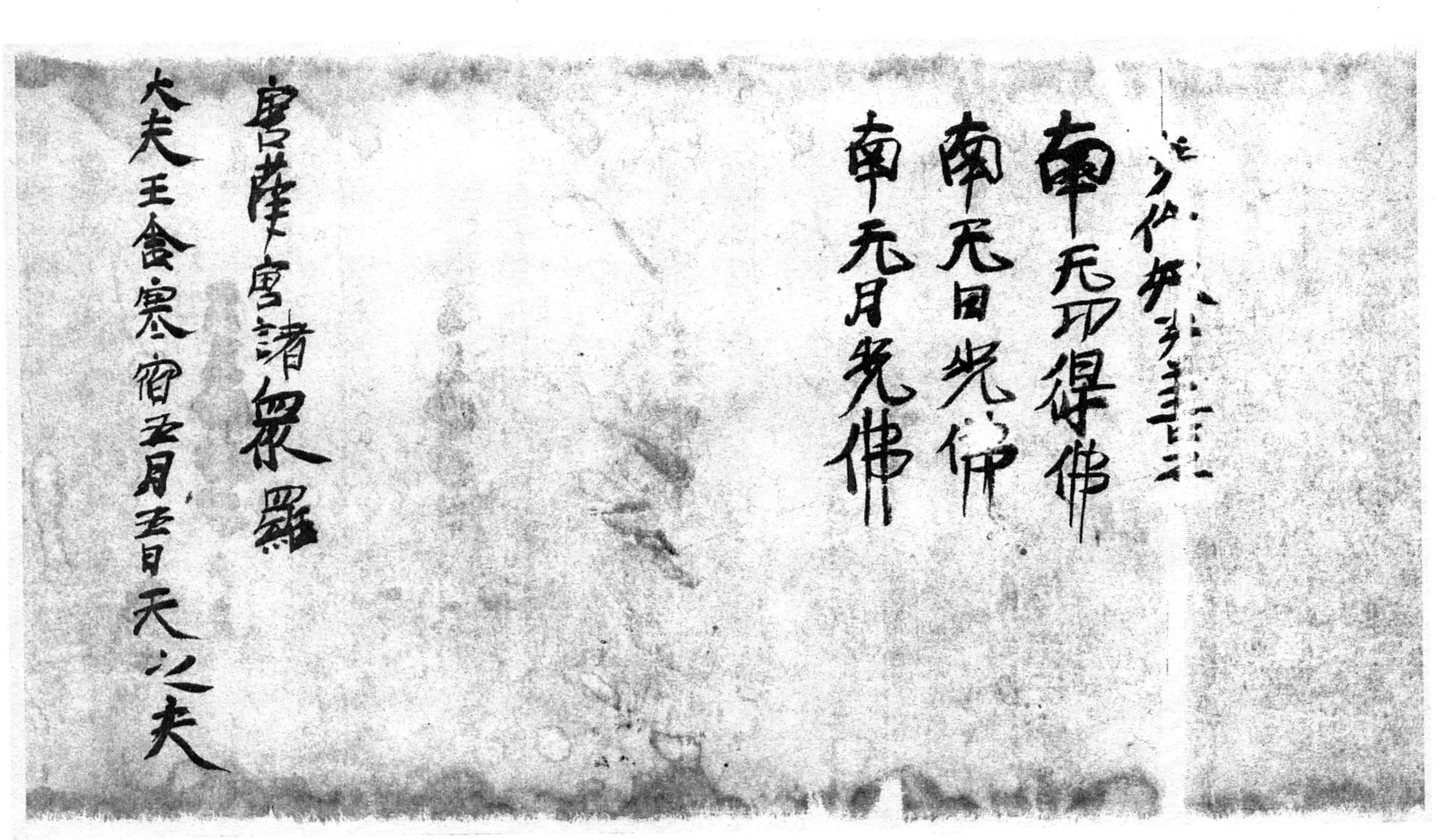

BD01003號背　雜寫　　（1–1）

廣為人說如来
有成就不可量不可
思議功德如是人等則為荷
擔如來阿耨多羅三藐三菩提何以故須菩
提若樂小法者著我見人見衆生見壽者
見則於此經不能聽受讀誦為人解說須菩
提在在處處若有此經一切世間天人阿脩羅
所應供養當知此處則為是塔皆應恭敬作
礼圍遶以諸華香而散其處
復次須菩提善男子善女人受持讀誦此經
若為人輕賤是人先世罪業應墮惡道以今
世人輕賤故先世罪業則為消滅當得阿耨
多羅三藐三菩提須菩提我念過去无量阿
僧祇劫於然燈佛前得值八百四千万億那
由他諸佛悉皆供養承事无空過者若復有
人於後末世能受持讀誦此經所得功德於
我所供養諸佛功德百分不及一千万億分
乃至筭數譬喻所不能及須菩提若善男子
善女人於後末世有受持讀誦此經所得功

BD01004號　金剛般若波羅蜜經　（8–1）

由他諸佛悉皆供養承事无空過者若復有
人於後末世能受持讀誦此經所得功德於
我所供養諸佛功德百分不及一千万億分
乃至筭數譬喻所不能及須菩提若善男子
善女人於後末世有受持讀誦此經所得功
德我若具說者或有人聞心則狂亂狐疑不
信須菩提當知是經義不可思議果報亦
不可思議
尒時須菩提白佛言世尊善男子善女人發
阿耨多羅三藐三菩提心云何應住云何降伏
其心佛告須菩提善男子善女人發阿耨多
羅三藐三菩提者當生如是心我應滅度一
切衆生滅度一切衆生已而无有一衆生實
滅度者何以故若菩薩有我相人相衆生
相壽者相則非菩薩所以者何須菩提實
无有法發阿耨多羅三藐三菩提者
須菩提於意云何如來於然燈佛所有法得
阿耨多羅三藐三菩提不不也世尊如我解
佛所說義佛於然燈佛所无有法得阿耨多
羅三藐三菩提佛言如是如是須菩提實无
有法如來得阿耨多羅三藐三菩提須菩提
若有法如來得阿耨多羅三藐三菩提者然
燈佛則不與我受記汝於來世當得作佛号
釋迦牟尼以實无有法得阿耨多羅三藐三
菩提是故然燈佛與我受記作如是言汝於來
世當得作佛

BD01004號　金剛般若波羅蜜經　（8–2）

燈佛則不與我受記汝於来世當得作佛号
釋迦牟尼以實无有法得阿耨多羅三藐三
菩提是故然燈佛與我受記作如是言汝於来
世當得作佛号釋迦牟尼何以故如来者即
諸法如義若有人言如来得阿耨多羅三藐
三菩提須菩提實无有法佛得阿耨多羅三
藐三菩提須菩提如来所得阿耨多羅三藐
三菩提於是中无實无虛是故如来說一切法
皆是佛法須菩提所言一切法者即非一切
法是故名一切法
須菩提譬如人身長大須菩提言世尊如来
說人身長大則為非大身是名大身
須菩提菩薩亦如是若作是言我當滅度无
量衆生則不名菩薩何以故須菩提實无有
法名為菩薩是故佛說一切法无我无人无
衆生无壽者須菩提若菩薩作是言我當莊
嚴佛土是不名菩薩何以故如来說莊嚴佛
土者即非莊嚴是名莊嚴須菩提若菩薩
通達无我法者如来說名真是菩薩
須菩提於意云何如来有肉眼不如是世尊
如来有肉眼須菩提於意云何如来有天眼
不如是世尊如来有天眼須菩提於意云何
如来有慧眼不如是世尊如来有慧眼須菩
提於意云何如来有法眼不如是世尊如来
有法眼須菩提於意云何如来有佛眼不如
是世尊如来有佛眼須菩提於意云何如恒

BD01004 號　金剛般若波羅蜜經　（8–3）

不如是世尊如来有天眼須菩提於意云何
如来有慧眼不如是世尊如来有慧眼須菩
提於意云何如来有法眼不如是世尊如来
有法眼須菩提於意云何如来有佛眼不如
是世尊如来有佛眼須菩提於意云何如恒
河中所有沙佛說是沙不如是世尊如来說是
沙須菩提於意云何如一恒河中所有沙有
如是等恒河是諸恒河所有沙數佛世界如
是寧為多不甚多世尊佛告須菩提尒所國
土中所有衆生若干種心如来悉知何以故
如来說諸心皆為非心是名為心所以者何
須菩提過去心不可得現在心不可得未来
心不可得須菩提於意云何若有人滿三千
大千世界七寶以用布施是人以是因緣得福
多不如是世尊此人以是因緣得福甚多
須菩提若福德有實如来不說得福德多以
福德无故如来說得福德多
須菩提於意云何佛可以具足色身見不不
也世尊如来不應以具足色身見何以故如
来說具足色身即非具足色身是名具足色
身須菩提於意云何如来可以具足諸相見
不不也世尊如来不應以具足諸相見何以
故如来說諸相具足即非具足是名諸相
具足須菩提汝勿謂如来作是念我當有所
說法莫作是念何以故若人言如来有所說
法即為謗佛不能解我所說故須菩提說
法者无法可說是名說法

BD01004 號　金剛般若波羅蜜經　（8–4）

如來說諸相具足即非具足是名諸相
具足須菩提汝勿謂如來作是念我當有所
說法莫作是念何以故若人言如來有所說
法即為謗佛不能解我所說故須菩提說
法者无法可說是名說法
須菩提白佛言世尊佛得阿耨多羅三藐
三菩提為无所得耶如是如是須菩提我於
阿耨多羅三藐三菩提乃至无有少法可得
是名阿耨多羅三藐三菩提復次須菩提是
法平等无有高下是名阿耨多羅三藐三菩
提以无我无人无衆生无壽者脩一切善法
則得阿耨多羅三藐三菩提須菩提所言善
法者如來說非善法是名善法
須菩提若三千大千世界中所有諸須弥
山王如是等七寶聚有人持用布施若人以
此般若波羅蜜經乃至四句偈等受持讀
誦為他人說於前福德百分不及一百千万
億分乃至筭數譬喻所不能及
須菩提於意云何汝等勿謂如來作是念
我當度衆生須菩提莫作是念何以故實
无有衆生如來度者若有衆生如來度者
如來則有我人衆生壽者須菩提如來說
有我者則非有我而凡夫之人以為有我
須菩提凡夫者如來說則非凡夫
須菩提於意云何可以卅二相觀如來不
須菩提言如是如是以卅二相觀如來佛言

BD01004號　金剛般若波羅蜜經　（8-5）

有我者則非有我而凡夫之人以為有我
須菩提凡夫者如來說則非凡夫
須菩提於意云何可以卅二相觀如來不
須菩提言如是如是以卅二相觀如來佛言
須菩提若以卅二相觀如來者轉輪聖王則
是如來須菩提白佛言世尊如我解佛所說
義不應以卅二相觀如來尒時世尊而說偈
言
若以色見我　以音聲求我　是人行邪道　不能見如來
須菩提汝若作是念如來不以具足相故得
阿耨多羅三藐三菩提須菩提莫作是念如
來不以具足相故得阿耨多羅三藐三菩提
須菩提汝若作是念發阿耨多羅三藐三菩
提者說諸法斷滅莫作是念何以故發阿耨
多羅三藐三菩提者於法不說斷滅相須
菩提若菩薩以滿恒河沙等世界七寶布施
若復有人知一切法无我得成於忍此菩薩
勝前菩薩所得功德須菩提以諸菩薩不
受福德故須菩提白佛言世尊云何菩薩不
受福德須菩提菩薩所作福德不應貪著
是故說不受福德
須菩提若有人言如來若來若去若坐
若臥是人不解我所說義何以故如來者
无所從來亦无所去故名如來
須菩提若善男子善女人以三千大千世

BD01004號　金剛般若波羅蜜經　（8-6）

……提若有人言如來若來若去若坐
若卧是人不解我所說義何以故如來者
无所從來亦无所去故名如來
須菩提若善男子善女人以三千大千世
界碎爲微塵於意云何是微塵衆寧爲多
不甚多世尊何以故若是微塵衆實有者佛則
不說是微塵衆所以者何佛說微塵衆則非
微塵衆是名微塵衆世尊如來所說三千大
千世界則非世界是名世界何以故若世界
實有者則是一合相如來說一合相則非一
合相是名一合相須菩提一合相者則是不
可說但凡夫之人貪著其事須菩提若人言
佛說我見人見衆生見壽者見須菩提於意
云何是人解我所說義不不也世尊是人不
解如來所說義何以故世尊說我見人見衆
生見壽者見即非我見人見衆生見壽者見
是名我見人見衆生見壽者見須菩提發阿
耨多羅三藐三菩提心者於一切法應如是知
如是見如是信解不生法相須菩提所言法
相者如來說即非法相是名法相須菩提
若有人以滿无量阿僧祇世界七寶持用布
施若有善男子善女人發菩薩心者持於
此經乃至四句偈等受持讀誦爲人演說
其福勝彼云何爲人演說不取於相如如不
動何以故

如是見如是信解不生法相須菩提所言法
相者如來說即非法相是名法相須菩提
若有人以滿无量阿僧祇世界七寶持用布
施若有善男子善女人發菩薩心者持於
此經乃至四句偈等受持讀誦爲人演說
其福勝彼云何爲人演說不取於相如如不
動何以故
一切有爲法　如夢幻泡影　如露亦如電　應作如是觀
佛說是經已長老須菩提及諸比丘比丘尼
優婆塞優婆夷一切世間天人阿脩羅聞
佛所說皆大歡喜信受奉行

金剛般若波羅蜜經

BD01005號　無量壽宗要經　　（3–1）

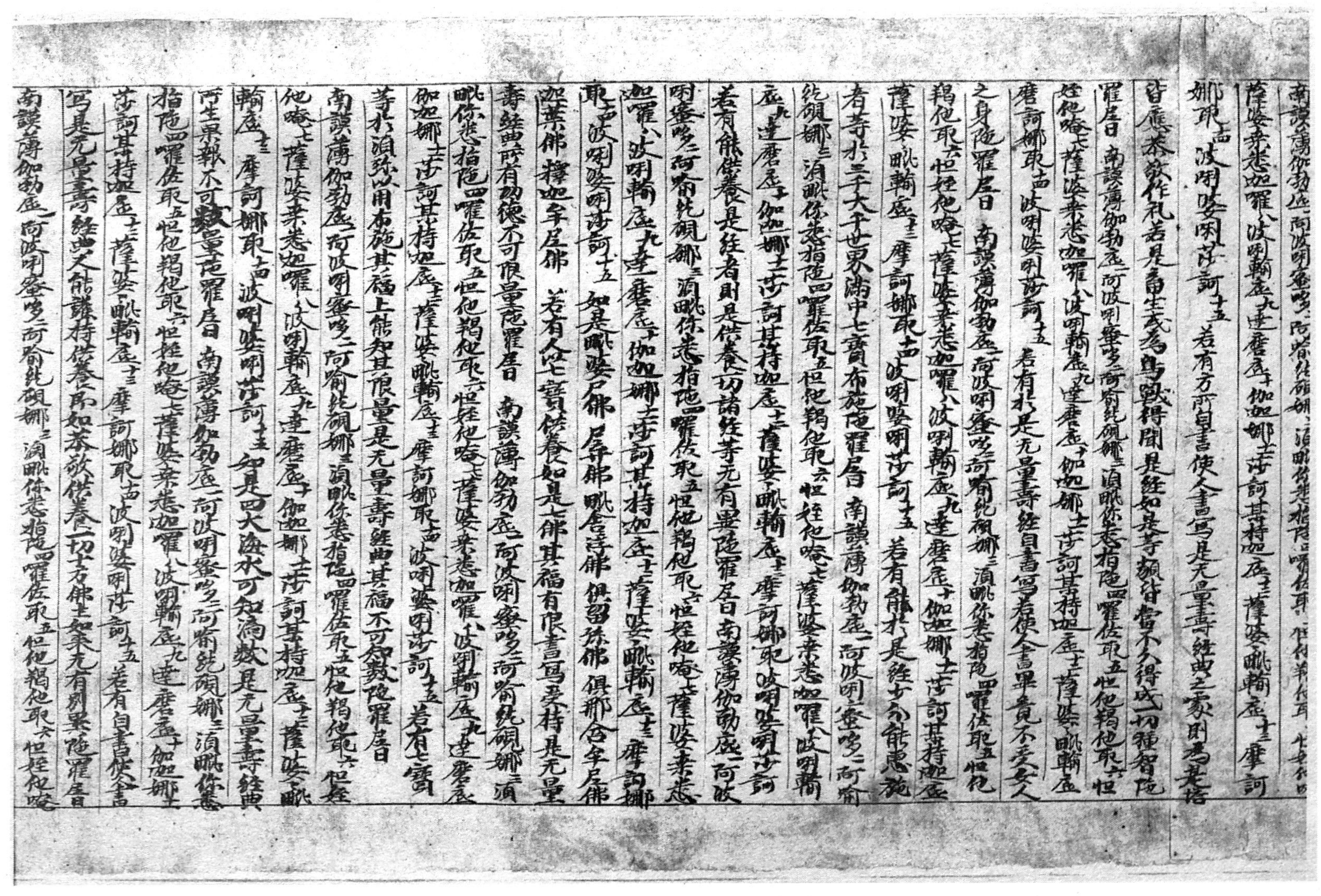

BD01005號　無量壽宗要經　　（3–2）

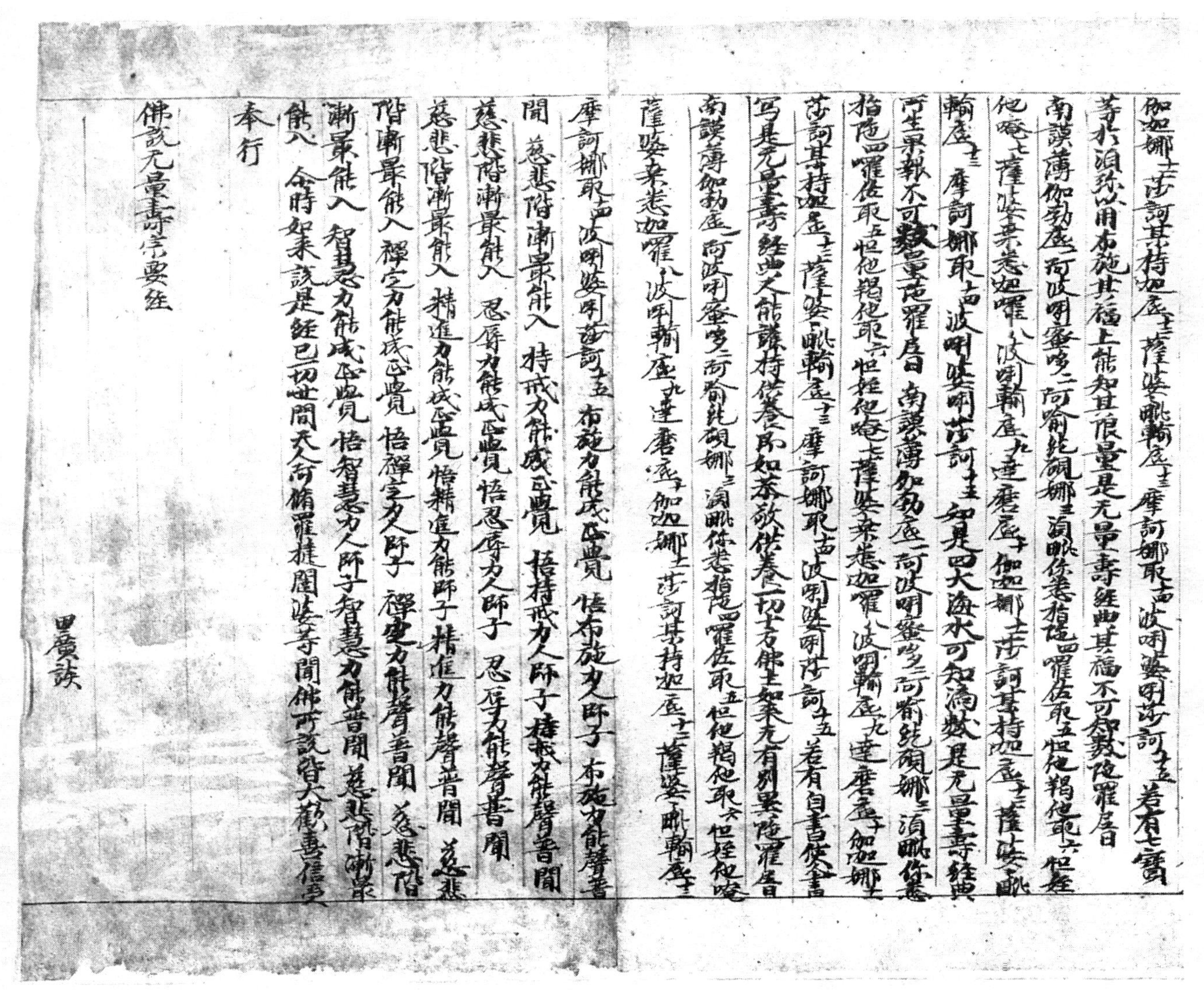

伽伽那十一莎訶其持加底十二薩婆毗輸底十三摩訶娜耶十四波唎婆唎莎訶十五若有自書
壽不須然以用布施其福上能知其限量是无量壽經典其福不可知數陀羅尼曰
南謨薄伽勃底一阿波唎蜜哆二阿喻紇硯娜三須毗你悉指陀四囉佐耶五怛他羯他耶六怛姪
他唵七薩婆桑悉迦囉八波唎輸底九達磨底十伽伽那十一莎訶其持加底十二薩婆毗
輸底十三摩訶娜耶十四波唎婆唎莎訶十五若是四大海水可知滴數是无量壽經典
不生果報不可數量陀羅尼曰 南謨薄伽勃底一阿波唎蜜哆二阿喻紇硯娜三須毗你悉
指陀四囉佐耶五怛他羯他耶六怛姪他唵七薩婆桑悉迦囉八波唎輸底九達磨底十伽伽娜十一
莎訶其持迦底十二薩婆毗輸底十三摩訶娜耶十四波唎婆唎莎訶十五若有自書後令書
寫是无量壽經典受持讀誦供養禮拜如來敬供養一切十方佛土如來无有別異陀羅尼曰
南謨薄伽勃底一阿波唎蜜哆二阿喻紇硯娜三須毗你悉指陀四囉佐耶五怛他羯他耶六怛姪他唵
薩婆桑悉迦囉八波唎輸底九達磨底十伽伽娜十一莎訶其持加底十二薩婆毗輸底十三
摩訶娜耶十四波唎婆唎莎訶十五 布施力能成正覺 悟布施力人師子 布施力能聲普
聞 慈悲階漸眾能入 持戒力能成正覺 悟持戒力人師子 持戒力能聲普聞
慈悲階漸眾能入 忍辱力能成正覺 悟忍辱力人師子 忍辱力能聲普聞 慈悲
慈悲階漸眾能入 精進力能成正覺 悟精進力人師子 精進力能聲普聞 慈悲階
階漸眾能入 禪定力能成正覺 悟禪定力人師子 禪定力能聲普聞 慈悲階漸眾
能入 智慧力能成正覺 悟智慧力人師子 智慧力能聲普聞 慈悲階漸眾
能入 介時如來說是經已一切世間天人阿脩羅揵闥婆等聞佛所說皆大歡喜信受
奉行
佛說无量壽宗要經
田廣談

BD01005 號　無量壽宗要經　　（3–3）

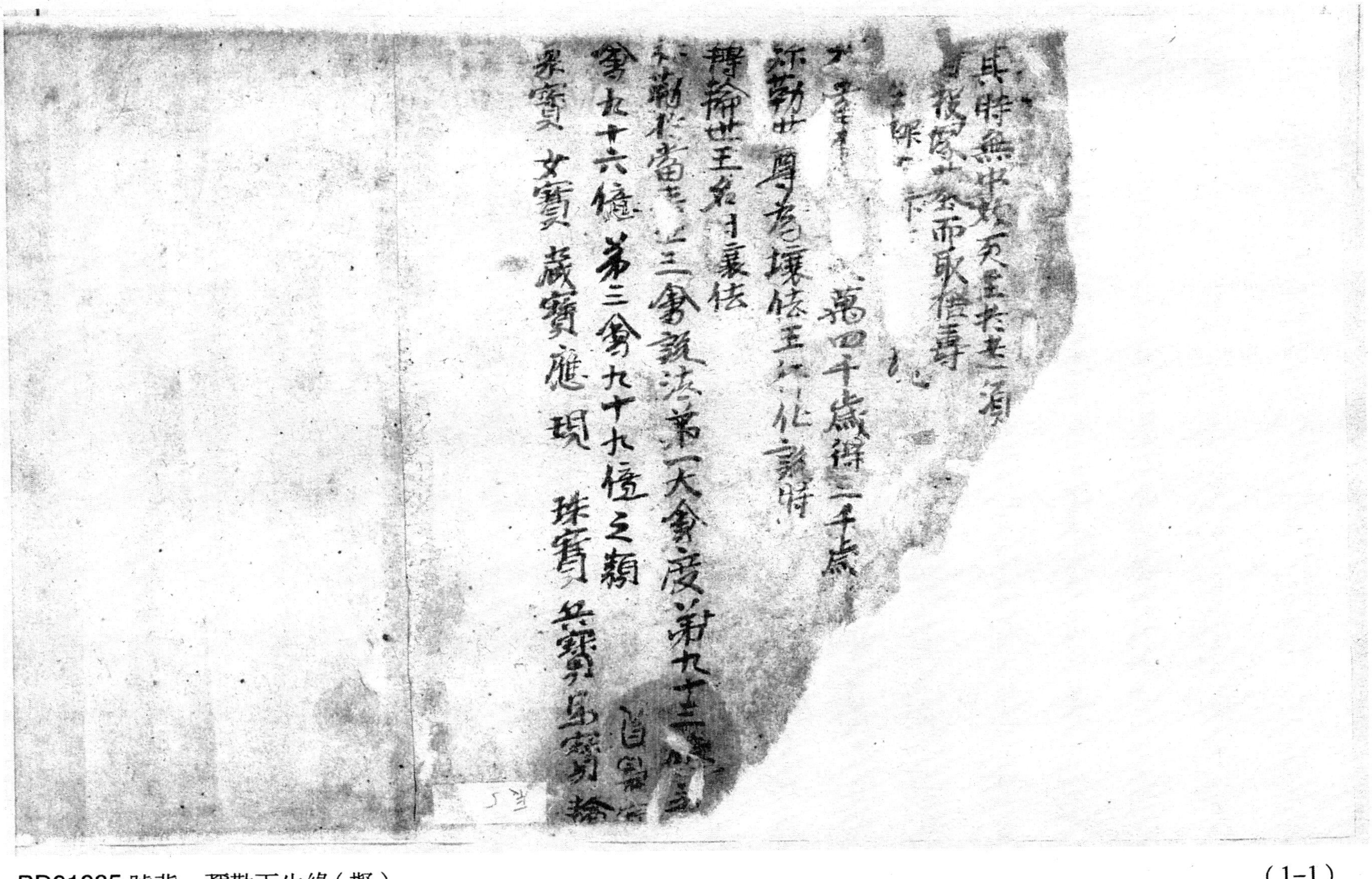

其時無中夭[illegible]王夫[illegible]須
[illegible]後家[illegible]而取[illegible]壽
[illegible]
[illegible]萬四千歲得二千歲
亦勒世尊[illegible]王化說時
摶輪世王名日穰佉
[illegible]勒於當來三會說法第一大會度第九十三億
會九十六億第三會九十九億之類
象寶 女寶 藏寶應現 珠寶 兵寶 主藏臣 捨

BD01005 號背　彌勒下生緣（擬）　　（1–1）

[illegible]可得法
[illegible]不可得法性[illegible][illegible]可得[illegible][illegible]空无始空故
世尊菩薩摩訶薩行般若波羅蜜行禪波羅
蜜毗梨耶波羅蜜羼提波羅蜜尸波羅蜜檀
波羅蜜時行四禪四无量心四无色定卅七
助道法十八空行空无相无作三昧八解脫
九次第定佛十力四无所畏四无导智十八
不共法卅二相八十隨形好云何住報得五
神通為衆生說法衆生實不可得衆生不可
得故色不可得乃至識亦不可得五陰不可
得故六波羅蜜乃至八十隨形好皆不可得
是不可得中无衆生无色乃至无八十隨形
好世尊云何菩薩摩訶薩行般若波羅蜜為
衆生說法世尊菩薩行般若波羅蜜時菩薩
尚不可得何況當有菩薩法佛告須菩提如
是如是如汝所言衆生不可得故當知是內
空外空內外空空空大空第一義空有為空
无為空畢竟空无始空散空諸法空自相空

BD01006號　摩訶般若波羅蜜經（異卷）卷二七　（25–1）

尚不可得何況當有菩薩法佛告須菩提如
是如是如汝所言衆生不可得故當知是內
空外空內外空空空大空第一義空有為空
无為空畢竟空无始空散空諸法空自相空
性空不可得空无法空有法空无法有法空
當知十二入十八界空十二因緣空四諦空
我空壽者命者生者養者育者衆數者人者
作者使者作起者使起者受者使受者知者
見者皆空當知四禪空四无色定空四无量
心空當知四念處空乃至八聖道分空空无
相空无作空八解脫空九次第定空當知佛
十力空四无所畏空四无导知智空十八不
共法空當知須陀洹果空斯陀含果空阿那
含果空阿羅漢果空辟支佛道空當知菩薩
空地當知阿耨多羅三藐三菩提空須菩提
菩薩摩訶薩如是見一切法空為衆生說法
不失諸空相是菩薩如是觀時知々一々切
々法々无々导々已不壞諸法不二不分別
但為衆生如實說法辟如佛所化々人々復
化作无量千万億人有教令布施有教持戒
有教忍辱有教精進有教禪定有教智慧
有教四禪四无量心四无色定者於汝意云
何佛所化人破壞諸法不須菩提言不也世
尊是化人无々心々數法云何分別破壞諸

BD01006號　摩訶般若波羅蜜經（異卷）卷二七　（25–2）

有教忍辱有教精進有教禪定有教智慧
有教四禪四无量心四无色定者於汝意云
何佛所化人破壞諸法不須菩提言不也世
尊是化人无心心數法云何分別破壞諸
法以是故須菩提當知菩薩摩訶薩行般若
波羅蜜為衆生如應說法拔衆生於顛倒令
衆生各得如所應住地以不縛不脫法故何
以故須菩提色不縛不脫受想行識不縛不
脫色无縛无脫不是色受想行識无縛无脫
不是識何以故色畢竟清淨故受想行識乃
至一切法若有為若无為亦畢竟清淨故如
是須菩提菩薩摩訶薩為衆生說法亦不得
衆生及々一々切法不可得故菩薩以不住
法故住諸法相中所謂色空乃至有為无為
法空何以故色乃至有為无為法自性不可
得故无有住處无所有法不住无所有法自
性法不住自性法他性法不住他性法何以
故是一切法皆不可得故不可得法當住何
處如是須菩提若菩薩摩訶薩行般若波羅
蜜以是諸空能知如是說如是行般若波羅
蜜於諸佛及聲聞辟支佛无有過何以故諸
佛及菩薩辟支佛阿羅漢得是法已為衆生
說法亦不轉諸法相何以故如法性如實際

BD01006號　摩訶般若波羅蜜經（異卷）卷二七　（25–3）

蜜以是諸空能知如是說如是行般若波羅
蜜於諸佛及聲聞辟支佛无有過何以故諸
佛及菩薩辟支佛阿羅漢得是法已為衆生
說法亦不轉諸法相何以故如法性如實際
不可轉故所以者何諸法性无故須菩提白
佛言世尊若法性如實際不轉色与法性異
不色与如實際異不受想行識乃至有為无
為法世間出世間有漏无漏異不佛言不也
色不異法性不異如不異實際受想行識乃
至有漏无漏亦不異須菩提白佛言世尊若
色不異法性不異者云何分別異法有異報
所謂地獄餓鬼畜生白法有白報所謂諸天
及人黑白法有黑白報不黑不白法有不黑
不白報所謂須陀洹斯陀含阿那含阿羅漢
果辟支佛道阿耨多羅三藐三菩提佛告須
菩提世諦故分別說有果報非第々一々義
々中不可說々因緣果報何以故是第一義
實无有相无有分別亦无言說所謂色乃至
有漏无漏法不生不滅相不垢不淨畢竟空
无始空故須菩提白佛言世尊若以世諦故
分別說有果報非第一義者一切凡夫人應
有須陀洹果斯陀含阿那含阿羅漢果辟支
佛道阿耨多羅三藐三菩提佛告須菩提於
汝意云何凡夫人為知是世諦法是第一義

BD01006號　摩訶般若波羅蜜經（異卷）卷二七　（25–4）

有須陁洹果斯陁含阿那含阿羅漢果辟支
佛道阿耨多羅三藐三菩提佛告須菩提於
汝意云何凡夫人為知是世諦法是第一義
不若知是凡夫人應是須陁洹乃至阿耨
多羅三藐三菩提須菩提以凡夫人實不知
世諦不知第一義諦不知道不分別道果云
何當有諸法須菩提聖人如世諦如第一義
諦有道有脩道以是故聖人差別有諸果須
菩提白佛言世尊脩道得果不佛言不也須
菩提脩道不得果不脩道亦不得果亦不離
道得果亦不住道中得果如是須菩提菩薩
摩訶薩行般若波羅蜜時為衆生故分別異
亦不分別是有為性世尊若不分別有為性
无為性得諸果者云何世尊自說三結盡名
須陁洹淫怒癡薄故名斯陁含果五此閒結
盡名阿那含五彼閒結盡名阿羅漢所有集
法皆滅散相名辟支佛道一切煩惱習斷故
名阿耨多羅三藐三菩提世尊我當云何知
不分別有為性无為性得諸果佛告須菩提
汝以須陁洹果斯陁含阿那含果阿羅漢果
辟支佛道阿耨多羅三藐三菩提是諸果是
有為是无為須菩提言世尊皆是无為須菩
提无為沖法中有分別不〻也世尊若善男

BD01006號　摩訶般若波羅蜜經（異卷）卷二七　（25–5）

辟支佛道阿耨多羅三藐三菩提是諸果是
有為是无為須菩提言世尊皆是无為須菩
提无為沖法中有分別不〻也世尊若善男
子善女人達一切法若有為若无為相所
謂无相是時有分別若有為若无為不〻也
世尊如是須菩提菩薩摩訶薩為衆生說
法不分別諸法所謂內空故乃至无法有
法空故是菩薩自得无所著法亦教人令得
无所著法若檀波羅蜜尸波羅蜜羼提波羅
蜜毗梨耶波羅蜜禪波羅蜜般若波羅蜜初
禪乃至第四禪慈悲喜捨无邊空處乃至非
有想非无想處若四念處乃至一切種智是
菩薩自不著故亦教他人令得无〻所〻著
〻故无所尋辟如佛所化人布施亦不受布
施報但為度衆生故乃至行一切種智不受
一切種智報菩薩摩訶薩亦如是行六波羅
蜜乃至一切法有漏无漏有為无為不住亦
不受報但為度衆生故何以故是菩薩摩訶
薩善達一切諸法相故
般若波羅蜜品第七十九
須菩提白佛言世尊云何菩薩善達諸法相
佛告須菩提辟如化人不行婬怒癡不行色
乃至識不行內外法不行諸煩惱結使不行

BD01006號　摩訶般若波羅蜜經（異卷）卷二七　（25–6）

般若波羅蜜品第七十九

須菩提白佛言世尊云何菩薩善達諸法相
佛告須菩提辟如化人不行婬怒癡不行色
乃至識不行內外法不行諸煩惱結使不行
有漏法无漏法世間法出世間法有為法无
為法亦无聖果菩薩亦如是无有是事不分
別是法是名達諸法相須菩提言世尊化人
云化何有脩道佛言化人脩道不垢不淨亦
不在五道生死須菩提於汝意云何佛所化
人有根本實事有垢有淨不須菩提言不也
佛所化无人无有根本實事亦无垢无淨亦
不在五道生死如是須菩提菩薩摩訶薩善
達諸法相亦如是須菩提言世尊一切色如
化不受想行識如化不佛言一切色如化一
切受想行識如化世尊若一切色如化一切
受想行識如化一切法化〻人无色无受想
行識无垢无淨无五道生死亦无解脫處菩
薩有何等功夫佛告須菩提於汝意云何菩
薩摩訶薩本行菩薩道時頗有見有眾生從
地獄餓鬼畜生人天中得解不須菩提言不
也世尊佛言如〻是〻須菩提菩薩摩訶薩
不見眾生從三界得解脫何以故菩薩摩訶
薩見知一切法如幻如化世尊若菩薩摩訶
薩見知諸法如幻如化為何事故行六波羅
蜜四禪四无量心四无色定卅七品道法乃

也世尊佛言如〻是〻須菩提菩薩摩訶薩
不見眾生從三界得解脫何以故菩薩摩訶
薩見知一切法如幻如化世尊若菩薩摩訶
薩見知諸法如幻如化為何事故行六波羅
蜜四禪四无量心四无色定卅七品道法乃
至行大慈大悲淨佛國土成就眾生佛告須
菩提若眾生自知諸法如幻如化菩薩摩訶
薩終不於阿僧祇劫為眾生行菩薩道須菩
提以眾生自不知諸法如幻如化以是故菩
薩摩訶薩於无量阿僧祇劫行六波羅蜜成
就眾生淨佛國土得阿耨多羅三藐三菩提
須菩提白佛言世尊若一切法如響如夢如
影如炎如幻如化眾生在何處住菩薩行六
波羅蜜而拔出之須菩提眾生但住名相虛
妄憶想分別中是故菩薩行般若波羅蜜於
名相虛妄中拔眾生須菩提白佛言世尊何
等是名何等是相佛言此名強作〻假施設
所謂此色此受想行識此男此女此大此小
此地獄此畜生此餓鬼此人此天此有為此
无為此是須陀洹果斯陀含果阿那含果阿
羅漢果辟支佛道佛道須菩提一切和合法
皆是假名以名示諸法是故假名一切有為
法但有名相凡夫愚人於中生著菩薩摩訶
薩行般若波羅蜜以方便力故於名字中教
令遠離作是言者眾生是名旦有空名[illegible]

羅漢果辟支佛道佛道須菩提一切和合法
皆是假名以名字諸法是故假名一切有為
法但有名相凡夫愚人於中生著菩薩摩訶
薩行般若波羅蜜以方便力故於名字中教
令遠離作是言諸衆生是名但有空名虚妄
憶想分別中生汝等莫著虚妄憶想此事本
末皆无自性空故智者所不著如是須菩提
菩薩摩訶薩行般若波羅蜜以方便力故為
衆生說法須菩提是名為相須菩提
有二種相凡夫人所著處何等為二一者色
相二者无色相須菩提何等名色相諸所有
色若麁若細若好若醜皆是空法中憶想分
別著心是名為色相何等是无色相諸无色
法憶想分別著心取相故生煩惱是名无色
相是菩薩摩訶薩行般若波羅蜜以方便力
故教衆生遠離是相著无相法中令不墮二
法所謂是相是无相如是須菩提菩薩摩訶
薩行般若波羅蜜教衆生遠離相令住无相
性中須菩提白佛言世尊若一切法但有
名相云何菩薩行般若波羅蜜能自饒益亦
教他人令得善利云何菩薩具足諸地從一
地至一地教化衆生令得三乘佛告須菩提
若諸法根本定有非但名相者菩薩摩訶薩
行般若波羅蜜時不能自益亦不能利益他
人須菩提諸法无有根本實事但有名相是

BD01006號　摩訶般若波羅蜜經（異卷）卷二七　（25–9）

若諸法根本定有非但名相者菩薩摩訶薩
行般若波羅蜜時不能自益亦不能利益他
人須菩提諸法无有根本實事但有名相是
故菩薩行般若波羅蜜時能具足禪波羅蜜
无相故毗梨耶波羅蜜羼提波羅蜜尸波羅
蜜檀波羅蜜无相故具足四禪波羅蜜四无
量心波羅蜜四无色定波羅蜜无相故具足
四念處波羅蜜无相故乃至具足八聖分波
羅蜜无相故具足內空波羅蜜无相故乃至
具足无法有法空波羅蜜无相故具足解脫
波羅蜜九次第定波羅蜜无相故具足佛十
力波羅蜜乃至具足十八不共法波羅蜜是
菩薩无相故自具足是諸善法亦教他人令
具足善法无相故須菩提若諸法相當實如
有素塑許者菩薩摩訶薩行般若波羅蜜時
不能知諸法无相无憶念得阿耨多羅三藐
三菩提亦教衆生令得无漏法何以故一切
无漏法无相无憶念故如是須菩提菩薩摩
訶薩行般若波羅以无漏法故利益衆生須
菩提白佛言世尊若一切法无相无憶念云
何教是聲聞法辟支佛法是菩薩法是佛法
佛告須菩提於汝意云何无相法与聲法聞
異不不也世尊无相法与辟支佛法菩薩法
佛法異不不也世尊佛告須菩提无相法即

BD01006號　摩訶般若波羅蜜經（異卷）卷二七　（25–10）

何數是聲聞法辟支佛法是菩薩法是佛法
佛告須菩提於汝意云何无相法与聲法聞
異不〻也世尊无相法与辟支佛法菩薩法
佛法異不〻也世尊佛告須菩提无相法即
是須陁洹果斯陁含果阿那含果阿羅漢果
辟支佛法佛法菩薩法佛法須菩提言如是世
尊須菩提以是因緣當知一切法皆是无相
須菩提菩薩摩訶薩學是一切法无相得增
益善法所謂六波羅蜜四禪四无量心四无
色定四念處乃至八十不共法何以故菩薩
不以餘法為要如三解脫門所謂空无相无
作所以者何一切善法皆入三解脫門何以
故一切法自相空是名空解脫門一切法无
相是名无相解脫門一切法无作无起相是
名无作解脫門若菩薩摩訶薩學三解脫門
是時能學五陰相能學十二入相能學十八
界相能學四聖帝十二因緣法能學內空外
空乃至无法分別能學佛十力四无所畏四
无导智十八不共法須菩提白佛言世尊云
何菩薩摩訶薩行般若波羅蜜能學五陰相
佛告須菩提菩薩摩訶薩行般若波羅蜜知
色相知色生滅知色如云何知色相知色畢
竟空內外異虛无實辟如水沫无堅固是為
知色相云何知色生滅色生時无所從來去
无所至若不來不去是為知色生滅相云何

BD01006號　摩訶般若波羅蜜經（異卷）卷二七　　（25–11）

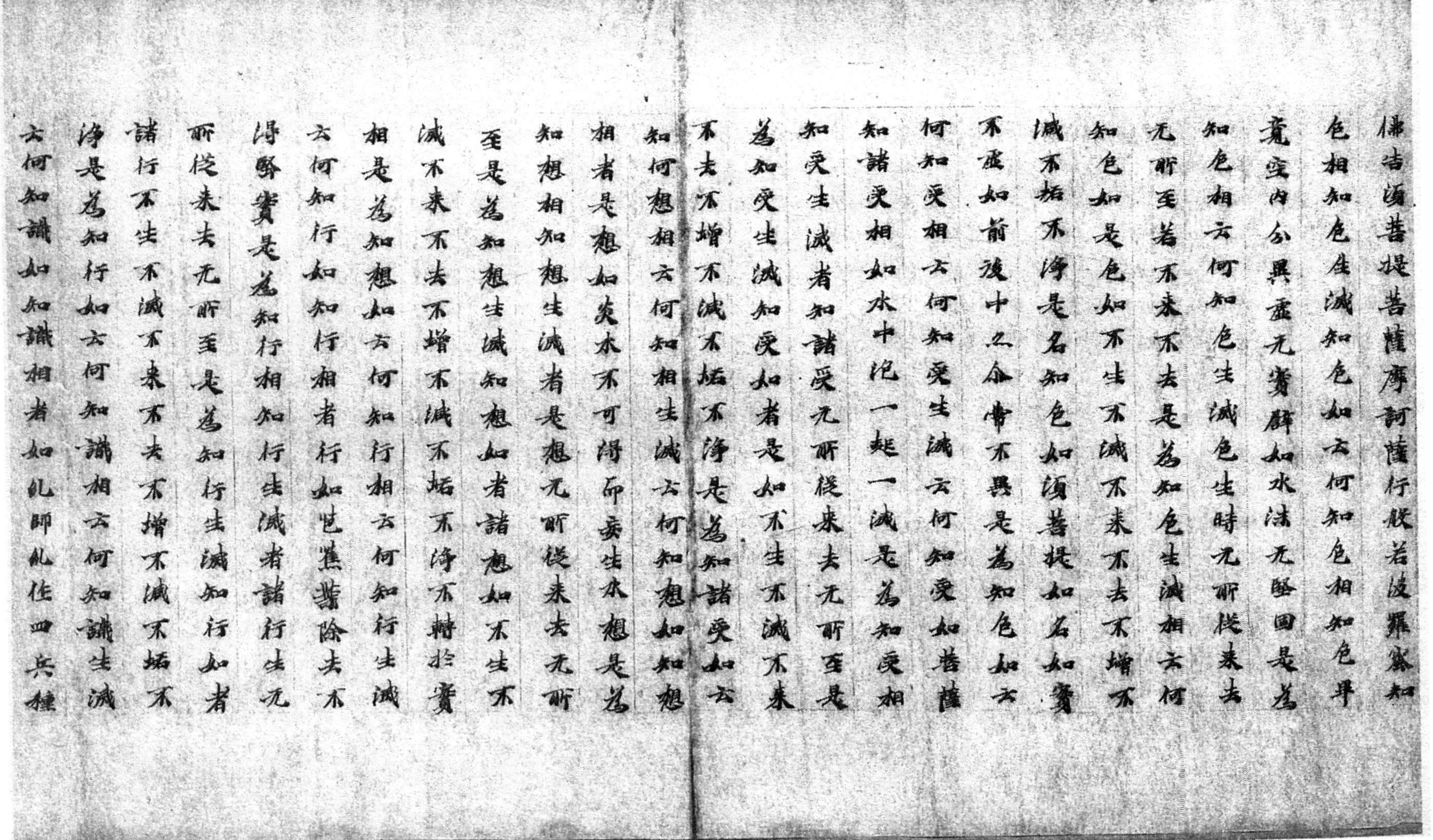
佛告須菩提菩薩摩訶薩行般若波羅蜜知
色相知色生滅知色如云何知色相知色畢
竟空內外異虛无實辟如水沫无堅固是為
知色相云何知色生滅色生時无所從來去
无所至若不來不去是為知色生滅相云何
知色如是色如不生不滅不來不去不增不
滅不垢不淨是名知色如須菩提如名如實
不虛如前後中之命常不異是為知色如云
何知受相云何知受生滅云何知受如菩薩
知諸受相如水中泡一起一滅是為知受相
知受生滅者知諸受无所從來去无所至是
為知受生滅知受如者是如不生不滅不來
不去不增不滅不垢不淨是為知諸受如云
何知想相云何知想生滅云何知想如知想
相者是想如炎水不可得而妄生水想是為
知想相知想生滅者是想无所從來去无所
至是為知想生滅知想如者諸想如不生不
滅不來不去不增不滅不垢不淨不轉於實
相是為知想如云何知行相云何知行生滅
云何知行如知行相者行如芭蕉葉除去不
得堅實是為知行相知行生滅者諸行生无
所從來去无所至是為知行生滅知行如者
諸行不生不滅不來不去不增不滅不垢不
淨是為知行如云何知識相云何知識生滅
云何知識如知識相者如幻師幻作四兵種

BD01006號　摩訶般若波羅蜜經（異卷）卷二七　　（25–12）

所從來去无所至是為知行生滅知行如者
諸行不生不滅不來不去不增不減不垢不
淨是為知行如云何知識相云何知識生滅
云何知識如知識相者如幻即幻作四兵種
无有實識久如是知識生滅者是識生時无
所從來去時无所去是為知識生滅知識如
者知識不生不滅不來不去不垢不淨不增
不減是為知識如云何知諸入眼々性乃至
意々性空色々性空乃至法々性空云何知
界眼々界空色々界空眼々識々界空乃至
意識界亦如是云何知四聖諦知苦聖諦時
遠離二法知苦諦不二不別是名苦聖諦集
滅道亦如是云何知苦如苦聖諦即是如々
即是苦聖諦集盡道亦如是云何知十二因
緣知十二因緣不生相是名知十二因緣
須菩提白佛言世尊若菩薩摩訶薩行般若波
羅蜜時各々分別知識法將无以色性壞法
性乃至一切種智性壞法性耶佛告須菩提
若法性外更有法者應壞法々性々外法不
可得是故不壞何以故須菩提佛及佛弟子
知法性外法不可得不得不說法性外有法
如是須菩提菩薩摩訶薩行般羅蜜應學法
性須菩提白佛言世尊菩薩摩訶薩若學法
性為无所學佛告須菩提菩薩摩訶薩學法

BD01006號　摩訶般若波羅蜜經（異卷）卷二七　（25–13）

知法性外法不可得不得不說法性外有法
如是須菩提菩薩摩訶薩行般羅蜜應學法
性須菩提白佛言世尊菩薩摩訶薩若學法
性為无所學佛告須菩提菩薩摩訶薩學法
性則學一切法何以故一切法即是法性須
菩提白佛言世尊何因緣故一切法即是法
性佛言一切法皆入无相无為性中以是因
緣故學法性則學一切須菩提白佛言世尊
若一切法即是法性菩薩摩訶薩何以學般
若波羅蜜禪波羅蜜毗梨耶波羅蜜羼提波
羅蜜尸波羅蜜檀波羅蜜菩薩摩訶薩何以
學初禪第二第三第四禪菩薩摩訶薩何以
學慈悲喜捨何以學无邊虛空處无邊識處
无所有處非有想非无想處何以學四念處
四正懃四如意足五根五力七覺分八聖道
分何以學空无相无作解脫門何以學八解
脫九次第定佛十力四无所畏四无导智十
八不共法何以學六神通何以學卅二相八
十隨形好何以學生刹利大姓婆羅門大姓
居士大家何以學生四天王天處卅三天夜
摩天兜率陁天化樂天他化自在天何以學
生梵天王住處光音天遍淨天廣果天无相
定淨居天何以學生无邊虛空處无邊識處
生无所有處生非有想非无想處何以學初
禪地第二第三第四第五第六第、第九

BD01006號　摩訶般若波羅蜜經（異卷）卷二七　（25–14）

摩天兜率陁天化樂天他化自在天何以學
生梵天王住處光音天遍淨天廣果天无相
定淨居天何以學生无邊虛空處无邊識處
生无所有處生非有想非无想處何以學初
發意地第二第三第四第五第六第八第九
第十地何以學聲聞地辟支佛地菩薩法位
何以學成就衆生淨佛國土何以學諸陁羅
尼何以學樂說法何以學阿耨多羅三藐三
菩提學已得一切種智知一切法世尊諸法
々性中无是分別世尊將无菩薩墮非道中
何以故世尊法性中无如是分別法性中无
色无受想行識法性亦不遠離色受受想行
識色即是法々性々即是色受想行識亦如
是一切法亦如是佛告須菩提如々是々如
汝所言色即是法性受想行識即是法性須
菩提菩薩摩訶薩行般若波羅蜜時若法性
外見有法者為不求阿耨多羅三藐三菩提
菩薩摩訶薩行般若波羅蜜時知一切法性
即是阿耨多羅三藐三菩提以是故菩薩摩
訶薩行般若波羅蜜時知一切法即是法性
已以无名相之法以名相說所謂是色是受
想行識乃至是阿耨多羅三藐三菩提須菩
提辟如工幻師若師幻弟子多人處立幻作
種々形色男女象馬端嚴園林及諸廬館流
泉浴池衣服卧具香華瓔珞餚膳飲食伎樂

BD01006號　摩訶般若波羅蜜經（異卷）卷二七　（25–15）

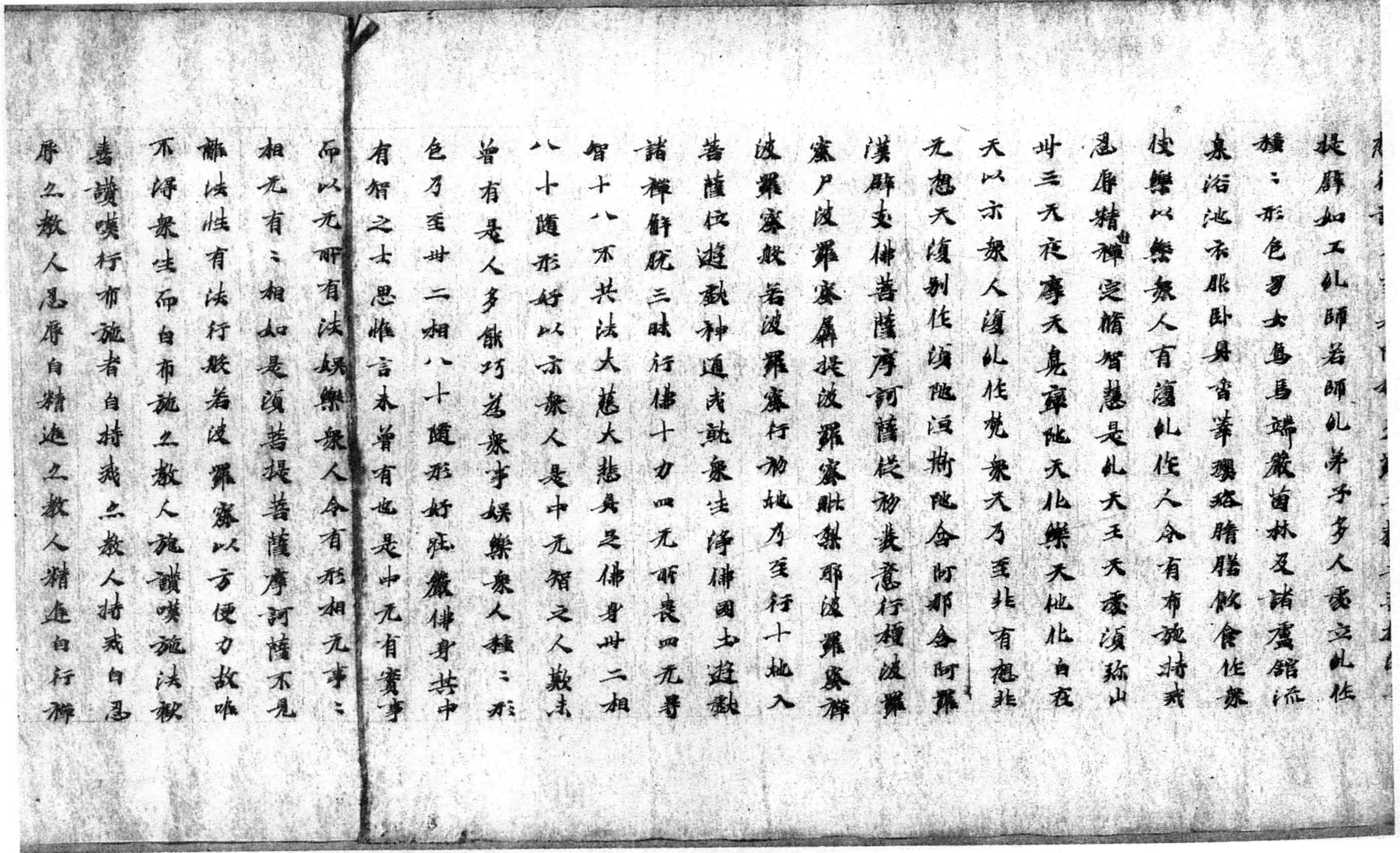
提辟如工幻師若師幻弟子多人處立幻作
種々形色男女象馬端嚴園林及諸廬館流
泉浴池衣服卧具香華瓔珞餚膳飲食伎樂
伎樂以樂衆人有復幻作人令有布施持戒
忍辱精進禪定智慧是幻天王天處須彌山
卅三天夜摩天兜率陁天化樂天他化自在
天以示衆人復幻作梵衆天乃至非有想非
无想天復別作須陁洹斯陁含阿那含阿羅
漢辟支佛菩薩摩訶薩從初發意行檀波羅
蜜尸波羅蜜羼提波羅蜜毗梨耶波羅蜜禪
波羅蜜般若波羅蜜行初地乃至行十地入
菩薩位遊戲神通成就衆生淨佛國土遊戲
諸禪解脫三昧行佛十力四无所畏四无导
智十八不共法大慈大悲具足佛身卅二相
八十隨形好以示衆人是中无智之人歎未
曾有是人多能巧為衆事娛樂衆人種々形
色乃至卅二相八十隨形好莊嚴佛身其中
有智之士思惟言未曾有也是中无有實事
而以无所有法娛樂衆人令有形相无事々
相无有々相如是須菩提菩薩摩訶薩不見
離法性有法行般若波羅蜜以方便力故唯
不淨衆生而自布施亦教人施讚嘆施法歡
喜讚嘆行布施者自持戒亦教人持戒自忍
辱亦教人忍辱自精進亦教人精進自行禪

BD01006號　摩訶般若波羅蜜經（異卷）卷二七　（25–16）

離法性有法行般若波羅蜜以方便力故亦
不淨衆生而自布施亦教人施讃嘆施法歡
喜讃嘆行布施者自持戒亦教人持戒自忍
辱亦教人忍辱自精進亦教人精進自行禪
亦教人行禪自脩智慧亦教人脩智慧讃嘆
脩智慧法歡喜讃嘆脩智慧者自行十善亦
教他人行十善讃嘆行脩十善法歡喜讃嘆
行十善者自行五戒亦教人受五戒讃嘆五
戒法歡喜讃嘆受行五戒者自受八戒齋亦
教他人受八戒齋讃嘆八戒齋法歡喜讃嘆
行八戒齋者自行初禪乃至自行第四禪自
行慈悲喜捨自行无邊空處乃至悲有想非
无想處亦教他人行自行四念處乃至八聖
道分自行三解脫門佛十力乃至自行十八
不共法亦教他人行十八不共法讃嘆十八
不共法歡喜讃嘆行十八不共法者須菩提
若法性如前後中有異者是菩薩摩訶薩不
能以方便力故示法性度脫衆生須菩提以
法性前後中无異是故菩薩行般若波羅蜜
為利益衆生故行菩薩道

般若波羅蜜品第十

須菩提白佛言世尊若衆生畢竟不可得菩
薩為誰故行般若波羅蜜佛告須菩提菩薩
為實際故行般若波羅蜜須菩提實際衆生
際異者菩薩不行般若波羅蜜須菩提實際

BD01006號　摩訶般若波羅蜜經（異卷）卷二七　（25–17）

般若波羅蜜品第十

須菩提白佛言世尊若衆生畢竟不可得菩
薩為誰故行般若波羅蜜佛告須菩提菩薩
為實際故行般若波羅蜜須菩提實際衆生
際異者菩薩不行般若波羅蜜須菩提實際
衆生際不異以是故菩薩摩訶薩為利益衆
生故行般若波羅蜜時以不壞實際法立衆生
於實際中須菩提白佛言世尊若實際即是
衆生際菩薩則為建立實際於實際世尊若
建立實際於實際則為建立自性於自性世
尊不得建立自性於自性世尊云何菩薩摩
訶薩行般若波羅蜜時建立衆生於實際佛
告須菩提善實際不可建立於實際自性不可
建立於自性須菩提今菩薩摩訶薩行般若
波羅蜜時以方便力故建立衆生於實際實
際之不異衆生際實際衆生際无二无別須
菩提白佛言世尊何等是諸菩薩摩訶薩方
便力用是方便力菩薩摩訶薩行般若波羅
蜜時建立衆生於實際之不壞實際相佛告
須菩提若菩薩摩訶薩行般若波羅蜜時以
方便力故建立衆生於布施建立已說布施
前後際相依是言如是布施前際空後際空
中際亦空施者亦空施報亦空受者亦空諸

BD01006號　摩訶般若波羅蜜經（異卷）卷二七　（25–18）

須菩提若菩薩摩訶薩行般若波羅蜜時以
方便力故建立衆生於布施建立已說布施
前後際相作是言如是布施前際空後際空
中際亦空施者亦空施報亦空受者亦空諸
善男子是一切法實際中不可得汝等莫念
布施々異施者異施報異受者異若汝等不
念布施異施者異施報異受者異是時名為
布施能与甘露味得甘露味果汝善男子以
是布施故莫着色莫着受相行識何以故是
布施布施相空施々者々空施報施報空受
者受者空空中施不可得施者不可得報不
可得受者不可得何以故是諸法畢竟自性
空故復次須菩提菩薩摩訶薩行般若波
羅蜜時以方便力故教衆生持戒語衆生言
汝善男子除捨殺生法乃至除捨耶見何以
故善男子如汝所分別法無如是性汝善男
子當諦思惟何等是衆生所歟養命用何等
物養命乃至耶見亦如是須菩提菩薩摩訶
薩如是方便力成就衆生是菩薩摩訶薩即
為衆生說布施持戒果報是布施持戒果報
自性空知布施持戒果報自性空已是中不
々著々故心不散能生智慧以是智慧斷一
切結使煩惱入無餘涅槃是世俗法非第一
實義何以故空中無有滅亦無使滅者諸法
畢竟空即是涅槃復次須菩提菩薩摩訶薩

自性空知布施持戒果報自性空已是中不
々著々故心不散能生智慧以是智慧斷一
切結使煩惱入無餘涅槃是世俗法非第一
實義何以故空中無有滅亦無使滅者諸法
畢竟空即是涅槃復次須菩提菩薩摩訶薩
見衆生瞋恚惱心教言汝善男子來脩忍辱
作忍辱人當集忍辱汝所瞋者自性空汝來
善男子如是思惟我於何所法中瞋誰為瞋
者所瞋者諸誰是法皆空是性空々法無不空
時是空非諸佛作非辟支佛聲聞非菩薩摩
訶薩作非諸天鬼神龍王阿脩羅緊那羅摩
睺羅伽非四天王天乃至非他化自在天非梵
衆天非無邊空處乃至非有想非無想處諸天
所作汝當如是思惟瞋誰々是瞋者何等是
瞋事是一切法性々空々法無有所瞋如是
須菩提菩薩摩訶薩行般若波羅蜜時以曰
緣即是六波羅蜜諸善法也建立衆生於性
空次第漸々亦教利喜令得阿耨多羅三藐
三菩提是世間法非第一實義何以故是性
空中無有得者無有得法無有得處須菩提
是名實際性空菩薩摩訶薩為衆生故行是
法衆生不亦可得何以故一切法離衆生相
復次須菩提菩薩摩訶薩行般若波羅蜜時以
方便力故見衆生懈怠教令身精進心精進
作是言諸善男子諸法性空中無懈怠法無

法衆生不久可得何以故一切法離衆生相
復次須菩提菩薩摩訶行般若波羅蜜時以
方便力故見衆生懈怠教令身精進心精進
作是言諸善男子諸法性空中无懈怠法无
懈怠者无懈怠事是一切法性皆空无過性
空者汝等生身精進心精進為生善法故莫
懈怠善法者若布施若持戒若忍辱若精進
若禪定若智慧若諸禪定解脫三昧若四念
處乃至八聖道分若空解脫門无相无作解
脫門乃至十八不共法莫懈怠諸善男子是
一切法性空中當知无遮處者无遮法中无
懈怠者无懈怠法如是須菩提菩薩摩訶薩
行般若波羅蜜時教衆生令得无二法性空
何以故是性空中无二无別是无二法則无
可礙處須菩提菩薩摩訶薩行性空般
若波羅蜜時教衆生令精進作是言諸善男
子懃精進若布施若持戒若忍辱若精進若
禪定若智慧若禪定解脫三昧若四念處乃
至八聖道分若空解脫門无相无作解脫門
若佛十力四无所畏若四无礙智若十八不
共法若大慈大悲是諸法汝等莫念二相莫
念不二相何以故是法性皆空是性空法不
應用二相念不應用不二相念如是須菩提
菩薩摩訶薩行般若波羅蜜以方便力故成
々就々衆々生々已次苐教令得須陁洹果

BD01006號　摩訶般若波羅蜜經（異卷）卷二七　（25–21）

共法若大慈大悲是諸法汝等莫念二相莫
念不二相何以故是法性皆空是性空法不
應用二相念不應用不二相念如是須菩提
菩薩摩訶薩行般若波羅蜜以方便力故成
々就々衆々生々已次苐教令得須陁洹果
斯陁含果阿那含果阿羅漢果辟支佛道菩
薩位令得阿耨多羅三藐三菩提復次須菩
提菩薩摩訶薩行般若波羅蜜時見衆生亂
心以方便力為利益衆生故作是言諸善男
子當脩禪定汝莫生亂想當生一心何以故
是法性皆空性空中无有法可得若亂若一
心汝等住是三昧所有作業若身若口若意
若布施若持戒若忍辱若懃精進若行禪定
若脩智慧若行四念處乃至若行八聖道分
若諸解脫次苐定若行佛十力四无所畏四
无㝵智十八不共法大慈大悲卅二相八十
隨形好若聲聞道若辟支佛道若菩薩道若
佛道若須陁洹斯陁含果阿那含果阿羅
漢果辟支佛果若一切種智若成就衆生若
淨佛國土汝等皆應當隨所願得行性空故
如是須菩提若菩薩摩訶薩行般若波羅蜜
方便力為利益衆生故從初發意終不懈怠
常求善法利益衆生從一佛國至一佛國供
養諸佛從諸佛聞法捨身受身乃至阿耨多
羅三藐三菩提終不妄失是菩薩常得諸陁

BD01006號　摩訶般若波羅蜜經（異卷）卷二七　（25–22）

如是須菩提若菩薩摩訶薩行般若波羅蜜
方便力為利益衆生故從初發意終不懈怠
常求善法利益衆生從一佛國至一佛國供
養諸佛從諸佛聞法捨身受身乃至阿耨多
羅三藐三菩提終不妄失是菩薩常得諸陁
羅尼諸根具足所謂身根語根意根何以故
是菩薩摩訶薩常脩一切種智脩一切種智故
一切諸道皆脩若聲聞道若辟支佛道若菩
薩神通道行神通道菩薩常利益衆生終不
忘失是菩薩住報得神通利益衆生入生死
五道終不耗減如是須菩提菩薩摩訶薩行
般若波羅蜜住性空以禪定利益衆生復次
須菩提菩薩摩訶薩自行般若波羅蜜住性
空方便力故利益衆生作是言汝等諸善男
子觀一切法性空善男子汝等住諸業若身
業若語業若意業趣甘露味果彼得甘露果
性空中无有法退何以故性空不退亦无退
者以性空非法亦非二法於无所有法中亦
何當有退須菩提菩薩摩訶薩行般若波羅
蜜時如是教衆生常不懈發是菩薩自行十
善亦教他人行十善五戒八戒亦如是自行
初禪亦教他人令行初禪乃至第四禪亦如
是常自行慈心亦教人令行慈心乃至捨心
亦如是行无邊空處亦教他人令行无邊空
處乃至非有想非无想處亦如是自行四念

BD01006號　摩訶般若波羅蜜經（異卷）卷二七　（25–23）

性空中无有法退何以故性空不退亦无退
者以性空非法亦非二法於无所有法中亦
何當有退須菩提菩薩摩訶薩行般若波羅
蜜時如是教衆生常不懈發是菩薩自行十
善亦教他人行十善五戒八戒亦如是自行
初禪亦教他人令行初禪乃至第四禪亦如
是常自行慈心亦教人令行慈心乃至捨心
亦如是行无邊空處亦教他人令行无邊空
處乃至非有想非无想處亦如是自行四念
處亦教他人令行四念處乃至八聖道分佛
十力乃至八十隨形好亦如是自須陁洹果
中生智慧亦不住是中亦教他人令得須陁
洹果乃至阿羅漢果亦如是自辟支佛道中
生智慧亦不住是中亦教他人令得辟支佛
道自生阿耨多羅三藐三菩提道亦教他人
阿耨多羅三藐三菩提道如是須菩提菩薩
摩訶薩行菩薩道時方便力故終不懈發也

大品經卷第廿七

BD01006號　摩訶般若波羅蜜經（異卷）卷二七　（25–24）

十力乃至八十隨形好亦如是自須陁洹果
中生智慧亦不住是中亦教他人令得須陁
洹果乃至阿羅漢果之如是自辟支佛道中
生智慧亦不住是中亦教他人令得辟支佛
道自生阿耨多羅三藐三菩提道亦教他人
阿耨多羅三藐三菩提道如是須菩提菩薩
摩訶薩行菩薩道時方便力故終不懈廢也

大品經卷第廿七

BD01006 號　摩訶般若波羅蜜經（異卷）卷二七　　（25–25）

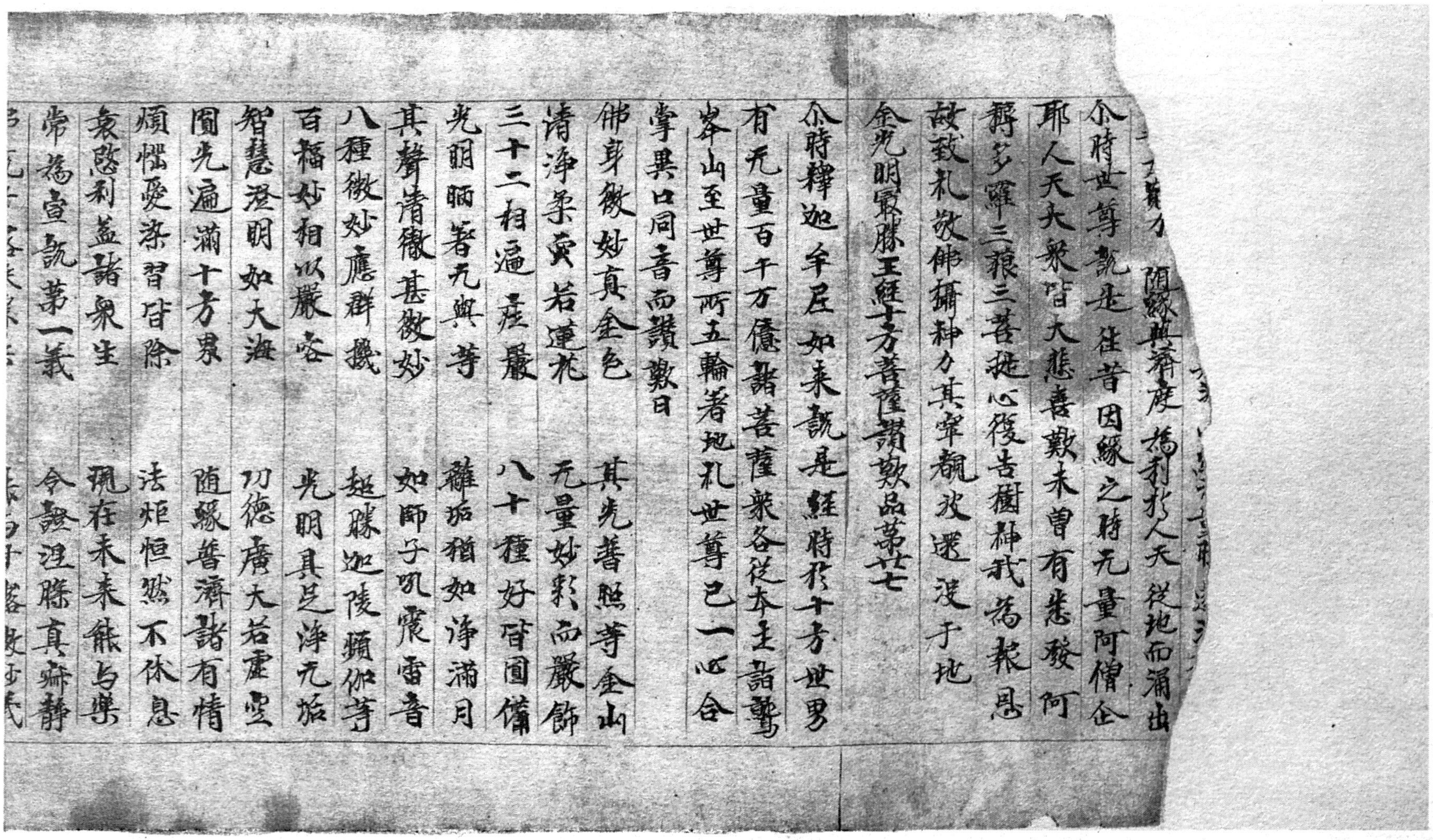

[illegible]　隨緣與濟度　為利於人天　從地而涌出
尒時世尊說是往昔因緣之時无量阿僧企
耶人天大衆皆大悲喜歎未曾有悉發阿
耨多羅三藐三菩提心復告樹神我為報恩
故致礼敬佛攝神力其窣覩波還沒于地

金光明最勝王經十方菩薩讚歎品第廿七

尒時釋迦牟尼如來說是經時於十方世界
有无量百千万億諸菩薩衆各從本土詣鷲
峯山至世尊所五輪著地礼世尊已一心合
掌異口同音而讚歎曰

佛身微妙真金色　其光普照等金山
清淨柔軟若蓮花　无量妙彩而嚴飾
三十二相遍莊嚴　八十種好皆圓備
光明晒著无與等　離垢猶如淨滿月
其聲清徹甚微妙　如師子吼震雷音
八種微妙應群機　超勝迦陵頻伽等
百福妙相以嚴容　光明具足淨无垢
智慧澄明如大海　功德廣大若虛空
圓光遍滿十方界　隨緣普濟諸有情
煩惱愛染習皆除　法炬恒然不休息
哀愍利益諸衆生　現在未來能与樂
常為宣說第一義　令證涅槃真寂靜

BD01007 號　金光明最勝王經卷一〇　　（8–1）

百福妙相以嚴容　光明具足淨无垢
智慧澄明如大海　功德廣大若虛空
圓光遍滿十方界　隨緣普濟諸有情
煩惱憂染習皆除　法炬恒然不休息
哀愍利益諸衆生　現在未來能与樂
常為宣說第一義　令證涅槃真寂靜
佛說甘露殊勝法　能与甘露微妙義
引入甘露涅槃城　令受甘露无為樂
常於生死大海中　解脫一切衆生苦
令彼能住安隱路　恒与難思如意樂
如來德海甚深廣　非諸譬喻所能知
於衆常起大悲心　方便精勤恒不息
如來智海无邊際　一切人天共測量
假使千万億劫中　不能得知其少分
我今略讚佛功德　於德海中唯一渧
迴斯福聚施群生　皆願速證菩提果
尒時世尊告諸菩薩言　善哉善哉汝等善
能如是讚佛功德利益有情廣興佛事能滅
諸罪生无量福
金光明最勝王經妙幢菩薩讚品第廿八
尒時妙幢菩薩即從座起偏袒右肩右膝著
地合掌向佛而說讚曰
牟尼百福相圓滿　无量功德以嚴身
廣大清淨人樂觀　猶如千日光明照
燄衆无邊光熾盛　如妙寶聚相端嚴
如日初出映虛空　紅白分明閒金色
亦如金山光普照　悉能周遍百千生
能滅衆生无量苦　皆与无邊勝妙樂

BD01007號　金光明最勝王經卷一〇　（8–2）

地合掌向佛而說讚曰
牟尼百福相圓滿　无量功德以嚴身
廣大清淨人樂觀　猶如千日光明照
燄衆无邊光熾盛　如妙寶聚相端嚴
如日初出映虛空　紅白分明閒金色
亦如金山光普照　悉能周遍百千生
能滅衆生无量苦　皆与无邊勝妙樂
諸相具足悉嚴淨　衆生樂觀无猒足
頭髮柔爽紺青色　猶如黑蜂集妙花
大喜大捨淨莊嚴　大慈大悲皆具足
衆妙相好為嚴飾　菩提分法之所成
如來能施衆福利　令彼常家大安樂
種種妙德共莊嚴　光明普照千万土
如來光相極圓滿　猶如赫日遍空中
佛如須彌功德具　示現能周於十方
如來金口妙端嚴　齒白齊密如珂雪
如來面貌无倫匹　眉間毫相常右旋
光潤鮮白等頗梨　猶如滿月居空界
佛告妙幢菩薩汝能如是讚佛功德不可思
議利益一切令未知者隨順修學
金光明最勝王經菩提樹神讚歎品第廿九
尒時菩提樹神亦以伽他讚世尊曰
敬礼如來清淨慧　敬礼常求正法慧
敬礼能離非法慧　敬礼恒无分別慧
希有世尊无邊行　希有難見比優曇
希有如海鎮山王　希有善逝光无量
希有調御弘慈願　希有釋種明逾日
能說如是經中寶　哀愍利益諸群生

BD01007號　金光明最勝王經卷一〇　（8–3）

希有如海鎮山王　希有善逝光无量
希有調御弘慈願　希有釋種明逾日
能說如是經中寶　哀愍利益諸群生
牟尼寂靜諸根定　能入寂靜涅槃城
能住寂靜等持門　能知寂靜深境界
兩足之中尊住空寂　聲聞弟子身亦空
一切法體性皆无　一切衆生悉空寂
我常憶念於諸佛　我常樂見諸世尊
我常發起慇重心　常得值遇如來日
我常頂礼於世尊　願常渴仰心不捨
悲泣流淚情无間　常得奉事不知猒
唯願世尊起悲心　和顏常得令我見
佛及聲聞衆清淨　願常普濟於人天
佛身本淨若虛空　亦如幻焰及水月
願說涅槃甘露法　能生一切功德聚
世尊所有淨境界　慈悲正行不思議
聲聞獨覺非所量　大仙菩薩不能測
唯願如來哀愍我　常令親見大悲身
三業无倦奉慈尊　速出生死歸真際
尒時世尊聞是讚已以梵音聲告樹神曰善
哉善哉善女天汝能於我真實无妄清淨法
身自利利他宣揚妙相以此功德令汝速證
最上菩提一切有情同所修習若得聞者皆
入甘露无生法門
金光明最勝王大辯才天女讚歎品第卅
尒時大辯才天女即從座起合掌恭敬以直
言詞讚世尊曰

最上菩提一切有情同所修習若得聞者皆
入甘露无生法門
金光明最勝王大辯才天女讚歎品第卅
尒時大辯才天女即從座起合掌恭敬以直
言詞讚世尊曰
南謨釋迦牟尼如來應正等覺身真金色咽
如螺貝面如滿月目類青蓮脣口赤好如頗
梨色鼻高脩直如截金鋌齒白齊密如拘物
頭花身光普照如百千日光彩映徹如贍部
金所有言詞皆无謬失示三解脫門開三菩
提路心常清淨意樂亦然佛所住處及所行
境亦常清淨離非威儀進止无謬六年苦行
三轉法輪度苦衆生令歸彼岸身相圓滿如
拘陀樹六度薰脩三業无失具一切智自他
利滿所有宣說常為衆生言不虛設於釋種
中為大師子堅固勇猛具八解脫我今隨力
稱讚如來少分功德猶如蚊子飲大海水願
以此福廣及有情永離生死成无上道
尒時世尊告大辯才天曰善哉善哉汝久脩習
具大辯才今復於我廣陳讚歎令汝速證无
上法門相好圓明普利一切
金光明最勝王經付囑品第卅一
尒時世尊普告无量菩薩及諸人天一切大
衆汝等當知我於无量无數大劫勤脩苦行
獲甚深法菩提正因已為汝說汝等誰能發
勇猛心恭敬守護我涅槃後於此法門廣宣
流布能令正法久住世間尒時衆中有六十

尒時世尊普告無量菩薩及諸人天一切大
眾汝等當知我於無量無數大劫勤修苦行
獲甚深法菩提正因已為汝說汝等誰能發
勇猛心恭敬守護我涅槃後於此法門廣宣
流布能令正法久住世間尒時眾中有六十
俱胝諸大菩薩六十俱胝諸天大眾異口同
音作如是語世尊我等咸有欣樂之心於佛
世尊無量大劫勤修苦行所獲甚深微妙之
法菩提正因恭敬護持不惜身命佛涅槃後
於此法門廣宣流布當令正法久住世間尒
時諸大菩薩即於佛前說伽他曰
世尊真實語　安住於實法　由彼真實故　護持於此經
大悲為甲冑　安住於大慈　由彼慈悲力　護持於此經
福資糧圓滿　生起智資糧　由資糧滿故　護持於此經
降伏一切魔　破滅諸邪論　斷除惡見故　護持於此經
護世并釋梵　乃至阿蘇羅　龍神藥叉等　護持於此經
地上及虛空　久住於斯者　奉持佛教故　護持於此經
四梵住相應　四聖諦嚴飾　降伏四魔故　護持於此經
虛空成質礙　質礙成虛空　諸佛所護持　无能傾動者
尒時四大天王聞佛說此護持妙法各生隨喜
護正法心一時同聲說伽他曰
我今於此經　及男女眷屬　皆一心擁護　令得廣流通
若有持經者　能作菩提因　我常於四方　擁護而承事
尒時天帝釋合掌恭敬說伽他曰
諸佛證此法　為欲報恩故　饒益菩薩眾　出世演斯經
我於彼諸佛　報恩常供養　護持如是經　及以持經者
尒時覩史多天子合掌恭敬說伽他曰
佛說如是經　若有能持者　當住菩提位　來生覩史天

BD01007 號　金光明最勝王經卷一〇　（8–6）

尒時天帝釋合掌恭敬說伽他曰
諸佛證此法　為欲報恩故　饒益菩薩眾　出世演斯經
我於彼諸佛　報恩常供養　護持如是經　及以持經者
尒時覩史多天子合掌恭敬說伽他曰
佛說如是經　若有能持者　當住菩提位　來生覩史天
世尊我慶悅　捨天殊勝報　住於贍部洲　宣揚是經典
尒時索訶世界主梵天王合掌恭敬說伽他曰
諸靜慮无量　諸乘及解脫　皆從此經出　是故演斯經
若說是經處　我捨梵天樂　為聽如是經　亦常為擁護
尒時魔王子曰商主合掌恭敬說伽他曰
若有受持此　正義相應經　不隨魔所行　淨除魔惡業
我等於此經　亦當勤守護　發大精進意　隨處廣流通
尒時魔王合掌恭敬說伽他曰
若有持此經　能伏諸煩惱　如是眾生類　擁護令安樂
若有說是經　諸魔不得便　由佛威神故　我當擁護彼
尒時妙吉祥天子亦於佛前說伽他曰
諸佛妙菩提　於此經中說　若持此經者　是供養如來
我當持此經　為俱胝天眾　恭敬聽聞者　勸至菩提處
尒時慈氏菩薩合掌恭敬說伽他曰
若見菩菩提　與為不請友　及至捨身命　為護此經王
我聞如是法　當往覩史天　由世尊加護　廣為人天說
尒時上坐大迦攝波合掌恭敬說伽他曰
佛於聲聞乘　說我有智慧　我今隨自力　護持如是經
若有持此經　我當攝受彼　授其詞義分　常隨讚善哉
尒時具壽阿難陀合掌向佛說伽他曰
我親從佛聞　无量眾經典　未曾聞如是　深妙法中王
我今聞是經　親於佛前受　諸有樂菩提者　當為廣宣通
尒時世尊見諸菩薩人天大眾各各發心於

BD01007 號　金光明最勝王經卷一〇　（8–7）

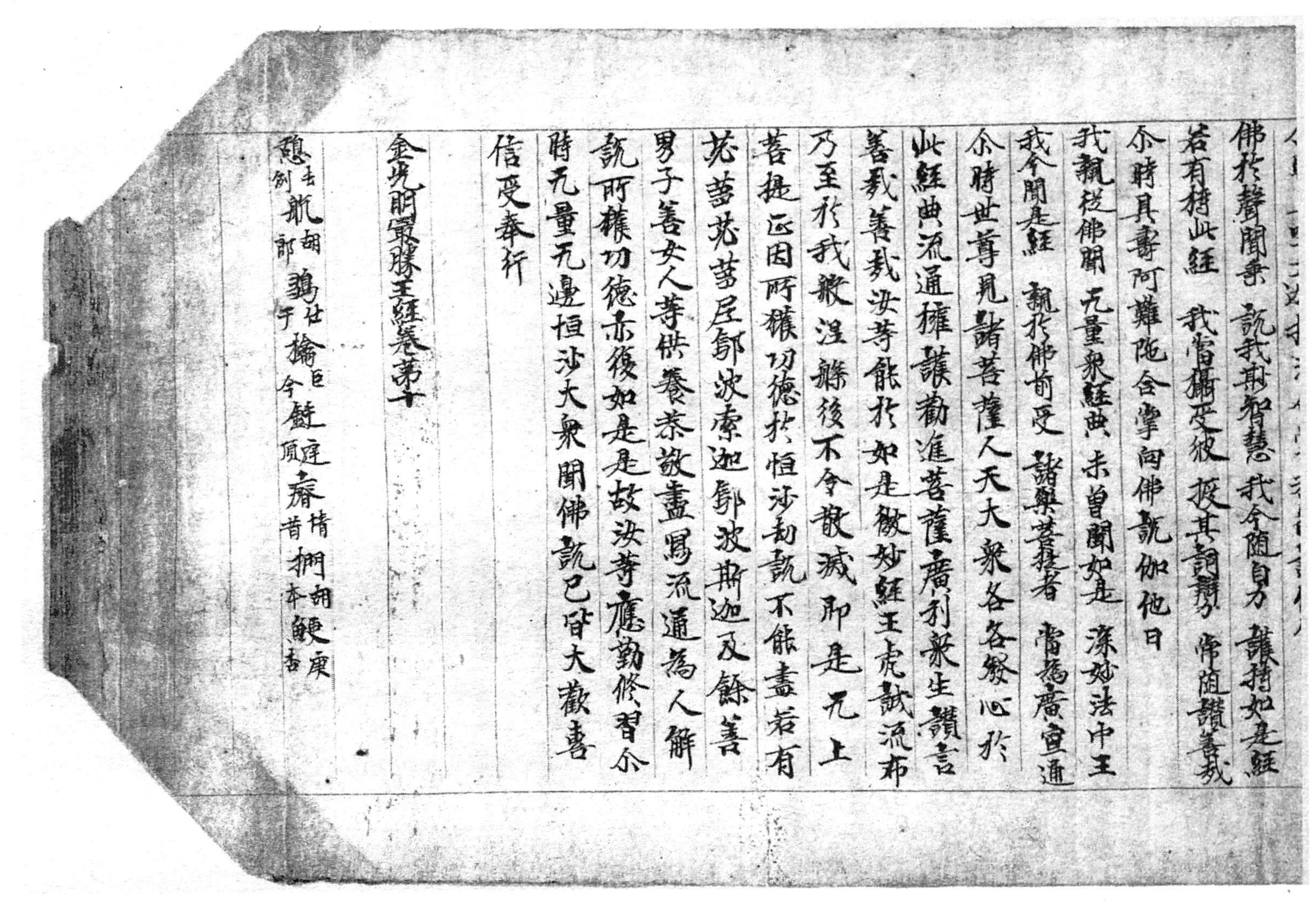

佛於聲聞乘　說我聊智慧　我今隨自力　護持如是經

若有持此經　我當攝受彼　授其詞辯力　常隨讚善哉

尒時具壽阿難陀合掌向佛說伽他曰

我親從佛聞　无量眾經典　未曾聞如是　深妙法中王

我今聞是經　親於佛前受　諸樂菩提者　當為廣宣通

尒時世尊見諸菩薩人天大眾各各發心於

此經典流通擁護勸進菩薩廣利眾生讚言

善哉善哉汝等能於如是微妙經王虔誠流布

乃至於我般涅槃後不令散滅即是无上

菩提正因所獲功德於恒沙劫說不能盡若有

苾芻苾芻尼鄔波索迦鄔波斯迦及餘善

男子善女人等供養恭敬書寫流通為人解

說所獲功德亦復如是是故汝等應勤修習尒

時无量无邊恒沙大眾聞佛說已皆大歡喜

信受奉行

金光明最勝王經卷第十

憩去例　航胡郎　[illegible]

BD01007號　金光明最勝王經卷一〇　（8–8）

…益眾生　以…

如優曇鉢華　今日乃值遇　我等諸宮殿　蒙光故嚴飾

世尊大慈愍　唯願垂納受

尒時諸梵天王偈讚佛已各作是言唯願世

尊轉於法輪令一切世間諸天魔梵沙門婆

羅門皆獲安隱而得度脫時諸梵天王一心

同聲以偈頌曰

唯願天人尊　轉无上法輪　擊于大法鼓　而吹大法螺

普雨大法雨　度无量眾生　我等咸歸請　當演深遠音

尒時大通智勝如來嘿然許之西南方乃至

下方亦復如是尒時上方五百万億國土諸

大梵王皆悉自覩所止宮殿光明威曜昔所

未有歡喜踊躍生希有心即各相詣共議此

事以何因緣我等宮殿有斯光明而彼眾中

有一大梵天王名曰尸棄為諸梵眾而說偈

言

今以何因緣　我等諸宮殿　威德光明曜　嚴飾未曾有

如是之妙相　昔所不聞見　為大德天生　為佛出世間

尒時五百万億諸梵天王與宮殿俱各以衣

BD01008號　妙法蓮華經卷三　（3–1）

有一大梵天王名曰尸棄為諸梵衆而說偈
言
今以何因緣　我等諸宮殿　威德光明曜　嚴飾未曾有
如是之妙相　昔所不聞見　為大德天生　為佛出世間
尒時五百万億諸梵天王與宮殿俱各以衣
裓盛諸天華共詣下方推尋此相見大通智
勝如來處于道場菩提樹下坐師子座諸天
龍王乾闥婆緊那羅摩睺羅伽人非人等恭
敬圍遶及見十六王子請佛轉法輪時諸梵
天王頭面礼佛遶百千匝即以天華而散佛
上所散之華如須弥山并以供養佛菩提樹
華供養已各以宮殿奉上彼佛而作是言唯
見哀愍饒益我等所獻宮殿願垂納受時諸
梵天王即於佛前一心同聲以偈頌曰
善哉見諸佛　救世之聖尊　能於三界獄　勉出諸衆生
普智天人尊　哀愍羣萌類　能開甘露門　廣度於一切
於昔无量劫　空過无有佛　世尊未出時　十方常闇冥
三惡道增長　阿脩羅亦盛　諸天衆轉減　死多墮惡道
不從佛聞法　常行不善事　色力及智慧　斯等皆減少
罪業因緣故　失樂及樂想　住於邪見法　不識善儀則
不蒙佛所化　常墮於惡道　佛為世間眼　久遠時乃出
哀愍諸衆生　故現於世間　超出成正覺　我等甚欣慶
及餘一切衆　喜歎未曾有　我等諸宮殿　蒙光故嚴飾
今以奉世尊　唯垂哀納受　願以此功德　普及於一切
我等與衆生　皆共成佛道
尒時五百万億諸梵天王偈讚佛已各白佛
言唯願世尊轉於法輪多所安隱多所度脫
時諸梵天王而說偈言

BD01008號　妙法蓮華經卷三　　（3–2）

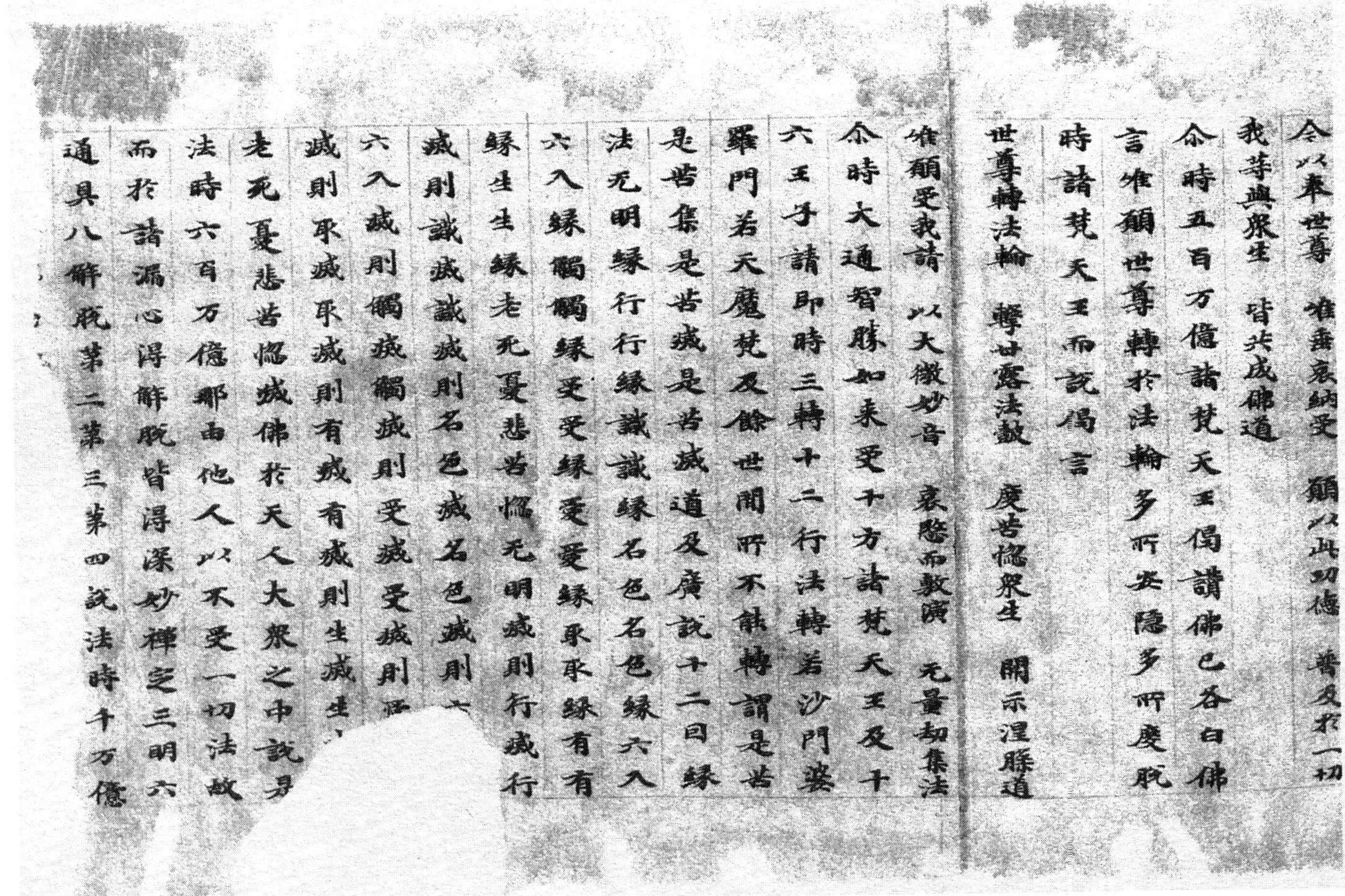
今以奉世尊　唯垂哀納受　願以此功德　普及於一切
我等與衆生　皆共成佛道
尒時五百万億諸梵天王偈讚佛已各白佛
言唯願世尊轉於法輪多所安隱多所度脫
時諸梵天王而說偈言
世尊轉法輪　擊甘露法鼓　度苦惱衆生　開示涅槃道
唯願受我請　以大微妙音　哀愍而敷演　无量劫集法
尒時大通智勝如來受十方諸梵天王及十
六王子請即時三轉十二行法輪若沙門婆
羅門若天魔梵及餘世間所不能轉謂是苦
是苦集是苦滅是苦滅道及廣說十二因緣
法无明緣行行緣識識緣名色名色緣六入
六入緣觸觸緣受受緣愛愛緣取取緣有有
緣生生緣老死憂悲苦惱无明滅則行滅行
滅則識滅識滅則名色滅名色滅則六
六入滅則觸滅觸滅則受滅受滅則愛
滅則取滅取滅則有滅有滅則生滅生
老死憂悲苦惱滅佛於天人大衆之中說是
法時六百万億那由他人以不受一切法故
而於諸漏心得解脫皆得深妙禪定三明六
通具八解脫第二第三第四說法時千万億

BD01008號　妙法蓮華經卷三　　（3–3）

調伏成就一切衆生
虛空界等世界衆生
生界於摩訶衍令
善根齊等是
王位善根迴向令一切
之處菩薩摩訶薩見有
嚴飾大城以歡喜心施不亂
一向正求菩提心施[illegible]顛心施大慈
大悲心施清涼心施[illegible]一切衆生故施
自安三摩訶衍故施以諸佛法平等心施
行善法心施欲一切智王心施求法王自在意
故施欲增上智慧心故施欲一切清淨功德
心施堅固廣大心施長養一切善根故施遠
離衆魔恐怖具足佛智故施安住菩薩心
力故施究竟一切境界一切智菩薩所行及
諸大願故施菩薩摩訶薩布施京都嚴飾大
城所攝善根迴向衆生令一切衆生淨一切剎
施佛令住令一切衆生常樂阿蘭若處安住
寂靜令一切衆生不著一切國土郡邑聚落

BD01009號　大方廣佛華嚴經（晉譯）卷一八　　（7–1）

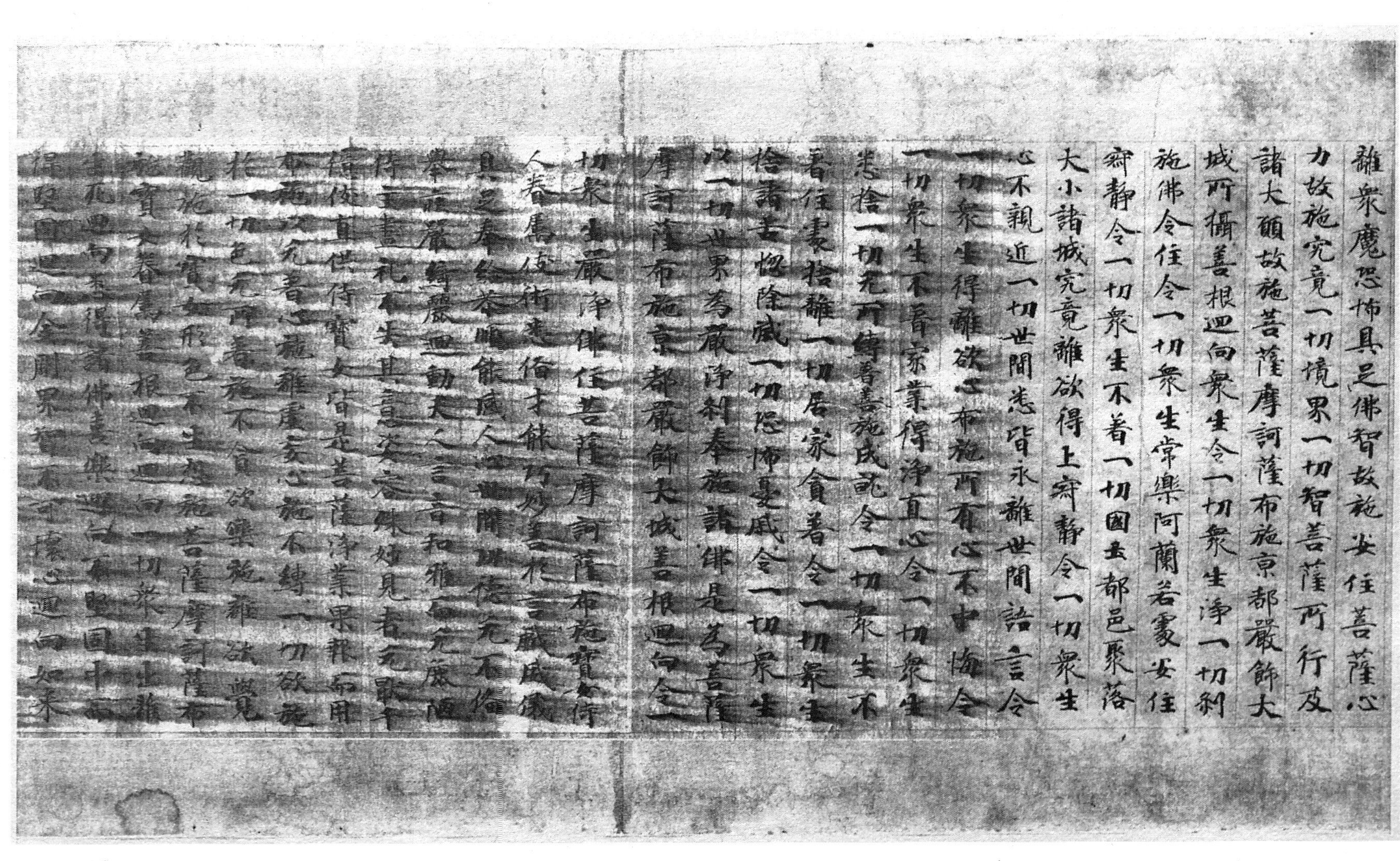
離衆魔恐怖具足佛智故施安住菩薩心
力故施究竟一切境界一切智菩薩所行及
諸大願故施菩薩摩訶薩布施京都嚴飾大
城所攝善根迴向衆生令一切衆生淨一切剎
施佛令住令一切衆生常樂阿蘭若處安住
寂靜令一切衆生不著一切國土郡邑聚落
大小諸城究竟離欲得上寂靜令一切衆生
心不親近一切世間悉皆永離世間語言令
一切衆生得離欲心布施所有心不悔令
一切衆生不著家業得淨直心令一切衆生
悉捨一切無所悋著喜施成就令一切衆生不
著住處捨離一切居家貪著令一切衆生
捨諸苦惱除滅一切恐怖憂戚令一切衆生
以一切世界為嚴淨剎奉施諸佛是為菩薩
摩訶薩布施京都嚴飾大城善根迴向令一
切衆生嚴淨佛住菩薩摩訶薩布施寶女侍
[illegible]

BD01009號　大方廣佛華嚴經（晉譯）卷一八　　（7–2）

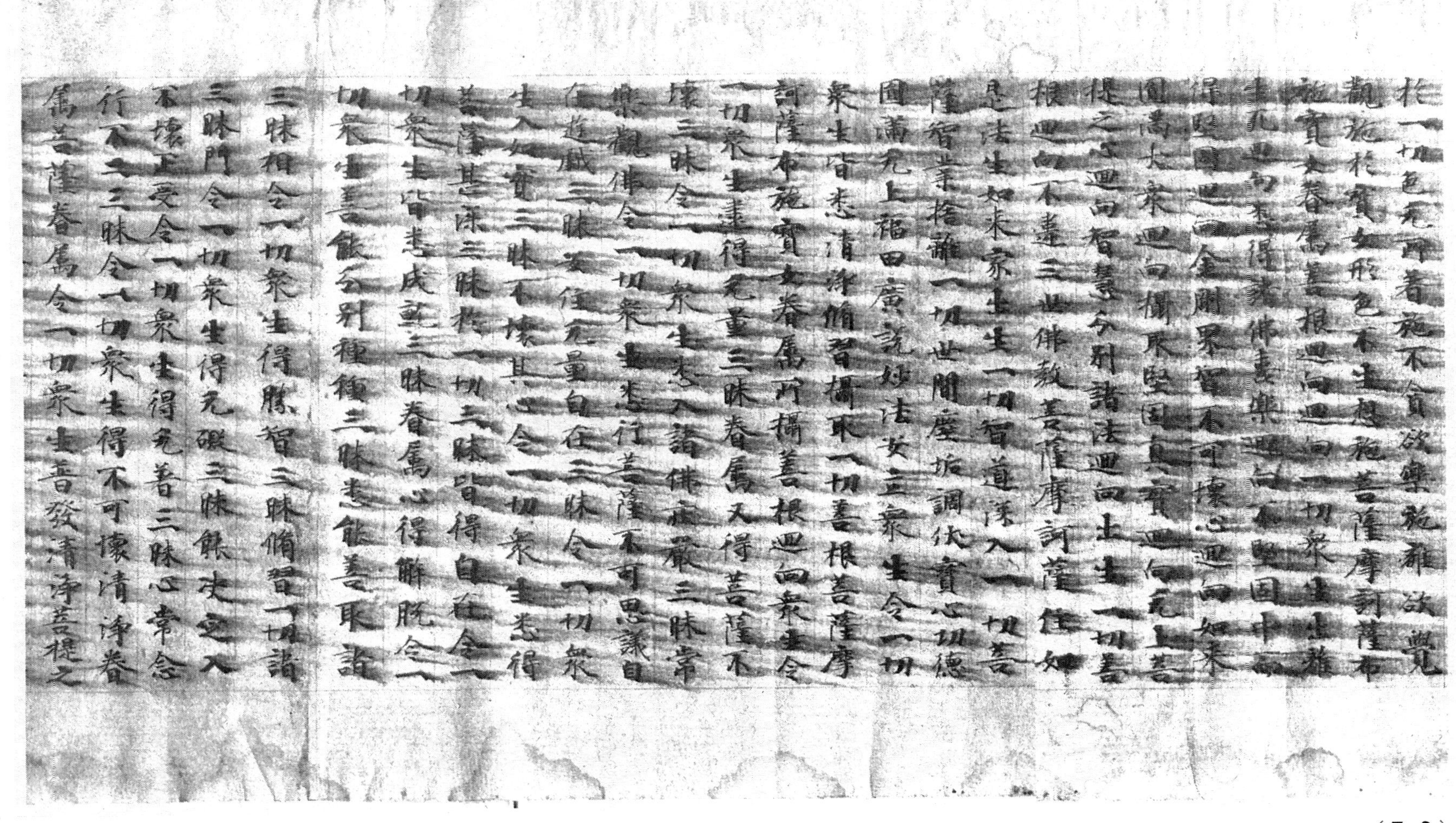

於一切色無所著施不貪欲樂施離欲覺
觀施於寶女形色不生想施菩薩摩訶薩布
施寶女眷屬善根迴向迴向一切眾生出離
生死迴向悉得諸佛喜樂迴向令入堅固中
得堅固迴向金剛眾智不可壞心迴向如來
圓滿大眾迴向攝取堅固真實迴向無上菩
提之迴向智慧分別諸法迴向出生一切善
根迴向不違三世佛教菩薩摩訶薩住如
是法生如來家生一切智道深入一切菩
薩智業捨離一切世間塵垢調伏實心切德
圓滿無上福田廣說妙法安立眾生令一切
眾生皆悉清淨脩習攝取一切善根菩薩摩
訶薩布施寶女眷屬所攝善根迴向眾生令
一切眾生悉得無量三昧眷屬又得菩薩不
壞三昧令一切眾生悉入諸佛莊嚴三昧常
樂觀佛令一切眾生悉行菩薩不可思議自
在遊戲三昧安住無量自在三昧令一切眾
生入實三昧不壞其心令一切眾生悉得
菩薩甚深三昧於一切三昧皆得自在令一
切眾生皆悉成就三昧眷屬心得解脫令一
切眾生善能分別種種三昧悉能善取諸
三昧相令一切眾生得勝智三昧脩習一切諸
三昧門令一切眾生得無礙三昧餘決定入
不壞正受令一切眾生得無著三昧心常念
行一三昧令一切眾生得不可壞清淨眷
屬菩薩眷屬令一切眾生普發清淨菩提之

BD01009號　大方廣佛華嚴經（晉譯）卷一八　　（7–3）

三昧相令一切眾生得勝智三昧脩習一切諸
三昧門令一切眾生得無礙三昧餘決定入
不壞正受令一切眾生得無著三昧心常念
行一三昧令一切眾生得不可壞清淨眷
屬菩薩眷屬令一切眾生普發清淨菩提之
心滿足佛法令一切眾生得薩婆若力清淨滿
足得無上智令一切眾生得隨順眷屬悉與
眾生同音共行令一切眾生悉得滿足一切
善根行成就一切勝妙善根令一切眾生得
具足眷屬成就如來清淨法身令一切眾生
成就諸辯無著無盡說諸佛無盡法藏令
一切眾生悉爲一切作善知識成就一切勝妙
善根令一切眾生得淨業滿足成就一切諸
清淨法令一切眾生滿足諸佛清淨妙法門以
諸淨法莊嚴世間是爲菩薩摩訶薩布施
寶女眷屬善根迴向
復次菩薩摩訶薩布施妻妾男女如須達拏
太子現莊嚴王菩薩如是等無量菩薩摩訶
薩乘菩薩去來行一切施具足成滿檀波羅
蜜嚴淨菩薩布施之道長養清淨不悔施心
一切施寶薩婆若心令一切眾生皆悉清
淨具足正直之清淨正直心已一切菩提皆
悉滿足常求菩薩淨直受持諸佛菩
提解門脩習一切如來家心如是菩薩摩訶
薩善成就如來妻自知己身係屬一切
不得自在隨彼去使善於眾生行一切施於
來諸悉令滿足攝持安慰一切眾生欲
令自身普爲世間作第一階令一切眾生皆

BD01009號　大方廣佛華嚴經（晉譯）卷一八　　（7–4）

悲涌之重守樂求菩薩淨道受持諸佛菩
提願門修習一切如來家心如是菩薩摩訶
薩爲眷屬成就如來妻自知己身係屬一切
不得自在隨彼意使善攝衆生行一切施於
未滿足者悉令滿足護持安慰一切衆生欲
令自身善爲世間作第一塔令一切衆生皆
悉歡喜欲於一切無量之處爲世間作清
淨池欲爲世間作施與主欲爲一切作大施
主智慧爲首習菩薩行如説修行欲成一切
種智大莊嚴欲專求智慧福田悉請衆
生長養善根建立己身常順正教善爲一切
作智慧明正念善淨一切施心一切諸佛常
現在前菩薩摩訶薩以布施妻妾男女所攝
善根無縛無著解脱心迴向衆生令一切衆
生普出無量變化之身充滿十方一切世界
轉不退法輪安立一切衆生於無上道令一
切衆生不貪著身諸願具足悉詣十方諸佛
世界令一切衆生得離憎愛心斷愛恚結令
一切衆生爲佛真子行如來家令一切衆生
於諸佛所生自己心不可俎壞令一切衆生常
爲佛子從法化生令一切衆生得正希望成
薩婆若令一切衆生修習善根究竟具足
無上菩提令一切衆生成就諸佛菩提解脱
施無上法令一切衆生得無生心不壞因緣
令一切衆生坐菩提樹得寂正覺成無上道
化生無量真法男女是爲菩薩摩訶薩布施
妻妾男女善根迴向令一切衆生得無著解

BD01009號　大方廣佛華嚴經（晉譯）卷一八　（7–5）

薩婆若令一切衆生修習善根究竟具足
無上菩提令一切衆生成就諸佛菩提解脱
施無上法令一切衆生得無生心不壞因緣
令一切衆生坐菩提樹得寂正覺成無上道
化生無量真法男女是爲菩薩摩訶薩布施
妻妾男女善根迴向令一切衆生得無著解
脱無礙智慧菩薩摩訶薩見有人來從乞
家者以家莊嚴具具足莊嚴而布施之修習
威儀於家無著遠離居家一切覺觀厭惡家
業資生之具於家殊妙諸好之物不生貪心無
所味著於家衆具無染縛心解家塵纓須臾
變易出家求道究竟佛法安住菩薩住佛法
莊嚴心能捨一切而不中悔常爲諸佛之所
稱歎於資生物一切住處心無染著見來乞
者歡喜無量能以之施菩薩摩訶薩以家布
施所攝善根如是迴向衆生令一切衆生捨
離妻子常樂出家令一切衆生信家非家捨
家求道於佛法中淨修梵行令一切衆生樂
一切施心不中退安住離慳令一切衆生永離
家法少欲知足無所藏積令一切衆生不樂
俗家常樂佛家令一切衆生悉皆永離鄣
礙之法滅除一切諸鄣礙道令一切衆生不
染家屬雖現在家心無所著令一切衆生善
化一切雖現在家説正覺智令一切衆生亦
現在家住佛所住心常隨順如來智慧令一
切衆生在家悉能悦喜衆生住佛所住是爲
菩薩摩訶薩以施家善根迴向令一切衆生

BD01009號　大方廣佛華嚴經（晉譯）卷一八　（7–6）

在家常集俱家令一切衆生悉[illegible]永離
礙之法滅除一切諸鄣礙道令一切衆生不
染家屬雖現在家心无所著令一切衆生善
化一切雖現在家說正覺智令一切衆生亦
現在家住佛所住心常隨順如来智慧令一
切衆生在家悉能悦喜衆生住佛所住是為
菩薩摩訶薩以施家善根迴向令一切衆生
悉行菩薩種種諸行滿足諸願智慧自在菩
薩摩訶薩布施莊嚴遊戲園林時作如是念
我當為一切衆生作愛樂法林我當為一切
衆生示現悦樂之處我當與一切衆生无量
歡喜我當為一切衆生開淨法門超出三界
我當與一切衆生无上菩提滿足諸願我當
為一切衆生而作慈父智慧觀察一切三界
我當惠施一切衆生資生之具令无所乏我
當為一切衆生而作慈母出生善根滿[illegible]
願菩薩摩訶薩善根迴向无猒之心遠[illegible]
切衆生諸悪迴向正心安隱
求根恩迴向[illegible]

BD01009 號　大方廣佛華嚴經（晉譯）卷一八　（7–7）

功德
熾消除諸漏殖衆德本具足功德微妙難量
熾諸佛國普現道教其所脩行清淨无穢譬
如幻師現衆異像為男為女无所[illegible]學
明了在意所為此諸菩薩亦復如[illegible]一切
法貫綜縷練所住安諦靡不感化无數佛土
皆悉普現未曾慢恣愍傷衆生如是之法一
切具足菩薩經典究暢要妙名稱普至導御
十方无量諸佛咸共護念佛所住者皆已得
住大聖所立而皆已立如来道化各能宣布
為諸菩薩而作大師以甚深禪慧開導衆人
通諸法性達衆生相明了諸國供養諸佛化
現其身猶如電光善學无畏之網曉了幻化
之法壞裂魔網解諸纏縛超越聲聞緣覺之
地得空无相不願三昧善立方便顯示三乘
於此中下而現滅度亦无所作亦无所有不
起不滅得平等法具足成就无量揔持百千

BD01010 號　無量壽經卷上　（14–1）

通諸法性達衆生相明了諸國供養諸佛化
現其身猶如電光善學无畏之網曉了幻化
之法壞裂魔網解諸纏縛超越聲聞緣覺之
地得空无相不願三昧善立方便顯示三乘
於此中下而現滅度亦无所作亦无所有不
起不滅得平等法具足成就无量總持百千
三昧諸根智慧廣普寂定深入菩薩法藏得
佛華嚴三昧宣揚演說一切經典住深定門
悉覩現在无量諸佛一念之頃无不周遍濟
諸劇難諸閑不閑分別顯示真實之際得諸
如來辯才之智入衆言音開化一切超過世
間諸所有法心常諦住度世之道於一切物
隨意自在爲諸庶類作不請之友荷負羣生
爲之重任受持如來甚深法藏護佛種性常
使不絕興大悲愍衆生演慈辯授法眼杜三
趣開善門以不請之法施諸黎庶猶如孝子
愛敬父母於諸衆生視之若己一切善本皆
度彼岸悉獲諸佛无量功德智慧聖明不可
思議如是之等菩薩大士不可稱計一時來

諸根悅豫姿色清淨光顏巍巍
合掌而白佛言今日世尊諸根悅豫姿色清
淨光顏巍巍如明鏡淨影暢表裏威容顯曜
超絕无量未曾瞻覩殊妙如今唯然大聖我
心念言今日世尊住奇特法今日世雄住佛
所住今日世眼住導師行今日世英住最勝
道今日天尊行如來德去來現在佛佛相念
得无今佛念諸佛耶何故威神光光乃介於是

BD01010號　無量壽經卷上　（14–2）

淨光顏巍巍如明鏡淨影暢表裏威容顯曜
超絕无量未曾瞻覩殊妙如今唯然大聖我
心念言今日世尊住奇特法今日世雄住佛
所住今日世眼住導師行今日世英住最勝
道今日天尊行如來德去來現在佛佛相念
得无今佛念諸佛耶何故威神光光乃介於是
世尊告阿難曰云何阿難諸天教汝來問佛
耶自以慧見問威顏乎阿難白佛无有諸天
來教我者自以所見問斯義耳佛言善哉阿
難所問甚快發深智慧真妙辯才愍念衆生
問斯慧義如來以无蓋大悲矜哀三界所以
出興於世光闡道教普令羣萌獲真法利无
量億劫難值難見猶靈瑞華時時乃出今所
問者多所饒益開化一切諸天人民阿難當
知如來正覺其智難量多所導御慧見无閡
无數无量復過於此諸根悅豫

无能遏絕以一飡之力能住壽命億百千劫
无數无量復過於此諸根悅豫不以毀損
色不變光顏无異所以者何如來定慧究暢
无極於一切法而得自在阿難諦聽今爲汝
說對曰唯然願樂欲聞佛告阿難乃往過去
久遠无量不可思議无央數劫錠光如來出

BD01010號　無量壽經卷上　（14–3）

无能遏絕以一湌之力能住壽命億百千劫
无數无量復過於此諸根悅豫不以毀損姿
色不變光顏无異所以者何如來定慧究暢
无極於一切法而得自在阿難諦聽今為汝
說對曰唯然願樂欲聞佛告阿難乃往過去
久遠无量不可思議无央數劫錠光如來出
興於世教化度脫无量衆生皆令得道乃取
滅度次有如來名曰光遠次名月光次名栴
檀香次名善山王次名須弥天冠次名須弥
等曜次名月色次名正念次名離垢次名无
著次名龍天次名夜光次名安明頂次名不
動地次名流離妙華次名流離金色次名金
藏次名炎光次名炎根次名地種次名地像
次名日音次名解脫華次名莊嚴光明次名
海覺神通次名水光次名大香次名離塵垢
次名捨猒意次名寶炎次名妙頂次名勇立
次名功德持慧次名蔽日月光次名日月流
離光次名无上流離光次名最上首次名菩
提華次名月明次名日光次名華色王次名
水月光次名除癡冥次名度蓋行次名淨信
次名善宿次名威神次名法慧次名鸞音次
名師子音次名龍音次名處世如此諸佛皆
悉已過
尒時次有佛名世自在王如來應供等正覺明
行足善逝世間解无上士調御丈夫天人師
佛世尊時有國王聞佛說法心懷悅豫尋發
无上正真道意棄國捐王行作沙門号曰法
藏高才勇哲與世超異詣世自在王如來所

名師子音次名龍音次名處世如此諸佛皆
悉已過
尒時次有佛名世自在王如來應供等正覺明
行足善逝世間解无上士調御丈夫天人師
佛世尊時有國王聞佛說法心懷悅豫尋發
无上正真道意棄國捐王行作沙門号曰法
藏高才勇哲與世超異詣世自在王如來所
稽首佛足右遶三匝長跪合掌以頌讚曰
光顏巍巍　威神无極　如是炎光　无與等者
日月摩尼　珠光炎耀　皆悉隱蔽　猶若聚墨
如來顏容　超世无倫　正覺大音　響流十方
戒聞精進　三昧智慧　威德无侶　殊勝希有
深諦善念　諸佛法海　窮深盡奧　究其崖底
无明欲怒　世尊永无　人雄師子　神德无量
功勳廣大　智慧深妙　光明威相　震動大千
願我作佛　齊聖法王　過度生死　靡不解脫
布施調意　戒忍精進　如是三昧　智慧為上
吾誓得佛　普行此願　一切恐懼　為作大安
假令有佛　百千億万　无量大聖　數如恒沙
供養一切　斯等諸佛　不如求道　堅正不却
譬如恒沙　諸佛世界　復不可計　无數剎土
光明悉照　遍此諸國　如是精進　威神難量
令我作佛　國土第一　其衆奇妙　道場超絕
國如泥洹　而无等雙　我當愍哀　度脫一切
十方來生　心悅清淨　已到我國　快樂安隱
幸佛信明　是我真證　發願於彼　力精所欲
十方世尊　智慧无閡　常念此尊　知我心行

令我作佛　國土第一　其衆奇妙　道場超絶
國如泥洹　而无等雙　我當愍哀　度脫一切
十方來生　心悅清淨　已到我國　快樂安隱
幸佛信明　是我真證　發願於彼　力精所欲
十方世尊　智慧无閡　常令此尊　知我心行
假令身心　諸苦毒中　我行精進　忍終不悔
佛告阿難法藏比丘說此頌已而白佛言唯
然世尊我發无上正覺之心願佛為我廣宣
經法我當脩行攝取佛國清淨莊嚴无量妙
土令我於世速成正覺拔諸生死懃苦之本
佛語阿難時世饒王佛告法藏比丘如所脩
行莊嚴佛土汝自當知比丘白佛斯義弘深
非我境界唯願世尊廣為敷演諸佛如來淨
土之行我聞此已當如說脩行成滿所願尒
時世自在王佛知其高明志願深廣即為法
藏比丘而說經言譬如大海一人斗量經歷
劫數尚可窮底得其妙寶人有志心精進求
道不止會當剋果何願不得於是世自在王
佛即為廣說二百一十億諸佛刹土天人之
善惡國土之麤妙應其心願悉現與之時彼
比丘聞佛所說嚴淨國土皆悉覩見超發无
上殊勝之願其心寂靜志无所著一切世間
无能及者具足五劫思惟攝取莊嚴佛國清
淨之行阿難白佛彼佛國土壽量幾何佛言
其佛壽命卌二劫時法藏比丘攝取二百一
十億諸佛妙土清淨之行如是脩已詣彼佛
所稽首禮足遶佛三匝合掌而住白言世尊

BD01010號　無量壽經卷上　（14–6）

无能及者具足五劫思惟攝取莊嚴佛國清
淨之行阿難白佛彼佛國土壽量幾何佛言
其佛壽命卌二劫時法藏比丘攝取二百一
十億諸佛妙土清淨之行如是脩已詣彼佛
所稽首禮足遶佛三匝合掌而住白言世尊
我已攝取莊嚴佛土清淨之行佛告比丘汝
今可說宜知是時發起悅可一切大衆菩薩
聞已脩行此法緣致滿足无量大願比丘白
佛唯垂聽察如我所願當具說之
設我得佛國有地獄餓鬼畜生者不取正覺
設我得佛國中天人壽終之後復更三惡道
者不取正覺
設我得佛國中天人不悉真金色者不取正
覺
設我得佛國中天人不識宿命下至知百千
億那由他諸劫事者不取正覺
設我得佛國中天人不得天眼下至見百千
億那由他諸佛國者不取正覺
設我得佛國中天人不得天耳下至聞百千
億那由他諸佛所說不悉受持者不取正覺
設我得佛國中天人不得見他心智下至知
百千億那由他諸佛國中衆生心念者不取
正覺
設我得佛國中天人不得神是於一念頃下
至不能超過百千億那由他諸佛國者不取
正覺
設我得佛國中天人若起想念貪計身者不

BD01010號　無量壽經卷上　（14–7）

正覺
設我得佛國中天人不得神足於一念頃下
至不能超過百千億那由他諸佛國者不取
正覺
設我得佛國中天人若起想念貪計身者不
取正覺
設我得佛國中天人不住定聚必至滅度者
不取正覺
設我得佛光明有限量下至不照百千億那由
他諸佛國者不取正覺
設我得佛壽命有能限量下至百千億那由
他劫者不取正覺
設我得佛國中聲聞有能計量乃至三千大
千世界衆生緣覺於百千劫悉共計校知其
數者不取正覺
設我得佛國中天人壽命无能限量除其本
願脩短自在若不尒者不取正覺
設我得佛國中天人乃至聞有不善名者不
取正覺
設我得佛十方世界无量諸佛不悉咨嗟稱
我名者不取正覺
設我得佛十方衆生至心信樂欲生我國乃
至十念若不生者不取正覺唯除五逆誹謗
正法
設我得佛十方衆生發菩提心脩諸功德至
心發願欲生我國臨壽終時假令不與大衆
圍遶現其人前者不取正覺

正法
設我得佛十方衆生發菩提心脩諸功德至
心發願欲生我國臨壽終時假令不與大衆
圍遶現其人前者不取正覺
設我得佛十方衆生聞我名号係念我國殖
諸德本至心迴向欲生我國不果遂者不取
正覺
設我得佛國中天人不悉成滿卅二大人相
者不取正覺
設我得佛他方佛土諸菩薩衆來生我國究
竟必至一生補處除其本願自在所化為衆
生故被弘誓鎧積累德本度脫一切遊諸佛
國脩菩薩行供養十方諸佛如來開化恒沙
无量衆生使立无上正真之道超出常倫諸
地之行現前脩習普賢之德若不尒者不
取正覺
設我得佛國中菩薩承佛神力供養諸佛一
食之頃不能遍至无數无量億那由他諸佛
國者不取正覺
設我得佛國中菩薩在諸佛前現其德本諸
所求欲供養之具若不如意不取正覺
設我得佛國中菩薩不能演說一切智者不
取正覺
設我得佛國中菩薩不得金剛那羅延身者
不取正覺
設我得佛國中天人一切万物嚴淨光麗形
色殊特窮微極妙无能稱量其諸衆生乃至

設我得佛國中菩薩不能演説一切智者不
取正覺
設我得佛國中菩薩不得金剛那羅延身者
不取正覺
設我得佛國中天人一切万物嚴淨光麗形
色殊特窮微極妙无能稱量其諸衆生乃至
逮得天眼有能明了辯其名數者不取正覺
設我得佛國中菩薩乃至少功德者不能知
見其道場樹无量光色高四百万里者不取
正覺
設我得佛國中菩薩若受讀經法諷誦持説
而不得辯才智慧者不取正覺
設我得佛國中菩薩智慧辯才若可限量者
不取正覺
設我得佛國土清淨皆悉照見十方一切无
量无數不可思議諸佛世界猶如明鏡覩其
面像若不尒者不取正覺
設我得佛自地以上至于虛空宮殿樓觀池
流華樹國土所有一切万物皆以无量雜寶
百千種香而共合成嚴飾奇妙超諸天人其
香普熏十方世界菩薩聞者皆脩佛行若不
尒者不取正覺
設我得佛十方无量不可思議諸佛世界衆
生之類蒙我光明觸其體者身心柔濡超過
天人若不尒者不取正覺
設我得佛十方无量不可思議諸佛世界衆
生之類聞我名字不得菩薩无生法忍諸深

BD01010號　無量壽經卷上　（14–10）

設我得佛十方无量不可思議諸佛世界衆
生之類蒙我光明觸其體者身心柔濡超過
天人若不尒者不取正覺
設我得佛十方无量不可思議諸佛世界衆
生之類聞我名字不得菩薩无生法忍諸深
揔持者不取正覺
設我得佛十方无量不可思議諸佛世界其
有女人聞我名字歡喜信樂發菩提心猒惡
女身壽終之後復為女像者不取正覺
設我得佛十方无量不可思議諸佛世界諸
菩薩衆聞我名字壽終之後常脩梵行至成
佛道若不尒者者不取正覺
設我得佛十方无量不可思議諸佛世界諸
天人民聞我名字五體投地稽首作礼歡喜
信樂脩菩薩行諸天世人莫不致敬若不尒
者不取正覺
設我得佛國中天人欲得衣服隨念即至如
佛所讚應法妙服自然在身若有裁縫染治
浣濯者不取正覺
設我得佛國中天人所受快樂不如漏盡比
丘者不取正覺
設我得佛國中菩薩隨意欲見十方无量嚴
淨佛土應時如願於寶樹中皆悉照見猶如
明鏡覩其面像若不尒者不取正覺
設我得佛他方國土諸菩薩衆聞我名字至
于得佛諸根缺漏不具足者不取正覺
設我得佛他方國土諸菩薩衆聞我名字皆

BD01010號　無量壽經卷上　（14–11）

淨佛土應時如願於寶樹中皆悉照見猶如
明鏡覩其面像若不尒者不取正覺
設我得佛他方國土諸菩薩衆聞我名字至
于得佛諸根缺漏不具足者不取正覺
設我得佛他方國土諸菩薩衆聞我名字皆
得清淨解脫三昧住是三昧一發意頃供養
无量不可思議諸佛世尊而不失定意若不
尒者不取正覺
設我得佛他方國土諸菩薩衆聞我名字壽
終之後生尊貴家若不尒者不取正覺
設我得佛他方國土諸菩薩衆聞我名字歡
喜踊躍脩菩薩行具足德本若不尒者不取
正覺
設我得佛他方國土諸菩薩衆聞我名字皆
悉逮得普等三昧住是三昧至于成佛常見
无量不可思議一切諸佛若不尒者不取正
覺
設我得佛國中菩薩隨其志願所欲聞法自
然得聞若不尒者不取正覺
設我得佛他方國土諸菩薩衆聞我名字不
即得至不退轉者不取正覺
設我得佛他方國土諸菩薩衆聞我名字不
即得至第一第二第三法忍於諸佛法不能
即得不退轉者不取正覺
佛告阿難尒時法藏比丘說此願已而說頌
曰

即得至第一第二第三法忍於諸佛法不能
即得不退轉者不取正覺
佛告阿難尒時法藏比丘說此願已而說頌
曰
我建超世願　必至无上道　斯願不滿足　誓不成正覺
我於无量劫　不為大施主　終莫濟貧苦　誓不成正覺
我至成佛道　名聲超十方　究竟靡所聞　誓不成等覺
離欲心正念　淨慧脩梵行　志求无上尊　為諸天人師
神力演大光　普照无際土　消除三垢冥　明濟衆厄難
開彼智慧眼　滅此昏盲闇　閉塞諸惡道　通達善趣門
功祚成滿足　威曜朗十方　日月戢重暉　天光隱不
為衆開法藏　廣施功德寶　常於大衆中　說法師子吼
供養一切佛　具足衆德本　願慧悉成滿　得為三界雄
如佛无閡智　通達靡不照　願我功德力　等此最勝尊
斯願若剋果　大千應感動　虛空諸天人　必雨珎妙華
佛語阿難法藏比丘說此頌已應時普地六
種震動天雨妙華以散其上自然音樂空中
讚言決定必成无上正覺於是法藏比丘具
足脩滿如是大願誠諦不虛超出世間深樂
寂滅阿難彼時比丘於其佛所諸天魔梵龍
神八部大衆之中發斯弘誓建此願已一向
專志莊嚴妙土所脩佛國開廓廣大超勝獨
妙建立常然无衰无變於不可思議兆載永
劫積殖菩薩无量德行不生欲覺瞋覺害覺
不起欲想瞋想害想不著色聲香味之法忍
力成就不計衆苦少欲知足无染恚癡三昧
常寂智慧无閡无有虛偽諂曲之心和顏愛

如佛无量智　通達靡不照　願我功慧力　等此最勝尊
斯願若剋果　大千應感動　虛空諸天人　當雨珍妙華
佛語阿難法藏比丘說此頌已應時普地六
種震動天雨妙華以散其上自然音樂空中
讚言決定必成无上正覺於是法藏比丘具
足修滿如是大願誠諦不虛超出世間深樂
寂滅阿難彼時比丘於其佛所諸天魔梵龍
神八部大眾之中發斯弘誓建此願已一向
專志莊嚴妙土所修佛國開廓廣大超勝獨
妙建立常然无衰无變於不可思議兆載永
劫積殖菩薩无量德行不生欲覺瞋覺害覺
不起欲想瞋想害想不著色聲香味之法忍
力成就不計眾苦少欲知足无染恚癡三昧
常寂智慧无閡无有偽虛諂曲之心和顏愛
語先意承問勇猛精進志願无惓專求清白
之法以惠利群生恭敬三寶奉事師長以大
莊嚴具足眾行令諸眾生功德成就住空
想无願之法无作无起觀法如化遠離
自害害彼彼此俱害修習善語自利利
我兼利棄國捐王絕去財色自行
[illegible]

BD01010號　無量壽經卷上

(前以不見故) 余於蜀郡親見木蘭樹皮赤黑色鮮明可以為染微有
香氣亦〻用作香者如言見所說遺教法律經中三色者
比非正錄无知用之　四分云若青若黑若木蘭一〻色中通有壞
言見云若來比丘見魚母〻云有青色黧色赤色鮮明 (准此木蘭色也)
若見著五大色衣比丘有智慧者當語言〻此是通賊失法比
丘 (准此五色不合受也) 准上律論及經並不得純色不可須壞不壞不成受持
者〻滑罪如隨相中　四量是非　四分云安陀會長四肘廣二肘
欝多羅長五肘廣三肘僧伽梨亦尒然此下衣極成近小當取
通文律言量腹而食度身而衣取足而已准此無定量任時進
不雖尒亦須指准故十誦中分立三品之量今准薩婆多中三衣長
五肘廣三肘名極大者長六肘廣三肘半若極小者長四肘廣二
肘半者並如法若過若減成受持以〻可截續故若過減不
成受不可截續故若過量外應說淨不者犯捨隨 (說時應在賓後〻法衣外者不長)
五分肘量長短不定亦令隨身分量不定依肘　五條數多少者
唯侵如跡動中四分云從九條乃至十九條五條十隔
十誦云若五七九十一乃至十五若過準割截作　薩婆多云僧伽
梨三品九條十一十三是下品十五十七十九名中品廿一廿三廿五條名上品

BD01011號　四分律刪繁補闕行事鈔下卷之上

成受不可截續故若過量外應說淨不者犯捨墮 說淨應依受法衣外者乃長
五分肘量長短不定佛令隨身分量不必依肘　五條數多少云何
唯復如跡鉤中四分云從九條乃至十九條五條十隔等
十誦云若五七九十一乃至十五若過應割截作　薩婆多云僧伽
梨三品九條十一十三是下品十五十七十九名中品廿一廿三廿五條名上品
四分至十九條云若復過是名雜碎衣 錯注不字 今時有卅三條等元云數
制開聖迹說云如來著十三條大衣　賀論云是應布僧伽梨
也准此以為大准隨力辨之　六種較長短　四分文不了五條七條
具以定量長短大衣准同　婆論云大衣下者兩長一短中者
三長一短上者四長一短名如法作若手增減成受持者用得
罪　所以須割截者四分云不為怨賊所利　十誦與外道異故
律中沙門衣三種賤一刀賤 謂割壞故 二色賤 不正色染 三體賤 謂糞掃世棄者　七重
數多少　四分等律云不得細薄大衣二種餘二衣並一重此
謂新者若用故者十誦云四重作大衣二重作七條五條等
薩婆多若新大衣三重一重新二重以故作如十誦故彼律云若三
重作大衣坐具若以新衣重縫作時若過限中復開悔適者吉
律中更揲衣隨意多作　薩婆多云重縫三衣設有因緣摘分
持行到於異處名不離衣宿死者以前言本處內後言遮看
病人以本是一衣同受持故律師云後是定義　八作衣方法四分大
衣七條要割截五條得襵葉　僧祇若作衣餘人相助一日起不成應
衆行多貴受持後更細刺中含云世尊親為阿那律裁三衣八百比
丘同時為連合即成四分足五日不成僧伽梨得波逸比丘犯吉羅
薩婆多有緣得一端墊指作三衣則不犯長若之二衣並肘外若二衣
本肘外有長者須說淨　四分得淨衣下長是若裁割作衣使少
今揲葉作若作五納衣得上色碎段衣之得裁作五納衣　五分若
淨縵衣作條又縫葉著衣 今時揲葉納多縫者 或襵作衣葉 四分開襵衣 或半向上半
向下作葉一切吉羅若以雜色線縫者衣上作條襵處此是外道
法衣所開　阿難奉教為諸比丘作衣法左條右靡右條右靡中條葉
兩向靡若得衣不足乃至一長一短作若猶少者應帖葉下乃至不

淨縵衣作條又縫葉著衣 今時揲葉納多縫者 或襵作衣葉 四分開襵衣 或半向上半
向下作葉一切吉羅若以雜色線縫者衣上作條襵處此是外道
法衣所開　阿難奉教為諸比丘作衣法左條右靡右條右靡中條葉
兩向靡若得衣不足乃至一長一短作若猶少者應帖葉下乃至不
足應作縵衣多會　准此本是大衣少故下例成之受法正從二品
理須類用　十誦中有縵僧伽梨等　僧祇畫作葉對頭縫之應割
截作葉極廣應四指極狹如麵麥不得橫葉相當縫衣葉後衣宜
脫應作馬齒縫衣上下破應安緣要須却縫多時如上肘分列背俗之疲
作三衣中先作淨安紐受持　十誦佛自教比丘施鉤紐法三肘安緣四指
施鉤紐後去緣八指施紐應如是作准此以右肩上帶以衣右角覆故
出鼻奈耶律　十誦又云劫剌者是佛所許如法衣當用直縫不得是世
人衣為異俗故又防外道故又云以一尺二尺物補衣得應劫剌若直縫
者衣王命過應擿此物与僧及以与看病人四分但云縫僧伽梨准用
十誦三千威儀云三衣皆四角十誦之介　四分揲角今亦如安揲等文云應
安鉤紐肩上揲障垢膩處十誦若裏揲衣比丘以佛制不著割截
衣入聚落便補怡作鉤乃緣得緣佛言聽當割截上安揲得成受持
十誦以此衣用著入准此實是衣服定用入俗　三明受衣法就中分付有
必也物中四分但云三衣應受持若疑應捨已更受有而不受吉羅而
無說文昔有人依僧祇法者彼攝衣与四分不同 僧祇一衣一番會 四分准對明相　今依
十誦 以受持相類故 若大衣中隨條數多少而有正從兩別大衣正有十八品從有
六品七條正有二品從有廿三品五條正有三品從有廿一通合言之七十二種三
衣縵通三處合為一也餘如鈔跡中　今先受法應云可安陀會為始
此衣已有三品謂割截襵葉揲葉也
加法云大德一心念我比丘某甲此衣安多會五條衣受長一短割截衣
持二云屈褔衣持 若揲葉今非相同割截割通用遮者云　揲葉衣持餘同十誦 若両邊俱縫遮但同縵衣　者論
從者 即用大衣十八品七條二品等　大德一心念我比丘甲此安多會廿五條衣受四長一短割截衣
持 揲葉准同乃至七條具足准用改之　若縵衣者 上明從者據本多寶為言若衛多羅僧伽梨並准此改葉綃衣改名為別今揵大衣　十誦云大德
一心念我比丘某甲此縵僧伽梨受持 餘二衣准改　若中衣云大德一心念我比丘某
甲此衣鬱多羅僧七條衣受兩長一短割截衣持　揲葉准此改者從　若上衣者

BD01011 號　四分律刪繁補闕行事鈔下卷之上　（62–4）

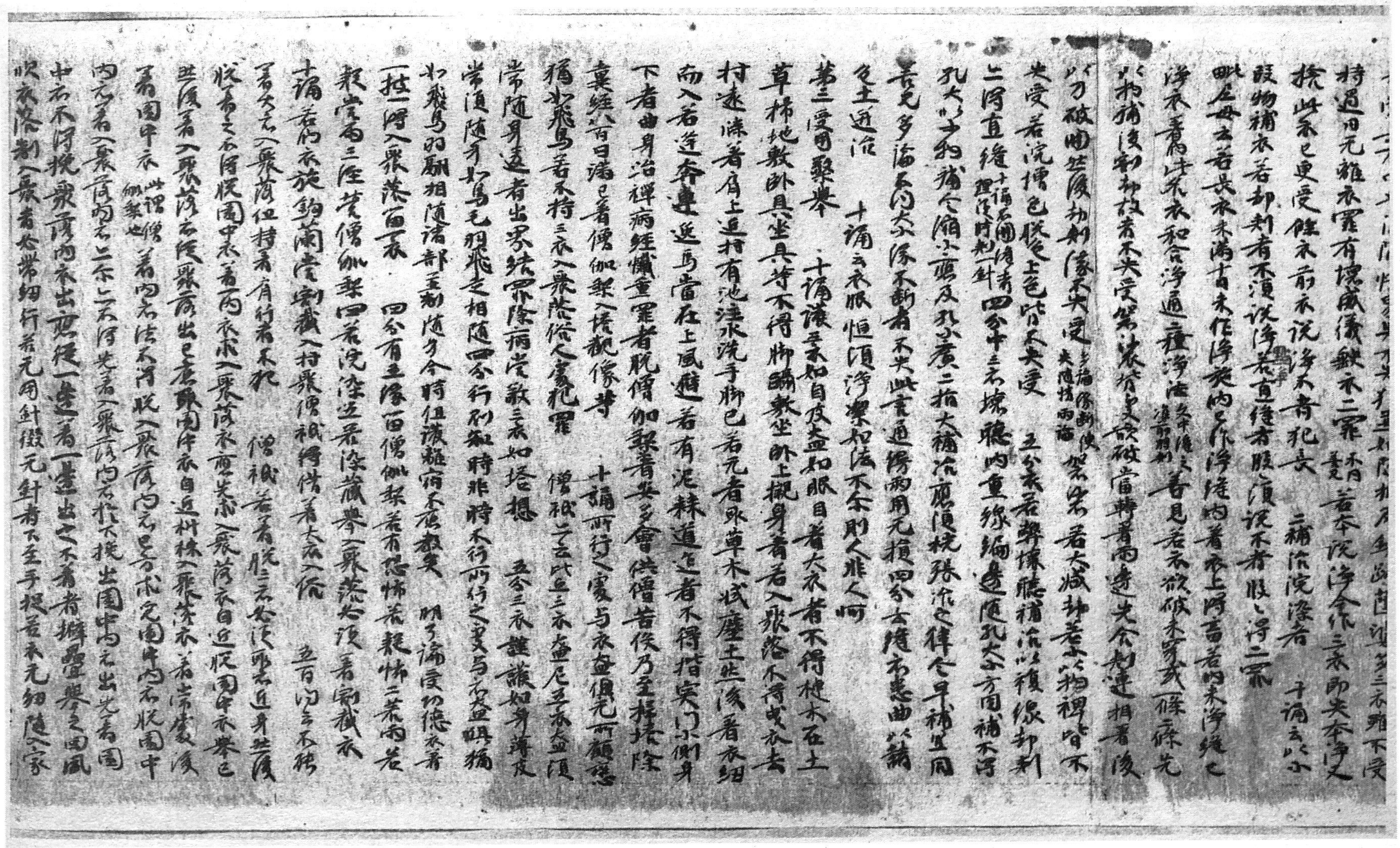

BD01011 號　四分律刪繁補闕行事鈔下卷之上　（62–5）

著園中衣（此謂僧祇衆也） 著內衣法不得脫入聚落內衣是不完園中內衣於園中
內衣者入聚落內衣二衣之衣得先著入聚落內衣於下換出園中內衣出先著園
中衣不得換衆處內衣出寒徒一邊著一邊出之不著者擲疊要之四風
吹衣落割入聚者必帶細行若元用針綴元針者下至手捉若衣元細隨入家
家得越心悔有所不著越毗尼披衣時當通肩披著細縛兩角左手捉時不得
手中出角頭如羊耳 五分二得四撲大衣於之中含多處大云被人衣卧前條中
婆沙中垂朵 三千威儀注不著泥洹僧不得著僧祇支如安重重方至齊上著
僧伽梨（故新二衣二重著） 五分律云比丘反著衣入村人見不喜呵云與不割截衣元異世尊呵責
結界著出村入村為草木鉤衣破裂風雨塵土污坌入葉中不累壞色鳥污者
聽為護衣故衆處外反著之若衣下易壞聽顛倒著衣上下安鉤鈕及帶雨
時不顛倒著 四分反著衣因之 舍利弗問注初聽福祖者謂執事
著敬故後聽通肩披衣福田相故 律中至仏前上座前方福祖也
經中通肩披衣五百世入鐵甲地獄 三千威儀著元塔寺元比丘僧有盜賊
處國若不樂道到彼國不著三衣者得著三衣在下身在高處坐不得
決正二部律論著大衣者入村見師僧上座別人不得礼（由敬處身當自陳說） 三千威儀云
著三衣不得向仏塔上塵師上師二莫背不得口銜及兩手舉 鼻奈耶云不
得垂三衣前角注去不挑著肩上而垂鮮肘前（以垂佛上故為鼻也） 五百問云元中
衣時得著大衣上講礼拜小衣不近身淨潔者元七條者五條亦得入衆食
礼拜等（准此臨行見境著下衣者不得作礼） 不著三衣受食犯隨借人三衣著不得出界經宿
界內不限日數 十誦亦云不著袈裟食者得罪下云三衣
五分得新衣令有德人暫著得福 僧祇得乞小片衣與俗人攘災離舍
俗令永離難數多羅僧與婆四吒女者 賢愚經師子袈裟著袈裟人故
成佛 二明作法攝衣界其自然攝衣界十五種不同如隨相中此但明
加羯磨者大義如鈔別疏今略明之一切大界凡有三種若界大元
伽藍但有住舍此須結之謂僧院外勢分內得護衣勢外界內
不失失衣二界与伽藍等及界小於伽藍此二不須結之竟院外
勢分內反成失衣故也 諸家立法不同有立元村結法者今
能不內有元並須結之以結隆其坊難難故若有村者現除聽
結（以村須去隨去置衣） 若元村者現結懸除（未來村有不得置衣衣若村去者還得攝） 以先結成故
直由塗哥情哥隔哥界哥故失衣不由村來去便令衣界增減
也此是定義五分等律明文任情量承薩婆多中所除者

能不內有元並須結之以結隆其坊難難故若有村者現除聽
結（以村須去隨去置衣） 若元村者現結懸除（未來村有不得置衣衣若村去者還得攝） 以先結成故
直由塗哥情哥隔哥界哥故失衣不由村來去便令衣界增減
也此是定義五分等律明文任情量承薩婆多中所除者
五義一聚落不定衣界是定二為除諍謗為除鬬爭為護梵
行等 四分中初衣結界二有村住後因有事方言除之加法大德
僧聽此處同一住處同一說戒若僧時到僧忍聽結不失衣界除
村村外界白如是 大德僧聽此處同一住處同一說戒今僧結不
失衣界除村村外界誰諸長老忍僧於此處同一住處同一說戒
結不失衣界除村村外界者默然誰不忍者說僧已忍此處同一
住處同一說戒結不失衣界除村村外界竟僧忍默然故是事如
是持 解衣界法（律云應先解衣界後解大界十誦先解大界衣界二失故） 文云大德僧聽此
住處同一住處同一說戒若僧時到僧忍聽今解不失衣界白如是
大德僧聽此住處同一住處同一說戒解不失衣界誰諸長老忍
僧同一住處同一說戒解不失衣界者默然誰不忍者說僧已忍同
一住處同一說戒解不失衣界竟僧忍默然故是事如是持
二明坐具者四分為身為衣為臥具故制長仏二搩（此方又謂長大拇指与中指相去也此字應法搩字手邊桀也足邊桀者此躁字之疏草及謂足一舉為躁二舉為步二義各別）手廣一搩手半廣
長更增半搩手 諸部論搩不定今依五分仏一搩手長二尺准唐
尺者則一尺六寸七分強此用二尺為搩手准姬周尺也此通陰陽
諸國常准不改（即廣舍五尺著用一尺寸為是） 但隨流浴則不定量（或此衣國用足則有）
（五六種不同） 明了論云人長八足仏則倍之丈六是也（故廣則亦益知足大小） 十誦云新
者二種故者四重伽論二同 僧祇云不得趣介歎課持小
故疊作敷具當二重作敷欧羅一重劫貝二重不得在頭量縮
量水灑量欲令乾已長大者成便犯隨受用越毗尼 鼻奈耶云新
新尼師壇故者緣四邊以亂其色者作者應安緣 五分須搩四
角不搩則已 四分云若減量作若疊作兩重並得（謂一重本為恐過量故縱）
十誦不應單尼師壇離宿吉羅摩伽云離宿不須捨隨坐非仏制故二不

量水灑量欲令就已長大者成便犯隨受用越毗尼　鼻奈耶云新
新尼師壇故者緣四邊八亂其色若作者應安緣　五分須揲四
角不揲則已　四分云若減量作若疊作兩重並得 謂一重本多恐過量故疊
十誦不應單尼師壇離宿吉羅摩伽云離宿不須捨隨非佛制故二不
應離宿僧祇云更增者二重三重對頭卻刈耳減耳過皆波逸提
諸律增者於緣外增之　四分七百結集中得畜不截坐具 是非法故捨而持之
准蓋縫之相不截不犯過量坐具不截而畜亦應元罪 此既開于擅行事後集開得提
僧斷了 此應久廢今往往重興則用默聞安法也　十誦作下蓋縫邊
各佈襌淨　伽論言下接頭者隨 今時通量縱增文則長五尺者並犯提罪 如法者准初
量已截斷施緣若坐時膝在地上者依增量一頭邊接
襌之此是正教正文 不依此尼至無知法寧坐也 薩婆多佛在時比丘不臥者
多故小後開蓋縫除從織邊唯一頭更益一揲手令比丘臥僧臥
具 今時有截本一揲者此是十誦律四分有者錯用故准論凡長小尺六尺廣三尺增臥具六尺四尺
用之但用增法 心欲准用二須畜之不成受持且得說淨 僧祇坐具者此是隨坐衣不
得淨施及乘薪草成臣磨 此香中床 唯得敷坐　善見云須受持
不合淨施不出其文義加云大德一心念我比丘某甲此尼師壇應量
作今受持三說 其用法大同餘也准例加持之 若欲捸須換易者當捨之文同受
法改下云今捨也　僧祇得敷坐正道行得長𦆛中疊著衣囊
上左肩上擔若至坐處當衆而坐若置本處當中摘之後徙
舒而坐凡坐法應先手案然後乃坐　賢愚經舍利弗以尼師
壇著左肩上入衆降邪道　鼻奈耶多聞者肩上山坐禪人在
左髆之是 非法　・三漉水囊法物雖輕小所為極大出家慈濟
厥意在此今上品高行尚飲用虫水況諸不肖焉可言哉故律中
爲重命無偏制飲用二戒由事常現有用者多數故也餘緣如隨相
中今故袖現重明准佛意意也　・薩婆多欲作住處先看水中有虫
下有者作餘井猶有捨去凡用水法應清淨者如法漉水置一器中足一日
用承上細疊一肘作囊令持戒審悉者漉水竟看淨器中向日諦視看
故有者如前說

（62-8）

爲重命無偏制飲用二戒由事常現有用者多數故也餘緣如隨相
中今故袖現重明准佛意意也　・薩婆多欲作住處先看水中有虫
下有者作餘井猶有捨去凡用水法應清淨者如法漉水置一器中足一日
用承上細疊一肘作囊令持戒審悉者漉水竟看淨器中向日諦視看
故有者如前說　僧祇虫大細者三重漉囊猶有虫者更作井
諦視有虫者捨去　四分作漉水囊如杓形若三角若作宏掫若作
漉瓶若患細虫出聽安沙囊中漉訖還著水中不得无漉袋行半
由旬无者以僧伽梨角漉 准須廣繫中以淨撤相淨故 此國多用絹作者余親承己
漉竟以內星色器中看小細虫无數同水塵量故涅槃有言塵邪虫邪
此言他信也後乘緻練作袋漉之方盡故明此者由生命處重无
蓋自他性戒无懺統須融於今不肖之夫見執漉袋者言律學
唯在於漉袋然不知所為處深損生妨道者猶不畜漉袋
縱畜而不用雖用而不寫虫雖寫而損虫命且在虫生一氣尚不
能遵奉餘之威儀見命常沒其中　三明聽門分四初百一
諸長二糞掃衣三種越施四定之物初中分二謂百一供身令受持之長物及
餘令說淨畜　・初中薩婆多云百一物各得畜一自之外皆是長物者
以實入百一物數下須說淨餘者一切器與非器一外皆應作淨 說淨僧祇給人
我弟子者三衣足遮寒苦者性不忍寒者聽故衣隨意重著
五分云三衣襯身衣雨浴衣覆瘡衣蚊廚敷經行處衣障壁虫衣
單覆衣 覆僧外具可床四邊而下垂四角著足上安坐具 護腨脛 護髀 護頭衣 拭
身巾拭手巾拭面巾針綫囊鉢囊革屣囊如此諸衣若以
衣皆應受持下文聽畜針筒　十誦諸如法所用衣僧祇支泥
洹僧是衣名作波利迦羅衣 晉言雜碎衣 云何受應言是 某 色波利迦
羅衣我受用故 應五衆邊而受謂嘗法爲言 善見三衣兩衣尼師壇等皆須受持
不合說淨雖穿破不失受應道其名字手巾得畜二雜衣隨多
少條衣唯得受持一不得多　十誦七種衣不作淨施三衣坐具兩衣
覆瘡衣受及百一供身具　薩婆多云百一物中衣鉢必須受持
自外若受則可不受无過沙彌畜上下二衣并畜泥洹僧竭支雷羅
隨身所著各得畜一自外一切盡是長財除錢盤米一切長衣十日內

（62-9）

少條衣唯得受持一不得多　十誦七種衣不作淨施三衣坐具兩衣
覆瘡衣交及百一供身具　薩婆多云百一物中衣鉢必須受持
自外若受則可不受无過沙彌畜上下二衣并畜泥洹僧竭支富羅
隨身所著各得畜一自外一切盡是長財除錢桊朱一切長衣十日内
同大僧法唯捨作吉羅悔為異　次明長衣法分二初明長相後
開說淨　初中自異衆耶云長衣者一日成故　僧祇支法 此是中國梵音也此番云上狹下廣衣
四分應繫僧祇支入聚落若安帶若縫之得上狹下廣衣當用
作僧祇支　十誦因入聚落露匈聽著僧祇支風吹落應著帶
不著吉羅五分不著僧祇支入聚落吉羅　僧祇二支覆肩衣長四肘
廣二肘如是受持 准此衣相猶有覆肩之量今時所著者同律上狹下廣此乃後報中有師改法截綫之文出誤錯唐明也
涅槃僧法 此云內衣 僧祇仏於僧前自著內衣教諸比丘因制戒　十誦作
時著小泥洹僧　三千云泥洹著法一不持下著上二使四邊等三攝
頭近左面四結帶於右面五當三繞不垂兩頭餘法如彼　五百云大寒
得襞著腳　四分下得反攝著以白衣家解露故應作帶著不得以
上色若錦及白作應作加衣染色廣三指遶要三周若得已成者當二
三四條之若亂縫合揎者經僧若細軟遮破作玦紐 此謂以衣遶身乾用帶面遶攝之
今吳蜀之僧多有用此著裙者　十誦五分作時取衣從後岐間遶攝著
前著下衣法左掩其上兩邊兩攝當後兩攝　十誦云泥洹僧破應
擁作　脩羅若軟體比丘近指蹲破下開五寸許應受之 此以裙而關縱合也
五分有著拘脩羅衣者俗人呵言何異我等著貫頭衣便不許著之
婆陀會壞聽權縫合作襞著 是頭如人裙也 今時有著福祖稽轉方裙褡
裙衣儭衣等並无正文可依　十誦五大色衣一切毛衣偏袖衣複衣
一切[illegible]衣一切貫頭衣兩袖衣一切襄衣一切衫袴褌白衣衣二眼不得著二
得突吉羅　四分不得著襯褶袴行縢手衣草衣皮衣狹帽樹皮
衣樹葉衣珠瓔珞衣鳥毛衣牛馬毛衣如是諸衣並不合著汝等癡
人避我所制更作餘事自今以去一切白衣外道衣並不得著若著如法
治中阿含云我說一切衣服飲食牀榻林國人民得畜不得畜者皆不定
若畜便增長善法我說得畜反此不得　四分衆僧得種種衣開畜
比丘須者借著若處所壞得移餘處若本所還立當依舊安置若

人避我所制更作餘事自今以去一切白衣外道衣並不得著若著如法
治中阿含云我說一切衣服飲食牀榻林國人民得畜不得畜者皆不定
若畜便增長善法我說得畜反此不得　四分衆僧得種種衣開畜
比丘須者借著若處所壞得移餘處若本所還立當依舊安置若
著僧衣當好愛護勿令污泥不得上廁五分為僧作時得著僧衣
不得襯身作竟浣舉　四分因開著擅越施衣故祇洹送所著
貴價衣及貴價氍數仏令廣三肘長五肘毛長三指者應淨施
畜餘廣大長毛者不得若大價衣在地不得在上行
十誦得坐綾羅錦綺上不得行　五分繡錦褥敷者吉羅謂俗家
四分給住房比丘中間与坐褥臥褥地敷襯體衣攝被三衣房衣諸
諸藥等若故不住者沙门一切所須皆与又云寒雪月患寒聽著
複貯衣又聞鉢囊革屣囊鍼筒禪帶要帶帽拭腳巾攝熱
巾裹革屣巾等及拭面巾拭身巾捫淚巾九寄衣白衣舍必須染
壞色作沙门衣法　五分借俗人衣不還則已　四分不得衣上坐
除邊方得上色染衣上色錦衣不得畜壞色得畜得畜数廁不得
著皮帽著患瘡得畜覆瘡衣元者僧中取將出外二得瘡差送
本處　中含阿難得五貴價衣令仏蹈已然後自用令施主得
大福 餘依准此　四分邊方比丘曲開五事一持律五人受大戒 以僧少故 三革方集二重
重革屣 以砂石多故 三數數洗浴 土地垢故 四數羯羊皮白羊皮鹿皮為臥具
以彼方無餘外具故　五聽比丘得衣入手數滿十日 以无人可對故　律云東方有國名白
木條已外便聽 業梁時貢職圖云白番白木調國來貢献則此在彼東而邊僧既多用本闕法律然白罷於無僧可得准用无過
律云不得畜師子虎豹狸皮野狐皮及餘不淨可惡等皮又不得
在高大床上若獨坐繩床木床有床覆以馬皮鳥皮錦綖雜色
卧具氍氀若用祖毛貯縟等並不得坐唯白衣舍無餘牀蓐可
坐者開除寶床不得乞生皮著汝水瓶新聽用皮作索若戶繩
壞聽用皮作若戶樞不轉若壞聽以皮治襄之若以皮作要帶
禪帶皮鞋並不得著作帳幹不得道行患熱以布為覆障
三衣之當畜善助禪禪帶也廣一尺長八尺頭有鉤三重用氈一尋
條法如彼應私屏處著之　寒霜國須袜聽從非親俗人乞
作不得餘用　比丘尼[illegible]處聽著俗人靴　五分作襪太深

褌帶皮㭊並不得着作帳幹不得道行患熱以衣爲覆障
手巾當畜善助裨褌帶也廣一尺長八尺頭有鉤三重用氈二韋
作法如彼應私屏處着之　寒霜國須袜聽從非親俗人乞
作不得餘用　毗尼母云雪處聽着俗人靴　五分作攤大深
聽齊踝上比丘作靴如鞾法下得着餘國着富羅若履更有所着
隨意着之　毗尼母云所以脫革屣者佛行者以俗生人呵言世尊
心故五百問云淨潔鞾鞋履得着禮拜　五分得新履令淨
人着七步　四分聽爲護身衣外具故在寺內着一重革屣若
穿壞以樹皮補以筋以毛以皮爲縷線縫之若得生皮聽自
柔治若使人柔覓處作一重革屣不得着入聚落中　文中四在
道在聚落脫革屣福組有疑佛言若有所取與隨時　准此開入聚落
中不脫革屣福組明文證　又不得用雜色皮若持綪布若編邊若青黃赤
白色等作革屣等並不合用若得錦色革屣壞色已聽畜若
以芭華等作草屣亦不得着在寺內聽着滑革屣若破以
皮着底不得畜四種寶屣若木屣開上大小便廁屐洗足
屐也已外一切屐不得畜　二明作淨施法二三
施主差別三闕說進不四說之法用五辨施主在二[illegible]以六
明失法不同　初中薩婆多問曰此淨施法真邪假邪答一切
九十六種外道无淨施法佛大慈悲方便力故教令淨施是方便
施非真施也令諸弟子得畜長財而不犯戒　問佛何以不直令
畜長財而强与結戒設此方便答佛法以少欲爲本是故結戒制
令不畜而衆生根性不同恰入各異如昔一時開七寶畜舍比丘
入中便證離道所以隨其機報先制後開　何故開十日答六
仙知法相不緩不急正開十日使籌量布施人縫治作衣及說
淨須婆文若放逸不說淨者以惡心故下滿十日皆犯捨隨地持
中菩薩法亦有淨施法涅槃亦尔　三闕施主法就中衣
藥鉢寶數米等並須施主前明上三施主　僧祇云五衆得作
善見云展轉者五衆中隨得一人作施主　真實者至比丘所不

BD01011 號　四分律刪繁補闕行事鈔下卷之上　（62–12）

淨須婆文若放逸不說淨者以惡心故下滿十日皆犯捨隨地持
中菩薩法亦有淨施法涅槃亦尔　三闕施主法就中衣
藥鉢寶數米等並須施主前明上三施主　僧祇云五衆得作
善見云展轉者五衆中隨得一人作施主　真實者至比丘所不
言對沙彌也　五分云五人不應作一不相識二未相識三未相押
習四非親友同師五非時類復有四人一不能讚歎人二不与人好
名稱三應淨施五衆四不得与白衣義准前五真實淨主後
四展轉淨主　十誦下得稱二三人作淨應与一人若將他淨施
物不還應索取不得者强奪取諂言佛有教爲清淨故与汝
汝今將去已犯吉羅自今已去說淨者應籌量与一好人　謂對首受淨者　薩
婆多求持戒多聞有德者而作除惡邪四重得戒沙彌聾盲
瘖瘂顛狂心行別住六夜五法人等爲令清淨作證明下生闕諍
犯上等人則不如法非此人者用爲施主後釋物已於一比丘邊釋施主名而
說淨錢寶穀米等並以俗人爲淨施　涅槃云雖聽受畜要
須淨施篤信檀越　薩婆多云先示知法白衣等如後所說
三請法聽下　先明須請薩婆多云應求多聞人等若无者便更
求清淨者作欲心作於明則名如法故知面請也乃至錢寶亦言
諮令知比丘法令以檀越爲淨主此明文開請　次明以不須請五
分云於五衆中隨意与之以當時指示當部无文隨二部用德望者　[illegible]
請法應具儀至大德所前共本意許可已並後說言
大德一心念我比丘某甲今請大德爲衣藥盆展轉淨
施主願大德爲我作衣藥鉢展轉淨施主慈愍故三
請　准善見文五衆通得　若至彼所告云我今請比丘比丘爲展轉淨施之
主願爲之　下三衆例尔請法无文義加　真實淨者　善見對於比丘以親對說淨在時四衆無共作
法義　文云大德一心念今請大德爲衣藥盆真實淨施
不同　主願大德爲我作真實淨施主慈愍故三請　實施主者
多論云先求知法白衣許之若不知者共令知之在彼所云

BD01011 號　四分律刪繁補闕行事鈔下卷之上　（62–13）

幸願為之（下三衆例尔 法无文衆例尔）請真實淨者（善見對於比丘以親對 說淨在前四衆無共作）
法義不同 文云大德一心念今請大德為衣葉益真實淨施
主願大德為我作真實淨施主慈愍故（三）諸實施主者
多論云先求知法白衣說之若不知者共人令解之令彼所云
比丘之法不得畜錢寶金銀穀米等今以檀越為淨施
主後得錢寶盡施檀越 次明今說淨不 薩婆多云
錢寶穀米並同長衣十日說事 [illegible] 兩明作淨法
五分心念說者具儀捉衣心生口言我此長衣淨施某甲從
彼取用得至十一日復如前或儀口言我此長衣從某甲取還
得至十日復如初說淨施與某甲從彼取用如是捨故
授新十日一易 僧祇心念說淨二戒犯尤內心說淨
而口不言是名非法淨越若口說者无罪律中捨故受
新十日一易應是不說淨者（或可說淨 故今展轉）對面展轉者至一比
丘所具儀手捉衣口云大德一心念此是某甲長衣未作
淨為淨故施與大德為展轉淨故（彼受 諸者）言大德一心念汝有
此長衣未作淨為淨故與我我今受之（當說言汝 誰與誰）荅言
施與某甲（即淨主名字）大德一心念汝是長衣未作淨為淨故施
與我我今受之汝與某甲是衣某甲已有汝為某甲故善
護持著用隨因緣（並鉢並藥 並准此）外三律由前對面作淨為主論
竟同制不得對面使知又施主後知從犯長仏言不應
說今知別處說之善見對面淨者并縛相看至一比丘所明
說言我有此長衣為淨故我今施汝汝已得賞護護不用
得云何得用若云此是我衣隨長老用者尔者得用
若正作法者同前儀式大德一心念我某甲有此長衣
未作淨為淨故與大德為真實淨故（二淨依四分文寫三淨成就）

BD01011號　四分律刪繁補闕行事鈔下卷之上　（62–14）

得云何得用若云此是我衣隨長老用者尔者得用
若正作法者同前儀式大德一心念我某甲有此長衣
未作淨為淨故與大德為真實淨故（二淨依四分文寫三淨成就）
者善見言施與大德捨與大德與大德等並成若言願
大德受此衣等不成與真實受者言我取我受者成
成若云我當取欲取等不成受一說成不須三遍
五分淨捨說者具儀至比丘所云長老一心念我比丘某
甲此長財於長老邊作淨施彼應問言長老此衣於我
邊淨施我持與誰答言於五衆中隨意與之彼即語言我
今與某甲若須從彼取用好愛護之（謂展轉淨也淨法當文云草 須說施主及財物所屬）
徒令淨人著淨 錢寶淨法者（數米等 例同說）律云當持至可信處
婆塞若守園人所告云此是我所不應汝當知之文中不云
令淨人持應須使俗人令知是物准僧祇不信俗人使在前
行至淨主所如前作法若彼淨人得淨物未者應受持之
餘有進不隨相此中實明主存亡進不僧祇齊三由旬知
其存亡 五分知其在世在道（不） 薩婆多施主若死入
異國更求淨主等 四分无文隨意 採用並淨施之法
必准論律名行高尚者令遠近通知若汎尔恒人同青
便成法失（以不知行業不應故）六作法失不之義 僧祇沙彌邊作
淨若受具稱元歲比丘若无者得停十日更須說淨（有人云真實主）
（亡財失 展轉者不失 律云護 文明二淨俱亡以羞非正主）若不知施主存亡便失淨法不
得過十日 薩婆多施主若死更求淨主除錢寶穀米
一切長財盡五衆邊作淨（三寶俗施主二 須十日內更請）十誦若淨施主是
弟子被師呵責者不得作淨應更淨餘施人施主若死二
須更覓施主亡者物不入僧以財屬他別人假名施也（准此前展
轉不須者謬矣又上文一人為主不得稱二三人便與五分）善見若因淨
淨家有違成是立法令取五衆及至作法常指一人

BD01011號　四分律刪繁補闕行事鈔下卷之上　（62–15）

一切長財盡五衆邊作淨三寶餘施主二須十日內更請十誦若淨施主是
弟子被師呵責者不得作淨應更淨餘施人施主若死二
須更覓施主亡者物不入僧以財屬他別人假名施也准此前長
財不須有疑矣又上見一人爲主不得稱二三人便与五分善見若因淨
淨訖有違戒是立法亡乘五衆及互作法常指一人
施方便藏還不還計直犯罪故知屬本主僧祇若衣多忘不識
應取一切衣集著一處當捨言我此衣淨施与某甲我今還
捨應更說之　四分若忘者更說論問忘後十日此禮可分別者薩婆
多并說淨財寶及以衣財若人貸之後時寶還寶錢還錢
乃至衣財相當者不須說淨若還不相似物更須說淨以非異本寶
貯過限尼安若未已說淨及野點淨納來二淨者縫衣著納是
少衣衣和合淨點淨亦隨相中五正色并上色錦雖和合不成若
先以正不正色染復以餘色及正色染是名色和合得畜
餘廣隨相中二糞掃衣制著意此乃世人所棄无復任
用義同糞掃論云一欲是賊物離自貪著二不爲王賊所
貪常資身長道又少欲者生事須濟於若故上士著之
十住婆沙云著糞掃衣十種利一不以衣故与在家者和合二不以衣
故現乞衣相三不方便說得衣相四不以衣故四方非法求索五
若不得衣亦不憂六得亦不喜七賊物易无有過過患八順
行初受四依法九入麤衣數中十不爲人所貪奪言衣體者四分
十種謂牛嚼衣鼠嚙衣火燒衣月水衣產婦衣此三依用衣用者諸故棄之
若神廟中衣爲鳥銜風吹離處者得取及冢間衣求
願衣往還衣至冢上又持來如上是也不問新淨上色不得直用
須作袈裟染色受持又不得取未壞无人衣若見下至一針許壞若冢間
得錦文卧氈褥枕氈氍獨坐床唯除皮繩綖鈍餘者聽
畜又阿含蓋步挼革水瓶澡灌杖扇鐵鉤刀鑷二得
畜得錢打破自持作銅用取糞掃物時本無共要往冢

BD01011號　四分律刪繁補闕行事鈔下卷之上　（62–16）

顛衣往還衣至冢上又持來如上是也不問新淨上色不得直用
須作袈裟染色受持又不得取未壞无人衣若見下至一針許壞若冢間
得錦文卧氈褥枕氈氍獨坐床唯除皮繩綖鈍餘者聽
畜又阿含蓋步挼革水瓶澡灌杖扇鐵鉤刀鑷二得
畜得錢打破自持作銅用取糞掃物時本無共要往冢
取衣不得還亡云是我許隨先至者得若已移離本爲前移主不得取
神廟中衣比多有上座行人入諸神廟剝脫形像衣服收
來情蓋纏身仏制不爲理有深致若癡而輒取犯北盜
罪必知而爲之不无相悋致有避神主而藏身劫奪者是
重波羅夷如隨相中　十誦取未壞无人衣得偷蘭
善見无死有小瘡如針頭支来斷令從人取　十誦四種糞
掃一冢間衰无人二衰无人已持來施比丘者三无主衣四土
衣謂巷陌若冢間有棄弊物者　四分得糞掃衣浣染
四角頭點作淨畜若得貴價華𦆍難重闡畜仏言以是
糞掃故　　三種越施衣有二謂時非時也　言時施者
謂夏竟无迦絺那衣一月有衣五月是仏斂產諸比丘五
利受勞之時故名時施唯局前安居人　言非施時者
謂一年之月無問冬夏有緣即施不問時節故曰非時施也
今次開位則有四別試時施中分二　初時現前者
施主將衣物至安居處數安居人多少爲分衣物也
是不須稱奢直分之四種定故一時定同是七月
十六日若夏未滿受衣得罪二處定同此界內前安居人三
人定非外界者現前同住四法定以直數人相參隨籌分
四分不得異處安居異處受衣乃至安居未竟亡不得乞食受衣
又云僧得安居衣破爲二部令數人多少分又云以衣施仏請比丘人与
兩端疊一爲安居故著留夏食而分者仏言食隨施主意不應分
二時僧得者謂施主布施讀通一化安居之人是僧皆得故曰僧

BD01011號　四分律刪繁補闕行事鈔下卷之上　（62–17）

四分不得異處安居異處受衣乃至安居未竟二不得乞食受衣
又云僧得安居衣破為二部令數人多少分又云八三衣施仏諸比丘人与
兩端疊為安居故普留夏食而分者仏言食隨施主意不應分
二時僧得者謂施主布施誤通一化安居之人是僧皆得故曰僧
得法作之時須僧羯磨律云得夏衣未分便行後分夏衣忘不留
行者分仏言成分又云若比丘安居大德僧夏衣應心念口言索之
若時中不分須至八月十六日非時分者即作非時僧得施法以前安
居移至他方不得衣分佛羂諸住人還使通分僧祇云若安居
時衣沙彌持戒能作淨得比丘意隨意与五分難事破安居得
受安居衣施住日多處取　非時中二二初非時現前者謂主自
僧至見戒寺設供數人多少隨物而施律云遊他處並施縷著
因而施物又云諸擅越大送好衣与諸比丘仏令數人多少若十人為十
分乃至百人為百分好惡相參令不足者擲籌若大價不可分者聽
裁破分應以可應以分截衣　十誦若時非時僧施乃至六衣
一切布施物沙彌若立若坐擅越次第自布施多少屬沙彌若
擅越不分別分作四分三分与比丘第四分与下三眾　五分比丘分与
三沙彌亦同　僧祇若沙彌得應者等与若半等　准此諸部二種見前如下亡人物中分之
等与二種僧得隨僧利分　四分二分但是僧得施下至淨人皆受其分
次非時僧得衣施者謂施主運心周普通該三時不局一眾將物至
寺或在賤俗家白僧鳴鍾以時用施便獨處斷之如分二人鞋物法
律云有住處現前僧大得衣物可分物時有客比丘數數來分
衣疲極仏令差一人白二羯磨分　二部互亡有四種法
四分十誦若施比丘僧乃至无一沙彌若施尼僧乃至无一沙彌
尼如是五眾互取就寺不蘭僧尼得現前同含受故 莫非此之
福田故二眾互受　五百問云有人施僧物後更比丘來在座打揵槌得不
打不合若有餘覩物本道人已去後人應問若當來不合若
永不來現願取若或來不得取犯捨墮知无而取犯弃僧物故
四明亡五眾物既財是亡之所利非大士所懷然出家濟遠經劳涉

BD01011號　四分律刪繁補闕行事鈔下卷之上　（62–18）

彌尼如是五眾互取就寺不蘭僧尼得現前同含受故 莫非此之
福田故二眾互受　五百問云有人施僧物後更比丘來在座打揵槌得不
打不合若有餘覩物本道人已去後人應問若當來不合若
永不來現願取若或來不得取犯捨墮知无而取犯弃僧物故
四明亡五眾物既財是亡之所利非大士所懷然出家濟遠經劳涉
異俗舉業唯存出道者則蕭然世表塵滌不拘而情性未
融素非清潔者唯利是親今無道志然上二士並預法流上建
立法以濟譏下遠受法而隨緣俱須兩順仏法用通一道淨
行世亡僧衣物處斷多途並謂指南俱呈至訖但由教有輕重
機悟賤深如彥所明其例有六重論決斷每有遠疑臨事
詳之在北軽重今既事務繁雜非諸門无以判之且張十门用通
至制入僧餘處不得三對亡者分法不同三同法共財不同四隔捨
是非五負債還不六定物重軽七具德賞勞分物時節九亡物
分法十雜明受物　初门制意者所以五眾亡歿皆入僧者生
則依三寶出家而物不入仏法以出家六和同遵出要身行所
為莫不為僧法所攝故人施仏法比丘无分義施僧者依住
受之二不屬俗非福田故　僧祇商著臈陳如空林中入涅
槃牧牛人送衣物与王王即評直五錢依法斷還沙门乃至仏言
屬僧　十誦跋難陀死衣物直卅万両金国王剎利種及諸親里
各欲收取仏言王賜諸臣比丘不得乃至親里集會不見喚
及僧家財法並同俗人不令此屬僧物　二對亡人分法不同十
種斷別一者棄掃取如五分界內水漂死人衣鉢抱杖隨見者取
之二入當時現僧如十誦學悔沙彌死救殯比丘无守衣比丘死隨
更互直取　三入同見僧如四分邪亡二部各執是非其人中道
死至被死皆同見白分　四入切能僧如四分被舉比丘死衣
物入同羯磨舉僧　五入二部僧如五分獨住比丘死薩婆多
二界中間死四分无住處白衣家死五眾先來者得　六入面所
向處僧如多論二界中間隨面向處僧應取七入和上僧祇
中沙彌死衣物入師和上等謂令和上分別財與以師物自恣

BD01011號　四分律刪繁補闕行事鈔下卷之上　（62–19）

物入同羯磨来僧　．五入二部僧如五分獨住比丘无薩婆多
二界中間无四分无住處白衣家无五衆先来者得．六入面所
向處僧如多論二界中間随面向處僧應取七入和上僧祇
中沙弥无衣物入師和上等謂令和上分別財狀以師物自分
弥物入僧 十誦新同比丘五分二年其同有衣无衣 八入所親白衣薩婆
多誠殯比丘无将衣鉢付生緣 以生不同財法 无随所在處得如十誦有
比丘持衣寄向難三處共多謂能寄人所寄者寄物處佛
言屬向難處僧界内現前僧應分以寄人不寄處故 准此寄處 不寄人者
物當 僧得上来九種直尔分之第十和清衆无方入羯磨　三同活共財
不同者師本意正与弟子衣食不同共活已与者得未与者師亡已後
恚皆入僧實非假冒取僧物者犯重。　若師本契所有財物決
心同分者如兄想終無分隔此若手死任情少多随身服用一
一切入僧　若師徒共契財物共有各別當分且在一處別活
及道悉共半分是名共活若分其物准俗制道已著之衣服已
用之器物在屬随身並未須分餘有長財依文分半
若不同活又非共話妄言取分欲兩俱犯重 判輕 則衍蘭善生経
中二有兩断並據無物　而偈捉是非四句分之一偈捉善悪二之
物差別三重罪捉偈四成不之相初中有四　一偈捉善者自
知背来非法備積唯統不善今若命終无一随者不如破普捨
貪嗔本初受後決誓願以財付他生福上處故是善也
言不善者怨此財物死後僧得慳貪徐態妄據白衣謂言
勝善此偈非善三不偈善者若病篤之時唯在出道於此身
中空无遍以此恨歎常氣傷財本非真要縱有勸偈便在愛
境任論前業福道此財佛已識断如此而終不偈二一善
四不偈不善謂前心欲捨後便慳悋展轉乎相生不能自決遂便
捨命是不善也　五百問中比丘愛銅鉢事及慳之事如随
相訟　二差別者一人物俱現是偈是捉奴婢田宅車牛莊
園等重物及輕物不可轉者 如氈氍布衣之例 各偈二所付与如媍定衣服

BD01011 號　四分律刪繁補闕行事鈔下卷之上　（62–20）

四不偈不善謂前心欲捨後便慳悋展轉乎相生不能自決遂便
捨命是不善也　五百問中比丘愛銅鉢事及慳之事如随
相訟　二差別者一人物俱現是偈是捉奴婢田宅車牛莊
園等重物及輕物不可轉者 如氈氍布衣之例 各偈二所付与如媍定衣服
寶物等是捉之物乎現或俱不現是偈非捉以人在他郡餘物
別處等四非偈捉者任僧准式如前說也　三重偈捉相
僧祇偈与衆多人家後人等得捉与衆多人在前者得准此決犯
如決心与他自言先出或對人陳随一許竟後使是捉犯是他
財因不付他或轉餘施財主犯重 由決心与他屬彼已定後來奪盡 四他人已捉他犯重後人受施則信
受之從賊得物 仏因取用故　善生云先許他一衣後便𥅋大德未轉以施之是
得偷罪　明了論決心指已不犯長　四成不相者凡言偈捉
正是捨財相應心要分決与生福勝處定无變悔皆悉
成就若去此物死後与我作塔買指挪碑碣作像寫経
供僧等事並不成就 以未死是物主定不自分死後更有主
未處斷 不依前法　若犯王法知明日被間必死今日中前
隨時並成由未死心決成主　若以財物令人造像施
僧齋供使我眼見回即命終者成若言死後同前浮
遊散諸部明示　四分五百 若臨終時偈物与佛法僧者
應自處分　僧祇若未付財或得已不作淨置病人
我死後与等仏言一切屬僧 以心不決故 十誦大同唯三衣六物不
邊並不成若作淨已置邊者得若言我死當与若差
卽捨並不成　五分若生時已与人而未持去僧應白二与之
五負債進不者 以義分者 仏法別人負亡人物亡人負仏法
別人物並舍輕重者有則相當還无則交絡還以並收入
須依本物重則入常住輕入現前僧若先負輕物今追
得重還須賣取輕物依法分之若本負重還輕者入常
住僧中不同共僧之法　若常住僧負亡者重物不須索

BD01011 號　四分律刪繁補闕行事鈔下卷之上　（62–21）

須依本物重則入常住輕入現前僧若先負輕物今還
得重還須賣取輕物依法分之若本負重還輕者入常
住僧中不同共僧之法　若常住僧負亡者重物不須索
取（以還入常住故）若負輕物還入現前僧得重物還者依前易取
輕物分之若全无可得者便止　十誦亡者比丘生時負三
寶物應歸若三寶貸比丘物索取入現前僧（故知並索乃依本而斷）
至四方現前皆舊比丘等亦同上若賒酒不便死取之衣
盆還若无者取僧物償懸出諸比丘惡名聲故（二不言常住又前之物主）
（時隨）緣若先与他衣價死時還索取之他衣未与價者
死還本衣无者賣衣鉢還　又債息異處有五句一
衣在寄在餘處身在餘處死隨物處僧得二負債處
死處負債處僧得三死處出息處僧得四
死處望物處取錢處喚物處僧得五死處取錢處執
契書處執契書處僧得此中文獨不了若息物在俗邊處
未得者可准十誦依契簿取若物在僧邊者亡後隨物處
得僧終不以契書故攝他異界僧物初句斷以彼此俱
僧故若論重物二不得取以不聽移此僧物而送彼僧除
羯磨法若負物在俗同无住處五眾先來者得重物隨見
者送寺若多人所知共爭不決者如十誦五斷或同前人處二
齋斷眦尼母若有生息物在外當寺內僧秪人推求取之
入此寺常住僧五百內五比丘諸人物前人死要須白僧
得取本物不白而取得罪若僧不与強取或僧知而不還自他俱犯
祇云若索債者當看前人持戒可信者与不信者不應与若有可信
人證明者應与不信證者不應与　六定輕重者並此世物諸部
未融隨情難信理須隨本受戒何律受戒即以此律而定重輕

BD01011號　四分律刪繁補闕行事鈔下卷之上　（62–22）

人證明者應与不信證者不應与　六定輕重者並此世物諸部
未融隨情難信理須隨本受戒何律受戒即以此律而定重輕
若亡人下憶看病者未知則隨別住何部行事即以此部處
斷是非不得自諸心行妄興与奪嘖（注）四分而受當奇行之便隨貪
欲多判輕物入僧便准十誦此由貪故犯非由教是罪今於斷割
之前預須捨住隨持律六種不同如序中列及論決事三階
處決　一者唯用四分一律有則依文而用无則不取外宗故律
中十三章門判物皆盡唯有重輕二別若決判者一切衣鉢坐具
盛衣貯器鍼筒俱夜羅氍毹麁重氈剃刀等物入輕餘者
一切衣物不列名者並判入重此一家正斷二無寄二不可抑
奪　二者四分先准諸部類分義決有无傍出輕重初略分
三一佛所制畜如六物等資道要務一向入輕二制不聽畜如
田園奴婢畜生金寶穀米船乘等妨道中最不許自營唯
判入重（此上二制通一切律）三佛開聽中義含輕重如長衣百一及以器物隨
身眾具以妨乃妨長容得濟形資道此則判有不同今
具依鈔者一意位分三別　一者性重如一切銅鐵木石瓦
釜鑊車轝器物以體是重物不堪隨道判入重　二性輕者百一眾
具可得隨身布絹莫問多少唯判入輕三從用輕重者或事
重用輕如剃刀函石盛衣貯器及以鍼筒銅盂鍵鎡等
入輕或事輕用重如大小帳蓋行障枕扇擔褥帳席俗人衣服
並是妨礙入重而斷但以教網具周必須文顯然又眾類七種
分之後必有事條闕門自判（准用十誦律中凡木等色隨事分物令二附事處明）十誦病人死
看病者取甚物衣浣洗鞋卷攤除摚入眾眦尼母五並取
衣物在僧前已遣人分處可分物不可分各別看一處如是
云云何名重物以物重故衣明剃桐如彼說　芻麻
毛綿所作四分中坐褥臥褥入重（並謂衣裳有踈弊故治者）氍毹長五肘廣

BD01011號　四分律刪繁補闕行事鈔下卷之上　（62–23）

[illegible]
衣物在僧前已遣入分處可分物不可分各別者一處如是
云云何名重物以物重故今明別相如彼說 ‧第一絲麻
毛綿所作四分中坐褥臥褥入重（並指氈褥有綿絮治者）氍毹長五肘者
三肘毛長三指入輕此寒雪國中曲開氍毹相同袈裟衣
條葉具足毛內葉外乃反作之此開度為外具此即三衣也被是
重物不可例之以僧祇中有氍僧伽梨故自餘准此為重
被及被單入重薄軟氈堪可疊披入輕氍毹錦繡等綺
色分明入重律令壞色者之猶同三衣相也綾羅入輕
律開受王大價衣及施主種種好衣文中乃不明了不妨會於
貴價綾紋等入輕下文聽著大價衣也
僧祇覆瘡衣雨浴衣漉水囊二種腰帶臥具入輕
五分劫貝單敷襯身衣針線囊鉢囊革屣囊入輕准此
被單雖是從被猶同襯身單張不異可類在輕錦繡毛氈
若褥毾㲪等入重准此四分藏量者入輕必依量斷厚入
重不堪披著不同氍毹法服厚軟可服氍毹類同錦繡絲
是小褥而屬林凡有相隨入重五大色衣入輕律中上色染衣
上色錦衣聽作袈裟染色言若真緋等判入重者黃白不
應入輕白色佛制不著尚判綺布入輕例於黃青赤亦輕
分之　著衣氍氈佛制重入輕（不正色者何判入重者故疑）
綺錯外同三衣條葉具足同故入輕准五分文必純色者准律
非重　然麻緣線不問多少義准入輕必合疊會搭便入
重色威衣袋者（前主者淺至降）准五分入輕鉢袋長袋被袋等入重
一切俗服禪褌之類已壞色折破入輕猶是白色俗衣用服者入
重雜綵色繡帶鞋及餘男女衣服襪方巾襪等並入重繡
綺盆袋隨盆者入輕 ‧第二瓦石鐵木竹等所作 四分銅瓶
銅瓮綖床木牀水瓶澡灌錫杖扇斧鑿火爐枕卑床及鐵

BD01011 號　四分律刪繁補闕行事鈔下卷之上　（62–24）

一切俗服禪褌之類已壞色折破入輕猶是白色俗衣用服者入
重雜綵色繡帶鞋及餘男女衣服襪方巾襪等並入重繡
綺盆袋隨盆者入輕 ‧第二瓦石鐵木竹等所作 四分銅瓶
銅瓮綖床木牀水瓶澡灌錫杖扇斧鑿火爐枕卑床及鐵
皮竹陶木五種作瓶入重此五種作器並謂能造物具故律云
木作瓶狼藉無安置處仏令作皮囊盛之非謂所造之物
（剃刀輕重仏制不剃）剃刀入輕錢寶等入重下文家間得伐壞相作銅用
十誦剃刀汗挪灌鼻筒熏鉢香爐熏鉢鉤鐘上鉤綵鎮
匕鉢支及鉢小鉢半鉢鍵鎡小鍵鎡鉗鑷截爪刀子截衣刀
戶鉢曲戶鉤等入輕若水精貝齒角作瓶謂如瓶小者入輕
以外過半升已上入重（半升者姐周所用）一切染色若青赤黃（不應分）
僧祇錢金銀真珠瑠璃珂貝珊瑚頗梨車璩馬瑙玉石入
重臥床坐床木盤木瓶木瓮竹篋皆竹之合道並白鉢
凡鐵等入重准此通量好鉢二重仏制不用善見劍像
應分　入摩伽看斛斗衆故聽畜四寸刀頭如月刃
若生時造送終調度並入重植叢屏風鄣子及諸鐵
鑰入重以妨長故戶鉤准輕二有相隨入重
四分俱夜羅器即應量械量盆銚等十誦入轉輕之類
紵銅鉢等二判入重　供養香爐輕可隨身入輕准上
十誦有寶裝杖入重以從寶式制故若重大者入重根本
為仏法而作不自攝者隨本處安置不得追奪若隨緣所
費不定者如上處分經架香案經函之屬輕可隨身同上一
輕各有別屬二隨本位仏林經巾之屬二隨本入仏法无定者一
重數珠入輕（別屬也）第三田出園林房舍等 四分五伽藍及屬伽
藍果樹別房屬別房物著播布綃為已造房著已易得
重物者入重九時循是輕物者聽分若捨輕重物入仏法者

BD01011 號　四分律刪繁補闕行事鈔下卷之上　（62–25）

輕各有別屬。二隨本。二隨本入佛法。无定者入
重。數珠入輕。別屬第三。四分云：伽藍及屬伽
藍果樹，別房屬別房物，若捨布絹為已造房，若已易得
重物者入重。无時猶是輕物者聽分。若捨輕重物入佛法者
不合取為佛法，有別主故。還隨主者處分。若定莊嚴房舍
如障隔承塵等，即入屬房物攝。若當處三時分房无定處
主者，依本安置。若先法者僧家，拆取入常住用。十誦：塔
土染色入重。准此雌黃、白墡同之。　第四皮革等。四分：皮
衣、褥皮、衣等一切不得著，則入重。　十誦：皮物者，盛油囊
受半升已下，繫革屣韋、鞦韋、麁韋、熟韋、囊、脚指韋應分。
已外入重。革靴、斜靴入重，非道服故。餘者入輕。此尼母云：經律
先有付囑，即付彼。若无付囑，隨能受持者與之，不應賣也。俗
書素畫入重。紙筆墨等准此入輕。八塔附道法故。盛澡豆
者唯是瓶，用十誦准斷。　五畜生者。此尼母云：驢馬駝等與
寺中常住僧運致。若私有小寺，園果、堂房、瓶瓮之屬、養生之
具，此現前不得分，屬四方僧。何者？若養生之具，人畜所須，非
養生具者，非人畜所須也。　六人民奴婢。四分云：僧伽藍人入
重。所有私物不問輕重，並入私己。若僧家奴婢死，有衣物
與其親屬。若无者，常住僧用。私奴婢死者，義准有二：若
同衣食所須資財自取入己，隨住分處；若不同活，直取主
攝。與衣食者，死時資財入親，无者同僧院內无主物入常
住。（入親者准放驗。此五若无衣物。入親者僧伏付則不同之。）此尼母云：若有奴婢應放令去。若
不放者，作僧祇淨人。（准此放去，謂賜姓入良，復於依律。）　七四藥者。無問生熟
未作，將湯丸膏煎並入重。雖有殘宿惡觸，亦有失明了
論。薩婆多云：八无時斷清淨，故則无宿觸，賊賣不淨也。
十誦：伽藍若僧中請食已命過，同分衣法。（今現前分處入重）前已命過後

住。（入親者僧伏付則不同之）
不放者，作僧祇淨人。（准此放去，謂賜姓入良，復於依律。）　七四藥者。無問生熟
未作，將湯丸膏煎並入重。雖有殘宿惡觸，亦有失明了
論。薩婆多云：八无時斷清淨，故則无宿觸，賊賣不淨也。
十誦：伽藍若僧中請食已命過，同分衣法。（今現前分處入重）前已命過後
待食者，還歸本處受他施衣亦不。　餘有不盡之文事不
可悉具，如別制輕重物中，二須類知而通解也。
三者通用律藏意，立正文及事要者，不必承四分為定。如
澡灌、針錐、諸截刀子等，餘律判入輕，則二類用文義廣於
如別卷述，且依第二之為龜鏡也。　七辨德賞勞。四分
有二五德：初五明病人難看而能看者，來瞻病者德滿。一、所不應
食而欲食，不肯服藥。二、看病者有惡心而不如實語。三、應行不行，
應住不住。四、身有苦痛不能忍。五、少能堪能而不作，仰他
他作，又不能靜坐止息內心。　次五明看者行滿。一、知病
人可食不可食，可食應與。二、不嫌惡賤病人大小便唾吐。三、有
慈愍心，不為衣食。四、能經理湯藥，乃至差若死。五、能為病人
說法，令病者歡喜，己身於善增益。有此五法，應與病人衣物。
小瞻視，佛制不許。　五分云：人看病與究竟者。　僧祇四種：一、輔作，
二、僧次差看，三、自樂福德，四、邪命而作。並不合得。若看死亡法死
者，二不合賞。若欲餓並病者，欲令速差，下至然一燈
遇終者，應德此物。（餘知瞻病法中）次明所與物。律中不論德有上
下，很與受持衣物。若不知何者受持，當捉上看病與上三
衣，中下看病與中下衣。　十誦：先問受持何衣，盆一二刹問。
若不問不知，或不信者，與不好不惡六物。薩婆多：重縫三衣
不以針刺著者，不入看病人。若先已刺著，有緣分持，衣主死
二合賞之。　四分六物者：三衣、盛衣器、襆、並及衣坐具、針筒也。

衣中下看病与中下衣　十誦先問受持何衣盋一一列問
若不問不知我不信者与不好不悪六物薩婆多重縫三衣
不以針刺著者不入看病人若先已刺著有缘分持衣主亡
亦合賞之四分六物者三衣盛衣器襆盋及袋坐具針筒也
義准德具　六物下具等四句初德物俱具依法与之若德
具物不具乃至俱缺並隨事高底著德缺物具理非賞
法而事勞有功亦須優及並沫入現前羯磨隨德有无取物
量行味僧乞与事情通發聽人進不　五分十誦七衆看比丘
病唯二衆得沙弥及比丘餘五不合中三人得餘四不合雖父母
兄弟不應与僧若非覓不論　摩得伽云白衣看比丘病應与少許尼
三衆同之沙弥應盡与　五分十誦与沙弥同等大僧
准此若衆多比丘沙弥看病應与究竟者若齊究竟應
与又已屏處分之十誦云若看病者出行為病人乞衣藥者
留還付之亦可攝入現前唱和付与若餘處安居來看病者
合賞彼論外界看者亦合賞之　八分之時節五衆若死僧
祇不應即閉其戶彼有共行弟子持衣可信者与戶鉤若不可
信持戶鉤付僧知事人已供養舍利料理竟若弟子持衣可信
者使出衣若不可信應使知事人出衣然後僧分
十誦云諸比丘在死邊分衣死起諍物仏令死死去後若僧
在異處應分　比尼母云分比丘物者先將亡者去藏已竟
衆僧未至寺取之物者僧前然後如上依法集僧分之
元明分法有二一先集錢財衣物二加法分之初中令瞻病者將亡
人輕重之物並集僧中若不勝舉林苑屋舍園林牛奴等並
須應帳對僧明讀令知其多少　初明三法羯磨對首心念
三法初中若五者得作賞勞分衣二法若四人者亦得用直分法如後明之
令明五人以上僧法乃至心念一人　前集財已後鳴鐘遍召一同僧

BD01011號　四分律刪繁補闕行事鈔下卷之上　（62–28）

元明分法有二一先集錢財衣物二加法分之初中令瞻病者將亡
人輕重之物並集僧中若不勝舉林苑屋舍園林牛奴等並
須應帳對僧明讀令知其多少　初明三法羯磨對首心念
三法初中若五者得作賞勞分衣二法若四人者亦得用直分法如後明之
令明五人以上僧法乃至心念一人前緣一同此明　前集財已後鳴鐘遍召一同僧
式不得閉門限客假託昏夜意遮十方並非衆法非上緣者
自淨其心僧徒集已彼瞻病人在衣物所具儀捨之大德僧
聽比丘某甲命過所有若衣若非衣此住處現前僧應分三說
律明六物准論不必須集　衆中持律上座即處判之先問僧中誰知亡者
負三寶別人物又誰知三寶別人負亡者物一一撿問有
者如上處分　次明囑授雜捐同活共財二別並准上斷已
次定輕重訖如上分之重者一處條名抄記輕物一處條名抄
之并問看病者不將亡者輕重財物送衆不有者索替入
法已唱和還著衆者　先當作賞勞法但五德難具不
具不合依賞今時行事對衆問其德以不著者具六者此
乃自代其功俗人所酬者若不者具有功無賞遠佛
仏正制与奪得所出自僧中故律云僧得自在看結不失隨
意也今亦未須問德律無正文若知辛苦有功者上座
告云長老看病有功仏令優賞當年既受羯磨也看
病者謙退陳訴无德有愧不堪重賞僧當抑伏令受
然後索問欲和着作賞看病人六物羯磨
即白二与之大德僧聽比丘某甲命過所有三衣盋坐具鍼筒
盛衣貯器隨有言之此現前僧應分若僧時到僧忍聽僧今与看病
比丘某甲白如是大德僧聽某甲比丘命過所有大衣七條坐具
餘有如上此現前僧應分僧今与某甲看病比丘誰諸長者
忍僧与某甲看病比丘七條五條盋及盛衣襆餘如者

BD01011號　四分律刪繁補闕行事鈔下卷之上　（62–29）

盛衣貯器隨有言之此現前僧應分，若僧時到僧忍聽，僧今与看病
比丘某甲白如是。大德僧聽，某甲比丘命過，所有大衣、七條、坐具
餘者如上此現前僧應分，僧今与某甲看病比丘，誰諸長者
老忍僧与某甲看病比丘七條、五條、盋及盛衣襆餘如上者
嘿然，誰不忍者說。僧已忍与某甲看病比丘衣鉢、坐具
鉢簡、盛衣貯器竟，僧忍嘿然故，是事如是持。盛衣者即衣襆也貯器者
鉢絡有多捐襆中把盛鉢者應取常所
服用一事賞看三衣合盛者三襆得与 輕物律令白二差人分
時行事俱取和僧事者或臨時口差不用羯磨遠法
通得持律者先知不具德者沙彌法等 多論云三衣
餘處者索來此賞看此德不具即隨彼分故知道俗同和現物 著三
肘五肘外長隨多少應白僧令和和合者好。十誦沙彌
死，所著內外衣与看病人，餘輕物僧分羯磨云某甲沙彌死
所有內外衣及非衣餘並同大僧法 今時行法者命知事人
在僧前胡跪白二与之律中文少不具今准非時僧施法文云大德僧聽，比丘
某甲命過，所有若衣謂諸著若非衣謂盋衣鉢等現前僧應
分，若僧時到僧忍聽，僧今持是衣物与比丘某甲，某甲當還
与僧白如是。大德僧聽，比丘某甲命過，所有若衣若
非衣此現前僧應分，僧今持与比丘某甲，某甲當還与僧，誰諸長
老忍比丘某甲命過，所有衣物現前僧應分，僧持此衣物与
[illegible]物与比丘某甲，某甲當還与僧者嘿然，誰不忍者說
僧已忍持此衣物与比丘某甲，某甲當還与僧竟，僧忍嘿然
故，是事如是持。作法已即數僧數量其衣物，捐柰挪籌
取分。五分，若衣少不足者，和僧与一无衣比丘 善見云若
了衣極好，衆並有衣准律分破行之從上座行之，須者直付 若衣物
極多，徒衆有法准䄵數分之，此是非時僧得施功德，通十

BD01011號　四分律刪繁補闕行事鈔下卷之上

（62–30）

故是事如是持。作法已即數僧數量其衣物，捐柰挪籌
取分。五分，若衣少不足者，和僧与一无衣比丘 善見云若
了衣極好，衆並有衣准律分破行之從上座行之，須者直付 若衣物
極多，徒衆有法准䄵數分之，此是非時僧得施功德，通十
方僧不須造像設齋東生滿過，以出家人滿智分齊
不以福分為懷，縱設遠仏，本判諸部，但明分用，凡智不過
瞿心 著外界不集者 僧祇為病人求衣醫藥及為塔為
僧和事難，當時不在並應与分，此僧无界使者得著私管
仏法不合。次明与沙彌淨人分 四律並云著僧和合等
与乃至四中与一淨人，五中与一，著不与者不合分，著分得罪
自餘廢立如疏鈔中 如是總計大數，抄名記數，然後品物
付之。律无賣物分法，今時分賣非法非律，至時諠咲，一何顏厚
仏令分付，為息貪情，令各自省，今反樂咲，不惟終始，此習俗生
常，乃无慚愧，華望諸有識，深察斯過。若五人共住，一人死，衣
盋直三人口和賞勞已，餘諸輕物依母論四人直作分衣羯磨
文中除僧，今持此衣物与某甲，某甲當還与僧等字，餘同前法
作此法已，未得分入手，未有客僧入界，並須更共作法分之律故
非時僧施中亦尒故令与人人之分
今无人故更須分之有人无相不成 二明對首法。毗尼母云四人共
住，一人死，三人應展轉分，應二人口和，以衣賞看病者，餘物
三人彼此相語云：二大德憶念，此物應屬我等。餘三亦如
是三說 若三人中一人死，先取衣盋直付，餘物二人展轉如
上法 四分文中直明彼此三語受共分，文詞如論說也
三明心念法。毗尼母云：一損應法者，二人共住，一人死，在者作念此
亡比丘物應屬我，作此說已，後來人不得分理須入己四分一人受僧
施中應心念口言此是我分，尋之開羯著已下作皆此可依

BD01011號　四分律刪繁補闕行事鈔下卷之上

（62–31）

是三説。若三人中一人死，先取衣盋直，餘物二人展轉如
上法。四分文中直明彼此三語受共分文詞如論説也
三明心念法。毗尼母云：一住處一比丘作念此
亡比丘物應屬我，作此説已，後來人不得分。理須入己 四分：一人受僧
施中應心念口言此是我分，得也。問：羯磨文中非者此何衣
耶？答：律不顯相，文云時有持非衣作盋囊革屣囊，仏不聴作
之，文云与比丘尼非衣亦不私，何等衣也？今但通而述之，無妨彼此俱攝。
十明雜物法。若在私莊寺致死，或作僧使在莊檢校而死，若有家之
及比丘守者，重物入亡者本寺，輕物隨現分之，亦不得尼衆分也。
令近僧來攝，重物亦不須与，以非仏正制。若者無住處而隨有常
住處隨近通攝。寺無僧法亦不得取 若無比丘守掌，同白衣家法。
四分：若比丘在無住處白衣家死，彼有信心檀越應賞錄此物。
若有五衆先來者，應与；若無來者，應送与近處僧伽藍僧。
准此文者，若比丘共尼同坐，隨所同衆死，各自取之，不得共分。此
物當部亦不須加法，直爾攝取，不同共住開豫加法也。重物
如上量之，隨情遠近。若至白衣家知有亡物，必須提執作屬己
意，方成離見，不得縱捉入手而俗人自攝入己，此則屬俗已定，益僧
成執，亦不得及奪，當勸示之与僧，令無業道。僧得作人物受 僧祇：比
丘持他衣行，衣主命過，將便衣到受，不与同衆比丘，越。准四分下文有
比丘無法 若作羯磨已，重索悲容，比丘來應知，在羯磨前後。謂羯僧衆
大不知僧有無 律中有比丘無想別衆分不成。問：將亡人物出界分成
不？答：四分：若衣物難分，當唱令來集處集時分，若遣人來，若
自來應与分者，得諸部結犯不如得成。僧祇受衣如法者成，是同活同意可 十誦云：
比丘寄衣盋与尼者，應索取比丘分之；尼寄比丘物亦爾。不同白衣家法 閑
將亡人物入界，其内比丘不知，還將出界，得先見者分，不者
得受由當界不知分時同法故也

不答：四分：若衣物難分，當唱令來集處集時分，若遣人來，若
自來應与分者，得諸部結犯不如得成。僧祇受衣如法者成，是同活同意可 十誦云：
比丘寄衣盋与尼者，應索取比丘分之；尼寄比丘物亦爾。不同白衣家法 閑
將亡人物入界，其内比丘不知，還將出界，得先見者分，不者
得受由當界不知分時同法故也

四藥受淨法第十八

竊命支持勿過於藥，名乃通要，分爲四。言時藥者，從旦至
中，聽教服事順法，應不生罪累。言非時藥者，諸雜漿等
對病而設，時外開服，限分無違。七日藥者，勢能就法，盡其分
齊，從旦限用療疾。盡壽藥者，勢力既微，故聽久服，方能
除患。形有三種：一盡藥形，二盡病形，三盡報形。明了論有身
必病雖少差，損後必重，發加其口法，任終而受。就此四中，五分
明之：一明藥體，二淨地處所，三識淨不同，四淨法差別，五二受
有別。初中明藥，有四。一就四藥明者，時藥有二：四分中有
五種蒲闍尼，此云正食 謂麨飯乾飯魚肉也；五種佉闍尼，此云不正
謂枝葉花菓細末磨食。如隨相中 僧祇時食者，蔓菁根葱
根藕根蘿蔔根治毒草根。即若是也 時漿者，一切未汁粉汁乳
酪酪漿是。諸律並明魚肉爲時食，此是廢前教。涅槃云：從
今日後，不聽弟子食肉。觀察如子肉想。想夫食肉者，斷大慈種。
水陸空行有命者怨，故不令食，廣如彼説。經云：前食令肉，謂
非衆四生之肉，但現化爲度衆生。楞伽云：有無量因緣不應食
肉，略説十種：一者一切衆生無始已來常爲六親，以親想故不應食；
肉二狐猫人鳥屠者雜賣故；三不淨氣分所生長故；四衆生聞氣
悉生怖故；五令脩行者慈心不生故；六凡愚所習臭穢不淨無
善名稱；七令呪術不成就故；八以食肉見形起識，以深味著故；九諸

肉略說十種一者一切衆生无始已來常為六親以親想故不應食
肉二狐狗人馬屠者雜賣故三不淨氣分所生長故四衆生聞氣
悉生怖故五令脩行者慈心不生故六凡愚所習臭穢不淨无
善名稱七令呪術不成就故八以食肉見形起識深味著故九諸
天所弃多惡夢虎狼聞香故十由食種々肉遂噉人肉故如班足王經說
今有凡愚多吃諸肉罪中之大勿過於此故屠者販賣但為食
肉之人必无食者亦无屠者故知食者同屠造業沾殺生分可不誡乎
僧祇云若為比丘煞者一切七衆不應食乃至為優婆夷煞七衆不
食亦令學大乘者多不食之与中國大乘僧同例有學大乘諸者飲酒
肉為行解則大小二教不收自入魔児內天魔外道尚不食酒肉
此乃閻羅之將吏耳　四分云若此煞者行十惡業為我故煞乃
至天祀處肉不得食之以雜其來者心无定主故今屠者通煞
則依教无肉可食正斷食肉也毗尼母大同律云若持十善彼終不為
我故斷衆生命如此應食准此何由得肉而噉唯自死者鳥殘猶報
罪也　楞伽云酒肉葱蒜韮薤之屬悉不當之　俗中尚云治酒
市脯不食況出道高僧以酒肉為意言所傷之一可見也摩得
伽云若酒煑時非時皆得服者謂无酒性得服
今時藥酒乍昏醉酒氣味具足為貪服之必加苦毒之一不附口
以此二途驗知情性去道全遠　同非時漿者　僧祇一切豆穀
麦煑之頭不卑破者之汁若蘇油蜜石蜜十四種果漿生果汁要
以水作淨若器底殘水被雨渧等亦名淨　十誦若蒲陶
不以火淨汁中不以水淨及手不淨不應飲具淨得飲准此通四
藥為壞味除貪故　善見舍樓伽漿 謂蓮花根擣以水汁澄清者 一切木菓
一切葉除藥一切花一切草藥除甜䔰子冬瓜甜瓜椰子果已
外得非時服　毗尼母得種々果多食不盡者破取汁飲
若不至初夜變成苦酒者不得飲以酒相已成故

BD01011號　四分律刪繁補闕行事鈔下卷之上

（62–34）

藥為壞味除貪故　善見舍樓伽漿 謂蓮花根擣以水汁澄清者 一切木菓
一切葉除藥一切花一切草藥除甜䔰子冬瓜甜瓜椰子果已
外得非時服　毗尼母得種々果多食不盡者破取汁飲
若不至初夜變成苦酒者不得飲以酒相已成故
明了論炒米令燋黑飲藥漿中釀以為漿々亦非時漿
四分八種漿古昔无欲仙人所飲梨酸棗甘蔗蕤菓蒲桃
舍樓伽等漿也若醉人不應飲々則如法治
伽論要須漉除滓澄清如水若有濁汁与時食雜若
咽々飲隨犯波逸提　同七日藥者　四分蘇油生蘇蜜
石蜜等五種世人所識當食當藥如食乾飯不令麁現
伽論糠漿亦得七日受乃至未捨自性　僧祇加脂一
種四分云舍利弗風病聽服五種脂熊羆驢猪魚等也
僧祇此藥清淨无時食氣一時受七日服有四百四病風
火百一用油治之熱病用蘇治之水病蜜治雜病用上三藥治之
五分見作石蜜擣米著中仏言作法應尒若合藥法如此者聽非時服
十誦石蜜不得輙噉除五種人遠行病人食少不足人不得食人若施水
處和水飲之　五分飢渴二時以水和飲僧祇食上多得酪食不
盡者動作生蘇七日受服若長煎作熟蘇七日受　驗知蘇油各受作法
得多七日不名重受　若乞食時多得蘇者分與病比丘以細緻疊淨漉
取蘇得七日受若有緣事不得中前作者當對一比丘
記識言此中淨物生我當作七日藥受若忘悞不受不作
淨過時是名不淨若得多油如蘇中說得胡麻食殘下盡
即煑取油七日受之若事緣不得作如蘇中說若熊猪等
脂如上進不得甘蔗及果並如上善見受酪記酪中蘇為
七日至第七日獲得即日服八日犯捨油蜜亦尒　摩得伽非
時受甘蔗作法不成時內並成　然蜜味美重凡聖常言

BD01011號　四分律刪繁補闕行事鈔下卷之上

（62–35）

淨過時是名不淨若得多油如蘇中說得研麻食殘下盡
即表取油七日受之若事緣不得作如蘇中說若熊猪并
脂如上進不得甘蔗及果並如上善見受酪記酪中蘇為
七日至第七日猶得即日服八日犯捨油蜜亦二分　摩得伽非
時受甘蔗作法不成時內並成　然蜜味美重凡聖常言
長貪嫌行勿失先於此熏得大强力劫擽辦之自非極病難
用進口故僧祇仙受獼猴无蜂熟蜜等云盡形者僧
祇胡椒畢鉢呵梨勒等此藥无時食氣頭受病差終身服
四分云不任為食者一切醎苦辛甘等不任為食名盡形藥也
善見一切樹木及草根莖枝葉為食不任者盡形服之又樹
木草无問根莖並是時藥或根是時藥莖是盡形乃有俱
是不可名示但令堪食時藥所攝不任者盡形藥　明了論疏
云若病服七日藥隨病為量若病无須捨若无病復不飢非時食
者得非時食罪油蜜膏亦尔故論中舉蘇等終身藥則
不尔有身必有病佛許服此藥防護一期果報身若无客病
又不飢渴非時不得服　十誦淨苦酒无酒氣无酒味者過
中得飲　上來辨者一切經律隨事辨同此宗者具列如上
今有愚夫非時妄噉謂杏子湯乾棗汁果漿含譯藕根米
汁乾地黃伏苓末諸藥酒煎非醎苦捨口者非時噉之並
出在自心害滅聖教不如噉飯未必長惡乃快後生罪流長世
次二六味定者　明了論云五種量乃至大開攝一切物皆盡
疏云藥有五種甘味物中除甘草蜜沙糖蘇油餘甘味是時量
酸味中除阿摩勒果汁等餘酸味是時量　辛味中除薑
椒必鉢鐽辛味是時量一切苦澁物非食作終身藥
七日藥外一切可食物名依時量食從平旦至正中為時過此不
得食　一切漿甘蔗等名依更量日夜各分五時從平旦受至
二更過則不得服如是輪轉乃至五更此間漬飯稀漿屬時量

BD01011號　四分律刪繁補闕行事鈔下卷之上　（62–36）

酸味中除阿摩勒果汁等餘酸味是時量　辛味中除薑
椒必鉢鐽辛味是時量一切苦澁物非食作終身藥
七日藥外一切可食物名依時量食從平旦至正中為時過此不
得食　一切漿甘蔗等名依更量日夜各分五時從平旦受至
二更過則不得服如是輪轉乃至五更此間漬飯稀漿屬時量
蘇油蜜沙糖等名依七日量甘草等名依一期量從受戒後病
一期報終名一期也於此時中无問晝夜恒得服之乃至水床此
並名大開量不須受隨意乘服是世間所弃非所惜故
四分須受灰土等此據有人處於无人准用　三明轉變者　十論云如
清桃漿持戒者應飲者變作酒不應飲若變為苦酒還
復得飲　十誦甘蔗是時藥清汁是非時分作石蜜是七日
燒作灰是盡形　肉是時藥煎取脂是七日燒作灰是
盡形　胡麻同肉法酪是時藥清汁如水是非時作蘇是七日
燒為灰名盡形　四藥相和者薩婆多四藥相和從强而
服若以時藥終身藥助成七日藥作七日服由七日藥勢
力多故又助成故如以蘇煮肉此蘇肉汁得作七日服若以
時藥七日助成終身藥服作終身服如以蘇乳和亭歷子作
丸者是又如附子烏頭等諸毒藥浸豆麥等名盡形藥
若以終身七日助成時藥者時中服之如麵食用蘇油薑椒
著分數俱等勢力相似者隨以藥首一名標目餘者藥分稱之
如石英鍾乳黃者白朮丸散湯膏煎等並須知用之
三置藥處所即結淨也略分四門一對意者良由衆生報
力不同上中下別若上達之從身力資延劇令分衛隨緣少
欲得濟形命志在道業不假儲畜中下之流情同上士而
力劣不堪必須資具方能進策是以大聖慈悲曲開誠无
方開結之同界別處　攝爭名者以飲食繫識同處生

BD01011號　四分律刪繁補闕行事鈔下卷之上　（62–37）

力不同上中下別者上達之徒身力資強割令分衛隨緣少
欲得濟形命志在道業不假儲蓄中下之流情同上士而
力劣不堪必須資具方能進業是以大聖慈悲曲開減无
方開結之同界別處　釋淨名者以飲食繁穢同處生
惡今既別結情无儲畜食不生罪故名為淨若同處衣食
遠教受業業是穢因名不淨也此從緣說淨非對穢以
明也　二列數作法者有四種淨　一者蘚墉不周淨四分
云半有蘚障多无蘚障都无蘚障謂露地也非儲積相故
開之（如三面有院開一面者據食來強亦周有罪斯食孤立置院同之）垣墉塹柵亦如是（並非墉得周帀）
（隨共成相）二檀越淨者有三一食具是他物律云自今已去當作
檀越食令淨人賞舉不得自受若有所須隨意索取二處
所是他物故云若為僧作伽藍未施与僧雖食在中不名有
犯三食處俱是謂處所他有食具是他不屬僧用也此三
名他物淨要真非假今多託買自避自負非法有罪
十誦瓶沙王施僧粥田比丘上場仏言未分者應上分竟不應
上犯吉羅王為比丘見無檀越謂犯宿煑仏言聽王替處不
名有犯（准此例餘皆犯）僧祇婆羅門送粥未施仏僧以於僧住處作
故仏言內宿內煑不聽食（故知屬僧即同僧法非檀越淨）三處分淨者　四分若
檀越若經營比丘為僧作伽藍時處分如是言某處為僧作
淨地　僧祇若作新住處營事比丘及僧未住初夜前以縄量
度分齊尒許（僧住尒許）淨屋受之不得過初夜（四分經明相）若檀越言某甲
處分我未施僧此則同他物淨　五分作新住處未有
淨屋當先指某處作淨地以食置中然後僧住善經明
相出則不成　善見云何結淨屋初豎柱時云此處為僧作
淨屋三說已乃竪之餘者亦不尒就一柱上加法亦成若已成

淨屋當先指某處作淨地以食置中然後僧住善經明
相出則不成　善見云何結淨屋初豎柱時云此處為僧作
淨屋三說已乃竪之餘者亦不尒就一柱上加法亦成若已成
者喚本主語令隨指一處為僧作淨屋若无者聚落有老宿
白來遣作不解者教之四白二結者謂僧伽藍院相周帀比
丘在中有宿煑通不問住之久近隨處結之除去比丘（此屋舟）四分同誠
亦大界內无淨廚者一切宿食不得食乃至藥草亦尒　五分諸比丘
死比丘故聽在伽藍內邊房靜處結作（如在作法界上不同處分）並聽著通
欲羯磨一房半房一角半角中庭或通結坊內作淨地（謂僧住行）
結者羯磨云此住處共住共布薩僧今結淨地除某處
（未房舍普准此則遍界中盡業无通明相出在食下）又云如依地起不在㙲屋上僧祇若
一處別隔通隔別處通處通隔別處別處別隔一邊二
邊三邊隔通兩邊作淨中間不淨如是一切並得准此作法
羯磨文中必須明指委曲結竟勝於頭處令主客了之（律中客問何者淨地）
（何者不淨地）三加法中四淨二種不作（如上壁）處分一法別人指示如前已
明羯磨結者在僧界內先求處所懸指結取所以不得坐
中結者古師云以食望僧是攝是障（故須遙結以僧在中相離）以僧望僧
非攝非障（淨地有僧不是別界）律令唱處所應一比丘起唱云大德僧
聽我比丘為僧唱淨地處所若房若處若溫室若堂等隨
其結處任境唱之然後坐說亦不牒唱人名入羯磨也
次索欲問和已白二云大德僧聽若僧到時到僧忍聽僧
今於某處結淨地白如是大德僧聽僧今結某處作淨地
誰諸長老忍（僧）結某處作淨地者默然若不忍者說僧已忍
僧結某處作淨地竟僧忍默然故是事如是持　僧祇若
內淨廚不得播汁蕩器水流出外　有緣須解者律无文義

次索欲問和已白二云大德僧聽若僧到時到僧忍聽僧
今於某處結淨地白如是大德僧聽僧今結某處作淨地
誰諸長老忍結某處作淨地者嘿然若不忍者說僧已忍
僧結某處作淨地竟僧忍嘿然故是事如是持 僧祇者
内作淨厨不得播汁簷器水流出外 有緣須解者律无文義
准及結即成應云大德僧聽若僧時到僧忍聽僧今解某
處淨地白如是 大德僧今解某處淨地誰諸長老忍僧解
某處淨地者嘿然誰不忍者說僧已忍解某處淨竟僧忍
嘿然故是事如是持 四諦出料簡者 擅越淨不用淨此
二處不問内外晝夜同宿煑煑无過但不得觸著處分羯磨二
淨通比丘在内撿挍唯護明相若与同處唯壞食具更須當食
然令淨有宿煑過也。若治故處作處分者 祇云僧住寺中通
初夜向欲作處分淨者要住處破壞圍土亂新至未立亦時使得
受作若無緣无但令住處及衆落俱停廢二年得名處分若
後不受停可食物内宿内煑 聞結淨竟得中看煑何為不犯内
煑者煑是隨處大界无人二犯宿是遂人二界无人不犯
三護淨法五門一者淨二護淨三羯通塞四并明淨法五隨緣開事
初中者一方別住維持佛法者必須結食界同護淨食此則通凡
聖僧路順請佛本懷令自無宿煑貪染且雜者僧中恒人所心
何況淨僧食之既經僧難因即涤汙後者侵无理須拱手仍事
觸宿心初无悔者不信此心須為師道欲依雅諸而反穢者
有四不同一者緣淨二者獸淨三者俗不淨四者獸不淨言
緣淨者謂奎常須濫佐助料理佛聞為緣此不須香言
獸淨者不容贓罪佛令自得要水然火乃至諸僧罪未經
咸食獸是淨物无穢可香言獸不淨者此是治生興利
用迭佛俗僧制不許礼受雖不經宿捉香二不合由心悉

BD01011號　四分律刪繁補闕行事鈔下卷之上　（62–40）

緣淨者謂奎常須濫佐助料理佛聞為緣此不須香言
獸淨者不容贓罪佛令自得要水然火乃至諸僧罪未經
咸食獸是淨物无穢可香言獸不淨者此是治生興利
用迭佛俗僧制不許礼受雖不經宿捉香二不合由心悉
鄙上三句者並是正經文邊始鈔並不須香緣不淨者本
是淨具遇緣染汙故須香穢令淨 五分有諸木器肥膩
不淨以瓦石揩洗惡破壞者用沸湯洗之 僧祇淨人行食淨器
隨比丘鉢中尋即却者名淨傳須臾者名不淨若是銅器淨
洗用木器若膩入中者則削刮之不可用者當棄 十誦比丘有
贓器二三度用澡豆洗故不淨當火中剎却然後澡豆二三遍洗
是淨 餘有不盡者准以米麵油膏等於居士家沙弥淨之
處一一石三更互持之難得本物等而相捨故善見多比丘共沙
弥行乞食捨食至時自分已沙弥語比丘言今持我食与大德
易二得已復展轉乃至下座若不解者教之亦得 准此展轉者
贓者成淨若瓦瓮等器有食贓者奎上蓋之內外熱漆贓出
土鬲窯等隨有更拭石器 有盛以灰洗或以鐵治得无贓
即淨一切銅器磨之鐵器火燒内廻令贓盡木倉樻等削刮洗拭
便止 四不得捉逐僧户鑰籥若杖若環若机若角勺銅勺
若絡狀則無觸淨 謂非常眼見有 問觸淨何過佛苦制之 答欲增尚
弟子令行勝行内有勝法外行二勝知世貴人安坐受食不自執勞
以稱勝故二為現大人相三世三離並不作令若宿觸失觸體人法故
三世諸佛立教通大小乘俱无宿煑如撈伽十誦所述四長貪壞信立
廢嬌出掌六死入重燒 護經云由有宿捉等衆僧食不淨
食後墮糞屎池中五百万世受苦惱竟復各五百万世墮稿稻及
蜣蜋中常食不淨後出為人生貧窮家衣食不供佛告比丘衆僧
住止之處作不淨食不至往食知法持齋乞白衣食是名淨命同說知
事比丘觸僧淨器及食衆僧故墮餓鬼中五百餘年不見漿水名

BD01011號　四分律刪繁補闕行事鈔下卷之上　（62–41）

處噉出苐六死入重…

食後墮糞屎池中五百万世受苦惱竟復各五百万世墮猪狗及
蜣蜋中常食不淨後出為人生貧窮家衣食不供似苦比丘衆僧
住止之處作不淨食不是往食如法持蓋乞白衣食是名淨命因說知
事比丘觸僧淨器及食〻〻家僧故墮餓鬼中五百餘年不見漿飲
趣兩鐵兩鬼打神不得近如是廣說因緣　智論若沙門福田
食以不淨手觸家先噉或以不淨物著中入沸屎地獄中廣如第十八
九弓中大集日藏分濟龍品中廣明僧食難近難用僧護等經明
法非受用僧物僧物文廣不具錄通而言之若无慙愧輕慢佛語
自物尚犯何況僧物深須自勉可得出離五百問明持戒知事
梢捉僧器羅漢代懺著緣如是廣知　三護淨法前護惡觸
十誦比丘食竟以己不淨盆及食与沙〻彌〻〻白〻衣洗盆竟還著僧
器中是名淨一心通与則无惡觸　在此器下或食令淨人蠢懷有觸矣　五分若无淨人
行食比丘受已行之无淨人佛乘行缽比丘二得　僧祇若淨人
持不淨手　謂先捉比丘惡觸食者　行缽飯与僧者上座一人得不淨餘人名
淨若淨人持淨缽寫不淨缽上得抄缽上若不淨缽寫淨
缽上一切不淨若著淨缽在不淨器中得抄缽中央者拼棄並器
一切不淨　十誦若淨食中有不淨食應知者除之餘者食之餘亦
等六　謂此論抓者食相可別者必淨穢相望印應都棄之　僧祇若爆教持比丘在上行
者當於處使淨人擲去若難事急難臨无罪必天雨无淨
人得自還擲淨席物覆捉淨埼石餅之忌覆食器亦
若有屋中有諸蘇油瓶甘蔗等來比丘取七日油蜜瓶㥥捉淨
油瓶來餘人見不得即棄待至明日是何等油答言七日油當棄
置地不得名字還得七日受　以㥥觸不敢　若今取淨油餘人不觸
㥥持七日油來亦如上法准口法有失法自餘錯捉亦不善言
審悉看所瓶已持來此比丘內手瓶中錯把淨瓶看故名淨
若還放瓶中即為不淨　餘並例之　器中明觸者一切葉是養器等者
非器㥥緣沒積麦為器長床坐床繩床敷繖為器等在水中車

BD01011號　四分律刪繁補闕行事鈔下卷之上　（62–42）

㥥持七日油來亦如上法准口法有失法自餘錯捉亦不善言
審悉看所瓶已持來此比丘內手瓶中錯把淨瓶看故名淨
若還放瓶中即為不淨　餘並例之　器中明觸者一切葉是養器等者
非器㥥緣沒積麦為器長床坐床繩床敷繖為器等在水中車
駕牛時非器无者為器若食時象牀長板坐牀轎等或在甘蔗
蒲萄來穀豆棗等上令比丘坐不應動身亦不得問看動悶
者一切不淨　由有緣開坐若動因成觸　若棧閣上衣架上有淨食及衣缽著
瓦物動淨器食一切不淨若閣壁下動者得若在板上載七十種
穀上覆以蘧篨席比丘得在上坐不得名字若為風推回波濤
在岸者一切不淨必經篙不離亦名淨　大車上載諸穀上覆者
比丘得坐上不得名字如板中　還下若小車有淨物著亦不益
時動車者一切不淨當令淨人取　不得以牛在政為淨　應令淨人先上比丘後上
若下時比丘先下時比丘先下若在載物車中忽即車者離牛者
一切不淨若牛繩尾木擧車者名淨　十誦比丘與沙彌擔食在道
中食時與沙〻彌〻〻還與比丘者若先不共要得食之此不得使沙
彌擔食度水恐漂溺者乃至得負擔之彌捉不犯至岸莫捉若
不淨器受缽不應一切棄之若手面者棄餘者因僧祇得食者以繩繫
缽受熱粥時內有宿出應直棄宿處餘者得食飯粥羹器隨
側瀉從淨人受之已不得復觸若從淨人寫蘇油
瓶傾側亦不失風雨時器物在露地者當洗淨手舉著覆處
此之謂淨　四分若蘇油瓶不覆無淨人者自手捉蓋懸置其上　謂挍者淨也
居士持食寄比丘賞舉後還與比丘者得洗手受之若缽盂
孔內食入中隨可洗者洗之餘不出无犯若入僧中食无盂者聽
比座若僧中有盂者借與　上之並謂淨　若見比丘以氣噓淨器者名
觸　五分蘇油瓶丸香應自正勿得離地若惡人持不淨來
一把投淨米中可分者除去不可分者趣去一把　四分自挍種子

BD01011號　四分律刪繁補闕行事鈔下卷之上　（62–43）

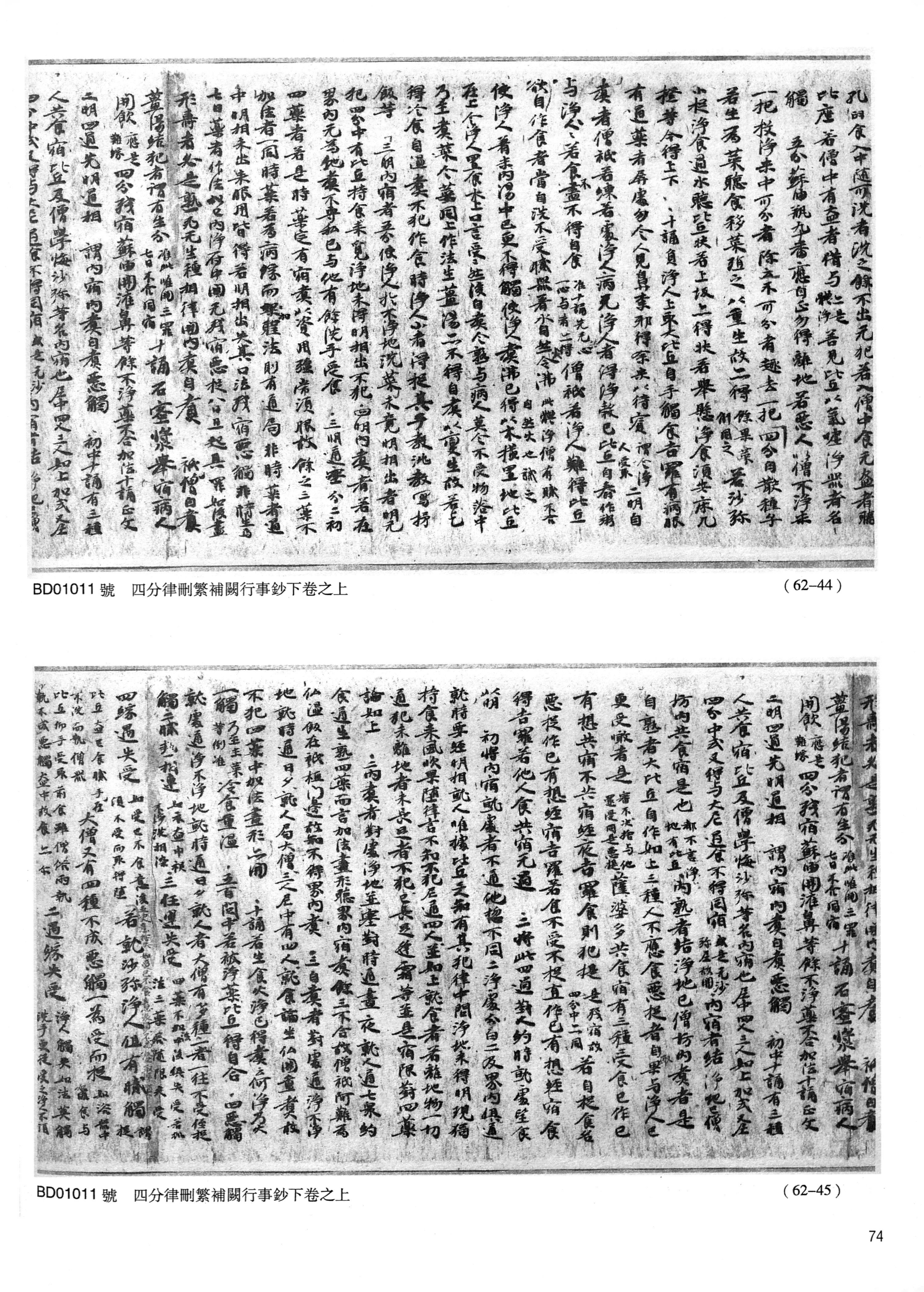

BD01011號　四分律刪繁補闕行事鈔下卷之上　（62–44）

BD01011號　四分律刪繁補闕行事鈔下卷之上　（62–45）

觸二膩執捉相違 三任運失受 法三...隨限失受
四緣過失受 如受已不食意捨 須不受而取得隨 若執沙彌淨人但有膩觸捉
比丘坐已食膩手在 大僧又有四種不成惡觸一為受而捉 如淨器中蓋食与
不洗而執 僧祇 二過緣失受 淨人觸失如法其觸
比丘仰手受取前食雖僧祇兩執
執不成惡觸蓋中故食 二分 洗手更從受之淨不須
淨 三持戒慢捉四破戒故觸並名淨食更以三句分別一觸而非惡
十誦云持戒比丘慢觸僧食四分意不受果持行者見淨人應置地洗手更受
二惡而非觸 十誦破戒比丘故觸名淨 四分諸比丘相嫌故觸他淨食令得
仏言不觸者淨觸者不淨吉羅 三二觸二惡 十誦持戒比丘惡意
故觸名不淨五分樹上果試看生熟之標名惡觸者就食言過生
及熟 四明手觸墮者 四分中果食具在樹上莖從根斷若搊根
本在不淨地枝葉覆淨地果墮淨地或為風吹雨打鳥獸墮者但使无
人觸知過緣而墮雖經明相不犯處內宿謂是果也若不淨地果葉
未長至未還之重生則无內宿墮墮時取得入淨若者果葉已離
本處者墮經明相比丘若知即不得食 土來覆肉 五分樹根在淨
不淨地比丘二在淨不淨地果墮其中非比丘所為經宿者得食若
見果墮非淨地使淨人拾果經宿不知淨不淨處聽食若知在不淨
地不得食僧祇枸在淨不淨地果墮淨地墮何時取之若淨地不淨
地果落不淨地應及時內附中若不淨地生爪瓠者摘取及時內淨屋
中有莧餅菜豆等准前並謂比丘不覺在不淨者成若知不淨
四分知不知中大同律此 第五依開八事 四分為救未勇貴人民飢乞食
難得雖得少食為賊持去仏憐愍故開界內共食宿內煑自煑取
食僧伽藍水陸兩果並不作餘食法若匠罷者應開八罷內宿內
煑自煑惡觸不受足食殘宿等並放逸提四實吉羅義加壞生如
水陸果子不受而食豈令淨耶 律云若時世還賤故依開食
仏言不得如法治之 十誦云若飢儉時食竟得持殘去語施主知
大門第四淨生種法就中有三謂制意處人淨法 制意者四分明手論
踈諸佗人外道謂一切草木有命根以佛不制此戒故比丘害於草木為他

BD01011 號　四分律刪繁補闕行事鈔下卷之上　（62–46）

水陸果子不受而食豈令淨耶 律云若時世還賤故依開食
仏言不得如法治之 十誦云若飢儉時食竟得持殘去語施主知
大門第四淨生種法就中有三謂制意處人淨法 制意者四分明手論
踈諸佗人外道謂一切草木有命根以佛不制此戒故比丘傷於草木為他
輕呵令彼獲罪又与白衣不別下生恭敬心故十誦名為疾滅正法隨
曲制也餘如壞生戒中說 第二明處人若使淨人作淨有四句一
人果俱在淨大善二人果俱在不淨地成淨不合食 以內熟故 名四緣食 餘二句
出十誦救文云果在不淨地淨者在淨地以火刀作淨成淨而不得食若
果為淨地淨地淨者在不淨地作淨得名淨得及作淨成淨成而不得
食者果在淨地淨者在淨者在不淨地作淨得名淨得食
三明淨法 僧祇每食時上座應問果菜淨未元坐不聞者如法治
耶亡分 四分十種初五者謂火淨刀淨瘡淨鳥啄破淨不中種淨此五種
中刀瘡鳥淨去子食不中種火淨都食次五者若皮剝者剝皮者腐者
破若瘀憶此應是淨根種又云水洗遣根葉即名淨准此淨根種
僧祇中菜楠淨蘿勒菓等莖種者摘卻牙目淨十七種數似皮
淨囊核種爪淨膚果種火淨糟果種二火淨果種未有子棟摘者
有火淨四分五火淨通五種 此尼世云水漂淨塵坌淨此應壞相僧
祇多果同器一果作淨餘者通得若別器者一一別淨甘蔗菁菓莖二
淨無者合來淨 准此菁草之類子 果散落元淨法 若粳米 此謂杖打皮落種有 皮裹者種之可生
四分比丘不應自作淨應置地使淨人作洗手更受 此對有人 來元人者明了
或如十誦比丘作食先淨未取 蘿蔔根等火淨刀淨已傳未用還生者更淨
論云自加行所作踈云 斷非言得自作淨然自作有過如一乘果子
若未淨者但食核肉一一吉羅若食核一一逕提令以火一觸上
得一吉羅令一乘果子俱成淨免於多罪豈非利益 十誦云何
火淨乃至以火一觸若以火炙熱灰及炭等不成淨比丘自淨餘比丘
不應食 謂火所觸者 若刀爪淨得食 五分根莖二種以火為淨
僧祇樹果野火所燒灰園數聚認非人偷亦名為淨若食果核者

BD01011 號　四分律刪繁補闕行事鈔下卷之上　（62–47）

得一吉羅令一衆果子俱成淨矣於多罪生非利益　十誦云何
火淨乃至以火一觸若以火炙熱灰及炭等不成淨比丘自淨餘比丘
不應食 謂火所觸者　若刀瓜淨得食　五分根莖二種以火爲淨
僧祇樹果野火所燒灰園穀聚悉非人所作亦名爲淨若食果核者
火淨已能食者皮淨不火淨食核捉 此是擿相不擿種也 若火淨下皮淨俱得
食核皮俱不淨一捉一擿俱作无犯无火淨一法種相俱通餘如隨相
明了論疏此淨法不復約一物以成如一聚桃李但火一觸餘皆成淨
隨以刀破瓜傳隨一被淨餘皆名淨 非從淨 擲本以此爲法非使物下生
故名沙門淨法未中有穀如上脫皮淨餘條准　問種相云何別耶
答相者謂菊果葉上有白毛而依本青翠不改其色相同連地者
律云草木七種色者是也所言種者謂可種殖或離離地從緣得生之
類是也律云根有五種廣如隨相　第三受法不同手口二受曰別
恒用若不廣明教相難顯略取要務以爲八門一制二受意三受通
四藥三對人不同四加法六別五說淨通局六二受寬狹七重加進不八
離明罪相　初門手受五義初薩婆多五一爲斷盜竊因緣故二爲
作證明故三爲止誹謗故四爲成少欲知足故五爲生他信敬心令外
道得益故廣如隨相中 [illegible]各並道要自衣而言我
等下善見此惡人著俗衣攘色衣而不受食而食名不与取
次口受意者防嫌手受故著无口法過午便失由有口法乃至限滿又爲防多
罪故手受但防於二所以如下明之　二受通四藥不手受通四藥
爲防盜相二故口受局三除其時藥二有口受不通手受唯局中前餘
之三藥手受亦著加口法通時非時　十誦云時分藥 獨是非時分者
七日盡形是三種藥必須有病非界宿惡捉者手口二受得服
三所授人手受爲五義除自同類餘六界三趣皆成受口受唯對比丘餘界不成
薩婆多凡受食爲作證明故若在有人處非人畜生及无知小兒悉不成
受受在无人處天神畜生成受　隨如相不受食戒
善見正食有三謂手口眼也　四受法差別凡論受法要心境當如律
中錯受蘇油不成受等必須仰手承之 五分所以從他淨人遺抄擬而取非法 情相領當 謂僧

BD01011號　四分律刪繁補闕行事鈔下卷之上　（62–48）

薩婆多凡受食爲作證明故若在有人處非人畜生及无知小兒悉不成
受受在无人處天神畜生成受　隨如相不受食戒
善見正食有三謂手口眼也　四受法差別凡論受法要心境當如律
中錯受蘇油不成受等必須仰手承之 五分所以從他淨人遺抄擬而取非法 情相領當 謂僧
俗二心同　除其眼闇及不善見沙門驚急緣者置地而受既知情
緣一事　事多遠預前運心普受　就中分四時藥受法既數對法上一多具知
如不受食戒及對施興獄中廣述此但明加口法者三藥別論　初明非時
藥有四法一所受藥二能授人三所受者四正受法　初明藥體凡八患者得
加口法一內宿內煮惡觸五殘宿六未曾手受七受已停過須臾 僧祇非時受不得置地得
八手受已更動 失本味故類甜醋等　二能授人四法一濾汁水色免非時食二奏
沸擬後重温生飲不須三以水濾淨爲擇味故四淨人施心仰手持來
三比丘作三法一洗自心觧前慳賴剃与淨人情同二仰手受无盜相三
記識言 此謂食時食者若早清漿不須之　四正加口法 諸部令加不出甚文義立　應至比丘所具儀
云大德一心念我某甲比丘今爲渴病因緣此是薑湯爲欲夜分
已來服故今於大德邊受三說 若直受通飲无遣不須加法　若隨桃梨果蜜漿等
隨病題名稱入但改藥名字　七日藥四法同上初明藥體自有八患唯
改第八非是餘比丘七日藥或犯竟殘藥餘七同上　二能授淨人四法一淨
漉与時食別 謂晞陳內油陳淳等 二火重煮三水濾淨四施心与心相領當
三所授比丘有二初自无三過　一相續畜至七日即日受藥不成
僧祇比丘有第七日石蜜即日更得石蜜是名相汙因此既未定之何相除
善見非犯長相汙由前七日服訖病猶不差更服无益作法不成若得
異藥得加七日　二病續畜已曾畜藥至八日犯長即得藥入手作法被
染更不堪服三曾食他第七日藥即日自得作法不成以藥味通故
僧祇律如此　四相續受僧祇比丘七日中日受藥受而不食至八日不得更
受須一日不受間之謂貪多過受又不服療 四分无文准用亦好 互相續犯僧祇
比丘七日恒服至八日正可不得更服不妨受於異藥上明相續對一蜜
藥爲言若得油者二即加法　僧祇生蘇廢以蘇提胡感轉
易味七日更受　二自作四法一仰手受二分別言作七日油想若奈心

BD01011號　四分律刪繁補闕行事鈔下卷之上　（62–49）

受須一日不受聞之謂食多過受又不服療互相續犯僧祇
比丘七日藥服至八日丘可不得更服不妨受於異藥上明相續對一壅
藥為言若得油者二即加法　僧祇生蘇熟蘇提胡展轉
盡味七日更受　二自作四法一仰手受二分別言作七日油想若合心
作然於淨人受者不成如僧祇說三記識言此中淨物生我當受
時食不四展轉受生蘇作熟蘇
須此說　四加口法應執
藥婆沙云七日藥手受口受已置一處勿令淨人觸之
藥云大德一心念我比丘某甲今為風病因緣此是烏麻油七日藥為
欲七日經宿服故今於大德邊受
盡形藥四種一藥無八患如鑒中說　二能授人作三法一火淨已後無主
過二与餘藥謂含時　三施心授与情相領　餘隨對治如前類准
仰手受心境与淨人相同二記識之如上法若單者不須三分　當三所受比丘作三法一
紫菀丸是藥體而有草體為藥分二法別來別受於來合受
四加法言大德一心念我某甲比丘為氣病因緣此是盡形壽藥
紫菀丸也　盡形壽藥為欲共宿長服故今於大德邊受三說者丸散
之中隨其本病對病之藥有五十三十別色各依本方題名入註
如前分別若單藥未之隨得入手即加口法而識是盡形者依
本名加法若是時藥七日藥者過緣不
得与盡形藥頭一時受者應加法言今為風病緣此是羊脂
盡形紫菀藥為欲共宿等用餘同上　餘藥准此例之　着往市
買藥令淨人斷價已比丘依衆自選取多少處着之並處人稱
裨次第受乘不得置地即定比丘加之不得過限　今奉法者希
有一二多並任癡心抑挫仏法得便違戾何論淨穢爲誇盧論世
表有餘擬心順教一事不滌為外來惡魅且快現貪癡有識者
深鏡大意　五從淨者七日一藥特貴重貪貯畜多二分延多
時无變動義三氣味殊越資身力強制令從淨撿封者七手
受七日時少近希二不須說餘之三藥及前不具故不須淨三法大同

BD01011 號　四分律刪繁補闕行事鈔下卷之上　（62–50）

表有餘擬心順教一事不滌為外來惡魅且快現貪癡有識者
深鏡大意　五從淨者七日一藥特貴重貪貯畜多二分延多
時无變動義三氣味殊越資身力強制令從淨撿封者七手
受七日時少近希二不須說餘之三藥及前不具故不須淨三法大同
衣法唯以長藥為異　六二受過壅手受防盜人受已過及
餘人口法以不著權對病題多定二不過其非口法加他二過
之藥味過手受過之故捨前人受法不失何以知之四分云
与諸比丘食之餘如義鈔及疏說　七重加以不著明手受觸
失本受即須更受殊重無過口法者薩婆多五日已還觸者
更加七日法不作二日法不從藥勢得從法論六日已去不得重加
以藥將入淨故僧祇但五藥勢相接七日不可知却上淨人恨觸七日
油中成失論云如服蘇法極至七日歷病得消八難明諸相
薩婆多著衣病比丘須七日藥自无淨人求倩難得應自從淨人手受從
比丘口受已隨着一處七日內自取食之若作口法竟一日乃至五日淨之
來觸或更以餘不受藥來雜應加手口二受復得七日服若至六日已
去淨人觸餘藥雜並不得加若藥衆多不知何者是本藥應更
手受口受並復服之若病重不能口受二直今得服設看病比丘
手受口受二或處處服病比丘不面受　内此手三受防議何
罪者今分四藥別論如時藥手受防二罪不惡觸七口受同之
非時藥手受防二罪一防一往不受二防不受而捉惡觸口防二罪一防過
中失受二防過時失受惡捉七日藥手防二罪同前口中防三罪一防
過時失受二防過中惡觸三者殘宿並五防內宿　此並律文八盡形香等何知不
盡形受藥手受同上口防六罪一過時失受不受二惡觸三
殘宿四內宿五惡自煮六　作熟故　因明生罪
時藥手受過中生一罪失受惡觸經宿生殘宿而惡觸二罪非時
藥手生二罪同時藥中口受生三罪明相出有非時殘宿惡觸
七日藥手生二罪同上口生五罪八日明相出為言謂殘宿非時犯捨墮惡

BD01011 號　四分律刪繁補闕行事鈔下卷之上　（62–51）

[illegible]
殘宿四兩宿五藏有內煮自煮(八覆生作並根)同明生罪(由未受故无犯通惡之)
時藥手受過中生一罪失受惡觸經宿生殘宿而惡觸(既二受時過惡之)二罪非時
恨手生二罪同時藥中口受生三罪明相出有非時殘宿惡觸
七日藥手生二罪同上口生三罪(八日明相出為言)謂殘宿非時犯捨墮惡
觸服尼薩者不捨藥吉羅具三(三提二吉)問曰何不生下受者吞藥本
之不受觸加口法失不受(至八日互起)有但過失受非得能生不受不同殘
宿本无殘宿以有口法八日有殘宿生非時亡不藥勢未有法无有時与藥(受已)
時(隨先受身即成非時)由加口法八日且名非時　盡形壽者手受同前亡(心有生)
六罪者无病而服吉羅餘如隨病相非時不受殘宿三義具明
問四藥之中何故七日罪重餘三輕者答一即用資強增心屢重二能現當來
聖開夜淨反過仏教過限不仏故重餘藥反此故輕　問此五非時藥觸
四突吉羅此謂經宿已不受自煮而噉者若非時中淨人過授二並不受罪(餘罪)
具足　其罪者時藥一兩七罪非時殘宿不受三波逸提內煮內宿自煮惡觸
例無此有无

鉢器制聽篇第十九(房舍衆具五行補衣養生物附)

養衆具殺滋繁多隨報開聽事資道立雖在緣奢被而法據有
准違則斯制犯則斯制犯則無故院立真供餘故分其殊將略言委悉
判舒如後就中明鉢器是制教也故初明之餘有養生衆具入聽門攝自如後列
初中分七別量三色四量五受法六失受相七受用行護法
初意者僧祇云鉢是出家人器非俗人所宜十誦云鉢是恒沙諸仏標誌
不得惡用　善見云三乘聖人皆執瓦鉢乞食資生无有國土四海以為
家者故名比丘中阿含云瓦器者(二聖者)之所應服　二體者律中二種泥及鐵也
五分有用白銅盆者仏言此外道法若畜得罪仏自作鉢坏以為模式
十誦畜金銀琉璃銅鐵木石等並非法得罪(四分五分)畜木鉢偷蘭
僧祇云是外道標故又受垢膩今世中有蝋鉢盂(四分云應熏作黑色赤色)僧
並是非法義須毀之　三色是非　若准律文並須熏治律文
祇熏鉢作孔雀咽色鴿色者如法(五分善見)為色者或先熏鐵盆而
廣具熏法而世有素瓦白鐵棍鋧[illegible]

BD01011 號　四分律刪繁補闕行事鈔下卷之上　　（62–52）

十誦畜金銀琉璃銅鐵木石等並非法得罪(四分五分)畜木鉢偷蘭
僧祇云是外道標故又受垢膩今世中有蝋鉢盂(四分云應熏作黑色赤色)僧
並是非法義須毀之　三色是非　若准律文並須熏治律文
祇熏鉢作孔雀咽色鴿色者如法(五分善見)為色者或先熏鐵盆而
廣具熏法而世有素瓦白鐵棍鋧

刮落者先熏瓦鉢但根不磨色淺落受膩者有用麻油塗者並
為非法　親問翻經三藏云中國无用油塗者若此土行用
度託即打破不許畜用　五百問中不許受(音)
諸部律並明熏法此方用熏二遍入龍補木蠼色但用法不同
准此凡澡灌義用油益善見鐵鉢五熏已用上鉢二熏已用受持
四量是非四分大鉢受三斗小者受斗半中品可知此斗升不定此律姚秦
時譯彼國所用之升(此升通用此斗一升一斗不敢重法依算有八合)准唐斗上鉢受
一斗下者五升十誦升量同四分又彼律云下鉢受一鉢他飯半鉢他羹餘
可知食半　僧祇鉢他者受四升　薩婆多云鉢量論師種異說並以一升二斗
謂一鉢他受三升而飯秦稱然兩飯是天竺權未來秤時人咸共計議上鉢
受三鉢他飯一鉢他羹餘可食者半三鉢他飯可秦升三升一鉢他羹可食
物半復是秦斗上鉢受三斗律師云无鉢可食物直言上鉢受三斗他飯
一鉢他羹留上空處食指不觸中三下二鉢可以准可知見一肆上好鉢
圓正可受律師云仏初出世眾僧无鉢仏勅佛釋令大巧工作十方鉢在
世間肆上鉢者是依大鉢非是定　此下全廢斗半者不限受持
此刑諸部定量雖无一指並多以三斗斗半為限但多此无不應當須依教立
律云量疲而下今之言道賊增必准部教世執執小鉢
者多乖鉢者全希並非殊命貪著數度多盞之相既是非法不合說
淨受持　五加受法(四分无文但云言持之今用他部也)十誦云大德一心念我
某甲此鉢多羅應量受常用故(三說)善見若无人三時獨受
一持鉢文准上　僧祇云若十日內捨故受新十日遍(與長文意似是僧法)
六明失法諸相　若見雖先受持若穿如粟米失受持若以鐵
屑補塞已更須受　若偏斜破並不成受　善見若買他鉢未還

BD01011 號　四分律刪繁補闕行事鈔下卷之上　　（62–53）

甚此鉢多處應重受常用故三說　若見若无人三時獨受
持鉢文准上　僧祇云若十日內捨故受新十日易　觀其文意以是隨位從法
六明失法諸相　若見雖先受持若穿如粟米失受持若以鐵
屑補塞已更須受　若偏劍破並不成受　若見若買他鉢未還
直不成受其主雖言但受持二下成若過十日不犯長若買
鉢度價竟鉢主熏已報比丘知不往取過十日犯捨若餘人知
熏竟傳向比丘說聞諾不往无犯四分鉢盂孔穿食入中但洗
餘不出无犯准此不漏故不失受　問但畜一鉢不加受法過
限犯捨不着不犯由是制畜事同三衣但犯不受持鉢罪若有
長者准衣說淨　七明受用行護法五百問云若一日都不用鉢
食犯墮重病者開不用若出界去經宿不失五分諸比丘鉢
中歠粥者熱不可捉聽别作歠器此尼毋不得用麻澡豆洗盃壞
色當熏搗細物篩而用之乃至病二不得用雜香澡豆洗身乃至
乞食時各三日作鉢絡盛鉢自持之因与淨人大並行乞外道捉著鉢中
比丘无便制也僧祇若洗鉢无坐處者當膝身跪坐離地一搩手不
得用灰令色脫當取樹葉汁无沙巨磨　謂手棄之　不得臨岸危處應先
洗師鉢後洗己鉢不得持己鉢中殘水寫師鉢中乃至洗訖當臨坐
持鉢囊常串䩞着膝上盛之乃至洗滌衣者先与師滌洗勿以師衣
裹己衣結之若被綴破鉢要須食竟解綴淨洗已曝令燥還持
繩綴舉着常處勿在地上下至无物以灰洒之安穩也　十誦盛之
諸佛攝盛不得惡用新重鉢蘇着心五洗是名淨又不得日中炙令揮
出吉羅　此尼毋不應盛內浣手一切處不應用除病藏之如日
五分護如眼精洗鐵鉢聽去地一尺孔鉢離地五六寸許置若好處安
置不得不拭着日中暴若安地上覆宿食燸湯洗覆藥並得罪
四分守護此鉢不得着瓦石落處若倚刀杖下若懸物下若當道
中石上若果樹下或不平地若户扉下若繩床木下除暫着若林間以角頭
除暫着若立蕩鉢等並不令不得一手捉兩鉢除指隔中央或一手
捉兩鉢開户除用心乃至足令鉢破等。僧祇惡心破鉢三衣塔像解

BD01011號　四分律刪繁補闕行事鈔下卷之上　（62–54）

四分守護此鉢不得着瓦石落處若倚刀杖下若懸物下若當道
中石上若果樹下或不平地若户扉下若繩床木下除暫着若林間以角頭
除暫着若立蕩鉢等並不令不得一手捉兩鉢除指隔中央或一手
捉兩鉢開户除用心乃至足令鉢破等。僧祇惡心破鉢三衣塔像解
界僧房等皆偷蘭　慈心懺者不中並同　四分不得作非鉢用一切衣物不得內
盋中着畫盋中花像万字已名一切不得破不得都鍚纏鉢四邊
若口應鍚兩分留一分若　星孔多應盡鍚之　用白鑞如鍚　不得着地
熏壞故應以泥漿洒地安之若葉若草上若鉢支故壞者以白
鑞鍚底不得雜沙牛屎洗以器盛水漬牛屎澄去沙用以水用葉
用花若果汁洗取令去膩若手執難持作囊盛繫口帶絡肩
上侠鉢極下鉢口以向下不作函盛之恐相觸者以衣衲裹隔之安
置栈之　五百問不得覆鉢壁上應中裹懸著壁上
若見瓦盆盛袋串左肩青色　次聽教中既日聚具故雜列之四分開十
六枚器謂大釜釜蓋大瓮瓮蓋小釜釜蓋小瓮瓮蓋
及杓水瓶瓶蓋及瓮杓則有二釜四瓮二瓶四蓋四杓　又有鐵作
者出家欲作鉢仙國作之須爐椎鉗排囊鉆挺器並得畜作依
盛聽栈上上兩畜重鉢調度法用等　若淩云時須繩墨垂
白墡雌黃錆線尺度縷線鋮刀子補衣等物並聽畜之作筒盛之
惠鋮衣除作鋮筒及筒安塞治鉢須鑽鍱並得蘭香比丘開以
大術出大小母大子及鑽等並得畜得七日藥蘭着鍵鎡小鉢次大鉢
中不作淨施　盛水　安着栈上龍牙杙上不得畜皮木盋
出要律儀鍵鎡為助食器　鼻柰耶鍵鎡者淺鐵鉢也
四分无病不堪步涉聽作步挽車若輦若乘除牸牛草馬　若得葦
聽畜須草蘇及皮繩着枕極並得聽使奇民優婆塞沙彌構亭
若得車以示應除蠍皮繩疑繩　十誦比丘无鋮不得外行五分非
行來處著太便及洗腳時聽著履四分亦尔
十誦猶牛尾拂仙塔故受　僧祇畜塼瓦擦揩腳
若聽捉綫拂裂疊樹皮等除猫
牛尾馬尾金銀柄一切不聽捉若白色染壞用不得如婬女捉作姿作相
是名拂法　五百問云若僧中說法高座上不病不得捉拂凡捉麈尾

BD01011號　四分律刪繁補闕行事鈔下卷之上　（62–55）

若得車一乘應除繈皮纓鞅鞭　十誦比丘無鐵不得外行五分非
行來處著衣便及洗脚時聽著履四分亦　僧祇畜磚瓦擦揩脚
十誦猫牛尾拂似諸故受　僧祇鼻毛毳聽捉線拂裂疊樹皮等除猫
牛尾馬尾金銀柄一切不聽捉若白色淨嫁用不得如婬女捉作姿作相
是名拂法　五百問云若僧中說法高座上不病不得須凡捉座主
尾把箜非毛者得　四分得尾拂開畜不得畜蠅毛拂 多無細至不得畜之
十誦四人坐坐處長床兩攝　四分本師出家一切作器不應畜剃
髮人出家不得畜剃刀器傳得畜剃刀木作器角器聽用盛油 剃人之畜油器
若得衣須洗聽畜洗器及救前刀著不解事數聽用笨子以筒盛懸杙上
若治爲故畜剃刀若貴葉銚若銅釜鐵釜土釜及三種瓶兩餅餅銅
勺銅鑪聚僧亦得若盆瓨瓫作大盆支塵全有作蓋著須薪淨草
牛屎等无人處得持之見白衣下著地等內得自移擊石材木等擣
葉須杵臼數箕箒掃帚並開看治眼故得畜瑙瑙擣著灌
鼻筒烟筒吹火筒著鉗著鉆著捉大把煖水瓶澡水筒并洗脚者
供僧澡洗脚器所須應与若得大釜盆大小鐵銅麻被來應以鉢器
盛老不得畜升斗秤著蘇油等須秤量者聽刻木作銖兩齊四五兩作
准著斤數　五分初如四分後与他雖多積瞋少仏令僧私畜升斛斗
及秤　四分供給和上聽用銅盤著盆著凡所食之物盡持置上時
捉与得果多押取汁飲聽畜押具著夜集闇須燈器燈炷鐵箸燈炷
轉輪炷揺大燈燈籠掃帚齒至聽別人受著爲護衣故寺內聽以
樹皮著葉若竹作蓋供給蓋具一切得畜　爲補衣故聽畜鉢
得熟皮作衣須刀截板剗磨石等至聞若刀鉢筩毛縷皮剗道
散聽作囊盛若纖竹作籠若樹皮籠聽以毛囊裹外二得與用
十種衣作囊不得以成作著刀生壞聽以毳劫貝大衣等裹刀著
疏長者開剃刀及鞘應以劫貝等障勿令壞若刃卷等上澀石上
磨其石内刀囊中刀鈍者聞畜剃刀缺揲畜坐具器支開錫子剪刀
剔舌刀樹齒物挑耳抑供給住房比丘法中聽与大小繩牀大小木床
杖戶排戶鉤杖蓋箱水瓶洗瓶盛水瓶流室瓶及床剃淨刀等一切
白衣器種作耕犁樓等不應畜一切寶物作諸器並得著道行德

BD01011號　四分律刪繁補闕行事鈔下卷之上　（62–56）

磨其石内刀囊中刀鈍者聞畜剃刀缺揲畜坐具器支開錫子剪刀
剔舌刀樹齒物挑耳抑供給住房比丘法中聽与大小繩牀大小木床
杖戶排戶鉤杖蓋箱水瓶洗瓶盛水瓶流室瓶及床剃淨刀等一切
白衣器種作耕犁樓等不應畜一切寶物作諸器並得著道行德
杖燭諸生者當執杖錫杖著筒盛砂石著破竹作聲不得執空
中杖若畜如法治著僧集恐亂應作大角若作轉閻扇身尺沙除
推之著作餅作豆麨須麨鐺量麨器盛鹽鼓 聲等字諸作者 鼓字者處之
酒瓶木搉木卮勺杓桃等皆開著食飲多不節浪患者開作浴
室著住房內臭以香泥乃至四角懸香擇黃諸四衆造浴室
五切德降風至病去塵垢身輕便得肥白比丘當方便造立
十誦道邊屏處安浴所須者辦之　僧祇浴時不病人揩越五
衆自揩二越比丘 有衣揩越 比丘尼浴室中上座應爲浴僧說洗因緣不
爲莊身淨潔故但令除身中風冷得安隱行道當爲獻患身法調
伏心法應生意心爲令得少欲知足故如是一一事垂著上座說法
儀式隨事誡勅不復具之　比丘尼聽畜刀子六種一用剃故
前二甲破三截衣四割衣上毛縷五六淨果乃至食時種種須故
五分聽畜拭身毛巾大論供給坐禪法禪杖禪毱禪鎮骨人禪經
好師好衣服等　比丘尼山得畜三衣及盆坐具針縷囊瓶鉢等
是不合畜者如金銀一切寶物一切兩刃器具盛酒器等生人憎惡器
五分畫一床不合坐氏所用瓷瓦器物脚不德作人畜脚相諸有器
皿各備一撥破彼破失四分者除時須釜銅器鐵斧繩錘
並得著水井池水瀾櫃一切供給天雨患濕上安屋露地
有薪作屋覆之　增一作房施僧名招提僧施
四分擅越爲比丘作堂如王住殿一切所須並開受諸比丘欲作
房仏令隨作房法一切聽与律文事事具出略不明也　若令
得破房繕理不具 不肯求仏令隨力多多少少應治一切所須供給
十誦仏自執木作具治寺門僧得畜一切作具僧房嫌得將一房
貴治一房二得用數具貴治之僧坊上座私房上座每有破

BD01011號　四分律刪繁補闕行事鈔下卷之上　（62–57）

房仏令隨作房法一切聽与律文事〻具出略不明也若令
得破房繕理不具不肯承仏令隨力多少應治一切所須供給
十誦仏自執木作具治寺門僧得畜一切作具僧房壞得仟一房
貴治房二得用敷具貴治之僧坊上座私房上座益有破
壞雜事先自手作迎著敷〻踏泥〻僧房云〻比丘得自從
上木僧祇比丘作房欲自泥壁五采畫之並得唯除男子
女和合像餘山林人馬並得　四分云不得同不應女婦
紫按聽用餘雜色畫獸文者　何雜得別房關受看
僧地中作私房有客來應起不起還僧地以无僧地入亡
若營屋者不聽九成八不堅牢若作大重閣堂聽十二
年經營餘者隨大小量宜若營事比丘房成莊嚴香
熏所須具足者与房住九十日移不得更受餘房若有
治人能治破房者白二与之　五分諸房上皆題某甲檀越房
十誦若以房施僧轉施尼者是非法施非法受非法用若施
尼轉与僧亦尒若房舍外具有檀越者但得看視不得
奪一与一治壞房者六年与住作新房者十二年住
僧祇先是僧房破壞更易户牖二三年隨功夫多少称療
与住若空房不立住治事者應与一時住治事者應与
一時住若床几枕褥堵臟破更漆泥補治者亦二一時住

「對施興治篇第廿

夫福出淨田道起少欲為福之家唯重唯多受施之者
唯少唯節多供无厭是為福之法少受限量信行者之
儀律之極越雖施无猒而受者應知足也但出家之
士形乖俗服有待之形假資方立施時不容後須難得
若者應於法則能所无瑕必於事莫准使規式何寄如能
善者持資令有力无事者可謂道緣表立行從此生何
者貪心出於情著无深良由自節縱心則非味起迷約

士形乖俗服有待之形假資方立施時不容後須難得
若者應於法則能所无瑕必於事莫准使規式何寄如能
善者持資令有力无事者可謂道緣表立行從此生何
者貪心出於情著无深良由自節縱心則非味起迷約
志則愛能生厭所以善惡發於中懷界次寄于方寸是
是故為行人者无宜任縱不息時緣任事生常都无愧約
脫滿潔細豈不慙愧並受濁難滿如海吞流者貪之〻法
衆患俱集既能形服異世擬懷遠大何得於事容斯
穢迹但无深子俗尚節恥衣食況三寶理種而滯於義
之方匡泥逢一何可歎今略述由漸不引誠文使懷道之士
詳而斂迹焉　就中分五初明受施之人二明聚治方便三
明立觀有教四明作觀方法五明隨治雜相　初中善見
云比丘受用施物有四種一者盜用若比丘破戒受施名為盜
用二負債用者受施之時必須作念不作得罪負人信
施三親友謂七學人義四主用所羅漢　僧祇尼母云受人
信施不如法用放逸其心癈修道業入三塗中受重苦
故若不受者能者食他信食即破腹出衣即離身若和前〻
人无業而施与者能施之俱為施所墮　智論明能施清淨
受者不淨如是四句若出家人无戒无慧食於信施入銅板地獄
受鐵丸鐵牒二苦　四分乃至犯突吉羅非罪无故受他利養及持
戒比丘礼敬並不合受　三明厭治方便如大集中云何比丘觀所著衣
作不樂想著縫衣見衣繩衣著衣脫衣觀如是時如血塗皮爛
臭而惡坐所住處如是觀時於衣貪心即時除滅云何修習食
不樂想若有比丘執持盆時如血塗髑髏觀臭可惡坐所住處若
得食時應觀是食如死尸坐著見麨時如未骨想得飯時作
虫汁想得諸餅時作人皮想所執錫杖作人骨想得乳酪時作膿
血汙想若得菜茹作髮毛想得種〻漿作血想是名於食生
不樂想云何於房舍生不樂想若入房時念如地獄受諸苦惱如是

臭而惡丘所住處如是觀時於衣食心即時除滅云何脩習食
不樂想若有比丘執持盂時如血塗髑髏爛臭可惡丘所住處若
得食時應觀是食如死虫看見麨時如末骨想得飯時作
棄汁想得諸餅時作人皮想所執錫杖作人骨想得乳酪時作膿
血汗想若得菜茹作髮毛想得種種漿作血想是名於食生
不樂想云何於房舍生不樂想若入房時念如地獄受諸苦惱如是
房舍即是和合所有材木即是人骨土是人肉乃至一切林褥被褥皆
如是作是觀時即名世間苦樂想若能觀察如是想者是人即得
如實法也　四分寧以熱鐵周衣燒爛身盡不著信心男女衣
服寧在鐵床燒身燋爛不受信心好床臥具寧受鐵屋中住身不受
房舍在中寧吞熱鐵鈎燒爛五藏從下而出不受信心飲食寧以
熱鐵刺脚不以受信心接足作礼寧以熱斧自斬其身不受信手捫摸其身
以故不以此因墮三惡道若非沙門非淨行自言是沙門淨行破戒行惡都無持戒
威儀邪見覆處作罪內空腐爛外現見淨食人施故以不消信施墮三惡道
長衣受者是故當持淨戒受人信施一切所須能令施主得大果報所為出家作
沙門之得戒就者明怨報如僧祇中廣述五十六事涅槃所舍等大乘經論並
種種默觀云　三明立觀有教者智論云若不觀食法嗜美心堅
著墮不淨虫中洋銅灌口噉燒鐵丸　十誦云受食時應生慚愧為存身命故
摩得伽云若得食時當觀從倉中出地中以糞屎和合種子得生還養糞
身〻即尼母云若利根比丘得食時口〻作念得衣時著〻作念若入房時〻
作念若鈍根者初得衣食房舍總作一念　僧祇云從聚落中乞食
從聚而出往至水邊可脩道處置食一面結跏趺坐當觀其食種〻
可惡及觀自身也是惡露膚如依說　四明觀法並衣食房舍
四事供養能施捨慳受施除貪此則能所俱淨生福廣利若依此
隨情縱逸任性者則俱墮負罪同非故涅槃云我令施主果報減少
我復无尔等雖利養等同我有希數食為大患時須進口過患以數
懃法亦難若不策其心前改其前操者多隨迷醉矣夫沙门之累俗
由立行有堅貞同節世之㫖闊餘行二可知矣故成論云現見在臭
屎中生不在磐石中者由貪味香故也今故約食時立觀以關心道
略作五門明了論如此分之　初計功多少量他來處
智論云思惟此食墾植耘除收穫蹂治舂磨淘汰炊煮乃成用功甚

BD01011號　四分律刪繁補闕行事鈔下卷之上　（62–60）

懃法亦難若不策其心前改其前操者多隨迷醉矣夫沙门之累俗
由立行有堅貞同節世之㫖闊餘行二可知矣故成論云現見在臭
屎中生不在磐石中者由貪味香故也今故約食時立觀以關心道
略作五門明了論如此分之　初計功多少量他來處
智論云思惟此食墾植耘除收穫蹂治舂磨淘汰炊煮乃成用功甚
多計一鉢之食作夫流汗集合量之食少汗多須臾變惡我若貪心當墮
地獄噉燒鐵丸從地獄出作諸畜生償其宿債或作猪狗常噉糞除
故於食中應生厭想　僧祇云告諸比丘計此一粒米用百功乃成
奪其妻子之分求福施故云何棄之　二自忖己身得行　毗尼母云若不坐
禪誦經不營仏法僧事受人信施為施所墮若无三業知故而施俱
為施墮比丘雖飽食施主食憍慢意我自食已食雖飽過分為施所
墮以其食之從施主得故何以故仏長夜中常嘆家後限食
口食施持戒者能受能消施持戒果報大破戒果報少（如上律文）如是所著是食已更
强食者不加色力但增其患故不應无度食　三防心離過明了
論疏云律云說出家人受食先須觀食後方得噉凡食有三種上食起
貪癡離四事一離貪愛業道貪著香味身心安樂縱情取適故二離瞋
醉過負貢身心力強不計於他故三離求好顏色適意舉樂於究悅
勝常不須此心四離求莊嚴身適貪著樂得充滿肥圓故二者下食便生瞋
瞋多墮餓鬼永不見食三者中膳不分心眼多起癡捨无墮畜生中作猪噉
棄樂集等中初貪重故至入地獄且略如此反此三當成三善根生三善道
謂无貪故生諸天中下二可知　四正事良藥觀分二為除故病飢渴不
治便廢道業不新病食飲減約循食消損又以二事為譬初如油膏車但
得轉載為問治之義思二藏度險道有子既无餓窮餓急便食子肉必無
貪味　五為成道業觀三種一者為令身久住故欲界之身必假摶食若无
得久住道緣无託故二者相續壽命假此報身假命修成身慧命故三為修求
定慧伏積煩惱故持世云者不除我倒此是外道不聽受人一杯之水智論亦然
我我倒於衲衣乞食不應生著　五明隨治雜相　華嚴云若得食時當願眾生
為法供養志在仏道　五者若不為解脫出家者不得受諸供坐禪誦經檢校
僧事並為解脫出家者聽受僧次　十誦若剝食當應遣二比丘持食供生
他善心當除人除坐應觀是食難求得成辨當觀入胎在生藏熟藏若後出時
唯是不淨由此食因緣故起種種煩惱罪業受苦果報　五百問云若有比丘喜
樂衣服盡夜淨着因致死後為化生虫還來纏衣墮傍被蓋死比丘說不在

BD01011號　四分律刪繁補闕行事鈔下卷之上　（62–61）

汝[illegible]

得轉載爲問治之美惡二辯度險道有子既无飢窮餓急便食子肉忽無

貪味　五者成道業觀三種一者爲令身久住故欲界之身必假摶食若无不

得久住道緣无托故二爲相續壽命假此報身假命治成身慧命故三爲備求

定慧伏滅煩惱故持世云者不除我倒此是外道不聽受人一杯之水如藏亦云

我倒於衲衣麁食不應生着　五明隨治雜相　華嚴云若得食時當願生

爲法供養志在仏道　十誦云若不爲解脫出家者不得受請坐禪誦經撿挍

僧事並爲解脫出家者聽受僧次　十誦云若利食處應嘿然一心淨持威儀生

他善心當從人餘坐一應觀是食難來得成辦當觀入在生藏熟藏若復出時

唯是不淨由此食因緣故起種種煩惱罪業從是墮落　五百問云若有比丘噉

衆衣服晝夜淨著因致死後爲化生蟲還來纏衣　界傳說舊死比丘託衣在

法蛇後還頭吐毒傳共看之有得道者合掌觀語蛇令去遂入草中大風火出

燒身命終入地獄　此是五衣作意云爲除寒熱爲慚耻故旁作意云爲除

風雨故令作意云爲除蚊蝱因緣故　傳云見有不得過三匙爲斷一切惡故過

初起爲修一切善故是名食一切生故後起乃至迴向佛道過餘業苦

等餘如米說　四分云量腹而食度身而衣趣足而已又云食如止足故者消滅新

昔不生有力无事身安隱　僧祇云應食五者天使數示便數三五睡眠四身不

堪脩業五多患食不消化　故祇律釋節量因說偈云多著致病苦少食氣力衰

處中而食者如稱無高下　寶藏中有王外道並好惡食以驗佛道法並爲互

說偈是身如惡車好惡無擇香油臭脂等同調滑　中含云昔諸比丘於生活

中下極者邊者謂行乞食世間大諱爲禿頭擎缽行故擬子舍主故當以猴

善生老病死憂悲苦惱故者遠遠出家而行惡欲犯戒懈怠如以纖洗織何由可脫

爲其列正教故須准用臨食五觀四緣之隨得隨出者爲貪等毒所吞

四分律刪繁補闕行事鈔下卷之上

BD01011 號　四分律刪繁補闕行事鈔下卷之上　（62–62）

迦

佛言世

少病少惱起居

和不世事可忍不衆

瞋恚愚癡嫉妬慳慢不

沙門耶見不善心不攝五

情不世尊衆生能降伏諸魔怨不久滅度多

寶如来在七寶塔中来聽法不又問訊多寶

如来安隱少惱堪忍久住不世尊我今欲見

多寶佛身唯願世尊示我令見尒時釋迦牟

尼佛語多寶佛是妙音菩薩欲得相見時多

寶佛告妙音言善哉善哉汝能爲供養釋迦

牟尼佛及聽法華經并見文殊師利等故来

至此尒時華德菩薩白佛言世尊是妙音菩

薩種何善根脩何功德有是神力佛告華德

菩薩過去有佛名雲雷音王多陁阿伽度阿

羅呵三藐三佛陁國名現一切世間劫名憙

見妙音菩薩於万二千歲以十万種伎樂供

養雲雷音王佛并奉上八万四千七寶鉢以

是因緣果報今生淨華宿王智佛國有是神

力華德於汝意云何尒時雲雷音王佛所妙

音菩薩伎樂供養奉上寶器者豈異人乎今

此妙音菩薩摩訶薩是華德是妙音菩薩已

BD01012 號　妙法蓮華經卷七　（20–1）

養雲雷音王佛并奉上八万四千七寶鉢以
是因緣果報今生淨華宿王智佛國有是神
力華德於汝意云何尒時雲雷音王佛所妙
音菩薩伎樂供養奉上寶器者豈異人乎今
此妙音菩薩摩訶薩是華德是妙音菩薩已
曾供養親近无量諸佛久殖德本又值恒河
沙等百千万億那由他佛華德汝但見妙音
菩薩其身在此而是菩薩現種種身處處為
諸衆生說是經典或現梵王身或現帝釋身
或現自在天身或現大自在天身或現天大將軍
身或現毗沙門天王身或現轉輪聖王身或
現諸小王身或現長者身或現居士身或現
宰官身或現婆羅門身或現比丘比丘尼優
婆塞優婆夷身或現長者居士婦女身或現
宰官婦女身或現婆羅門婦女身或現童男
童女身或現天龍夜叉乾闥婆阿脩羅迦樓
羅緊那羅摩睺羅伽人非人等身而說是經
諸有地獄餓鬼畜生及衆難處皆能救濟乃
至於王後宮變為女身而說是經華德是妙
音菩薩能救護娑婆世界諸衆生者是妙音
菩薩如是種種變化現身在此娑婆國土為
諸衆生說是經典於神通變化智慧无所損
減是菩薩以若干智慧明照娑婆世界令一
切衆生各得所知於十方恒河沙世界中亦
復如是若應以聲聞形得度者現聲聞形而
為說法應以辟支佛形得度者現辟支佛形
而為說法應以菩薩形得度者現菩薩形而

BD01012號　妙法蓮華經卷七　（20–2）

減是菩薩以若干智慧明照娑婆世界令一
切衆生各得所知於十方恒河沙世界中亦
復如是若應以聲聞形得度者現聲聞形而
為說法應以辟支佛形得度者現辟支佛形
而為說法應以菩薩形得度者現菩薩形而
為說法應以佛形得度者即現佛形而為說
法如是種種隨所應度而為現形乃至應以
滅度而得度者示現滅度華德妙音菩薩摩
訶薩成就大神通智慧之力其事如是尒時
華德菩薩白佛言世尊是妙音菩薩深種善
根世尊是菩薩住何三昧而能如是在所變
現度脫衆生佛告華德菩薩善男子其三昧
名現一切色身妙音菩薩住是三昧中能如
是饒益无量衆生說是妙音菩薩品時與妙
音菩薩俱來者八万四千人皆得現一切色身
三昧此娑婆世界无量菩薩亦得是三昧
及陀羅尼尒時妙音菩薩摩訶薩供養釋迦
牟尼佛及多寶佛塔已還歸本土所經諸國
六種震動雨寶蓮華作百千万億種種伎樂
既到本國與八万四千菩薩圍繞至淨華宿
王智佛所白佛言世尊我到娑婆世界饒益
衆生見釋迦牟尼佛及見多寶佛塔礼拜供
養又見文殊師利法王子菩薩及見藥王菩
薩得勤精進力菩薩勇施菩薩等亦令八万
四千菩薩得現一切色身三昧說是妙音菩
薩來往品時四万二千天子得无生法忍華
德菩薩得法華三昧

BD01012號　妙法蓮華經卷七　（20–3）

薩得勤精進力菩薩勇施菩薩等亦令八万
四千菩薩得現一切色身三昧說是妙竟菩
薩来往品時四万二千天子得无生法忍華
德菩薩得法華三昧

妙法蓮華經觀世音菩薩普門品第二十五

尒時无盡意菩薩即從座起偏袒右肩合掌
向佛而作是言世尊觀世音菩薩以何因緣
名觀世音佛告无盡意菩薩善男子若有无
量百千万億衆生受諸苦惱聞是觀世音菩
薩一心稱名觀世音菩薩即時觀其音聲皆
得解脫若有持是觀世音菩薩名者設入大
火火不能燒由是菩薩威神力故若為大水
所漂稱其名号即得淺處若有百千万億衆
生為求金銀琉璃車𤦲馬瑙珊瑚虎珀真珠
等寶入於大海假使黑風吹其舩舫漂墮羅
刹鬼國其中若有乃至一人稱觀世音菩薩
名者是諸人等皆得解脫羅刹之難以是因
緣名觀世音若復有人臨當被害稱觀世音
菩薩名者彼所執刀杖尋段段壞而得解脫
若三千大千國土滿中夜叉羅刹欲來惱人
聞其稱觀世音菩薩名者是諸惡鬼尚不能
以惡眼視之況復加害設復有人若有罪若
无罪杻械枷鎖撿繫其身稱觀世音菩薩名
者皆悉斷壞即得解脫若三千大千國土滿
中怨賊有一商主將諸商人賫持重寶經過
嶮路其中一人作是唱言諸善男子勿得恐
怖汝等應當一心稱觀世音菩薩名号是菩

BD01012 號　妙法蓮華經卷七　（20–4）

以惡眼視之況復加害設復有人若有罪若
无罪杻械枷鎖撿繫其身稱觀世音菩薩名
者皆悉斷壞即得解脫若三千大千國土滿
中怨賊有一商主將諸商人賫持重寶經過
嶮路其中一人作是唱言諸善男子勿得恐
怖汝等應當一心稱觀世音菩薩名号是菩
薩能以无畏施於衆生汝等若稱名者於此
怨賊當得解脫衆商人聞俱發聲言南无觀
世音菩薩稱其名故即得解脫无盡意觀世
音菩薩摩訶薩威神之力巍巍如是若有衆
生多於婬欲常念恭敬觀世音菩薩便得離
欲若多瞋恚常念恭敬觀世音菩薩便得離
瞋若多愚癡常念恭敬觀世音菩薩便得離
癡无盡意觀世音菩薩有如是等大威神力
多所饒益是故衆生常應心念若有女人設
欲求男礼拜供養觀世音菩薩便生福德智
慧之男設欲求女便生端正有相之女宿殖
德本衆人愛敬无盡意觀世音菩薩有如是
力若有衆生恭敬礼拜觀世音菩薩福不唐
捐是故衆生皆應受持觀世音菩薩名号无
盡意若有人受持六十二億恒河沙菩薩名
字復盡形供養飲食衣服卧具醫藥於汝意
云何是善男子善女人功德多不无盡意言
甚多世尊佛言若復有人受持觀世音菩薩
名号乃至一時礼拜供養是二人福正等无
異於百千万億劫不可窮盡无盡意受持觀
世音菩薩名号得如是无量无邊福德之利

BD01012 號　妙法蓮華經卷七　（20–5）

甚多世尊佛言若復有人受持觀世音菩薩
名号乃至一時礼拜供養是二人福正等无
異於百千万億劫不可窮盡无盡意受持觀
世音菩薩名号得如是无量无邊福德之利
无盡意菩薩白佛言世尊觀世音菩薩云何
遊此娑婆世界云何而為衆生說法方便之
力其事云何佛告无盡意菩薩善男子若有
國土衆生應以佛身得度者觀世音菩薩即
現佛身而為說法應以辟支佛身得度者即
現辟支佛身而為說法應以聲聞身得度者
即現聲聞身而為說法應以梵王身得度者
即現梵王身而為說法應以帝釋身得度者
即現帝釋身而為說法應以自在天身得度
者即現自在天身而為說法應以大自在天
身得度者即現大自在天身而為說法應以
天大將軍身得度者即現天大將軍身而為
說法應以毗沙門身得度者即現毗沙門身
而為說法應以小王身得度者即現小王身
而為說法應以長者身得度者即現長者身
而為說法應以居士身得度者即現居士身
而為說法應以宰官身得度者即現宰官身
而為說法應以婆羅門身得度者即現婆羅
門身而為說法應以比丘比丘尼優婆塞優
婆夷身得度者即現比丘比丘尼優婆塞優
婆夷身而為說法應以長者居士宰官婆羅
門婦女身得度者即現婦女身而為說法應
以童男童女身得度者即現童男童女身而

門身而為說法應以比丘比丘尼優婆塞優
婆夷身得度者即現比丘比丘尼優婆塞優
婆夷身而為說法應以長者居士宰官婆羅
門婦女身得度者即現婦女身而為說法應
以童男童女身得度者即現童男童女身而
為說法應以天龍夜叉乾闥婆阿脩羅迦樓
羅緊那羅摩睺羅伽人非人等身得度者即
皆現之而為說法應以執金剛神得度者即
現金剛神而為說法无盡意是觀世音菩薩
成就如是功德以種種形遊諸國土度脫衆
生是故汝等應當一心供養觀世音菩薩是
觀世音菩薩摩訶薩於怖畏急難之中能施
无畏是故此娑婆世界皆号之為施无畏者
无盡意菩薩白佛言世尊我今當供養觀世
音菩薩即解頸衆寶珠瓔珞價直百千兩金
而以與之作是言仁者受此法施珎寶瓔珞
時觀世音菩薩不肯受之无盡意復白觀世
音菩薩言仁者愍我等故受此瓔珞尒時佛
告觀世音菩薩當愍此无盡意菩薩及四衆
天龍夜叉乾闥婆阿脩羅迦樓羅緊那羅摩
睺羅伽人非人等故受是瓔珞即時觀世音
菩薩愍諸四衆及於天龍人非人等受其瓔
珞分作二分一分奉釋迦牟尼佛一分奉多
寶佛[塔][无]盡意觀世音菩薩有如是自在神
力遊[於]娑婆世界尒時持地菩薩即從座起
前白佛言世尊若有衆生聞是觀世音菩薩
品自在之業普門示現神通力者當知是人

珞分作二分一分奉釋迦牟尼佛一分奉多
寶佛塔無盡意觀世音菩薩有如是自在神
力遊於娑婆世界尒時持地菩薩即從座起
前白佛言世尊若有衆生聞是觀世音菩薩
品自在之業普門示現神通力者當知是人
功德不少佛說是普門品時衆中八万四千
衆生皆發无等等阿耨多羅三藐三菩提心

妙法蓮華經陁羅尼品第二十六

尒時藥王菩薩即從座起偏袒右肩合掌向
佛而白佛言世尊若善男子善女人有能受
持法華經者若讀誦通利若書寫經卷得幾
所福佛告藥王若有善男子善女人供養八
百万億那由他恒河沙等諸佛於汝意云何
其所得福寧為多不甚多世尊佛言若善男
子善女人能於是經乃至受持一四句偈讀
誦解義如說脩行功德甚多尒時藥王菩薩
白佛言世尊我今當與說法者陁羅尼呪以
守護之即說呪曰
安尒一 曼尒二 摩祢三 摩摩祢四 旨隷五 遮
梨第六 賒咩羊鳴音七 賒履冈雉反多瑋八 羶輸干
帝九 目帝十 目多履十一 娑履十二 阿瑋娑履十三
桑履十四 娑履十五 叉裔十六 阿叉裔十七 阿耆膩十八
羶帝十九 賒履二十 陁羅尼二十一 阿盧伽婆娑蘇奈反
簸蔗毘叉膩二十二 祢毘剃二十三 阿便哆都餓反
邏祢履剃二十四 阿亶哆波隸輸地途賣反二十五
漚究隸二十六 牟究隸二十七 阿羅隸二十八 波羅
隸二十九 首迦差初几反三十 阿三磨三履三十一 佛

BD01012號　妙法蓮華經卷七

(20–8)

羶帝十九 賒履二十 陁羅尼二十一 阿盧伽婆娑蘇奈反
簸蔗毘叉膩二十二 祢毘剃二十三 阿便哆都餓反
邏祢履剃二十四 阿亶哆波隸輸地途賣反二十五
漚究隸二十六 牟究隸二十七 阿羅隸二十八 波羅
隸二十九 首迦差初几反三十 阿三磨三履三十一 佛
馱毘吉利袠帝三十二 達磨波利差猜離反帝三十三
僧伽涅瞿沙祢三十四 婆舍婆舍輸地三十五
曼哆邏三十六 曼哆邏叉夜多三十七 郵樓哆三十
八 郵樓哆憍舍略三十九 惡叉邏四十 惡叉冶多
冶四十一 阿婆盧四十二 阿磨若荏蔗反那多夜四十三
世尊是陁羅尼神呪六十二億恒河沙等諸
佛所說若有侵毀此法師者則為侵毀是諸
佛已時釋迦牟尼佛讚藥王菩薩言善哉善
哉藥王汝愍念擁護此法師故說是陁羅尼
於諸衆生多所饒益尒時勇施菩薩白佛言
世尊我亦為擁護讀誦受持法華經者說陁
羅尼若此法師得是陁羅尼若夜叉若羅剎
若富單那若吉蔗若鳩槃荼若餓鬼等伺求
其短无能得便即於佛前而說呪曰
痤措螺反隸一 摩訶痤隸二 郁枳三 目枳四 阿
隸五 阿羅婆第六 涅隸多婆第八 伊緻猪履反
柅九 韋緻柅十 旨緻柅十一 涅隸墀柅十二 涅犁
墀婆底十三
世尊是陁羅尼神呪恒河沙等諸佛所說亦
皆隨喜若有侵毀此法師者則為侵毀是諸
佛已尒時毘沙門天王護世者白佛言世尊
我亦為愍念衆生擁護此法師故說是陁羅

BD01012號　妙法蓮華經卷七

(20–9)

世尊是陁羅尼神呪恒河沙等諸佛所說亦
皆隨喜若有侵毀此法師者則為侵毀是諸
佛已尒時毗沙門天王護世者白佛言世尊
我亦為愍念衆生擁護此法師故說是陁羅
尼即說呪曰
阿梨一那梨二㝹那梨三阿那盧四那履五
拘那履六
世尊以是神呪擁護法師我亦自當擁護持
是經者令百由旬内无諸衰患尒時持國天
王在此會中與千万億那由他乹闥婆衆恭
敬圍繞前詣佛所合掌白佛言世尊我亦以
陁羅尼神呪擁護持法華經者即說呪曰
阿伽祢一伽祢二瞿利三乹陁利四栴陁利
五摩蹬耆六常求利七浮樓莎抳八頞底九
世尊是陁羅尼神呪四十二億諸佛所說若
有侵毀此法師者則為侵毀是諸佛已尒時
有羅刹女等一名藍婆二名毗藍婆三名曲
齒四名華齒五名黑齒六名多髮七名无猒
足八名持瓔珞九名睪帝十名奪一切衆生
精氣是十羅刹女與鬼子母并其子及眷屬
俱詣佛所同聲白佛言世尊我等亦欲擁護
讀誦受持法華經者除其衰患若有伺求法
師短者令不得便即於佛前而說呪曰
伊提履一伊提泯二伊提履三阿提履四伊
提履五泥履六泥履七泥履八泥履九
泥履十樓醯十一樓醯十二樓醯十三樓醯十四多醯
十五多醯十六多醯十七兜醯十八㝹醯十九

BD01012 號　妙法蓮華經卷七

(20–10)

師短者令不得便即於佛前而說呪曰
伊提履一伊提泯二伊提履三阿提履四伊
提履五泥履六泥履七泥履八泥履九
泥履十樓醯十一樓醯十二樓醯十三樓醯十四多醯
十五多醯十六多醯十七兜醯十八㝹醯十九
寧上我頭上莫惱於法師若夜叉若羅刹若
餓鬼若富單那若吉蔗若毗陁羅若揵駄若
烏摩勒伽若阿跋摩羅若夜叉吉蔗若人吉
蔗若熱病若一日若二日若三日若四日若
至七日若常熱病若男形若女形若童男形
若童女形乃至夢中亦復莫惱即於佛前而
說偈言
若不順我呪　惱亂說法者　頭破作七分　如阿梨樹枝
如煞父母罪　亦如壓油殃　斗秤欺誑人　調達破僧罪
犯此法師者　當獲如是殃
諸羅刹女說此偈已白佛言世尊我等亦當
身自擁護受持讀誦脩行是經者令得安隱
離諸衰患消衆毒藥佛告諸羅刹女善哉善
哉汝等但能擁護受持法華名者福不可量
何况擁護具足受持供養經卷華香瓔珞末
香塗香燒香幡蓋伎樂然種種燈蘇燈油燈
諸香油燈蘇摩那華油燈膽蔔華油燈婆師
迦華油燈優鉢羅華油燈如是等百千種供
養者睪帝汝等及眷屬應當擁護如是法師
說是陁羅尼品時六万八千人得无生法忍
妙法蓮華經妙莊嚴王本事品第二十七
尒時佛告諸大衆乃往古世過无量无邊不
可思議阿僧祇劫有佛名雲雷音宿王華智

BD01012 號　妙法蓮華經卷七

(20–11)

養者皋帝汝等及眷屬應當擁護如是法師
說是陀羅尼品時六万八千人得无生法忍

妙法蓮華經妙莊嚴王本事品第二十七

尒時佛告諸大衆乃往古世過无量无邊不
可思議阿僧祇劫有佛名雲雷音宿王華智
多陀阿伽度阿羅呵三藐三佛陀國名光明
莊嚴劫名憙見彼佛法中有王名妙莊嚴其
王夫人名曰淨德有二子一名淨藏二名淨
眼是二子有大神力福德智慧久脩菩薩所
行之道所謂檀波羅蜜尸羅波羅蜜羼提波
羅蜜毗梨耶波羅蜜禪波羅蜜般若波羅蜜
方便波羅蜜慈悲憙捨乃至三十七助道法
皆悉明了通達又得菩薩淨三昧日星宿三
昧淨光三昧淨色三昧淨照明三昧長莊嚴
三昧大威德藏三昧於此三昧亦悉通達尒
時彼佛欲引導妙莊嚴王及愍念衆生故說
是法華經時淨藏淨眼二子到其母所合十
指爪掌白言願母往詣雲雷音宿王華智佛
所我等亦當侍從親近供養礼拜所以者何
此佛於一切天人衆中說法華經宜應聽受
母告子言汝父信受外道深著婆羅門法汝
等應往白父與共俱去淨藏淨眼合十爪指
掌白母我等是法王子而生此耶見家母告
子言汝等當憂念汝父為現神變若得見者
心必清淨或聽我等往至佛所於是二子念
其父故踊在虛空高七多羅樹現種種神變
於虛空中行住坐卧身上出水身下出火身
下出水身上出火或現大身滿虛空中而復

子言汝等當憂念汝父為現神變若得見者
心必清淨或聽我等往至佛所於是二子念
其父故踊在虛空高七多羅樹現種種神變
於虛空中行住坐卧身上出水身下出火身
下出水身上出火或現大身滿虛空中而復
現小小復現大於空中滅忽然在地入地如
水履水如地現如是等種種神變令其父王
心淨信解時父見子神力如是心大歡喜得
未曾有合掌向子言汝等師為是誰誰之弟
子二子白言大王彼雲雷音宿王華智佛今
在七寶菩提樹下法座上坐於一切世間天
人衆中廣說法華經是我等師我是弟子父
語子言我今亦欲見汝等師可共俱往於是
二子從空中下到其母所合掌白母父王今
已信解堪任發阿耨多羅三藐三菩提心我
等為父已作佛事願母見聽於彼佛所出家
脩道尒時二子欲重宣其意以偈白母
願母放我等　出家作沙門　諸佛甚難值　我等隨佛學
如優曇波羅　值佛復難是　脫諸難亦難　願聽我出家
母即告言聽汝出家所以者何佛難值故於
是二子白父母言善哉父母願時往詣雲雷
音宿王華智佛所親近供養所以者何佛難
得值如優曇波羅華又如一眼之龜值浮木
孔而我等宿福深厚生值佛法是故父母當
聽我等令得出家所以者何諸佛難值時亦
難遇彼時妙莊嚴王後宮八万四千人皆悉
堪任受持是法華經淨眼菩薩於法華三昧
久已通達淨藏菩薩已於无量百千万億劫

聽我等令得出家所以者何諸佛難值時亦
難遇彼時妙莊嚴王後宮八万四千人皆悉
堪任受持是法華經淨眼菩薩於法華三昧
久已通達淨藏菩薩已於无量百千万億劫
通達離諸惡趣三昧欲令一切衆生離諸惡
趣故其王夫人得諸佛習三昧能知諸佛秘
密之藏二子如是以方便力善化其父令心
信解好樂佛法於是妙莊嚴王與羣臣眷屬
俱淨德夫人與後宮采女眷屬俱其王二子
與四万二千人俱一時共詣佛所到已頭面
礼足遶佛三帀却住一面尒時彼佛爲王說
法示教利喜王大歡悅尒時妙莊嚴王及其
夫人解頸真珠瓔珞價直百千以散佛上於
虛空中化成四柱寶臺臺中有大寶床敷百
千万天衣其上有佛結跏趺坐放大光明尒
時妙莊嚴王作是念佛身希有端嚴殊特成
就第一微妙之色時雲雷音宿王華智佛告
四衆言汝等見是妙莊嚴王於我前合掌立
不此王於我法中作比丘精勤脩習助佛道
法當得作佛号娑羅樹王國名大光劫名大
高王其娑羅樹王佛有无量菩薩衆及无量
聲聞其國平正功德如是其王即時以國付
弟與夫人二子并諸眷屬於佛法中出家脩
道王出家已於八万四千歲常勤精進脩行
妙法華經過是已後得一切淨功德莊嚴三
昧即昇虛空高七多羅樹而白佛言世尊此
我二子已作佛事以神通變化轉我邪心令
得安住於佛法中得見世尊此二子者是我

BD01012號　妙法蓮華經卷七　（20–14）

道王出家已於八万四千歲常勤精進脩行
妙法華經過是已後得一切淨功德莊嚴三
昧即昇虛空高七多羅樹而白佛言世尊此
我二子已作佛事以神通變化轉我邪心令
得安住於佛法中得見世尊此二子者是我
善知識爲欲發起宿世善根饒益我故來生
我家尒時雲雷音宿王華智佛告妙莊嚴王
言如是如是如汝所言若善男子善女人種
善根故世世得善知識其善知識能作佛事
示教利喜令入阿耨多羅三藐三菩提大王
當知善知識者是大因緣所謂化導令得見
佛發阿耨多羅三藐三菩提心大王汝見此
二子不此二子已曾供養六十五百千万億
那由他恒河沙諸佛親近恭敬於諸佛所受
持法華經愍念邪見衆生令住正見妙莊嚴
王即從虛空中下而白佛言世尊如來甚希
有以功德智慧故頂上肉髻光明顯照其眼
長廣而紺青色眉間毫相白如珂月齒白齊
密常有光明脣色赤好如頻婆菓尒時妙莊
嚴王讚歎佛如是等无量百千万億功德已
於如來前一心合掌復白佛言世尊未曾有
也如來之法具足成就不可思議微妙功德
教戒所行安隱快善我從今日不復自隨心
行不生邪見憍慢瞋恚諸惡之心說是語已
礼佛而出佛告大衆於意云何妙莊嚴王豈
異人乎今華德菩薩是其淨德夫人今佛前
光照莊嚴相菩薩是哀愍妙莊嚴王及諸眷
屬故於彼中生其二子者今藥王菩薩藥上

BD01012號　妙法蓮華經卷七　（20–15）

行不生耶見憍慢瞋恚諸悪之心說是語已
礼佛而出佛告大衆於意云何妙莊嚴王豈
異人乎今華德菩薩是其淨德夫人今佛前
光照莊嚴相菩薩是哀愍妙莊嚴王及諸眷
屬故於彼中生其二子者今藥王菩薩藥上
菩薩是是藥王藥上菩薩成就如此諸大功
德已於无量百千万億諸佛所殖衆德本成
就不可思議諸善功德若有人識是二菩薩
名字者一切世間諸天人民亦應礼拜佛說
是妙莊嚴王本事品時八万四千人遠塵離
垢於諸法中得法眼淨

妙法蓮華經普賢菩薩勸發品第二十八

尒時普賢菩薩以自在神通威德名聞與大
菩薩无量无邊不可稱數從東方来所經諸
國普皆震動雨寶蓮華作无量百千万億種
種伎樂又與无數諸天龍夜叉乾闥婆阿脩
羅迦樓羅緊那羅摩睺羅伽人非人等大衆
圍繞各現威德神通之力到娑婆世界耆闍
崛山中頭面礼釋迦牟尼佛右繞七帀白佛
言世尊我於寶威德上王佛國遥聞此娑婆
世界說法華經與无量无邊百千万億諸菩
薩衆共来聽受唯願世尊當為說之若善男
子善女人於如来滅後云何能得是法華經
佛告普賢菩薩若善男子善女人成就四法
於如来滅後當得是法華經一者為諸佛護
念二者殖衆德本三者入正定聚四者發救
一切衆生之心善男子善女人如是成就四
法於如来滅後必得是經尒時普賢菩薩白

BD01012號　妙法蓮華經卷七　（20–16）

於如来滅後當得是法華經一者為諸佛護
念二者殖衆德本三者入正定聚四者發救
一切衆生之心善男子善女人如是成就四
法於如来滅後必得是經尒時普賢菩薩白
佛言世尊於後五百歲濁悪世中其有受持
是經典者我當守護除其衰患令得安隱使
无伺求得其便者若魔若魔子若魔女若魔
民若為魔所著者若夜叉若羅刹若鳩槃荼
若毗舍闍若吉蔗若富單那若韋陁羅等諸
惱人者皆不得便是人若行若立讀誦此經
我尒時乘六牙白象王與大菩薩衆俱詣其
所而自現身供養守護安慰其心亦為供養
法華經故是人若坐思惟此經尒時我復乘
白象王現其人前其人若於法華經有所忘
失一句一偈我當教之與共讀誦還令通利
尒時受持讀誦法華經者得見我身甚大歡
喜轉復精進以見我故即得三昧及陁羅尼
名為旋陁羅尼百千万億旋陁羅尼法音方
便陁羅尼得如是等陁羅尼世尊若後世後
五百歲濁悪世中比丘比丘尼優婆塞優婆
夷求索者受持者讀誦者書寫者欲脩習是
法華經於三七日中應一心精進滿三七日
已我當乘六牙白象與无量菩薩而自圍繞
以一切衆生所憙見身現其人前而為說法
示教利喜亦復與其陁羅尼呪得是陁羅尼
故无有非人能破壞者亦不為女人之所惑
乱我身亦自常護是人唯願世尊聽我說此
陁羅尼即於佛前而說呪曰

BD01012號　妙法蓮華經卷七　（20–17）

故无有非人能破壞者亦不為女人之所惑
乱我身亦自常護是人唯願世尊聽我說此
陁羅尼即於佛前而說呪曰
阿檀地途賣反一 檀陁婆地二 檀陁婆帝三 檀陁
鳩舍隷四 檀陁脩陁隷五 脩陁隷六 脩陁羅
婆底七 佛馱波𭋑祢八 薩婆陁羅尼阿婆多
尼九 薩婆婆沙阿婆多尼十 脩阿婆多尼十一
僧伽婆履叉尼十二 僧伽涅伽陁尼十三 阿僧祇
十四 僧伽波伽地十五 帝隷阿惰僧伽兜略盧遮反
波羅帝十六 薩婆僧伽三摩地伽蘭地十七 薩婆
達磨脩波利剎帝十八 薩婆薩埵樓馱憍舍略
阿㝹伽地十九 辛阿毗吉利地帝二十
世尊若有菩薩得聞是陁羅尼者當知普賢
神通之力若法華經行閻浮提有受持者應
作此念皆是普賢威神之力若有受持讀誦
正憶念解其義趣如說脩行當知是人行普
賢行於无量无邊諸佛所深種善根為諸如
来手摩其頭若但書寫是人命終當生忉利
天上是時八万四千天女作衆伎樂而来迎
之其人即著七寶冠於婇女中娛樂快樂何
況受持讀誦正憶念解其義趣如說脩行若
有人受持讀誦解其義趣是人命終為千佛
授手令不恐怖不墮惡趣即往兜率天上弥
勒菩薩所弥勒菩薩有三十二相大菩薩衆
所共圍繞有百千万億天女眷屬而於中生
有如是等功德利益是故智者應當一心自
書若使人書受持讀誦正憶念如說脩行世

勒菩薩所弥勒菩薩有三十二相大菩薩衆
所共圍繞有百千万億天女眷屬而於中生
有如是等功德利益是故智者應當一心自
書若使人書受持讀誦正憶念如說脩行世
尊我今以神通力守護是經於如来滅後閻
浮提內廣令流布使不斷絶尒時釋迦牟尼
佛讃言善哉善普賢汝能護助是經令多
所衆生安樂利益汝已成就不可思議功德
深大慈悲從久遠来發阿耨多羅三藐三菩
提意而能作是神通之願守護是經我當以
神通力守護能受持普賢菩薩名者普賢若
有受持讀誦正憶念脩習書寫是法華經者
當知是人則見釋迦牟尼佛如從佛口聞此
經典當知是人供養釋迦牟尼佛當知是人
佛讃善哉當知是人為釋迦牟尼佛手摩其
頭當知是人為釋迦牟尼佛衣之所覆如是
之人不復貪著世樂不好外道經書手筆亦
復不憙親近其人及諸惡者若屠兒若畜猪
羊雞狗若獵師若衒賣女色是人心意質直
有正憶念有福德力是人不為三毒所惱亦
不為嫉妬我慢邪慢增上慢所惱是人少欲
知足能脩普賢之行普賢若如来滅後後五
百歲若有人見受持讀誦法華經者應作是
念此人不久當詣道場破諸魔衆得阿耨多
羅三藐三菩提轉法輪擊法鼓吹法螺雨法
雨當坐天人大衆中師子法座上普賢若於
後世受持讀誦是經典者是人不復貪著衣

知是能脩普賢之行普賢若如來滅後後五
百歲若有人見受持讀誦法華經者應作是
念此人不久當詣道場破諸魔衆得阿耨多
羅三藐三菩提轉法輪擊法鼓吹法蠡雨法
雨當坐天人大衆中師子法座上普賢若於
後世受持讀誦是經典者是人不復貪著衣
服卧具飲食資生之物所願不虛亦於現世
得其福報若有人輕毀之言汝狂人耳空作
是行終无所獲如是罪報當世世无眼若有
供養讚歎之者當於今世得現果報若復見
受持是經者出其過惡若實若不實此人現
世得白癩病若輕咲之者當世世牙齒踈缺
醜脣平鼻手脚繚戾眼目角睞身體臭穢惡
瘡膿血水腹短氣諸惡重病是故普賢若見
受持是經典者當起遠迎當如敬佛說是普
賢勸發品時恒河沙等无量无邊菩薩得百
千億旋陁羅尼三千大千世界微塵等諸菩
薩具普賢道佛說是經時普賢等諸菩薩
舍利弗等諸聲聞及諸天龍人非人等一切大
會皆大歡喜受持佛語作礼而去

BD01012號　妙法蓮華經卷七　（20–20）

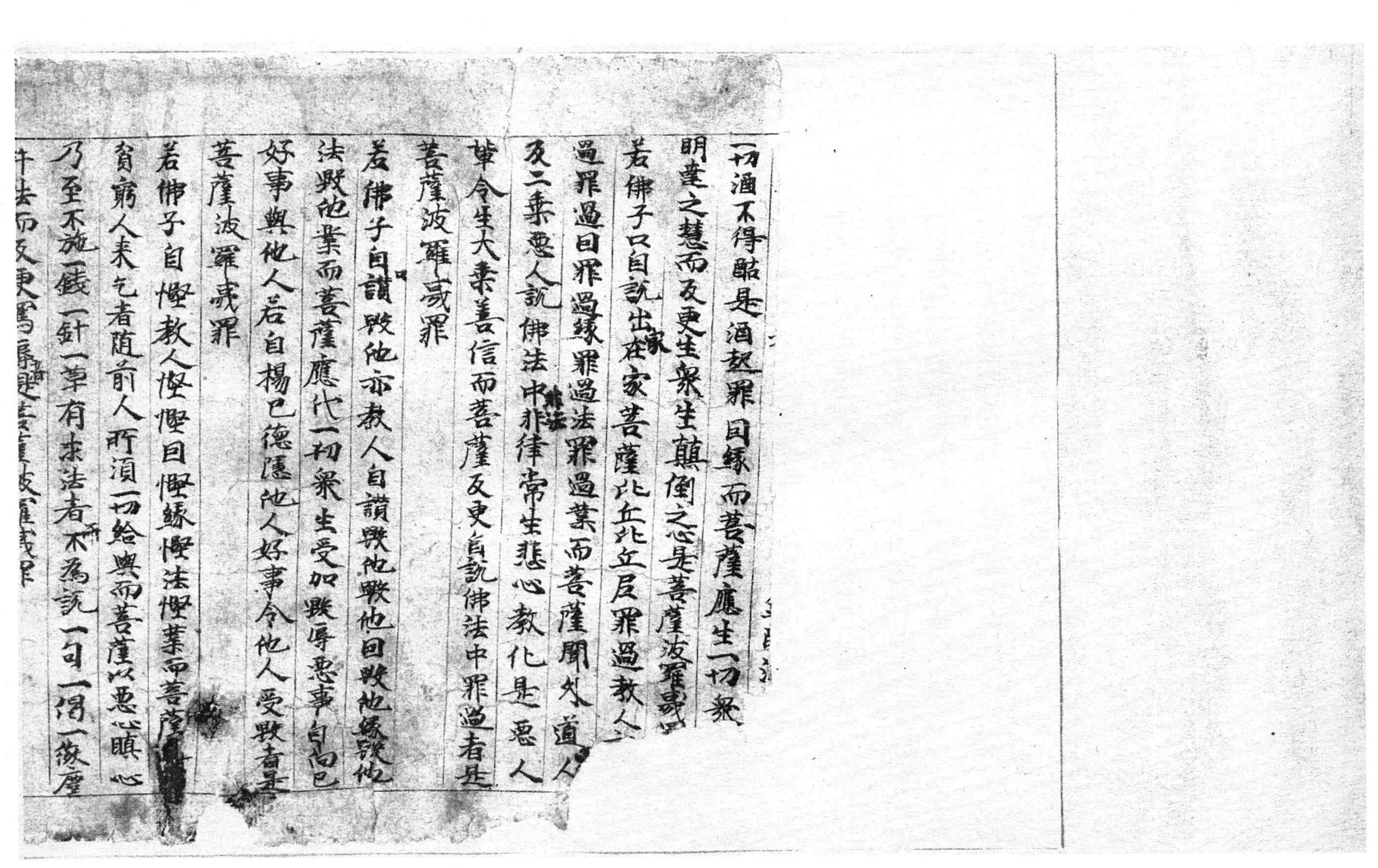

一切酒不得酤是酒起罪因緣而菩薩應生一切衆
明達之慧而反更生衆生顛倒之心是菩薩波羅夷罪
若佛子口自說出家在家菩薩比丘比丘尼罪過教人
過罪過因罪過緣罪過法罪過業而菩薩聞外道人
及二乘惡人說佛法中非法非律常生悲心教化是惡人
輩令生大乘善信而菩薩反更自說佛法中罪過者是
菩薩波羅夷罪
若佛子自讚毀他亦教人自讚毀他毀他因毀他緣毀他
法毀他業而菩薩應代一切衆生受加毀辱惡事自向己
好事與他人若自揚己德隱他人好事令他人受毀者是
菩薩波羅夷罪
若佛子自慳教人慳慳因慳緣慳法慳業而菩薩見一切
貧窮人來乞者隨前人所須一切給與而菩薩以惡心瞋心
乃至不施一錢一針一草有求法者不為說一句一偈一微塵
許法而反更罵辱是菩薩波羅夷罪

BD01013號　梵網經盧舍那佛說菩薩心地戒品第十卷下　（15–1）

菩薩波羅夷罪
若佛子自慳教人慳慳因慳緣慳法慳業而菩薩見
貧窮人来乞者隨前人所須一切給與而菩薩以惡心瞋心
乃至不施一錢一針一草有求法者不為說一句一偈一微塵
許法而反更罵辱是菩薩波羅夷罪
若佛子自瞋教人瞋瞋因瞋緣瞋法瞋業而菩薩應生
一切眾生善根无諍之事常生悲心而反更於一切眾生
中乃至於非眾生中以惡口罵辱加以手打及以刀杖
意猶不息前人求悔善言懺謝猶瞋不解者是
菩薩波羅夷罪
若佛子自謗三寶教人謗三寶謗因謗緣謗法謗
業而菩薩見外道及以惡人一言謗佛音聲如三百鉾
刺心况口自謗不生信心孝順心而反更助惡人邪見人
謗者是菩薩波羅夷罪
善學諸人者是菩薩十波羅提木叉應當於中不應
一一犯如微塵許何况具足犯十戒若有犯者不得現身
發菩提心亦失國王位轉輪王位亦失比丘比丘尼位失十發
趣十長養十金剛十地佛性常住妙果一切皆失墮三惡道
中二劫三劫不聞父母三寶名字以是不應一一犯汝等一
切諸菩薩今學當學已學如是十戒應當學敬心
奉持
佛告諸菩薩言已說十波羅提木叉竟四十八輕今當
說
若佛子欲受國王位時受轉輪王位時百官受位時應先
受菩薩戒一切諸天鬼神救護王身百官之身諸佛歡喜
既德戒已生孝順心恭敬心見上座和上阿闍梨大同學同

BD01013 號　梵網經盧舍那佛說菩薩心地戒品第十卷下　（15–2）

說
若佛子欲受國王位時受轉輪王位時百官受位時應先
受菩薩戒一切諸天鬼神救護王身百官之身諸佛歡喜
既德戒已生孝順心恭敬心見上座和上阿闍梨大同學同
見同行者應起承迎礼拜問訊而菩薩反生憍心慢心癡
心不起承迎礼拜一一不如法供養以自賣身國城男女
七寶百物而供給之若不尒者犯輕垢罪
若佛子故飲酒而生酒過失無量若自身手過酒
器與人飲酒者五百世无手何况自飲不得教一切人飲及
一切眾生飲酒况自飲酒若故自飲教人飲者犯輕垢罪
若佛子故食肉一切肉不得食斷大慈悲性種子一切眾
生見而捨去故一切菩薩不得食一切眾生肉食肉得
無量罪若故食者犯輕垢罪
若佛子不得食五辛大蒜革葱慈葱蘭葱興渠是五
種一切食中不得食若故食者犯輕垢罪
若佛子見一切眾生犯八戒十戒毀禁七逆八難一切犯戒
罪應教懺悔而菩薩不教懺悔共住同僧利養而共布薩
一切眾住說戒而不舉其不教悔過者犯輕垢罪
若佛子見大乘法師大乘同學同見同行者来入
僧房舍宅城邑若百里千里来者即起迎来送去礼拜供
養日日三時供養日食三兩黃金百味飲食床座醫藥供
事法師
養日日一切所須盡給與之常請法師三時說法日日三時
礼拜不生瞋心患惱之心為法滅身請法若不尒者犯
輕垢罪
若佛子一切處有講法毗尼經律大宅舍中有講法處
是新學菩薩應持經律卷至法師所

BD01013 號　梵網經盧舍那佛說菩薩心地戒品第十卷下　（15–3）

養日日一切所須盡給與之常請法師三時說法日日三時
礼拜不生瞋心患惱之心為法滅身請法若不介者犯
輕垢罪
若佛子一切處有講法毗尼經律大宅舍中有講法處
是新學菩薩應持經律卷至法師所諮受聽問若山林
樹下僧地房中一切說法處悉至聽受若不至彼聽
受者犯輕垢罪
若佛子心背大乘常住經律言非佛說而受持二乘
聲聞外道惡見一切禁戒邪見經律者犯輕垢罪
若佛子見一切疾病人常應供養如佛无異八福田中看病
福田第一福田若父母師僧弟子病諸根不具百種病
苦皆養令差而菩薩以惡瞋恨心不至僧房中城邑
曠野山林道路中見病不救濟者犯輕垢罪
若佛子不得畜一切刀仗弓箭鉾斧鬪戰之具及惡網
羅煞生之器一切不得畜而菩薩乃至煞父母尚不加報
況煞一切眾生若故畜刀仗者犯輕垢罪
如是十戒應當學敬奉持　佛言佛子為
利養惡心故通國使命軍陣合會興師相代煞无量
眾生而菩薩不得入軍陣中往來況故作國賊若故作者
犯輕垢罪
若佛子故販賣良人奴婢六畜市易棺材板木盛死之
具若故自作教人作者犯輕垢罪
若佛子以惡心故無事謗他良人善人法師師僧國王貴人言
犯七逆十重於父母兄弟六親中生孝順心慈悲心而反更
加於逆害墮不如意處者犯輕垢罪
若佛子以惡心故放大火燒山林曠野四月乃至九月放

BD01013號　梵網經盧舍那佛說菩薩心地戒品第十卷下

（15–4）

若佛子以惡心故無事謗他良人善人法師師僧國王貴人言
犯七逆十重於父母兄弟六親中生孝順心慈悲心而反更
加於逆害墮不如意處者犯輕垢罪
若佛子以惡心故放大火燒山林曠野四月乃至九月放
火若燒他人家屋宅城邑僧房田木及鬼神官物一切有主物不得故燒若故燒者犯輕垢罪
若佛子自佛弟子及外道惡人六親一切善知識應一一
教受持大乘經律教解義理使發菩提心十發趣心十長養
心十金剛心於三十心中一一解其次第法用而菩薩以惡心
瞋心橫教他二乘聲聞經律外道邪見論等者犯輕垢罪
若佛子應以好心先學大乘威儀經律廣開解義味見
後新學菩薩有百里千里來求大乘經律應如法
為說一切苦行若燒身燒臂燒指若不燒身臂指
供養諸佛非出家菩薩乃至餓虎狼師子口中一切餓
鬼悉應捨身肉手足而供養之然後一一次第為說正法
使心開意解而菩薩為利養故應答不答倒說經律
文字無前無後謗三寶說者犯輕垢罪
若佛子自為飲食錢物利養名譽故親近國王王子大
臣百官恃作形勢乞索打拍牽挽橫取錢物一切求利
名為惡求多求教他人求都無慈心無孝順心者犯輕垢
罪
若佛子學誦戒者日日六時持菩薩戒解其義理佛
性之性而菩薩不解一句一偈戒律因緣詐言能解者為
自欺誑亦欺誑他人一一不解一切法而為他人作師受
戒者犯輕垢罪
若佛子以惡心故見持戒比丘手捉香爐行菩薩行而鬪
兩頭謗欺賢人無惡不造若故作者犯輕垢罪

BD01013號　梵網經盧舍那佛說菩薩心地戒品第十卷下

（15–5）

戒者犯輕垢罪
若佛子以惡心故見持戒比丘手捉香爐行菩薩行而鬪
兩頭謗欺賢人無惡不造若故作者犯輕垢罪
若佛子以慈心故行放生業一切男子是我父一切女人是
我母我生生无不從之受生故六道衆生皆是我父母而殺
而食者即殺我父母亦殺我故身一切地水是我先身一切
火風是我本體故常行放生業生生受生若見世人殺畜
生時應方便救護解其苦難常教化講說菩薩戒救度
衆生若父母兄弟死亡之日應請法師講說菩薩戒經律
福資亡者得見諸佛生人天上若不尒者犯輕垢罪
如是十戒應當學敬心奉持
佛言佛子以瞋報瞋以打報打若殺父母兄弟六親不得
加報若國主為他人殺者亦不得加報殺生報生不順孝道
尚不畜奴婢打拍罵辱日日起三業口罪无量況故作七逆
之罪而菩薩無慈報讎乃至六親中若故作報者
犯輕垢罪
若佛子初始出家未有所解而自恃聰明有智或恃高貴
年宿或恃大姓高門大解大富饒財七寶以此憍慢而不諮
受先學法師其法師者或小姓年少卑門貧窮
諸根不具而實有德一切經律盡解而新學菩薩不得
觀法師種姓而不來諮受法師第一義諦者犯輕垢罪
若佛子佛滅度後欲以好心受菩薩戒時於佛菩薩形像
前自誓受戒當七日佛前懺悔得見好相便得受戒
若不得好相應以二七三七日乃至一年要得好相得好相已便
得佛菩薩形像前受戒若不得好相雖佛形像前
受戒不名得戒若現前先受菩薩戒法師前受戒時不

BD01013號　梵網經盧舍那佛說菩薩心地戒品第十卷下　（15–6）

前自誓受戒當七日佛前懺悔得見好相便得受戒
若不得好相應以二七三七日乃至一年要得好相得好相已便
得佛菩薩形像前受戒若不得好相雖佛形像前
受戒不名得戒若現前先受菩薩戒法師前受戒時不
須要見好相何以故是法師師師相授故不須好相是以
法師前受戒即得戒以生重心故便得戒若千里内无能
授戒師得佛菩薩形像前受得戒而要見好相
若法師自倚解經律大乘學戒與國王太子百
官以為善友而新學菩薩來問若經義律義輕心憍慢
心不一一好答問者犯輕垢罪
若佛子有佛經律大乘法正見正性正法身而不能
勤學脩習而捨七寶反學邪見二乘外道俗典阿毗
曇雜論一切書記是斷佛性障道因緣非行菩薩道
若故作者犯輕垢罪
若佛子佛滅度後為說法主為僧房主教化主坐禪主
行來主應生慈心善和鬪諍守護三寶物莫无度用如
自己有而反亂衆鬪諍恣心用三寶物者犯輕垢罪
若佛子先住僧房中後見客菩薩比丘來入僧房舍宅
城邑國王宅舍中乃至夏坐安居處及大會中先住僧
應迎來送去飲食供養房舍卧具繩床事事給與若无有
物應自賣身及男女身供給所須悉與與之若有檀
越來請衆僧客僧有利養分僧房主應次第差客僧
受請而先住僧獨受請而不差客僧者房主得无量罪
畜生無異非沙門非釋種姓若故作者犯輕垢罪
若佛子一切不得受別請利養入己而此利養屬十方僧而別
別受請即取十方僧物入己又八福田中諸佛聖人一一師

BD01013號　梵網經盧舍那佛說菩薩心地戒品第十卷下　（15–7）

受請而先住僧獨受請而不差客僧者房主得无量罪
畜生無異非沙門非釋種姓若故作者犯輕垢罪
若佛子一切不得受別請利養入已而此利養屬十方僧而別
別受請即取十方僧物入已及八福田中諸佛聖人一一師
僧父母病人物自己用故者犯輕垢罪
若佛子有出家菩薩在家菩薩及一切檀越請僧福田
求願之時應入僧房中問知事人今欲次第請者即得
十方賢聖僧而世人別請五百羅漢菩薩不如僧次一凡夫僧
若別請僧者是外道法七佛无別請法不順孝道若
故別請僧者犯輕垢罪
若佛子以惡心故為利養故販賣男女色自手作食自
磨自舂占相男女解夢吉凶是男是女呪術工巧調
鷹方法和合百種毒藥千種毒藥蛇毒生金銀蠱
毒都無慈心若故作者犯輕垢罪
若佛子惡心故自身謗三寶詐現親附口便說空行在
有中為白衣通致男女交會淫色作諸縛著於六齋
日年三長齋月作殺生劫盜破齋犯戒者犯輕垢罪
如是十戒應當學敬心奉持　佛言佛子佛
滅度後於惡世中若見外道一切惡人劫賊賣佛菩薩
父母形像販賣經律販賣比丘比丘尼亦賣發心菩薩道人
或為官使與一切人作奴婢者而菩薩見是事已應生
慈心方便救護處處教化取物贖佛菩薩形像及比丘
比丘尼發心菩薩一切經律若不贖者犯輕垢罪
若佛子不得畜刀仗弓箭販賣輕秤小斗因官形勢
取人財物害心繫縛破壞成功長養貓狸豬狗若故養
者犯輕垢罪

BD01013號　梵網經盧舍那佛說菩薩心地戒品第十卷下　（15–8）

慈心方便救護處處教化取物贖佛菩薩形像及比丘
比丘尼發心菩薩一切經律若不贖者犯輕垢罪
若佛子不得畜刀仗弓箭販賣輕秤小斗因官形勢
取人財物害心繫縛破壞成功長養貓狸豬狗若故養
者犯輕垢罪
若佛子以惡心故觀一切男女等鬪軍陣兵將劫賊等鬪
亦不得聽吹貝鼓角琴瑟箏笛箜篌歌叫伎樂之聲
不得樗蒲圍棊波羅塞戲彈棊六博拍毱擲石投
壺八道行城爪鏡芝草楊枝鉢盂髑髏而作卜筮不得
作盜賊使命一一不得作若故作者犯輕垢罪
若佛子護持禁戒行住坐臥日夜六時讀誦是戒猶如金
剛如帶持浮囊欲渡大海如草繫比丘常生大乘善信自
知我是未成之佛諸佛是已成之佛發菩提心念念不去心
起一念二乘外道心者犯輕垢罪
若佛子常應發一切願孝順父母師僧三寶常願得好
師同學善友知識常教我大乘經律十發趣十長養
十金剛十地使我開解如法修行堅持佛戒寧捨身命念
念不去心若一切菩薩不發是願者犯輕垢罪
若佛子發十大願已持佛禁戒作是願言寧以此身投熾
然猛火大坑刀山終不毀犯三世諸佛經律與一切女人
作不淨行復作是願寧以熱鐵羅網千重周匝纏身
終不以破戒之身受信心檀越一切衣服復作是願寧以此口吞
熱鐵丸及大流猛火經百千劫終不以破戒之口食信
心檀越百味飲食復作是願寧以此身臥大猛火羅網熱
鐵地上終不以破戒之身受信心檀越百種床坐復作是
願寧以此身受三百鉾刺身經一劫二劫終不以破

BD01013號　梵網經盧舍那佛說菩薩心地戒品第十卷下　（15–9）

終不以破戒之身受信心檀越一切衣服復作是願寧以此口吞
熱鐵丸及大流猛火逕百千劫終不以戒之破口食信
心檀越百味飲食復作是願寧以此身臥大猛火羅網熱
鐵地上終不以破戒之身受信心檀越百種床坐復作是
願寧以此身受三百鉾刺身經一劫二劫終不以破戒
之身受信心檀越百味醫藥
復作是願寧以此身投熱鐵鑊經百千劫終不以破戒之
身受信心檀越百種房舍屋宅園林田地復作是寧
以鐵槌打碎此身從頭至足令如微塵終不以此破戒之
身受信心檀越恭敬禮拜
復作是願寧以百千熱鐵刀鉾挑其兩目終不以此
破戒之身受信心檀越視他好色
復作是願寧以百千鐵錐遍撹刺耳根逕一劫二劫
終不以破戒之心聽好音聲復作是願寧以百千刃
刀割去鼻終不以破戒之心貪嗅諸香
復作是願寧以百千刃刀割斷其舌終不以破之心食人
百味淨食復作是願寧以利斧斬破其身終不
以破戒之心貪著好觸復作是願願一切衆生悉得
成佛而菩薩若不發是願者犯輕垢罪
若佛子常應二時頭陀冬夏坐禪結夏安居常用楊枝
澡豆三衣瓶鉢坐具錫杖香爐漉水囊手巾刀子火燧鑷
子繩床經律佛像菩薩形像而菩薩行頭陀時及遊方
時行來百里千里此十八種物常隨其身頭陀者從正
月十五日至三月十五日八月十五日至十月十五日是三時中十
八種物常隨其身如鳥二翼若布薩日新學菩薩
半月半月布薩誦十重重卌八輕戒時於諸佛菩薩

時行來百里千里此十八種物常隨其身頭陀者從正
月十五日至三月十五日八月十五日至十月十五日是三時中十
八種物常隨其身如鳥二翼若布薩日新學菩薩
半月半月布薩誦十重重卌八輕戒時於諸佛菩薩形
前一人布薩即一人誦若二人若三人乃至百千人亦一人
誦誦者高坐聽者下坐各各披九條七條五條袈裟結
夏安居一一如法若頭陀時莫入難處若國難惡王土地
高下草木深邃師子虎狼水火惡風劫賊毒蛇道路一切
難處悉不得入若頭陀行道乃至夏坐安居是諸難
處皆不得入若故入者犯輕垢罪
若佛子應如法次第坐先受戒者在前坐後受戒者在
後坐不問老少比丘比丘尼貴人國王王子乃至黃門奴婢
皆應先受戒者在前坐後受戒者隨次第而坐莫如外
道癡人若老若少无前无後坐无次第兵奴之法我佛
法中先者先坐後者坐而菩薩若不如法次第坐者犯輕垢罪
若佛子常應教化一切衆生建立僧房山林園田立作佛
塔冬夏安居坐禪處所一切行道處皆應立之而菩
薩應為一切衆講說大乘經律若疾病若國難賊難父
母兄弟和上阿闍梨亡没之日及三七日乃至七七日亦讀
誦講說大乘經律齋會求福行來治生大火所燒
大水所漂黑風所吹船舫江河大海羅剎之難乃至一切罪
報三惡七逆八難杻械枷鎖繫縛其身多婬多瞋多愚
癡多疾病皆應讀誦講說大乘經律而新學菩薩若不
尒者犯輕垢罪
如是九戒應當學敬心奉持
佛言佛子與人受戒時不得簡擇一切國王王子大臣百

瘦多疾病皆應讀誦講大乘經律而新學菩薩若不
尒者犯輕垢罪
如是九戒應當學敬心奉持
佛言佛子與人受戒時不得簡擇一切國王王子大臣百
官比丘比丘尼信男信女婬男婬女十八梵六欲天无根二
根黃門奴婢一切鬼神盡得受戒應教身所著袈裟皆
使壞色與道相應皆染色使青黃赤黑紫色一切染
衣乃至卧具盡以壞色身所著衣一切染色若一切國土
中人所著衣服比丘皆應與其俗服有異若欲受戒
時師應問言汝現身不作七逆罪耶而菩薩法師不
得與七逆人現身受戒七逆者出佛身血煞父母煞
和上煞阿闍梨破羯磨轉法輪僧煞聖人若具七遮
即身不得戒餘一切人盡得受戒出家人法不向
國王礼拜不向父母礼拜六親不敬鬼神不礼但解法師語
有百里千里來求戒者而菩薩以惡心瞋心而不即與授
一切衆生戒者犯輕垢罪
若佛子教化人起信心時菩薩與他人作教戒法師者
見欲受戒人應教請二師和上阿闍梨二師應問言汝有七
遮罪不若現身有七遮師不應與受戒无七遮者得受若
有犯十戒者應教懺悔在佛菩薩形像前日日六時誦
十重卌八輕戒若到礼三世千佛得見好相若一七日二三七日
乃至一年要見好相相者佛來摩頂若見光華種
種異相便得罪滅若無好相雖懺無益是人現身亦
不得戒而得增受戒若犯卌八輕戒者對手懺悔不同
遮而教戒師於是法中一一好解若不解大乘經律若輕
若重是非之相不解第一義諦習種性長養性不可壞性

BD01013號　梵網經盧舍那佛說菩薩心地戒品第十卷下　（15–12）

乃至一年要見好相相者佛來摩頂若見光華種
種異相便得罪滅若無好相雖懺無益是人現身亦
不得戒而得增受戒若犯卌八輕戒者對手懺悔不同
遮而教戒師於是法中一一好解若不解大乘經律若輕
若重是非之相不解第一義諦習種性長養性不可壞性
道種性正法性其中多少觀行出入十禪枝一切行法一一不
得此法中意而菩薩為利養故為名聞故惡求多求貪
利弟子而詐現解一切經律是自欺詐亦欺詐他人故與
人受戒者犯輕垢罪
若佛子不得為利養故於未受菩薩戒者前外道惡
人前說此千佛大戒邪見人前亦不得說除國王餘一切不
得說是惡人輩不受佛戒名為畜生生生不見三寶如木
石无心名外道邪見人輩木頭无異而菩薩於是惡人前
說七佛教戒者犯輕垢罪
若佛子信心出家受佛正戒故起心毀犯聖戒者不得
受一切檀越供養亦不得國王地上行不得飲國王水五千
大鬼常遮其前鬼言大賊若入房舍城邑宅中鬼復常掃
其腳跡一切世人罵言佛法中賊一切衆生眼不欲見犯
戒之人畜生无異木頭无異若毀正戒犯輕垢罪
若佛子常應一心受持讀誦大乘經律剝皮為紙刺血為墨
以髓為水析骨為筆書寫佛戒木皮穀紙絹素竹
帛亦應悉書持常以七寶无價香華一切雜寶為箱囊
盛經卷若不如法供養者犯輕垢罪
若佛子常起大悲心若入一切城邑舍宅見一切衆生應當唱
言汝等衆生盡應受三歸十戒若見牛馬猪羊一切畜生
應心念口言汝是畜生發菩提心而菩薩入一切處山林川野

BD01013號　梵網經盧舍那佛說菩薩心地戒品第十卷下　（15–13）

帛亦應悉書持常以七寶无價香華一切雜寶爲箱囊
盛經律卷若不如法供養者犯輕垢罪
若佛子常起大悲心若入一切城邑舍宅見一切衆生應當唱
言汝等衆生盡應受三歸十戒若見牛馬猪羊一切畜生
應心念口言汝是畜生發菩提心而菩薩入一切處山林川野
皆使一切衆生發菩提心是菩薩若不教化衆生者
犯輕垢罪
若佛子常行教化起大悲心入檀越貴人家一切衆中不得立地
爲白衣說法應白衣衆前高座上坐法師比丘不得地
立爲四衆說法若說法時法師高坐香華供養四衆
聽者下坐如孝順父母敬順師教如事火婆羅門其說法
者若不如法說犯輕垢罪
若佛子皆以信心受佛正戒者若國王太子百官四部弟
子自恃高貴破滅佛法戒律明作制法制我四部弟子不聽
出家行道亦復不聽佛塔破三寶之罪而菩薩作破法者
犯輕垢罪
若佛子以好心出家而爲名聞利養於國王百官前說
七佛戒橫與比丘比丘尼菩薩戒弟子作繫縛如師子
身中虫自食師子肉非外道天魔能破若受佛
戒者應護佛戒如念一子如事父母而聞外道惡人
謗佛戒時如三百鉾刺心千刀万杖打柏其身
有異寧自入地獄百劫而不聞一惡言破佛戒之聲
而況自破佛戒教人破法因緣亦无孝順心若故作者
犯輕垢罪
佛言如是九戒應當學敬心奉持
諸佛子是四十八輕戒汝等受持過去諸佛菩薩已學
未來諸佛菩薩當學……

BD01013號　梵網經盧舍那佛說菩薩心地戒品第十卷下　（15-14）

謗佛戒時如三百鉾刺心千刀万杖打柏其身
有異寧自入地獄百劫而不聞一惡言破佛戒之聲
而況自破佛戒教人破法因緣亦无孝順心若故作者
犯輕垢罪
佛言如是九戒應當學敬心奉持
諸佛子是四十八輕戒汝等受持過去諸佛菩薩已學
未來諸佛菩薩當學現在諸佛菩薩今學佛子諦諦
聽十重卌八輕戒三世諸佛已誦當誦今誦我今亦如是
誦汝等一切大衆若國王王子百官比丘比丘尼信男信
女受持菩薩戒者應受持讀誦解說書寫佛性常
住戒卷流通三世一切衆生化化不絶得見千佛佛佛授手
世世不墮惡道八難常生人道天中我今在此菩提樹下略開
佛法戒汝等當一心學波羅提木叉歡喜奉行如无
相天王品勸學中一一廣明三千學士時坐聽者聞
自誦心心頂戴喜躍受持

BD01013號　梵網經盧舍那佛說菩薩心地戒品第十卷下　（15-15）

思復問
答曰我雖受記而无所
不得何法寂勝報言无
得有情乃至不得知者
蘊界處若善非善若雜染
无漏若世間若出世間若有為
無為若生死若涅槃於如是等皆无所得
又問若无所得用受記為寂勝答言以
得故得受記善思復問若如天王所說
者便有二智一无所得二得受記寂勝答
言若有二者則无受記所以者何佛智无二
諸佛世尊以不二智授菩提記善思又言若
智不二云何而有授記受記寂勝答言授記
受記其際无二善思復言无二際者云何有
記寂勝答言達无二際即為有記善思復問
天王今者住何際中而得受記寂勝答言我
住我際住有情際乃至知者見者際中而得
受記善思復問此我際等當於何求寂勝答
言當於諸佛解脫際求善思又問佛解脫際

BD01014 號　大般若波羅蜜多經卷五七一　（20–1）

受記其際无二善思復言无二際者云何有
記寂勝答言達无二際即為有記善思復問
天王今者住何際中而得受記寂勝答言我
住我際住有情際乃至知者見者際中而得
受記善思復問此我際等當於何求寂勝答
言當於諸佛解脫際求善思又問佛解脫際
復於何求寂勝答曰當於无明有愛際求善
思又問无明有愛復於何求寂勝答曰當於
畢竟不生際求善思又問此不生際復於何
求寂勝答曰此際當於无知際求善思又問
无知際者即无所知云何此際當於彼求寂
勝答曰若有所知求不可得以无知故於彼
際求善思又問此際離言云何可求寂勝答
曰以語言斷是故可求善思又問此語言云
何斷寂勝答曰諸法依義不依語故善思又
問云何依義寂勝答曰不見義相善思又問
云何不見寂勝答曰不起分別義是所依我
為能依无此二事故名不見善思又問若不
見義此何所求寂勝答曰无見无取故名為
求善思又問法可求者即為有求寂勝答曰
是義不然夫求法者實无所求何以故若實
可求即為非法善思又問何者是法寂勝答
曰法无文字亦離語言善思又問離文言中何
者是法寂勝答曰性離文言心行處滅是
名為法一切法性皆不可說其不可說亦不
可說若有所說即是虛妄虛妄法中都无實
法善思又問諸佛菩薩常有言說皆虛妄耶
寂勝答曰諸佛菩薩從始至終不說一字云
何虛妄善思又問若有所說當有何咎寂勝

BD01014 號　大般若波羅蜜多經卷五七一　（20–2）

可說若有所說即是虛妄虛妄法中都无實
法善思又問諸佛菩薩常有言說皆虛妄耶
最勝答曰諸佛菩薩從始至終不說一字云
何虛妄善思又問若有所說當有何咎最勝
答曰有語言咎善思又問語言何咎最勝答
曰有思議咎善思又問何法无咎最勝答曰
有說无說不見二相則无咎善思又問何咎
何為本最勝答曰能執為本善思又問執何
為本最勝答曰著心為本善思又問著何為
本最勝答曰虛妄分別為本善思又問虛妄
分別以何為本最勝答曰攀緣為本善思又
問何所攀緣最勝答曰攀緣色聲香味觸法
善思又問云何无緣最勝答曰若離愛取則
无所緣以是義故如來常說諸法平等不可
攀緣說此法時五千苾芻遠塵離垢生淨法
眼復有一万二千菩薩得无生忍无量无邊
諸有情類俱發无上正等覺心
尒時最勝即從座起偏覆左肩右膝著地合
掌恭敬而白佛言諸善男子善女人等聞深
般若波羅蜜多云何未發菩提心者即能發
心皆悉成就得不退轉行常勝進而无退墮
佛言天王諦聽極善作意當為汝說最
勝白言善哉大聖唯然願說我等樂聞佛告
最勝天王當知若善男子善女人等聞深般
若波羅蜜多以純淨意發菩提心正信具足
親近賢聖樂聞正法遠離嫉慳脩寂靜好
行惠施心无限礙離諸穢濁正信業果心不
猶豫如實了知黑白業果設為身命終不作

BD01014 號　大般若波羅蜜多經卷五七一　（20–3）

最勝天王當知若善男子善女人等聞深般
若波羅蜜多以純淨意發菩提心正信具足
親近賢聖樂聞正法遠離嫉慳脩寂靜好
行惠施心无限礙離諸穢濁正信業果心不
猶豫如實了知黑白業果設為身命終不作
惡是善男子善女人等如是脩行甚深般若
波羅蜜多則能遠離十惡業道心常繫念十
善業道是善男子善女人等行深般若波羅
蜜多方便善巧若見沙門婆羅門等正行精
進戒品清潔多聞解義常起正念心性調柔
寂靜无亂恒為愛語勤脩諸善遠離衆惡
於自不高於他不蔑離麁惡語遠无義言不捨
念住其心調真能斷暴流善救毒箭於諸
重擔悉能棄捨超出无暇越度後有是善男子
善女人等行深般若波羅蜜多方便善巧見
此菩薩則應親附依為善友時此菩薩方便
善巧隨其所宜而為說法汝等當知能行施
者當得富樂受持淨戒尊貴生天聽聞正法
獲大智慧復告之言此是布施此布施果此
是慳悋此慳悋果此是淨戒此淨戒果此是
犯戒此犯戒果此是安忍此安忍果此是忿
恚此忿恚果此是精進此精進果此是懈怠
此懈怠果此是靜慮此靜慮果此是散亂此
散亂果此是妙慧此妙慧果此是愚癡此愚
癡果此身善業此身善業果此身惡業此身
惡業果此語善業此語善業果此語惡業此
語惡業果此意善業此意善業果此意惡業
此意惡業果此法應作此法不應作若如是
脩感長夜樂不如是脩獲長夜苦是善男子

BD01014 號　大般若波羅蜜多經卷五七一　（20–4）

語惡業果此意業此意善業果此意惡業
此意惡業果此法應作此法不應作若如是
脩感長夜樂不如是脩獲長夜苦是善男子
善女人等行深般若波羅蜜多方便善巧親
近善友得聞如是次第說法時此菩薩知是
法器則為宣說甚深般若波羅蜜多謂空无
相无願无作无生无滅无我有情廣說乃至
知者見者復為宣說甚深緣起謂因此法有
彼法生此法滅時彼法隨滅所謂无明緣行
行緣識識緣名色名色緣六處六處緣觸觸
緣受受緣愛愛緣取取緣有有緣生生緣老
死愁歎苦憂惱若无明滅則行滅乃至生滅
則老死愁歎苦憂惱滅時此菩薩行深般若
波羅蜜多方便善巧復作是說真實理中无
有一法可生可滅何以故世間諸法皆因緣
生无我有情作者受者因緣和合說諸法生
因緣離散說諸法滅无一實法受生滅者虛
妄分別於三界中但有假名隨業煩惱受果
異熟若以般若波羅蜜多如實觀察則一
切法无生无滅无作无受若法无作是亦无行
則於諸法心无所著謂不著色受相行識不
著眼處乃至意處不著色處乃至法處不
著眼界乃至意界不著色界乃至法界不著眼
識界乃至意識界時此菩薩復作是說諸法
自性皆畢竟空寂靜遠離无取无著是善
男子善女人等因如是說行常勝進而无退墮
天王當知諸菩薩摩訶薩行深般若波羅蜜
多方便善巧樂見諸佛樂聞正法不墮卑賤
在所生處不離見佛聽受正法供養衆會常

男子善女人等因如是說行常勝進而无退墮
天王當知諸菩薩摩訶薩行深般若波羅蜜
多方便善巧樂見諸佛樂聞正法不墮卑賤
在所生處不離見佛聽受正法供養衆僧常
見諸佛勇猛精進志求正法不著有為妻子
僕使於資生具亦不貪著不染諸欲常依正
教脩佛隨念捨俗出家如教脩行傳為他說
雖為他說而不求報見聽法衆常起大慈於
有情類恒起大悲廣學多聞不惜身命常樂
遠離少欲喜足但採義理不滯言說法脩行
不專為己為有情類得无上樂謂佛菩提
大涅槃界天王當知諸菩薩摩訶薩行深般
若波羅蜜多方便善巧如是脩行遠離放逸
勇猛精進攝護諸根若眼見色不著色相如
實觀察此色過患耳聲鼻香舌味身觸意法
亦尒若縱諸根名為放逸若能攝護名不放
逸是菩薩摩訶薩行深般若波羅蜜多方便
善巧調伏自心將護他意名不放逸遠離貪
欲心順善法尋伺瞋癡不善根本身語惡業
及二邪命一切不善皆悉遠離名不放逸是
菩薩摩訶薩行深般若波羅蜜多心常正念
名不放逸是菩薩摩訶薩知一切法信為上
首正信之人不墮惡趣心不行惡賢聖所讚
天王當知諸菩薩摩訶薩行深般若波羅蜜
多方便善巧如法脩行隨所生處常得值佛
遠離二乘安住正道得大自在成就大事謂
諸如來正智解脫是菩薩摩訶薩行深般若
波羅蜜多方便善巧欲求安樂常勤隨順一
切智道天王當知尒此大衆得聞如是甚深

多方便善巧如法脩行隨所生處常得値佛
遠離二乘安住正道得大自在成就大事謂
諸如來正智解脫是菩薩摩訶薩行深般若
波羅蜜多方便善巧欲求安樂常勤隨順一
切智道天王當知今此大衆得聞如是甚深
般若波羅蜜多已於過去无量大劫供養諸
佛脩集善根是故應當勤加精進勿令退失
若天人等能制諸根不著五欲遠離世間常
脩出世三業清淨習助道法名不放逸諸菩
薩摩訶薩行深般若波羅蜜多方便善巧正
信具足心不放逸勤脩精進令得勝法名不
放逸諸菩薩摩訶薩欲具正信心不放逸精
進正念當學般若波羅蜜多因是念智能疾
證得所求无上正等菩提諸菩薩摩訶薩行
深般若波羅蜜多方便善巧具足正信心不
放逸勤脩精進即得正念用是念智知有知
无云何有无若脩正行得正解脫是名爲有若
脩邪行得正解脫是名爲无眼等六根色等
六境世俗爲有勝義爲无精進菩薩能得菩
提是名爲有懈怠菩薩得菩提者是名爲无
說五取蘊皆從虛妄分別而生是名爲有說
世俗法不由因緣自然而起是名爲无說色
无常苦敗壞法是名爲有若言常樂非敗壞
法是名爲无受想行識亦復如是无明緣行
是名爲有若離无明而行生者是名爲无乃
至生緣老死愁歎苦憂惱亦復如是施得大
富是名爲有得貧窮者是名爲无受持淨戒
得生善趣是名爲有生惡趣者是名爲无乃
至脩慧能得成聖是名爲有作愚夫者是名

BD01014號　大般若波羅蜜多經卷五七一　（20–7）

當是名爲有得貧窮者是名爲无受持淨戒
得生善趣是名爲有生惡趣者是名爲无乃
至脩慧能得成聖是名爲有作愚夫者是名
爲无若脩多聞能得大智是名爲有得愚癡
者是名爲无若脩正念能得出離是名爲有
不得爲无若行邪念不得出離是名爲有能
得爲无離我我所能得解脫是名爲有執我
我所能得解脫是名爲无若言虛空遍一切
處是名爲有言五蘊中有真實我是名爲无
如實脩智能得解脫是名爲有若著邪智能
得解脫是名爲无離我等見能得空智是名
爲有著我等見能得空智是名爲无天王當
知諸菩薩摩訶薩行深般若波羅蜜多方
便善巧知世有无能脩平等了達諸法從因
緣生世俗故有不起常見知因緣法本性皆
空不生斷見於諸佛教如實通達天王當知
佛爲菩薩略說四法謂世沙門婆羅門等及
長壽天多起常見爲破彼執說行无常有諸
天人多貪著樂爲破彼故說一切苦外道邪
見執身有我爲破彼執說身无我增上慢者
謗真涅槃是故爲說涅槃寂靜說无常者令
其志求究竟之法爲說苦者令於生死遠離
願求說无我者爲顯空門令其了達說寂靜
者令達无相離諸相執天王當知諸菩薩摩
訶薩行深般若波羅蜜多方便善巧如是脩
學於諸善法終无退屈速成无上正等菩提
尒時最勝復白佛言諸菩薩摩訶薩行深般
若波羅蜜多脩何等行護持正法佛告最勝

BD01014號　大般若波羅蜜多經卷五七一　（20–8）

訶薩行深般若波羅蜜多方便善巧如是脩
學於諸善法終无退屈速成无上正等菩提
尒時最勝復白佛言諸菩薩摩訶薩行深般
若波羅蜜多脩何等行護持正法佛告最勝
天王當知若菩薩摩訶薩行深般若波羅蜜
多行不違言尊重所長随順正法心行調柔
志性純質諸根寂靜遠離一切惡不善法脩
勝善根名護正法天王當知若菩薩摩訶薩
行深般若波羅蜜多脩身語意三業慈悲不
徇利譽持戒清淨遠離諸見名護正法天王
當知若菩薩摩訶薩行深般若波羅蜜多心
不隨愛恚癡怖行名護正法脩習慚愧名護
正法說法隨行皆如所聞名護正法天王當知
三世諸佛為護正法說陁羅尼擁護天王
及人王等令護正法久住世間與諸有情作
大饒益陁羅尼曰
呾姪他 阿虎洛 虎洛罰底(丁履反下悉同) 虎剌
𡚱莎(去聲呼下悉同) 窶柰 者遮 者遮 折(支熱反)
阿奔(去聲呼) 若剎多 剎多剎逝多 剎 也
莎訶 陜未尼 鞨洛 鄔魯 鄔魯罰 底迦
羅跋底迦 阿鞞奢底尼 莎剌尼 揵闍
柱闍未底 阿罰如尼 罰尸 罰多 罰多
奴婆理尼 訃多奴悉 没栗底 提罰 多奴
悉没栗底 莎訶
天王當知此大神呪能令一切天龍藥叉揵
達縛阿素洛揭路荼緊捺洛莫呼洛伽人非
人等一切有情皆得安樂此大神呪三世諸
佛為護正法及護天王并人王等令得安樂

BD01014 號　大般若波羅蜜多經卷五七一　（20–9）

天王當知此大神呪能令一切天龍藥叉揵
達縛阿素洛揭路荼緊捺洛莫呼洛伽人非
人等一切有情皆得安樂此大神呪三世諸
佛為護正法及護天王并人王等令得安樂
以方便力而宣說之是故故王及人王等為
令正法久住世故自身眷屬得安樂故國主
有情无災難故應精勤至誠誦念如是副
令怨敵災難魔事法障皆悉銷滅由斯正法
久住世間與諸有情作大饒益說是般若波
羅蜜多大神呪時諸天宮殿山海大地皆悉
振動有八十千諸有情類俱發无上正等覺
心時最勝天踊躍歡喜以七寶綱弥覆佛上
合掌恭敬復白佛言諸菩薩摩訶薩行深般
若波羅蜜多脩何等法能於无上正等菩提
心不移動佛告最勝天王當知若菩薩摩訶
薩行深般若波羅蜜多精勤脩習无礙大慈
无猒大悲成辦大事勤加精進學空等持亦
能精勤脩平等智方便善巧如實通達清淨
大智明了三世平等妙理无有障礙三世
佛所行正道天王當知是菩薩摩訶薩行深
般若波羅蜜多脩如是法能於无上正等菩
提心不移動尒時最勝復白佛言諸菩薩摩
訶薩行深般若波羅蜜多脩何等法聞諸如
來不思議事不驚不怖亦不憂惱佛告最勝
天王當知菩薩摩訶薩具足脩行妙慧 妙
智親近善友樂聞深法了如諸法皆如幻等
悟世无常生必歸滅心无住著猶若 虛空天
王當知是菩薩摩訶薩行深般若波羅蜜多
脩如是法聞諸如來不思議事不驚不怖亦

BD01014 號　大般若波羅蜜多經卷五七一　（20–10）

天王當知菩薩摩訶薩具足脩行如慧如
智親近善友樂聞深法了如諸法皆如幻等
悟世无常生必歸滅心无住著猶若虛空天
王當知是菩薩摩訶薩行深般若波羅蜜多
脩如是法聞諸如來不思議事不驚不怖亦
不憂惱尒時寂勝復白佛言諸菩薩摩訶薩
行深般若波羅蜜多脩何等法於一切處能
得自在佛告寂勝天王當知若菩薩摩訶薩
行深般若波羅蜜多脩五神通具足无礙諸
解脫門靜慮无量方便般若波羅蜜多於一
切處能得自在尒時寂勝復白佛言諸菩薩
摩訶薩行深般若波羅蜜多得何等門佛告
寂勝天王當知若菩薩摩訶薩行深般若波
羅蜜多得妙智門則能悟入一切有情諸根
利鈍得妙慧門則能分別諸法句義得揔持
門乃達一切語言音聲得无礙門能說諸法
畢竟无盡天王當知是菩薩摩訶薩行深般
若波羅蜜多得如是門尒時寂勝復白佛言
諸菩薩摩訶薩行深般若波羅蜜多得何等
力佛告寂勝天王當知若菩薩摩訶薩行深
般若波羅蜜多得寂靜力成就大悲故得精
進力成就不退故得多聞力成就大智故得
信樂力成就解脫故得脩行力成就出離故
得安忍力愛護有情故得菩提心力斷除我
見故得大悲力化導有情故得无生忍力成
就十力故天王當知是菩薩摩訶薩行深般
若波羅蜜多得如是等種種勝力說是法時
五百菩薩得无生忍八千天子得不退轉一
万二千諸天子衆遠塵離垢生淨法眼四万

BD01014號　大般若波羅蜜多經卷五七一　（20–11）

就十力故天王當知是菩薩摩訶薩行深般
若波羅蜜多得如是等種種勝力說是法時
五百菩薩得无生忍八千天子得不退轉一
万二千諸天子衆遠塵離垢生淨法眼四万
天人俱發无上正等覺心

第六分證勸品第十

佛告寂勝天王當知過去无量不可思議无
數大劫有佛名曰功德寶王十号圓滿國名
寶嚴劫名善觀其土豐樂无諸疾惱人天往
來不相限礙地平如掌无諸山陵堆阜瓦礫
荊棘毒刺遍生細草柔耎紺青如孔雀毛量
纔四指下足便靡舉步隨昇瞻博迦花悅意
花等及餘耎草周遍莊嚴不暑不寒四序調
適吠瑠璃寶以成其地時諸有情心性調善
三毒煩惱御伏不行彼佛世尊聲聞弟子一
万二千那庾多數菩薩弟子六十二億時人
掭壽三十六億那庾多歲或復中夭有城名
日无垢莊嚴其城南北百二十八踰繕那量東
西八十踰繕那量城厚十六踰繕那量門
堞樓觀皆七寶成十千園苑以為嚴飾十千
小城周匝圍繞有四園苑妙花莊嚴悅意功
德孔雀遊戲於四時中歡娛適樂有四大池
七寶為岸縱廣正等半踰繕那純以紫金而
為階道其底遍布妙好金沙池中有水具八
功德寶花芬馥間列其中鳧鴈鴛鴦衆鳥遊
集岸列諸樹白檀赤檀尸利沙等上有鸚鵡
舍利衆鳥翔集遊戲有轉輪王名曰治世七
寶具足王四大洲已曾供養无量諸佛於諸

BD01014號　大般若波羅蜜多經卷五七一　（20–12）

功德寶花敷開烈其中鳧鴈鴛鴦衆鳥遊
集岸列諸樹白檀赤檀尸利沙等上有鵾鷄
舍利衆鳥翔集遊戲有轉輪王名曰治世七
寶具足王四大洲已曾供養无量諸佛於諸
佛所殖善根大菩提心得不退轉內宮眷
屬七十千人形貌端嚴未事寶女咸發无上
正等覺心彼轉輪王具有千子大力勇健能
摧怨敵具二十八大丈夫相亦發无上正等覺
心尒時功德寶王如來將諸聲聞及菩薩
衆復與无量天龍藥叉健達縛阿素洛揭路
荼緊捺洛莫呼洛伽人非人等前後圍繞將
入无垢莊嚴大城時彼輪王七寶導從與其
千子內宮眷屬出城奉迎礼敬請入施設種
種微妙供養尒時世尊及諸眷屬受供養已
欲還本處治世輪王與七寶等出城奉送尋
即還宮時轉輪王忽自歎曰人身无常富貴
如夢諸根不缺正信尚難况值如來得聞妙
法不為希有如優曇花時彼千子知其父王
意仰世尊樂聞正法即為營造牛頭栴檀廣
大妙臺七寶嚴飾其檀一兩直贍部洲此臺
南北長十三踰繕那東西復廣十踰繕那衆
寶莊嚴四角大柱於其臺下有千寶輪庋已
共持奉獻其父時王受已而讚之言善哉善
哉快知我意欲詣佛所聽受正法千子尒時
復於臺內造師子座安處父王令諸宮人前
後圍繞其臺周帀垂妙金鈴懸繒幡蓋覆七
寶綱復散種種殊異香花燒无價香泥塗
飾時王千子各捧一輪猶若鵝王騰空詣佛
安庠置地往如來所到已頂礼世尊雙足右

哉快知我意欲詣佛所聽受正法千子尒時
復於臺內造師子座安處父王令諸宮人前
後圍繞其臺周帀垂妙金鈴懸繒幡蓋覆七
寶綱復散種種殊異香花燒无價香泥塗
飾時王千子各捧一輪猶若鵝王騰空詣佛
安庠置地往如來所到已頂礼世尊雙足右
繞七迊退立一面時彼輪王內宮眷屬從寶
臺下王去寶冠及內眷屬皆脫寶履前詣佛
所頂礼雙足右繞七帀退坐一面尒時功德
寶王如來告治世言大王今者為聞正法來
至此耶時轉輪王即從座起整理裳服白言
世尊何等名為所聞正法佛讚王曰善哉善
哉汝今乃能為天人衆得利樂故問深正法
諦聽諦聽善思念之當為大王分別解說治
世白佛唯然願聞尒時世尊告彼王曰大王
當知諸菩薩摩訶薩行深般若波羅蜜多方
便善巧所達一切平等法性名為正法謂四
念住四正斷四神足五根五力七等覺支八
聖道支空无相无願等所達一切平等法性
名為正法尒時治世復白佛言世尊云何諸
菩薩摩訶薩行深般若波羅蜜多方便善巧
於大乘中恒得勝進而不退墮佛告治世大
王當知諸菩薩摩訶薩行深般若波羅蜜多
方便善巧因正信力而得勝進何者正信謂
知諸法不生不滅本性寂靜常能親近正行
之人不應作法終不造作心離散亂聽受正
法不見彼說不見我聽勤脩正行疾得神通
有所堪能化有情類而終不見我有神通能
化有情及受化[illegible]以諸菩薩摩訶薩行

方便善巧因正信力而得勝進何者正信謂
知諸法不生不滅本性寂靜常能親近正行
之人不應作法終不造作心離散亂聽受正
法不見彼說不見我聽勤脩正行疾得神通
有所堪能化有情類而終不見我有神通能
化有情彼受我化何以故諸菩薩摩訶薩行
深般若波羅蜜多方便善巧都不見我不見
有情二處平等則得勝進不不退墮大王當
知諸菩薩摩訶薩行深般若波羅蜜多方便
善巧稱讚諸根不令取著於資生具起无常
想知法寂靜命如假借大王當知如是菩薩
行深般若波羅蜜多於大乘中心不放逸大
王當知諸菩薩摩訶薩行深般若波羅蜜多
方便善巧於其夢中尚不忘失菩提之心化
諸有情令脩佛道持諸善根施有情類迴
向无上正等菩提見佛神力歡喜讚歎大王當
知如是菩薩行深般若波羅蜜多方便善巧
速成无上正等菩提是故大王當勤精進家
尊貴位莫生放逸若菩薩摩訶薩欲求法者
勿著五欲何以故一切異生於欲无猒得聖
智者則能捨之人身无常壽量短促大王令
者應善了知猒離世間求出世道大王應以
供養如來所種善根迴向四事一者自在无
盡二者正法无盡三者妙智无盡四者辯才
无盡此四迴向與深般若波羅蜜多同皆无
盡大王當知諸菩薩摩訶薩行深般若波羅
蜜多方便善巧應淨脩持身語意業何以故
為欲引發聞思脩故以方便力化諸有情以
般若力降伏眾魔成就願力行不違言時轉

无盡此四迴向與深般若波羅蜜多[illegible]
盡大王當知諸菩薩摩訶薩行深般若波羅
蜜多方便善巧應淨脩持身語意業何以故
為欲引發聞思脩故以方便力化諸有情以
般若力降伏眾魔成就願力行不違言時轉
輪王聞佛所說甚深般若波羅蜜多歡喜踊
躍得未曾有即取寶冠自解瓔珞長跪捧持
供養如來捨四大洲皆以奉佛願以此福常脩
梵行學深般若波羅蜜多以定心為有情
類趣向无上正等菩提王宮彩女聞佛說法
皆生歡喜發菩提心各脫上衣解寶瓔珞奉
施功德寶王如來王以寶臺師子座等之奉
上佛而求出家時彼如來讚治世曰王能如
是甚為善哉今者所行不違昔願應勤脩
習布施淨戒安忍精進靜慮般若過去諸佛脩
此法故得成无上正等菩提未來諸佛亦復
如是尒時治世復白佛言諸菩薩摩訶薩脩
行布施與深般若波羅蜜多為異不異佛告
治世夫布施者若无般若波羅蜜多但得施
名非到彼岸要由般若波羅蜜多乃得名為
施到彼岸淨戒安忍精進靜慮般若亦尒何
以故甚深般若波羅蜜多性平等故彼佛說
此甚深法時王便證得无生法忍佛告寂勝
天王當知諸菩薩摩訶薩行深般若波羅蜜
多應如彼王勤求正法時彼輪王即然燈佛
千多即是賢劫千佛
尒時寂勝便白佛言世尊云何諸菩薩摩訶
薩行深般若波羅蜜多脩行速成大菩提道
佛告寂勝天王當知諸菩薩摩訶薩行深般

千子即是賢劫千佛
尒時最勝便白佛言世尊云何諸菩薩摩訶
薩行深般若波羅蜜多脩行速成大菩提道
佛告最勝天王當知諸菩薩摩訶薩行深般
若波羅蜜多方便善巧脩慈等心於諸有情
不為損惱勤行一切波羅蜜多及四攝事四
无量心菩提分法脩學神通方便善巧一切
善法无不脩滿若諸菩薩如是脩衏則能速
成大菩提道菩提道者所謂信心及請淨心
離諂曲心行平等心施无畏心令諸有情咸
悉親附勤行布施果報无盡受持淨戒而无
障礙脩行安忍離諸忿恚勤加精進脩行易
成有勝靜慮不起散亂具足般若能善通達
有大慈故饒益有情有大悲故終无退轉有
大喜故能悅彼心有大捨故不起分別无三
毒故離諸荊棘不著色聲香味觸故滅諸戲論
无煩惱故遠離怨敵捨二乘念其心廣大具
一切智能出衆寶天王當知諸菩薩摩訶薩
行深般若波羅蜜多方便善巧如是脩行
則能速成大菩提道
尒時最勝復白佛言諸菩薩摩訶薩行深般
若波羅蜜多現何色像化有情類佛告最勝
天王當知諸菩薩摩訶薩行深般若波羅蜜
多方便善巧所現色像无决定相何以故隨
諸有情心之所樂菩薩即現如是色像或現
金色或現銀色或現頗胝迦色或現吠瑠璃
色或現石藏色或現杵藏色或現真珠色或
現青黃赤白色或現日月大焰色或現帝釋

BD01014號　大般若波羅蜜多經卷五七一　（20–17）

諸有情心之所樂菩薩即現如是色像或現
金色或現銀色或現頗胝迦色或現吠瑠璃
色或現石藏色或現杵藏色或現真珠色或
現青黃赤白色或現日月大焰色或現帝釋
色或現梵王色或現霜雪色或現雌黃色或
現朱丹色或現雨花色或現瞻博迦花色或
現蘊赤那花色或現嗢鉢羅花色或現鉢特
摩花色或現拘某陁花色或現奔荼利花色
或現切德天色或現鸚孔雀色或現珊瑚寶
色或現如意珠色或現虛空界色隨人天等
各現彼類天王當知是菩薩摩訶薩隨十方
面殑伽沙等諸世界中一切有情色像差別
悉能示現何以故是菩薩摩訶薩行深般若
波羅蜜多方便善巧遍能攝化一切有情乃
至不捨一有情故何以故一切有情心行各
別是故菩薩種種示現所以者何是菩薩摩
訶薩於過去世有大願力隨諸有情樂見受
化即為示現所欲見身如明鏡中本无影像
隨質好醜種種悉現然此明鏡亦不分別我
體明淨能現衆色如是菩薩行深般若波羅
蜜多方便善巧无功用心隨樂示現而不分
別我能現身天王當知諸菩薩摩訶薩行深
般若波羅蜜多方便善巧於一坐中隨諸聽
衆心所樂見說法之身菩薩即能示現為說
謂或見佛或見菩薩或見獨覺或見聲聞或
見梵王或帝釋或見大自在或見毗瑟拏
或見護世或見輪王或見沙門或見異道或
見婆羅門或見剎帝利或見大舍或見達羅

BD01014號　大般若波羅蜜多經卷五七一　（20–18）

謂或見佛或見菩薩或見獨覺或見聲聞或
見梵王或帝釋或見大自在或見毗瑟笯
或見護世或見輪王或見沙門或見異道或
見婆羅門或見剎帝利或見大舍或見戍達羅
或見長者或見居士或見坐寶臺中或見生
蓮華上或見在地或見騰空或見說法或見
宴默天王當知是菩薩摩訶薩行深般若波
羅蜜多方便善巧為度有情无一形類及一
威儀而不能現甚深般若波羅蜜多猶如虛
空无形无相遍十方界无處不有又如虛空
離諸戲論甚深般若波羅蜜多亦復如是過
諸語言又如虛空世所受用甚深般若波羅
蜜多一切聖凡皆共受用又如虛空離諸分
別甚深般若波羅蜜多亦復如是无分別心
又如虛空容受衆色甚深般若波羅蜜多亦
能容受一切佛法又如虛空能現衆色甚深
般若波羅蜜多亦復能現一切佛法又如虛
空一切草木衆藥花實依之增長甚深般若
波羅蜜多一切善根依之增長又如虛空非
常非斷非語言法甚深般若波羅蜜多亦復
如是非常非斷離諸語言世間沙門婆羅門
等乃至釋梵不能思測甚深般若波羅蜜多
天王當知甚深般若波羅蜜多无有一法可為
譬喻若善男子善女人等信受般若波羅蜜
多所獲功德不可思議若此功德有色形者
太虛空界所不能容何以故甚深般若波羅
蜜多生世出世一切善法若天人衆若天人王
四向四果及諸獨覺菩薩十地波羅蜜多
諸佛无上正等菩提一切種智力无所畏等

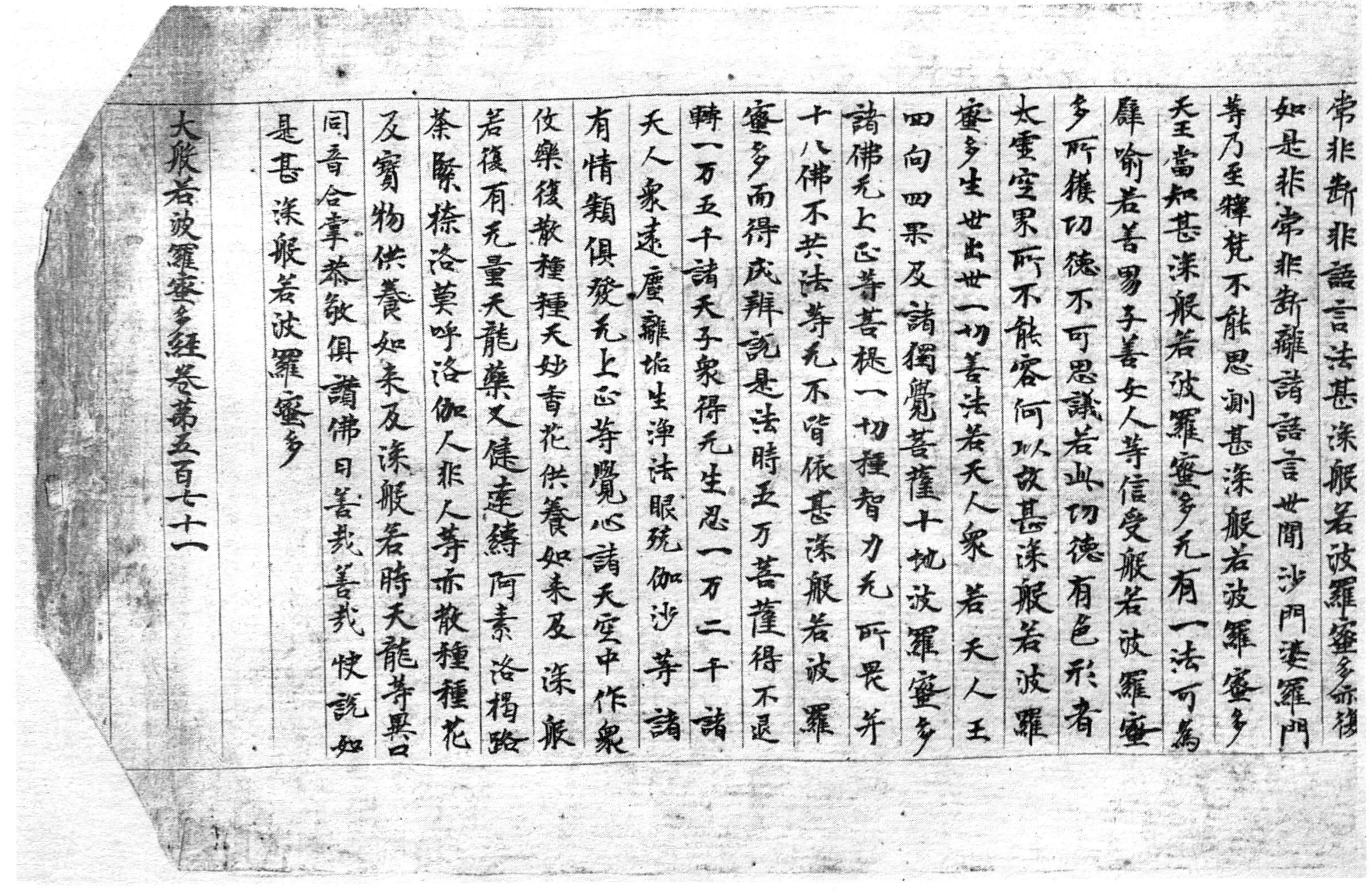
常非斷非語言法甚深般若波羅蜜多亦復
如是非常非斷離諸語言世間沙門婆羅門
等乃至釋梵不能思測甚深般若波羅蜜多
天王當知甚深般若波羅蜜多无有一法可為
譬喻若善男子善女人等信受般若波羅蜜
多所獲功德不可思議若此功德有色形者
太虛空界所不能容何以故甚深般若波羅
蜜多生世出世一切善法若天人衆若天人王
四向四果及諸獨覺菩薩十地波羅蜜多
諸佛无上正等菩提一切種智力无所畏等
十八佛不共法等无不皆依甚深般若波羅
蜜多而得成辦說是法時五万菩薩得不退
轉一万五千諸天子衆得无生忍一万二千諸
天人衆遠塵離垢生淨法眼殑伽沙等諸
有情類俱發无上正等覺心諸天空中作衆
伎樂復散種種天妙香花供養如來及深般
若復有无量天龍藥叉健達縛阿素洛揭路
荼緊捺洛莫呼洛伽人非人等亦散種種花
及寶物供養如來及深般若時天龍等異口
同音合掌恭敬俱讚佛曰善哉善哉快說如
是甚深般若波羅蜜多

大般若波羅蜜多經卷第五百七十一

如人至心
其人不復 、餘
如是之人 乃可為說、
求佛道者 窮劫不盡 如
妙當為說 妙法華經

妙法蓮華經信解品第四

尒時慧命須菩提摩 旃延摩訶迦葉摩
訶目揵連從佛所聞未曾有法世尊授舍利
弗阿耨多羅三藐三菩提記發希有心歡喜
踊躍即從座起整衣服偏袒右肩右膝著地
一心合掌曲躬恭敬瞻仰尊顏而白佛言我
等居僧之首年並朽邁 ，謂已得涅槃无所
堪任不復進求阿耨多羅三藐三菩提世尊
往昔說法既久我時在座身體疲懈但念空
无相无作於菩薩法遊戲神通淨佛國土成

BD01015 號　妙法蓮華經卷二　（9–1）

等居僧之首年並朽邁 ，謂已得涅槃无所
堪任不復進求阿耨多羅三藐三菩提世尊
往昔說法既久我時在座身體疲懈但念空
无相无作於菩薩法遊戲神通淨佛國土成
就衆生心不喜樂所以者何世尊令我等出
於三界得涅槃證又今我等年已朽邁於佛
教化菩薩阿耨多羅三藐三菩提不生一念
好樂之心我等今於佛前聞授聲聞阿耨多
羅三藐三菩提記心甚歡喜得未曾有不謂
於今忽然得聞希有之法深自慶幸獲大善
利无量珍寶不求自得
世尊我等今者樂說譬喻以明斯義譬若有
人年既幼稚捨父逃逝久住他國或十二十
至五十歲年既長大加復窮困馳騁四方以
求衣食漸漸遊行遇向本國其父先來求子
不得中止一城其家大富財寶无量金銀琉
璃珊瑚虎珀頗梨珠等其諸倉庫悉皆盈溢
多有僮僕臣佐吏民象馬車乘牛羊无數出
入息利乃遍他國商估賈客亦甚衆多時貧
窮子遊諸聚落逕歷國」遂到其父所止之
城父每念子與子離別五十餘年而未曾向
人說如此事但自思惟心懷悔恨自念老朽
多有財物金銀珍寶倉庫盈溢无有子息一
旦終沒財物散失无所委付是以慇懃每憶
其子復作是念我若得子委付財物坦然快
樂无復憂慮世尊尒時窮子傭賃展轉遇到
父舍住立門側遙見其父踞師子牀寶机承
足諸婆羅門刹利居士皆恭敬圍繞以真珠
瓔珞價直千万莊嚴其身吏民僮僕手執白
拂侍立左右覆以寶帳垂諸華幡香水灑地

BD01015 號　妙法蓮華經卷二　（9–2）

父舍住立門側遥見其父踞師子床寶机承
足諸婆羅門刹利居士皆恭敬圍繞以真珠
瓔珞價直千万莊嚴其身吏民僮僕手執白
拂侍立左右覆以寶帳垂諸華幡香水灑地
散衆名華羅列寶物出内取與有如是等種
種嚴飾威德特尊窮子見父有大力勢即懷
恐怖悔來至此竊作是念此或是王或是王
等非我傭力得物之處不如往至貧里肆力
有地衣食易得若久住此或見逼迫強使我
作作是念已疾走而去時富長者於師子座
見子便識心大歡喜即作是念我財物庫藏
今有所付我常思念此子无由見之而忽自
來甚適我願我雖年朽猶故貪惜即遣傍人急追將還
尒時使者疾走往捉窮子驚愕稱怨大喚我
不相犯何為見捉使者執之愈急強牽將還
于時窮子自念无罪而被囚執此必定死轉
更惶怖悶絶躃地父遥見之而語使言不須
此人勿強將來以冷水灑面令得醒悟莫復
與語所以者何父知其子志意下劣自知豪
貴為子所難審知是子而以方便不語他人
云是我子使者語之我今放汝隨意所趣窮
子歡喜得未曾有從地而起往至貧里以求
衣食尒時長者將欲誘引其子而設方便密
遣二人形色憔悴无威德者汝可詣彼徐語
窮子此有作處倍與汝直窮子若許將來使
作若言欲何所作便可語之雇汝除糞我等
二人亦共汝作時二使人即求窮子既已得
之具陳上事尒時窮子先取其價尋與除糞
其父見子愍而怪之又以他日於窓牖中遥
見子身羸瘦顦顇糞土塵坌汙穢不淨即脱

BD01015號　妙法蓮華經卷二　（9–3）

窮子此有作處倍與汝直窮子若許將來使
作若言欲何所作便可語之雇汝除糞我等
二人亦共汝作時二使人即求窮子既已得
之具陳上事尒時窮子先取其價尋與除糞
其父見子愍而怪之又以他日於窓牖中遥
見子身羸瘦顦顇糞土塵坌汙穢不淨即脱
瓔珞細軟上服嚴飾之具更著麁弊垢膩之
衣塵土坌身右手執持除糞之器狀有所畏
語諸作人汝等懃作勿得懈息以方便故得
近其子後復告言咄男子汝常此作勿復餘
去當加汝價諸有所須瓫器米麪塩酢之屬
莫自疑難亦有老弊使人須者相給好自安
意我如汝父勿復憂慮所以者何我年老大
而汝少壯汝常作時无有欺怠瞋恨怨言都
不見汝有此諸惡如餘作人自今已後如所
生子即時長者更與作字名之為兒
尒時窮子雖欣此遇猶故自謂客作賤人由
是之故於二十年中常令除糞過是已後心
相體信入出无難然其所止猶在本處世尊
尒時長者有疾自知將死不久語窮子言我
今多有金銀珍寶倉庫盈溢其中多少所應
取與汝悉知之我心如是當體此意所以者
何今我與汝便為不異宜加用心无令漏失
尒時窮子即受教勅領知衆物金銀珍寶及
諸庫藏而无悕取一飡之意然其所止故在
本處下劣之心亦未能捨復經少時父知子
意漸已通泰成就大志自鄙先心臨欲終時
而命其子并會親族國王大臣刹利居士皆
悉已集即自宣言諸君當知此是我子我之
所生於某城中捨吾逃走跉跰辛苦五十餘

BD01015號　妙法蓮華經卷二　（9–4）

意漸已通泰成就大志自鄙先心臨欲終時
而命其子并會親族國王大臣刹利居士皆
悉已集即自宣言諸君當知此是我子我之
所生於某城中捨吾逃走跉跰辛苦五十餘
年其本字某我名某甲昔在本城懷憂推覓
忽於此間遇會得之此實我子我實其父今
吾所有一切財物皆是子有先所出內是子
所知世尊是時窮子聞父此言即大歡喜得
未曾有而作是念我本无心有所悕求今此
寶藏自然而至
世尊大富長者則是如来我等皆似佛子如
来常說我等為子世尊我等以三苦故於生
死中受諸熱惱迷惑无知樂著小法今日世
尊令我等思惟蠲除諸法戲論之糞我等於
中勤加精進得至涅槃一日之價既得此已
心大歡喜自以為足便自謂於佛法中勤精
進故所得弘多然世尊先知我等心著弊欲
樂於小法便見縱捨不為分別汝等當有如
来知見寶藏之分世尊以方便力說如来智
慧我等從佛得涅槃一日之價以為大得於
此大乘无有志求我等又因如来智慧為諸
菩薩開示演說而自於此无有志願所以者
何佛知我等心樂小法以方便力隨我等說
而我等不知真是佛子今我等方知世尊於
佛智慧无所悋惜所以者何我等昔来真是
佛子而但樂小法若我等有樂大之心佛則
為我說大乘法此經中唯說一乘而昔於菩
薩前毀呰聲聞樂小法者然佛實以大乘教
化是故我等說本无心有所悕求今法王大
寶自然而至如佛子所應得者皆已得之尒

佛子而但樂小法若我等有樂大之心佛則
為我說大乘法此經中唯說一乘而昔於菩
薩前毀呰聲聞樂小法者然佛實以大乘教
化是故我等說本无心有所悕求今法王大
寶自然而至如佛子所應得者皆已得之尒
時摩訶迦葉欲重宣此義而說偈言
我等今日　聞佛音教　歡喜踊躍　得未曾有
佛說聲聞　當得作佛　无上寶聚　不求自得
譬如童子　幼稚无識　捨父逃逝　遠到他土
周流諸國　五十餘年　其父憂念　四方推求
求之既疲　頓止一城　造立舍宅　五欲自娛
其家巨富　多諸金銀　車𤦲馬瑙　真珠瑠璃
象馬牛羊　輦輿車乘　田業僮僕　人民衆多
出入息利　乃遍他國　商估賈人　无處不有
千万億衆　圍繞恭敬　常為王者　之所愛念
羣臣豪族　皆共宗重　以諸緣故　往来者衆
豪富如是　有大力勢　而年朽邁　益憂念子
夙夜惟念　死時將至　癡子捨我　五十餘年
庫藏諸物　當如之何　尒時窮子　求索衣食
從邑至邑　從國至國　或有所得　或无所得
飢餓羸瘦　體生瘡癬　漸次經歷　到父住城
傭賃展轉　遂至父舍　尒時長者　於其門內
施大寶帳　處師子座　眷屬圍繞　諸人侍衛
或有計筭　金銀寶物　出內財產　注記券疏
窮子見父　豪貴尊嚴　謂是國王　若是王等
驚怖自怪　何故至此　覆自念言　我若久住
或見逼迫　強驅使作　思惟是已　馳走而去
借問貧里　欲往傭作　長者是時　在師子座
遙見其子　嘿而識之　即勅使者　追捉將来
窮子驚喚　迷悶躄地

驚怖自怪　何故至此
覆自念言　我若久住　或見逼迫　強驅使作
思惟是已　馳走而去　借問貧里　欲往傭作
長者是時　在師子座　遥見其子　嘿而識之
即勑使者　追捉將來　窮子驚喚　迷悶躄地
是人執我　必當見殺　何用衣食　使我至此
長者知子　愚癡狹劣　不信我言　不信是父
即以方便　更遣餘人　眇目矬陋　无威德者
汝可語之　云當相雇　除諸糞穢　倍與汝價
窮子聞之　歡喜隨來　為除糞穢　淨諸房舍
長者於牖　常見其子　念子愚劣　樂為鄙事
於是長者　著弊垢衣　執除糞器　往到子所
方便附近　語令勤作
既益汝價　并塗足油　飲食充足　薦席厚煖
如是苦言　汝當勤作　又以濡語　若如我子
長者有智　漸令出入　經二十年　執作家事
示其金銀　真珠頗梨　諸物出入　皆使令知
猶處門外　止宿草菴　自念貧事　我无此物
父知子心　漸已曠大　欲與財物　即聚親族
國王大臣　剎利居士　於此大眾　說是我子
捨我他行　經五十歲　自見子來　已二十年
昔於某城　而失是子　周行求索　遂來至此
凡我所有　舍宅人民　悉以付之　恣其所用
子念昔貧　志意下劣　今於父所　大獲珍寶
并及舍宅　一切財物　甚大歡喜　得未曾有
佛亦如是　知我樂小　未曾說言　汝等作佛
而說我等　得諸无漏　成就小乘　聲聞弟子
佛勑我等　說最上道　脩習此者　當得成佛
我承佛教　為大菩薩　以諸因緣　種種譬喻
若干言辭　說无上道

BD01015號　妙法蓮華經卷二　（9–7）

佛亦如是　知我樂小　未曾說言　汝等作佛
而說我等　得諸无漏　成就小乘　聲聞弟子
佛勑我等　說最上道　脩習此者　當得成佛
我承佛教　為大菩薩　以諸因緣　種種譬喻
若干言辭　說无上道
諸佛子等　從我聞法　日夜思惟　精勤脩習
是時諸佛　即授其記　汝於來世　當得作佛
一切諸佛　秘藏之法　但為菩薩　演其實事
而不為我　說斯真要　如彼窮子　得近其父
雖知諸物　心不悕取　我等雖說　佛法寶藏
自无志願　亦復如是　我等內滅　自謂為足
唯了此事　更無餘事　我等若聞　淨佛國土
教化眾生　都无欣樂　所以者何　一切諸法
皆悉空寂　无生无滅　无大无小　无漏无為
如是思惟　不生憙樂　我等長夜　於佛智慧
我等長夜　脩習空法　得脫三界　苦惱之患
住最後身　有餘涅槃　佛所教化　得道不虛
則為已得　報佛之恩　我等雖為　諸佛子等
說菩薩法　以求佛道　而於是法　永无願樂
導師見捨　觀我心故　初不勸進　說有實利
如富長者　知子志劣　以方便力　柔伏其心
然後乃付　一切財寶
佛亦如是　現希有事　知樂小者　以方便力
調伏其心　乃教大智　我等今日　得未曾有
非先所望　而今自得　如彼窮子　得无量寶
世尊我今　得道得果　於无漏法　得清淨眼
我等長夜　持佛淨戒　始於今日　得其果報
法王法中　久脩梵行　今得无漏　无上大果
我等今者　真是聲聞　以佛道聲　令一切聞
我等今者　真阿羅漢　於諸世間　天人魔梵

BD01015號　妙法蓮華經卷二　（9–8）

我等長夜　持佛淨戒　始於今日　得其果報
法王法中　久脩梵行　今得无漏　无上大果
我等今者　真是聲聞　以佛道聲　令一切聞
我等今者　真阿羅漢　於諸世間　天人魔梵
普於其中　應受供養　世尊大恩　以希有事
憐愍教化　利益我等　无量億劫　誰能報者
手足供給　頭頂礼敬　一切供養　皆不能報
若以頂戴　兩肩荷負　於恒沙劫　盡心恭敬
又以美饍　无量寶衣　及諸卧具　種種湯藥
牛頭栴檀　及諸珎寶　以起塔廟　寶衣布地
如斯等事　以用供養　於恒沙劫　亦不能報
諸佛希有　无量无邊　不可思議　大神通力
无漏无為　諸法之王　能為下劣　忍于斯事
取相凡夫　隨宜為說　諸佛於法　得最自在
知諸眾生　種種欲樂　及其志力　隨所堪任
以无量喻　而為說法　隨諸眾生　宿世善根
又知成熟　未成熟者　種種籌量　分別知已
於一乘道　隨宜說三

妙法蓮華經卷第二

BD01015號　妙法蓮華經卷二　（9–9）

一切三摩地門慶喜當知以苦聖諦[illegible]
方便無生為方便無所得為方[illegible]
智智脩習菩薩摩訶薩行以[illegible]
二為方便無生為方便無所得為方便迴向
一切智智脩習菩薩摩訶薩行慶喜當知以
苦聖諦無二為方便無生為方便
方便迴向一切智智脩習無上正等菩提以
集滅道聖諦無二為方便無生為方便無所
得為方便迴向一切智智脩習無上
提
慶喜當知以布施波羅蜜多無二為方便無
生為方便無所得為方便迴向一切智智脩
習布施淨戒安忍精進靜慮般若波羅蜜多
以淨戒安忍精進靜慮般若波羅蜜多無二
為方便無生為方便無所得為方便迴向一
切智智脩習布施淨戒安忍精進靜慮般若
波羅蜜多慶喜當知以布施波羅蜜多無二
為方便無生為方便無所得為方便迴向一
切智智安住內空外空內外空空空大空勝
義空有為空無為空畢竟空無際空散空
無變異空本性空自相空共相空一切法空不
可得空無性空自性空無性自性空以淨戒
安忍精進靜慮般若波羅蜜多無二為方便

BD01016號　大般若波羅蜜多經卷一〇九　（3–1）

爲方便無生爲方便無所得爲方便迴向一
切智智安住内空外空内外空空空大空勝
義空有爲空無爲空畢竟空無際空散空
無變異空本性空自相空共相空一切法空不
可得空無性空自性空無性自性空以淨戒
安忍精進靜慮般若波羅蜜多無二爲方便
無生爲方便無所得爲方便迴向一切智智
安住内空乃至無性自性空慶喜當知以布
施波羅蜜多無二爲方便無生爲方便無所
得爲方便迴向一切智智安住真如法界法
性不虚妄性不變異性平等性離生性法定
法住實際虚空界不思議界以淨戒安忍精
進靜慮般若波羅蜜多無二爲方便無生爲
方便無所得爲方便迴向一切智智安住真如
乃至不思議界慶喜當知以施波羅蜜
多無二爲方便無生爲方便無所得爲方便
迴向一切智智安住苦集滅道聖諦以淨戒
安忍精進靜慮般若波羅蜜多無二爲方便
無生爲方便無所得爲方便迴向一切智智
安住苦集滅道聖諦慶喜當知以布施波羅
蜜多無二爲方便無生爲方便無所得爲方
便迴向一切智智修習四靜慮四無量四無
色定以淨戒安忍精進靜慮般若波羅蜜多
無二爲方便無生爲方便無所得爲方便迴
向一切智智修習四靜慮四無量四無色定

BD01016 號　大般若波羅蜜多經卷一〇九　　（3–2）

乃至不思議界慶喜當知以施波羅蜜
多無二爲方便無生爲方便無所得爲方便
迴向一切智智安住苦集滅道聖諦以淨戒
安忍精進靜慮般若波羅蜜多無二爲方便
無生爲方便無所得爲方便迴向一切智智
安住苦集滅道聖諦慶喜當知以布施波羅
蜜多無二爲方便無生爲方便無所得爲方
便迴向一切智智修習四靜慮四無量四無
色定以淨戒安忍精進靜慮般若波羅蜜多
無二爲方便無生爲方便無所得爲方便迴
向一切智智修習四靜慮四無量四無色定

大般若波羅蜜多經卷第一百九

BD01016 號　大般若波羅蜜多經卷一〇九　　（3–3）

玉室彈金鳴鈴飛飈遠逸王司九天難任外
化洞察十方領括天岳命斗微而翼駕攝晨
景而理轡八帝受事於玉軒五老北朝於日
闕乃眺神於大有之方迴眄於妙羅之内權
八化於斗皇求隱符於天外將見大道君之
遊行八景次駕八素迴烟玉輿洞景太霞繞
輪絳晨列燭二明合軒連暉万刃發曜九天
五星驅除北極命神陰甲列陣千真侍晨太
帝碭逢四明扶輪西皇隶節東華揚憣五霞
纏曜太无涌烟八風洞波二象迴玄神帍七
千以大號毒龍九百而開津猛旅唱逢六領
銜山伏獸前驅維禽羅䩄長豪百尺騰儛雷
震蹄阜傾河飈蕩幽源六天為之頓伏凶夭
為之自殘於是玄上招仙鳴轡九衢龍霞玄
竦變雲椄浮帶七晨之夜景昇九光之月珠
華香散藹寶烟八嵎丹旗蓮精錦羽桼扶旌
旄羽節麾蓋霄丘命曲晨以高舉役斗度以
昭无轡九軿於上館儛玉輪於丹衢於是三
逢悟觀二道慎生明金讚羅仰擲火鈴流電
楊絳行日運精天威煥赫三燭合明八鸞唱
逢九鳳同鳴撞金折玉浪鍾拍瓊於碧鼓之

BD01017 號　洞真上清諸經摘抄（擬）　（15–1）

華香散藹寶烟八嵎丹旗蓮精錦羽桼扶旌
旄羽節麾蓋霄丘命曲晨以高舉役斗度以
昭无轡九軿於上館儛玉輪於丹衢於是三
逢悟觀二道慎生明金讚羅仰擲火鈴流電
楊絳行日運精天威煥赫三燭合明八鸞唱
逢九鳳同鳴撞金折玉浪鍾拍瓊於碧鼓之
玄璞叩龍鼓革之砰砰八狼銜律而晨飛文
帍雜吟以霄徵神姫八百歌儛上清玉華合
唱天女羅箏龍吹雲落厲樂虛庭流響太素
迴觀五城於是道倫德尊逸浪瓊庭玄威七
煥神足清靈五老侍軒太一扶生司命齊飈
公子同軿迴轡八逢流景九精五帝下迎四
眄三清太素揮授三元詣房龜母奉錄斗妃
獻章侍晨拂蓮玉童散香曜九乘於帝圖歌
斗虛之邕邕廣聽嘈獻於玉臺擊石拂駭於
金堂五靈纏蓋八素朗章招日月之高精命
七宿之靈剄儛十絶於燭山摩華憣於白空
乘晨風而庌八景轡絳霞而眺龍峰於是雙
皇合輦万靈翼飈煥落七度四遐逍遥大羅
六慧高浪晨條真韻廣敷虛靈峙霄捴映万
天發洞暢幽滯眄衆品俯察神朝万真受事
于玉禁七星瞀首手神樹斯誠太上之化理
高聖之所察以是故天尊妙貴靈德高秀非
紙札翰墨所能寫載略舉千分之㦲一旨說
末迹於餘事豈足採至尊之品化測天淵之
源始㦲
玉晨頌一首

BD01017 號　洞真上清諸經摘抄（擬）　（15–2）

亍玉禁七星稽首手神標斯誦太上之化理
高聖之所冡以是故天尊妙貴靈德高秀非
紙札翰墨所能寫載略舉千分之栽一旨說
末迹於餘事豈足探至尊之品化測天淵之
源始哉
玉晨頌二首
玄轡浪太空　眇景陟晨霄　高聖擢玄化
七皇陪玉朝　十天帶瓊禁　太微翼靈飇
咀嚼佪絳霞　沖味六領絛　洞景煥虛烟
至觀不傾彫　空中響秘音　随靈結龍簫
窈窕玉晨觀　緬邈霞逴遼　俯仰拖靈化
理會非我要　暝眸皇闕表　壹覺齡劫超
太上九司命　高聖樹玉晨　瓊房構太虛
七映沖九玄　谿落丹霄觀　寶景躍龍烟
手掇絳琳葩　足濯万澧津　軿靈白景王
徧梵沖融天　太微顯皇階　五老侍朱軒
七聖掌億塗　欝悅万兆原　誰能應茲化
九天有司尊　良德飲帝室　惡子結禍根
上清高聖玉晨太上大道君列記上天禁法
不傳於世侍經玉童玉女各卅五人常散香
於左右為若兆登齋入室恒可誦讀誦讀靈
記則兆神仙不死試觀険巇不得陳矣若違
慢輕泄傳非其人則玉童玉女記兆罪過言
出身禍上聞三天帝君剋符司命奪年三官
執巾罪為滅門連惡七祖長配水官兆慎之
哉

BD01017 號　洞真上清諸經摘抄（擬）　（15–3）

記則兆神仙不死試觀険巇不得陳矣若違
慢輕泄傳非其人則玉童玉女記兆罪過言
出身禍上聞三天帝君剋符司命奪年三官
執巾罪為滅門連惡七祖長配水官兆慎之
哉
高蓋南山在南岳霍山之東其山五重周旋
五百里高極千刃危靈仙芝草及碧玉琳瓊
之樹生於其上絳雲青霞常覆之焉
紫微夫人初受太丹隱書洞真玄經時先作此頌
絳景浮玄晨　紫軒乘雲征　仰超金闕內
俯眄西華城　東霞啓五暉　神元煥七靈
翳暎汜三燭　流任自齊冥　風鼓空同宇
香烟散玉庭　手攜織女儛　雙衿落錦青
左佪文羽旗　華蓋随雲傾　宴寢九度外
是非不我營　抱空涯九內　天姿愈日嬰
豈同惡穢中　憏憏无聊生　滄臺霄虛上
扶桑晕空峰　朱雲葩暉明　三素轡丹軿
四觀暎高清　飛景控紫輪　濯漱碧瀨波
儽晏太帝館　裛薈阿母庭　飈瑶時下傾
提挈玉體㪍　曲晨乘風扇　玄會自相要
軆適圯藹中　迴駕汜良肖　始知榮辱幸　方悟憂促齡
曲室可清靜　頤真待日成　何為講當塗
百病從此生
上清真人三天君列記內誦
北龍欝霄藹　絳樹結紫華　青蘂落鳳林
碧㮲秀巖阿　靈闕陵太空　瓊房糸太霞

BD01017 號　洞真上清諸經摘抄（擬）　（15–4）

曲室可清静　頤真待日成　何為講當塗
百痾從此生
上清真人三天君列記内誦
北龍欝霄鵠　絳樹結瑩華　青蘂落鳳林
碧林秀巖阿　靈闕陵太空　瓊房叅太霞
雷興曲室内　八風飛寘沙　九弦彈帝庸
龍唱簫節和　扇飈五岳嶺　握固徹万魔
頋眄須臾須　忽然捨己過　哀我朝生者
安知齡紀多
偶景希琳宮　運神沖漠幽　至觀睒六庭
大小盡逍遥　龍吹纏五雲　鳳嘯駭万條
三素硌高圖　丹霞蔚晨霄　羽旍横靈津
瑩軿飛華翅　控轡九天外　俯仰目冥冥
塵滐結蹁轍　神奥炁亦彫　奚不尋遠劫
八千乃一朝
朝濟碧海波　飛輪鮮緑房　高唱疇寘爻
扇蓋越滄浪　三帑玉霄宵　五期東華童
羽飈外帝晨　晏此廣寒宮　八音虚中彈
瑩鳳唱靈風　絳霞遏明曜　八景飛太空
咀嚼瓊泉津　浩秀迴嬰蒙　至樂頤五神
年積劫刃崇　脫屣良何難　劳擾喪天沖
瑩徵夫人當授書先作頌三篇
朝駕晨景暉　逸轡登瑩清　浮輪騁太霞
楊蓋廣寒庭　高真森帝室　墉宮列西靈
十絶僻空洞　飛炯繞錦埜　鳳旍扇神風
慶雲迴龍軿　傈欻眄八方　一顧捨己傾

BD01017號　洞真上清諸經摘抄（擬）　（15–5）

瑩徵夫人當授書先作頌三篇
朝駕晨景暉　逸轡登瑩清　浮輪騁太霞
楊蓋廣寒庭　高真森帝室　墉宮列西靈
十絶僻空洞　飛炯繞錦埜　鳳旍扇神風
慶雲迴龍軿　傈欻眄八方　一顧捨己傾
簫簫玄鏡子　奚不尋泰生
神圃秀隱芝　混池灌瓊田　眄觀玉清闕
羲義臨絳津　瑩霞映帝席　五雲曜九玄
八風超絶宇　幽鵠緑軒閭　三元舍西宮
東華有佳人　北賓唱七嘯　明妃歌南真
撫璈操朱津　玉節楊六弦　合契安非運
俱嚮廣風𩙪　同期命万魔　宅此羣累千
超然來何難　乃硌不窮年
駕亟眄空洞　乘景翅九天　龍旗欝廣暉
羽蓋生八炯　飈輪无軌滯　我馬亦无津
握節入東華　夕晏玄闐嶺　東帶攜五靈
解衿翹良人　寘感自適運　汎然亦有緣
俱齊淩蒿翮　一扇動億千
西王母降元君遂形容矜竊兜四暢條乃擊節而歌曰
駕我八景輿　欻然入玉清　龍帬拂霄上
鳳旍攝朱兵　逍遥玄津際　万流无暫停
哀此去留會　劫盡天地傾　當尋无中景
不死亦不生　體彼自然道　寂觀合太寘
南岳挺真幹　玉映耀穎精　有任靡期事
虚心自受靈　嘉會絳河内　相與樂未央
王母歌畢三元夫人憑雙礼珠彈雲璈而荅歌曰

BD01017號　洞真上清諸經摘抄（擬）　（15–6）

窮山去留會　劫盡天地傾　當尋无中景
不死亦不生　體彼自然道　寂觀合太冥
南岳拄真幹　玉映曜穎精　有任靡期事
虛心自受靈　嘉會絳河內　相與樂未央
王母歌畢三元夫人憑雙礼珠彈雲璈而荅歌曰
玉清出九天　神館飛霞外　霄臺煥嵯峩
靈夏秀翳蔚　五雲興翠華　八風扇綠炁
仰吟消魔詠　俯研智與慧　万真啓晨景
唱期絳房會　拄穎德音子　神映乃高拂
天岳淩空構　洞臺深幽邃　遊海悟井源
履真覺世纖　併輪晏重室　筌魚自然廢
迴我大椿羅　長謝朝生世
太上智慧洞真三寶佪玄十方品章
北方太上頌曰
太上開玄蘊　煥爛敷真文　落落散天寶
十方所恭尊　不始亦不終　不明故不昏
仰登玉京臺　逍遙飄崐崘　超度泉曲府
魔王韻欲聞　七祖受化生　解我宿世愆
入控飛玄景　出駕浮然雲
東北方太上頌曰
重暉曜玉晨　乘景開圖明　苕苕洞真殿
見見七寶精　一念渡八難　長與太上并
纏旋獻黃景　日華靈中生　世知小乘道
莫聞智慧經　大矣洞真戒　玄感魔王誠
万劫若一息　豈計千億齡
東方太上頌曰

BD01017號　洞真上清諸經摘抄（擬）　（15–7）

見見七寶精　一念渡八難　長與太上并
纏旋獻黃景　日華靈中生　世知小乘道
莫聞智慧經　大矣洞真戒　玄感魔王誠
万劫若一息　豈計千億齡
東方太上頌曰
太上體本无　散形渡弱喪　務歎宣法術
天真並讚楊　有緣文自表　无曰經為藏
若能得此道　首刖生圖光　身濟无待津
飄飖逸仙堂
東南方太上頌曰
无无竟无依　有有要入妙　天輸蔚无上
玄宗自有要　佪轉三宿輪　十方並震耀
太上觀玉京　魔王空中咲　天帝叉手唱
衆真靈洞嘯　散華正我念　八韻自然超
南方太上頌曰
靈仙乘慶霄　駕龍躡玄波　洽真表嘉祥
濯足八天河　福應不我期　故能釋天羅
道德冠三界　地網亦已過　感遇靈真會
淨慧經蓮華
西南方太上頌曰
无上覺四輩　芒芒大方外　幽顯諒有由
无幽故不昧　來羅運玄輪　真仙萃華薈
時遊眇恭聞　天人无見除
西方太上頌曰
靈妙奇宣迎　天人有津岸　沉舟不測淵
恒恐風波湊　其緣有奇力　智勢誰能筭

BD01017號　洞真上清諸經摘抄（擬）　（15–8）

時遊眇莽間　天人无見除
西方太上頌曰
靈妙奇宣迎　天人有津岸　沉舟不測淵
恒恐風波渙　其緣有奇力　智勢誰能筭
舟舟任玄樞　照然寔曰判　挺穎應真子
靈琴空中彈　設礼恭十方　去留不我羨
西北方太上頌曰
太上敷洞文　賢賢歸本緣　蕭條三寶國
繁華秀我目　伯史興入精　質淨生金身
終劫復始劫　愈覺靈顏新　希度礼无上
文降至真　道林蔚天京　下光諸地仙
縱容散靈威　洋洋大法宣
上方太上頌曰
太上觀十方　菴藹融風穆　圓光映三辰
真人披天服　魔王叉手立　司迎酆京側
日月翳行曜　七寶煥无極　一切營此時
禍滅地獄息　眇乎无量尊　天人莫能測
下方太上頌曰
三寶繁十方　亹亹空中澄　究轉隨化理
一感法輪外　漠漠曖昧間　四大與時興
空有靡不有　崔巍多山陵　太上无滯念
滅念歸大乘
凡十方個玄頌先始北方次東北次東方次
東南方正南方西南方正西方西北方北方
上下方是謂十方也若礼拜亦用此方一拜
耳道學之人正念心礼則足暢玄志於天尊

BD01017號　洞真上清諸經摘抄（擬）　（15–9）

凡十方個玄頌先始北方次東北次東方次
東南方正南方西南方正西方西北方北方
上下方是謂十方也若礼拜亦用此方一拜
耳道學之人正念心礼則足暢玄志於天尊
矣復何必勞形風塵哉
太微天帝曰夫十方迴玄品者出乎自然而
然虛峙九千餘劫其文乃見元始天王學道
於太上後道成太上命元始天王威而撰爲
摠三寶於上清觀十方於玉京却大魔於六
天校咎難於泉曲訓道學而敷業拯天人之
幽邈板根緣之滯德超三界而獨步何天羅
與地網而敢絓耶希微乎自然故從劫到劫
而弗休矣煥乎奇文蔚然章矣實難以言宣
秘而不書口口相傳是以單行智慧不假衆
篇矣
太微天帝曰此章品以配大戒乃三寶之宗
矣當以本命日說三百部誠而頌此文若中
及夜半時脩之也先齋而後行道行道慎令
不同者聞之非小故矣人不知本命用甲子
日若十年以後可正月一日行道耳昔太真
王母東華青童元始天王皆太上弟子也亦
但用正月一日日中及夜脩之耳太極仙王
其中諸仙公真人多以本命辰日行之也故
列而陳之學士詳用之爲恚在齋室中坐臥
乃任意為之耳太上大法自命北向耳夫至
人則不然矣或坐忘忘已淪乎自然如彈指

BD01017號　洞真上清諸經摘抄（擬）　（15–10）

但用正月一日日中及夜脩之耳太極仙王
其中諸仙公真人多以本命辰日行之也故
列而陳之學士詳用之焉悲在齋室中坐卧
乃任意為之耳太上大法自命北向耳夫至
人則不然矣或坐忘忘己淪乎自然如彈指
須道以成非若俗儒談放自得於匈衿而已
内乃精練乎三寶洞文也是以世業之子莫
見其崖造故和光於風流矣
太微天帝曰正月一日當呪天羅地網及魔
界脫我身神之道其法未平旦小許曰我將
遊上十方礼見太上尊九天之羅敢得落我
身又曰我將遊下方交通地真提携靈仙九
地之網敢得絓我邑又曰我將遊太上京晏
適華堂洞觀諸天超度三界泉曲之府勿復
留我魂凡三正月為之休也
元始天王曰自非七世大慶重華數條累葉
垂柯秀挺後苗善逸万劫世世有道名刊金
簡目緣賢聖應仙念度何當與此之頌相遇
耶其法物同如大戒科唯當別依科賣信皆
奉有文之子也若仙人所授己坦幽味之故
則弗須法信若靈神相告亦具盟物如法夫
德總者胡以測人心之必然乎學者當先自
審才志能脩之而終身必不犯明科能可從
事於大法矣若違科七祖幽囚於地獄身亦
必遇禍矣豈仙之有冀學士其深慎之焉故上
聖但口誦心存而已不書其文

BD01017號　洞真上清諸經摘抄（擬）　（15–11）

德總者胡以測人心之必然乎學者當先自
審才志能脩之而終身必不犯明科能可從
事於大法矣若違科七祖幽囚於地獄身亦
必遇禍矣豈仙之有冀學士其深慎之焉故上
聖但口誦心存而已不書其文
太極大法師曰五通尚在三界此故未為也夫仙
道无不无有不有能覺有无之間緬然於其際而
无際乃能自體六通超三界也三界一欲界二
色界三无色界從太黃皇曾天太明玉完天
清明何童天玄胎平育天元明文舉天上明
七曜摩夷第六天為欲界從虛无越衡天太
極濛翳天赤明和陽天玄明恭華天耀明宗飄天
空落皇茄天虛明堂耀天觀明端靖天玄明恭
慶天太煥極瑤天元載孔昇天太安皇崖天
顯定極風天始黃孝芒天太黃翁重浮容天
无思江由天上揲阮樂天无極曇誓第廿四
天為色界從晧庭霄度天淵通元洞天太文
翰寵妙成天太素秀樂禁上第廿八天為无色
界學三寶誦佪玄奉大戒能超此三界之表
洞六通之智慧也六通智慧者洞視洞聽洞
彼死生往来劫數洞十方有无洞經戒道俗
教化洞自然人身是為六通大智慧也學此
内法者皆為太極真人登玉京長存永无恒
為太上之賓矣
太極大法師曰第九赤明和陽天又名妙安
枷屢天又名太妙小梵天也廿九太虛无上常

BD01017號　洞真上清諸經摘抄（擬）　（15–12）

内法者皆為太極真人登玉京長存永无恒
為太上之賓矣
太極大法師曰第九赤明和陽天又名妙安
枷㬋天又名太妙小梵天也廿九太虛无上常
融天大糬騰勝玉隆天龍變梵度天太極平育
賈弈天此四天天帝恒誦習三寶經轉徊玄
奉大戒脩齋清淨其諸天王亦然恚共讚
有戒身令得仙度矣故說諸天名号諸天名号
亦多矣言无上大羅天是五億五万五千五
百五十五天之上天也四天洞參其炁故不
具說諸天也然學太上道業約應知太上玉
京所觀玉京臺在乎无上大羅天之上眇眇
乎若存若亡若有若无緬邈刧刃難以言宣
故天人弗可思議矣
東華青童曰道超三界統六天之魔府人生
死扉不屬泉曲者而由斯六天配役太山地
獄也唯得道能渡之耳非大戒亦復何緣削
我之名永刧而長存乎非三寶洞而當何曰
為太上之賓友乎我每侍坐曾請事於斯語
矣
東華青童曰魔有數種有天魔地魔人魔鬼
魔六天大魔王者是天地之大魔王其宿世
有大功德故得為此魔耳興天帝比德共執
事於天地人上屬太上玉京為天帝之下官
耳其餘无所不制夫學道先小魔試道成時
魔王皆臨大試過便保舉上玉京臺削泉曲

魔六天大魔王者是天地之大魔王其宿世
有大功德故得為此魔耳興天帝比德共執
事於天地人上屬太上玉京為天帝之下官
耳其餘无所不制夫學道先小魔試道成時
魔王皆臨大試過便保舉上玉京臺削泉曲
幽都死籍斑下太山除地名之録也其各統職
三官魔神鬼兵保衛討對耶魍魎不正之精
魔王參品仙府受太上之任矣並七寶宮殿
煥耀日月人生死所經也其政奉大誡故欲
人弘三寶焉
東華青童曰夫道學无大戒寶文子身名終
不脫鬼府魔界七祖亦何由而反胎生天宮
乎是以此道至矣大聖弘之凡流當可不懃
慕之哉
太上眾仙玄坐頌
太虛離玄寮　我把九天戶　乘彼万龍椿
黴之下芳土　顧瞻世俗中　乃知風塵苦
不知遊太清　戲息玄真路　子能樂長生
千載可免度
玄圃藹北臺　五城欝崔嵬　朝發太極庭
夕泊日窟阿　仰步牽牛渚　遊盻織女河
視汝在世中　自然嬰網羅　死當入九獄
辛苦當奈何　子能絶世愛　仙人相經過
若不能自勉　罪目日成多　縱伎命衆女
為此玄坐歌
昔我尋幽跡　遊陟登太華　負岑緣崖嶺

太虛離玄眾　我把九天戶　乘彼万龍椿
㣲之下芳土　顧瞻世俗中　乃知風塵苦
不知遊太清　戲息玄真路　子能樂長生
千載可免度
玄圃鵠北臺　五城鬱嵳峩　朝發太極庭
夕泊日窟阿　仰步牽牛渚　遊盻織女河
視汝在世中　自然嬰網羅　死當入九獄
辛苦當奈何　子能絕世愛　仙人相經過
若不能自勉　罪目日成多　縱伎命衆女
爲此玄坐歌
昔我尋幽跡　遊陟登太華　負岑緣崖嶺
借問太上家　忽遇鬱儀國　仙人列如麻
真形无塵穢　手足互紛葩　謁我太極宮

寫未了語不盡覓本勘

BD01017 號　洞真上清諸經摘抄（擬）　（15–15）

復次須菩提是法
平等无有高下是名阿耨多羅三藐三菩提
以无我无人无衆生无壽者脩一切善法則
得阿耨多羅三藐三菩提須菩提所言善法
者如來説非善法是名善法
須菩提若三千大千世界中所有諸須弥山
王如是等七寶聚有人持用布施若人以此
般若波羅蜜經乃至四句偈等受持讀誦
爲他人説於前福德百分不及一百千万億分
乃至筭數譬喻所不能及
須菩提於意云何汝等勿謂如來作是念我
當度衆生須菩提莫作是念何以故實无有
衆生如來度者若有衆生如來度者如來則
有我人衆生壽者須菩提如來説有我者則
非有我而凡夫之人以爲有我須菩提凡夫
者如來説則非凡夫
須菩提於意云何可以三十二相觀如來不須
菩提言如是如是以三十二相觀如來佛言須
菩提若以三十二相觀如來者轉輪聖王則是
如來須菩提白佛言世尊如我解佛所説義
不應以三十二相觀如來尒時世尊而説偈言
若以色見我　以音聲求我　是人行邪道　不能見如來
須菩提汝若作是念如來不以具足相故得

BD01018 號　金剛般若波羅蜜經　（4–1）

菩提若以三十二相觀如來者轉輪聖王則是
如來須菩提白佛言世尊如我解佛所說義
不應以三十二相觀如來尒時世尊而說偈言
若以色見我　以音聲求我　是人行邪道　不能見如來
須菩提汝若作是念如來不以具足相故得
阿耨多羅三藐三菩提須菩提莫作是念如
來不以具足相故得阿耨多羅三藐三菩提
須菩提汝若作是念發阿耨多羅三藐三菩
提者說諸法斷滅相莫作是念何以故發阿耨
多羅三藐三菩提者於法不說斷滅相須菩
提若菩薩以滿恒河沙等世界七寶布施若
復有人知一切法无我得成於忍此菩薩勝
前菩薩所得功德須菩提以諸菩薩不受福
德故須菩提白佛言世尊云何菩薩不受福德
須菩提菩薩所作福德不應貪著是故說不受
福德
須菩提若有人言如來若來若去若坐若卧
是人不解我所說義何以故如來者无所從
來亦无所去故名如來
須菩提若善男子善女人以三千大千世界
碎為微塵於意云何是微塵衆寧為多不
甚多世尊何以故若是微塵衆實有者佛則不
說是微塵衆所以者何佛說微塵衆則非微
塵衆是名微塵衆世尊如來所說三千大千
世界則非世界是名世界何以故若世界實
有者則是一合相如來說一合相則非一合
相是名一合相須菩提一合相者則是不可

BD01018號　金剛般若波羅蜜經　（4–2）

說是微塵衆所以者何佛說微塵衆則非微
塵衆是名微塵衆世尊如來所說三千大千
世界則非世界是名世界何以故若世界實
有者則是一合相如來說一合相則非一合
相是名一合相須菩提一合相者則是不可
說但凡夫之人貪著其事須菩提若人言佛
說我見人見衆生見壽者見須菩提於意云
何是人解我所說義不世尊是人不解如來
所說義何以故世尊說我見人見衆生見壽
者見即非我見人見衆生見壽者見是名我
見人見衆生見壽者見須菩提發阿耨多羅
三藐三菩提心者於一切法應如是知如是
見如是信解不生法相須菩提所言法相者
如來說即非法相是名法相須菩提若有人
以滿无量阿僧祇世界七寶持用布施若有
善男子善女人發菩薩心者持於此經乃至
四句偈等受持讀誦為人演說其福勝彼云
何為人演說不取於相如如不動何以故
一切有為法　如夢幻泡影　如露亦如電　應作如是觀
佛說是經已長老須菩提及諸比丘比丘尼
優婆塞優婆夷一切世間天人阿脩羅聞佛
所說皆大歡喜信受奉行

金剛般若波羅蜜經

BD01018號　金剛般若波羅蜜經　（4–3）

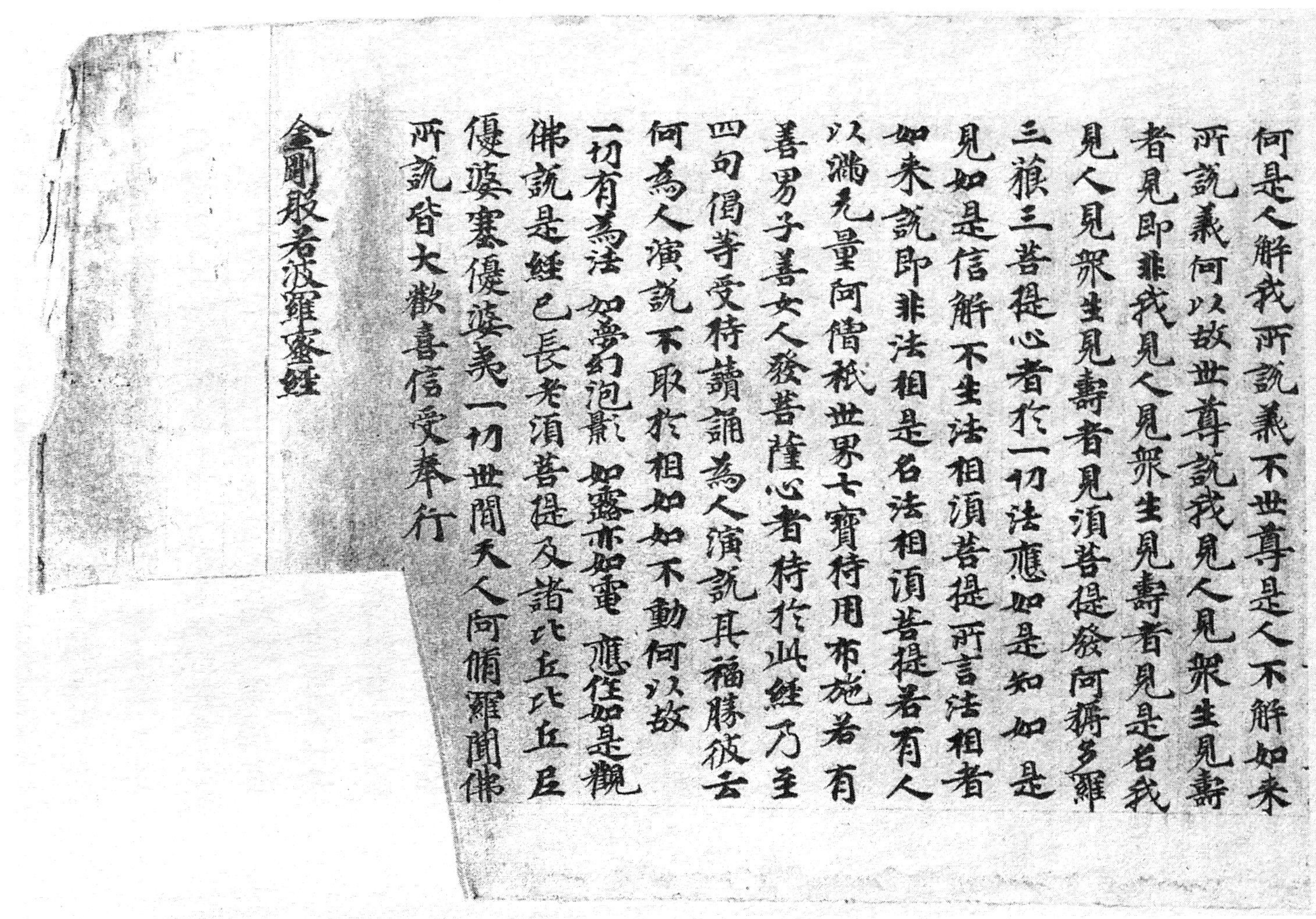

何是人解我所說義不世尊是人不解如來
所說義何以故世尊說我見人見衆生見壽
者見即非我見人見衆生見壽者見是名我
見人見衆生見壽者見須菩提發阿耨多羅
三藐三菩提心者於一切法應如是知如是
見如是信解不生法相須菩提所言法相者
如來說即非法相是名法相須菩提若有人
以滿无量阿僧祇世界七寶持用布施若有
善男子善女人發菩薩心者持於此經乃至
四句偈等受持讀誦為人演說其福勝彼云
何為人演說不取於相如如不動何以故
一切有為法　如夢幻泡影　如露亦如電　應作如是觀
佛說是經已長老須菩提及諸比丘比丘尼
優婆塞優婆夷一切世間天人阿脩羅聞佛
所說皆大歡喜信受奉行

金剛般若波羅蜜經

BD01018 號　金剛般若波羅蜜經　　（4–4）

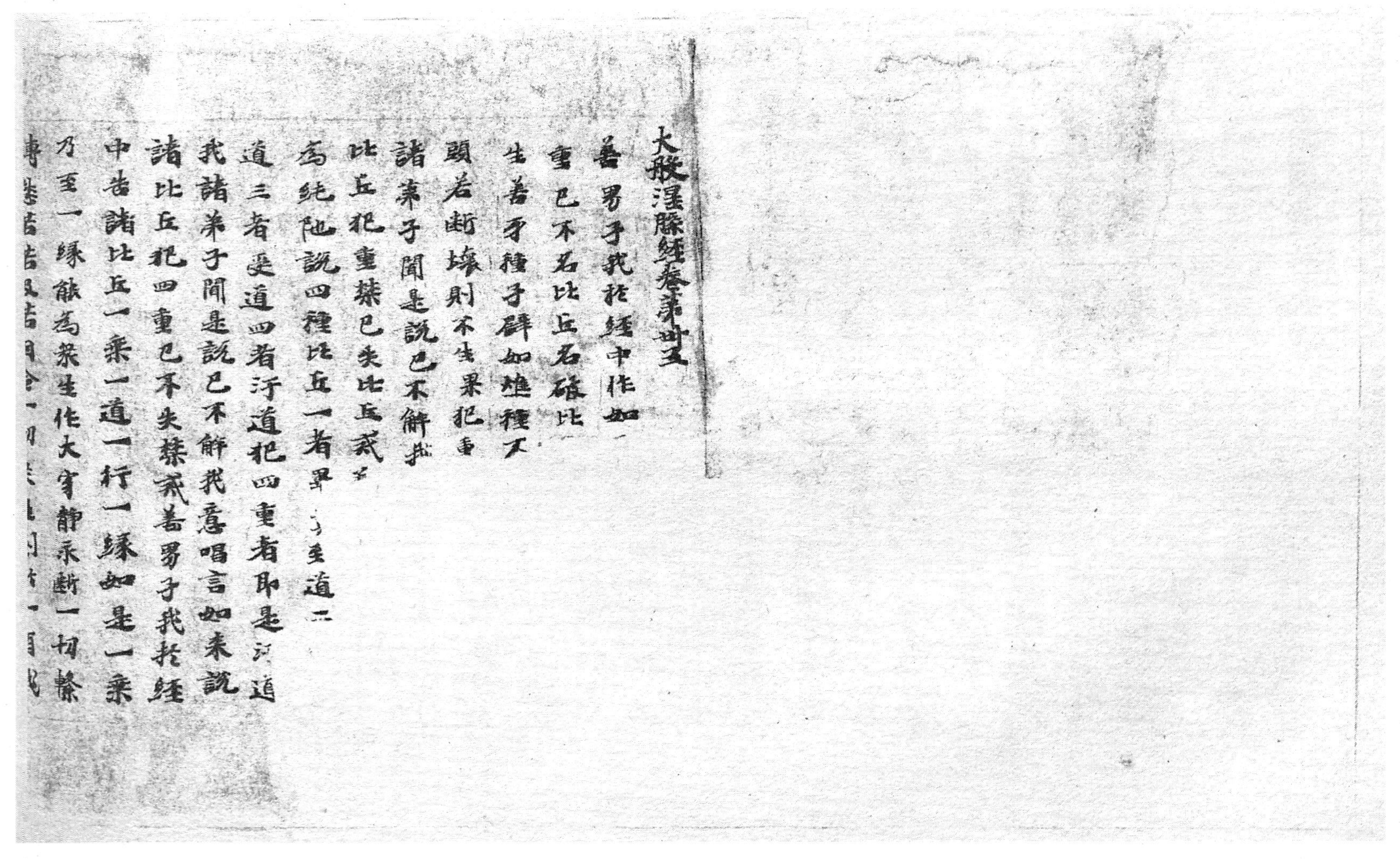

大般涅槃經卷第卅五

善男子我於經中作如
重已不名比丘名破比
生善牙種子譬如燋種不
頭若斷壞則不生果犯重
諸弟子聞是說已不解我
比丘犯重禁已失比丘戒名
為純陁說四種比丘一者畢竟至道二
道三者示道四者汙道犯四重者即是汙道
我諸弟子聞是說已不解我意唱言如來說
諸比丘犯四重已不失禁戒善男子我於經
中告諸比丘一乘一道一行一緣如是一乘
乃至一緣能為衆生作大寂靜永斷一切繫

BD01019 號　大般涅槃經（北本　宮本）卷三五　　（22–1）

道三者受道四者汙道犯四重者即是汙道
我諸弟子聞是說已不觧我意唱言如來說
諸比丘犯四重已不失禁戒善男子我於經
中告諸比丘一乘一道一行一緣如是一乘
乃至一緣能爲衆生作大寂静永斷一切繫
縛愁苦苦及苦因令一切衆生到於一有我
諸弟子聞是說已不觧我意唱言如來說須
陁洹乃至阿羅漢人皆得佛道善男子我於
經中說須陁洹人聞天上七返往來便般涅
槃斯陁含人受人天便般涅槃阿那含人凡
有五種或有中間般涅槃者乃至上流般
涅槃者阿羅漢人凡有二種一者現在二者
未來現在亦斷煩惱五陰未來亦斷煩惱五
陰我諸弟子聞是說已不觧我意唱言如來
說須陁洹至阿羅漢不得佛道善男子我於
此經說言佛性具有六事一常二實三真四
善五淨六可見我諸弟子聞是說已不觧我
意唱言佛說衆生佛性離衆生有善男子我
又說言衆生佛性猶如虚空虚空者非過去
非未來非現在非内非外非是色聲香味觸
攝佛性亦尒我諸弟子聞是說已不觧我意
唱言佛說衆生佛性離衆生有善男子我又
復說衆生佛性猶如貧女宅中寶藏力士額
上金剛寶珠轉輪聖王甘露之泉我諸弟子
聞是說已不觧我意唱言佛說衆生佛性離
衆生有善男子我又復說犯四重禁一闡提
人謗方等經作五逆罪皆有佛性如是衆生
都无善法佛性是善我諸弟子聞是說已不
觧我意唱言佛說衆生佛性離衆生有善男

BD01019號　大般涅槃經（北本　宮本）卷三五　（22–2）

聞是說已不觧我意唱言佛說衆生佛性離
衆生有善男子我又復說犯四重禁一闡提
人謗方等經作五逆罪皆有佛性如是衆生
都无善法佛性是善我諸弟子聞是說已不
觧我意唱言佛說衆生佛性離衆生有善男
子我又復說衆生者即是佛性何以故若離
衆生不得阿耨多羅三藐三菩提是故我與
波斯匿王說於象喻如盲說象雖不得象亦
不離象衆生說色乃至說識是佛性者亦復
如是雖非佛性非不佛性如我爲王說箜篌
喻佛性亦尒善男子我諸弟子聞是說已不
觧我意作種種說如盲說乳佛性亦尒以是
因緣或有說言犯四重禁謗方等經作五逆
罪一闡提等悉有佛性或說言无善男子我
於處處經中說言一人出世多人利益一國
土中二轉輪王一世界中二佛出世无有是
處一四天下八四天王乃至二他化自在天
亦无是處然我乃說從閻浮提阿鼻城地獄上
至阿迦膩吒天我諸弟子聞是說已不觧我
意唱言佛說无十方佛我亦於諸大乘經中
說有十方佛善男子如是諍訟是佛境界非
諸聲聞緣覺所知若人於是生疑心者猶能
摧壞无量煩惱如須弥山若於是中生決定
者是名執著迦葉菩薩白佛言世尊云何執
著佛言善男子如是之人若從他聞若自尋
經若他教故於所著事不能放捨是名執著
迦葉復言世尊如是執著爲是善耶是不善
乎善男子如是執著不名爲善何以故不能
摧壞諸疑因故迦葉復言世尊如是人者本

BD01019號　大般涅槃經（北本　宮本）卷三五　（22–3）

著佛言善男子如是之人若從他聞若自尋
經若他教故於所著事不能放捨是名執著
迦葉復言世尊如是執著為是善耶是不善
耶善男子如是執著不名為善何以故不能
摧壞諸疑因故迦葉復言世尊如是人者本
自不疑云何說言不壞疑因善男子夫不疑
者即是疑也世尊若有人謂須陁洹人不墮
三惡是之人亦當名著名疑善男子是可名
定不得名疑何以故善男子辟如有人先見人
樹後時夜行遙見杌根便生疑想人耶樹耶
善男子如人先見比丘梵志後時於路遙見
比丘即生疑想是沙門耶是梵志耶善男子
如人先見牛與水牛後遙見牛便生疑想彼
是牛耶是水牛乎善男子一切衆生先見二物
後便生疑何以故心不了故我亦不說須陁
洹人有墮三惡不墮三惡是人何故生於疑
心迦葉言世尊如佛所說要先見已然後疑
者有人未見二種物時亦復生疑何等是耶
所謂涅槃世尊辟如有人路過濁水然未曾
見而亦生疑如是水者深耶淺耶是人未見
云何生疑善男子夫涅槃者即是斷苦非涅
槃者即是苦也一切衆生見有二種見苦非
苦苦非苦者即是飢渴寒熱瞋喜病瘦安隱
老壯生死繫縛解脫恩愛別離怨憎聚會衆
生見已即便生疑當有畢竟遠離如是苦惱
事不是故衆生於涅槃中而生疑也汝意若
謂是人先來未見濁水云何疑者是義不然
何以故是人先於餘處見已是故於此未曾
到處而復生疑世尊是人先相深淺處時已
不生疑於今何故而復生疑佛言善男子本

BD01019 號　大般涅槃經（北本　宮本）卷三五　　（22–4）

生見已即便生疑當有畢竟遠離如是苦惱
事不是故衆生於涅槃中而生疑也汝意若
謂是人先來未見濁水云何疑者是義不然
何以故是人先於餘處見已是故於此未曾
到處而復生疑世尊是人先相深淺處時已
不生疑於今何故而復生疑佛言善男子本
未行故所以生疑是故我言不了故疑
迦葉菩薩白佛言世尊如佛所說疑即是著
著即是疑為是誰耶善男子斷善根者迦葉
言世尊何等人輩能斷善根善男子若有聰
明黠慧利根能善分別遠離善友不聽正法
不善思惟不如法住如是之人能斷善根離
是四事心自思惟无有施物何以故施者即
是捨於財物若施有報當知施主常應貧窮
何以故子果相似故是故說言无因无果若如
是說无因无果是則名為斷善根也復作是
念施主受者及以財物三事无常无有停住
若无停住云何說言此是施主受者財物若
无受者云何得果以是義故无因无果若如
是說无因无果當知是人能斷善根復作是
念施主施時有五事施受者受已或時作善
或作不善而是施主亦復不得善不善果如
世間法從子生菓菓還作子因即施主果即
受者而是受者不能以此善不善法令施主
得以是義故无因无果若如是說无因无果
當知是人能斷善根復作是念无有施物
何以故施物无記若是无記云何而得善果
報耶无善惡果是无記財若无記當知則
无善惡果報是故无施主无因无果若如是
說无因无果當知是人能斷善根復作是念施

BD01019 號　大般涅槃經（北本　宮本）卷三五　　（22–5）

得以是義故无因无果若如是說无因无果
當知是人能斷善根復作是念无有施物
何以故施物无記若是无記云何而得善果
報耶无善惡果即是无記財若无記當知財
无善惡果報是故无施主无因无果若如是
說无因无果當知是人能斷善根復作是念施
者即意若如是者无見无對非是色法若非
是色云何可施是故无施无因无果若如是
說无因无果當知是人能斷善根復作是念
施主若爲佛像天像命過父母而行施者則
无受者若无受者應无果報若无果報是爲
无因若无因者是爲无果若如是說无因无
果當知是人能斷善根復作是念无父无母
若言父母是衆生因生衆生者理應常生无
有斷絕何以故因常有故然不常生是故當
知无有父母復作是念无父无母何以故若
衆生身因父母有一人應具男女二根然无
具者當知衆生非因父母復作是念非因父
母而生衆生何以故眼見衆生不似父母謂
身色心威儀進止是故父母非衆生因復作
是念一切世間有四種无一者未生名如无
泥團時未有瓶用二者滅已名无如瓶壞已
是名爲无三者各異互无如牛中无馬馬中
无牛四者畢竟名无如兔角龜毛衆生父母
亦復如是同此四无若言父母衆生因者父
母死時子不必死是故父母非衆生因復作
是念若言父母衆生因者應因父母常生衆
生然而復有化生濕生是故當知非因父母
衆生生也復作是念自有衆生非因父母而
得生長譬如孔雀聞雷振聲而便得身又如

亦復如是同此四无若言父母衆生因者父
母死時子不必死是故父母非衆生因復作
是念若言父母衆生因者應因父母常生衆
生然而復有化生濕生是故當知非因父母
衆生生也復作是念自有衆生非因父母而
得生長譬如孔雀聞雷振聲而便得身又如
青雀飲雄雀淚得而便得身如命命鳥見雄者
儛即便得身作是念時如其不遇善知識者
當知是人能斷善根復作是念一切世間无
善惡果何以故有諸衆生具十善法樂行惠
施懃脩功德是人亦復疾病集身中年夭亡
財物損失多諸憂苦有行十惡慳貪嫉妬懶
惰懈怠不脩諸善身安无病終保年壽多饒
財寶无諸愁苦是故當知无善惡果復作是
念我亦曾聞諸聖人說有人脩善命終多墮
三惡道中有人行惡命終生於人天之中是
故當知无善惡果復作是念一切聖人有二
種說或說煞生得善果報或說煞生得惡果
報是故當知聖說不定聖若不定我云何定
是故當知无善惡果復作是念一切世間无
有聖人何以故若言聖人應得聖道一切衆
生具煩惱時脩正道者當知是人正道煩惱
一時俱有若一時有當知正道不能破結若
无煩惱而脩道者如是正道爲何所作是故
具煩惱者道不能壞不具煩惱道則无用是
故當知一切世間无有聖人復作是念无明
緣行乃至生緣老死是十二因緣一切衆生
等共有之八聖道者其性平等亦應如是一
人得時一切應得一人脩時應一切苦滅何
以故煩惱等故而今不得是故當知无有正

具煩惱者道不能壞不具煩惱道則无用是
故當知一切世間无有聖人復作是念无明
緣行乃至生緣老死是十二因緣一切衆生
等共有之八聖道者其性平等亦應如是一
人得時一切應得一人脩時應一切苦滅何
以故煩惱等故而今不得是故當知无有正
道復作是念聖人皆有同凡夫法所謂飲食
行住坐卧睡眠喜咲飢渴寒熱愁憂恐怖若
同凡夫如是事者當知聖人不得聖道若得
聖道應當永斷如是等事如是等事如其不
斷當知无道復作是念聖人有身受五欲樂亦
復罵辱撾打於人嫉妬憍慢受於苦樂作善
惡業是因緣故知无聖人若有道者應斷是
事是事不斷當知无道復作是念多慈悲者
名為聖人何因緣故名為聖人道因緣故名
為聖人若道性慈悲復應慈念一切衆生不
待脩已然後方得如其无悲何故聖人因得
聖道能慈悲耶是故當知世无聖道復作是
念一切四大不從因生衆生等有是四大性
不觀衆生是邊應到彼不應到若有聖道性
應如是然今不尒是故當知世无聖人復作
是念若諸聖人有一涅槃當知是則无有聖
人何以故不可得故常恒之法理不可得不
可取捨若諸聖人涅槃多者是則无常何以
故可數法故涅槃若一一人得時一切應得涅
槃若多是則有邊如其有邊云何名常若
有說言涅槃體一解脫是多如蓋是一者吾
是多是義不然何以故一一所得非一切得
亦有邊故是應无常若无常者云何得名為
涅槃耶涅槃若无誰為聖人是故當知无有

槃若多是則有邊如其有邊云何名常若
有說言涅槃體一解脫是多如蓋是一者吾
是多是義不然何以故一一所得非一切得
亦有邊故是應无常若无常者云何得名為
涅槃耶涅槃若无誰為聖人是故當知无有
聖人復作是念聖人之道非因緣得若聖之
道非因緣得何故一切不作聖人若一切人
非聖人者當知是則无有聖人及以聖道復
作是念聖說正見有二因緣一者從他聞法
二者內自思惟是二因緣若從緣生所從緣
生者復從緣生如是展轉有无窮過若是二
事不從緣生一切衆生何故不得作是觀時
能斷善根善男子若有衆生深見如是无因
无果是人能斷信等五根善男子斷善根者
非是下劣愚鈍之人亦非天中及三惡道破
僧亦尒迦葉菩薩白佛言世尊如是之人何
時當能還生善根佛言善男子是人二時還
生善根初入地獄出地獄時善男子善有三
種過去現在未來若過去者其性自滅因雖
滅盡果報未熟是故不名斷過去果斷三世
因故名為斷迦葉菩薩白佛言世尊若斷三
世因名斷善根斷善根人即有佛性如是佛
性為是過去為是現在為是未來為遍三世
若過去者云何名常佛性亦常是故當知非
過去耶若未來者云何名常何故佛說一切
衆生必定當得若必定得云何言斷若現在
者復云何常何故復言必得可見如來亦說
佛性有六一常二真三實四善五淨六可見
若斷善根有佛性者則不得名斷善根也若

過去耶若未來者云何名常何故佛說一切
衆生必定當得若必定得云何言斷若現在
者復云何常何故復言必得可見如來亦說
佛性有六一常二真三實四善五淨六可見
若斷善根有佛性者則不得名斷善根也若
无佛性云何復言一切衆生悉有佛性若言
佛性亦有亦斷云何如來復說是常佛言善
男子如來世尊爲衆生故有四種荅一者定
荅二者分別荅三者隨問荅四者置荅善男
子云何定荅若問惡業得善果耶不善果耶
是應定荅得不善果善亦如是若問如來一
切智不是應定荅是一切智若問佛法是清
淨不是應定荅必定清淨若問如來弟子如
法住不是應定荅有如法住是名定荅云何
分別荅如我所說四真諦法云何爲四苦集
滅道何謂苦諦有八苦故名曰苦諦云何集
諦五陰因故名爲集諦云何滅諦貪欲瞋癡
畢竟盡故名爲滅諦云何道諦卅七助道法
名爲道諦是名分別荅云何隨問荅如我所
說一切法无常復有問言如來世尊爲何法
故說於无常荅言如來爲有爲法故說无常
无我亦尒如我所說一切法燒他又問言如
來世尊爲何法故說一切燒荅言如來爲貪
欲癡說一切燒善男子如來十力四无所畏
大悲大慈三念處首楞嚴等八万億諸三昧
門卅二相八十種好五智印等三万五千諸
三昧門金剛定等四千二百諸三昧門方便
三昧无量无邊如是等法是佛佛性如是佛
性則有七事一常二我三樂四淨五真六實

BD01019號　大般涅槃經（北本　宮本）卷三五　（22-10）

欲癡說一切燒善男子如來十力四无所畏
大悲大慈三念處首楞嚴等八万億諸三昧
門卅二相八十種好五智印等三万五千諸
三昧門金剛定等四千二百諸三昧門方便
三昧无量无邊如是等法是佛佛性如是佛
性則有七事一常二我三樂四淨五真六實
七善是名分別荅善男子後身菩薩佛性有
六一常二淨三真四實五善六少見是名分
別荅如汝先問斷善根人有佛性者亦有如
來佛性亦有後身佛性是二佛性鄣未來故
得名爲无畢定得故得名爲有是名分別荅
如來佛性非過去非現在非未來後身佛性
現在未來少可見故得名現在未具見故名
爲未來如來未得阿耨多羅三藐三菩提時
佛性因故亦是過去現在未來果則不尒有
是三世有非三世後身菩薩佛性因故亦是
過去現在未來果亦如是是名分別荅九住
菩薩佛性六種一常二善三真四實五淨六
可見佛性因故亦是過去現在未來果亦如
是是名分別荅八住菩薩下至六住佛性五
事一真二實三淨四善五可見佛性因故亦
是過去現在未來果亦如是是名分別荅五
住菩薩下至初住佛性五事一真二實三淨
四可見五善不善善男子是五種佛性六種
佛性七種佛性斷善根人必當得故故得言
有是名分別荅若有說言斷善根者定有佛
性定无佛性是名置荅迦葉菩薩言世尊我
聞不荅乃名置荅如來今者何因緣荅而名
置荅善男子我亦不說置而不荅乃說置荅

BD01019號　大般涅槃經（北本　宮本）卷三五　（22-11）

佛性七種佛性斷善根人必當得故故得言
有是名分別荅若有說言斷善根者定有佛
性定无佛性是名置荅迦葉菩薩言世尊我
聞不荅乃名置荅如來今者何因緣荅而名
置荅善男子我亦不說置而不荅乃說置荅
善男子如是置荅復有二種一者遮止二者
莫著以是義故得名置荅迦葉菩薩白佛言
世尊如佛所說云何名因亦是過去現在未
來果亦過去現在未來非是過去現在未來
佛言善男子五陰二種一者因二者果是因
五陰是過去現在未來是果五陰亦是過去
現在未來亦非過去現在未來善男子一切
无明煩惱等結悉是佛性何以故佛性因故
從无明行及諸煩惱得善五陰是名佛性從
善五陰乃至獲得阿耨多羅三藐三菩提是
故我於經中先說眾生佛性如雜血乳血者
即是无明行等一切煩惱乳者即是善五陰
也是故我說從諸煩惱及善五陰得阿耨多
羅三藐三菩薩[提]如眾生身皆從精血而得
成就佛性亦尒須陁洹人斯陁含人斷少煩惱
佛性如乳阿那含人佛性如酪阿羅漢人猶
如生穌從辟支佛至十住菩薩猶如熟穌如
來佛性猶如醍醐善男子現在煩惱為作障
故令諸眾生不得覩見如雪山中有忍辱草
非一切牛皆能得食佛性亦尒是名分別荅
迦葉菩薩白佛言世尊五種六種七種佛性
若未來有者云何說言斷善根人有佛性耶
佛言善男子如諸眾生有過去業因是業故
眾生現在得受果報有未來業以未生故終

BD01019號　大般涅槃經（北本　宮本）卷三五　（22–12）

故令諸眾生不得覩見如雪山中有忍辱草
非一切牛皆能得食佛性亦尒是名分別荅
迦葉菩薩白佛言世尊五種六種七種佛性
若未來有者云何說言斷善根人有佛性耶
佛言善男子如諸眾生有過去業因是業故
眾生現在得受果報有未來業以未生故終
不生果有現在煩惱若无煩惱一切眾生應
當了了現見佛性是故斷善根人以現在世
煩惱因緣能斷善根未來佛性力因緣故還
生善根
迦葉言世尊未來云何能生善根善男子猶
如燈日雖復未生亦能破闇未來之生能生
眾生未來佛性亦復如是是名分別荅迦葉
菩薩白佛言世尊若言五陰是佛性者云何
說言眾生佛性非內非外佛言善男子何因
緣故如是失意我先不說眾生佛性是中道
耶迦葉言世尊我實不失意直以眾生於此
中道不能解故故發斯問善男子眾生不解
即是中道或時有解或有不解善男子我為
眾生得開解故說言佛性非內非外何以故
凡夫眾生或言佛性住五陰中如器中有菓
或言離陰而有猶如虛空是故如來說於中
道眾生佛性非內六入非外六入內外合故
名為中道是故如來宣說佛性即是中道非
內非外故名中道是名分別荅復次善男子
云何名為非內非外善男子或言佛性即是
外道何以故菩薩摩訶薩於无量劫在外道
中斷諸煩惱調伏其心教化眾生然後乃得
阿耨多羅三藐三菩提是故佛性即是外道
或言佛性即是內道何以故菩薩雖於无量

BD01019號　大般涅槃經（北本　宮本）卷三五　（22–13）

内非外故名中道是名分别荅復次善男子
云何名為非内非外善男子我言佛性即是
外道何以故菩薩摩訶薩於无量劫在外道
中斷諸煩惱調伏其心教化衆生然後乃得
阿耨多羅三藐三菩提是故佛性即是外道
我言佛性即是内道何以故菩薩雖於无量
劫中脩集外道若離内道則不能得阿耨多
羅三藐三菩提是以佛性即是内道是故如
來遠此二邊說言佛性非内非外亦名内外
是名中道是名分别荅復次善男子我言佛
性即是如來金剛之身卅二相八十種好何
以故不虛誑故我言佛性即是十力四无所
畏大慈大悲及三念處首楞嚴等一切三昧
何以故因是三昧生金剛身卅二相八十種
好故是故如來遠此二邊說言佛性非内非
外亦名内外是名中道復次善男子我有說
言佛性即是内善思惟何以故離善思惟則
不能得阿耨多羅三藐三菩提故是以佛性
即是内善思惟我有說言佛性即是從他聞
法何以故從他聞法則能内善思惟若不聞
法則无思惟是以佛性即是從他聞法是故
如來遠此二邊說言佛性非内非外亦名内
外是名中道復次善男子復有說言佛性是
外謂檀波羅蜜從檀波羅蜜得阿耨多羅三
藐三菩提是以說言檀波羅蜜即是佛性我
有說言佛性是内謂五波羅蜜何以故離是
五事當知則无佛性因果是以說言五波羅
蜜即是佛性是故如來遠此二邊說言佛性
非内非外亦内亦外是名中道復次善男子

BD01019號　大般涅槃經（北本　宮本）卷三五　　（22-14）

藐三菩提是以說言檀波羅蜜即是佛性我
有說言佛性是内謂五波羅蜜何以故離是
五事當知則无佛性因果是以說言五波羅
蜜即是佛性是故如來遠此二邊說言佛性
非内非外亦内亦外是名中道復次善男子
我有說言佛性在内譬如力士額上寶珠何
以故常樂我淨如寶珠故是以說言佛性在
内我有說言佛性在外如貧寶藏何以故方
便見故佛性亦尒在衆生外以方便故而得
見之是故如來遠此二邊說言佛性非内非
外亦内亦外是名中道善男子衆生佛性非
有非无所以者何佛性雖有非如虛空何以
故世間虛空雖以无量善巧方便不可得見
佛性可見是故雖有非如虛空佛性雖无不
同兔角何以故龜毛兔角雖以无量善巧方便
不可得生佛性可生是故雖无不同兔角是
故佛性非有非无亦有亦无云何名有一切
悉有是諸衆生不斷不滅猶如燈炎乃至得
阿耨多羅三藐三菩提是故名有云何名无
一切衆生現在未有一切佛法常樂我淨是
故名无有无合故即是中道是故佛說衆生
佛性非有非无善男子如有人問是種子中
有果无耶應定荅言亦有亦无何以故離子
之外不能生果是故名有子未出芽是故名
无以是義故亦有亦无所以者何時節有異
其體是一衆生佛性亦復如是若言衆生中
别有佛性者是義不然何以故衆生即佛性
佛性即衆生直以時異有淨不淨善男子若
有問言是子能生果不是果能生子不應定
荅言亦生不生世尊如世人說乳中有酪是

BD01019號　大般涅槃經（北本　宮本）卷三五　　（22-15）

其體是一衆生佛性亦復如是若言衆生中
別有佛性者是義不然何以故衆生即佛性
佛性即衆生直以時異有淨不淨善男子若
有問言是子能生果不是果能生子不應定
答言亦生不生世尊如世人說乳中有酪是
義云何善男子若有說言乳中有酪是名執
著若言无酪是名虛妄離是二事應定說言
亦有亦无何故名有從乳生酪因即是乳果
即是酪是名為有云何名无色味各異服用
不同熱病服乳冷病服酪乳生冷病酪生熱
病善男子若言乳中有酪性者乳即是酪酪
即是乳其性是一何因緣故乳在先出酪不
先生若有因緣一切世人何故不說若无因
緣何故酪不先出若酪不先出誰作次第乳
酪生蘇熟蘇醍醐是故知酪先无今有若先
无今有是无常法善男子若有說言乳有酪
性能生於酪水无酪性故不生酪是義不然
何以故水草亦有乳酪之性所以者何因於
水草則出乳酪若言乳中定有酪性水草无
者是名虛妄何以故心不等故故名虛妄善
男子若言乳中定有酪者酪中亦應定有乳
性何因緣故乳中出酪酪不出乳若无因緣
當知是酪本无今有是故智者應言乳中非
有酪性非无酪性善男子是故如來於是經
中說如是言一切衆生定有佛性是名為著
若无佛性是名虛妄智者應說衆生佛性亦
有亦无善男子四事和合生於眼識何等為
四眼色明欲是眼識性非眼非色非明非欲
從和合故便得出生如是眼識本无今有已

中說如是言一切衆生定有佛性是名為著
若无佛性是名虛妄智者應說衆生佛性亦
有亦无善男子四事和合生於眼識何等為
四眼色明欲是眼識性非眼非色非明非欲
從和合故便得出生如是眼識本无今有已
有還无是故當知无有本性乳中酪性亦復
如是若有說言水无酪性故不出酪是故乳
中定有酪性是義不然何以故善男子一切
諸法異因異果亦非一因生一切果非一切
果從一因生善男子如從四事生於眼識不
可說言從此四事應生耳識善男子離於方
便乳中得酪酪出生蘇不得如是要須方便
善男子智者不可見離方便從乳得酪謂得
生蘇亦應如是離方便得善男子是故我於
是經中說因生故法有因滅故法无善男子
如鹽性鹹能令非鹹使鹹若非鹹物先有鹹
性世人何故更求鹽耶若先无者當知先无
今有以餘緣故而得鹹也若言一切不鹹之
物皆有鹹性微故不知由此微性鹽能令鹹
若本无性雖復有鹽不能令鹹譬如種子自
有四大緣於四大而得增長牙莖枝葉鹽性
亦尒者是義不然何以故不鹹之物先有鹹
性者鹽亦應有微不鹹性是鹽若有如是二
性何因緣故離不鹹物不可獨用是故知鹽
本无二性如鹽一切不鹹之物亦復如是若
言外四大種力能增長內四大者是義不然
何以故次第說故不從方便乳中得酪生蘇
乃至一切諸法皆不如是非方便得四大亦復
如是若說從外四大增長內四大不見從內

本无二性如鹽一切不醎之物亦復如是若
言外四大種力能增長內四大者是義不然
何以故次弟說故不從方便乳中得酪生蘇
乃至一切諸法皆不如是非方便得四大亦復
如是若說從外四大增長內四大不見從內
四大增外四大如尸利沙果先无形質見昴星
時葉則出生足長五寸如是葉實不因於
外四大而增善男子如來所說十二部經或
隨自意說或隨他意說或隨自他意說云何
名為隨自意說如五百比丘問舍利弗大德
佛說身因何者是耶舍利弗言諸大德汝等
亦各得正解脫自應識之何緣方作如是問
耶有比丘言大德我未獲得正解脫時意謂
无明即是身因作是觀時得阿羅漢果復
有說言大德我未獲得正解脫時謂愛无明
即是身因作是觀時得阿羅漢果或有說行
識名色六入觸受愛取有生飲食五欲即是
身因爾時五百比丘各各自說已所解已共
往佛所稽首佛足右遶三匝禮拜畢已却坐
一面各以如上已所解義向佛說之舍利弗
白佛言世尊如是諸人誰是正說誰不正說
佛告舍利弗善哉善哉一一比丘无非正說
舍利弗言世尊佛意云何佛言舍利弗我為
欲界衆生說言父母即是身因如是等經名
隨自意說云何名為隨他意說如巴吒羅長
者來至我所作如是言瞿曇汝知幻不若知
幻者即大幻人若不知者非一切智我言長
者知幻之人名幻人耶長者言善哉善哉知
幻之人即是幻人佛言長者舍衛國內波斯
匿王有旃陀羅名曰氣嘘汝知不耶長者答

隨自意說云何名為隨他意說如巴吒羅長
者來至我所作如是言瞿曇汝知幻不若知
幻者即大幻人若不知者非一切智我言長
者知幻之人名幻人耶長者言善哉善哉知
幻之人即是幻人佛言長者舍衛國內波斯
匿王有旃陀羅名曰氣嘘汝知不耶長者答
言瞿曇我久知之佛言汝久知者可得即是
旃陀羅不長者言瞿曇我雖知彼是旃陀羅然
我此身非旃陀羅佛言長者汝得是義知旃
陀羅非旃陀羅我今何故不得知幻而非幻
于長者我實知幻知幻人知幻果報知幻伎
術我知殺殺人知殺果報知殺解脫乃至知
耶見知耶見人知耶見果報知耶見解脫
長者若說非幻之人名為幻人非耶見人說
耶見人得无量罪長者言瞿曇如汝所說我
得大罪我今所有悉以相上幸莫令彼波斯
匿王知我此事佛言長者是罪因緣不必失
財乃當因是墮三惡道是時長者聞惡道名
心生恐怖白佛言聖人我今失意獲得大罪
聖人今者是一切智亦應當知獲得解脫我
當云何得脫地獄餓鬼畜生爾時我為說四
真諦長者聞已得須陀洹果心生慚愧向佛
懺悔我本愚癡佛非幻人而言是幻我從今
日歸依三寶佛言善哉善哉長者是名隨他
意說云何名為隨自他說如我所說一切
世間智者說有我亦說有智者說无我亦說
无世間智人說五欲樂有无常苦无我可斷
我亦說有世間智人說五欲樂有常我淨无
有是處我亦如是說无是處是名隨自他說

世間智者說有我亦說有智者說无我亦說
无世間智人說五欲樂有无常苦无我可斷
我亦說有世間智人說五欲樂有常我淨无
有是處我亦如是說无是處是名隨自他說
善男子如我所說十住菩薩少見佛性是名
隨他意說何故名少見十住菩薩得首楞嚴
等三昧三千法門是故了了自知當得阿耨
多羅三藐三菩提不見一切眾生定得阿耨
多羅三藐三菩提是故我說十住菩薩少分
見佛性善男子我常宣說一切眾生悉有佛
性是名隨自意說一切眾生不斷不滅乃至
得阿耨多羅三藐三菩提名隨自意說一切
眾生悉有佛性煩惱覆故不能得見我說如
是汝說亦尒是名隨自意他說善男子如來
或時為一法故說无量法如經中說一切梵
行因善知識一切梵行因雖无量說善知識
則已攝盡如我所說一切惡行邪見為因一
切惡行因雖无量若說邪見則已攝盡或說
阿耨多羅三藐三菩提信心為因是菩提因
雖復无量若說信心則已攝盡善男子如來
雖說无量諸法以為佛性然不離於陰入界
也善男子如來說法為眾生故有七種語一
者因語二者果語三者因果語四者喻語五
者不應說語六者世流布語七者如意語云
何名因語現在因中說未來果如我所說善
男子汝見眾生樂殺乃至樂行邪見當觀是
人即地獄人善男子若有眾生不樂殺生乃
至邪見當觀是人即是天人是名因語云何
果語現在果中說過去因如經中說善男子

BD01019號　大般涅槃經(北本　宮本)卷三五　(22–20)

也善男子如來說法為眾生故有七種語一
者因語二者果語三者因果語四者喻語五
者不應說語六者世流布語七者如意語云
何名因語現在因中說未來果如我所說善
男子汝見眾生樂殺乃至樂行邪見當觀是
人即地獄人善男子若有眾生不樂殺生乃
至邪見當觀是人即是天人是名因語云何
果語現在果中說過去因如經中說善男子
如汝所見貧窮眾生顏貌醜陋不得自在當
知是人定有破戒妬心瞋心无慚愧心若見
眾生多財巨富諸根完具威德自在當知是
人定有戒施精進慚愧无有妬瞋是名果語
云何因果語如經中說善男子眾生現在六
入觸因是名過去業果如來亦說名之為業
是業因緣得未來果是名因果語云何喻語
如說師子王者即喻我身大象王大龍王波
利質多樹七寶聚大海須弥山大地大雨船
師導師調御丈夫力士牛王婆羅門沙門大
城多羅樹如是喻經名為喻語云何不應語
我經中說天地可合河不入海如為波斯匿
王說四方山來如為鹿母優婆夷說若婆羅
樹能受八戒則得受於人天之樂如說十住
菩薩有退轉心不說如來有二種語寧說須
陁洹人墮三惡道不說十住有退轉心是名
不應語云何世流布語如佛所說男女大小
去來坐臥車乘房舍瓶衣眾生常樂我淨軍
林城邑僧的合散是名世流布語云何如意
語如我呵嘖毀禁之人令彼自嘖護持禁戒
如我讚嘆須陁洹人令諸凡夫生於善心讚
嘆菩薩為令眾生發菩提心說三惡道所有

BD01019號　大般涅槃經(北本　宮本)卷三五　(22–21)

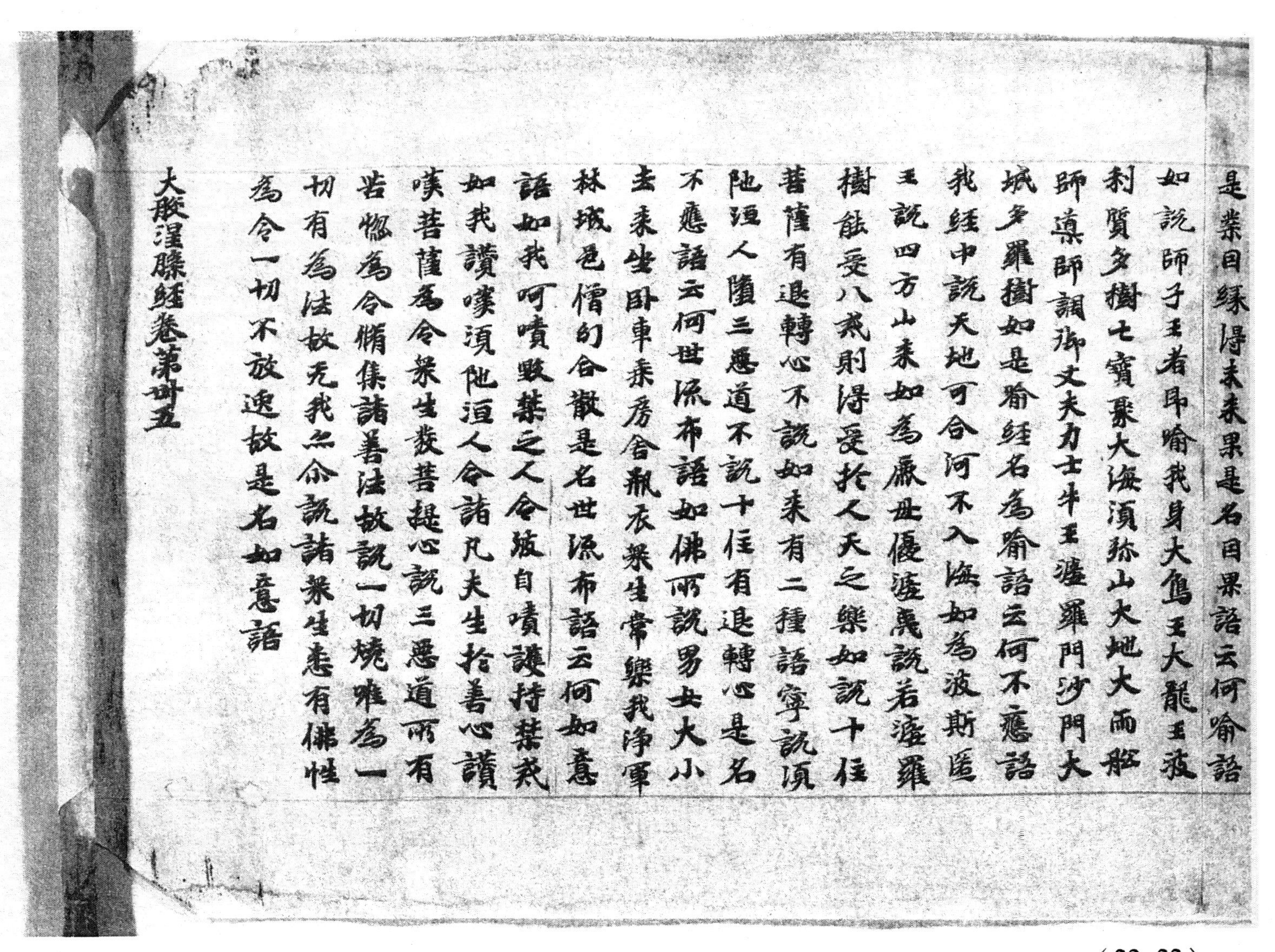
是業因緣得未來果是名因果語云何喻語
如說師子王者即喻我身大象王大龍王波
利質多樹七寶聚大海須彌山大地大雨船
師導師調御丈夫力士牛王婆羅門沙門大
城多羅樹如是喻經名為喻語云何不應語
我經中說天地可合河不入海如為波斯匿
王說四方山來如為鹿母優婆夷說若婆羅
樹能受八戒則得受於人天之樂如說十住
菩薩有退轉心不說如來有二種語寧說須
陀洹人墮三惡道不說十住有退轉心是名
不應語云何世流布語如佛所說男女大小
去來坐臥車乘房舍瓶衣眾生常樂我淨軍
林城邑僧坊合散是名世流布語云何如意
語如我呵責毀禁之人令彼自嘖護持禁戒
如我讚嘆須陀洹人令諸凡夫生於善心讚
嘆菩薩為令眾生發菩提心說三惡道所有
苦惱為令脩集諸善法故說一切燒唯為一
切有為法故无我亦介說諸眾生悉有佛性
為令一切不放逸故是名如意語

大般涅槃經卷第卅五

BD01019 號　大般涅槃經（北本　宮本）卷三五　（22–22）

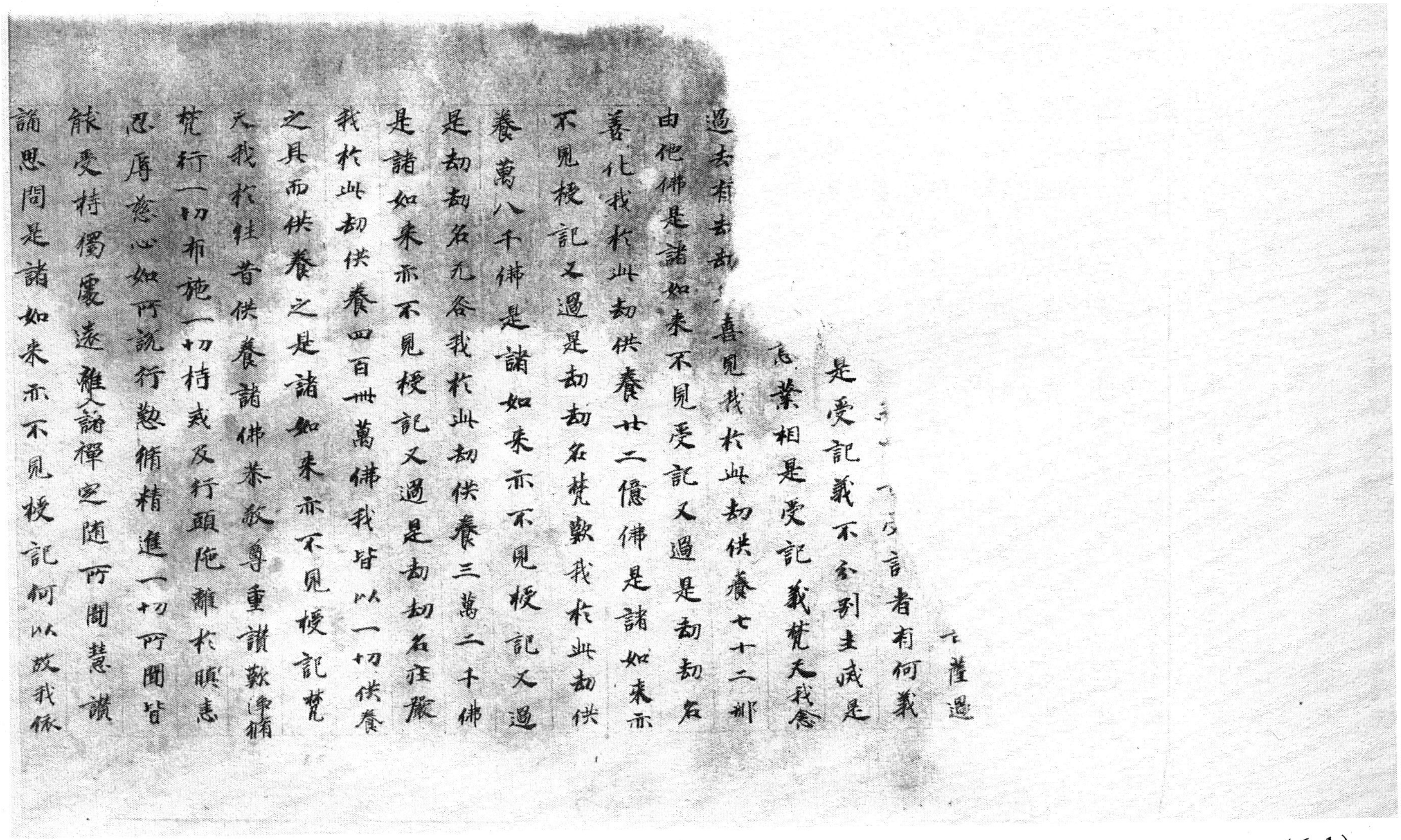

薩過
言者有何義
是受記義不分別主滅是
慮葉相是受記義梵天我念
過去有去劫　喜見我於此劫供養七十二那
由他佛是諸如來不見受記又過是劫劫名
善化我於此劫供養廿二億佛是諸如來亦
不見授記又過是劫劫名梵歎我於此劫供
養萬八千佛是諸如來亦不見授記又過
是劫劫名无咎我於此劫供養三萬二千佛
是諸如來亦不見授記又過是劫劫名莊嚴
我於此劫供養四百卌萬佛我皆以一切供養
之具而供養之是諸如來亦不見授記梵
天我於往昔供養諸佛恭敬尊重讚歎淨脩
梵行一切布施一切持戒及行頭陀離於瞋恚
忍辱慈心如所說行懃脩精進一切所聞皆
能受持獨處遠離入諸禪定隨所聞慧讚
諸思問是諸如來亦不見授記何以故我依

BD01020 號　思益梵天所問經卷二　（6–1）

之見而佛[illegible]
天我於往昔供養諸佛恭敬尊重讚歎淨脩
梵行一切布施一切持戒及行頭陀離於瞋恚
忍辱慈心如所說行懃脩精進一切所聞皆
能受持獨處遠離入諸禪定隨所聞慧讀
誦思問是諸如來亦不見授記何以故我依
止所行故以是當知若諸菩薩出過一切諸
行則得授記我若以一劫若減一劫說是諸
佛名号不可得盡梵天我於是後見然燈佛即
得无生法忍佛時授我記言汝於來世當得
作佛号釋迦牟尼如來應供正遍知我於尒
時出過一切諸行具足六波羅蜜所以者何若
菩薩能捨諸相名爲檀波羅蜜能滅諸
所受持名爲尸羅波羅蜜不爲六塵所傷名
爲羼提波羅蜜離諸所行名爲毗梨耶波羅
蜜不憶念一切法名爲禪波羅蜜能忍諸法
无生性名爲般若波羅蜜我於然燈佛所具
足如是六波羅蜜梵天我從初發菩提心已
來所作布施於此五花布施百分不及一百千
分百千万億分乃至筭數譬喻所不能及我
從初發心已來受戒持戒及行頭陀於此常
滅戒百分不及一乃至筭數譬喻所不能及
我從初發心已來衆和忍辱於畢竟忍法
百分不及一乃至筭數譬喻所不能及我從
初發心已來發懃精進於此不取不捨精進
百分不及一乃至筭數譬喻所不能及我從

BD01020 號　思益梵天所問經卷二　（6–2）

滅戒百分不及一乃至筭數
我從初發心已來衆和忍辱於畢竟忍法
百分不及一乃至筭數譬喻所不能及我從
初發心已來發懃精進於此不取不捨精進
百分不及一乃至筭數譬喻所不能及我從
初發心已來禪定獨處於此无住禪定百分
不及一乃至筭數譬喻所不能及我從初發
心已來思惟籌量智慧於此无戲論智慧百
分不及一百千分百千万億分乃至筭數譬喻
所不能及梵天是故當知我尒時得具足
六波羅蜜世尊今云何名爲具六波羅蜜梵
天若不念施不依止戒不分別忍不取精進
不住禪定不二於慧是名具足六波羅蜜又
問具足六波羅蜜已何法佛言具足六
波羅蜜已能滿足薩婆若世尊云何具足六
波羅蜜已能滿足薩婆若梵天布施平等即
是薩婆若平等持戒平等即是薩婆若平
等忍辱平等即是薩婆若平等精進平等
即是薩婆若平等禪定平等即是薩婆若
平等智慧平等即是薩婆若平等以是平
等等一切法名爲薩婆若又梵天具足布施相
持戒忍辱相精進禪定相智慧相是名薩婆
若梵天如是具足六波羅蜜能滿足薩婆若
世尊云何當知滿足薩婆若梵天若不受眼
不受色不受耳不受聲不受鼻不受香不
受舌不受味不受身不受觸不受意不受法

BD01020 號　思益梵天所問經卷二　（6–3）

持戒忍辱相精進禪定相智慧相是名薩婆
若梵天如是具足六波羅蜜能滿足薩婆若
世尊云何當知滿足薩婆若梵天若不受眼
不受色不受耳不受聲不受鼻不受香不
受舌不受味不受身不受觸不受意不受法
若不受是內外二入名為滿足薩婆若我得如
是滿足薩婆若於眼无所着於色耳聲鼻香
舌味身觸意法无所着是故如來名為无㝵
知見薩婆若梵天薩婆若於法无所受何以故
以无用故无用即是无所有義无所有義即是
空如虛空義同虛空相即是薩婆若是故於
法无所受梵天譬如一切所住皆同虛空而虛
空无所依如是諸智慧皆從薩婆若出而薩
婆若无所依梵天白佛言世尊所說薩婆若
薩婆若者為何謂也梵天一切所行是智為真
智非諸聲聞辟支佛所及故名薩婆若諸
有所行皆能成就故名薩婆若能破一切邪念
戲論故名薩婆若諸所教勅諸所防制如此
眾生所行之法皆從中出故名薩婆若得諸
聖智若學智若无學智若辟支佛智皆從中
出故名薩婆若正行故名薩婆若能分別一
切藥故名薩婆若能滅一切眾生病故名薩
婆若能除一切煩惱習氣故名薩婆若常在
定故名薩婆若若一切法中无疑故名薩婆
若一切世間出世間智慧皆從中出故名薩婆若
善知一切智慧方便相故名薩婆若尒時思益

BD01020 號　思益梵天所問經卷二　（6–4）

婆若能除一切煩惱習氣故名薩婆若常在
定故名薩婆若若一切法中无疑故名薩婆
若一切世間出世間智慧皆從中出故名薩婆若
善知一切智慧方便相故名薩婆若尒時思益
梵天白佛言世尊未曾有也世尊諸佛如來
智慧甚深心无所緣而知一切眾生心心所行世
尊薩婆若得如是无量功德其誰善男子
善女人不發阿耨多羅三藐三菩提心
於是網明菩薩白佛言世尊若有菩薩悕望
功德利而發菩提心者不名為發大乘也所以者
何一切法无功德利以无對處故世尊菩薩摩
訶薩不應為功德利故發菩提心但為大悲
心故滅眾生諸煩惱故不自憂苦故生諸善
法故解脫諸邪見故滅除諸病故捨我所貪
着故不觀憎愛故不没世法故歎患有為故安
住涅槃故發菩提心世尊菩薩不應於眾
生求其因報亦不應觀住典不住又於苦樂
心不傾動世尊何謂菩薩家清淨佛言善男
子菩薩若生轉輪聖王家不名清淨若生帝
釋中若生梵王中亦不名清淨在所生處乃至
畜生自不失善根亦令眾生生諸善根是名菩
薩家清淨又網明慈是菩薩家心平等故悲
是菩薩家深心念故喜是菩薩家生法喜故
捨是菩薩家生離貪着故不捨菩提是菩
薩家不貪聲聞辟支佛地故

BD01020 號　思益梵天所問經卷二　（6–5）

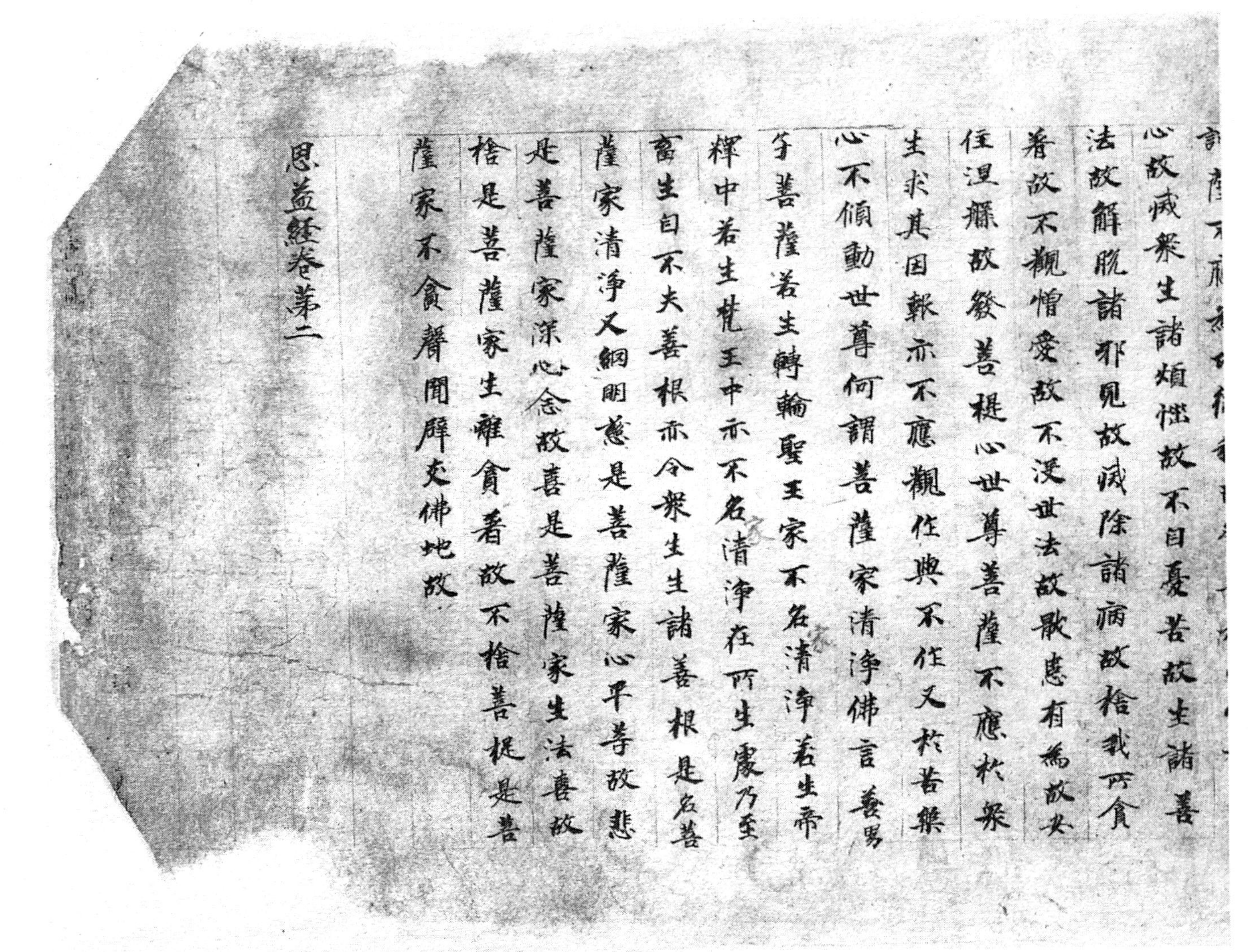
心故滅衆生諸煩惱故不自憂苦故生諸善
法故解脫諸邪見故滅除諸病故捨我所貪
著故不觀憎愛故不没世法故厭患有爲故安
住涅槃故發菩提心世尊菩薩不應於衆
生求其因報亦不應觀作與不作又於菩薩
心不傾動世尊何謂菩薩家清淨佛言善男
子菩薩若生轉輪聖王家不名清淨若生帝
釋中若生梵王中亦不名清淨在所生處乃至
畜生自不失善根亦令衆生生諸善根是名菩
薩家清淨又網明慈是菩薩家心平等故悲
是菩薩家深心念故喜是菩薩家生法喜故
捨是菩薩家離貪著故不捨菩提是菩
薩家不貪聲聞辟支佛地故

思益經卷第二

BD01020號　思益梵天所問經卷二　（6–6）

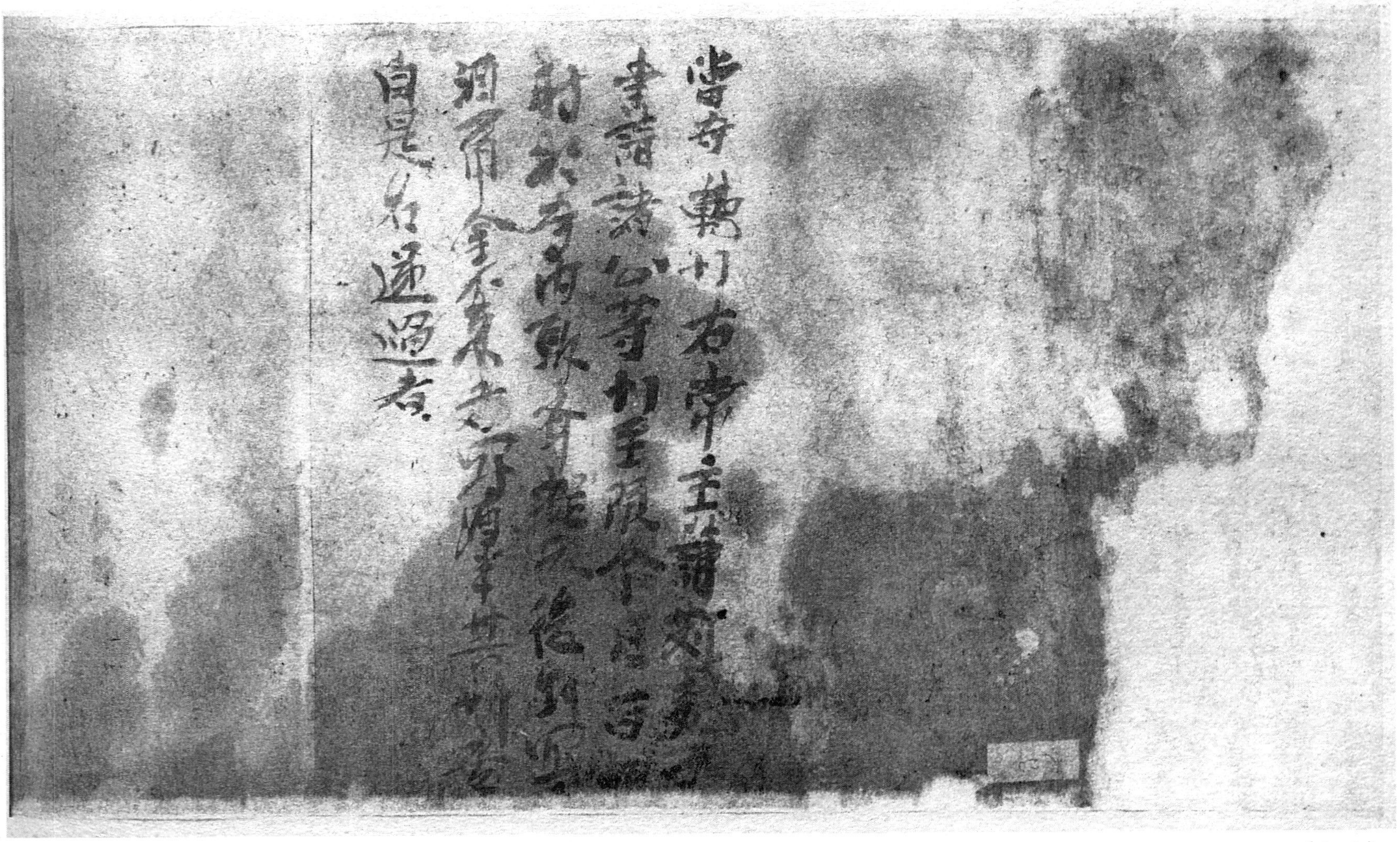

BD01020號背　當寺轉帖　（1–1）

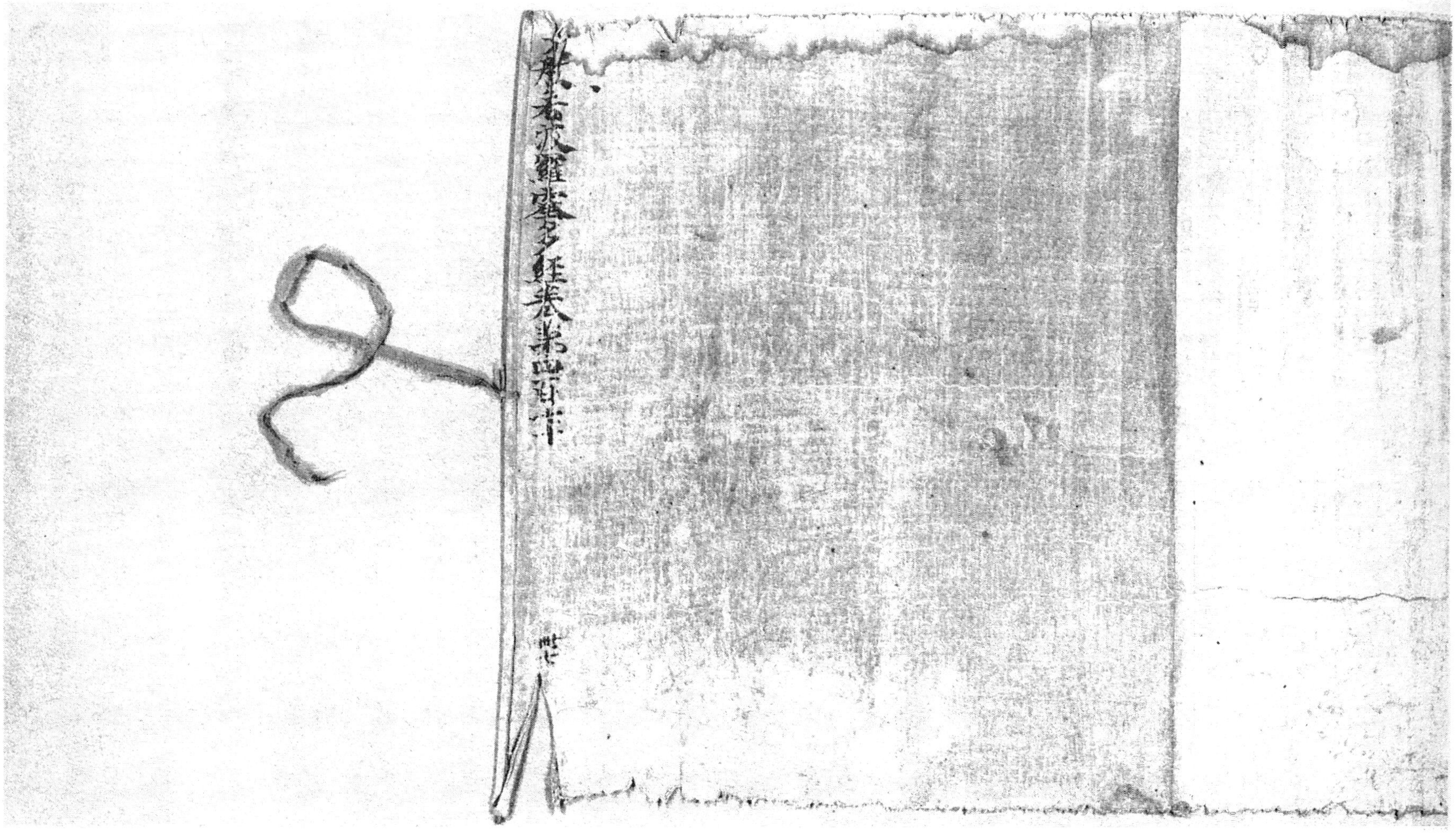

BD01021 號背　大般若波羅蜜多經卷四七〇護首　（1–1）

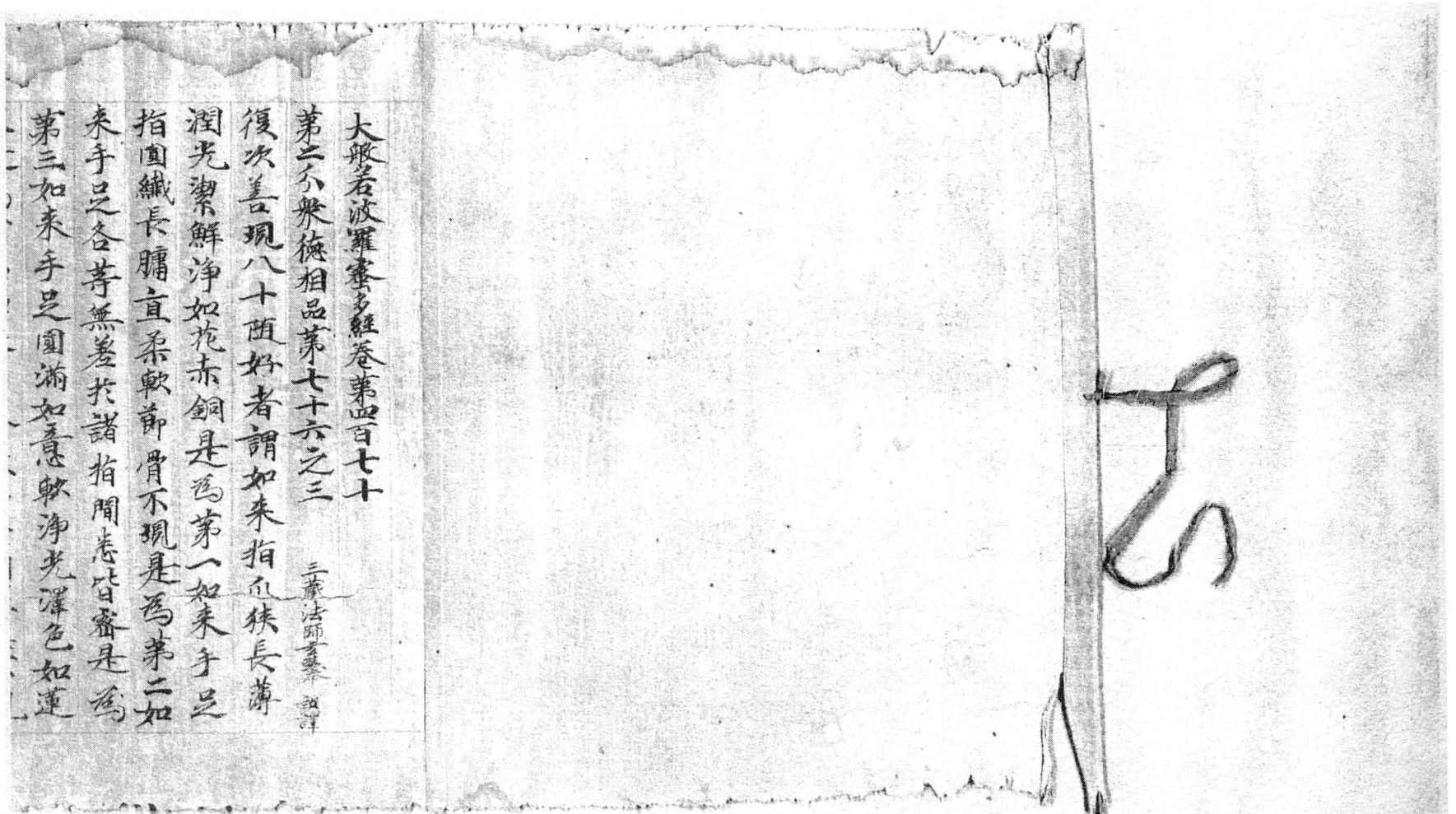

大般若波羅蜜多經卷第四百七十
第二分衆徳相品第七十六之三　三藏法師玄奘奉詔譯
復次善現八十隨好者謂如来指爪狹長薄
潤光潔鮮淨如花赤銅是為第一如来手足
指圓纖長傭直柔軟節骨不現是為第二如
来手足各等無差於諸指間悉皆充密是為
第三如来手足圓滿如意軟淨光澤色如蓮

BD01021 號　大般若波羅蜜多經卷四七〇　（2–1）

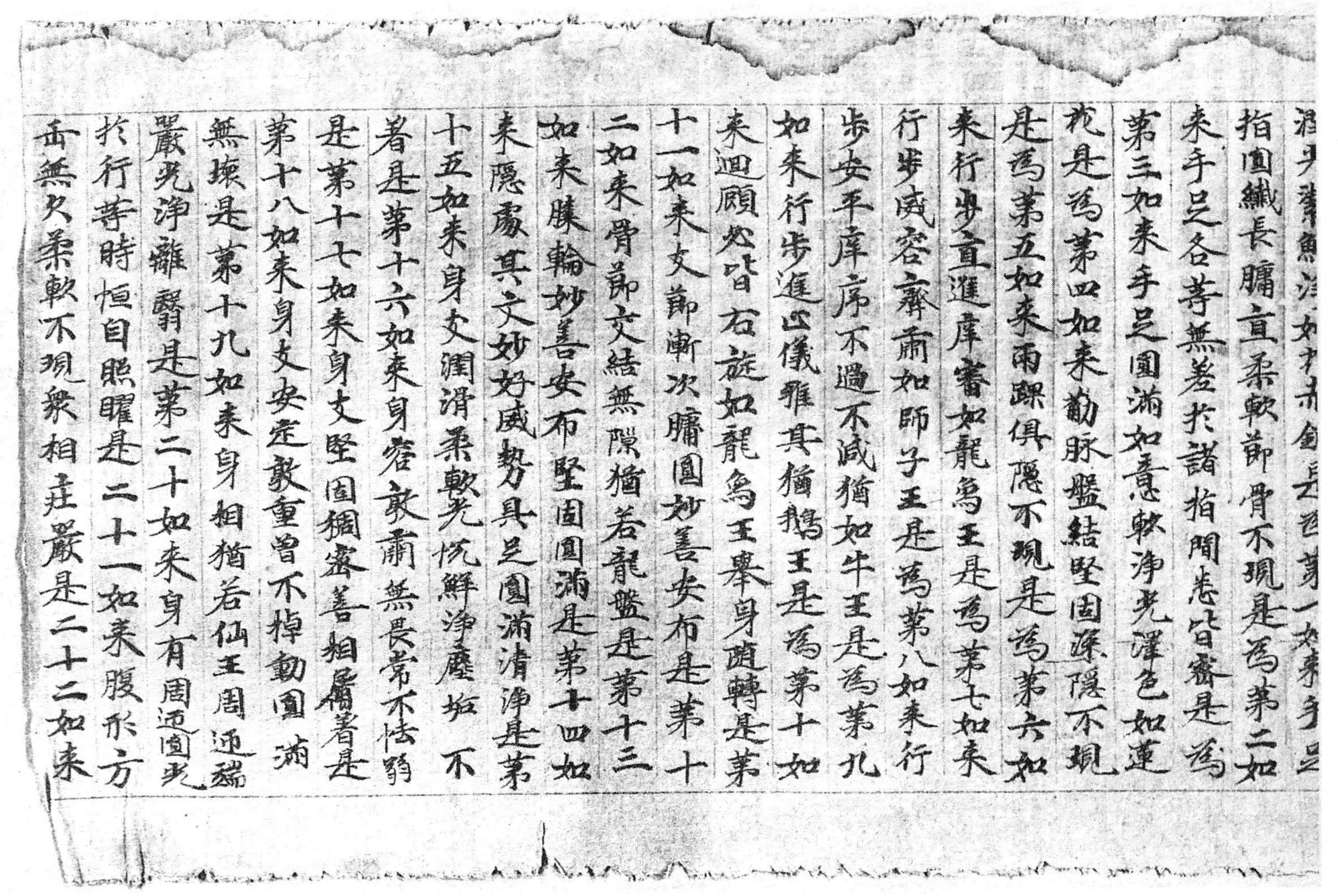
潤光潔鮮淨如花赤銅是為第一如來手足
指圓纖長傭直柔軟節骨不現是為第二如
來手足各等無差於諸指間悉皆充密是為
第三如來手足圓滿如意軟淨光澤色如蓮
花是為第四如來筋脈盤結堅固深隱不現
是為第五如來兩踝俱隱不現是為第六如
來行步直進庠審如龍象王是為第七如來
行步威容齊肅如師子王是為第八如來行
步安平庠序不過不減猶如牛王是為第九
如來行步進止儀雅其猶鵝王是為第十如
來迴顧必皆右旋如龍象王舉身隨轉是第
十一如來支節漸次傭圓妙善安布是第十
二如來骨節交結無隙猶若龍盤是第十三
如來膝輪妙善安布堅固圓滿是第十四如
來隱處其文妙好威勢具足圓滿清淨是第
十五如來身支潤滑柔軟光悅鮮淨塵垢不
著是第十六如來身容敦肅無畏常不怯弱
是第十七如來身支堅固稠密善相屬著是
第十八如來身支安定敦重曾不掉動圓滿
無壞是第十九如來身相猶若仙王周匝端
嚴光淨離翳是第二十如來身有周匝圓光
於行等時恒自照曜是二十一如來腹形方
正無欠柔軟不現眾相莊嚴是二十二如來

BD01021 號　大般若波羅蜜多經卷四七〇　　（2–2）

大般若波羅蜜多經卷第四百六十六

BD01022 號背　大般若波羅蜜多經卷四六六護首　　（1–1）

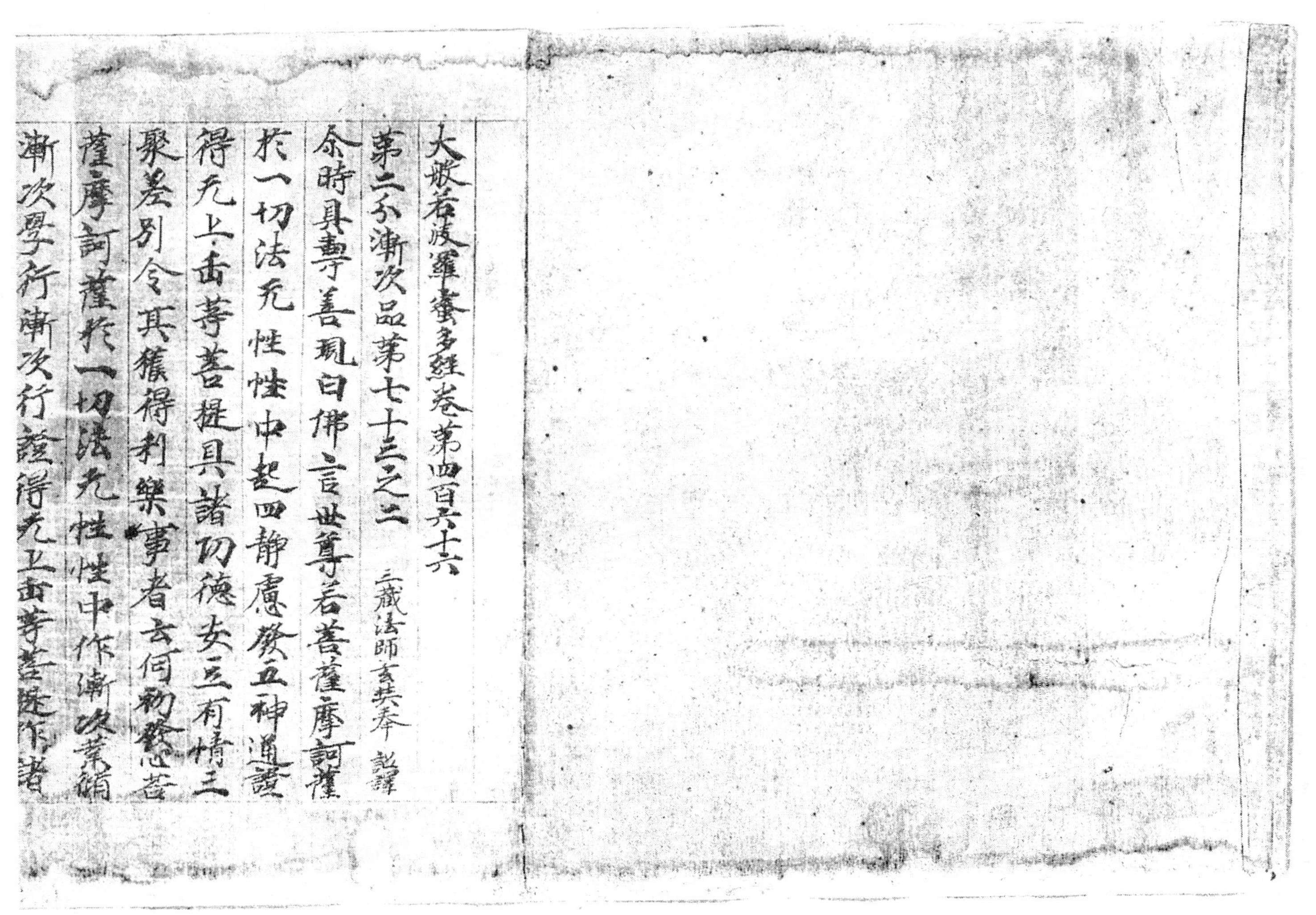

大般若波羅蜜多經卷第四百六十六

第二分漸次品第七十三之二　三藏法師玄奘奉　詔譯

尒時具壽善現白佛言世尊若菩薩摩訶薩
於一切法无性性中起四靜慮發五神通證
得无上正等菩提具諸功德安立有情三
聚差別令其獲得利樂事者云何初發心菩
薩摩訶薩於一切法无性性中作漸次業脩
漸次學行漸次行證得无上正等菩提作諸

BD01022號　大般若波羅蜜多經卷四六六　（3–1）

大般若波羅蜜多經卷第四百六十六

第二分漸次品第七十三之二　三藏法師玄奘奉　詔譯

尒時具壽善現白佛言世尊若菩薩摩訶薩
於一切法无性性中起四靜慮發五神通證
得无上正等菩提具諸功德安立有情三
聚差別令其獲得利樂事者云何初發心菩
薩摩訶薩於一切法无性性中作漸次業脩
漸次學行漸次行證得无上正等菩提作諸
有情勝利樂事佛告善現諸菩薩摩訶薩初
發心位或從佛聞或復從於多供養佛菩薩所
聞及阿羅漢不還一來預流果等賢聖所聞
謂證諸法无性爲性究竟圓滿方名爲佛漸
證諸法无性爲性名爲菩薩乃至預流隨信
諸法无性爲性名賢善士故一切法及諸有
情无不皆以无性爲性法及有情乃至无有
如毛端量自性可得是菩薩摩訶薩聞此事
已作是念言若一切法及諸有情皆以无性
而爲自性證得此故說名爲佛乃至預流隨
信此故名賢善士我於无上正等菩提若當
證得若不證得諸法有情常以无性而爲自
性故我定應發趣无上正等菩提得菩提已
若諸有情行有想者方便安立令住无想是
菩薩摩訶薩作此念已求趣无上正等菩提
普爲有情得涅槃故作漸次業脩漸次學行
漸次行如過去世諸菩薩摩訶薩求趣无上
正等菩提先學漸次業學行故證得无上正

BD01022號　大般若波羅蜜多經卷四六六　（3–2）

發心位或從佛聞或復從於多供養佛菩薩獨
覺及阿羅漢不退一來預流果等賢聖所聞
謂證諸法无性爲性究竟圓滿方名爲佛漸
證諸法无性爲性名爲菩薩乃至預流隨信
諸法无性爲性名賢善士故一切法及諸有
情无不皆以无性爲性法及有情乃至无有
如毛端量自性可得是菩薩摩訶薩聞此事
已作是念言若一切法及諸有情皆以无性
而爲自性證得此故說名爲佛乃至預流隨
信此故名賢善士我於无上正等菩提若當
證得若不證得諸法有情常以无性而爲自
性故我定應發趣无上正等菩提得菩提已
若諸有情行有想者方便安立令住无想是
菩薩摩訶薩作此念已求趣无上正等菩提
普爲有情得涅槃故作漸次業脩漸次學行
漸次行如過去世諸菩薩摩訶薩求趣无上
正等菩提先學漸次業學行故證得无上

BD01022 號　大般若波羅蜜多經卷四六六　（3–3）

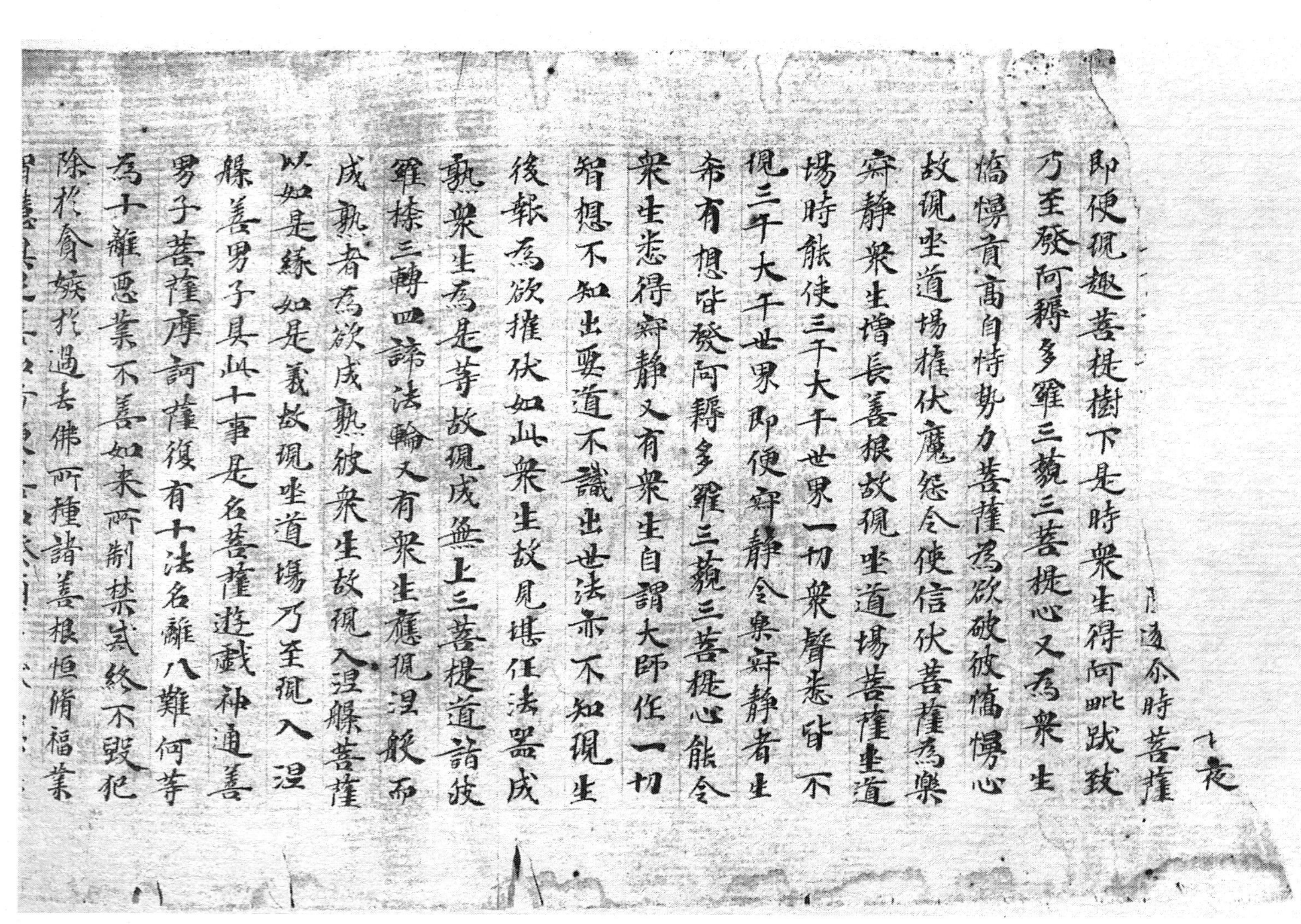
…後爾時菩薩
即便現趣菩提樹下是時衆生得阿毗跋致
乃至發阿耨多羅三藐三菩提心又爲衆生
憍慢貢高自恃勢力菩薩爲欲破彼憍慢心
故現坐道場摧伏魔怨令使信伏菩薩爲樂
寂靜衆生增長善根故現坐道場菩薩坐道
場時能使三千大千世界一切衆聲悉皆不
現三千大千世界即便寂靜令衆寂靜者生
希有想皆發阿耨多羅三藐三菩提心能令
衆生悉得寂靜又有衆生自謂大師作一切
智想不知出要道不識出世法亦不知現生
後報爲欲摧伏如此衆生故見堪任法器成
熟衆生爲是等故現成無上三菩提道諸彼
羅㮈三轉四諦法輪又有衆生應現涅槃而
成熟者爲欲成熟彼衆生故現入涅槃菩薩
以如是緣如是義故現坐道場乃至現入涅
槃善男子具此十事是名菩薩遊戲神通善
男子菩薩摩訶薩復有十法名離八難何等
爲十離惡業不善如來所制禁戒終不毀犯
除於貪嫉於過去佛所種諸善根恒脩福業

BD01023 號　寶雲經卷三　（3–1）

以如是緣如是義故現坐道場乃至現入涅
槃善男子具此十事是名菩薩遊戲神通善
男子菩薩摩訶薩復有十法名離八難何等
爲十離惡業不善如來所制禁戒終不毀犯
除於貪嫉於過去佛所種諸善根恒脩福業
智慧具足善知方便善知發願多猒惡心能
勤精進菩薩不造惡業而入地獄雖處地獄
終不受於地獄苦報所不喜者亦不能惱雖
墮地獄而不久處亦復不生惱害之心菩薩
志性調柔性脩十善以十善故不墮地獄菩
薩不毀佛戒墮畜生中雖現畜生而不受於
畜生之苦菩薩不起貪嫉墮餓鬼中雖現餓
鬼而不受於餓鬼之苦菩薩終不生耶見家
雖生邪見處必遇善知識何以故已於過去
脩諸善故亦於過去佛久殖善根故常生正
見家具善因緣具善因緣故功德增廣菩薩
終不諸根毀缺若根減少不任法器菩薩積
德久遠脩福不倦於諸形像塔寺及法僧中
處處脩福心常不懈以常脩故諸根具足無
有闕少堪爲法器菩薩終不生邊地愚騃聾
瘂諸惡之處譬如白羊愚癡無智而不能識
善惡義趣不任法器亦復不識沙門婆羅門
菩薩生於中國聰慧利根有大智見又心信
樂親近有智而於善惡智分別堪爲法器
深信沙門婆羅門何以故菩薩本脩智慧力
故菩薩不生長壽天若生長壽天不覩佛出

BD01023 號　寶雲經卷三

（3–2）

處處脩福心常不懈以常脩故諸根具足無
有闕少堪爲法器菩薩終不生邊地愚騃聾
瘂諸惡之處譬如白羊愚癡無智而不能識
善惡義趣不任法器亦復不識沙門婆羅門
菩薩生於中國聰慧利根有大智見又心信
樂親近有智而於善惡智分別堪爲法器
深信沙門婆羅門何以故菩薩本脩智慧力
故菩薩不生長壽天若生長壽天不覩佛出
世遠離道果不能成熟衆生是故菩薩生於
欲界佛出世時必當遭遇能化衆生以何因
緣善方便故菩薩終不生於無佛世界亦不
生於不聞法處乃至不生無衆僧可供養處
菩薩生處必遇三寶何以故本誓願力故菩
薩生處必有猒惡心不憍傷而自貢高若聞
八難諸惡之處怨生猒離心不喜樂勤脩精
進具諸善法除滅惡法善男子具此[illegible]
名菩薩離[illegible]

BD01023 號　寶雲經卷三

（3–3）

大方廣佛華嚴經昇兜率天宮品第廿三 卷廿二 新譯
尒時佛神力故十方一切世界一一四天下閻
浮提中皆見如來坐於樹下各有菩薩承佛
神力而演說法靡不自謂恒對於佛尒時世
尊復以神力不離於此菩提樹下及須弥頂
夜摩天宮而往詣於兜率陁天一切妙寶所
莊嚴殿時兜率天王遥見佛來即於殿上
敷摩尼藏師子之座其師子座天諸妙寶之
所集成過去修行善根所得一切如來神力
所現无量百千億那由他阿僧祇善根所生
一切如來淨法所起无邊福力之所嚴瑩清
淨業報不可沮壞觀者欣樂无有猒足是出
世法非世所染一切衆生咸來觀察无有能
得究其妙好有百萬億層級周帀圍遶百萬
億金網百萬億花帳百萬億寶帳百萬億
鬘帳百萬億香帳張施其上花鬘垂下香氣普
熏百萬億花蓋百萬億鬘蓋百萬億寶蓋
諸天執持四面行列百萬億寶衣以敷其上百万
億樓閣綺煥莊嚴百萬億摩尼網百萬億寶
網弥覆其上百萬億寶瓔珞網四面垂下百

BD01024號 大方廣佛華嚴經(唐譯八十卷本)卷二二 (2–1)

百萬億寶帳百萬億
鬘帳百萬億香帳張施其上花鬘垂下香氣普
熏百萬億花蓋百萬億鬘蓋百萬億寶蓋
諸天執持四面行列百萬億寶衣以敷其上百万
億樓閣綺煥莊嚴百萬億摩尼網百萬億寶
網弥覆其上百萬億寶瓔珞網四面垂下百
萬億莊嚴具網百萬億蓋網百万億衣網百
萬億寶帳網以張其上百萬億寶蓮華網開
敷光榮百萬億寶香網其香美妙稱悅衆
心百萬億寶鈴帳其鈴微動出和雅音百萬
億旃檀寶帳香氣普熏百萬億寶花帳其花
敷榮百萬億衆妙色衣帳世所希有百萬億菩
薩帳百萬億雜色帳百万億真金帳百萬億
瑠璃帳百萬億種種寶帳悉張其上百萬億
一切寶帳大摩尼寶以為莊嚴百萬億妙寶
花周迊瑩飾百萬億頻婆帳殊妙閒錯百萬
億寶鬘百萬億香鬘四面垂下百萬億天堅
固香其香普熏百萬億天莊嚴具瓔珞百萬
億寶花瓔珞百萬億勝藏寶瓔珞百萬億摩
尼寶瓔珞百萬億海摩尼寶瓔珞莊嚴座身
百萬億妙寶繒綵以為垂帶百萬億因陁羅
金剛寶百萬億自在摩尼寶百萬億妙色真
金藏以為閒飾百萬億毗盧遮那摩尼寶百
萬億因陁羅摩尼寶光明照曜百萬億天堅

BD01024號 大方廣佛華嚴經(唐譯八十卷本)卷二二 (2–2)

之具及惡網羅煞生之器一切不得畜而菩薩
乃至煞父母尚不加報況煞一切衆生若
故畜刀杖者犯輕垢罪
如是十戒應當學敬心奉持下六品中廣明
佛言佛子爲利養惡心故通國使命軍陣
合會興師相伐煞无量衆生而菩薩不得入
軍中往來況故作國賊若故作者犯輕垢罪
若佛子故販賣良人奴婢六畜市易棺材
板木盛死之具尚不應自作況教人作若故
作者犯輕垢罪
若佛子以惡心故无事謗他良人善人法師
衆僧國王貴人言犯七逆十重於父母兄弟
六親中應生孝順心慈悲心而反更加於逆
害墮不如意處者犯輕垢罪
若佛子以惡心故放大火燒山林曠野四月
乃至九月放火若燒他人屋宅城邑
僧房田木及鬼神官物一切有主物不得故
燒若故燒者犯輕垢罪
若佛子自佛弟子及外道人六親一切善知
識應一一教受持大乘經律應教解義理
使發菩提心十發趣心十長養心十金剛心三
十心中一一解其次第法用而菩薩以惡心瞋

BD01025號　梵網經盧舍那佛說菩薩心地戒品第十卷下　（14–1）

僧房田木及鬼神官物一切有主物不得故
燒若故燒者犯輕垢罪
若佛子自佛弟子及外道人六親一切善知
識應一一教受持大乘經律應教解義理
使發菩提心十發趣心十長養心十金剛心三
十心中一一解其次第法用而菩薩以惡心瞋
心橫教他二乘聲聞外道邪見經律者犯
輕垢罪
若佛子應以好心先學大乘威儀經律
廣開解義味見後新學菩薩有從百里千
里來求大乘經律應如法爲說一切苦行
若燒身燒臂燒指若不燒身臂指供養諸
佛非出家菩薩乃至餓虎狼師子口中一切
餓鬼悉應捨身肉手足而供養之然後一一
次第爲說正法使心開意解而菩薩爲利
養故應答不答倒說經律文字无有前
後謗三寶說者犯輕垢罪
若佛子自爲飲食錢物利養名譽故親
近國王王子大臣百官恃作形勢乞索打拍
牽挽橫取錢物一切求利名爲惡求多求
教他人求都无慈心无孝順心者犯輕垢罪
若佛子應學誦戒者日日六時持菩薩戒
解其義理佛性之性而菩薩不解一句一偈
戒律因緣詐言能解者即爲自欺誑亦
欺誑他人一一不解一切法而爲他人作師受
戒者犯輕垢罪

BD01025號　梵網經盧舍那佛說菩薩心地戒品第十卷下　（14–2）

戒律因緣，詐言能解者，而為自欺誑，亦
欺誑他人。一一不解一切法，而為他人作師受
戒者，犯輕垢罪。
若佛子，以惡心故，見持戒比丘手捉香爐
行菩薩行，而鬬遘兩頭，謗欺賢人，无惡不
造。若故作者，犯輕垢罪。
若佛子，以慈心故，行放生業，應作是念：一切
男子是我父，一切女人是我母，我生生无不
從之受生，故六道眾生皆是我父母。若殺
而食者，即殺我父母，亦殺我故身。一切地水
是我先身，一切火風是我本體，故常行放生
業。是以生生受生，故教人放生。若見世人殺畜
生時，應方便救護，解其苦難，常教化講說
菩薩戒，救度眾生。若父母兄弟死亡之日，應
請法師講菩薩戒經律，福資亡者，得見
諸佛，生人天上。若不尒者，犯輕垢罪。
如是十戒，應當學，敬心奉持。
如法滅罪品中，以明一一戒相。
佛言：佛子，不得以瞋報瞋，以打報打。若殺父
母兄弟六親，不得加報。若國主為他人殺者，
亦不得加報。殺生報生，不順孝道。尚不畜奴
婢，打拍罵辱，日日起三業，口罪无量，况故作七
逆之罪。而出家菩薩，无慈心報讎，乃至六
親故報者，犯輕垢罪。
若佛子，初始出家，未有所解，而自恃聰明
有智，或是高貴年宿，或是大姓高門大解
大富饒財七寶，以此憍慢，而不諮受先學法

BD01025 號　梵網經盧舍那佛說菩薩心地戒品第十卷下　（14–3）

親故報者，犯輕垢罪。
若佛子，初始出家，未有所解，而自恃聰明
有智，或是高貴年宿，或是大姓高門大解
大富饒財七寶，以此憍慢，而不諮受先學法
師經律。其法師者，或小姓年少，卑門貧窮，
諸根不具，而實有德，一切經律盡解，而新
學菩薩不得觀法師種姓而不來諮受
法師第一義諦者，犯輕垢罪。
若佛子，佛滅度後，欲以好心受菩薩戒時，於
諸佛菩薩形像前自誓受戒，當七日佛前
懺悔，得見好相，便得受戒。若不得好相時，
應以二七三七乃至一年，要得好相。得好相
已，便得佛菩薩形像前受戒。若不得好相，
雖佛菩薩形像前受戒，不名得戒。若先受
菩薩戒法師前受戒時，不須要見好相。何
以故？是法師師師相授，故不須好相。是以法
師前受戒，即得戒，以生重心故，便得戒。若
千里內无能受戒師，得佛菩薩形像前受
得戒，而要見好相。若法師自倚解經律大
乘學戒，與國王太子百官以為善友，而新
學菩薩來問若經義律義，輕心惡心慢
心，不一一好答問者，犯輕垢罪。
若佛子，有佛經律大乘法正見正性正法
身，而不能勤學修習，而捨七寶，反學邪
見二乘外道俗典、阿毗曇雜論、一切書記，是
斷佛性，障道因緣，非行菩薩道。若故作
者，犯輕垢罪。

BD01025 號　梵網經盧舍那佛說菩薩心地戒品第十卷下　（14–4）

見二乘外道俗典阿毗曇雜論一切書記是
斷佛性障道因緣非行菩薩道若故作
者犯輕垢罪
若佛子佛滅度後爲說法主爲僧房主教
化主坐禪主行來主應生慈心善和鬪諍
善守護三寶物莫无度用如自己有而反
亂衆鬪諍恣心用三寶物者犯輕垢罪
若佛子先在僧房中住後見客菩薩比丘
來入僧房舍宅城邑若國王宅舍中乃至
夏坐安居處及大會中而先住僧應迎來
送去飲食供養房舍臥具繩牀木牀事事
給與若无有物應賣自身及男女身割自
身肉賣供給所須悉以與之若有檀越來
請衆僧客僧有利養分僧房主應次第差
客僧受請而先住僧獨受請而不差客僧
者房主得无量罪畜生无異非沙門非釋
種性若故作者犯輕垢罪
若佛子一切不得受別請利養入己而此利
養屬十方僧而別受請即取十方僧物入己
八福田中諸佛聖人一一師僧父母病人物自
己用故犯輕垢罪
若佛子有出家菩薩在家菩薩及一切檀
越請僧福田求願之時應入僧房中問知事
人今欲次第請者即得十方賢聖僧而世人
別請五百羅漢菩薩僧不如僧次一凡夫僧
若別請僧者是外道法七佛无別請法不
順孝道若故別請僧者犯輕垢罪

BD01025 號　梵網經盧舍那佛說菩薩心地戒品第十卷下　（14–5）

別請五百羅漢菩薩僧不如僧次一凡夫僧
若別請僧者是外道法七佛无別請法不
順孝道若故別請僧者犯輕垢罪
若佛子以惡心故爲利養故販賣男女色
自手作食自磨自舂占相男女解夢吉凶
是男是女呪術工巧調鷹方法和合百種毒
藥千種毒藥虵毒生金銀毒蠱毒都无慈
心无孝順心者犯輕垢罪
若佛子以惡心故自身謗三寶詐現親附口
便說空行在有中爲白衣通致男女交會
婬色作諸縛著於六齋日年三長齋月作
煞生劫盜破齋犯戒者犯輕垢罪
如是十戒應當學敬心奉持　制戒品中廣解
佛言佛子佛滅度後於惡世中若見外道
一切惡人劫賊賣佛菩薩父母形像販賣經
律販賣比丘比丘尼亦賣發菩提心行菩
薩人或爲官使與一切人作奴婢者而菩
薩見是事已應生慈心方便救護處處
教化取物贖佛菩薩父母形像及比丘比丘
尼發心菩薩一切經律若不贖者犯輕垢罪
若佛子不得畜刀杖弓箭販賣輕秤小斗
因官形勢取人財物害心繫縛破壞成功
長養猫狸猪狗若故養者犯輕垢罪
若佛子以惡心故觀一切男女等鬪軍陣
兵將劫賊等鬪亦不得聽吹貝鼓角琴瑟
箏笛箜篌歌叫伎樂之聲不得樗蒲圍碁

BD01025 號　梵網經盧舍那佛說菩薩心地戒品第十卷下　（14–6）

長養猫狸猪狗若故養者犯輕垢罪
若佛子以惡心故觀一切男女等鬪軍陣
兵將劫賊等鬪亦不得聽吹貝鼓角琴瑟
箏笛箜篌歌叫伎樂之聲不得樗蒱圍碁
羅塞戲彈碁六博拍毱擲石投壺八道行
城抓鏡芝草揚枝鉢盂髑髏而作卜筮不
作盜賊使命一一不得作若故作者犯輕垢罪
若佛子護持禁戒行住坐臥日夜六時讀誦
是戒猶如金剛如帶持浮囊欲度大海如
草繫比丘常生大乘善信自知我是未成之
佛諸佛是已成之佛發菩提心念念不去心
若起一念二乘外道心者犯輕垢罪
若佛子常應發一切願孝順父母師僧三寶
常願得好師同學善友知識常教我大乘
經律十發趣十長養十金剛十地使我開解
如法修行堅持佛戒寧捨身命念念不
去心若一切菩薩不發是願者犯輕垢罪
若佛子發十大願已持佛禁戒作是願言寧
以此身投熾然猛火大坑刀山終不毀犯
三世諸佛經律與一切女人作不淨行復作
是願寧以熱鐵羅網千重周帀纏身終不
以此破戒之身受於信心檀越一切衣服復
作是願寧以此口吞熱鐵丸及大流猛火
經百千劫終不以此破戒之口食於信心檀
越百味飲食復作是願寧以此身臥大
猛火羅網熱鐵地上終不以此破戒之身受

BD01025號　梵網經盧舍那佛說菩薩心地戒品第十卷下　（14–7）

經百千劫終不以此破戒之口食於信心檀
越百味飲食復作是願寧以此身臥大
猛火羅網熱鐵地上終不以此破戒之身受
於信心檀越百種床座復作是願寧以此
身受三百鉾刺身經一劫二劫終不以此破
戒之身受於信心檀越百味醫藥復作是
願寧以此身投熱鐵鑊經百千劫終不以
此破戒之身受於信心檀越千種房舍屋
宅園林田地復作是願寧以鐵鎚打碎此
身從頭至足令如微塵終不以此破戒之身受
於信心檀越恭敬禮拜復作是願寧以百
千熱鐵刀鉾挑其兩目終不以此破戒之心視
他好色復作是願寧以百千鐵錐遍身擿
刾耳根經一劫二劫終不以此破戒之心聽好
音聲復作是願寧以百千刃刀割去其鼻
終不以此破戒之心貪嗅諸香復作是願寧
以百千刃刀割斷其舌終不以此破戒之心食
人百味淨食復作是願寧以利斧斬斫其
身終不以此破戒之心貪著好觸復作是
願願一切衆生悉得成佛菩薩若不發是
願者犯輕垢罪
若佛子常應二時頭陀冬夏坐禪結夏安
居常用楊枝澡豆三衣瓶鉢坐具錫杖香
爐漉水囊手巾刀子火燧鑷子繩牀經律
佛像菩薩像而菩薩行頭陀時及遊方時

BD01025號　梵網經盧舍那佛說菩薩心地戒品第十卷下　（14–8）

爐漉水囊手巾刀子火燧鑷子繩牀經律
佛像菩薩像而菩薩行頭陁時及遊方時
行来時百里千里此十八種物常隨其身
頭陁者從正月十五日至三月十五日八月十
五日至十月十五日是二時中此十八種物常
隨其身如鳥二翼若布薩日新學菩薩
半月半月布薩誦十重四十八輕戒若誦戒
時當於諸佛菩薩形像前誦一人布薩即
一人誦若二若三乃至百千人亦一人誦誦
者高座聽者下坐各各披九條七條五條袈
裟若結夏安居亦應一一如法若行頭陁
時莫入難處若國難惡王土地高下草木深
邃師子虎狼水火風難及以劫賊道路毒
虵一切難處悉不得入頭陁行道乃至
夏座安居是諸難處皆不得入況行頭
陁者若見難處故入者犯輕垢罪
若佛子應如法次第坐先受戒者在前坐
後受戒者在後坐不問老少比丘比丘尼
貴人國王王子乃至黄門奴婢皆應先受
戒者在前坐後受戒者次第而坐莫如外
道癡人若老若少无前无後坐无次第如
兵奴之法我佛法中先者先坐後者後坐
而菩薩一一不如法次第坐者犯輕垢罪
若佛子常應教化一切衆生建立僧坊山林
園田立作佛塔冬夏安居坐禪處所一切行
道處皆應立之而菩薩應為一切衆生講

BD01025號　梵網經盧舍那佛說菩薩心地戒品第十卷下　（14–9）

而菩薩一一不如法次第坐者犯輕垢罪
若佛子常應教化一切衆生建立僧坊山林
園田立作佛塔冬夏安居坐禪處所一切行
道處皆應立之而菩薩應為一切衆生講
說大乘經律若疾病國難賊難父母兄弟
和上阿闍梨亡滅之日及三七日四五七日亦
講大乘經律一切齋會求願行来持生大
火所燒大水所漂黑風所吹船舫江河大
海羅刹之難亦讀誦講說此經律乃至一切
罪報三惡八難七逆杻械枷鏁繫縛其
身多婬多瞋多愚癡多疾病皆應講
此經律而新學菩薩若不尒者犯輕垢罪
如是九戒應當學敬心奉持梵壇品當說
佛言佛子與人受戒時不得簡擇一切國
王王子大臣百官比丘比丘尼信男信女婬男
婬女十八梵六欲天无根二根黄門奴婢一
切鬼神盡得受戒應教身所著袈裟皆
使壞色與道相應皆染使青黄赤黑紫
色一切染衣乃至卧具盡以壞色身所著
衣一切染色若一切國土中國人所著衣服
比丘皆應與其國土衣服色異與俗服有
異若欲受戒時師應問言汝現身不作七
逆罪耶菩薩法師不得與七逆人現身
受戒七逆者出佛身血煞父煞母煞和上煞
阿闍梨破羯磨轉法輪僧煞聖人若具七
遮即現身不得戒餘一切人盡得受戒出
家人法不向國王禮拜不向父母禮拜六親

BD01025號　梵網經盧舍那佛說菩薩心地戒品第十卷下　（14–10）

受戒七遮者出佛身血殺父殺母殺和上殺
阿闍梨破羯磨轉法輪僧殺聖人若具七
遮即現身不得戒餘一切人盡得受戒出
家人法不向國王礼拜不向父母礼拜六親
不敬鬼神不礼拜但解法師語有百里千
里来求法者而菩薩法師以惡心瞋心而不
即與授一切衆生戒者犯輕垢罪
若佛子教化人起信心時菩薩與他人作教
戒法師者見欲受戒人應教請二師和上
阿闍梨二師應問言汝有七遮罪不若現
身有七遮罪者師不應與受戒若无七遮
者得與受戒若有犯十戒者應教懺悔在
佛菩薩形像前日夜六時誦十重四十八輕
戒若到礼三世千佛得見好相若一七日二
三七日乃至一年要見好相好相者佛来摩
頂見光見華種種異相便得滅罪若无好相
雖懺无益是人現身亦不得戒而得增受
若犯四十八輕戒者對手懺悔罪便得滅
不同七遮而教戒師於是法中一一好解若
不解大乘經律若輕若重是非之相不解
第一義諦習種性長養性性種性不可壞
懷道種性正法性其中多少觀行出入十
禪支一切行法一一不得此法中意而菩薩
為利養故為名聞故惡求多求貪利弟
子而詐現解一切經律為供養故是自欺
詐亦欺詐他人故與人受戒者犯輕垢罪
若佛子不得為利養故於未受菩薩戒
者前若外道惡人前說此七佛大戒邪見

BD01025號　梵網經盧舍那佛說菩薩心地戒品第十卷下　（14–11）

子而詐現解一切經律為供養故是自欺
詐亦欺詐他人故與人受戒者犯輕垢罪
若佛子不得為利養故於未受菩薩戒
者前若外道惡人前說此七佛大戒邪見
人前亦不得說除國王餘一切不得說是
惡人輩不受佛戒名為畜生生生之處不
見三寶如木石无心名為外道邪見人輩木
頭无異而菩薩於是惡人前說七佛教戒者
犯輕垢罪
若佛子信心出家受佛正戒故起心毀犯
聖戒者不得受一切檀越供養亦不得於
國王地上行不得飲國王水五千大鬼常
遮其前鬼言大賊若入房舍城邑宅中鬼
復常掃其脚跡一切世人咸皆罵言佛法
中賊一切衆生眼不欲見犯戒之人如畜生
无異若毀正戒者犯輕垢罪
若佛子常應一心受持讀誦大乘經律剥
皮為紙刺血為墨以髓為水析骨為筆書
寫佛戒木皮穀紙絹素竹帛亦悉書持
常以七寶无價香華一切雜寶為箱囊盛
經律卷若不如法供養者犯輕垢罪
若佛子常起大悲心若入一切城邑舍宅見
一切衆生應當唱言汝等衆生盡應受
三歸十戒若見牛馬猪羊一切畜生應心念
口言汝是畜生發菩提心而菩薩入一切處
山林川野皆使一切衆生發菩提心是菩薩
若不發教化衆生心者犯輕垢罪
若佛子常行教化起大悲心若入檀越貴

BD01025號　梵網經盧舍那佛說菩薩心地戒品第十卷下　（14–12）

口言汝是畜生發菩提心而菩薩入一切處
山林川野皆使一切衆生發菩提心是菩薩
若不發教化衆生心者犯輕垢罪
若佛子常行教化起大悲心若入檀越貴
人家一切衆中不得立爲白衣說法應在
白衣四衆前高座上坐法師比丘不得地立爲
四衆白衣說法若說法時法師高座香華
供養四衆聽者下座而坐教如孝順父母敬順
法師教如事火婆羅門其說法者若不如
法說者犯輕垢罪
若佛子皆以信心受戒者若國王太子百官
四部弟子莫自恃高貴破滅佛法戒律明
作制法制我四部弟子不聽出家行道亦復
不聽造立形像佛塔經律立統官制衆使
安籍記僧比丘菩薩地立白衣高座廣行非
法如兵奴事主而菩薩正應受一切人供養
而反爲官走使非法非律若國王百官好心
受佛戒者莫作是破三寶之罪若故作破
法者犯輕垢罪
若佛子以好心出家而爲名聞利養於國
王百官前說佛戒橫與比丘比丘尼菩薩
弟子作繫縛事如獄囚法如兵奴法如師子
身中虫自食師子肉非餘外虫如是佛子自
破佛法非外道天魔能破若受佛戒者應
護佛戒如念一子如事父母不可毀破若菩
薩而聞外道惡人以惡言謗破佛戒之時
如三百鉾刺心千刀万杖打拍其身等无

BD01025號　梵網經盧舍那佛說菩薩心地戒品第十卷下　（14–13）

破佛法非外道天魔能破若受佛戒者應
護佛戒如念一子如事父母不可毀破若菩
薩而聞外道惡人以惡言謗破佛戒之時
如三百鉾刺心千刀万杖打拍其身等无
有異寧自入地獄經於百劫而不一聞惡
言破佛戒之聲而況自破佛戒教人破法因
緣亦无孝順之心若故作者犯輕垢罪
如是九戒應當學敬心奉持
諸佛子是四十八輕戒汝等受持過去諸
菩薩已誦未來諸菩薩當誦現在諸菩
薩今誦諸佛子聽十重四十八輕戒三世諸
佛已誦當誦今誦我今亦如是誦汝等一切大
衆若國王王子百官比丘比丘尼信男信女
受持菩薩戒者應受持讀誦解說書寫
佛性常住戒卷流通三世一切衆生化化不
絕得見千佛爲佛佛授手世世不墮惡道
八難常生人道天中我今在此樹下略開七
佛法戒汝等大衆當一心學波羅提木叉歡
喜奉行如无相天王品勸學中一一廣明
三千學仕時坐聽者聞佛自誦心心頂戴
喜躍受持

BD01025號　梵網經盧舍那佛說菩薩心地戒品第十卷下　（14–14）

BD01025號背　藏文　（1–1）

若不攝受一切智若不攝受道相智一切相
智若不攝受一切陀羅尼門若不攝受一切
三摩地門若不攝受一切菩薩摩訶薩行若
不攝受諸佛無上正等菩提善現當知如是
住菩薩乘諸善男子善女人等中道衰敗不
證無上正等菩提退入聲聞或獨覺地
善現如人欲度險惡曠野若能攝受
具必當達到安樂國土終不中道遭苦惱
如是善現住菩薩乘諸善男子善女人等
於無上正等菩提有信有忍有淨心有深
有樂欲有勝解有捨有精進復能攝受甚
般若波羅蜜多復能攝受靜慮精進安忍
戒布施波羅蜜多復能攝受內空復能攝受
外空內外空空空大空勝義空有為空無為
空畢竟空無際空散空無變異空本性空自
相空共相空一切法空不可得空無性空自性
空無性自性空復能攝受真如復能攝受法
界法性不虛妄性不變異性平等性離生性
法定法住實際虛空界不思議界復能攝受

BD01026號　大般若波羅蜜多經卷三一二　（2–1）

有樂欲有勝解有捨有精進復能攝受甚
般若波羅蜜多復能攝受静慮精進安忍
戒布施波羅蜜多復能攝受內空復能攝受
外空內外空空空大空勝義空有為空無為
空畢竟空無際空散空無變異空本性空自
相空共相空一切法空不可得空無性空自性
空無性自性空復能攝受真如復能攝受法
界法性不虛妄性不變異性平等性離生性
法定法住實際虛空界不思議界復能攝受
苦聖諦復能攝受集滅道聖諦復能攝受四
静慮復能攝受四無量四無色定復能攝受
八解脫復能攝受八勝處九次第定十遍處
復能攝受四念住復能攝受四正斷四神足
五根五力七等覺支八聖道支復能攝受空
解脫門復能攝受無相無願解脫門復能攝
受菩薩十地復能攝受五眼復能攝受六神
通復能攝受佛十力復能攝受四無所畏四
無礙解大慈大悲大喜大捨十八佛不共法

BD01026 號　大般若波羅蜜多經卷三一二　（2–2）

BD01026 號背　勘記　（1–1）

諸菩薩摩訶薩由此智故雖脩四念住而不
得四念住雖脩四正斷四神足五根五力七
等覺支八聖道支而不得四正斷乃至八聖
道支諸菩薩摩訶薩由此智故雖住苦聖諦
而不得苦聖諦雖住集滅道聖諦而不得集
滅道聖諦諸菩薩摩訶薩由此智故雖脩四
靜慮而不得四靜慮雖脩四無量四無色定
而不得四無量四無色定諸菩薩摩訶薩由
此智故雖脩八解脫而不得八解脫雖脩八
勝處九次第定十遍處而不得八勝處九次
第定十遍處諸菩薩摩訶薩由此智故雖脩
空解脫門而不得空解脫門雖脩無相無願
解脫門而不得無相無願解脫門諸菩薩摩
訶薩由此智故雖脩一切陀羅尼門而不得
一切陀羅尼門雖脩一切三摩地門而不得
一切三摩地門諸菩薩摩訶薩由此智故雖
修極喜地而不得極喜地雖修離垢地發光
地焰慧地極難勝地現前地遠行地不動地
善慧地法雲地而不得離垢地乃至法雲地
諸菩薩摩訶薩由此智故雖修五眼而不得

BD01027號　大般若波羅蜜多經卷八　（4–1）

一切三摩地門諸菩薩摩訶薩由此智故雖
修極喜地而不得極喜地雖修離垢地發光
地焰慧地極難勝地現前地遠行地不動地
善慧地法雲地而不得離垢地乃至法雲地
諸菩薩摩訶薩由此智故雖修五眼而不得
五眼雖修六神通而不得六神通諸菩薩摩
訶薩由此智故雖修佛十力而不得佛十力
雖脩四無所畏四無礙解大慈大悲大喜大
捨十八佛不共法而不得四無所畏乃至十
八佛不共法諸菩薩摩訶薩由此智故雖脩
三十二大士相而不得三十二大士相雖脩
八十隨好而不得八十隨好諸菩薩摩訶薩
由此智故雖修無忘失法而不得無忘失法
雖脩恒住捨性而不得恒住捨性諸菩薩摩
訶薩由此智故雖脩一切智而不得一切智
雖脩道相智一切相智而不得道相智一切相
智諸菩薩摩訶薩由此智故雖脩一切菩薩
摩訶薩行而不得一切菩薩摩訶薩行雖脩
諸佛無上正等菩提而不得諸佛無上正等
菩提舍利子是名菩薩摩訶薩所成勝智
諸菩薩摩訶薩由成此智速能圓滿一切佛
法雖能圓滿一切佛法而於諸法無執無取
以一切法自性空故
復次舍利子有菩薩摩訶薩脩行布施淨戒
安忍精進靜慮般若波羅蜜多得淨五眼何
等為五所謂肉眼天眼慧眼法眼佛眼尒時

BD01027號　大般若波羅蜜多經卷八　（4–2）

復次舍利子有菩薩摩訶薩脩行布施淨戒
安忍精進靜慮般若波羅蜜多得淨五眼何
等為五所謂肉眼天眼慧眼法眼佛眼尒時
舍利子白佛言世尊云何菩薩摩訶薩得淨
肉眼佛告具壽舍利子言舍利子有菩薩摩
訶薩得淨肉眼明了能見百踰繕那有菩薩
摩訶薩得淨肉眼明了能見二百踰繕那有
菩薩摩訶薩得淨肉眼明了能見三百踰繕
那有菩薩摩訶薩得淨肉眼明了能見四百
五百六百乃至千踰繕那有菩薩摩訶薩得
淨肉眼明了能見一贍部洲有菩薩摩訶薩
得淨肉眼明了能見二大洲界有菩薩摩訶
薩得淨肉眼明了能見三大洲界有菩薩
摩訶薩得淨肉眼明了能見四大洲界有菩薩
摩訶薩得淨肉眼明了能見小千世界有菩薩
摩訶薩得淨肉眼明了能見中千世界有菩
薩摩訶薩得淨肉眼明了能見大千世界舍
利子是為菩薩摩訶薩得淨肉眼
尒時舍利子復白佛言世尊云何菩薩摩訶
薩得淨天眼佛告具壽舍利子言舍利子諸
菩薩摩訶薩得淨天眼能見一切四大王衆
天天眼所見亦如實知能見一切三十三天夜
魔天覩史多天樂變化天他化自在天天眼
所見亦如實知諸菩薩摩訶薩得淨天眼能
見一切梵衆天天眼所見亦如實知能見一切
梵輔天梵會天大梵天天眼所見亦如實

BD01027號　大般若波羅蜜多經卷八　（4–3）

魔天覩史多天樂變化天他化自在天天眼
所見亦如實知諸菩薩摩訶薩得淨天眼能
見一切梵衆天天眼所見亦如實知能見一切
梵輔天梵會天大梵天天眼所見亦如實
知諸菩薩摩訶薩得淨天眼能見一切光
天天眼所見亦如實知能見一切少光天無量
光天極光淨天天眼所見亦如實知諸菩
薩摩訶薩得淨天眼能見一切淨天天眼所
見亦如實知能見一切少淨天無量淨天遍
淨天天眼所見亦如實知諸菩薩摩訶薩
得淨天眼能見一切廣天天眼所見亦如實知
能見一切少廣天無量廣天廣果天天眼所
見亦如實知諸菩薩摩訶薩得淨天眼能見
一切無想有情天天眼所見亦如實知諸菩
薩摩訶薩得淨天眼能見一切無繁天天眼
所見亦如實知能見一切無熱天善現天善
見天色究竟天天眼所見亦如實知舍利子
有菩薩摩訶薩天眼所見一切四大王衆天
乃至色究竟天所得天眼皆不能見亦不能
知舍利子諸菩薩摩訶薩得淨天眼能見
十方殑伽沙等諸世界中諸有情類死此生
彼亦如實知舍利子是為菩薩摩訶薩得淨
天眼
尒時舍利子復白佛言世尊云何菩薩摩訶

BD01027號　大般若波羅蜜多經卷八　（4–4）

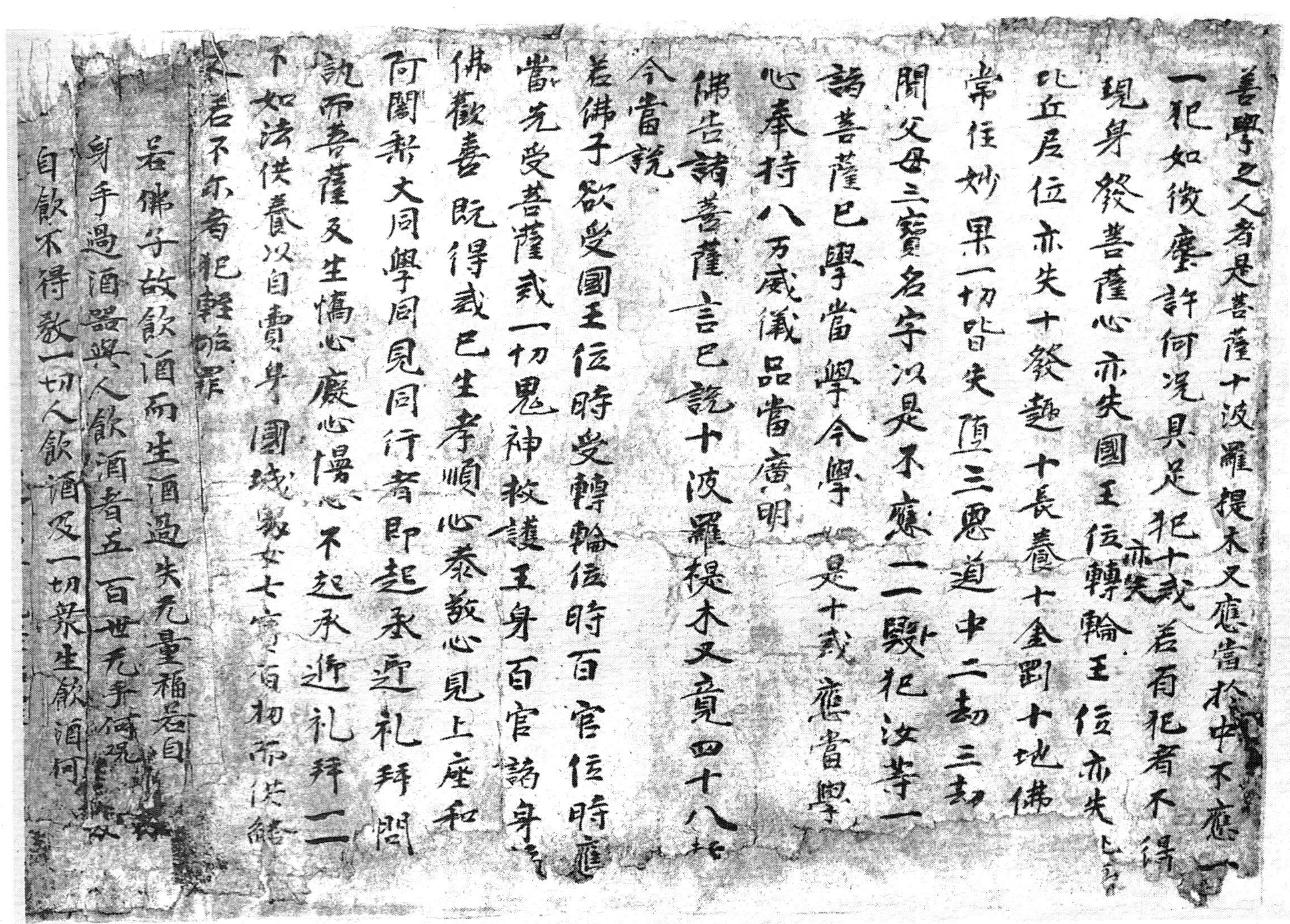

善學之人者是菩薩十波羅提木叉應當於中不應一
一犯如微塵許何况具足犯十戒若有犯者不得
現身發菩薩心亦失國王位轉輪王位亦失
比丘尼位亦失十發趣十長養十金剛十地佛
常住妙果一切皆失墮三惡道中二劫三劫
聞父母三寶名字以是不應一一毀犯汝等一
諸菩薩已學當學今學如是十戒應當學
心奉持八万威儀品當廣明
佛告諸菩薩言已說十波羅提木叉竟四十八輕
今當說
若佛子欲受國王位時受轉輪位時百官位時應
當先受菩薩戒一切鬼神救護王身百官諸身
佛歡喜既得戒已生孝順心恭敬心見上座和
尚阿闍梨大同學同見同行者即起承迎禮拜問
訊而菩薩反生憍心癡心慢心不起承迎禮拜一一
不如法供養以自賣身國城男女七寶百物而供給
之若不介者犯輕垢罪
若佛子故飲酒而生酒過失无量若自
身手過酒器與人飲酒者五百世无手何况
自飲不得教一切人飲酒及一切眾生飲酒何

BD01028 號　梵網經盧舍那佛說菩薩心地戒品第十卷下　（3-1）

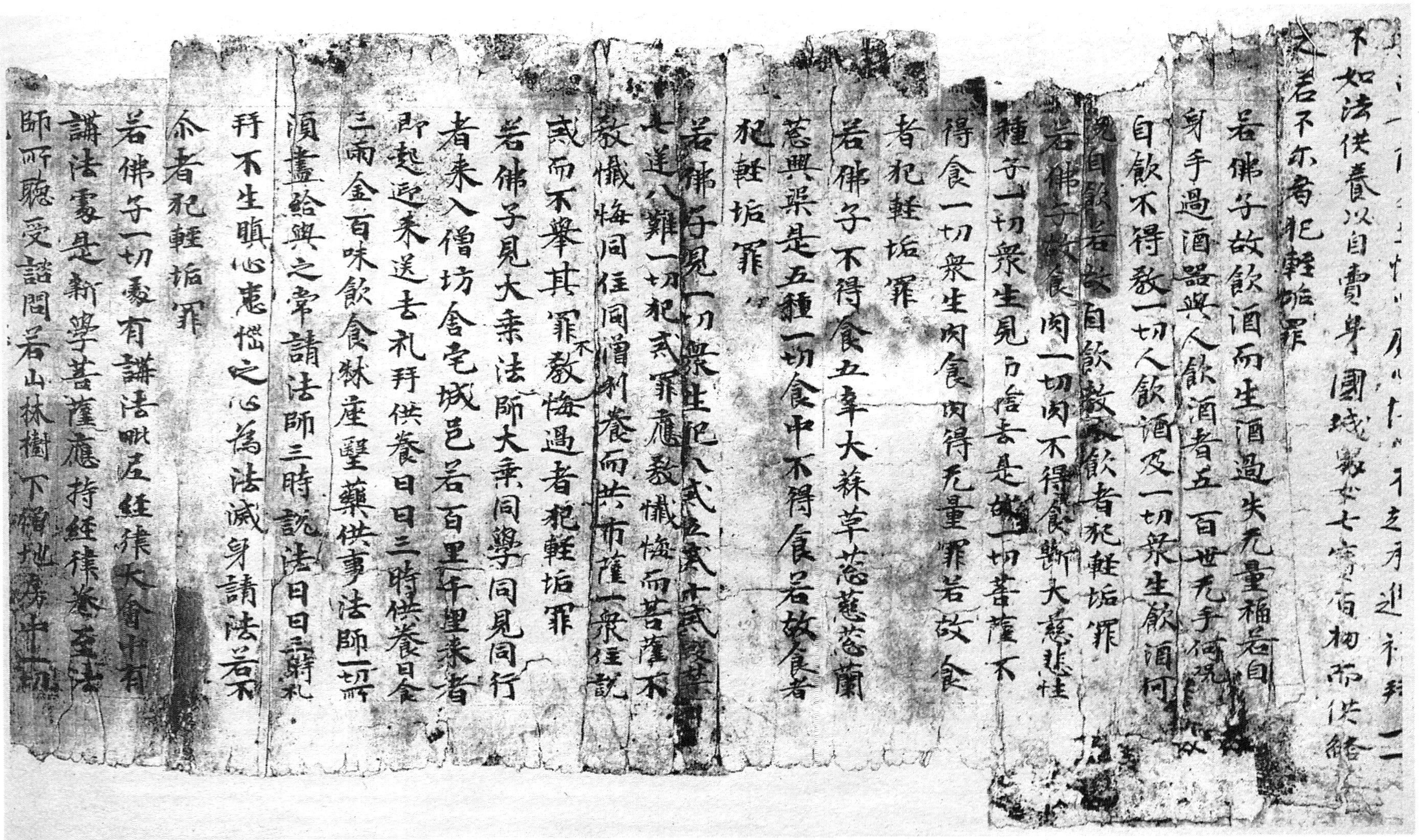

不如法供養以自賣身國城男女七寶百物而供給
之若不介者犯輕垢罪
若佛子故飲酒而生酒過失无量若自
身手過酒器與人飲酒者五百世无手何况
自飲不得教一切人飲酒及一切眾生飲酒何
况自飲若故自飲教人飲者犯輕垢罪
若佛子故食肉一切肉不得食斷大慈悲性
種子一切眾生見而捨去是故一切菩薩不
得食一切眾生肉食肉得无量罪若故食
者犯輕垢罪
若佛子不得食五辛大蒜革葱慈葱蘭
葱興渠是五種一切食中不得食若故食者
犯輕垢罪
若佛子見一切眾生犯八戒五戒十戒毀禁
七逆八難一切犯戒罪應教懺悔而菩薩不
教懺悔同住同僧利養而共布薩一眾住說
戒而不舉其罪不教悔過者犯輕垢罪
若佛子見大乘法師大乘同學同見同行
者來入僧坊舍宅城邑若百里千里來者
即起迎來送去禮拜供養日日三時供養日食
三兩金百味飲食牀座醫藥供事法師一切所
須盡給與之常請法師三時說法日日三時禮
拜不生瞋心患惱之心為法滅身請法若不
介者犯輕垢罪
若佛子一切處有講法毗尼經律大會中有
講法處是新學菩薩應持經律卷至法
師所聽受諮問若山林樹下僧地房中一切

BD01028 號　梵網經盧舍那佛說菩薩心地戒品第十卷下　（3-2）

佛所說義无有定法名阿耨多羅三藐三菩
提亦无有定法如來可說何以故如來所說
法皆不可取不可說非法非非法所以者何
一切賢聖皆以无為法而有差別
須菩提於意云何若人滿三千大千世界七
寶以用布施是人所得福德寧為多不須菩
提言甚多世尊何以故是福德即非福德性
是故如來說福德多若復有人於此經中受
持乃至四句偈等為他人說其福勝彼何以
故須菩提一切諸佛及諸佛阿耨多羅三藐
三菩提法皆從此經出須菩提所謂佛法者
即非佛法
須菩提於意云何須陁洹能作是念我得須
陁洹果不須菩提言不也世尊何以故須陁
洹名為入流而无所入不入色聲香味觸法
是名須陁洹須菩提於意云何斯陁含能作
是念我得斯陁含果不須菩提言不也世尊
何以故斯陁含名一往來而實无往來是名
斯陁含須菩提於意云何阿那含能作是念
我得阿那含果不須菩提言不也世尊何以
故阿那含名為不來而實无來是故名阿那
含須菩提於意云何阿羅漢能作是念我得
阿羅漢道不須菩提言不也世尊何以故實
无有法名阿羅漢世尊若阿羅漢作是念我
得阿羅漢道即為著我人衆生壽者世尊佛
說我得无諍三昧人中最為第一是第一離

BD01029號　金剛般若波羅蜜經　（13–2）

阿羅漢道不須菩提言不也世尊何以故實
无有法名阿羅漢世尊若阿羅漢作是念我
得阿羅漢道即為著我人衆生壽者世尊佛
說我得无諍三昧人中最為第一是第一離
欲阿羅漢我不作是念我是離欲阿羅漢世
尊我若作是念我得阿羅漢道世尊則不說
須菩提是樂阿蘭那行者以須菩提實无所
行而名須菩提是樂阿蘭那行
佛告須菩提於意云何如來昔在然燈佛所
於法有所得不世尊如來昔在然燈佛所於
法實无所得
須菩提於意云何菩薩莊嚴佛土不不也世
尊何以故莊嚴佛土者則非莊嚴是名莊嚴
是故須菩提諸菩薩摩訶薩應如是生清淨
心不應住色生心不應住聲香味觸法生心
應无所住而生其心須菩提譬如有人身如
須弥山王於意云何是身為大不須菩提言
甚大世尊何以故佛說非身是名大身
須菩提如恒河中所有沙數如是沙等恒河
於意云何是諸恒河沙寧為多不須菩提言
甚多世尊但諸恒河尚多无數何況其沙須
菩提我今實言告汝若有善男子善女人以
七寶滿尒所恒河沙數三千大千世界以用
布施得福多不須菩提言甚多世尊佛告須
菩提若善男子善女人於此經中乃至受持
四句偈等為他人說而此福德勝前福德

BD01029號　金剛般若波羅蜜經　（13–3）

七寶滿尒所恒河沙數三千大千世界以用
布施得福多不須菩提言甚多世尊佛告須
菩提若善男子善女人於此經中乃至受持
等爲他人說而此福德勝前福德
復次須菩提隨說是經乃至四句偈等當知
此處一切世間天人阿脩羅皆應供養如佛
塔廟何況有人盡能受持讀誦須菩提當知
是人成就最上第一希有之法若是經典所
在之處則爲有佛若尊重弟子
菩提白佛言世尊當何名此經我等
云何奉持佛告須菩提是經名爲金剛般若
波羅蜜以是名字汝當奉持所以者何須菩
提佛說般若波羅蜜則非般若波羅蜜須菩
提於意云何如来有所說法不須菩提白佛
言世尊如来无所說須菩提於意云何三千
界所有微塵是爲多不須菩提言甚
多世尊須菩提諸微塵如来說非微塵是名
微塵如来說世界非世界是名世界須菩提
於意云何可以三十二相見如来不不也世
尊不可以三十二相得見如来何以故如来
說三十二相即是非相是名三十二相
若有善男子善女人以恒河沙等身
命布施若復有人於此經中乃至受持四句
偈等爲他人說其福甚多
尒時須菩提聞說是經深解義趣涕淚悲泣

BD01029號　金剛般若波羅蜜經

（13–4）

命布施若復有人於此經中乃至受持四句
偈等爲他人說其福甚多
尒時須菩提聞說是經深解義趣涕淚悲泣
而白佛言希有世尊佛說如是甚深經典我
昔来所得慧眼未曾得聞如是之經世尊
有人得聞是經信心清淨則生實相當
知是人成就第一希有功德世尊是實相者
則是非相是故如来說名實相世尊我今得
聞如是經典信解受持不足爲難若當来世
後五百歲其有衆生得聞是經信解受持是
爲第一希有何以故此人无我相人相
生相壽者相所以者何我相即是非相人
相衆生相壽者相即是非相何以故離一切
諸相則名諸佛
佛告須菩提如是如是若復有人得聞此經
不驚不怖不畏當知是人甚爲希有何以故
如来說第一波羅蜜非第一波羅蜜
名第一波羅蜜
須菩提忍辱波羅蜜如来說非忍辱波羅蜜
何以故須菩提如我昔爲歌利王割截身體
我於尒時无我相无人相无衆生相无壽者
何以故我於往昔節節支解時若有我相
生相壽者相應生瞋恨須菩提又念
過去於五百世作忍辱仙人於尒所世无我
相无人相无衆生相无壽者相是故須菩提

BD01029號　金剛般若波羅蜜經

（13–5）

過去於五百世作忍辱仙人於尒所世无我
相无人相无衆生相无壽者相是故須菩提
菩薩應離一切諸相發阿耨多羅三藐三菩提
心不應住色生心不應住聲香味觸法生心
應生无所住心若心有住則爲非住是故佛
說菩薩心不應住色布施須菩提菩薩爲利
益一切衆生應如是布施如來說一切諸相
即是非相又說一切衆生則非衆生
須菩提如來是真語者實語者如語者不誑
語者不異語者須菩提如來所得法此法无
虛
須菩提若菩薩心住於法而行布施如人入
闇則无所見若菩薩心不住法而行布施如
人有目日光明照見種種色
須菩提當來之世若有善男子善女人能於
此經受持讀誦則爲如來以佛智慧悉知是
人悉見是人皆得成就无量无邊功德
須菩提若有善男子善女人初日分以恒河
沙等身布施中日分復以恒河沙等身布施
後日分亦以恒河沙等身布施如是无量百
千万億劫以身布施若復有人聞此經典信
心不逆其福勝彼何況書寫受持讀誦爲人
解說
須菩提以要言之是經有不可思議不可稱
量无邊功德如來爲發大乘者說爲發最上

BD01029 號　金剛般若波羅蜜經　（13–6）

解說
須菩提以要言之是經有不可思議不可稱
量无邊功德如來爲發大乘者說爲發最上
乘者說若有人能受持讀誦廣爲人說如來
悉知是人悉見是人皆得成就不可量不可
稱无有邊不可思議功德如是人等則爲荷
擔如來阿耨多羅三藐三菩提何以故須菩
提若樂小法者著我見人見衆生見壽者見
則於此經不能聽受讀誦爲人解說須菩提
在在處處若有此經一切世間天人阿脩羅
所應供養當知此處則爲是塔皆應恭敬作
禮圍遶以諸華香而散其處
復次須菩提善男子善女人受持讀誦此經
若爲人輕賤是人先世罪業應墮惡道以今
世人輕賤故先世罪業則爲消滅當得阿耨
多羅三藐三菩提須菩提我念過去无量阿
僧祇劫於然燈佛前得值八百四千万億那
由他諸佛悉皆供養承事无空過者若復有
人於後末世能受持讀誦此經所得功德於
我所供養諸佛功德百分不及一千万億分
乃至筭數譬喻所不能及須菩提若善男子
善女人於後末世有受持讀誦此經所得功
德我若具說者或有人聞心則狂亂狐疑不
信須菩提當知是經義不可思議果報亦不
可思議

BD01029 號　金剛般若波羅蜜經　（13–7）

德我若具說者或有人聞心則狂亂狐疑不
信須菩提當知是經義不可思議果報亦不
可思議
尒時須菩提白佛言世尊善男子善女人發
阿耨多羅三藐三菩提心云何應住云何降
伏其心佛告須菩提善男子善女人發阿耨
多羅三藐三菩提者當生如是心我應滅度
一切衆生滅度一切衆生已而无有一衆生
實滅度者何以故若菩薩有我相人相衆生
相壽者相則非菩薩所以者何須菩提實无有
發阿耨多羅三藐三菩提者
須菩提於意云何如来於然燈佛所有法得
阿耨多羅三藐三菩提不不也世尊如我解
佛所說義佛於然燈佛所无有法得阿耨多
羅三藐三菩提佛言如是如是須菩提實无
有法如来得阿耨多羅三藐三菩提須菩提
若有法如来得阿耨多羅三藐三菩提者然
燈佛則不與我受記汝於来世當得作佛号
釋迦牟尼以實无有法得阿耨多羅三藐三
菩提是故然燈佛與我受記作如是言汝於
来世當得作佛号釋迦牟尼何以故如来者即
諸法如義若有人言如来得阿耨多羅三藐三
菩提須菩提實无有法佛得阿耨多羅三藐
三菩提須菩提如来所得阿耨多羅三藐三
菩提於是中无實无虛是故如来說一切法
皆是佛法須菩提所言一切法者即非一切

BD01029號　金剛般若波羅蜜經　（13–8）

菩提須菩提實无有法佛得阿耨多羅三藐
三菩提須菩提如来所得阿耨多羅三藐三
菩提於是中无實无虛是故如来說一切法
皆是佛法須菩提所言一切法者即非一切
法是故名一切法
須菩提譬如人身長大須菩提言世尊如来
說人身長大則為非大身是名大身
須菩提菩薩亦如是若作是言我當滅度无
量衆生則不名菩薩何以故須菩提實无有
名為菩薩是故佛說一切法无我无人无
衆生无壽者須菩提若菩薩作是言我當莊
嚴佛土是不名菩薩何以故如来說莊嚴佛
土者即非莊嚴是名莊嚴須菩提若菩薩通
達无我法者如来說名真是菩薩
須菩提於意云何如来有肉眼不如是世尊
如来有肉眼須菩提於意云何如来有天眼
不如是世尊如来有天眼須菩提於意云何
如来有慧眼不如是世尊如来有慧眼須菩
提於意云何如来有法眼不如是世尊如来
有法眼須菩提於意云何如来有佛眼不如
是世尊如来有佛眼須菩提於意云何如恒河
中所有沙佛說是沙不如是世尊如来說是
沙須菩提於意云何如一恒河中所有沙有
如是等恒河是諸恒河所有沙數佛世界如
是寧為多不甚多世尊佛告須菩提尒所國
土中所有衆生若干種心如来悉知何以故

BD01029號　金剛般若波羅蜜經　（13–9）

如是等恒河是諸恒河所有沙數佛世界如
是寧為多不甚多世尊佛告須菩提尒所國
土中所有衆生若干種心如来悉知何以故
如来說諸心皆為非心是名為心所以者何
須菩提過去心不可得現在心不可得未来
心不可得須菩提於意云何若有人滿三千
大千世界七寶以用布施是人以是因緣得
福多不如是世尊此人以是因緣得福甚多
須菩提若福德有實如来不說得福德多以
福德无故如来說得福德多
須菩提於意云何佛可以具足色身見不不
也世尊如来不應以具足色身見何以故如
来說具足色身即非具足色身是名具足色
身須菩提於意云何如来可以具足諸相見
不不也世尊如来不應以具足諸相見何以
故如来說諸相具足即非具足是名諸相具
足須菩提汝勿謂如来作是念我當有所說
法莫作是念何以故若人言如来有所說法
即為謗佛不能解我所說故須菩提說法者
无法可說是名說法
須菩提白佛言世尊佛得阿耨多羅三藐三
菩提為无所得耶如是如是須菩提我於阿
耨多羅三藐三菩提乃至无有少法可得是
名阿耨多羅三藐三菩提復次須菩提是法
平等无有高下是名阿耨多羅三藐三菩提
以无我无人无衆生无壽者脩一切善法則

名阿耨多羅三藐三菩提復次須菩提是法
平等无有高下是名阿耨多羅三藐三菩提
以无我无人无衆生无壽者脩一切善法則
得阿耨多羅三藐三菩提須菩提所言善法
者如来說非善法是名善法
須菩提若三千大千世界中所有諸須弥山
王如是等七寶聚有人持用布施若人以此
般若波羅蜜經乃至四句偈等受持讀誦為
他人說於前福德百分不及一百千万億分
乃至筭數譬喻所不能及
須菩提於意云何汝等勿謂如来作是念我
當度衆生須菩提莫作是念何以故實无有
衆生如来度者若有衆生如来度者如来則
有我人衆生壽者須菩提如来說有我者則
非有我而凡夫之人以為有我須菩提凡夫
者如来說則非凡夫
須菩提於意云何可以卅二相觀如来不須
菩提言如是如是以卅二相觀如来佛言須
菩提若以卅二相觀如来者轉輪聖王則是
如来須菩提白佛言世尊如我解佛所說義
不應以卅二相觀如来尒時世尊而說偈言
若以色見我　以音聲求我　是人行邪道　不能見如来
須菩提汝若作是念如来不以具足相故得
阿耨多羅三藐三菩提須菩提莫作是念如
来不以具足相故得阿耨多羅三藐三菩提

阿耨多羅三藐三菩提須菩提莫作是念如
来不以具足相故得阿耨多羅三藐三菩提
須菩提汝若作是念發阿耨多羅三藐三菩
提者說諸法斷滅莫作是念何以故發阿耨
多羅三藐三菩提者於法不說斷滅相須菩
提若菩薩以滿恒河沙等世界七寶布施若
復有人知一切法无我得成於忍此菩薩勝
前菩薩所得功德須菩提以諸菩薩不受福
德故須菩提白佛言世尊云何菩薩不受福
德須菩提菩薩所作福德不應貪著是故說
不受福德
須菩提若有人言如来若来若去若坐若卧
是人不解我所說義何以故如来者无所從
来亦无所去故名如来
須菩提若善男子善女人以三千大千世界
碎為微塵於意云何是微塵衆寧為多不甚
多世尊何以故若是微塵衆實有者佛則不
說是微塵衆所以者何佛說微塵衆則非微
塵衆是名微塵衆世尊如来所說三千大千
世界則非世界是名世界何以故若世界實
有者則是一合相如来說一合相則非一合
相是名一合相須菩提一合相者則是不可說
但凡夫之人貪著其事須菩提若人言佛說
我見人見衆生見壽者見須菩提於意云何
是人解我所說義不不也世尊是人不解如

BD01029號　金剛般若波羅蜜經

(13–12)

我見人見衆生見壽者見須菩提於意云何
是人解我所說義不不也世尊是人不解如
来所說義何以故世尊說我見人見衆生見
壽者見即非我見人見衆生見壽者見是名
我見人見衆生見壽者見須菩提發阿耨多
羅三藐三菩提心者於一切法應如是知如是見
如是信解不生法相須菩提所言法相者如
来說即非法相是名法相須菩提若有人以
滿无量阿僧祇世界七寶持用布施若有善
男子善女人發菩薩心者持於此經乃至四
句偈等受持讀誦為人演說其福勝彼云何
為人演說不取於相如如不動何以故
一切有為法　如夢幻泡影　如露亦如電　應作如是觀
佛說是經已長老須菩提及諸比丘比丘尼
優婆塞優婆夷一切世間天人阿脩羅聞佛
所說皆大歡喜信受奉行

金剛般若波羅蜜經

BD01029號　金剛般若波羅蜜經

(13–13)

情生死流　令得涅槃安隱處
大捨防非忍無倦　一心方便正慧力
自利利他悲圓滿　救苦調御天人師
稽首歸依妙法藏　三四二五理圓明
七八能開四諦門　修者咸到無為岸
法雲法雨潤群生　能除熱惱纏衆病
難化之徒使調順　隨機引導非強力
稽首歸依真聖衆　八輩上人能離染
金剛智杵破邪山　永斷無始相纏縛
始從鹿苑至雙林　隨佛一代弘真教
各隨本緣行化已　灰身滅智證無生
稽首總敬三寶尊　是為正因能普濟
生死迷愚鎮沉溺　咸令出離至菩提
生者皆歸死　容顏盡變衰　強力病所侵　無能免斯者
假使妙高山　劫盡皆散壞　大海深無底　亦復皆枯竭
大地及日月　時至皆歸盡　未曾有一事　不被無常吞
上至非想處　下至轉輪王　七寶鎮隨身　千子常圍遶
如其壽命盡　須臾不暫停　還漂死海中　隨緣受衆苦
[illegible]

[illegible]
假使妙高山　劫盡皆散壞　大海深無底　亦復皆枯竭
大地及日月　時至皆歸盡　未曾有一事　不被無常吞
上至非想處　下至轉輪王　七寶鎮隨身　千子常圍遶
如其壽命盡　須臾不暫停　還漂死海中　隨緣受衆苦
循環三界內　猶如汲井輪　亦如蠶作繭　吐絲還自縛
無上諸世尊　獨覺聲聞衆　尚捨無常身　何況諸凡夫
父母及妻子　兄弟并眷屬　目觀生死隔　云何不愁歎
是故勸諸子　諦聽真實法　共捨無常處　當行不死門
佛教如甘露　除熱得清涼　至心應善聽　能滅諸煩惱
如是我聞一時薄伽梵在室羅伐住誓多林
給孤獨園尒時佛告諸苾芻有三種法於諸
世間是不可愛是不光澤是不可念是不稱
意何者為三謂老病死汝諸苾芻此老病死
於諸世間實不可愛實不光澤實不可念實
不稱意若老病死世間無者如來應正等覺
不出於世為諸衆生說所證法及調伏事是
故應知此老病死於諸世間是不可愛是不
光澤是不可念是不稱意由此三事如來應
正等覺出現於世為諸衆生說所證法及調
伏事尒時世尊重說頌曰
外事莊彩咸歸壞　內身衰變亦同然
唯有勝法不滅亡　諸有智人應善察
此老病死皆共嫌　形儀醜惡極可猒
少年容貌暫時停　不久咸悲成枯悴
假使壽命滿百年　終歸不免無常逼

唯有勝法不滅亡　諸有智人應善察
此老病死皆共嫌　形儀醜惡極可猒
少年容皃蹔時停　不久咸悉成枯悴
假使壽命滿百年　終歸不免無常逼
老病死苦恒隨逐　常与衆生作無利
尒時世尊說此經已諸苾蒭衆天龍藥叉乾
闥婆阿素洛等皆大歡喜信受奉行
常求諸欲境　不行於善事　云何保全命　不見死來侵
命根氣欲盡　支節悉分離　衆苦与死俱　此時徒歎恨
兩目俱翻上　死刀隨業下　意想並慞惶　無能相救濟
長喘連胷急　噎氣喉中乾　死王催伺命　眷屬徒相守
諸識皆昏昧　行入險城中　親知咸棄捨　任黑繩牽去
將至琰魔王　隨業而受報　勝因生善道　惡業墮泥黎
明眼無過慧　黑闇不過癡　病不越怨家　大怖無過死
有生皆畢死　造罪苦切身　當勤策三業　勤脩於福智
眷屬皆捨去　財貨任他將　但持自善根　險道充糧食
譬如路傍樹　蹔息非久停　車馬及妻兒　不久皆如是
譬如群宿鳥　夜聚旦隨飛　死去別親知　乖離亦如是
唯有佛菩提　是真歸仗處　依經我略說　智者善應思
天人阿素洛等　來聽法者應至心
擁護佛法使長存　各各勤行世尊教
諸有聽徒來至此　或在地上或居空
常於人世起慈悲　日夜自身依法住
願諸世界常安隱　無邊福智益群生
所有罪業悉銷除　永斷衆苦歸圓寂
恒以戒香塗瑩體　常持定服以資身

BD01030 號　無常經

（4–3）

譬如群宿鳥　夜聚旦隨飛　死去別親知　乖離亦如是
唯有佛菩提　是真歸仗處　依經我略說　智者善應思
天人阿素洛等　來聽法者應至心
擁護佛法使長存　各各勤行世尊教
諸有聽徒來至此　或在地上或居空
常於人世起慈悲　日夜自身依法住
願諸世界常安隱　無邊福智益群生
所有罪業悉銷除　永斷衆苦歸圓寂
恒以戒香塗瑩體　常持定服以資身
菩提妙華用莊嚴　隨所住處常安樂

佛說無常經　一名三啓經

BD01030 號　無常經

（4–4）

身金色　一毛端相不
紺耎右旋文　微妙光彩難為喻
初誕身有妙光明　普照一切十方界
能滅三有眾生苦　令彼悉蒙安隱樂
地獄傍生鬼道中　阿蘇羅天及人趣
令彼除滅於眾苦　常受自然安隱樂
身色光明常普照　譬如鎔金妙无比
面貌圓明如滿月　脣色赤好喻頻婆
行步威儀類師子　身光朗耀同初日
臂肘纖長立過膝　狀若垂下娑羅枝
圓光一尋照无邊　赫奕猶如百千日
悉能遍至諸佛剎　隨緣所在覺群迷
淨光明網无倫比　流輝遍滿百千界
普照十方无障礙　一切冥闇悉皆除
善逝慈光能與樂　妙色瑩徹等金山
流光悉至百千土　眾生遇者皆出離
佛身成就无量福　一切功德共莊嚴
超過三界獨稱尊　世間殊勝无與等
所有過去一切佛　數同大地諸微塵
未來現在十方尊　亦如大地微塵眾
我以至誠身語意　稽首歸依三世佛
讚歎无邊功德海　種種香花皆供養
設我口中有千舌　經无量劫讚如來
世尊功德不思議　最勝甚難可說

BD01031 號　金光明最勝王經卷五　（17–1）

未來現在十方尊　亦如大地微塵眾
我以至誠身語意　稽首歸依三世佛
讚歎无邊功德海　種種香花皆供養
設我口中有千舌　經无量劫讚如來
世尊功德不思議　最勝甚難可說
假令我舌有百千　讚歎一佛一功德
於中少分尚難知　況諸佛德无邊際
假使大地及諸天　乃至有頂為海水
可以毛端滴知數　佛一功德甚難量
我以至誠身語意　禮讚諸佛德无邊
所有勝福果難思　迴施眾生速成佛
彼王讚歎如來已　倍復深心發弘願
願我當於未來世　生在无量无數劫
夢中常見大金鼓　得聞顯說懺悔音
讚佛功德喻蓮花　願證无生成正覺
諸佛出世時一現　於百千劫甚難逢
夜夢常聞妙鼓音　晝則隨應而懺悔
我當圓滿脩六度　拔濟眾生出苦海
然後得成无上覺　佛土清淨不思議
以妙金鼓奉如來　并讚諸佛實功德
因斯當見釋迦佛　記我當紹人中尊
金龍金光是我子　過去曾為善知識
世世願生於我家　共受无上菩提記
若有眾生无救護　長夜輪迴受眾苦
我於來世作歸依　令彼常得安隱樂
三有眾苦願除滅　悉得隨心安樂處
於未來世脩菩提　皆如過去成佛者
願此金光懺悔福　永竭苦海罪消除

BD01031 號　金光明最勝王經卷五　（17–2）

我於未來作歸依　令彼常得安隱樂
三有衆苦願除滅　悉得隨心安樂處
於未來世脩菩提　皆如過去成佛者
願此金光懺悔福　永竭苦海罪消除
業障煩惱悉皆亡　令我速招清淨果
福智大海量无邊　清淨離垢深无底
願我獲斯功德海　速成无上大菩提
以此金光懺悔力　當獲福德淨光明
既得清淨妙光明　常以智光照一切
願我身光等諸佛　福德智慧亦復然
一切世界獨稱尊　威力自在无倫匹
有漏苦海願超越　无爲樂海願常遊
現在福海願恒盈　當來智海願圓滿
願我剎土超三界　殊勝功德量无邊
諸有緣者悉同生　皆得速成清淨智
妙幢汝當知　國王金龍主　曾發如是願　彼即是汝身
往時有二子　金龍及金光　即銀相銀光　當受我所記
大衆聞是說　皆發菩提心　願現在未來　常依此懺悔
金光明最勝王經金勝陀羅尼品第八
爾時世尊復於衆中告善住菩薩摩訶薩善
男子有陀羅尼名曰金勝若有善男子善女
人欲求親見過去未來現在諸佛恭敬供養
者應當受持此陀羅尼何以故此陀羅尼乃
是過現未來諸佛之母是故當知持此陀羅
尼者具大福德已於過去无量佛所殖諸善
本今得受持於戒清淨不毀不缺无有障礙
決定能入甚深法門世尊即為說持呪法先
稱諸佛及菩薩名至心礼敬然後誦呪
南謨十方一切諸佛　南謨諸大菩薩摩訶薩

本今得受持於戒清淨不毀不缺无有障礙
決定能入甚深法門世尊即為說持呪法先
稱諸佛及菩薩名至心礼敬然後誦呪
南謨十方一切諸佛　南謨諸大菩薩摩訶薩
南謨聲聞緣覺一切賢聖
南謨釋迦牟尼佛　南謨東方不動佛
南謨南方寶幢佛　南謨西方阿弥陀佛
南謨北方天鼓音王佛　南謨上方廣衆德佛
南謨下方明德佛　南謨寶藏佛
南謨普光佛　南謨普明佛
南謨香積王佛　南謨蓮花勝佛
南謨平等見佛　南謨寶髻佛
南謨寶上佛　南謨寶光佛
南謨无垢光明佛　南謨辯才莊嚴思惟佛
南謨淨月光稱相王佛　南謨花嚴光佛
南謨光明王佛　南謨善光无垢稱王佛
南謨觀察无畏自在王佛　南謨无畏名稱佛
南謨最勝王佛
南謨觀自在菩薩摩訶薩　南謨地藏菩薩摩訶薩
南謨虛空藏菩薩摩訶薩　南謨妙吉祥菩薩摩訶薩
南謨金剛手菩薩摩訶薩　南謨普賢菩薩摩訶薩
南謨无盡意菩薩摩訶薩　南謨大勢至菩薩摩訶薩
南謨慈氏菩薩摩訶薩　南謨善惡菩薩摩訶薩
陀羅尼曰
南謨喝剌怛娜怛剌夜也　怛姪他
君睇　君睇　矩折囇　矩折囇
壹窒哩蜜窒哩　莎訶
佛告善住菩薩此陀羅尼三世佛母若有

君睇 君睇 姪祈㗚 姪祈㗚
室哩 室室哩 室哩 莎訶
佛告善住菩薩此陀羅尼三世佛母若有
善男子善女人持此呪者能生无量无邊
福德之聚即是供養恭敬尊重讚歎无數諸
佛如是諸佛皆與此人授阿耨多羅三藐三
菩提記善住若有人能持此呪者隨其所欲
衣食財寶多聞聰慧无病長壽獲福甚多隨
所願求无不遂意善住持是呪者乃至未證无
上菩提常與金城山菩薩慈氏菩薩大海
菩薩觀自在菩薩妙吉祥菩薩大氷伽羅菩薩
等而共居止為諸菩薩之所攝護善住當知
持此呪時作如是法先應誦持滿一万八遍
為前方便次於闇室莊嚴道場黑月一日清
淨洗浴著鮮潔衣燒香散花種種供養并諸
飲食入道場中先當稱禮如前所說諸佛菩
薩至心慇重悔先罪已右膝著地可誦前呪
滿一千八遍端坐思惟念其所願日未出時
於道場中食淨黑食日唯一食至十五日方
出道場能令此人福德威力不可思議隨所
願求无不圓滿若不遂意重入道場既稱心
已常持莫忘

金光明最勝王經顯空性品第九

尒時世尊說此呪已為欲利益菩薩摩訶薩
人天大衆令得悟解甚深真實第一義故重
明空性而說頌曰

我已於餘甚深經　廣說真空微妙法
今復於此經王内　略說空法不思議
於諸廣大甚深法　有情无智不能解

BD01031 號　金光明最勝王經卷五　（17–5）

我已於餘甚深經　廣說真空微妙法
今復於此經王内　略說空法不思議
於諸廣大甚深法　有情无智不能解
故我於斯重敷演　令於空法得開悟
大悲哀愍有情故　以善方便勝因緣
我今於此大衆中　演說令彼明空義
當知此身如空聚　六賊依止不相知
六塵諸賊別依根　各不相知亦如是
眼根常觀於色處　耳根聽聲不斷絕
鼻根恒嗅於香境　舌根鎮嘗於美味
身根受於輕耎觸　意根了法不知厭
此等六根隨事起　各於自境生分別
識如幻化非真實　依止根處妄貪求
如人奔走空聚中　六識依根亦如是
心遍馳求隨處轉　託根緣境了諸事
常愛色聲香味觸　於法尋思无暫停
隨緣遍行於六根　如鳥飛空无障礙
藉此諸根作依處　方能了別於外境
此身无知无作者　體不堅固託緣成
皆從虛妄分別生　譬如機關由業轉
地水火風共成身　隨彼因緣招異果
同在一處相違害　如四毒蛇居一篋
此四大蛇性各異　雖居一處有昇沉
或上或下遍於身　斯等終歸於滅法
於此四種毒蛇中　地水二蛇多沉下
風火二蛇性輕舉　由此乖違衆病生
心識依止於此身　造作種種善惡業
當往人天三惡趣　隨其業力受身形

BD01031 號　金光明最勝王經卷五　（17–6）

風火二蛇性輕擧　由此乖違衆病生
心識依止於此身　造作種種善惡業
當往人天三惡趣　隨其業力受身形
遭諸疾病身死後　大小便利悉盈流
膿爛蟲蛆不可樂　棄在屍林如朽木
汝等當觀法如是　云何執有我衆生
一切諸法盡無常　悉從無明緣力起
彼諸大種咸虛妄　本非實有體無生
故說大種性皆空　知此浮虛非實有
無明自性本是無　藉衆緣力和合有
於一切時失正慧　故我說彼為無明
行識為有名色　六處及觸受隨生
愛取有緣生老死　憂悲苦惱恒隨逐
衆苦惡業常纏迫　生死輪迴無息時
本來非有體是空　由不如理生分別
我斷一切諸煩惱　常以正智現前行
了五蘊宅悉皆空　求證菩提真實處
我開甘露大城門　示現甘露微妙器
既得甘露真實味　常以甘露施群生
我擊最勝大法鼓　我吹最勝大法螺
我然最勝大明燈　我降最勝大法雨
降伏煩惱諸怨結　建立無上大法幢
於生死海濟群迷　我當關閉三惡趣
煩惱熾火燒衆生　無有救護無依止
清涼甘露充足彼　身心熱惱並皆除
由是我於無量劫　恭敬供養諸如來
堅持禁戒趣菩提　求證法身安樂處
施他眼耳及手足　妻子僮僕心無悋

BD01031號　金光明最勝王經卷五　（17–7）

清涼甘露充足彼　身心熱惱並皆除
由是我於無量劫　恭敬供養諸如來
堅持禁戒趣菩提　求證法身安樂處
施他眼耳及手足　妻子僮僕心無悋
財寶七珍莊嚴具　隨來求者咸供給
忍等諸度皆遍修　十地圓滿成正覺
故我得稱一切智　無有衆生度量者
假使三千大千界　盡此生地生長物
所有藂林諸樹木　稻麻竹葦及枝條
此等諸物皆伐取　並悉細末作微塵
隨處積集量難知　乃至充滿虛空界
一切十方諸剎土　所有三千大千界
地土皆悉末為塵　此微塵量不可數
假使一切衆生智　以此智慧與一人
如是智者量無邊　容可知彼微塵數
牟尼世尊一念智　令彼智人共度量
於多俱胝劫數中　不能算知其少分
時諸大衆聞佛說此甚深空性有無量衆
生能了達四大五蘊體性俱空六根六境妄
生繫縛願捨輪迴正修出離深心慶喜如說
奉持

金光明最勝王經依空滿願品第十

尒時如意寶光耀天女於大衆中聞說深法
歡喜踊躍從座而起偏袒右肩右膝著地合
掌恭敬白佛言世尊唯願為說於甚深理修
行之法而說頌言
我問照世界　兩足最勝尊　菩薩正行法　唯願哀聽許
佛言善天女　若有疑惑者　隨汝意所問　吾當分別說
是時天女請世尊曰

BD01031號　金光明最勝王經卷五　（17–8）

我聞照世界　兩足最勝尊　菩薩正行法　唯願垂哀許
佛言善女天　若有疑惑者　隨汝意所問　吾當分別說
是時天女請世尊曰
云何諸菩薩　行菩提正行　離生死涅槃　饒益自他故
佛告善女天依於法界行菩提法修平等行
云何依於法界行菩提法修平等行謂於五
蘊能現法界法界即是五蘊五蘊不可說非
五蘊亦不可說何以故若法界是五蘊即是
斷見若離五蘊即是常見離於二相不著
邊不可見過所見无名无相是則名爲說於
法界善女天云何五蘊能現法界如是五蘊不
從因緣生何以故若從因緣生者爲已生故
生爲未生故生若已生生者何用因緣若
未生生者不可得生何以故未生諸法即是
非有无名无相非校量譬喻之所能及非是
因緣之所生故善女天譬如鼓聲依木依皮
及桴手等故得出聲如是鼓聲過去亦空未
來亦空現在亦空何以故是鼓音聲不從木
生不從皮生及桴手生不於三世生是則不
生若不可生則不可滅若不可滅无所從來
若无所從來亦无所去若无所去則非常非
斷若非常非斷則不一不異何以故此若是
一則不異法界若如是者凡夫之人應見真
諦得於无上安樂涅槃既不如是故知不一
若言異者一切諸佛菩薩行相即是執著未
得解脫煩惱繫縛即不證阿耨多羅三藐三
菩提何以故一切聖人於行非行同真實性
是故不異故知五蘊非有非无不從因緣生

若言異者一切諸佛菩薩行相即是執著未
得解脫煩惱繫縛即不證阿耨多羅三藐三
菩提何以故一切聖人於行非行同真實性
是故不異故知五蘊非有非无不從因緣生
非无因緣生是聖所知非餘境故亦非言說
之所能及无名无相无因无緣亦无譬喻始終
寂靜本來自空是故五蘊能現法界善女天
若善男子善女人欲求阿耨多羅三藐三
菩提異真異俗難可思量於凡聖境體非一
異不捨於俗不離於真依於法界行菩提行
爾時世尊作是語已時善女天踊躍歡喜即
從座起偏袒右肩右膝著地合掌恭敬一心
頂禮而白佛言世尊如上所說菩提正行我
今當學是時索訶世界主大梵天王於大衆
中問如意寶光耀善女天曰此菩提行難可
修行汝今云何於菩提行而得自在爾時善
女天答梵王曰大梵王如佛所說寶是甚深
一切異生不解其義是聖境界微妙難知若
使我今依於此法得安樂住是實語者願令
一切五濁惡世无量无數无邊衆生皆得金
色卅二相非男非女坐寶蓮花受无量樂雨
天妙花諸天音樂不鼓自鳴一切供養皆悉
具足時善女天說是語已一切五濁惡世所有
衆生皆悉金色具大人相非男非女坐寶
蓮花受无量樂猶如他化自在天宮无諸惡
道寶樹行列七寶蓮花遍滿世界又雨七寶
上妙天花作天伎樂如意寶光耀善女天即
轉女身作梵天身時大梵王問如意寶光耀
菩薩言仁者如何行菩提行答言梵王若水

道寶樓行列七寶蓮花遍滿世界又雨七寶
上妙天花作天伎樂如意寶光耀善女天即
轉女身作梵天身時大梵王問如意寶光耀
菩薩言仁者如何行菩提行荅言梵王若水
中月行菩提行我亦行菩提行若夢中行菩
提行我亦行菩提行若陽焰行菩提行我亦
行菩提行若谷響行菩提行我亦行菩提行
時大梵王聞此說已白菩薩言仁依何義而
說此語荅言梵王无有一法是實相者但由
因緣而得成故梵王言若如是者諸凡夫人
皆悉應得阿耨多羅三藐三菩提荅言仁以
何意而作是說愚癡人異智慧人異菩提異
非菩提異解脫異非解脫異梵王如是諸法
平等无異於此法界真如不異无有中間而
可執著无增无減梵王辟如幻師及幻弟子
善解幻術於四衢道取諸沙土草木葉等聚
在一處作諸幻術使人覩見象衆馬衆車兵
等衆七寶之聚種種倉庫若有衆生愚癡无
智不能思惟不知幻本若見若聞作是思惟
我所見聞象馬等衆此是實有餘皆虛妄於
後更不審察思惟有智之人則不如是了於
幻本若見若聞作如是念如我所見象馬等
衆非是真實唯有幻事惑人眼目妄謂象等
及諸倉庫有名无實如我見聞不執為實後
時思惟知其虛妄是故智者了一切法皆无
實體但隨世俗如見如聞表宣其事思惟諦
現則不如是復由假說顯實義故梵王愚癡
異生未得出世聖慧之眼未知一切諸法真
如不可說故是諸凡愚若見若聞行非行法

BD01031號　金光明最勝王經卷五

（17–11）

現則不如是復由假說顯實義故梵王愚癡
異生未得出世聖慧之眼未知一切諸法真
如不可說故是諸凡愚若見若聞行非行法
如是思惟便生執著謂以為實於第一義不
能了知諸法真如是不可說是諸聖人若見
若聞行非行法隨其力能不生執著以為實
有了知一切无實行法无實非行法但妄思
量行非行相唯有名字无有實體是諸聖人
隨世俗說為欲令他知真實義如是梵王是
諸聖人以聖智見了法真如不可說故行非行
法亦復如是令他證知故說種種世俗名言
時大梵王問如意寶光耀菩薩言有幾衆生
能解如是甚深正法荅言梵王有衆幻人心
心數法能解如是甚深正法梵王曰此幻化人
體是非有此之心數從何而生荅曰若知法界
不有不无如是衆生能解深義
爾時梵王白佛言世尊是如意寶光耀菩薩
不可思議通達如是甚深之義佛言如是如是
梵王如汝所言此如意寶光耀已教汝等
發心修學无生忍法是時大梵天王與諸梵
衆從座而起偏袒右肩合掌恭敬頂禮如意
寶光耀菩薩足作如是言希有希有我等今
日幸遇大士得聞正法
爾時世尊告梵王言是如意寶光耀於未來
世當得作佛号寶焰吉祥藏如來應正遍知
明行圓滿善逝世間解无上士調御丈夫天
人師佛世尊說是品時有三千億菩薩於阿
耨多羅三藐三菩提得不退轉八千億天子
无量无數國王臣民遠塵離垢得法眼淨

BD01031號　金光明最勝王經卷五

（17–12）

人師佛世尊說是品時有三千億菩薩於阿
耨多羅三藐三菩提得不退轉八千億天子
无量无數國王臣民遠塵離垢得法眼淨
尒時會中有五十億苾芻行菩薩行欲退菩
提心聞如意寶光耀菩薩說是法時皆得堅
固不可思議滿足上願更復發起菩提之心
各自脫衣供養菩薩重發无上勝進之心作
如是願願令我等功德善根悉皆不退迴向
阿耨多羅三藐三菩提梵王是諸苾芻依此
功德如說修行過九十大劫當得解悟出離
生死尒時世尊即為授記汝諸苾芻過世阿
僧祇劫當得作佛劫名難勝光王國名无垢
光同時得阿耨多羅三藐三菩提皆同一
号名願莊嚴間飾王十号具足梵王是金光
明微妙經典若正聞持有大威力假使有人
於百千大劫行六波羅蜜无有方便若有善
男子善女人書寫如是金光明經半月半月
專心讀誦是功德聚於前功德百分不及一
乃至筭數譬喻所不能及梵王是故我今令
汝修學憶念受持為他廣說何以故我於往
昔行菩薩道時猶如勇士入於戰陣不惜身
命流通如是微妙經王受持讀誦為他解說
梵王譬如轉輪聖王若王在世七寶不滅王
若命終所有七寶自然滅盡梵王是金光明
微妙經王若現在世无上法寶悉皆不滅若
无是經隨處隱沒是故應當於此經王專心
聽聞受持讀誦為他解說勸令書寫行精進
波羅蜜不惜身命不憚疲勞功德中勝我諸
弟子應當如是精勤脩學

BD01031 號　金光明最勝王經卷五　（17–13）

无是經隨處隱沒是故應當於此經王專心
聽聞受持讀誦為他解說勸令書寫行精進
波羅蜜不惜身命不憚疲勞功德中勝我諸
弟子應當如是精勤脩學
尒時大梵天王與无量梵眾帝釋四王及諸藥
叉俱從座起偏袒右肩右膝著地合掌恭敬
而白佛言世尊我等皆願守護流通是金
光明微妙經典及說法師若有諸難我當除
遣令具眾善色力充足辯才无礙身意泰然
時會聽者皆受安樂所在國土若有飢饉惡
賊非人為惱害者我等天眾皆為擁護使其
人民安隱豐樂无諸枉橫皆是我等天眾之
力若有供養是經典者我等亦當恭敬供養
如佛不異
尒時佛告大梵天王及諸梵眾乃至四王諸
藥叉等善哉善哉汝等得聞甚深妙法復
能於此微妙經王發心擁護及持經者當獲无
邊殊勝之福速成无上正等菩提時梵王等
聞佛語已歡喜頂受
金光明最勝王經四天王觀察人天品第十一
尒時多聞天王持國天王增長天王廣目天王
俱從座起偏袒右肩右膝著地合掌向佛礼
佛足已白言世尊是金光明最勝王經一
切諸佛常念觀察一切菩薩之所恭敬一切
天龍常所供養及諸天眾常生歡喜一切護
世稱揚讚歎聲聞獨覺皆共受持悉能明照
諸天宮殿能與一切眾生殊勝安樂止息地獄
餓鬼傍生諸趣苦惱一切怖畏悉能除殄

BD01031 號　金光明最勝王經卷五　（17–14）

天龍常所供養及諸天衆常生歡喜一切護
世稱揚讚歎聲聞獨覺皆共受持悉能明照
諸天宮殿能與一切衆生殊勝安樂止息地獄
餓鬼傍生諸趣苦惱一切怖畏悉能除殄
所有怨敵尋即退散飢饉惡時能令豐稔疾
疫病苦皆令蠲愈一切災變百千苦惱咸悉
消滅世尊是金光明最勝王經能爲如是安
隱利樂饒益我等唯願世尊於大衆中廣爲
宣說我等四王并諸眷屬聞此甘露无上法
味氣力充實增益威光精進勇猛神通倍勝
世尊我等四王修行正法常說正法以法化
世我等令彼天龍藥叉揵闥婆阿蘇羅揭路
荼俱槃荼緊那羅莫呼羅伽及諸人王常以
正法而化於世遮去諸惡所有鬼神吸人精
氣无慈悲者悉令遠去世尊我等四王與二
十八部藥叉大將并與无量百千藥叉以淨
天眼過於世人觀察擁護此贍部洲世尊以
此因緣我等諸王名護世者又復於此洲中
若有國王被他怨賊常來侵擾及多飢饉疾
疫流行无量百千災厄之事世尊我等四王
於此金光明最勝王經恭敬供養若有苾芻
法師受持讀誦我等四王共往覺悟勸請其
人時彼法師由我神通覺悟力故往彼國界
廣宣流布是金光明微妙經典由經力故令
彼无量百千衰惱災厄之事悉皆除遣世尊
若諸人王於其國內有持是經苾芻法師至
彼國時當知此經亦至其國世尊時彼國王
應往法師處聽其所說聞已歡喜於彼法師
恭敬供養深心擁護令无憂惱演說此經利

BD01031號　金光明最勝王經卷五　（17-15）

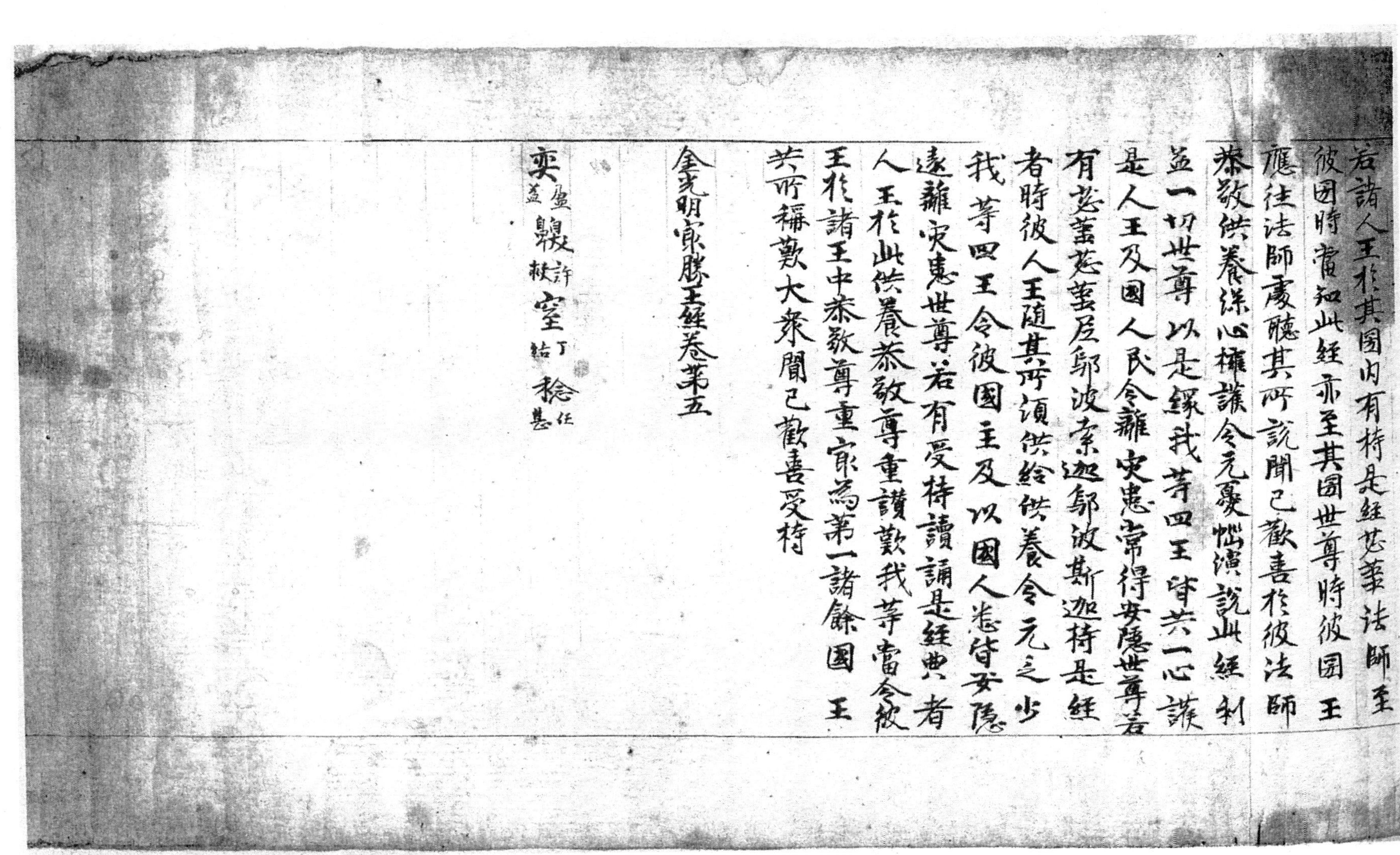
若諸人王於其國內有持是經苾芻法師至
彼國時當知此經亦至其國世尊時彼國王
應往法師處聽其所說聞已歡喜於彼法師
恭敬供養深心擁護令无憂惱演說此經利
益一切世尊以是緣故我等四王皆共一心護
是人王及國人民令離災患常得安隱世尊若
有苾芻苾芻尼鄔波索迦鄔波斯迦持是經
者時彼人王隨其所須供給供養令无乏少
我等四王令彼國主及以國人悉皆安隱
遠離災患世尊若有受持讀誦是經典者
人王於此供養恭敬尊重讚歎我等當令彼
王於諸王中恭敬尊重最爲第一諸餘國
王共所稱歎大衆聞已歡喜受持

金光明最勝王經卷第五

奕盈益　[illegible]許杖　窒丁結　稔任甚

BD01031號　金光明最勝王經卷五　（17-16）

遠離衆惡世尊若有受持讀誦是經典者
人王於此供養恭敬尊重讚歎我等當令彼
王於諸王中恭敬尊重冣為第一諸餘國王
共所稱歎大衆聞已歡喜受持
金光明冣勝王經卷第五
奕 盈益 䫉 許役 窒 丁結 稔 任甚

BD01031 號　金光明最勝王經卷五　（17–17）

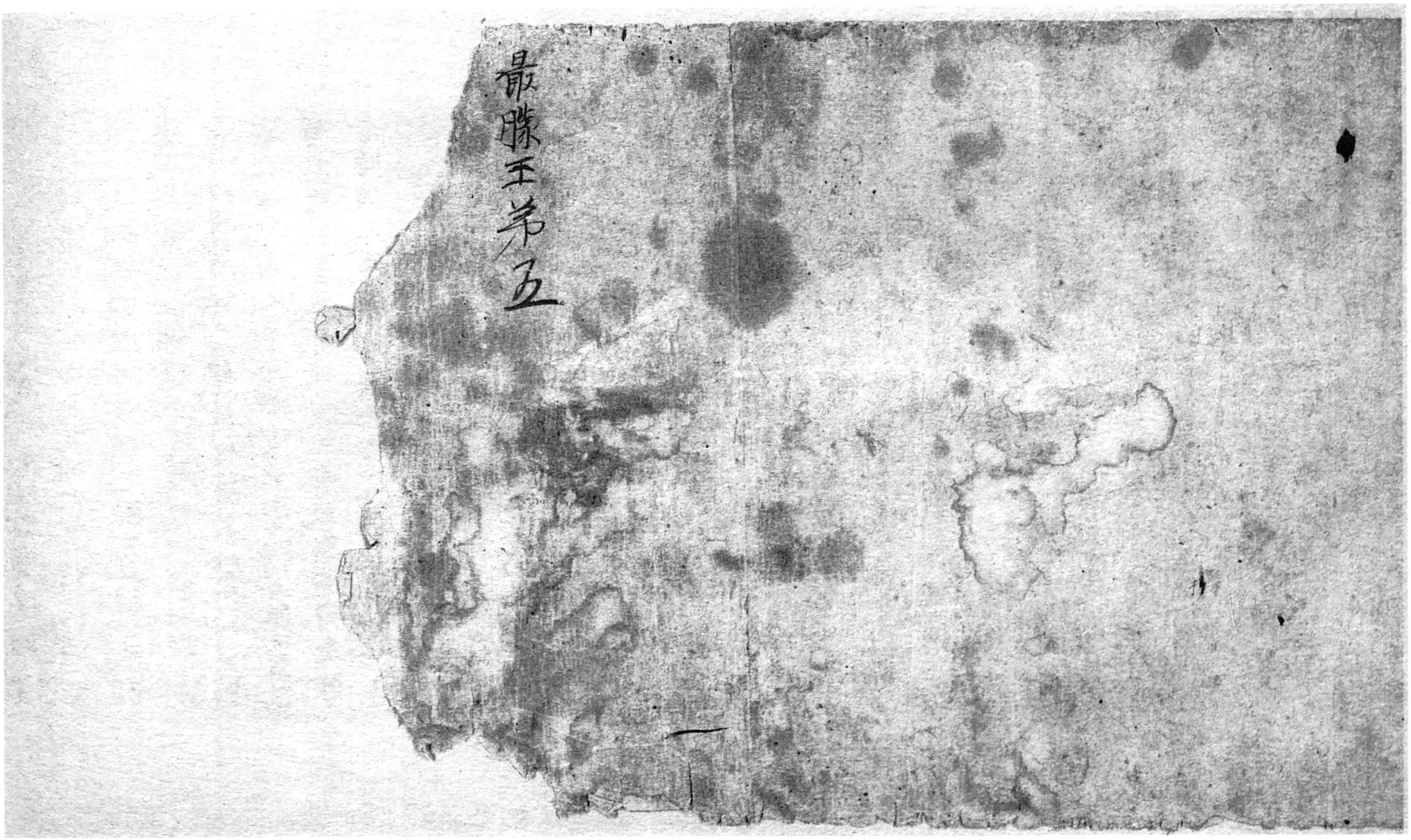

最勝王弟五

BD01031 號背　勘記　（1–1）

二稻以緇元亭改錄
多相也一切菩薩法式悉如以下明上
若法悉十六 仙說藏元不得入此上於諸仙說藏下
以悉能仙地諸切法有遺積之義因藏下識知菩薩法式悉如為菩薩戒
佛說則日月水化所為諸門盡歎佛緣故言悉如也降伏衆魔為此降四魔也
遊戲神通為五通化物以適其志譯如遊戲也其慧方便皆已得度為旨要
二稻以結於上也以田能稱二稻故能上解諸仙說藏下緣菩薩法式
神通化物其慧為實慧也方便為方便鸞皆已第達故言得
仙眼有酒彼門疾為基一旬明來有門疾致之言爾雖爾循上來
難遠當謹承嘉命來詣而去於是衆中諸菩薩以下第三大段明
所說慕樂隨從文殊詣於方丈於是維摩詰心念以下是大段第三明
空室現疾以為論端此念猶是弟子品初念但重舉來而文解方至此
更舉斯念上弟子物宜為勝念感仙遣門令更發念尊在文殊欲來以
為論端如文殊師利欲來為明淨名意如文殊為利益故空室現病以為論
端也即以神力空其室內除去所有及諸侍者為欲除一切時衆執有之意唯
置一牀以疾而臥為此七因病以為論端欲使實病菩薩無病直心化物元捲也
即以神力空其室為生下第二揭門除去所有生下二旬奇現門令利弗
念食及諸侍者病人悉要所須別提去來唯置一牀肩元坐更生下借坐燈王
文殊見空室肩主悉相領既已如空室現病以為論端因室空故生在五門由
現病故遂生後生元論也因室空第一門為文殊門言此室何以空此一門是初
下四難明夫人室中應為資生及與所須居士此室何意空而元物淨名答
言諸仙國亦一切皆空此即同事空以明性空以遣時人封執之心第二門
言何元侍為仁為既為病應為侍為疾之人在三或一由在側云何都元侍
為淨名答為衆魔外道皆吾侍也夫為侍為表己肯和為兵為為應

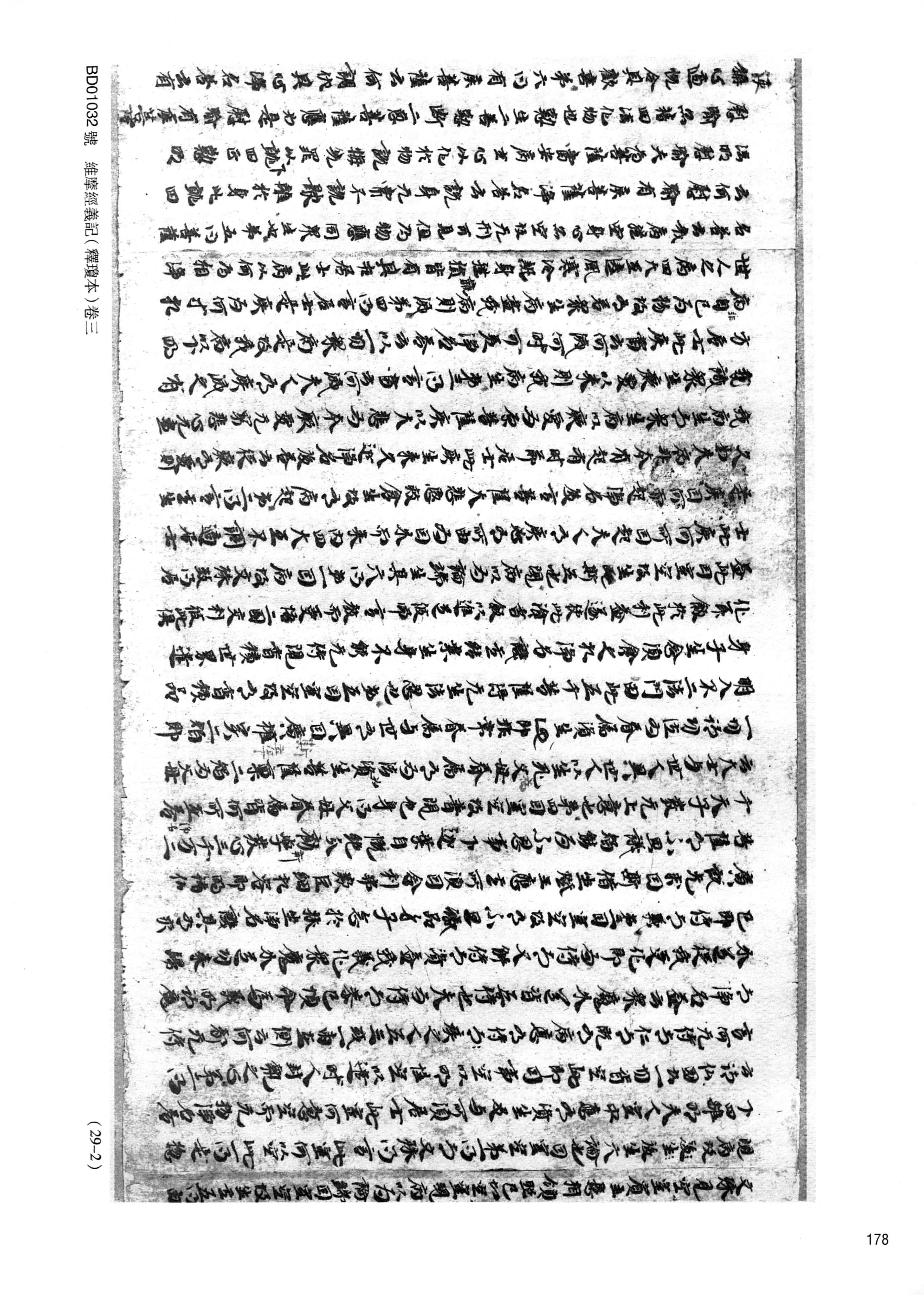

BD01032號　維摩經義記（釋瓊本）卷三

（29–2）

慰喻亦猶四攝化物也慰生二善喻斷二惡善薩應如是慰喻有疾菩薩
淨調心適悅令其歡喜第六問有疾菩薩云何調伏其心淨名答云有
疾菩薩應作是念今我此病皆從前世妄中而生當識假實達空
自調之一以无所受而受諸受以調他之一除衆生病之因果自除病之因果調
之調伏之一下为八千天子發菩提心此為病因生於第六論上为維摩如
文殊欲來故空其室現病以為論端令言文殊見淨名之意此明賓主懸
相領契也從維摩詰言善來文殊師利以下大段第四明於正論中別而
為五段第一從善來文殊以下說更不可見明說无常興論第二從且置
事以下說菩薩病亦以大悲起明因病生論第三從居士此室何以空以下說
菩薩於諸見而不動明因空生論第四從文殊言居士所疾為何等相以下
說品明廣上第二因病生論第五不復且議品以下說香積品廣上第三
因空生論所以先明无常為於說法次第先說來去明无常次問病明著
後乃室明空也又解文殊乃意在問病但是淨名發言主人接遇之辭真至
无藏則不可抑也善來文殊亦令日之來无為利益故言善來也不來
相而來亦夫言去來背向為語接方丈理菴羅曰來至菴羅望方丈
為去也既无常明无來去接相續得乃來去就實法則无來去不來相為
實法之中菴羅文殊當體自謝无來菴羅文殊來之相根而來亦既相
續之道得言菴羅文殊向方丈也不見相而見亦實法之中菴羅文殊
當體自謝无乃菴羅文殊可見之相根既假名相續言見於菴羅文
殊也文殊師利言如是居士以下此是賓主共相印可即成淨名之言若來
已更不來亦已之言竟假名相續得言文殊從菴羅來竟實法之中
更乃不來之義假實理殊何故云更但就一人相續明乃來義接實法
深乃亦來之義故云更也去已更不去亦假名相續得言文殊向方丈去
實法之中更有不去之義所以為何亦重釋去義所以既云乃來乃去
所從言无來无去亦何釋云來亦无所從來既相續得言文殊從菴羅
來向方丈去實法理中方丈文殊一念自起故无所從來也去亦无所至
者既相續中向方丈去實法之中菴羅文殊當體自謝不至方丈故云去
者无所至也所可見亦更不可見亦向亦所見文殊實法之中當體自謝更
无菴羅文殊可見也且置是事居士以下回病生論且置是事居士亦疹

者无所至也，所可見者亦更不可見者。問：所見文殊實清之中當體自謝更
无意解文殊可見也。且置是事居士以下，因病生論。且置是事，居士亦介
舉首問疾。雅首未申，忽生餘論，非是陳如來之意，且置問來去之論。此疾寧
可忍不以下，有三問傳如來之意。此乃順俗常宜，共相慰問。中是疾寧
可忍不者，此問病之輕重可堪耐以不。療治有損者，問湯藥所治得斷損
不也。不至增乎者，問此病无乃增劇也。世尊慇懃致問无量者，如來致情如山
如海。仏之問何意始終不答？始不答者，傳使之人未去故；始不答見仏慮者
所以不答乎？擬大衆請仏現起疾之相，畫答病中之言故；終亦不答
居士所疾，何所因起以下，是因病生。六問第一問病疾之起，為何所由、為因本
緣。而來由內四大不調，居士所疾因何而起，其生久如者，是第二問病非今
起，有時節。生來久近，當有何滅者，是第三問病有差期，更逕幾時可得滅
除。從癡有愛則我病生者，答上第二問。其生久者，答第一問。衛悲是病之
因。答第三問，癡愛是外擬感之緣。明病生由物，非是自病，衰情存為物不
在於己。故先答第二問，衆生病以癡愛為原，菩薩病由悲，大病本衆生癡
愛无窮，菩薩大悲无盡。從我識衆生癡愛以來，故起悲心現同
其病也。有又解，癡亦我之都名，有亦川業之揔稱，愛亦潤業
之懷本。人問身病答以癡愛。今良由心病，衆生憂我身病故，現
身病。療彼心病故，擬癡愛為言。癡愛无始，我病无初，病未久也。
以一切衆生病是故我病以下，記餘答上第三問滅方法。以一切衆生病
是故我病者，菩薩本自无病，正以衆生之病故我應病，上道
云從癡有愛則我病生。今指生懷癡愛之人衆生是也，即答
第二問。將欲論滅，先明得病事由衆生。若衆生病滅，則我病
滅。若衆生病滅則我病亦滅也。衆生病有終，我病則有窮。衆
生病无終，故我病无窮。所以者何？釋於上義。所以衆生病滅菩薩之滅者
何？合云以菩薩為衆生故，現入生死。既入生死，故病。若衆生得除
病，菩薩則不復現病。若衆生不免於病，菩薩終日現病也。譬如長者解
菩薩也。唯有一子者，喻衆生。欲明一子則情濃，多子則情淡。故一子為
喻也。其子得病父母亦病者，有病父母慈念心懷憂結。故亦然
病。以喻衆生既病菩薩慈悲意同。子病也若子病愈父母亦愈者。正
子病既除，父母憂結亦愈。菩薩如是合喻，如可也。所以唯一子譬

喻也。具子演，庚父母忽庚亡子者，有病父母慈念也[illegible]
病以喻眾生。既子病，菩薩慈悲念同子病也。若子病愈，父母亦愈
子病既除，父母懸必故言亦愈。菩薩合喻也。所以作一子譬
設上答第三問，生下答第一問。菩薩登一子地，故能成就大慈大悲
是病何所因起？菩薩病者以大悲起。此答上第一問。正以內懷悲
心，悲救眾生，而現有病也。
實何為空？從實空而生，遠由獻蓋。此下以何空以下，因實空問也。如來上寶積獻蓋之現於淨土時眾
觀見國土清淨，將有徹曜獻對情來，遣故今明國土性空，將
為菴羅以除其夢，若今使應劇先明何故在此方現但子
殊奉命問疾，原意亦申不得者前而明此其亦先何不問疾竟坐
後而明但說調伏之後，有人得道。若不先除此執，則妨於逆悟，故
不得為後說。上文殊既已略傳佛命，慰復得自為三問，如來意非申
次明遣寒，後說慰喻調伏於彭猶剎也。國土將來俱是除
何故國土說空？除彼執著而待之，乃云眾魔外道遣其徹曜解
意既訖，國土空无明，以侍者眾魔然空，若以外道眾魔處郵代
被情妙明知之，得以織代，其淨國位至學一邊，二處皆得也。又解，所
意先明國土空，後明病相慰喻調伏病空，外意易遣，內難除事演
先外後內，自易至難，故先因外事明國土空，後因內病明彼貪空也。此室
何以空者？因室生第一問。夫人室內皆有資生什物所須之具，居士此
室何意空无諸物耶？无侍者？侍者是因室生第二問。夫人為病，皆
有侍衛左右瞻侍之人，兩居士何意都无侍疾之人也？詔佛國土亦復
皆空。以下答第一室空之問。答意云：舍宣室中空，一切諸佛國土
從本以來，但自是空，何須問於室中空也？此意在性空，但言中亦報
也。又問以何為空？云令得室中无物之空，云何言諸佛國土一切皆空？
答曰：以空空。以諸佛國土從本以來體是性空，故說為空也。又問空
今眼見此諸佛國土，是為以何為空？同室中无物故空，更有義耶空也
何用空？為若諸佛國土本來性空，有物无物斯皆是空，何用除
去諸物，空其室內？答曰：以无分別空為空。了良由眾生分別，乃演以為實
為令為无，去眾生所分別前境使空，故空此室內以為論耶也。又
問：空可分別耶？空本无物，无物之中，所何分別？答曰：分別亦空

者諸物空其室內荅曰以无分別空之了良由眾生分別万法以爲實
爲令爲无去眾生所分別前境使空故空此室內以爲論端也又
問空可分別耶空本无物无物之中所何分別荅曰分別亦空
者分別空於妄情眾生雖作分別爲有亦從本以來恒是空无又解空
可分別耶空中可有能分別心分別亦空能分別心亦空又問空當於
何求者上明所分別空從此以下明能分別心亦是空也能分別不生三
空六十二見是我中之部諸佛解脫妙極之終中間不生眾生心行文
問空當於何求者已知上所分別空今何處更復求空荅曰當於六十二見
推求諸空也又問六十二見當於何求者已知六十二見體空當於何處更復求
空荅曰於諸佛解脫中推求諸佛解脫體空問諸佛解脫當於何求亦
已知諸佛解脫體空當於何處更復求空荅曰當於眾生心行中推求
眾生心行體空也又一解當於六十二見中求以下既三句借事无以明極
空者相對遣惑也句取正对借邪以遣正六十二見乃是邪我之重體
空之始是極浮正解問題空正習當於何求荅曰當於六十二見中求亦
問邪中无正第一義諦无有極浮正皆亦如邪中求正不可得也又問六二
十二見當於何求荅曰當於諸佛解脫中求亦是第二句解縛相對借解
以遣縛明知眾惑盡解脫之極六十二見邪我之重所於理中无縛亦
如解脫中求六十二見不可得也又問諸佛解脫當於何求荅曰當於眾
生心行中求亦學无學相對借學遣於无學學名居宗之極无學之
地金剛以還及六道未免於我亦於學地所理中无解脫亦如眾生心行
中求於解脫不可得也即是學中无學以所以不復更遣眾生心行
者所見是我中之重解脫是勝妙之極學此兩處中而可以示可
時情即解故不復更遣也又仁所問何无侍者以下荅上第二問大人爲
秉應有侍有疾五三僮僕一局居士云何都无侍疾之人荅云眾魔外
道皆吾侍者夫侍者之爲體供已順命爲義眾魔外道使我變化所
有供已順命之義皆爲侍也又一解夫侍者資益於我今明菩薩化
天魔外道切來歸已資益我義故爲侍者眾生死者眾魔
常在生死菩薩於在生死化之而不捨外道藏邪見
菩薩示同其法以教化之故在邪見而不動也又解眾魔樂著五欲不
求出世樂爲生死菩薩觀生死體空即是涅槃故處生死行化不捨也
外道雖求出世執著己道樂爲邪見菩薩知邪見體空即是正見

BD01032號　維摩經義記（釋瓊本）卷三　（29–6）

菩薩示同其法以教化之故至所見亦不動也又能爲身老之病[illegible]
求生世謂爲生死菩薩觀生死從空即涅槃故處生死行化不捨也
外道雖求生世執著已道謂爲邪見菩薩知邪見從空即是正見
故能處邪不動壞邪見從文殊問維摩詰言居士所疾爲何等相
下是因病生第四問所疾爲何等相者問其病相世人之病四大
互違身體羸損相狀不同居士此病以何爲相室室前三問直明
法身无病爲物現病下三問明生除病之方法假名實法解即是摩詰
斷除心病形病自盡就中開爲三第一明身心從空无有此病與之共合答
曰我病无形不可見者正已病從空故无形故可見也又問此病身合
耶上既云病從性空无故可見但事中亦斷似若有一不可見病與身
心共合故問云病不過身之與心身則苦若心爲覺苦今爲此病爲與
心合耶答曰非身合離故身離猶空也身非幹空无此病可與身
合亦非心合心如幻故爲心從空亦无此病與心共合身爲衰熱於外
故言相離心爲馳動无方故言如幻也又問地大水大火風亦復如是
明耶推其病以四大爲本四大從空所以无病地水火風於此四大何大
之病者上雖明身心從空然四大是其病本今更問四大之中何大之病
答曰是病非地大者即地大從空无病也僧佉人計病與地一從亦不離
地大者離地大之外亦復无病也衛世師人計異離地大外有病此明
即離俱无水火風等具義類然又一解是病非地亦非即地大有病也
亦不離地大者亦不離地大之外至色香味觸中也第三明衆生病者
用有中病皆由四大託以爲病故是故我病亦衆生名用有中病從四大
起是故我今同其病也從文殊師利問言云何慰喻有疾菩薩衆說
菩薩如是慰喻有疾菩薩令其歡喜是因病生第四五問明慰喻也
若拙於問事令病者憂惱更生退悔若巧於問事令病者歡喜更增
其道文殊既承佛問疾慰喻之辭將生其言何故反請維摩解有二
意一爲大士在病多招勝人慰問數更增益之言恐善解慰喻之方故
反問之又一意謂淨名實病故來共相安慰今言病非自爲爲物故亦若
是无病而能現病亦應善巧說慰喻之方故反問之可若爲地以上不能
慰喻但住下習種性行之流不能至病化物恐退墮二乘須慰喻以安之
喻以曉進之安則除憂問於實惠進則曉喻習方便安則不同也

是无病而能現病，説應善巧説慰喻之方，故文言之。自若称地以上不假
慰喻，但住下習種地行之流，不能至病化物，恐退隨二乘，故須慰喻。以茲之
喻以曉進之，出則除憂，明於實惠，進則曉喻習方便，留出則不同凡
夫，進則不同二乘。凡夫保執常樂我淨，則无實惠，故令地行之流出心
於理，明學貴留。二乘怖无常苦，便欲厭身絶化，於道无方便，留令具進習方
便。皆説慰喻中，開為三段：第一説身无常，乃畢竟寂滅，説四法以明慰喻
也。説身无常，不説厭離於身，為凡夫保身是常，不識无常，二乘之
人觀身无常而生厭離，明菩薩知身无常，不同凡夫計身是常，教化
衆生，不同二乘厭離於身也。説身有苦，不説樂於涅槃，為凡夫計身
有樂，不能識苦，二乘之人知身是苦而厭苦樂於涅槃，當説身為苦
莫同凡夫計身是樂，二乘觀身苦厭苦求涅槃，莫同二乘樂於涅槃。説
身无常我，而教導衆生者，凡夫計身為我，不識无我，二乘觀於无我絶
其化道。菩薩觀身无我，不同凡夫計身為我，而為中教化衆生，不
同二乘絶於化導也。説身空寂，不説畢竟寂滅者，凡夫計身是為不識
身空，二乘觀空證空而住，明菩薩觀身空寂，不同凡夫計身是為
而垂有化物，不同二乘證空而住也。第二從説悔先罪以下，就當作
醫王療治衆病，明就四正慰喻前。就四法，令其莫退隨二乘，令
就正慰，為斷除二惡，生於二善，當得免病也。説悔先罪而不説入
於過去，為明已生之惡方便令斷，過去所為之業應悔之，令滅。若有之罪
垂於過去，則不可滅，正以罪无定性，入於過去，故宜可滅也。以已之廣，慰於彼
廣，亦將已方物，以我現疾，當尚苦，如此況於衆生，有甚於我，故宜慈彼
衆生之病也，明菩薩川四正慰，奈不自為兼物，故説一事竟以化物結句
下之三句皆爾。趣是也，當識宿世无數劫苦，亦明息除未生方便令生
无數劫苦，皆由煩惱惡業所招，令不復造，息則未來无苦。此舉過去
以況未來也。當念饒益一切衆生，亦爾，以化物結句，明菩薩勝川此
恒為饒益衆生也。憶所修福，亦念於淨命，亦善法已生方便令增廣
憶過去所修善福，現在川於淨命，善法增廣也。勿生憂惱，亦爾
是結句，明菩薩增廣善法而以化物，不以病苦而起憂惱之心也。常
起精進者，明善法未生方便令生，常應勸勉，自廣生於善法
當作醫王療治衆病，亦爾，以化物明菩薩自生善法，為世醫王療治

憶過去所修善福現在门於淨命善法增廣也勿生憂惱亦尒
是總句明菩薩增廣善法而以化物不以病苦而飽憂惱之心也常
起精進者此明善法未生方便令生常應攝慧自慶生於善法
當作醫王療治衆病亦尒以化物明菩薩自生善治當為世醫王療治
衆生煩惱之病也菩薩應如是以下第三段舉歎善結上六段大门之流
慰喻上來四法正慰慰喻始行菩薩得明善法緣心通悅令其懽悅也
文殊言居士有疾菩薩云何調伏其心說品是因病生第六明於調
伏上慰喻攝外人安慰其病之亦令修無病多心大士雖明慰喻始行
之流由自未能事須為說調伏心若不調攀緣諸境無患不遂於生
死長夜無以自拔事須以理調伏其心令調伏亦明在病菩薩自調量
說中欲作差病之意心淨義曰調倫估曰伏說中自調々他即開為二
段第一從初訖空病亦空明於自調第二從彼有疾菩薩無以所受以
下明調他之行也說自調中開為三段第一從初我此病皆從前世妄
訖起時不言我起滅時不言我滅明衆生空即遣假名我出舉寔
法破假名也第二從彼有疾菩薩為滅法相以下訖如此二法無決定性
明五陰空以破實法也第三得是平等訖空病亦空上明萬法說空我情執
為此空恐以空遣空也說第一衆生空中治開為四句第一句從今我此病訖
身亦無我明無受病之人體空皆從前世妄想顛倒諸煩惱生亦令断皆
據行陰妄想而法亦非有妄想生實有也顛倒而非我計我也煩惱亦正
由妄想顛倒意煩惱諸惑亦說不實實而實病無而實法明無病體
離受病者正以病體空故無受病之人所以者何以下釋上無受病人所以無
實受病人者何釋亦四大合故所以為身四大既無別主也無而神我亦無
受病之人也第二句從而此病起皆由著我說即除我想及衆生想當
除病因令身而病皆由過去妄想執我欲除未病今應去我又此病
起皆由著我是故於我不應生著者是病由計我而生若不復計我
則無治病是故於神我不應生著也既知病本即除我想亦脫識計我
之心是病本故正除計我想也及衆生想亦我見既除十六知見同遣故
言及衆生想略言一耳衆生與我一體義異計有神我處々受生故曰
衆生第三句當起法想說滅唯法滅此舉實法離無受實衆生當
起是法起明當起五陰實法之想應作是念但以衆法合成此身亦第（但着）

BD01032號　維摩經義記（釋瓊本）卷三

（29–9）

言及衆生五蘊言一耳衆生与我一說義異計有神我處處受生皆曰
衆生第三句當起法想起滅唯法滅此舉實法離无是实衆生當
起法五亦明當起五陰實法之五應作是念但以衆法合成此身亦草（旁注：但若）
也草以五陰衆法合成此身故无是實衆生起唯陰起滅唯法滅但見五
陰起滅无实衆生也第四句又此法亦競不言我滅破即陰我上所衛世
師計離陰我僧佉人計即陰我犢子是計不即不離和合中我已
俱遣竟但人情既即陰上計我離除皆重遣之又此法者各不相
知者明我能覺知若即陰有我便應自知知他各相知知之義而識不知
受受不知識皆知无我也起時不言我起滅時不言我滅者若是有我
便應自知我之起滅而識才起滅之時不言我起我滅故知无有神我
也又解我今自在起滅自由生滅迭興起滅不自由故知无我從有疾菩
薩爲滅法五以下第二段明實法空就中而爲三句第一爲滅法五就我
應離之明勸離計實之心爲滅法五亦爲欲滅計實法之五也此法
想者亦是顛倒亦實无五陰而計爲有此計五之心亦是顛倒也顛倒
者是則大患由顛倒之心求未能得大患之果因中說果名故云大患
又解此顛倒之惑亦云是過患也我應離之者此明是患故須遠離
也第二句云何離 雖說不念內外諸法行於平等明離之方法云何
許法而言離之謂離我我所者應當除計我我所之心我所即
是五陰此明從所而言我者無性我我來出於我所云何離我所者云何
方法得離於我所也謂離二法者內外五陰也云何離二法者上直云
離二法今正出二法之體謂不念內外諸法者自身五陰爲內他身五陰爲外
也行於平等者內外既空非平等也如何第三句從云何平等就如此二法无
決定性此舉內外五陰觀萬法體空也云何平等者直以內外五陰空故而
云平等更有餘法平等也謂我等也涅槃等者明一切法悉皆體
空但舉上㬌下中間一切无不是空也所以者何以下釋我与涅槃平等之
意我是計惑之鄙涅槃是妙極之終勝負理殊所以得等者何我及涅
槃此二皆空者正以空故平等也結以何爲空者當是有體令其空爲當（旁注：为）
從本无性而言空也但以名字故空者正以性空但名但字故云是空非
是有法殘令其空也如此二法无決定性者我及涅槃无定實之性也從

槃此二皆空者正以空故平等也錯以何爲空者當是有殊令其空爲當
從本無性而言空也但以名字故空者正以性空但名但字故云是空非
是有法殊令其空也如此二法無決定性者我及涅槃無定實之性也從
得是平等以下第三段以空遣空也得是平等無有餘病唯有空病亦既
得衆生五陰假實之空一切平等更無餘病唯有一病所謂空病空亦非
病人情計有此空能生於病以病爲說空病亦空者空既治空故言
空病亦空也從有疾菩薩以無所受以下調伏中第二段調伏他行上
擬自行調伏此說外化所調[illegible]行（大調他之）即是自調將化他行即成菩薩行
也就中開爲五段第一從是有疾菩薩以無所受以下說如是兼除
老病死菩薩之謂也所化衆生除病因病果也第二從彼有疾菩
薩應作是念以下說方便生是菩薩解所令捨著相之悲求於
無緣大悲也第三從又無方便慧縛以下說有疾菩薩應如是觀諸
法所勸捨空有過觀求二略雙照也第四從又復觀身無常以下說設身
有病而不永滅是名方便明學慰喻調伏中自行外化者兩句雙立二意
也第五從文殊師利菩薩應如是調伏（其心）以下說名明大士所於超（超凡）聖中道行
之可以化物也就第一段除病因病果中開爲三句第一從是爲有疾菩薩說但
除其病而不除法指所欲除衆生病之因果果爲化之意以無所受而受諸
受之既得假實之空病因永斷不復受於病身但爲化物故而受病身也
亦具似法亦不滅受而取證者二亦亦成似滅於受身取證涅槃所大士
亦成似中間終不滅身取證涅槃也設身有苦念六趣衆生起大悲心者
假設亦免病身由有病苦應當觀苦化物念於（六）趣起大悲之心也我既調
伏亦應調伏一切衆生者我既無除病而所以受身亦免病身歸病身化
物者所我既自得調伏故亦須調伏一切衆生故與此意但除其病不
除法者前法是無妄計爲有但除衆生妄計之病而無法可除也第二句爲斷病
本下就謂內見外見是無所見得明除衆生病因爲斷病本故教導衆生何謂
病本謂有攀緣者正出其病本攀緣諸境妄相處起諸我由斯成病即爲病
本也何所攀緣謂之三界者是所攀緣之境謂之三界一切万法也者何斷攀緣者
明除病因方法者何方法斷於攀緣以無所得者亦見前境可得也何謂無所得
者謂內見者自身五陰也外見者他身五陰也此明二見處並無所得之境又一解我
謂內見我所爲外見乃是見生及所見之處此二俱空無境可尋故攀緣自息又者

明除病因。方法云何？方法斷於攀緣，以无所得。云不見前境可得也。何謂是无所得
云謂內見、外見，自身五陰立內見，他身五陰立外見。此明二見，起是无所得之境。又解我
為內見，衆生為外見，乃至見性及所見之處，此二俱空，无境可得，故攀緣心自息，故云
是无所得也。文殊師利！是有疾菩薩調伏其心。云此明結上除病因，而下除病果也。第
三句為斷老病死苦以下，說菩薩之謂七。明除病果，為斷老病死。云即是病果。若直知
解義，无住非病，生老病死都是病。若別知解義，唯取風寒冷熱為病。今是直
相解病，是菩薩菩提。云六道，若能為物除此病果，即是菩薩之道。若
不如是，己所循治為无恵利。云若不能為物除病所循，謂行則不能兼利之道
譬如勝怨乃可為勇。云与菩薩為譬。世間勝怨能自蕩己怨敵，復能与他
除怨，乃稱勇士。明菩薩若能有兼除義，方稱佛法中勇健，真稱勝怨也
彼有疾菩薩應復作是念以下，第二段勸捨著想之悲。既為衆生除病
因病果，若悲著想則生疲恚，化物不普，故勸求无緣大悲也。任前為著
相，住上為无相。就中所為三子句。第一從如我此病以下，說若起愛見大悲
即應捨離。直明勸捨愛見之悲，求无緣大悲。如我此病非真非有，云病
非真實，亦非真非有。云明衆生病亦非真非有。明衆生病體亦非真實
之有。正以己病虛假，所以可觀。衆生病若真實性有，則不可度，復生退轉
悲心何由而起。正以衆生病體非真實性，方則可化度，發弘誓願，起兼濟
之道。作是觀時，於諸衆生若起愛見大悲，即應捨離。云明若作是非真
非有觀時，若起悲候愛，則有疲厭，即應捨離。第二句所以云何，說不
為愛見之所發也。此釋上應捨愛見求无緣之意也。所以云何？所以起
愛見悲應捨離。云何釋云：愛見之悲於生死乃疲厭，心既有厭倦，
化物不普，故宜捨之。煩惱處在理外，稱為客。忽可以為貪恚可遍
云舊也。又一解：凡夫之時所起煩惱，名之為舊。善心中發化發菩提決
愛行悲名為客也。愛見悲者，則於生死有厭猒之心。云名行悲候愛
則有恐觀，不能普化。若能離彼不為愛見之所覆者，己物也，以上得理之
解，起无緣大悲，能於著相，故不為愛見所覆。生死雖長，不覺為遠；衆生
无邊，不覺為勞，故不為愛見之所覆也。第三句所以无縛以下，說是菩薩
解。從此以下勸捨著相之禪，求於理中之靜也。所以求菩薩之行義之所興，
正由滯著，如欲起悲，候愛著積理中之靜，則能无緣化物，故次明之。所生无
[illegible]

BD01032號　維摩經義記（釋瓚本）卷三　（29-12）

解起无緣大悲施於著相故不為愛所覆生死雖處不貪為過衆生
无邊不覺為勞故不為愛見之所覆也第三句下以无縛以下說是菩薩
解從此已下翻除著相之禅求於理中之靜也所以来萬悲之行者之所興
正由偏禅著相故起悲俠夏若捷理中之靜則能天矯化物故次明之所生无
縛能為衆生説法解縛者明菩薩化物要先彊其化今自无有縛能解他
之縛如仏所説若自有縛能解彼縛无有是處引仏説為證也何謂縛何謂
解以下明縛解此貪著禅味是菩薩縛以方貪著禅定隨禅受生不得自
在故名為縛以方便生是菩薩解明既得理中之定故能自在應化所生不為生
死之縛從又无方便慧縛以下第三段上明翻除著相之悲令翻除有无迷亂
求於有无雙照即是實觀而明縛解雙釋為有中无勝行則空觀不明
若空中无勝觀則有行不成大生死所以流轉以迷故為業及流盡象以解悟
為首迷則凡情起執流者悟則證解為懷悟之有由必藉真俗二諦之授
二既有二猶如亦途一者方便猶二者實猶方便猶緣內解功能制名實
猶從境為目欲明二猶別逐其義便一從前境一從內解功用互分觀境諦
之實猶能知之中差別万品并涉有許行遂其功能制方便猶治也不
類屋人逐義便制名不同一就前境（訛內名）其由決慧之眼就境得名慧眼就
內解為稱不可一類也次明四句為章乃下皆別解住前准伏煩惱故有无
迷觀初地以上既得无漏能（亦）斷煩惱故有无雙觀（能）又一解也初地以還雖能雙
觀猶力猶弱故有出入之異名為迷觀八地以上念念之當故二境俱緣故名
雙觀也又无方便慧縛者明著相之悲无其勝行貪於觀空
空觀不明故不能即空知有慧偏為在空中故慧縛有方便慧解者偏
於无緣大悲故有勝行實於空觀故能即空知有慧不偏為在空故稱慧
解无慧方便縛者斷煩惱未盡空觀不明則无勝業以業於有故不能
煩惱故有勝業於有緣所以即有而能知空方便猶不偏為在於有（有）方便解
即有入空故方便猶偏為在於有故稱方便縛也有慧方便解者斷於
何謂无方便慧縛以下釋上四章乃就釋中合為三句第一先標章門第二釋縛
解之義第三結於縛解何謂无方便慧縛者此是第一章門乘第二句釋謂
菩薩愛見心莊嚴仏土成就衆生者此釋无方便於空无相无作法中而
自調伏者釋上慧縛第三句結縛解者名无方便者結上以愛見心莊嚴
故既衆生也慧縛者結於空无相而自調伏也何謂有方便慧解釋第二

辯之義第三就行辯解何謂无方便慧縛者以下第四[illegible]

菩薩愛見心莊嚴佛土成就眾生者此釋无方便於空无作无作法中而
自調伏者釋上慧縛第三句結縛解是名无方便者結上以愛見心莊嚴
成就眾生此慧縛者結於空无作而自調伏也何謂有方便慧解釋第二
章乃謂不以愛見心莊嚴佛土成就眾生者此釋有方便於空无相无作法中
以自調伏而不疲猒者釋於慧解是名有方便者結不以愛見莊嚴成就
眾生慧解者結於空无相而不疲猒也何謂无慧方便縛以下釋上第三章
乃謂菩薩住貪欲瞋恚等諸煩惱者釋於无慧而殖眾德本者釋上方
便縛也是名无慧者結住貪欲諸煩惱也方便縛者結而殖眾德本也何謂
有慧方便解以下釋上第四章問離貪欲等諸煩惱者釋於有慧殖眾德
本迴向菩提者釋方便解是名有慧者結離貪欲瞋恚等諸煩惱也方
便解者結而殖德本迴向菩提也慧以是觀諸法者結上句也又復觀身
无常以下是第四段舉慰論中二句調伏中二句對前二慧上雖明實猶方
便猶未識其體今故指出二慧又復觀身无常苦空非我是名為慧者此舉慰
論中四法即是實猶體也設身有苦常在生死饒益一切而不疲惓是名方便
者舉慰論中當念饒益一切眾生即是方便猶體又復觀身身不離病病不離
身以下此舉調伏中自調之行如我此病皆從前世妄[illegible]觀身病體无假[illegible]
即實猶體也身不離病病者釋病成身故身不離病病不離身者由身而有病
故病不離身也是病是身非新非故者人情謂病在後起為新身在於先謂
之故今不見病始起為新身在先為故也設身有苦而不永滅是名方便者
此舉調伏之行設身有病令不起眾生起大悲心即方便猶體從文殊師
利有疾菩薩以下第五段超凡越聖中道之行結上四段明大士所不
備有此行則不能化及一切正以超凡故能在生死化物无惓超聖故不樂
證涅槃也應如是調伏其心者結上而下應如上來之行調伏其心即結
上之義不得亦應如是調伏其心不住其中亦復不住不調伏中即是
而下之義也夫不解而住則不能不而住正以而解住故則能不而住也不
住其中者不偏住調伏心亦復不住不調伏心者不得偏住不調伏心也所以
者何以下釋不得偏住之意所以不得偏住調伏者何若住不調伏則是
愚人之法若一向住於調伏便是聲聞之法是故菩薩不當住於調伏不調
伏心是若住調伏則同二乘住不調伏則同凡夫故菩薩不應偏住調伏不

者何以下釋不得偏住之意。所以不得偏住調伏者，何若住不調伏則是
愚人之法，若一向住於調伏，便是聲聞之法。是故菩薩不當住於調伏不調
伏心是住。調伏則同二乘，住不調伏則同凡夫。故菩薩不應偏住調伏不
調伏也。離此二法是菩薩行者，離此凡聖二法，則是大士中道之行也。自下諸
句就單趣聲聞獨直趣凡夫。在於生死不爲汙行，住於涅槃不永滅度者，凡
夫處於汙行，故在生死；二乘斷於汙行，則證涅槃。所明大士現受生死不同凡
夫造於汙行，雖斷汙行不同二乘永入滅度也。非凡夫行非賢聖行者，令明凡
聖二人，何謂在生死爲汙行凡夫，何謂在涅槃永滅度聲聞。非垢非淨者，上
明凡聖二人，今明凡聖二法。凡夫造惡是垢，二乘無漏是淨，正以垢故也凡淨
故爲聖。雖過魔行等四句，偏越二乘之人。雖過越魔境，而不能現除眾魔。
所明大士已過魔境，而所現受生死，降伏眾魔也。求一切智無非時求者，二
乘未成佛證果，菩薩求一切智未成佛，中間不證果。住雖觀諸法不生而不入
正位者，二乘觀方法平等無生而入涅槃，菩薩雖觀方法無生而不入
涅槃正位也。雖觀十二因緣而入諸邪見者，二乘觀因緣證空斷五邪見。
明諸菩薩雖觀因緣而能起邪化物也。雖攝一切而不愛著者，超凡夫於
所凡夫攝御眷屬多愛著心，菩薩雖復攝化眾生而內無貪著也。雖
樂遠離不而依身心盡者，二乘身遠憒鬧心離煩惱，依身心滅盡。菩薩
雖樂離憒鬧心離煩惱而不證滅盡。雖行三界而不壞法性者，凡夫行
三界乖於法性，二乘不壞法性則不能示行三界。菩薩示行三界不
同二乘，而亦曾壞法性至理不同凡夫。雖行於空而殖眾德本者，
二乘觀空則不能存有。菩薩雖觀空理而能廣有殖眾德本也。雖
行無相而度眾生者，二乘觀無相空理而不能存有化物。菩薩雖觀
無相之理而能入有化度眾生也。雖行無作而現受身者，二乘觀作業
體空不能現身化。菩薩雖觀作業體空而亦受身以化眾生也。雖行
無起一切善行者，二乘觀於無起而不能行善。菩薩雖觀無起空理，
而能有中脩行善行也。雖行六波羅蜜而遍知眾生心心數法者，二乘
之人行第六波羅蜜，雖觀空不能存有知眾生心數。菩薩行於彼
羅蜜觀空能有知眾生心數之法也。雖行六通而不盡漏者，二乘證
於第六漏盡，永於諸盡涅槃。菩薩雖行第六漏盡通而能起漏化物不

之人行第六獨波羅蜜雖觀空於不能在有於眾生心起菩薩〻於彼
羅蜜觀空雖有能於眾生心起之法也雖行六通而不盡漏者二乘證
於第六漏盡乘於諸盡涅槃菩薩雖〻第六漏盡通而能起漏化物也
證涅槃也雖行四無量而不貪著生於梵世者過越凡夫凡夫之人備四無
量兩梵天道菩薩雖行四等化物非是貪生梵天也雖行禪定能取靜
三昧而不隨禪生者名越凡夫凡夫之人備於三昧〻隨禪受生菩薩雖備
禪定自在所生不隨定業受生也雖行四念處而不永離身受心法者以下
偏越聲聞二乘之人備四念處捨身受心法證取涅槃菩薩雖備四念
處而在有說化不捨身受心法雖行四正勤而不捨身心精進者二乘
之人行四正勤證於涅槃捨身受心精進菩薩雖行正勤而勉勤自厲
不捨精進雖行四如意足而得自在神通者二乘行四如意足未備、
須恐中定菩薩雖行如意足而須無方便神通化物自在也雖〻五
根而分別眾生諸根利鈍者二乘行於五根雖知己根菩薩行於五根則能
分別眾生諸根利鈍也雖行五力而樂求佛十力者二乘行五力未入見諦
道菩薩雖行五力求佛力也雖行七覺分而分別佛之智慧者二乘備七
覺求羅漢果菩薩雖行七覺而求佛之智慧也雖行八正道而樂行無
量佛道者二乘行八正正限於八菩薩雖行八正而仰備無量正道也雖〻
止觀助道之法而不畢竟墮於寂滅者止者是觀名慧法二助道之勝
法菩薩因之而行不隨之入於涅槃雖行諸法不生不滅而以相好莊嚴其
身者二乘觀諸法體空不能在有中現相好菩薩雖觀萬法體空而能
在有相好嚴身也雖現聲聞辟支佛威儀而不捨佛法者二乘現小乘威
儀而乖大乘之法菩薩雖現二乘而未曾乖於佛法威儀也雖隨諸法究
竟淨相而隨所應為現其身者二乘之人觀萬法究竟空寂不能
在有現身菩薩雖觀諸法畢竟體空而能處有隨感現身雖觀諸佛
國土永寂如空而現種〻清淨佛土者二乘觀國土寂滅如空不能亦現清
淨之土菩薩雖觀國土空寂而能在有應現國土種〻清淨雖現得佛
轉於法輪入於涅槃而不捨菩薩之道者二乘亦能現得佛轉法輪菩薩
現成佛觀法滅度菩薩能現上來事而具內德不捨十地之行也

不思議品第六　此品因空室生五第三門正由室中空無牀座身子生念

轉於法輪入於涅槃而不捨菩薩之道是二亦不能現得仏轉法輪菩薩
現成仏說法教度菩薩能現上來事而具內德不捨十地之行也
不思議品第六　此品因室空无林坐身子生念
所謂菩薩當於何坐於是淨名訟其有求下廣明无求即時有五百天
子得法眼淨逢尒諸坐登王應其所須三万二千高廣之坐入於方丈臣
細相容身子致歎因斯廣辯諸仏菩薩有不思議攝能為不思議事
說此一品廣明不思議事故因此品謂不思議品說法品中而為六段第一
說當於何坐明身子念於林坐即為求坐之跡第二從長者維摩詰
知其意以下說說是語時五百天子得法眼淨明訟舍利弗有求
廣明无求第三從尒時長者維摩問文殊師利仁者遊於无量以下說
新發意菩薩及大弟子即為須弥登王如來往机使得坐師子坐明
借坐燈王應其所須第四從舍利言居士未曾有也以下說若我廣說窮
劫不盡明因身子致難歎廣明諸仏菩薩有解脫智能為不思議事
第五從是時大迦葉聞說菩薩不思議解脫法門歎未曾有以下說三
万二千天子發菩提心明迦葉自慨絕分勸新學發心下諸天子、
發菩提心第六從尒時維摩詰大葉十方世界中作魔王者以下說品明淨
名述成迦葉之言兼安慰新學之意尒時舍利弗作是念以下第一段
正以室空无坐故生嘿念由有此念即与淨名所坐為端維摩知其意
以下第二段訟其有求廣明无求訟中有三段第一段從為法來耶以下
明夫為法乃至上身致命況求床坐以安身也第二從非有色受也下識
以下明法相理中无一物可得況有牀坐以安身第三從是法[illegible]時人
利益懽道仁者为法來耶求床坐也者始覺何者而求始先致問
仁者身意來時為法而來为求床坐也舍利弗言我为法來非为
床坐者我今为法非为床坐但身要則心靜聽法則易悟事須坐
身以是義故所以念床坐也夫求法者有不貪軀命何況牀坐者正
識其身求也夫欲為法者能上身致命況求牀坐以自安身也又
解夫求法者不見軀命可貪而況有牀坐可求安身也夫求法
者非有色受以下訟色求有為非求法之法是第二廣明法和理
中无一物可求動中无有五受求法不可得即為五章行非有

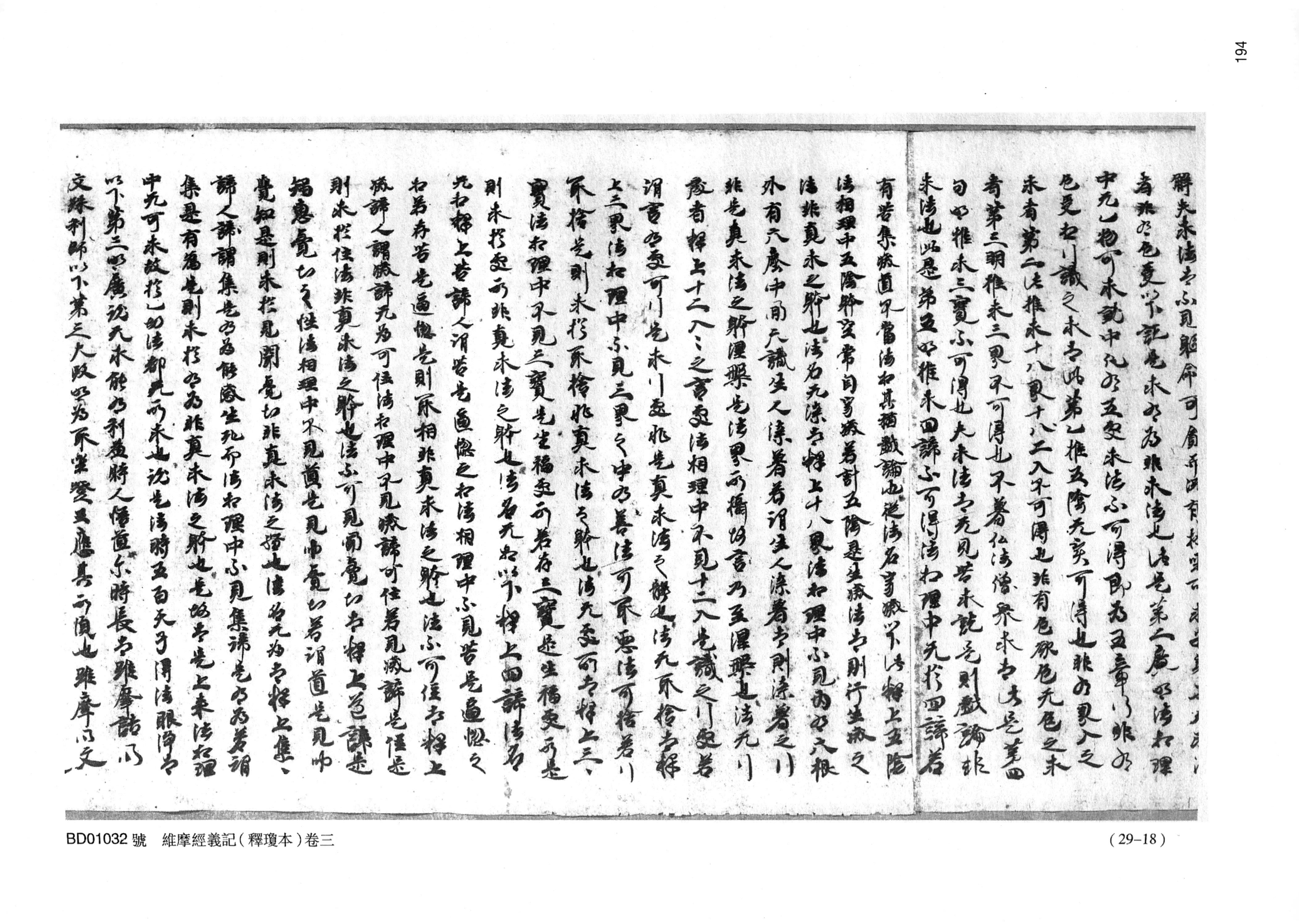

BD01032號　維摩經義記（釋璟本）卷三　（29–18）

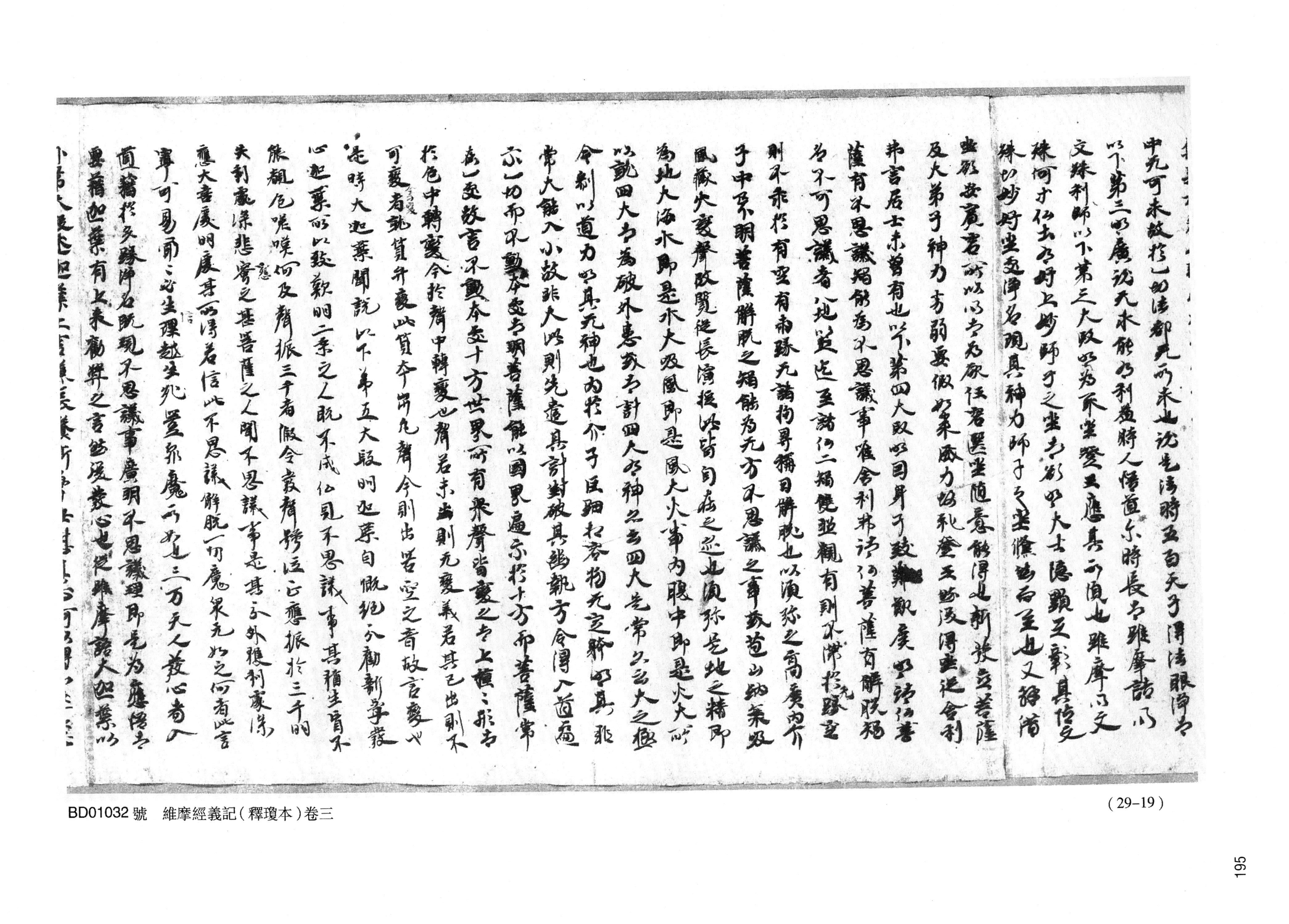

BD01032號　維摩經義記（釋瓊本）卷三

（29–19）

直籍於多跡淨名既現不思議事廣明不思議理即是為應論之
要藉迦葉有上來勸奬之言然後發心也從維摩詰大迦葉以
下第六段述迦葉上言兼長養新學安慰其心何以得知上云
以迦葉上言若信解不思議者一切魔衆无如之何明一切衆魔无
能擾亂菩薩而世間有此行菩薩為魔所擾此則言有餘循時情
致發是故淨名彰彼迦葉之言令其位魔天子是住不思議菩薩
逼試小行令其堅固凡夫下劣有實魔事不能逼迫菩薩此即
彼迦葉上言也新學聞此則知實魔心生畏懼發能退行而大士現
為魔心不生懼故言安慰也

觀衆生品第七

此品所以來者為彰長養新學教其為行之法上以廣品末八千天子
發菩薩提心不思議品後三万二千起无上道意雖復發心未能善知
菩薩之法夫為菩薩必須有行化益衆生之要則情有滯要須
先觀衆生聆空然後處生死慈悲施化說此品中明觀衆生聆空故
目此品觀衆生品也就中開為四段第一段從初說菩薩觀衆生為若
此也明廣說諸譬以況衆生證空不實也第二段從文殊言菩薩住是
觀者云何行慈說答曰所住福祐无所怖畏兩上既觀衆生證空故能
備行四等涉有施行第三段生死有畏菩薩說從无住本立一切法明
生死之中多諸艱險然始行菩薩於生死畏中亦免畏懼故須仰籍高
援依歸如來功德之力方得无懼也第四段從維摩詰室有一天女下
說品明法身大士安心化物處處亦現非女而現女形使始行之派仰冀
高則文殊問言云何觀衆生下第一段觀衆生空中開為三子段
第一譬如幻師見所幻人說如電久住此說十喻以明空幻人者彰明幻師
知幻人无實以喻菩薩觀衆生聆空无定實可得猶如幻師知幻
人无實餘句類尔空中雲者遠望見有近則是无以喻彰理遠則謂
有衆生近理則无其猶雲也又解空中雲瞭忽而來儵尔便散无實故
也衆生无實亦如是第五大說如燋穀牙第二子段若說章上无以況
衆生空第五大據色而言准有四大今无五大形明衆生聆空未定之
實不可得如來五大不可得无色界色者說三乘照明无色界准有
四陰也乃至燋穀牙皆類然也從如須陁洹身見下說如无同之大第
三子段說人空真也直人既斷五下者見乞有身見可[illegible]乃

資不可得如來五大不可得无色界色者說三乘聖明无色界准有
四陰也乃至𣵀槃不皆類然也從如須陁洹身見下說如无因之大事
三子段說人明空須陁洹人既斷五邪諸見无有身見可得故明
衆生體空求實亦可得猶須陁洹未身見亦可得阿那含不欲界
受生之不入胎下諸句類然唯无因之火一句是事但從多爲論明火
以薪草爲因若无薪草之因衆火不可得又解此与燒處者爲喻
照多伽此夜燒處如薪盡火滅明入滅盡涅槃身因既盡无復受身
其猶薪草盡來火不可得也菩薩觀衆生之如此明結句明菩薩
觀衆生體空正如上來所云也從文殊言菩薩作是觀已云何行慈
以下第二大段明脩行四等在有化物也菩薩作是觀已云何行慈
此明意慈本以濟物爲義衆生體空慈將何設作是觀已我當
爲衆生說如斯法是即真實慈者作是衆生空觀已自念我
當學爲衆生說上來所觀之法此是得理之慈非是虛誑故
稱真實慈也從此慈中開爲四子段第一從行寂滅慈已下訖
行无邊慈如虛空故有九句說空境以明慈行寂滅慈无所生
故欲使前人獲得寂滅之理謂菩薩行寂滅慈空理體絕生起故
爲寂滅皆下句釋句上也行不熱慈无煩惱故者令彼前之獲得
空理謂菩薩川亦契慈正以煩惱體空故云亦契也川才云慈
等三慈世故者空理无有差別云異相云爲等令前人獲得平
等之理謂菩薩行等之慈何故平等正以三世悉空故云平等
也行无諍慈无所起故者空理絕於諍競故言无諍令前人獲得
无諍空理相慈菩薩川无諍慈正以空理无鬪動起滅故言无
諍也川亦二慈內外不合故者空體山和稱爲不二令前人獲得不
二之理謂菩薩川不二慈正以无根塵共和和合故云不二也川不
懷慈畢竟盡故者空理不可俎懷故曰不懷令前人獲得不懷之
理謂菩薩行不懷慈正以畢竟盡故不可俎懷也行堅固慈心无毀、
故者此就心爲論會於不懷之理則心得堅固令前人獲得堅固之心謂、
菩薩行堅固慈正以心无毀故曰堅固也行清淨慈諸法性淨故者空理
无穢稱曰清淨令前人獲得清淨之理謂菩薩川清淨慈正以諸法性

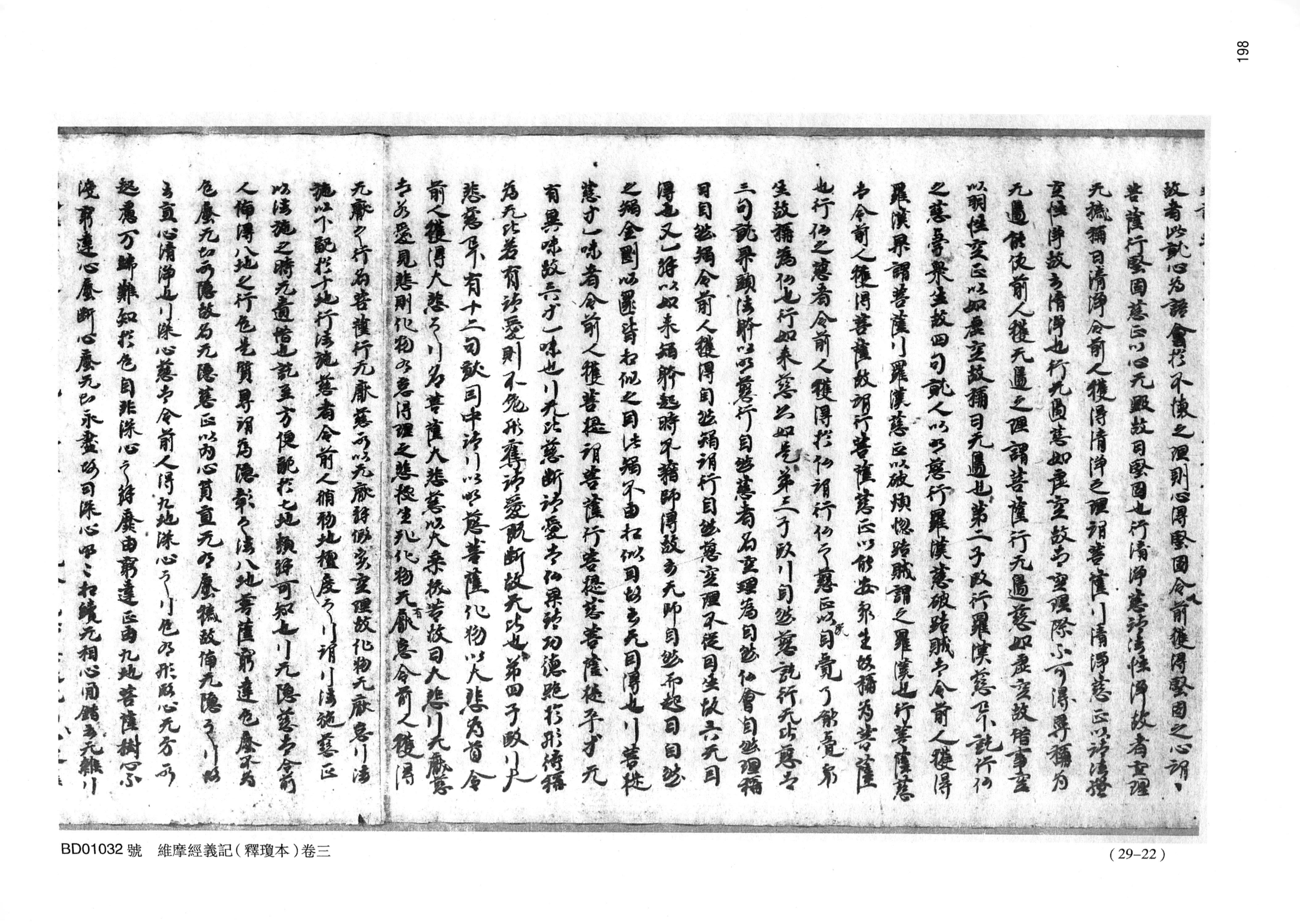

BD01032 號　維摩經義記（釋瓊本）卷三

（29–22）

云直心清淨此門深心慈者令前人得九地深心之門色乃形故心无方所
起處萬緒難知於色自非深心之所稟由窮達正由九地菩薩樹心
深窮達心處斷心處无所永盡此司深心也此鏡无相心用錯者无雜門
也无諍慈者令前人脩十地之波羅蜜之門既除色心集起无之波羅
蜜現前名為真實稱為之不諍正以幹絕虛假故无諍也門安樂慈者明
於佛地既備十地行滿所以得成佛也既果无為之地萬苦斯盡故云安樂令
前人得佛樂故謂菩薩行安樂慈又以何謂為悲者慈亦與樂悲能拔
苦上已行慈令以何為悲答曰菩薩所作功德與一切眾生共之者以我功
以我功德願眾生皆處即是拔苦也何謂為喜有所饒益歡喜无
悔者自他之善皆是饒益内心喜慶无有悔恨之情故名喜也何謂為
捨者所作福祐无所悕望者小捨之觀大捨之者有明菩薩捨其罪行
回之與果一切善无是大捨也文殊師利問以下第三大段上明菩薩涉生死
化物生死之中多諸艱險始行之流要須仰諮高攝依憑如來功德
之力故處生死化物有无畏懼也文殊有以生死有畏菩薩當何所依
者因言教在生死化物得无畏懼當何所依也答曰當依如來功德之
力者若救生死化物要須依憑如來功德神力加護則免畏懼也又之諸畏
由癡生安由我發我安涉生死化物則无畏懼若處生死行化但依如來化
物功德之力自然免於畏懼也又問欲依如來功德之力當何所依答曰當
住度脫一切眾生若依前解此問言欲依如來威神加護當住何門中住
答者當依度脫眾生之行然後感佛威神加護也若依後釋者此問言上
直言依如來功德之力但功德无量當依何功德中住耶答者如來功德
雖復无量但住度脫眾生即是如來化物功德之力又問欲度眾生當何所
除者若欲度眾生應除何等也答曰除其煩惱者煩惱是生死之因眾生累
之本是故除遣又問欲除煩惱當何所行答曰當行正念者若欲除其煩惱
當令觀達性空平等之理則能除斷諸鈍為念又問云何行於正念者直言
正念未識正念之幹答曰當行不生不滅者明性空理中无善可生无惡可
滅又一解說有中四正勤為證不生者已生未生惡法不令生也不滅者已起未
起善法不滅也又問何法不生何法不滅者直言不生不滅未識何法是生不何法
是不滅答曰不善不生善法不滅者人謂言有不善法可滅善法可生明性
空之理不善既无其生者何有不善可滅也善法既无其滅云何乃善法可

BD01032號　維摩經義記（釋瓊本）卷三

（29–23）

滅。又一解：說有中四正懃，爲說不生者，已生亦生，惡法不令生也；不滅者，也起亦
起善法不滅也。又問：何法不生？何法不滅？者，宜多不生，不滅亦識，何法是生？不何法
是不滅。答曰：不善不生，善法不滅者，人謂言有不善法可滅，善法可生，明性
空之理。不善既无其生者，何有不善可滅也？善法既无其滅，云何爲善法可
生也？善惡俱无生滅，以正學上偽。又一解：歎四正懃，爲語不善不生者，二惡
除滅也；善法不滅者，二善增廣也。又問：善不善孰爲本？此則文殊郁推
以至於无稚本者，明從因生，故可以體空。万物以空爲本，體是虛假。
孰之言誰？又曰：善惡之生，以誰爲本者？由身遣。答曰：身爲本者，由身造
善惡，以身爲本。又曰：身以誰爲本？答曰：欲貪爲本者，即是行陰。身由
行而得也。又曰：欲貪以誰爲本？答曰：虛妄分別者，即是受陰。行由受而
起。又問：虛妄分別以誰爲本？答曰：顛倒相者，即是想陰。受由想而生。
又問：顛倒想以誰爲本？答曰：顛倒想者，即是色陰。受无住者，即是識陰。
想由識而生。又問：无住以何爲本？答曰：无住則无本者，六識爲造緣之始，得境
之初，故言无本也。又解：无住以无爲本，六識以空爲本。文殊師利從无住本
立一切法者，由識爲本，次第生想受行及身也。又一解：无住者空也。推想至
空，略識不想者，論但歷想業不鄣識業，故叔明識也，空與想寸爲
本。者正以万法无自性，因緣而得立，故以空爲有本也。无住即爲无本者空
務不從因生，故者无本也。又復一解：形貪爲本者，形著情深，故能廣起。
衆賊之者受涸，故受生形。貪與身爲本也。虛妄分別爲本者，法无美惡，
虛妄分別謂是美，美惡惡。既形貪欲從之而生，故言虛妄分別與貪形
爲本也。顛倒爲本者，法本非有，顛倒因緣以之爲有，既以爲有，生其美
惡之分別，故知顛倒起與虛妄分別爲本也。无住爲本者，顛倒之騁緣和
致有因性，故无以空爲本。由空万有得生也。无住則无本者，无住則窮甚原，
更无所出，故言无本也。從无住本立一切法由无住故生右々倒々故虛々妄
々分々別々故貪々形々故有身既以有身則善惡並陳所以万法斯
起，故言從无住本立一切法。時維摩詰室有一天女，以下第四大段。何故
而來者，欲明大士在於生死，安心外化，變形无方，故能作女，而現女形，使
小行之流仰窠高則，在乎化物也。就中開爲八段：第一從物就結習盡者
華不著也，明天女既出，散華即因華以生論也。第二從舍利弗問天止
明室其正久如就仏說。婚歷怪即是解脫，明譏其於解脫中默求

[illegible]

小行之流，仰窠高則在乃化物也。就中開為八段：第一從物就踐習盡者

華不著也，明天女既出散華，即因華以生論也。第二從舍利弗問天止

此室其已久如說仏說解脫處性即是解脫，明讚其於解脫中深齊

久近。第三從舍利弗言善哉以下，說若有證者則於仏法為增上慢

明識其情有得證。第四從舍利弗問天汝於三乘為何為志求以下

說誰有見斯不思議事而復樂於聲聞法乎，明責其心口相違。第

五從舍利弗問天女何以不轉女身，說天無有無不在者仏所說也，明其現報

第六從舍利弗問天女於此沒當生何所，說眾生猶然無沒生也，明乃(?)

生報。第七從舍利弗問天汝久如當得阿耨多羅三藐三菩提，說諸仏

菩薩亦復如是，無所得故而得，明得其沒報。第八從尒時維摩詰

舍利弗以下說，品明出天女之根迹，安慰舍利弗之意。尒時維摩詰

室以下，第一段明因花以生論有。一天女便現其身，明此天女乃是法身

大士，現為淨名毛神所以出現者，凡有三意：一為彰明大士非女而能現

女，令始學之流仰而則之；二為彰彼(?)對情棄小欣大；三為彰令眾會

悟於無生平等之理也。即以天花散諸菩薩大弟子上者，乃甚二意：

一意近表供養之情，二意彰遠與論義為端(?)。至諸菩薩即皆墮

落者，明菩薩凡有三義：花則不著，一者情無分別，墮以不墮；二者不畏

生死；三者踐習盡故也。至大弟子便著不墮者，亦有三義所以不墮者：

一情存墮不墮；二者畏懼生死；三者踐習未盡，是故不墮也。此非直論其

理，故言大士神力故之不墮。一切弟子神力去花不能令去者，大士威力

所加，欲顯斯之而不能去者。天問舍利弗何故去花者，因去華花之由

答曰此花不如法，是以去之者，此花不如我出家之法，是以除之。之一解衆

法(?)墮而著不墮者也。花隨天自(?)，謂此花為不如法者，明花為

無法與非法，非法是自之情(?)，云以言勿謂此花為不如法者，明法

花無所分別，此花無心分別，法以不墮，但由仁者自生分別之心是

故花不墮。上(?)若於仏法出家有所分別為不如法者，出家無心會理情存墮

以不墮，即有分別非無心會理出家之法也。若無分別是則如法者，明觀

花平等，不見墮與不墮，即會仏法之理也。觀諸菩薩花不著者，斷一

切分別故者，近由斷分別故，心於花不著也。譬如人畏時非人得其便

（29–25）

以不隨取分別非虛心會理出家之法也為無分別是則於法中明觀
花平等不見隨與不隨即會仏法之理也觀諸菩薩花不著亦斷一
切分別故亦正由斷分別之心故花不著也譬如人畏時非人得其便
亦以喻聲聞畏於生死花著不隨色聲香味觸得其便亦為花所著
已離畏亦一切五欲無能為也亦菩薩不畏生死故花不著結習未盡者
聲聞雖斷正結ゝ家餘習未除故花著身亦結習盡亦菩薩斷於
結習是故花不著也小行菩薩猶有結習何故言盡亦但盡心
必須盡善得為斷之方也從舍利弗問天止此室久如以下第三段
讚其解脫中語默久近說中而為三句第一句從止此室久如以下
說故吾於是不知所云正明室理之中無其久近問天止久如亦存滯
為室來又近耶我止此室如耆年解脫亦身子年宿日耆取我
止以來如耆年得空解脫也舍利弗言止此久耶亦天女以空為解脫
諮承其意便謂斷結解脫以逐年載故云止此久耶天曰耆年
解脫亦何如久亦明耆年得空解脫竟何如許而言其久又解耆
年解脫久何久近明無久近舍利弗默然亦既失護於前宗方知
解脫之無言是故默然也天曰如何耆舊大智而默亦既是耆宿智
惠第一何故默然也答曰解脫之中無所言說故吾於是不知所云室
解脫中本無言說事所云也第二句天曰言說文字以下說所以
者何一切諸法皆解脫相所云亦始理言說文字皆解脫相亦然同云
說於日解空聆日無言假言談室理自無始胡為抑口而默所以亦
何亦所以言說文字皆解脫亦何令多解脫不在內外亦兩明三處
求解脫不可得文字之三處求不可得故文字即是解脫內亦六
根外亦六塵中間亦六識也又解脫不內亦生死也不外亦涅槃不中
間亦道品也文字不內亦色身不外亦所名前境不中間亦音聲
又解十八之住十八界也是故舍利弗無離文字說解脫也而亦是文字即
是解脫故無可更離文字覓解脫也所以亦何以更釋少所以離
文字無解脫亦何令多一切諸法皆解脫相文字既是万法之數摹
非解脫也第三句舍利弗言不復以離婬怒癡為解脫乎亦說婬怒
說仏說婬怒癡性即是解脫明徇其本意上稚明性空解脫
[illegible]以性空為解脫

BD01032號　維摩經義記（釋瓊本）卷三　　（29–26）

文字无解脫亦何介言一切諸法皆解脫相文字既是万法之數寧
非解脫也第三〔〕句舍利弗言不復以離婬怒癡為解脫亦說婬怒
説仏説婬怒癡性即是解脫明殉其本意上推明性空解脫
然二乘之人情尚踈斷解脫為勝景殉其本意若以性空為解脫
者不復以離婬怒癡為解脫耶天曰仏為增上慢人說離婬
怒癡為解脫者明凡論增上慢亦凡夫之人得少禪定光明（諸結煩惱不行心淨）謂言
得无漏增勝之法以此為上而起心慢謂增上慢也今〻二乘因增
上慢二乘之人謂生死是（早）畢已道可尊以凡夫為下自已所得
為高即是增上慢仏為此人說踈斷以為解脫若无增上慢
者仏說婬怒癡性即是解脫也菩薩ふ見生死之畢已道可
尊人士觀婬怒癡擬定即是解脫也舍利弗言善哉〻〻下第
三段讃具情存得證世何所得以何所證辯乃如是善世得
何无漏證何无為辯乃如是答曰我无得无證故辯如是亦
雖樓无漏无為而不見无漏可得无為可證虚心會理故辯如
是若有得有證則於仏法為增上慢亦若情存得證即同宗
為增上慢也若見已有所得見他不得仏平等之同為增上
慢人又一解若有（非）所得亦則无所得以不得為得之是增上慢也
從尒時舍利弗問天世於三乘以下第四段責心曰右邊一欸中略有
二意從以聲聞法化衆生說我為大乘此責其心邊我本隨感
則現三乘无定世亦何乃心專謂（我）為大也從如人入薝蔔林以下明大
士常修大乘无小乘之雜而身子於三乘徒不定之所故責其口
也身子言自承心故亦責其心口右邊欸責其口邊而為五子句
第一從如人入薝蔔林就不樂聲聞辟支仏功德之香此就譬喻以
明唯大无小也下合喻可解第二從其有釋梵以下說發心而出明欸
未衆以辯唯大无小也第三從舍利弗吾止此室十有二年但說聞菩
薩大慈大悲不可思議諸仏之法明欸住室久近以辯唯大无小
也第四從舍利弗此室常現八未曾有以下欸八未曾有明唯大
无小八未曾有即作四重明義第一第二内外二明和對金色光
明亦是内外明亦為諸姤之所惱亦謂之内明第三第四又法和對釋
梵天王他方菩薩明其勝之六波羅蜜明亦勝亦第五第六時亦二施

BD01032號　維摩經義記（釋瓊本）卷三

（29–27）

也第四從舍利弗此室常現八未曾有下歎八未曾有明非大
乘八未曾有中初有四章明義第一第二由外二明初對金色天
明示色之外明示為諸佛之所憶念謂之由明第三第四之法初對釋
梵天王他方菩薩明其勝七六波羅蜜明示勝法第五第六財法施
初對眾生無量法化之聲即是法施四大藏即是財也施第七
第八法身淨土相對十方諸佛來入此室即是法身教餝宮殿
諸佛淨土即是淨土也第五子句舍利弗此室常現八未曾有
誰有見斯不思議事而復樂於小法乎
偏結第四八未曾有之可惟結上四句從舍利弗曰天何以不
轉女身下第五大段乃其現報試中明為三句第一從舍利
弗言以下說之何乃曰不轉女身明性空理中無女可轉何以不
轉言女身亦如今猶惠過物亦何以無身之猶更有身之形識辯
如是何不轉女形以為男身天曰我從十二年來求女身相了不可
得當何所轉者女身相空求不可得竟何所轉也當似淨名立
此方丈已逕十二年也譬如幻師作化幻女以諭女身幹空猶
如幻化不實無女可得也第二句即將天女以神力變舍利弗以下說舍
利弗身還復如故迴換男女之身明男非定男女非定女而以言何
以不轉女身者欲向令我轉於女身欲令何故不轉女身也答曰我
今不知何轉而變為女身者我既不測變之所由之不知為轉之
方有一解空中無轉我今非女而變為女身是空中無女可轉故云不
知何轉也天曰舍利弗若能轉此身則一切女人亦當能轉者亦有
而解明舍利弗大士神力加制故不能轉令言若舍利弗能轉此女
身則一切女人亦女之身亦當能轉正以一切女人既不可轉故如舍
利弗亦不能轉也又一解若舍利弗空中能轉者一切女人亦當能轉
一切女人身既亦不轉故如舍利弗空中無女可轉也如舍利弗非女而現
女身一切女人亦復如是雖現女身而非實女若舍利弗實非女
而今為女明知一切女人雖復現女身而實非女也是故佛說非男
非女者引佛所說證男女不定也第三句天曰舍利弗女身色相今何所

BD01032號　維摩經義記（釋瓊本）卷三

（29–28）

一切女人身亦當轉也舍利弗空中无女可轉也如舍利弗非女示現
女身一切女人亦復如是雖現女身而非實女若舍利弗實非女
而今為女明知一切女人雖復現為女身而實非女也是故佛說非男
非女者引佛所說證男女不定也第三、天曰舍利弗女身色相今何所
在已下說實身所在不在理也之舍利弗言女身色相无在无不在
言无有何為之在今日之不在也无在无不在佛所說言引佛語為
證在不在義也從舍利弗問天女於此沒當生何所已下第六段
明當生相也如世殊道菩可當來生之處必也第一段若於此沒當
生但吾曰佛化所生吾如佛化所生非實生第下眾生猶然亦明衆生
皆同亦實无於沒生也從舍利弗問天女久如當得菩提已下第七
段明當得菩提就中兩有三句第一舍利弗問天已下說是以无
得者明舍利弗問之久近而天女明空理之中无菩提可得菩
提无住處者明菩提對无方所說无一所得菩提之天能得之
者第二句舍利弗下以諸佛得菩提非謂菩提有去來今明
法相理中无菩提可得就名問答通中第三世佛菩提可得第三
句天曰舍利弗汝得羅漢道已下說天所得故而得明以舍利弗所
得證理中而得不得就真帝无得據緣假而得也舍利弗相承聽
正以不可見菩提可得皆為可得從尔時作等諸語舍利弗
已下第八段明天女雅迹出然弟子之意舍利弗猶嫌有之
亦謂直第一与女人論義不如何能不懷於怏怏之情今明此女並法
身大士大小理不雖處齊時之何足多愧也

一校流通

維摩經義記卷第三

釋瓊許　瓊瓊

大統三年正月十九日寫訖

是思惟我身手有力
舍出之須臾思惟是
諸子幼稚未有所識
火所燒我當為說怖畏之事此
疾出无令為火之所燒害作是念已如所思
惟具告諸子汝等速出父雖憐愍善言誘喻
而諸子等樂著嬉戲不肯信受不驚不畏了
无出心亦復不知何者是火何者為舍云何
為失但東西走戲視父而已尒時長者即作
是念此舍已為大火所燒我及諸子若不時
出必為所焚我今當設方便令諸子等得免
斯害父知諸子先心各有所好種種珍玩奇
異之物情必樂著而告之言汝等所可玩好
希有難得汝若不取後必憂悔如此種種羊
車鹿車牛車今在門外可以遊戲汝等於此
火宅宜速出來隨汝所欲皆當與汝尒時諸子
聞父所說珍玩之物適其願故心各勇鋭互

BD01033號　妙法蓮華經卷二　（21–1）

異之物情必樂著而告之言汝等所可玩好
希有難得汝若不取後必憂悔如此種種羊
車鹿車牛車今在門外可以遊戲汝等於此
火宅宜速出來隨汝所欲皆當與汝尒時諸子
聞父所說珍玩之物適其願故心各勇鋭互
相推排競共馳走爭出火宅是時長者見
諸子等安隱得出皆於四衢道中露地而坐
无復障礙其心泰然歡喜踊躍時諸子等各
白父言父先所許玩好之具羊車鹿車牛車
願時賜與舍利弗尒時長者各賜諸子等一
大車其車高廣眾寶莊校周帀欄楯四面懸
鈴又於其上張設幰蓋亦以珍奇雜寶而嚴飾
之寶繩交絡垂諸華瓔重敷綩綖安置丹枕
駕以白牛膚色充潔形體姝好有大筋力行
步平正其疾如風又多僕從而侍衛之所以
者何是大長者財富无量種種諸藏悉皆
充溢而作是念我財物无極不應以下劣小
車與諸子等今此幼童皆是吾子愛无偏黨
我有如是七寶大車其數无量應當等心各各
與之不宜差別所以者何以我此物周給一
國猶尚不匱何況諸子是時諸子各乘大
車得未曾有非本所望舍利弗於汝意云何
是長者等與諸子珍寶大車寧有虛妄不舍
利弗言不也世尊是長者但令諸子得免火
難全其軀命非為虛妄何以故若全身命便
為已得玩好之具況復方便於彼火宅而拔
濟之世尊若是長者乃至不與最小一車猶

BD01033號　妙法蓮華經卷二　（21–2）

為已得玩好之具況復方便於彼火宅而拔
濟之世尊若是長者乃至不與最小一車猶
不虛妄何以故是長者先作是意我以方便
令子得出以是因緣无虛妄也何況長者自
知財富无量欲饒益諸子等與大車佛告舍
利弗善哉善哉如汝所言舍利弗如來亦復
如是則為一切世間之父於諸怖畏衰惱憂
患无明闇蔽永盡无餘而悉成就无量知見
力无所畏有大神力及智慧力具足方便智
慧波羅蜜大慈大悲常无懈惓恒求善事利
益一切而生三界朽故火宅為度眾生生老
病死憂悲苦惱愚癡闇蔽三毒之火教化令
得阿耨多羅三藐三菩提見諸眾生為生老
病死憂悲苦惱之所燒煑亦以五欲財利故
受種種苦又以貪著追求故現受眾苦後受
地獄畜生餓鬼之苦若生天上及在人間貧
窮困苦愛別離苦怨憎會苦如是等種種諸
苦眾生沒在其中歡喜遊戲不覺不知不驚
不怖亦不生猒不求解脫於此三界火宅東
西馳走雖遭大苦不以為患舍利弗佛見此已
便作是念我為眾生之父應拔其苦難與
无量无邊佛智慧樂令其遊戲舍利弗如來
復作是念若我但以神力及智慧力捨於方
便為諸眾生讚如來知見力无所畏者眾生
不能以是得度所以者何是諸眾生未免生
老病死憂悲苦惱而為三界火宅所燒何由
能解佛之智慧舍利弗如彼長者雖復身手

不能以是得度所以者何是諸眾生未免生
老病死憂悲苦惱而為三界火宅所燒何由
能解佛之智慧舍利弗如彼長者雖復身手
有力而不用之但以慇懃方便勉濟諸子火
宅之難然後各與珍寶大車如來亦復如是
雖有力无所畏而不用之但以智慧方便於
三界火宅拔濟眾生為說三乘聲聞辟支佛
佛乘而作是言汝等莫得樂住三界火宅勿
貪麤弊色聲香味觸也若貪著生愛則為所燒汝
速出三界當得三乘聲聞辟支佛佛乘我今為汝保
任此事終不虛也汝等但當勤脩精進如來以是方便誘
進眾生復作是言汝等當知此三乘法皆是聖所稱歎自
在无繫无所依求乘是三乘以无漏根力覺道禪
定解脫三昧等而自娛樂便得无量安隱快樂
舍利弗若有眾生內有智性從佛世尊聞法
信受慇懃精進欲速出三界自求涅槃是名
聲聞乘如彼諸子為求羊車出於火宅若
有眾生從佛世尊聞法信受慇懃精進求自
然慧樂獨善寂深知諸法因緣是名辟支佛
乘如彼諸子為求鹿車出於火宅若有眾生
從佛世尊聞法信受勤脩精進求一切智佛
智自然智无師智如來知見力无所畏愍念
安樂无量眾生利益天人度脫一切是名大
乘菩薩求此乘故名為摩訶薩如彼諸子為
求牛車出於火宅舍利弗如彼長者見諸子
等安隱得出火宅到无畏處自惟財富无量
等以大車而賜諸子如來亦復如是為一切

等安隱得出火宅到无畏處自惟財富无量
等以大車而賜諸子如來亦復如是為一切
衆生之父若見无量億千衆生以佛教門出三
界苦怖畏險道得涅槃樂如來尒時便作是
念我有无量无邊智慧力无畏等諸佛法
藏是諸衆生皆是我子等與大乘不令有人
獨得滅度皆以如來滅度而滅度之是諸衆
生脫三界者悉與諸佛禪定解脫等娛樂之
具皆是一相一種聖所稱歎能生淨妙第一
之樂舍利弗如彼長者初以三車誘引諸子
然後但與大車寶物莊嚴安隱第一然彼長
者无虛妄之咎如來亦復如是无有虛妄初
說三乘引導衆生然後但以大乘而度脫之
何以故如來有无量智慧力无所畏諸法之
藏能與一切衆生大乘之法但不盡能受舍
利弗以是因緣當知諸佛方便力故於一佛
乘分別說三佛欲重宣此義而說偈言
譬如長者　有一大宅　其宅久故　而復頓弊
堂舍高危　柱根摧朽　梁棟傾斜　基陛頹毀
墻壁圮坼　泥塗褫落　覆苫亂墜　椽梠差脫
周障屈曲　雜穢充遍　有五百人　止住其中
鵄梟鵰鷲　烏鵲鳩鴿　蚖蛇蝮蠍　蜈蚣蚰蜒
守宮百足　狖狸鼷鼠　諸惡虫輩　交橫馳走
屎尿臭處　不淨流溢　蜣蜋諸虫　而集其上
狐狼野干　咀嚼踐蹋　嚌齧死屍　骨肉狼藉
由是羣狗　競來搏撮　飢羸慞惶　處處求食
闘諍䶥掣　啀喍嘷吠　其舍恐怖　變狀如是

屎尿臭處　不淨流溢　蜣蜋諸虫　而集其上
狐狼野干　咀嚼踐蹋　嚌齧死屍　骨肉狼藉
由是羣狗　競來搏撮　飢羸慞惶　處處求食
闘諍䶥掣　啀喍嘷吠　其舍恐怖　變狀如是
處處皆有　魑魅魍魎　夜叉惡鬼　食噉人肉
毒虫之屬　諸惡禽獸　孚乳產生　各自藏護
夜叉競來　爭取食之　食之既飽　惡心轉熾
闘諍之聲　甚可怖畏　鳩槃荼鬼　蹲踞土埵
或時離地　一尺二尺　往返遊行　縱逸嬉戲
捉狗兩足　撲令失聲　以脚加頸　怖狗自樂
復有諸鬼　其身長大　裸形黑瘦　常住其中
發大惡聲　叫呼求食　復有諸鬼　其咽如針
復有諸鬼　首如牛頭　或食人肉　或復噉狗
頭髮蓬亂　殘害凶險　飢渴所逼　叫喚馳走
夜叉餓鬼　諸惡鳥獸　飢急四向　窺看窓牖
如是諸難　恐畏无量　是朽故宅　屬于一人
其人近出　未久之間　於後舍宅　欻然火起
四面一時　其焰俱熾　棟梁椽柱　爆聲震裂
摧折墮落　墻壁崩倒　諸鬼神等　揚聲大叫
鵰鷲諸鳥　鳩槃荼等　周章惶怖　不能自出
惡獸毒虫　藏竄孔穴　毗舍闍鬼　亦住其中
薄福德故　為火所逼　共相殘害　飲血噉肉
野干之屬　並已前死　諸大惡獸　競來食噉
臭烟熢㶿　四面充塞　蜈蚣蚰蜒　毒蛇之類
為火所燒　爭走出穴　鳩槃荼鬼　隨取而食
又諸餓鬼　頭上火燃　飢渴熱惱　周章悶走
其宅如是　甚可怖畏　毒害火災　衆難非一
是時宅主　在門外立　聞有人言　汝諸子等

為大所燒 爭走出穴 鳩槃荼鬼 隨取而食
又諸餓鬼 頭上火燃 飢渴熱惱 周慞悶走
其宅如是 甚可怖畏 毒害火災 衆難非一
是時宅主 在門外立 聞有人言 汝諸子等
先因遊戲 來入此宅 稚小无知 歡娛樂著
長者聞已 驚入火宅 方宜救濟 令无燒害
告喻諸子 說衆患難 惡鬼毒蟲 災火蔓莚
衆苦次第 相續不絕 毒蛇蚖蝮 及諸夜叉
鳩槃荼鬼 野干狐狗 鵰鷲鵄梟 百足之屬
飢渴惱急 甚可怖畏 此苦難處 況復大火
諸子无知 雖聞父誨 猶故樂著 嬉戲不已
是時長者 而作是念 諸子如此 益我愁惱
今此舍宅 无一可樂 而諸子等 耽湎嬉戲
不受我教 將為火害 即便思惟 設諸方便
告諸子等 我有種種 珍玩之具 妙寶好車
羊車鹿車 大牛之車 今在門外 汝等出來
吾為汝等 造作此車 隨意所樂 可以遊戲
諸子聞說 如此諸車 即時奔競 馳走而出
到於空地 離諸苦難 長者見子 得出火宅
住於四衢 坐師子座 而自慶言 我今快樂
此諸子等 生育甚難 愚小无知 而入險宅
多諸毒蟲 魑魅可畏 大火猛焰 四面俱起
而此諸子 貪樂嬉戲 我已救之 令得脫難
是故諸人 我今快樂 尒時諸子 知父安坐
皆詣父所 而白父言 願賜我等 三種寶車
如前所許 諸子出來 當以三車 隨汝所欲
今正是時 唯垂給與 長者大富 庫藏衆多
金銀琉璃 車璖馬瑙 以衆寶物 造諸大車

BD01033號　妙法蓮華經卷二　（21–7）

願賜我等 三種寶車
如前所許 諸子出來 當以三車 隨汝所欲
今正是時 唯垂給與 長者大富 庫藏衆多
金銀琉璃 車璖馬瑙 以衆寶物 造諸大車
莊校嚴飾 周帀欄楯 四面懸鈴 金繩交絡
真珠羅網 張施其上 金華諸瓔 處處垂下
衆綵雜飾 周帀圍繞 柔軟繒纊 以為茵蓐
上妙細㲲 價直千億 鮮白淨潔 以覆其上
有大白牛 肥壯多力 形體姝好 以駕寶車
多諸儐從 而侍衛之 以是妙車 等賜諸子
諸子是時 歡喜踊躍 乘是寶車 遊於四方
嬉戲快樂 自在无礙 告舍利弗 我亦如是
衆聖中尊 世間之父 一切衆生 皆是吾子
深著世樂 无有慧心 三界无安 猶如火宅
衆苦充滿 甚可怖畏 常有生老 病死憂患
如是等火 熾燃不息 如來已離 三界火宅
寂然閑居 安處林野 今此三界 皆是我有
其中衆生 悉是吾子 而今此處 多諸患難
唯我一人 能為救護 雖復教詔 而不信受
於諸欲染 貪著深故 是以方便 為說三乘
令諸衆生 知三界苦 開示演說 出世間道
是諸子等 若心決定 具足三明 及六神通
有得緣覺 不退菩薩 汝舍利弗 我為衆生
以此譬喻 說一佛乘 汝等若能 信受是語
一切皆當 得成佛道 是乘微妙 清淨第一
於諸世間 為无有上 佛所悅可 一切衆生
所應稱讚 供養禮拜 无量億千 諸力解脫
禪定智慧 及佛餘法 得如是乘 令諸子等

BD01033號　妙法蓮華經卷二　（21–8）

於諸世間　為无有上　佛所悅可　一切衆生
所應稱讚　供養礼拜　无量億千　諸力解脫
禪定智慧　及佛餘法　得如是乘　令諸子等
日夜劫數　常得遊戲　與諸菩薩　及聲聞衆
乘此寶乘　直至道場　以是因緣　十方諦求
更无餘乘　除佛方便　告舍利弗　汝諸人等
皆是吾子　我則是父　汝等累劫　衆苦所燒
我皆濟拔　令出三界　我雖先說　汝等滅度
但盡生死　而實不滅　今所應作　唯佛智慧
若有菩薩　於是衆中　能一心聽　諸佛實法
諸佛世尊　雖以方便　所化衆生　皆是菩薩
若人小智　深著愛欲　為此等故　說於苦諦
衆生心喜　得未曾有　佛說苦諦　真實无異
若有衆生　不知苦本　深著苦因　不能暫捨
為是等故　方便說道　諸苦所因　貪欲為本
若滅貪欲　无所依止　滅盡諸苦　名第三諦
為滅諦故　脩行於道　離諸苦縛　名得解脫
是人於何　而得解脫　但離虛妄　名為解脫
其實未得　一切解脫　佛說是人　未實滅度
斯人未得　无上道故　我意不欲　令至滅度
我為法王　於法自在　安隱衆生　故現於世
汝舍利弗　我此法印　為欲利益　世間故說
在所遊方　勿妄宣傳　若有聞者　隨喜頂受
當知是人　阿鞞跋致　若有信受　此經法者
是人已曾　見過去佛　恭敬供養　亦聞是法
若人有能　信汝所說　則為見我　亦見於汝
及比丘僧　并諸菩薩　斯法華經　為深智說

BD01033號　妙法蓮華經卷二　（21-9）

是人已曾　見過去佛　恭敬供養　亦聞是法
若人有能　信汝所說　則為見我　亦見於汝
及比丘僧　并諸菩薩　斯法華經　為深智說
淺識聞之　迷惑不解　一切聲聞　及辟支佛
於此經中　力所不及　汝舍利弗　尚於此經
以信得入　況餘聲聞　其餘聲聞　信佛語故
隨順此經　非己智分　又舍利弗　憍慢懈怠
計我見者　莫說此經　凡夫淺識　深著五欲
聞不能解　亦勿為說　若人不信　毀謗此經
則斷一切　世間佛種　或復嚬蹙　而懷疑惑
汝當聽說　此人罪報　若佛在世　若滅度後
其有誹謗　如斯經典　見有讀誦　書持經者
輕賤憎嫉　而懷結恨　此人罪報　汝今復聽
其人命終　入阿鼻獄　具足一劫　劫盡更生
如是展轉　至无數劫　從地獄出　當墮畜生
若狗野干　其形頓瘦　黧黮疥癩　人所觸嬈
又復為人　之所惡賤　常困飢渴　骨肉枯竭
生受楚毒　死被瓦石　斷佛種故　受斯罪報
若作駱駝　或生驢中　身常負重　加諸杖捶
但念水草　餘无所知　謗斯經故　獲罪如是
有作野干　來入聚落　身體疥癩　又无一目
為諸童子　之所打擲　受諸苦痛　或時致死
於此死已　更受蟒身　其形長大　五百由旬
聾騃无足　宛轉腹行　為諸小虫　之所唼食
晝夜受苦　无有休息　謗斯經故　獲罪如是
若得為人　諸根闇鈍　矬陋攣躄　盲聾背傴
有所言說　人不信受　口氣常臭　鬼魅所著

BD01033號　妙法蓮華經卷二　（21-10）

晝夜受苦　无有休息　謗斯經故　獲罪如是
若得為人　諸根闇鈍　矬陋攣躄　盲聾背傴
有所言說　人不信受　口氣常臭　鬼魅所著
貧窮下賤　為人所使　多病痟瘦　无所依怙
雖親附人　人不在意　若有所得　尋復忘失
若脩醫道　順方治病　更增他疾　或復致死
若自有病　无人救療　設服良藥　而復增劇
若他反逆　抄劫竊盜　如是等罪　横羅其殃
如斯罪人　永不見佛　衆聖之王　說法教化
如斯罪人　常生難處　狂聾心亂　永不聞法
於无數劫　如恒河沙　生輒聾瘂　諸根不具
常處地獄　如遊園觀　在餘惡道　如己舍宅
駝驢猪狗　是其行處　謗斯經故　獲罪如是
若得為人　聾盲瘖瘂　貧窮諸衰　以自莊嚴
水腫乾痟　疥癩癰疽　如是等病　以為衣服
身常臭處　垢穢不淨　深著我見　增益瞋恚
婬欲熾盛　不擇禽獸　謗斯經故　獲罪如是
告舍利弗　謗斯經者　若說其罪　窮劫不盡
以是因緣　我故語汝　无智人中　莫說此經
若有利根　智慧明了　多聞強識　求佛道者
如是之人　乃可為說　若人曾見　億百千佛
殖諸善本　深心堅固　如是之人　乃可為說
若人精進　常脩慈心　不惜身命　乃可為說
若人恭敬　无有異心　離諸凡愚　獨處山澤
如是之人　乃可為說　又舍利弗　若見有人
捨惡知識　親近善友　如是之人　乃可為說
若見佛子　持戒清潔　如淨明珠　求大乘經

BD01033號　妙法蓮華經卷二

（21–11）

如是之人　乃可為說　又舍利弗　若見有人
捨惡知識　親近善友　如是之人　乃可為說
若見佛子　持戒清潔　如淨明珠　求大乘經
如是之人　乃可為說　若人无瞋　質直柔軟
常愍一切　恭敬諸佛　如是之人　乃可為說
復有佛子　於大衆中　以清淨心　種種因緣
譬喻言辭　說法无礙　如是之人　乃可為說
若有比丘　為一切智　四方求法　合掌頂受
但樂受持　大乘經典　乃至不受　餘經一偈
如是之人　乃可為說　如人至心　求佛舍利
如是求經　得已頂受　其人不復　志求餘經
亦未曾念　外道典籍　如是之人　乃可為說
告舍利弗　我說是相　求佛道者　窮劫不盡
如是等人　則能信解　汝當為說　妙法華經

妙法蓮華經信解品第四

尒時慧命須菩提　摩訶迦旃延　摩訶迦葉　摩
訶目揵連　從佛所聞未曾有法　世尊授舍利
弗阿耨多羅三藐三菩提記　發希有心　歡喜
踊躍　即從座起　整衣服　偏袒右肩　右膝著地
一心合掌　曲躬恭敬　瞻仰尊顔而白佛言　我
等居僧之首　年並朽邁　自謂已得涅槃　无所
堪任　不復進求阿耨多羅三藐三菩提　世尊
往昔說法既久　我時在座　身體疲懈　但念空
无相无作　於菩薩法　遊戲神通　淨佛國土　成
就衆生　心不憙樂　所以者何　世尊令我等出
於三界　得涅槃證　又今我等年已朽邁　於佛
教化菩薩阿耨多羅三藐三菩提　不生一念

BD01033號　妙法蓮華經卷二

（21–12）

无相无作於菩薩法遊戲神通淨佛國土成
就衆生心不喜樂所以者何世尊令我等出
於三界得涅槃證又今我等年已朽邁於佛
教化菩薩阿耨多羅三藐三菩提不生一念
好樂之心我等今於佛前聞授聲聞阿耨多
羅三藐三菩提記心甚歡喜得未曾有不謂
於今忽然得聞希有之法深自慶幸獲大善
利无量珎寶不求自得世尊我等今者樂說
譬喻以明斯義譬若有人年既幼稚捨父逃
逝久住他國或十二十至五十歲年既長大
加復窮困馳騁四方以求衣食漸漸遊行遇
向本國其父先來求子不得中止一城其家
大富財寶无量金銀瑠璃珊瑚虎珀頗梨珠
等其諸倉庫悉皆盈溢多有僮僕臣佐吏民
象馬車乘牛羊无數出入息利乃遍他國商
估賈客亦甚衆多時貧窮子遊諸聚落經歷
國邑遂到其父所止之城父每念子與子離
別五十餘年而未曾向人說如此事但自思
惟心懷悔恨自念老朽多有財物金銀珎寶
倉庫盈溢无有子息一旦終沒財物散失无
所委付是以慇懃每憶其子復作是念我若
得子委付財物坦然快樂无復憂慮世尊尒
時窮子傭賃展轉遇到父舍住立門側遙見
其父踞師子床寶几承足諸婆羅門刹利居
士皆恭敬圍繞以真珠瓔珞價直千万莊嚴
其身吏民僮僕手執白拂侍立左右覆以寶
帳垂諸華幡香水灑地散衆名華羅列寶物

BD01033號　妙法蓮華經卷二　（21-13）

士皆恭敬圍繞以真珠瓔珞價直千万莊嚴
其身吏民僮僕手執白拂侍立左右覆以寶
帳垂諸華幡香水灑地散衆名華羅列寶物
出內取與有如是等種種嚴飾威德特尊窮
子見父有大力勢即懷恐怖悔來至此竊作
是念此或是王或是王等非我傭力得物之
處不如往至貧里肆力有地衣食易得若久
住此或見逼迫強使我作作是念已疾走而
去時富長者於師子座見子便識心大歡喜
即作是念我財物庫藏今有所付我常思念
此子无由見之而忽自來甚適我願我雖年
朽猶故貪惜即遣傍人急追將還尒時使者
疾走往捉窮子驚愕稱怨大喚我不相犯何
為見捉使者執之愈急強牽將還于時窮子
自念无罪而被囚執此必定死轉更惶怖悶
絕躃地父遙見之而語使言不須此人勿強
將來以冷水灑面令得醒悟莫復與語所以
者何父知其子志意下劣自知豪貴為子所
難審知是子而以方便不語他人云是我子
使者語之我今放汝隨意所趣窮子歡喜得
未曾有從地而起往至貧里以求衣食尒時
長者將欲誘引其子而設方便密遣二人形
色憔悴无威德者汝可詣彼徐語窮子此有
作處倍與汝直窮子若許將來使作若言欲
何所作便可語之雇汝除糞我等二人亦共
汝作時二使人即求窮子既已得之具陳上
事尒時窮子先取其價尋與除糞其父見子

BD01033號　妙法蓮華經卷二　（21-14）

汝住時二使人即求窮子既已得之具陳上
事尒時窮子先取其價尋與除糞其父見子
愍而怪之又以他日於窗牖中遥見子身羸
瘦憔悴糞土塵坌汙穢不淨即脫瓔珞細軟
上服嚴飾之具更著麁弊垢膩之衣塵土坌
身右手執持除糞之器狀有所畏語諸作人
汝等勤作勿得懈息以方便故得近其子後
復告言咄男子汝常此作勿復餘去當加汝
價諸有所須瓮器米麵塩酢之屬莫自疑難
亦有老弊使人須者相給好自安意我如汝父
勿復憂慮所以者何我年老大而汝少壯汝
常作時无有欺怠瞋恨怨言都不見汝有
此諸惡如餘作人自今已後如所生子即時長
者更與作字名之為兒尒時窮子雖欣此遇
猶故自謂客作賤人由是之故於二十年中
常令除糞過是已後心相體信入出无難
然其所止猶在本處世尊尒時長者有疾自
知將死不久語窮子言我今多有金銀珎寶
倉庫盈溢其中多少所應取與汝悉知之我
心如是當體此意所以者何今我與汝便為
不異宜加用心无令漏失尒時窮子即受教
勅領知衆物金銀珎寶及諸庫藏而无悕取
一飡之意然其所止故在本處下劣之心亦
未能捨復經少時父知子意漸已通泰成就
大志自鄙先心臨欲終時而命其子并會親
族國王大臣刹利居士皆悉已集即自宣言
諸君當知此是我子我之所生於某城中捨

BD01033號　妙法蓮華經卷二　（21–15）

未能捨復經少時父知子意漸已通泰成就
大志自鄙先心臨欲終時而命其子并會親
族國王大臣刹利居士皆悉已集即自宣言
諸君當知此是我子我之所生於某城中捨
吾逃走跉跰辛苦五十餘年其本字某我名
某甲昔在本城懷憂推覓忽於此間遇會得
之此實我子我實其父今我所有一切財物
皆是子有先所出內是子所知世尊是時窮
子聞父此言即大歡喜得未曾有而作是念
我本无心有所悕求今此寶藏自然而至世
尊大富長者則是如來我等皆似佛子如來
常說我等為子世尊我等以三苦故於生死
中受諸熱惱迷惑无知樂著小法今日世尊
令我等思惟蠲除諸法戲論之糞我等於中
勤加精進得至涅槃一日之價既得此已心
大歡喜自以為足便自謂言於佛法中勤精進
故所得弘多然世尊先知我等心著弊欲樂
於小法便見縱捨不為分別汝等當有如來
知見寶藏之分世尊以方便力說如來智慧
我等從佛得涅槃一日之價以為大得於此
大乘无有志求我等又因如來智慧為諸菩
薩開示演說而自於此无有志願所以者何
佛知我等心樂小法以方便力隨我等說而
我等不知真是佛子今我等方知世尊於佛
智慧无所悋惜所以者何我等昔來真是佛
子而但樂小法若我等有樂大之心佛則為
我說大乘法此經中唯說一乘而昔於菩薩

BD01033號　妙法蓮華經卷二　（21–16）

智慧无所悋惜所以者何我等昔來真是佛
子而但樂小法若我等有樂大之心佛則為
我說大乘法此經中唯說一乘而昔於菩薩
前毀呰聲聞樂小法者然佛實以大乘教化
是故我等說本无心有所悕求今法王大寶
自然而至如佛子所應得者皆已得之尒時
摩訶迦葉欲重宣此義而說偈言
我等今日　聞佛音教　歡喜踊躍　得未曾有
佛說聲聞　當得作佛　无上寶聚　不求自得
譬如童子　幼稚无識　捨父逃逝　遠到他土
周流諸國　五十餘年　其父憂念　四方推求
求之既疲　頓止一城　造立舍宅　五欲自娛
其家巨富　多諸金銀　車璖馬瑙　真珠瑠璃
象馬牛羊　輦輿車乘　田業僮僕　人民眾多
出入息利　乃遍他國　商估賈人　无處不有
千万億眾　圍繞恭敬　常為王者　之所愛念
群臣豪族　皆共宗重　以諸緣故　往來者眾
豪富如是　有大力勢　而年朽邁　益憂念子
夙夜惟念　死時將至　癡子捨我　五十餘年
庫藏諸物　當如之何　尒時窮子　求索衣食
從邑至邑　從國至國　或有所得　或无所得
飢餓羸瘦　體生瘡癬　漸次經歷　到父住城
傭賃展轉　遂至父舍　尒時長者　於其門內
施大寶帳　處師子座　眷屬圍繞　諸人侍衛
或有計筭　金銀寶物　出內財產　注記券疏
窮子見父　豪貴尊嚴　謂是國王　若是王等
驚怖自怪　何故至此　覆自念言　我若久住

BD01033號　妙法蓮華經卷二　（21-17）

或有計筭　金銀寶物　出內財產　注記券疏
窮子見父　豪貴尊嚴　謂是國王　若是王等
驚怖自怪　何故至此　覆自念言　我若久住
或見逼迫　強驅使作　思惟是已　馳走而去
借問貧里　欲往傭作　長者是時　在師子座
遙見其子　嘿而識之　即勅使者　追捉將來
窮子驚喚　迷悶躄地　是人執我　必當見煞
何用衣食　使我至此　長者知子　愚癡狹劣
不信我言　不信是父　即以方便　更遣餘人
眇目矬陋　无威德者　汝可語之　云當相雇
除諸糞穢　倍與汝價　窮子聞之　歡喜隨來
為除糞穢　淨諸房舍　長者於牖　常見其子
念子愚劣　樂為鄙事　於是長者　著弊垢衣
執除糞器　往到子所　方便附近　語令勤作
既益汝價　并塗足油　飲食充足　薦席厚暖
如是苦言　汝當勤作　又以軟語　若如我子
長者有智　漸令入出　經二十年　執作家事
示其金銀　真珠頗梨　諸物出入　皆使令知
猶處門外　止宿草菴　自念貧事　我无此物
父知子心　漸已曠大　欲與財物　即聚親族
國王大臣　剎利居士　於此大眾　說是我子
捨我他行　經五十歲　自見子來　已二十年
昔於某城　而失是子　周行求索　遂來至此
凡我所有　舍宅人民　悉以付之　恣其所用
子念昔貧　志意下劣　今於父所　大獲珍寶
并及舍宅　一切財物　甚大歡喜　得未曾有
佛亦如是　知我樂小　未曾說言　汝等作佛

BD01033號　妙法蓮華經卷二　（21-18）

并及舍宅　一切財物　甚大歡喜　得未曾有
佛亦如是　知我樂小　未曾說言　汝等作佛
而說我等　得諸无漏　成就小乘　聲聞弟子
佛勅我等　說最上道　脩習此者　當得成佛
我承佛教　為大菩薩　以諸因緣　種種譬喻
若干言辞　說无上道　諸佛子等　從我聞法
日夜思惟　精勤脩習　是時諸佛　即授其記
汝於來世　當得作佛　一切諸佛　秘藏之法
但為菩薩　演其實事　而不為我　說斯真要
如彼窮子　得近其父　雖知諸物　心不悕取
我等雖說　佛法寶藏　自无志願　亦復如是
我等內滅　自謂為足　唯了此事　更无餘事
我等若聞　淨佛國土　教化衆生　都无欣樂
所以者何　一切諸法　皆悉空寂　无生无滅
无大无小　无漏无為　如是思惟　不生喜樂
我等長夜　於佛智慧　无貪无著　无復志願
而自於法　謂是究竟　我等長夜　脩習空法
得脫三界　苦惱之患　住最後身　有餘涅槃
佛所教化　得道不虛　則為已得　報佛之恩
我等雖為　諸佛子等　說菩薩法　以求佛道
而於是法　永无願樂　導師見捨　觀我心故
初不勸進　說有實利　如富長者　知子志劣
以方便力　柔伏其心　然後乃付　一切財物
佛亦如是　現希有事　知樂小者　以方便力
調伏其心　乃教大智　我等今日　得未曾有
非先所望　而今自得　如彼窮子　得无量寶
世尊我今　得道得果　於无漏法　得清淨眼

BD01033號　妙法蓮華經卷二　（21–19）

調伏其心　乃教大智　我等今日　得未曾有
非先所望　而今自得　如彼窮子　得无量寶
世尊我今　得道得果　於无漏法　得清淨眼
我等長夜　持佛淨戒　始於今日　得其果報
法王法中　久脩梵行　今得无漏　无上大果
我等今者　真是聲聞　以佛道聲　令一切聞
我等今者　真阿羅漢　於諸世間　天人魔梵
普於其中　應受供養　世尊大恩　以希有事
憐愍教化　利益我等　无量億劫　誰能報者
手足供給　頭頂礼敬　一切供養　皆不能報
若以頂戴　兩肩荷負　於恒沙劫　盡心恭敬
又以美饍　无量寶衣　及諸臥具　種種湯藥
牛頭栴檀　及諸珍寶　以起塔廟　寶衣布地
如斯等事　以用供養　於恒沙劫　亦不能報
諸佛希有　无量无邊　不可思議　大神通力
无漏无為　諸法之王　能為下劣　忍于斯事
取相凡夫　隨宜為說　諸佛於法　得最自在
知諸衆生　種種欲樂　及其志力　隨所堪任
以无量喻　而為說法　隨諸衆生　宿世善根
又知成熟　未成熟者　種種籌量　分別知已
於一乘道　隨宜說三

妙法蓮華經卷第二

BD01033號　妙法蓮華經卷二　（21–20）

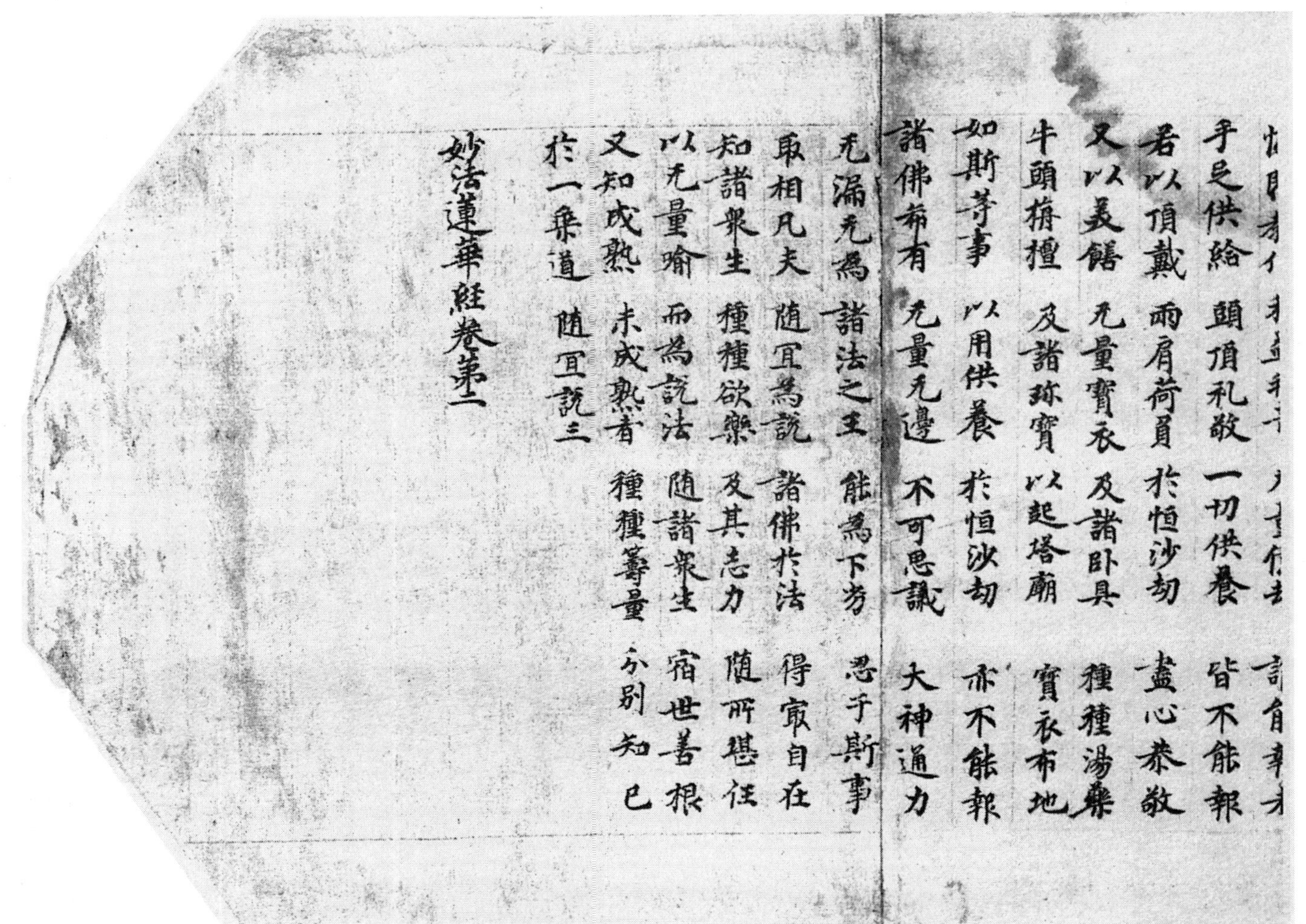
手足供給　頭頂礼敬　一切供養　皆不能報
若以頂戴　兩肩荷負　於恒沙劫　盡心恭敬
又以美饍　无量寶衣　及諸卧具　種種湯藥
牛頭栴檀　及諸珍寶　以起塔廟　寶衣布地
如斯等事　以用供養　於恒沙劫　亦不能報
諸佛希有　无量无邊　不可思議　大神通力
无漏无為　諸法之王　能為下劣　忍于斯事
取相凡夫　隨宜為說　諸佛於法　得最自在
知諸衆生　種種欲樂　及其志力　隨所堪任
以无量喻　而為說法　隨諸衆生　宿世善根
又知成熟　未成熟者　種種籌量　分別知已
於一乘道　隨宜說三
妙法蓮華經卷第二

BD01033號　妙法蓮華經卷二　（21–21）

發大如法界究竟等虛空

言方便者方謂方圓便謂要便已合縣德日方所作順宜日便

度沙弥法 律中度羅佉羅為最初僧祇云若年七歲解知好惡与出家過七十臥起須人不得度若能循習諸業聽出家若太老已出家不應驅出若梢欲出家者

為說苦事一食一住一眠多覺少睡問答能者度 與剃髮法 時諸比丘輒度人故衆僧不知佛言汝若於僧藍中剃髮當白一切僧若不得和合房房語令知已与剃髮若

在僧中作白己剃髮 大德僧聽彼某甲欲求某甲比丘剃髮若僧到時僧忍

作是白言

聽与某甲剃髮白如是 作白已喚入衆中与剃髮度人法式廣如[illegible] 授十戒法

大德僧聽此某甲從某甲比丘求出家若僧時到僧忍聽与某甲

出家白如是 授戒體法 我某甲歸依仏歸依法歸依僧我今

隨佛出家某甲為和尚如来至真等正覺是我世尊 三說 我某甲

歸依仏竟歸依法竟歸依僧竟我今隨仏出家已某甲為和上如

来至真等正覺是我世尊 三結已与戒相

[illegible]語時是受戒時不犯三妄語

正問難遮法 沙弥 汝諦聽今是真誠時今我問汝有當言有無當言無

不犯邊罪耶汝不犯比丘尼耶汝非賊心為道耶汝非壞二道耶汝

BD01034號1　四分律刪補隨機羯磨鈔（擬）

（12–1）

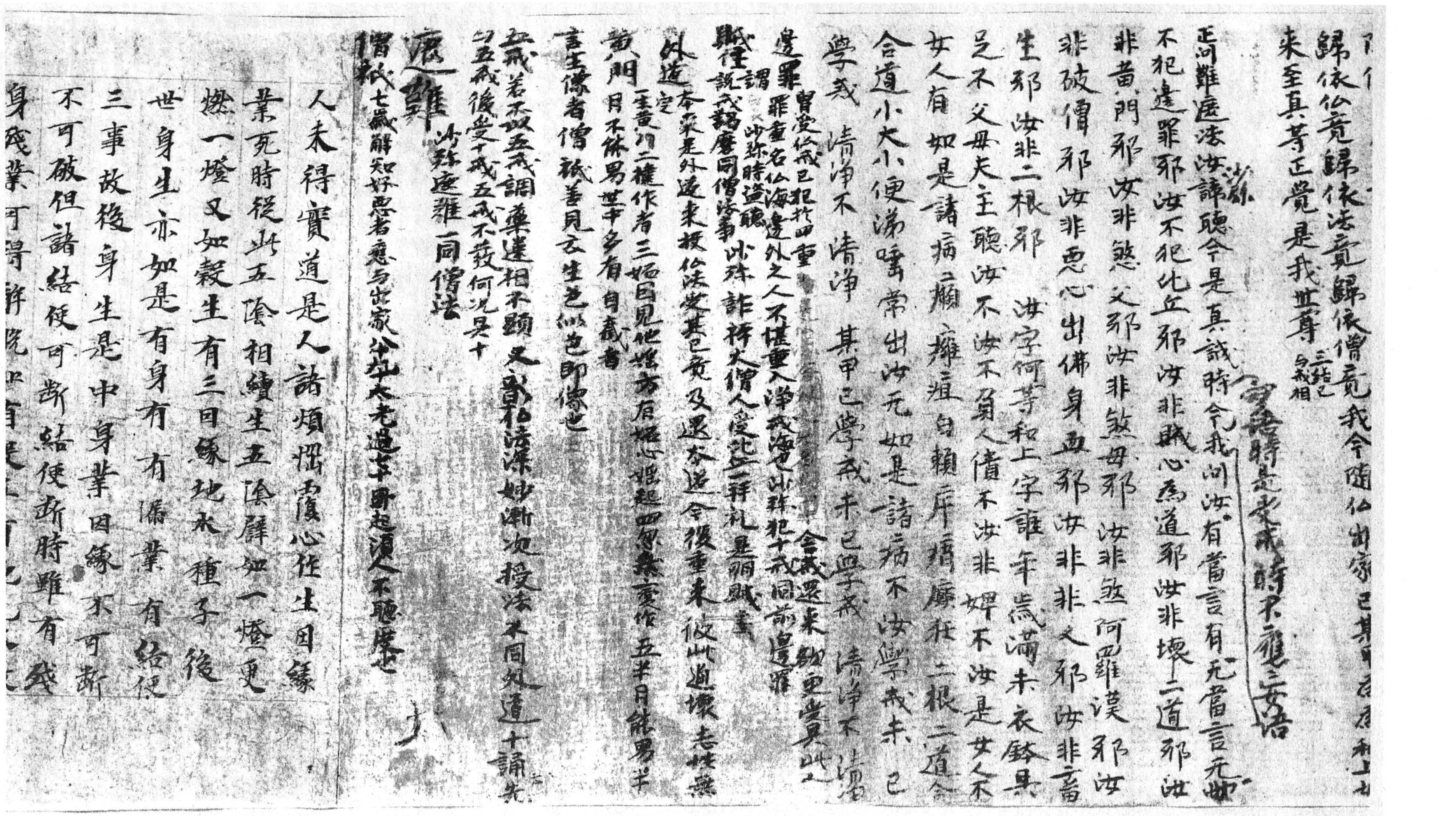

BD01034 號 1　四分律刪補隨機羯磨鈔（擬）
BD01034 號 2　大智度論鈔（擬）
BD01034 號 4　佛教名數手記（擬）

（12–2）

世身生亦如是有身有有漏業有結使
三事故後身生是中身業因緣不可斷
不可破但諸結使可斷結使斷時雖有殘
身殘業可得解脫如有種子有地無水故
不生如是雖有身有業無愛結水潤則不
生是名雖無神亦名得解脫無明故縛智
慧故解則我無所用復次是名色和合假

名色故受罪福果而人得名譬如車載物
一推之竟無車實然車受載物之名人
受罪福亦如是名色受罪福而人受其名
受苦樂亦如是如是種種因緣神不可得
我即是施者受者亦如是汝以神為人以
是故施人不可得受人不可得亦如是如是
種種因緣是名財物施人受人不可得問
日若施於諸法是如實相無所破無所
滅無所生無所作何以故言三事破折不
可得答曰如凡夫人見施者見受者見財
物是顛倒妄見生世間受樂福盡轉還是

曾以七返入大海中具知海道菩薩即命

（12–3）

BD01034 號 2　大智度論鈔（擬）
BD01034 號 4　佛教名數手記（擬）

曾以七返入大海中具知海道菩薩即命
共行荅言我年既老兩目失明曾雖數入
今不能去菩薩言我今此行不自為身普
為一切求如意寶珠欲給足衆生令身无
乏次以道法因緣而教化之汝是智人何
得辭耶我願得成豈非汝力陁舍聞其要
言欣然同懷語菩薩言我今共汝俱入大
海我必不全汝當安我身骸著大海之中
金沙洲上行事都集斷第七繩船去如馳到衆
寶渚衆賈競取七寶各各已足語菩
薩言何以不取菩薩報言我所求者如意
寶珠此有盡物我不須也汝等各當知足
知量无令船重不自勉也是時衆賈白菩
薩言大德為我呪願令得安隱於是辭去
陁舍是時語菩薩言別留艇舟當隨是別
道而去待風七日博海南岸至一險處當
有絕崖棗林枝皆覆水大風吹船船當摧
此當死過此隘岸當有金沙洲可以我身
置此沙中金沙清淨是我願也即如其言
風至而去既到絕崖如陁舍語菩薩仰板
棗枝得已自免置陁舍屍安厝金地於是
獨去如其先教深水中浮七日齊咽水中
行七日齊要水中行七日齊膝水中行七
日泥中行七日好蓮華鮮絜柔濡自思惟
言此華濡脆當入虛空三昧自輕其身行

BD01034 號 2　大智度論鈔（擬）
BD01034 號 4　佛教名數手記（擬）

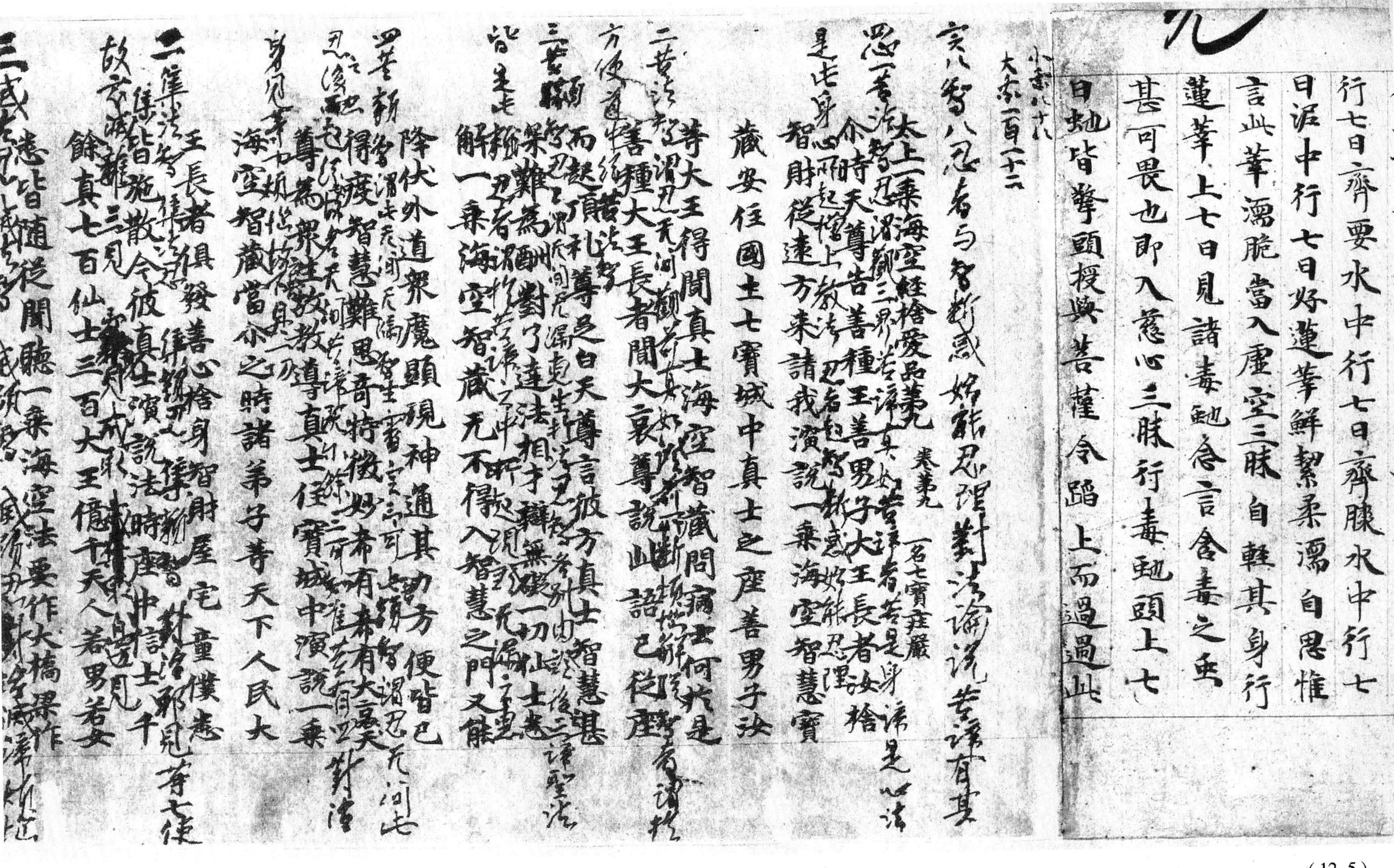

(12–5)

BD01034 號 2　大智度論鈔（擬）

BD01034 號 3　太上一乘海空智藏經卷九

BD01034 號 4　佛教名數手記（擬）

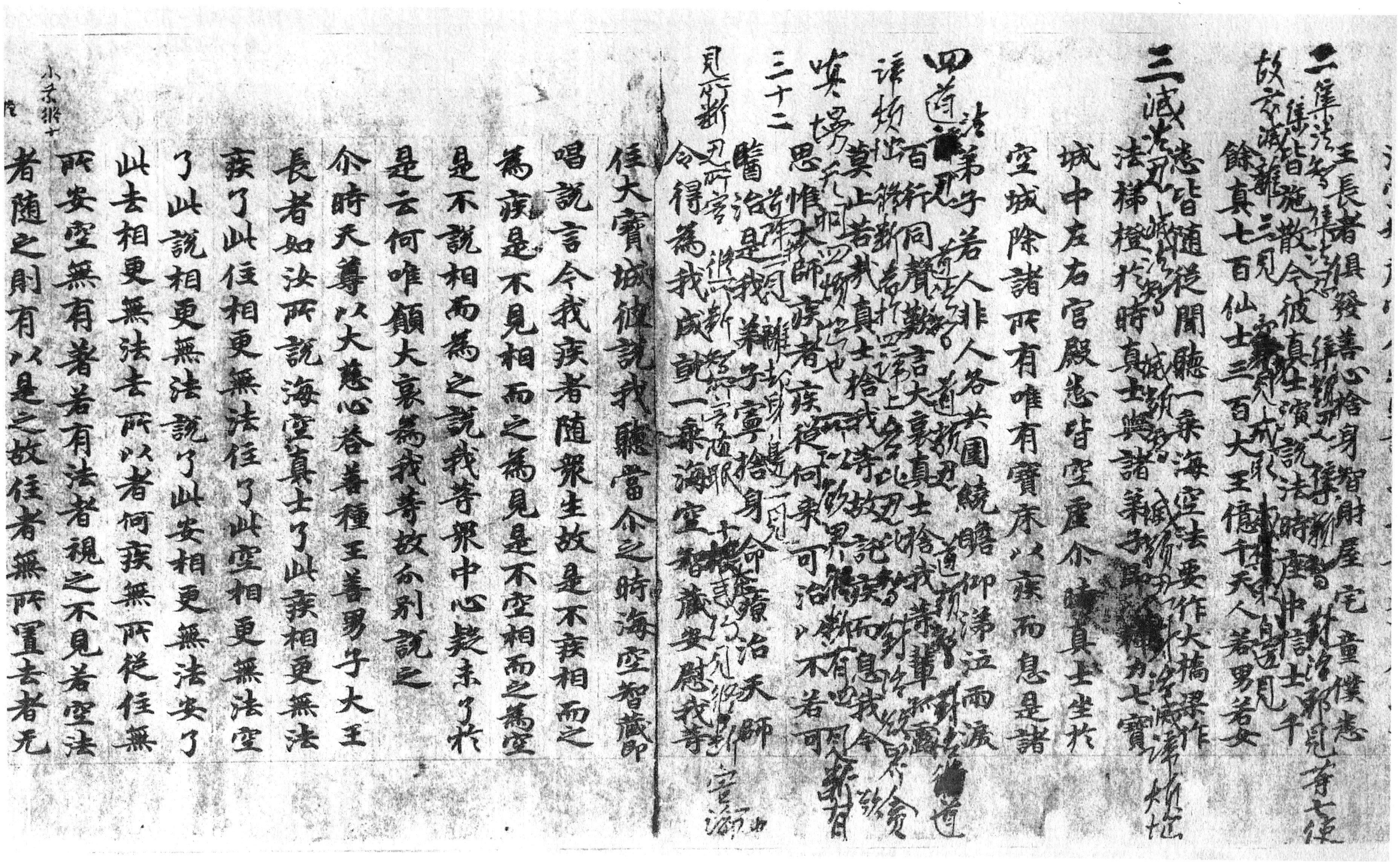

二 …王長者俱發善心捨身智財屋宅童僕悉…
故云滅離 … 餘真七百仙士三百大王億千天人善男善女
三 滅 … 悉皆隨從聞聽一乘海空法要作大橋梁 … 法梯橙於時真士與諸弟子 … 七寶
城中左右宮殿悉皆空虛介時真士坐於
空城除諸所有唯有寶床以疾而息是諸
四 … 弟子若人非人各共圍繞瞻仰涕泣而流
[illegible]
三十二 …
見所斷 … 令得爲我成就一乘海空智藏安慰我等

住大寶城彼說我聽當介之時海空智藏即
唱說言令我疾者隨衆生故是不疾相而之
爲疾是不見相而之爲見是不空相而之爲空
是不說相而爲之說我等衆中心疑未了於
是云何唯願大衰爲我等故分別說之
介時天尊以大慈心答善種王善男子大王
長者如汝所說海空真士了此疾相更無法
疾了此住相更無法住了此空相更無法空
了此說相更無法說了此安相更無法安了
此去相更無法去所以者何疾無所從住無
所安空無有著若有法者視之不見若空法
者隨之則有以是之故住者無所置去者无

小乘十
大乘十六 四難斷

此去相更無法去所以者何疾無所從住無
所安空無有著若有法者視之不見若空法
者隨之則有以是之故住者無所置去者无
所至今所疾者更無可疾今所住者更无可
住今所空者更无可空今所置者更无可置
汝等大王善心受持自當得解於是衆中善
種大王聞是說已心大歡喜頂礼尊足白天
尊言如是說者今海空疾寧可醫治療之有
損不增病不大衰天尊衆中无量真仙童子
地仙道士殷勤致問海空真士而今疾者何
所因起本何當滅盡其疾因令衆歡喜同發
善心好樂觀聽一乘海空智慧寶藏
爾時天尊告善種王善男子汝等問者言海空
疾從何因起善男子海空疾者從衆緣起是
故有病若諸衆生得不病者海空真士亦復
不病何以故海空智藏爲衆生故入生死身
有生死身則有病因若諸衆生得離病者
是則海空無復有病善男子譬如慈母唯
有一子其子得病父母亦病其子病愈父
母亦愈海空真士亦復如是令海空者於諸衆
生愛之若子以是因緣衆生有病海空亦病
善男子言海空病何所因起汝等大王我今
思惟海空疾者從大慈起於是衆中善種大
王聞此語已白天尊言大衰天尊云何海空
智藏真士住寶城中城空無有床座之坐我

BD01034 號 3　太上一乘海空智藏經卷九
BD01034 號 4　佛教名數手記（擬）

（12–7）

思惟海空藏者從大慈起於是衆中善種大
王聞此語已白天尊言大哀天尊云何海空
智藏真士住寶城中城空無有床座之坐我
今思惟甚大惶怖於是天尊荅善種王善哉
善哉善男子言城空者三清玉京長樂國
主亦復空虛善種大王又復白言如是所說
以何爲空而云空虛
天尊荅言以空爲空又復問言空何以空天
尊荅言空無分別何以故分別亦空故言空
空善種又言空分別不
天尊荅言分別亦空又問空无分別空於何
法荅言空於法相空於六塵六塵既空法相
亦空善種又問法相云何荅言即法相者即
是解脫是解脫者即是法相以是之故法相
既空解脫亦空又言云何解脫荅言是煩惱
者即是解脫是解脫者即是煩惱解脫既空
煩惱亦空善種又言是煩惱者即是病者而
非病耶若是病者病從何來爲從身來爲非
身來若從身者身法既有煩惱云何而云
爲空
天尊荅言我說病者即是煩惱煩惱既空病
法亦空病法既空身法亦空何以故煩惱身
者如幻如夢以是因緣以空爲空善種又言
地水火風四大之中何大是身荅言煩惱身
者非地大生不離地大水火風大亦復如是

地水火風四大之中何大是身若言煩惱身
者非地大生不離地大水火風大亦復如是
一切衆生煩惱身者從四大起以之爲病是
故真士隨之爲病於是善種得聞說已即
起作礼讚歎一乘海空智藏是我大師爲我
輩說言有疾諸行無常身法無我不說海空
猒離於身說身有苦不說常樂玄都玉京教
導三乘爲諸衆生作大橋梁度生死海於空
城中說身有疾哀愍衆生令識宿世億劫
中苦當念饒益一切衆生脩知福田念於衆
生勿令憂惱勸助衆生勤行精進作大醫王
療治衆生一切病根慰喻衆生以疾而卧
尒時海空智藏告善種王汝菩勿疑我身病
者而言无疾令我疾者皆前世因妄想顛倒
諸煩惱生無有實法惟之爲疾所以者何四
大合故假名爲身四大无主身亦无著令我
疾者皆由着身是故於身不應生著善種大
王既知病本即除我想及煩惱想當滅法想
汝菩大王應作是念但以衆法合成此身我
身之身起唯法起滅唯法滅此法身者各不
相知起時不言我起汝滅時不言我滅汝
起我念衆生亦復如是善種大王汝菩當知
應作是念此法身者亦是顛倒是我身者
即是大患汝菩應當猒離此身云何爲離我
我所離我所者即離二法二法皆不念内

BD01034 號 3　太上一乘海空智藏經卷九
BD01034 號 4　佛教名數手記（擬）

（12–9）

應作是念此法身者亦是顛倒是我身者
即是大慈汝等應當猒離此身云何爲離我
我所離我所者即離離二二法者不念内
外諸法平等云何平等我等常樂常樂
清淨内外无我我亦清淨此二法者悉皆
空空以何爲空但以名字名字故空如此二
法无决定性得是平等无有餘病唯有空病
空病空病亦空了空病故是我有疾今我病
者无受而受說身无常法相不滅而取證
信故設有身普念衆生發大慈心說一乘
藏調伏我身亦當調伏一切衆生除種種病
今我說病爲斷衆生攀緣病本斷病本故則
無所得若無所得則斷攀緣諸根若盡是
我無病善種大王得聞說已合掌作礼長跪
讚言善哉善哉大哀真士爲斷我故作如
是說調伏其心亦當調伏一切衆生老病死
苦若不如是我等衆生无患利煩惱所
縛海空真士爲我說者譬如法勝乃可爲勇
亦復能除老病死苦得住城中彼說我聽
海空真士亦復如是爲我有妄而云有病我
身病者非真非有海空智藏亦復如是非
真非有若有衆生觀此病者時不起愛見
如是人者是海空藏久已離於生死病身
何以故海空智藏久已斷除微塵煩惱而
起大慈爲愛悲者則於生死有疲猒心記疾

BD01034 號 3　太上一乘海空智藏經卷九　　（12–10）
BD01034 號 4　佛教名數手記（擬）

如是人者是海空藏久已離於生死病身
何以故海空智藏久已斷除微塵煩惱而
起大慈為愛悲者則於生死有疲厭心託疾
而卧若有衆生能厭離心隨有所愛如是之
人在在所生不為愛見之所覆也解了法相
所生无繫復能知慧為諸衆生說法解繫亦
如海空所說一乘有繫皆解託身有繫能解
他繫自他之繫悉皆清淨若有衆生貪愛
者善味是海空繫於繫中想煩惱无主身
亦無我如是念者是方便生是海空解善種
大王說是說已瞻仰尊顏作礼而退於是海
空聞善種說心大歡喜告善種王善哉善哉
善男子汝善上士是我真子智慧甚深才
辯無礙能了法相是我大師智慧難思過
於我說我今思惟善種大王名不虛耶善
能達立三界種留故名善種善男子汝當
諦聽分別為說善男子云何方便而為繫
者以着見心小乘小見莊椅三寶七寶宮
殿成就其身而自調伏化諸衆生俱行有
法於空无相而作法中種種莊椅如是人
者是方便繫云何而為方便解者不以愛見
而作愛身莊嚴微妙成就衆生俱了一乘海
空智藏安住不動證空非空說有非有以方
便力於空無相化作法中亦道衆生令其調
伏厭離其身不受諸受如是人者是方便解

而作愛身莊嚴微妙成就衆生俱了一乘海
空智藏安住不動證空非空説有非有以方
便力於空無相化作法中示道衆生令其調
伏猒離其身不受諸受如是人者是方便解
善種大王若有一人有疾而卧汝等當應作
如是念諸法無我我身無常苦空非我雖身
有疾在生死中化度一切而不猒惓是名方
便汝等又復念於我身身不離病病不離身
是病是身非新非故是惠方便設身有疾
而寂滅故是智方便善種大王若有衆生
有疾而卧不作是念不調伏心不猒離身而
貪求愛如是人者是愚人法當知是人不離生
死地獄苦中若有一人有疾而卧念想諸法
苦空無我是我身疾在生死中而不生死無生
死故生死無我我於生死亦無汙行住於常
樂亦不常樂不寂滅故是海空行如是之人
永離生死煩惱城中雖有我身不依身心雖
在三界不壞法性雖行於空亦无空想又告
善種長者大王我身雖病為諸衆生有疾
而卧雖行無相為彼衆生而度一切雖行
无作為彼衆生而現受身雖行无動為彼衆

想弟四

印仏 大明流空繁星失耀 大覺出現群聖潛輝 即知
信海澄清仏日現留璃之影 慈山作鎮法雲飛甘露
之澤 入此門者何樂如之 厥此會者時即有節兒都散公等奉
為聖神贊普相公等印仏並于並以周國 即此功德奉資相
公貴位 伏願聖壽天地比堅 貞明與日月齊照 慈雲速
藹澤及飄生 伏願美佐時嘉謀 蓋代股肱 王國作万
里之長城 經紀輌走 為百遼之准的 金門受律
鵲印臨邊 權節河隴之間 清塵万里 伏願相
公嚴毅永固 劫石愈而不愈 福智長資 芥城盡
而不盡 亦願陰陽順序 日月貞明 天平地成 樂
和礼合 仰勞清衆奉為相公虔供 一心稱念摩訶
般若波羅蜜 施一切誦

惠文 夫慈悲普化 遍滿於閻浮 大覺威雄 度群生於六道 故使
維摩現疾 託在毗耶 諸聖問疾之徒 往方丈之室 卅卅現疾應
品類之根機 為麦金鎗 表衆生之本業 然今所申意者
禪師 惟禪師戒香芬馥 定水澄清 披忍辱之綵衣 行平等
之觀 敬心燈皎皎 破歷劫之重昏 惠劍暉暉 剪稠林之根本 於一
念頓悟不坐三昧門 近无等等之寔 生靈之眼目 乃溺海之舟航也

(12–1)

BD01034 號背 1　印佛文
BD01034 號背 2　齋儀號頭（擬）

品嶺之根機易麦金鎖……

禪師　惟禪師戒香芬馥定水澄清披忍辱之衣衆行平等

之覩敬心燈晈晈破歷劫之重昏惠劍暉暉剪稠林之根本於一

念頓悟不空不生三昧門近无等等寔生靈之眼目乃溺海之舟航也

尼師　可謂風標雅素早着紆花碧水禪池共清丹桂与戒香連

翦飛聲流佑種德稟門継蓮色之高蹤襲愛道之清軌者也

稟氣雖千種貪生共一般從頭皆負活着箇不求安怕急緣防

箭高飛恐被弾詎堪鷹隼殘遂更被網羅傷猪狗衣離圈

羊牽惡出闌持刀炬下刺於肉口中噉苦痛知何說荒迷尔

許難故言食肉者自囹誡審看

佛說出家功德經

佘時世尊在王舍城迦蘭陀竹林園中天龍八部大衆

圍遶佛爲說出家功德其福甚多若放男女若放人民

若放奴婢若自已身出家入道功德无量不可稱計布施

之報十世受福六天之中往返十到猶故不如放人出家若自出

家功德最勝何以故布施之報福有限極出家之福无量无邊

又持戒果報五通神仙受大福報極至梵世於佛法中出家果

報不可思議乃至涅槃福不可量假使有人起七寶塔高至三十

三天所得功德不如放出家何以故七寶塔者貪惡愚人能破壞故

出家之法无有毀壞欲求善法除佛法已更無勝故如千盲人有

一良醫能治其目一時明見又有千人罪應挑眼一人有力能救其罪

令不挑眼此二人福雖復无量猶亦不如放人出家若自出家兼轉

視道一切衆生永劫无窮惠眼之性歷劫无壞是故福報人天之中

恣意受樂无窮无極果成佛道所以者何由出家法滅魔眷屬

增益佛種摧滅惡法增長善法洗除罪垢興盛福業是故佛

說出家功德高於須弥深於巨海廣於虛空无量无邊若使有

人於出家者爲作留難而相抑制故爲其心不聽出家入於佛道

BD01034 號背 2　齋儀號頭（擬）
BD01034 號背 3　上皇勸善斷肉文
BD01034 號背 4　出家功德經（出賢愚經）

（12–2）

[illegible]

增益佛種，摧滅惡法，增長善法，洗除罪垢，興盛福業，是故佛
說出家功德高於須彌，深於巨海，廣於虛空，无量无邊。若使有
人於出家者為作留難，而相抑制，故為其心不聽出家入於佛道，
此人即斷世間佛種，其罪甚重，不可稱計。譬如大海江河万流悉
入其中，此人罪報亦復如是，一切諸惡自集其身。是人現世得白
癩病，命終當入黑闇地獄，展轉地獄，如須彌山劫火所燒，无有
遺餘，此人亦爾，地獄火燒，无有窮已。譬如迦樓𨡛藥，極為苦毒，
若善斤兩比於石蜜，此善惡報亦復如是。放人出家功德最大，以
出家人能多羅為水，濯結使之罪垢，消滅生死之苦，為涅槃之以
毗尼為足，踐淨戒之地，阿毗曇為目，觀世善惡，恣意遊步八正之路，
至涅槃城。以是義故，放人出家，若自出家，若長若幼，其福最勝。
一切大眾聞佛所說，皆發道意，歡喜奉行，作禮而去。

佛說出家功德經一卷

問：依何部受戒？　答：五部之中依四分受。　於四分中有戒種受，
戒有五種，何者是五？　善來、上法、三歸、八敬、羯磨等是。
於此五中依何等如受？依羯磨受。　具戒緣四緣得名如法　一僧數滿足緣
二結界成就緣　三身无遮難緣　四羯磨如法緣
又問：制此戒有何意？　答：制戒以三意　一戒得未起非法　二戒得已起殺
佪能知輕重，識判職除　三指生十利，攝取於僧等　四又云言如來出
世見眾過失，謂十利故，与諸比丘制戒，乃至正法久住。已來此是通意。
言別意者，婬欲之性斷是難，截生死根本，若不斷除，流輪三有，是故
聖制。　第二釋名者，亦有通別。　言通者，戒是通名，不淨行等是別名。

BD01034號背4　出家功德經（出賢愚經）
BD01034號背5　戒律疏釋鈔（擬）

（12–3）

又問制此戒有何益答制戒故有三意　一滅得未起非法　二滅得已起非
佪能知輕重識別能除　三招生十利攝取於僧等　四欠云言如來出
世見衆過失謂十利故与諸比丘制戒乃至正法久住是來此是通意
言別意者　婬欲之法能是雜穢生死根本若不斷除流輪三有是故
聖制　第二釋名者亦有通別　言通者戒是通名不淨行等是別名
第三具緣者有通別　言通者有三　一是大比丘簡非所教文言若
比丘故　二廣制教後以其初人教未攝故　三无重病壞心簡癡狂
犯等 此上三教該攝未乘戒同然　言別者此初戒具四緣　一正境　二有染心
三起方便　四与境合　若惡道亦有四緣一正境二惡道三境合
四受樂　已之初戒通三別四七緣成犯　第四闕緣 若闕通
全无犯可知亦可闕初及第三等有罪即方便中闕緣方便等无罪可知
闕第二全无罪　已闕七別緣　若闕初緣非道道想疑得蘭　闕二三兩緣无犯
闕第四緣有二偷蘭　損破威儀身手未及輕蘭　就小衆對手三說懺
身手相及重蘭大衆懺　言大衆者八僧是　惡道同前觀別有四但五
方便　已上諸戒例然　各有通別之意　又闕制不同　如初戒文有三
一略制　二隨制　三廣制　言制略者　介時世尊在毗舍離時迦蘭陀子須提那
持信出家後還本村其母以財勸令捨道至三不從以婦勸便言我能
後行不淨常懷憂悲諸比丘呵責已往白世尊世尊集諸比丘種種呵責
當与結戒集十句義　言隨制者因跋闍比丘不樂梵行即便還
家仏因隨制　言廣制者後有乞食比丘林中起過仏因此人廣制戒
潤發有二一睡眠无所覺知二惡道
言盜戒者　制意通意如前　言別意者 凡盜資財形命之本
然出家所為應暇已濟物今乃非理侵奪損惱不輕過中之重是故聖制
言釋名者非理損財故名為盜　第三具緣如前　別緣有六　四闕緣若
闕初緣持三偷蘭　言犯緣者　介時仏在羅閱城耆闍崛山有檀尼迦
比丘在閑靜處止草屋後為人持作薪持去便作全成亦見舍為仏
呵責勅諸比丘破便至王守材人所詐宣王勅取王要材持去為王臣人民譏嫌
比丘呵責已白世尊世尊因此制戒集十句義
言煞戒者　制意通意如前　言別意趣報勝善因所招形心俱道器
但出家之人應據四等今反真惡斬壞陰境違慈悲他損害道器過
中之重為此聖制　二釋名者五陰法中假立衆生斬於五陰名
言犯緣者
仏在毗舍離与諸比丘說不淨觀彼習之覺厭患身命嘆死勸死

[illegible]
但出家之人應據四等 今及嗔之念 新棟陰境 遠慈拯他 損害道器 過
中之重 為此聖制　二釋名者 五陰法中 假立眾生 斬於五陰名
[illegible] 言犯緣者
仏在毗舍離 与諸比丘說不淨觀 彼習已 覺歎患身命 讚死勸死
讚死有難提比丘 受鹿杖衣鉢 便断他命 彼鹿杖戒已 日殺六十人 為諸屈
士 [illegible] 佛知此事 便訶數息觀已 諸比丘修 獲果證 仏知訶已制戒
言妄語戒者 制意者 无漏真道 聖所證法 非是凡夫漆識之所服契
未得故冒 假虛談 自言已證 惑乱群心 欺誑於世 悕招名利 以自
瘫已 過中之重 是故聖制　二釋名者 言不稱實 所以言妄 云說得
聖事 起凡境 故曰過人法　第三別緣有八 第四顯緣云 言犯緣 佛在
毗舍離時 世饑黃乞求難得 集僧告言 當隨同師親友安居 諸比丘
在婆求河邊安居者 便共稱讚得上人法 諸信士減食分施与安居
貴攝衣鉢往至佛所 為聖慰問 二眾發覺 訶制
第五麤觸戒　仏在舍衛國祇樹給孤獨薗 時有大善鹿樂長者
与偷蘭難陀比丘尼相觸 仏制此戒 具五緣成犯 一男子 簡非天
与畜男 異女等 男中有間 死活大小輕重等 又通道俗親疏 廣說可知
二人想 三染心 四觸 五受樂 便犯 不犯者 若有所取相觸 或戲笑相
解時相觸一切不犯
犯八事戒第六　仏在舍衛國祇樹給孤獨薗 沙樓鹿樂長者 与偷
蘭難陀比丘尼有欲心受長者捉手捉衣等 故制此戒 具五緣成犯 一男
二男想 三染心 四犯前七事未識 五八事作犯 言八事者 一捉手 二捉衣 三入屏處
雜伴　四屏處 五又之語 行住等三事亦尒 七身相倚者 二身相及 八共期者
行共媒處 若男俱染犯上七事七偷蘭 不識犯八事波羅夷 准此犯八捉
手不成重 若一男犯八 一時犯八 八年犯八 八男成重 亦无次第 僧祇如此 不犯者
若有所施与 若礼拜 若懺悔 若受法 入屏處不作惡事不犯 由俱无染心故不
第七覆藏他重罪戒　仏在舍衛國祇樹給孤獨薗 時偷蘭難陀比丘
尼妹安隱舍難陀 其人犯波羅夷 時偷蘭難陀知 恐妹得惡名稱 累然不

（12–5）

BD01034 號背 5　戒律疏釋鈔（擬）

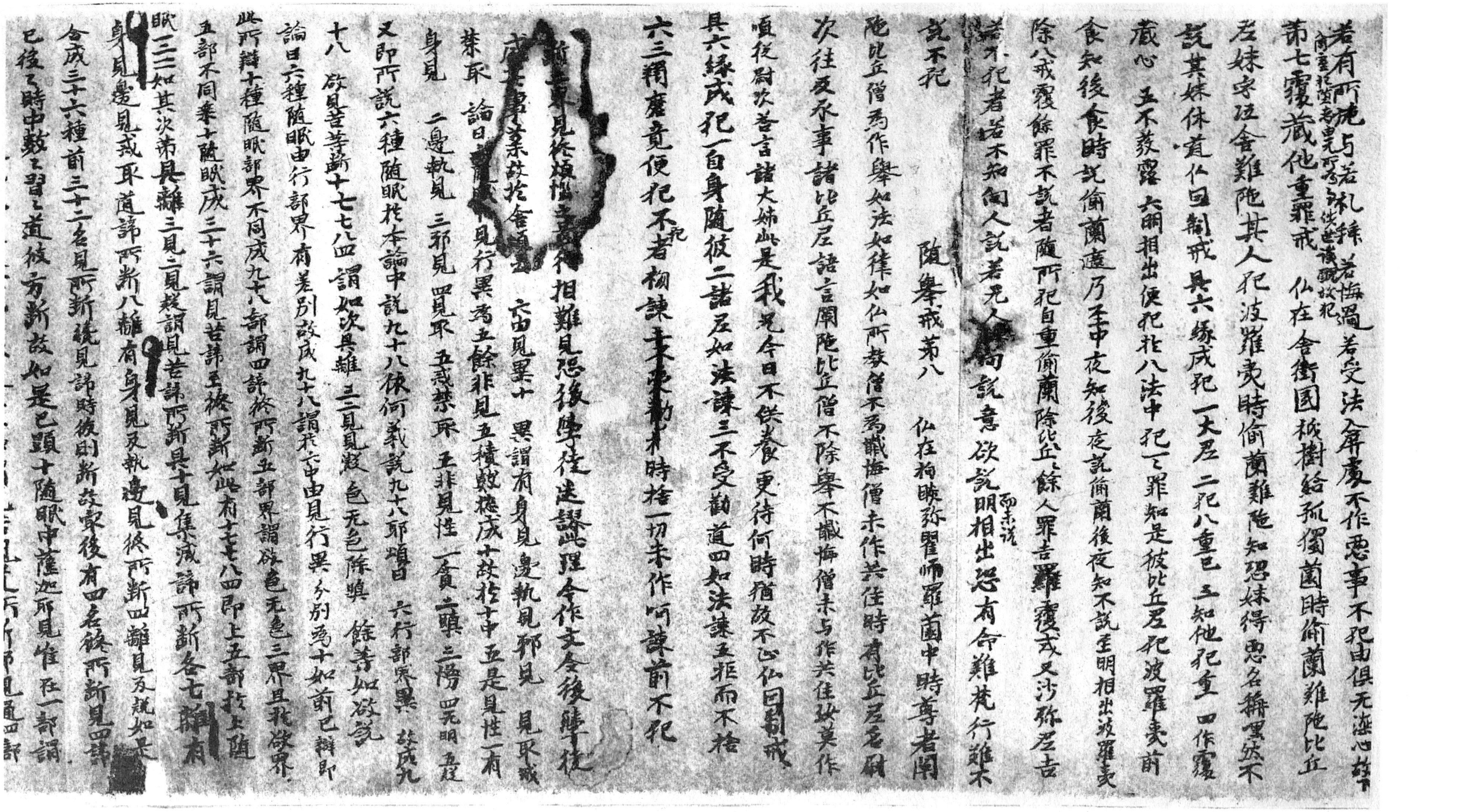

BD01034 號背 5　戒律疏釋鈔（擬）

BD01034 號背 6　斷三界見修煩惱之圖

（12–6）

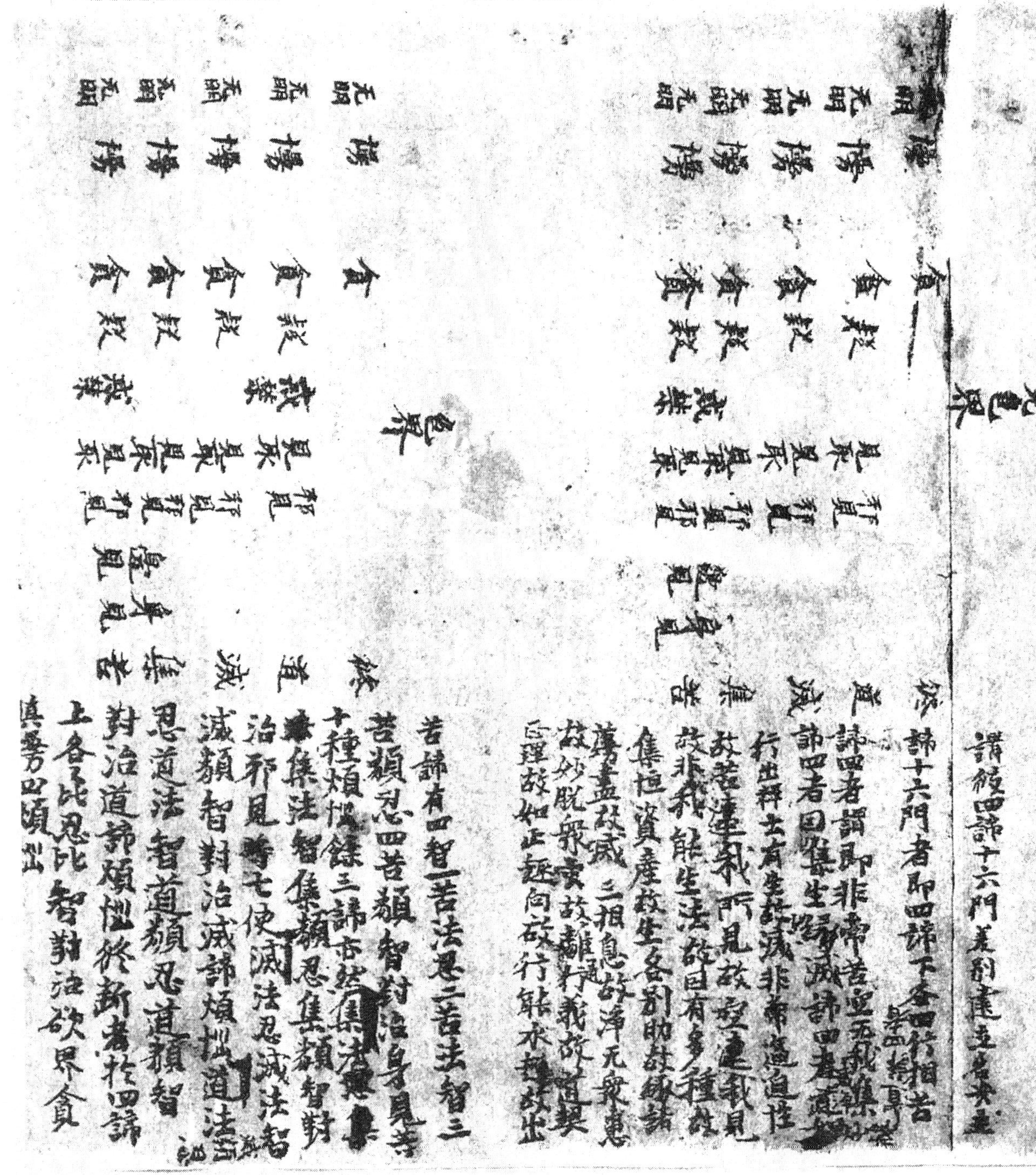

BD01034 號背 6　斷三界見修煩惱之圖

（12–7）

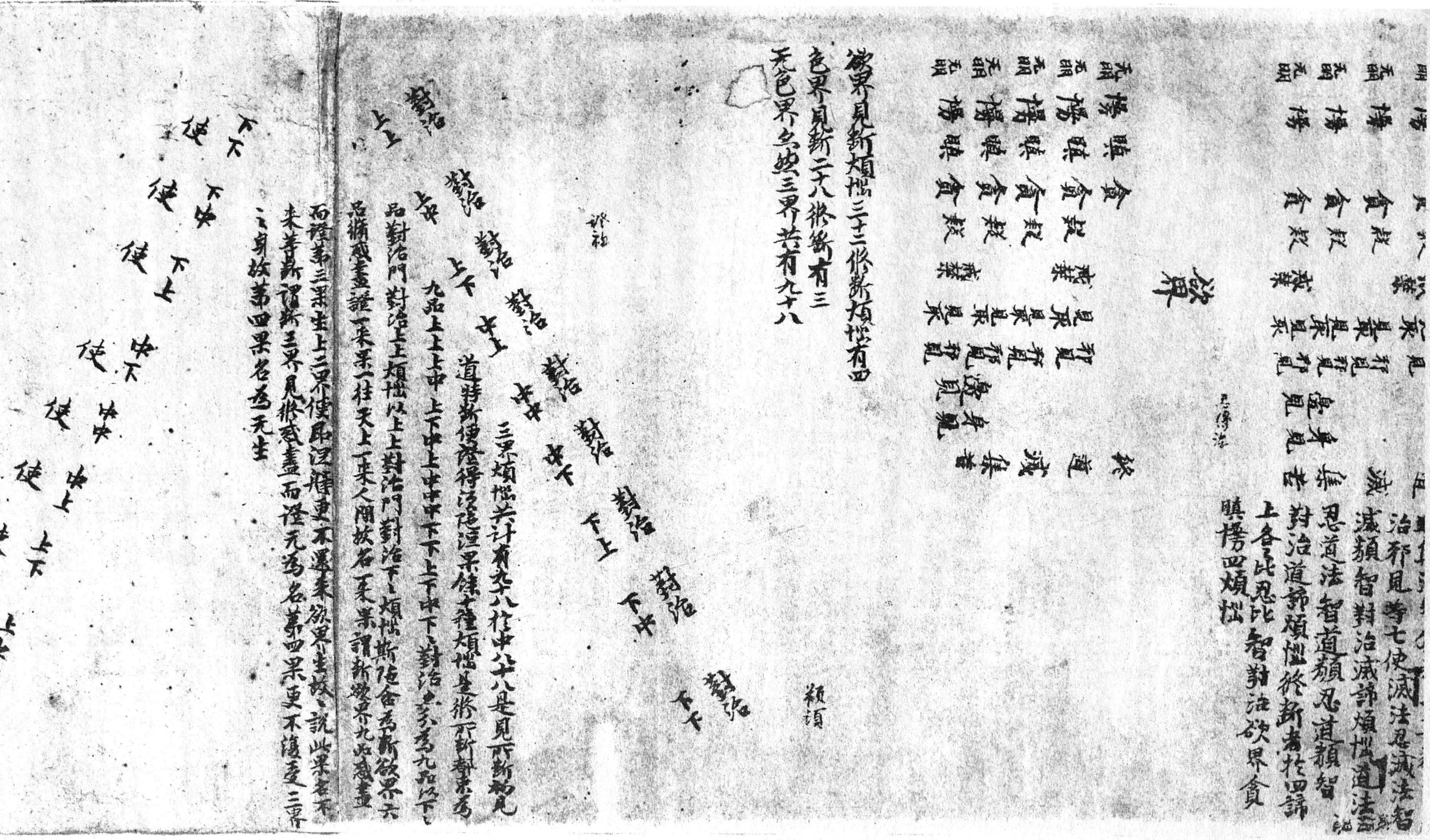

BD01034號背6　斷三界見修煩惱之圖

（12–8）

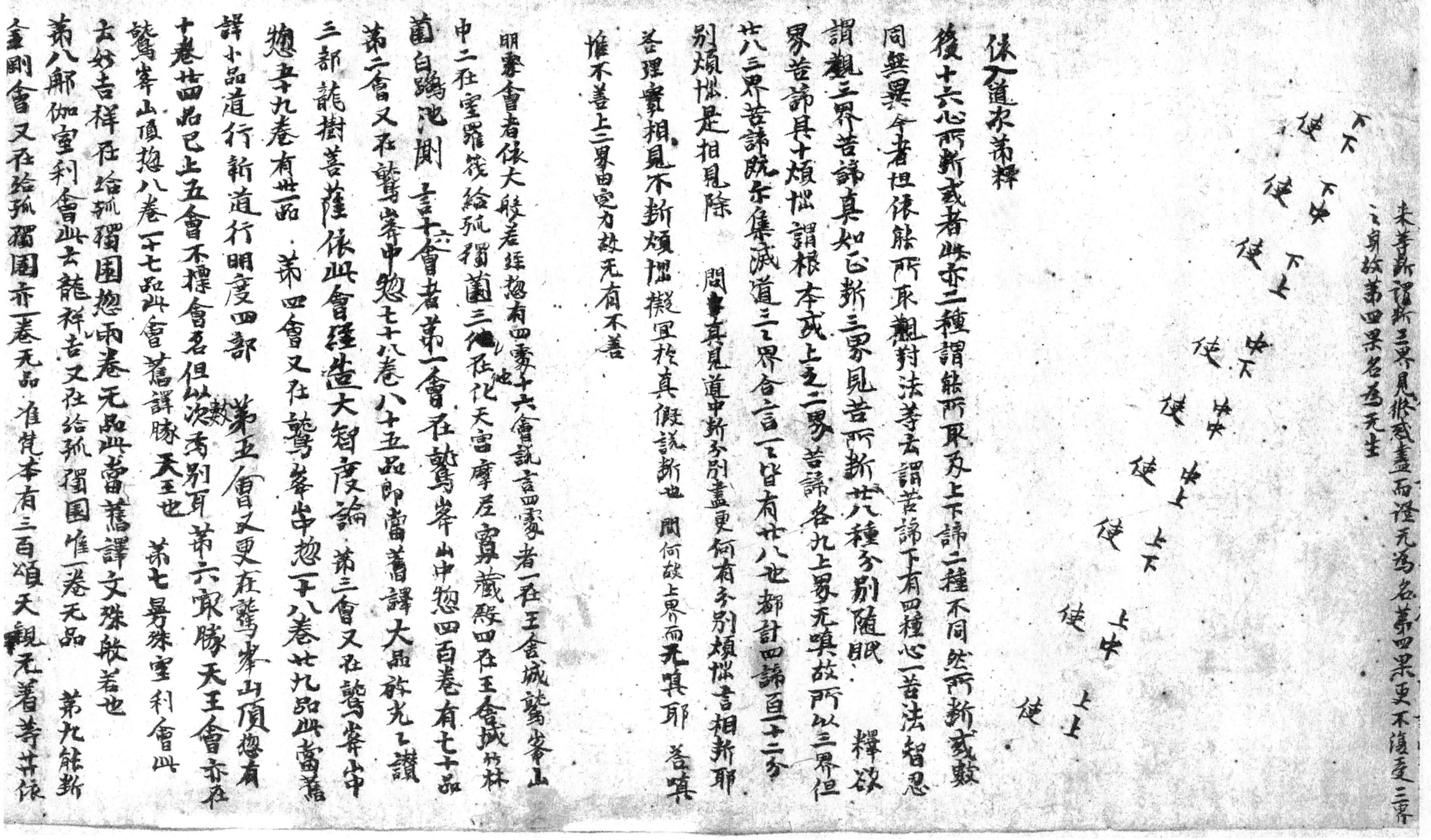

BD01034 號背 6　斷三界見修煩惱之圖

BD01034 號背 7　明《大般若經》四處十六會文（擬）

（12–9）

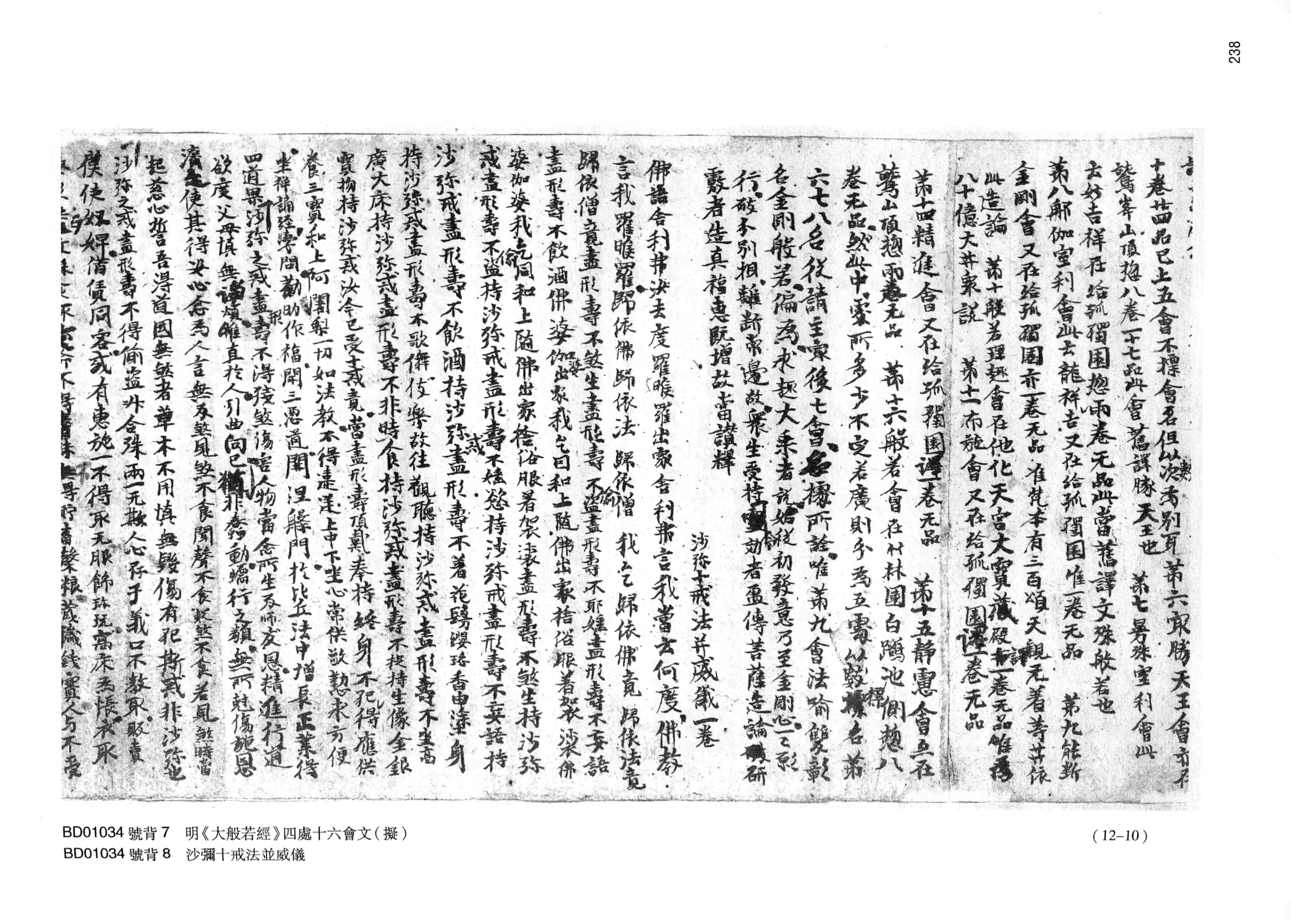

BD01034 號背 7　明《大般若經》四處十六會文（擬）

BD01034 號背 8　沙彌十戒法並威儀

（12–10）

[illegible]
濟度使其得安心念爲人言無反致見煞不食聞聲不食疑煞不食若見殺時當
起慈心誓音得道國無煞者草木不用傷無毀傷有犯斯戒非沙弥也
沙弥之戒盡形壽不得偷盜非合殊兩一无敢心存于義口不教取取貴
僕使奴婢借貸同容或有惠施一不得取无服飾珎玩高床爲帳衣取
幹形無文殊食取足命不得菁味無得貯畜糧蓄積錢寶乞不受
受則不留摶濟窮之常爲人說不談之德寧乾斷手不取非財有犯斯戒非沙
弥也
沙弥之戒盡形壽不得有婦畜養繼嗣[illegible]調能香暗耕无從近身好聲邪色一
觀靡色目不瞻眄心无念嫌口无[illegible]女色禁閉六情莫
无視聽寧破胃碎心裝燒身軀不得爲婬雜實婬室而生疵穢不如
貞潔而死有犯斯戒非沙弥也　沙弥之戒盡形壽誠信爲本不得兩舌惡
惡罵妄言綺語前嗟後毀讒人入罪律言持正無宜之短爲人說法無
念義理見有諍者兩說和善夫事處世付在中所以斷身由其惡言不慎
言者非沙弥也　沙弥之戒盡形壽不得飲酒无得嘗酒无得嗅酒亦无
粥酒无从酒飲人无飲藥酒无止酒舍酒爲毒水衆失之源殘堅毀聖
枉致禍殃四毒枯朽去福就罪靡不由之寧飲鎔銅填无犯酒有犯斯戒
非沙弥也　沙弥之戒盡形壽不得頓兵手執利器畜養六畜龍鬃
飛鳥車輦騎乘快心恣意馳騁遊獵射禽獸无得放火焚
燒山澤傷害衆生无得溝決湖池堙塞流瀆海滿洞魚殘害水性
有犯斯戒非沙弥也　沙弥之戒盡形壽不得習弄奇偽樗蒲博塞手
杖勝負弄儛調戲吟詠唱音手執樂器琴瑟箜篌箏笛吹唱以亂道意
無得錫握山澤耕犁田種於持園種植五穀販車駕作於市販賣
[illegible]爭利有犯斯戒非沙弥也　沙弥之戒盡形不得學習伎藝璽
方蠱道時日上筮占相吉凶仰觀星宿推步盈虛日月博蝕星宿變
怪山崩地動風雨汗澇歲熟不熟有疫無疫一不得知不論說國家政事
平良高者出軍行師攻罰勝負有犯斯戒非沙弥也　沙弥之戒盡形壽男
女有別居不同坐不相尋無有來車若乘騎無道談若持果瓜衆視之速離
避趣善使往來延疑[illegible]割洗濯衣服又使之求彼若惠之亦不敢受若
欲往時必須者年慎无獨行无止坐宿有犯斯戒非沙弥也
沙弥之戒盡形壽非賢不友非聖不宗不孝之子居覺識者偷盜嗜酒之
徒山東邪辟麤行凶險不得共由往來之[illegible]濁穢損道行服應器常与身
俱非時不食非法不語食即无言臥即无談精懃思義溫故知新坐則禪
思起即諷誦戒行如是真佛弟子
受記錫摩　文人德僧[illegible]　是其甲從和尚甲求剃髮　善僧時到僧忍聽其甲從某甲求剃

BD01034號背 8　沙彌十戒法並威儀　（12–11）

BD01034 號背 9　四分律刪繁補闕行事鈔剃髮羯磨鈔（擬）　（12–12）

自信
三遍夢中得白
覺自見口中出黑物
誦滿二十万遍夢中亦見諸佛菩
吐出黑物若有五逆罪不得如是
宜應更誦滿七万遍是時還得如
至夢見吐出白色如酪飯等當
罪滅清淨之相
復次我今說此大陁羅尼所作之事
像前或於塔前若清淨處以瞿摩
作方壇隨其大小復以花香幡蓋飲食
隨力所辯而供養之復呪香水散於四
下以為結界既結界已於壇四角及壇中央
各置一香水之瓶持呪之者於其壇中面向
東方䠒跪誦呪一千八遍其香水瓶即便自轉
又手捧雜花呪千八遍散一重面又於鏡前正
觀誦呪亦滿千八遍又此香油塗手大指誦滿
百八遍皆各得見佛菩薩像應呪花百八遍

BD01035號　七俱胝佛母心大准提陀羅尼經

（4–1）

東方䠒跪誦呪一千八遍其香水瓶即便自轉
又手捧雜花呪千八遍散一重面又於鏡前正
觀誦呪亦滿千八遍又此香油塗手大指誦滿
百八遍皆各得見佛菩薩像應呪花百八遍
而散供養隨請問法无不決了
若有鬼病以呪茅草而拂病人即得除愈若
有幼小為鬼所著以五色縷應令童女撚以為
線一呪一結滿二十一用繫其頸以白芥子呪滿
七遍復散其面即便除差
復次有法於病者前墨畫其形呪楊枝打之
便除差
復次有法若有病人為鬼所著身在遠處應
呪楊枝具滿七遍寄人持打亦即除差
復次有法若在路行誦念此呪无有賊盜惡獸
等畏
復次有法常持此呪設有諍訟无不勝者欲
往渡江河大海等難誦呪而渡无有水中惡獸
等難
復次有法若被繫閉枷鏁杻械其身誦此呪
者即得解脫
復次有法若諸國土水旱不調疫毒流行應
以蘇和胡麻粳米用手三指取其一撮呪之一
遍置火中燒或經七日七夜六時如是相續不
絕一切災疫悉皆消滅
復次有法蘇和稻穀呪百八遍火中燒之隨
心所願財寶增長若人欲令他敬念者稱彼
人名誦百八遍即便敬念

BD01035號　七俱胝佛母心大准提陀羅尼經

（4–2）

[illegible]
復次有法蘓和䆬槃呪百八遍大中燒之隨
心所願財寶增長若人欲令他敬念者稱彼
人名誦一百八遍即便敬念
復次有法於河諸聞砂坦之上以印印砂為
塔形像誦呪一遍印成一塔滿六十万遍或見
觀世音菩薩或見多羅菩薩或見金剛主菩
薩隨心所求皆得滿足或見授與仙藥或見
與受菩薩之記
復次有法右繞菩提樹像誦呪滿千万遍即見
菩薩為其說法欲隨菩薩即得隨從
復次有法若乞食時若持此呪不為惡人惡
狗等類之所惱害若於塔前或佛像前或舍
利塔前誦持此呪三十万遍復於白月十五
日夜設大供養一日一夜不食正誦呪乃至得
見金剛手菩薩而彼菩薩即將是人往於自
宮
復次有法若於轉法輪塔前或佛生處塔前
或從忉利天下寶階塔前或舍利塔前於如是
等諸塔之前誦呪右繞即見阿鉢羅是多菩
薩及訶利底菩薩隨其所欲悉皆滿足若須
仙藥即便授之復為說法示菩薩道若有誦
此陁羅尼者乃至未坐道場一切菩薩常為
善友又此准提大陁羅尼大明呪法過去一切
諸佛已說未來一切諸佛當說現在一切諸佛今
說我今亦如是說為利益一切衆生故令得无上
菩提故若有薄福衆生无有少善根者无有
根器之者无有菩提分法者若得聞此大陁羅

BD01035號　七俱胝佛母心大准提陀羅尼經　（4–3）

薩及訶利底菩薩隨其所欲悉皆滿足若須
仙藥即便授之復為說法示菩薩道若有誦
此陁羅尼者乃至未坐道場一切菩薩常為
善友又此准提大陁羅尼大明呪法過去一切
諸佛已說未來一切諸佛當說現在一切諸佛今
說我今亦如是說為利益一切衆生故令得无上
菩提故若有薄福衆生无有少善根者无有
根器之者无有菩提分法者若得聞此大陁羅
尼法速疾證得阿耨多羅三藐三菩提若有
能常自憶念誦持此呪无量善根皆得成就佛
說此准提陁羅尼法時无量衆生遠塵離垢
得大准提陁羅尼大明呪功德得見十方諸佛菩
薩諸睚衆等作礼而去

BD01035號　七俱胝佛母心大准提陀羅尼經　（4–4）

佛說父母恩重經
如是我聞一時佛在王舍城耆闍崛山中與
大菩薩摩訶薩及聲聞眾眷屬俱亦與比
丘比丘尼優婆塞優婆夷一切諸天人民龍
天鬼神皆來集會一心聽佛說法瞻仰尊顏
目不暫捨佛言人生在世父母為親非父不生非
母不育是以寄託母胎懷身十月歲滿月充母
子俱顯生墮草上父母養育卧則蘭車父母
懷抱和和弄聲含笑未語飢時須食非母
不哺渴時須飲非母不乳母中飢時吞苦吐甘
推乾就濕非義不親非母不養慈母養兒
去離蘭車十指甲中食子不淨應各有八斛四
斗計論母恩昊天罔極嗚呼慈母云何可報
阿難白佛言世尊父母之恩云何可報其恩唯願
說之佛告阿難汝好諦聽善思念之吾當
為汝分別解說父母之恩昊天罔極云何可報
若有孝順之子能為父母作福造經或以七月
十五日能造佛槃名盂蘭盆獻佛及僧得果
无量能報父母之恩若復有人書寫此經流布世
人受持讀誦當知此人報父母恩父母云何可
報但父母至於行來東西隣里井竈碓磨

BD01036號 1　父母恩重經　（6–1）

為汝分別解說父母之恩昊天罔極云何可報
若有孝順之子能為父母作福造經或以七月
十五日能造佛槃名盂蘭盆獻佛及僧得果
无量能報父母之恩若復有人書寫此經流布世
人受持讀誦當知此人報父母恩父母云何可
報但父母至於行來東西隣里井竈碓磨
不時還家兒家中啼哭憶母即心驚兩乳
知家中我兒憶我即汁出即來還家其兒
遙見我來或在蘭車搖頭弄腦或復曳腹
隨行嗚呼向母母為其子曲身下就長舒
兩手拂拭塵土嗚呼其口開懷出乳與乳嚥
母見兒歡兒見母喜二情恩悲親愛慈重莫復
過二歲三歲弄意始行於其食時非母不知父
母行來值他座席或得餅肉不噉嚥味懷挾
來歸向家與子十來九得恒常歡喜一過不
得憍啼佯哭憍子不孝必有五擿孝子不憍
必有慈順遂至長大朋友相隨梳頭摩髮欲
得好衣覆蓋身體弊衣破故父母自著新
好綿帛先與其子至於行來官私急趣
心南北逐子東西横簪頭上既索妻婦得
他子女父母轉疏私房屋室共相語樂父母年
高氣力衰老終朝至暮不來借問或復父
孤母寡獨守空房由如客人寄止他舍常无
恩愛復無濡被寒苦辛厄難遭之甚年老
衰弱多饒蟣虱夙夜不卧長吁歎息何
罪宿愆生此不孝之子或時呼喚瞋目驚
怒婦兒罵詈低頭含笑妻復五擿夫妻和合

BD01036號 1　父母恩重經　（6–2）

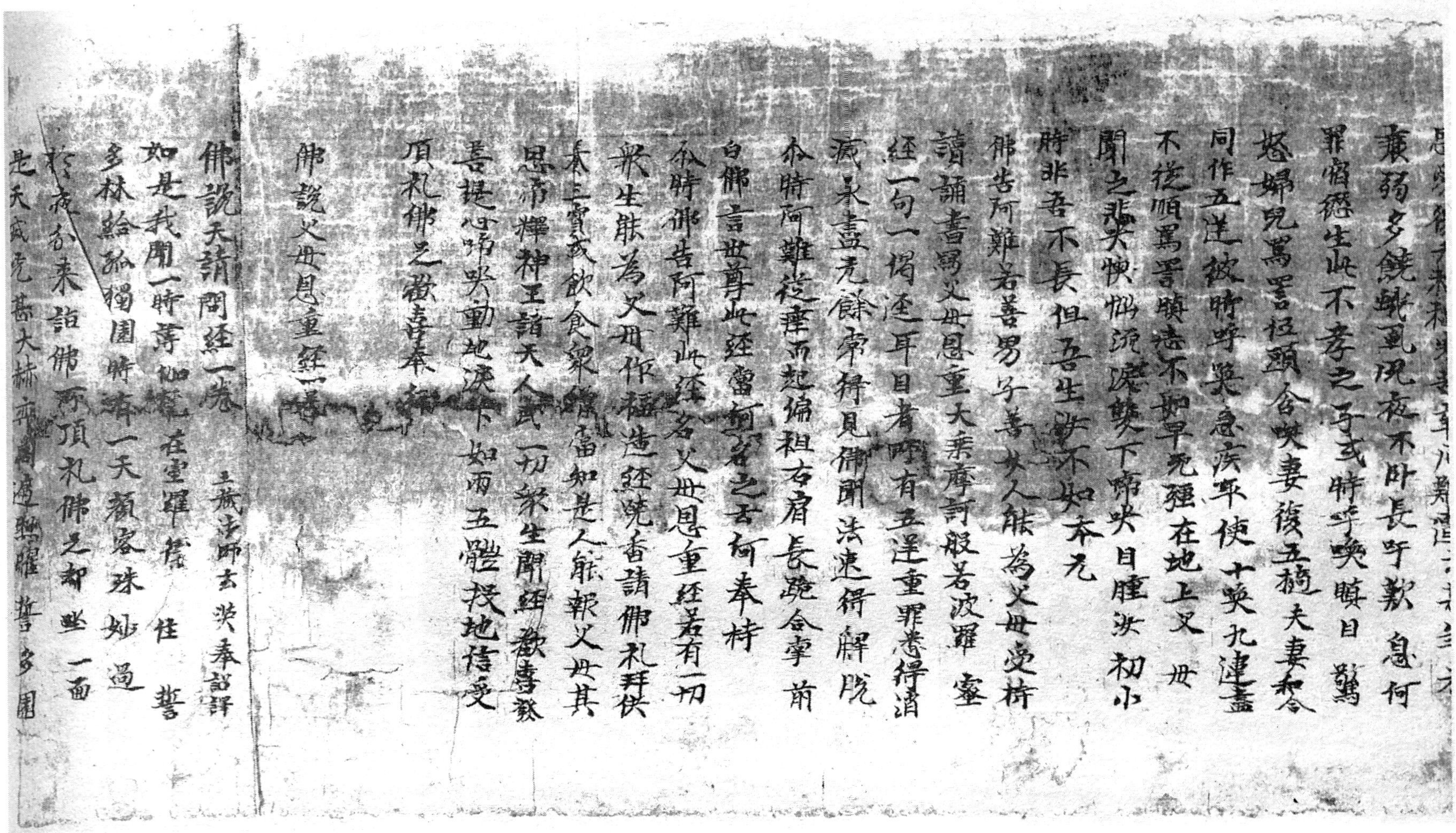

羸弱多饑皺面現夜不卧長吁歎息何
罪宿愆生此不孝之子或時呼喚瞋目驚
怒婦兒罵詈低頭含笑妻復不孝夫妻和合
同作五逆彼時呼喚急疾爭使十喚九違盡
不從順罵詈瞋恚不如早死强在地上父 毋
聞之悲哭懊惱流淚雙下啼哭目腫汝初小
時非吾不長但吾生汝不如本无
佛告阿難若善男子善女人能為父母受持
讀誦書寫父母恩重大乘摩訶般若波羅 蜜
經一句一偈逕耳目者所有五逆重罪悉得消
滅永盡无餘常得見佛聞法速得解脫
尒時阿難從座而起偏袒右肩長跪合掌 前
白佛言世尊此經當何名之云何奉持
尒時佛告阿難此經名父母恩重經若有一切
衆生能為父母作福造經燒香請佛禮拜供
養三寶或飲食衆僧當知是人能報父母其
恩帝釋梵王諸天人民一切衆生聞經歡喜發
菩提心號哭動地淚下如雨五體投地信受
頂禮佛足歡喜奉行
佛說父母恩重經一卷

佛說天請問經一卷　三藏法師玄奘奉詔譯
如是我聞一時薄伽梵在室羅筏住誓
多林給孤獨園時有一天顏容殊妙過
於夜分來詣佛所頂禮佛足却坐一面
是天威光甚大赫弈周遍照耀誓多園

BD01036 號 1　父母恩重經
BD01036 號 2　天請問經

（6–3）

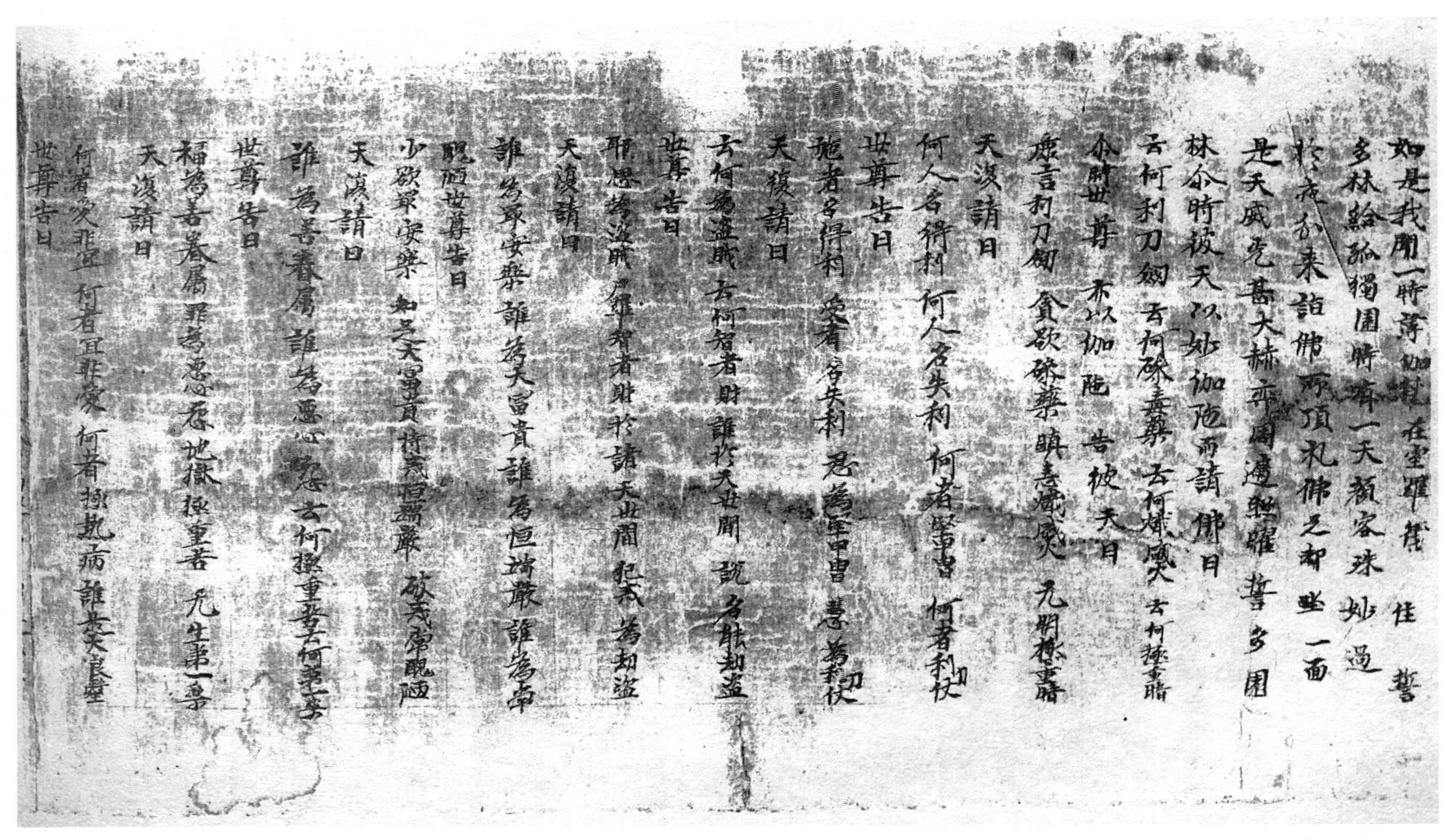
如是我聞一時薄伽梵在室羅筏住誓
多林給孤獨園時有一天顏容殊妙過
於夜分來詣佛所頂禮佛足却坐一面
是天威光甚大赫弈周遍照耀誓多園
林尒時彼天以妙伽陀而請佛曰
云何利刀劍 云何盛毒藥 云何熾盛火 云何極重闇
尒時世尊亦以伽陀告彼天曰
麤言利刀劍 貪欲盛毒藥 瞋恚熾盛火 无明極重闇
天復請曰
何人名得利 何人名失利 何者堅甲冑 何者利刀仗
世尊告曰
施者名得利 受者名失利 忍為堅甲冑 慧為利刀仗
天復請曰
云何為盜賊 云何智者財 誰於天世間 說名能劫盜
世尊告曰
邪思為盜賊 尸羅智者財 於諸天世間 犯戒為劫盜
天復請曰
誰為最安樂 誰為大富貴 誰為恒端嚴 誰為常醜陋
世尊告曰
少欲最安樂 知足大富貴 持戒恒端嚴 破戒常醜陋
天復請曰
誰為善眷屬 誰為惡心怨 云何極重苦 云何第一樂
世尊告曰
福為善眷屬 罪為惡心怨 地獄極重苦 无生第一樂
天復請曰
何者愛非宜 何者宜非愛 何者極熱病 誰是大良醫
世尊告曰

BD01036 號 2　天請問經

（6–4）

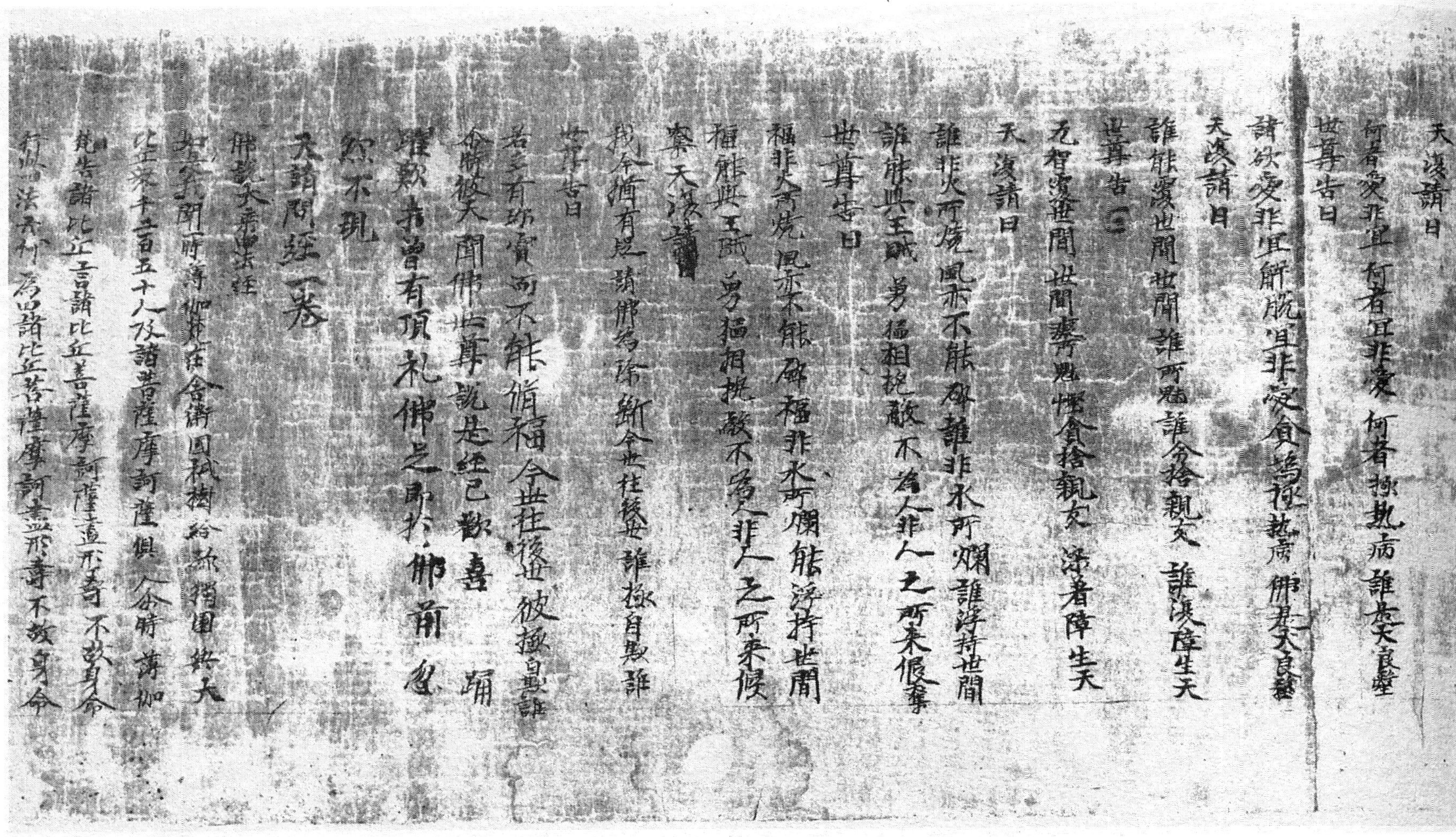

天復請曰
何者愛非宜 何者宜非愛 何者極熱病 誰是大良醫
世尊告曰
諸欲愛非宜 解脫宜非愛 貪爲極熱病 佛是大良醫
天復請曰
誰能覆世間 世間誰所魅 誰令捨親友 誰復障生天
世尊告曰
无智覆世間 世間癡所魅 慳貪捨親友 染著障生天
天復請曰
誰非火所燒 風亦不能碎 誰非水所爛 誰淨持世間
誰能與王賊 勇猛相抗敵 不爲人非人 之所來侵奪
世尊告曰
福非火所燒 風亦不能碎 福非水所爛 能淨持世間
福能與王賊 勇猛相抗敵 不爲人非人 之所來侵奪
爾時天復請
我今猶有疑 請佛爲除斷 今世往後世 誰極自欺誑
世尊告曰
若多有珍寶 而不能修福 今世往後世 彼極自欺誑
爾時彼天聞佛世尊說是經已 歡喜踊
躍歎未曾有 頂禮佛足 即於佛前 忽
然不現
天請問經一卷
佛說大乘四法經
如是我聞 一時薄伽梵在舍衛國祇樹給孤獨園 與大
比丘眾千二百五十人 及諸菩薩摩訶薩俱 爾時薄伽
梵告諸比丘言 諸比丘 菩薩摩訶薩盡形壽不放身命
行此四法 云何爲四 諸比丘 菩薩摩訶薩盡形壽不放身命

BD01036 號 2 天請問經 （6–5）

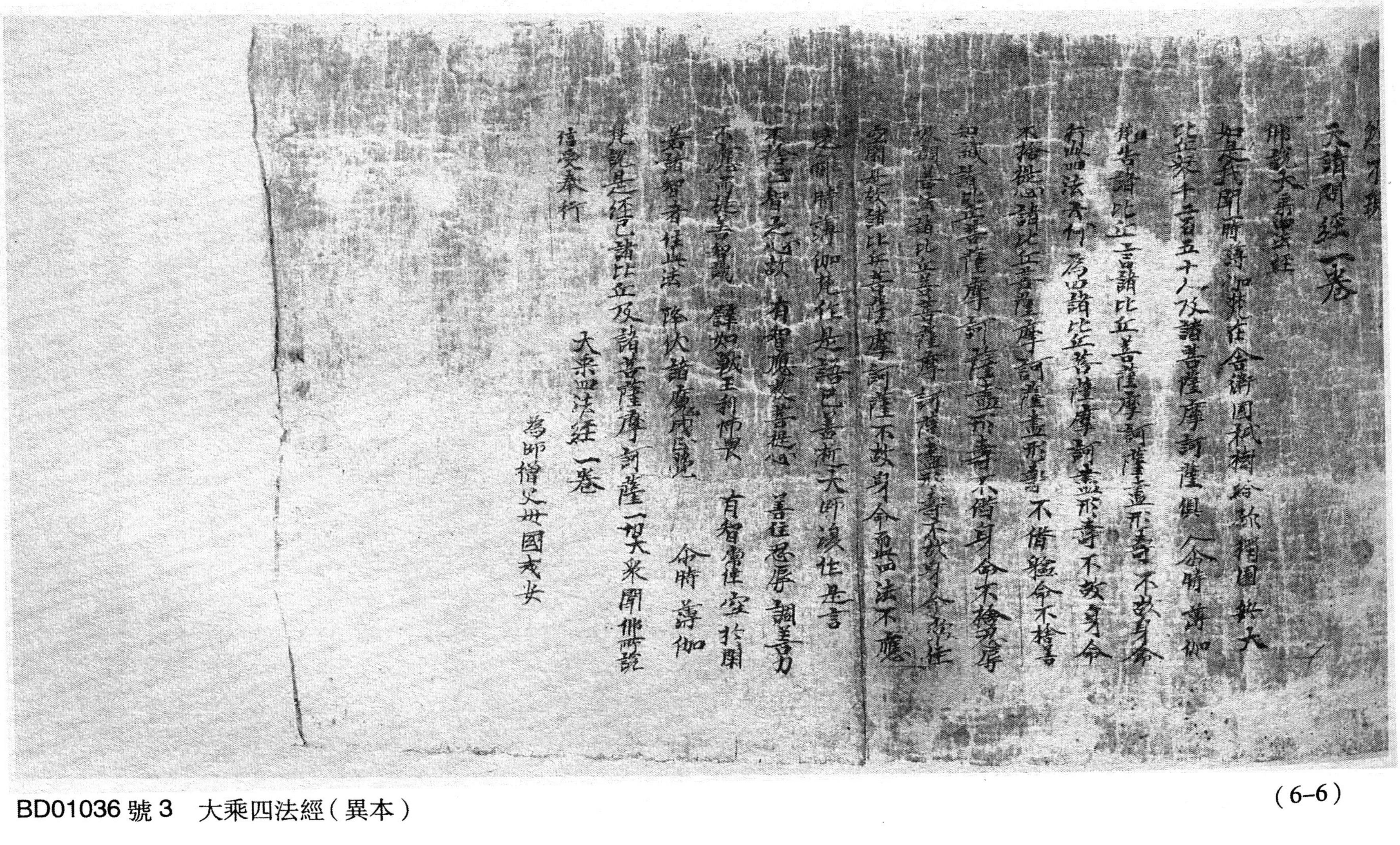

然不現
天請問經一卷
佛說大乘四法經
如是我聞 一時薄伽梵在舍衛國祇樹給孤獨園 與大
比丘眾千二百五十人 及諸菩薩摩訶薩俱 爾時薄伽
梵告諸比丘言 諸比丘 菩薩摩訶薩盡形壽不放身命
行此四法 云何爲四 諸比丘 菩薩摩訶薩盡形壽不放身命
不捨提心 諸比丘 菩薩摩訶薩盡形壽不惜軀命不捨善
知識 諸比丘 菩薩摩訶薩盡形壽不惜身命不捨忍辱
[illegible] 諸比丘 菩薩摩訶薩盡形壽不放身命 [illegible]
[illegible] 諸比丘 菩薩摩訶薩不放身命 而此四法不應
爾時薄伽梵作是語已 善逝大師復作是言
不捨菩提之心故 有智應發菩提心 善住忍辱調善力
不應而捨善知識 譬如獸王利師子 有智常住空於閑
善諸智者住此法 降伏諸魔成正覺 爾時薄伽
梵說是經已 諸比丘及諸菩薩摩訶薩 一切大眾聞佛所說
信受奉行
大乘四法經 一卷
爲師僧父母國戎安

BD01036 號 3 大乘四法經（異本） （6–6）

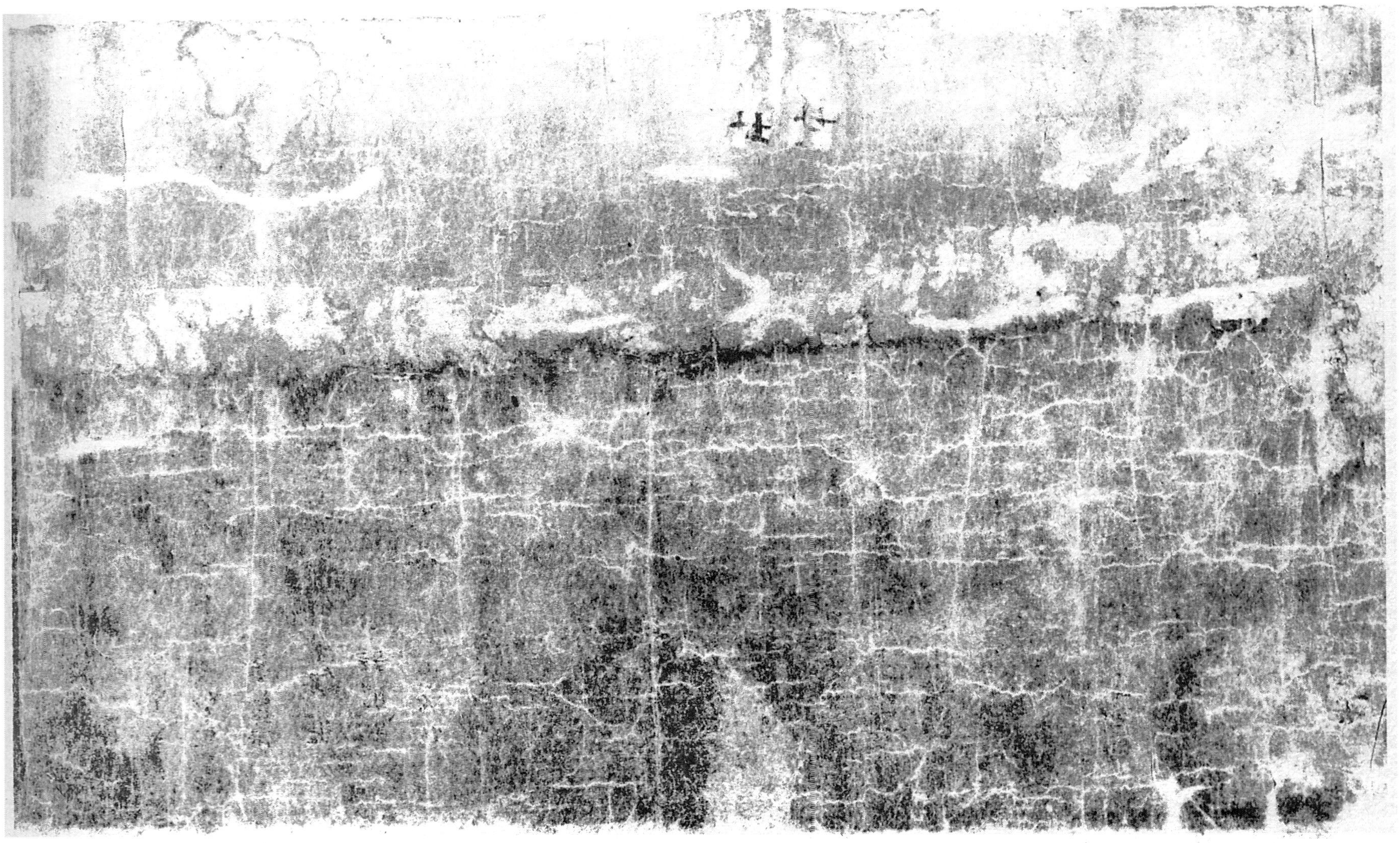

BD01036號背　雜寫

（1–1）

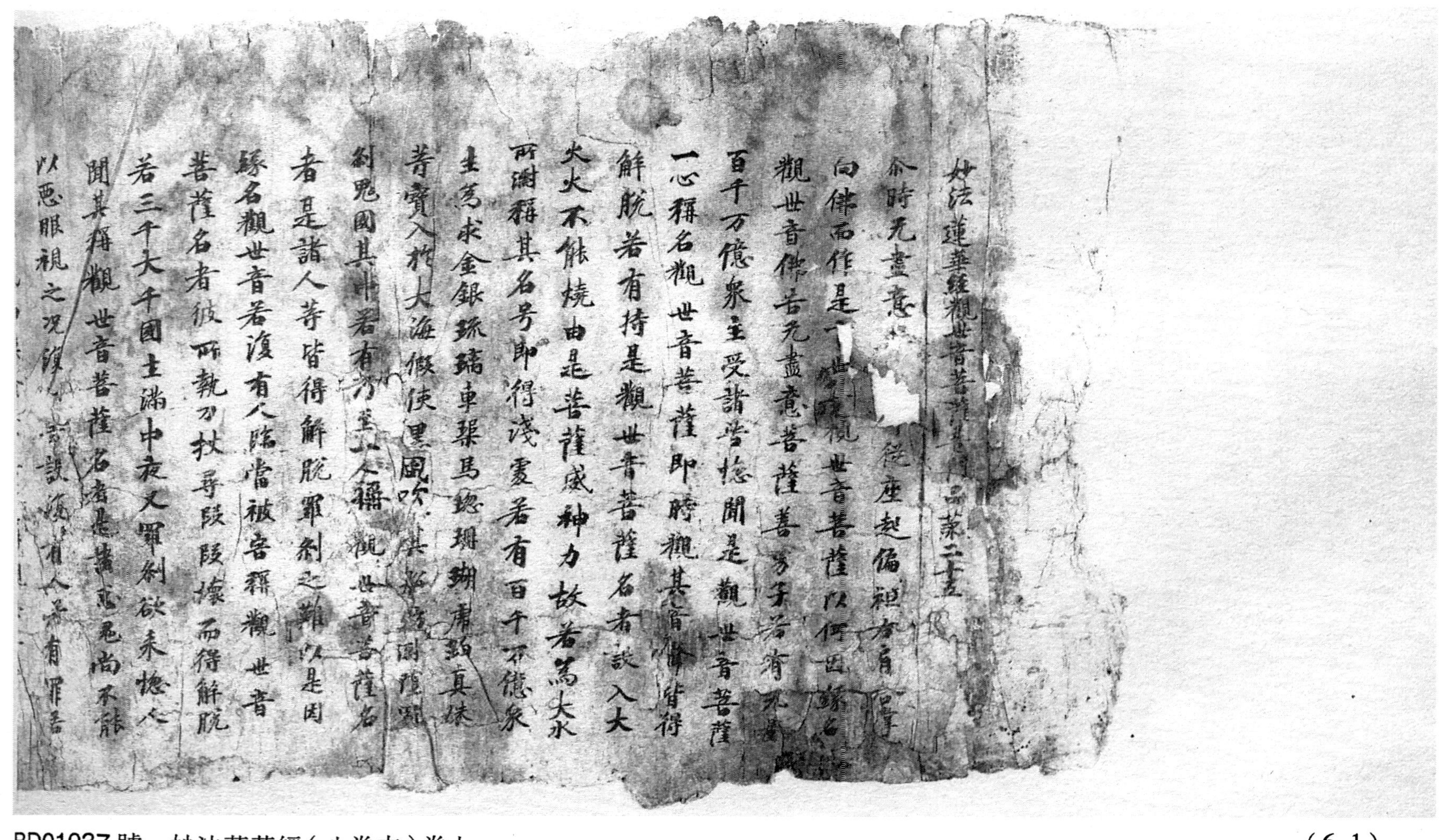
妙法蓮華經觀世音菩薩普門品第二十五
尒時无盡意菩薩即從座起偏袒右肩合掌
向佛而作是言世尊觀世音菩薩以何因緣名
觀世音佛告无盡意菩薩善男子若有无量
百千万億衆生受諸苦惱聞是觀世音菩薩
一心稱名觀世音菩薩即時觀其音聲皆得
解脫若有持是觀世音菩薩名者設入大
火火不能燒由是菩薩威神力故若爲大水
所漂稱其名号即得淺處若有百千万億衆
生爲求金銀琉璃車𤦲馬瑙珊瑚虎珀真珠
等寶入於大海假使黑風吹其船舫飄墮羅
刹鬼國其中若有乃至一人稱觀世音菩薩名
者是諸人等皆得解脫羅刹之難以是因
緣名觀世音若復有人臨當被害稱觀世音
菩薩名者彼所執刀杖尋段段壞而得解脫
若三千大千國土滿中夜叉羅刹欲來惱人
聞其稱觀世音菩薩名者是諸惡鬼尚不能
以惡眼視之況復加害設復有人若有罪若

BD01037號　妙法蓮華經（八卷本）卷七

（6–1）

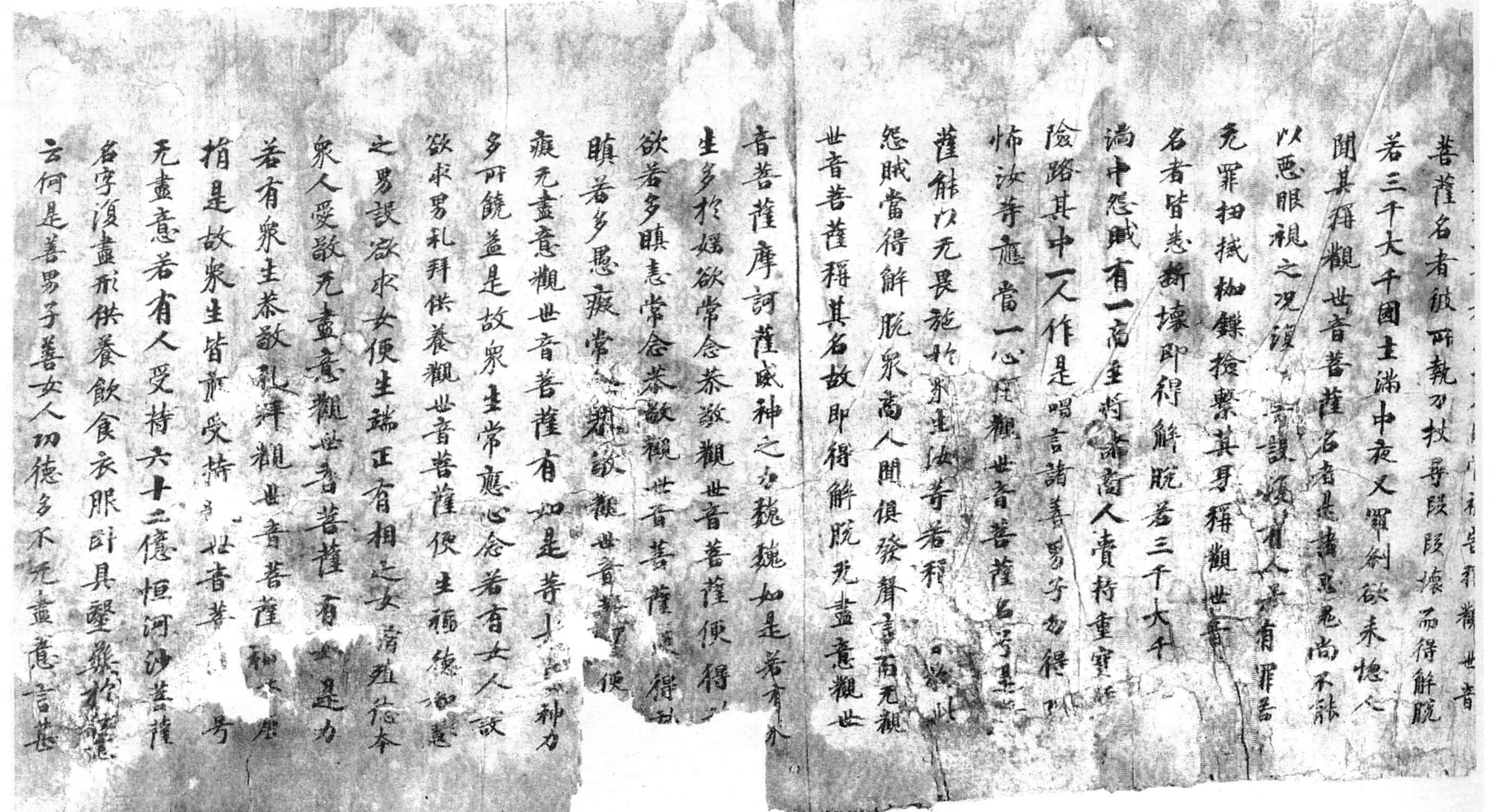

菩薩名者彼所執刀杖尋段段壞而得解脫
若三千大千國土滿中夜叉羅剎欲來惱人
聞其稱觀世音菩薩名者是諸惡鬼尚不能
以惡眼視之況復加害設復有人若有罪若
无罪杻械枷鎖檢繫其身稱觀世音菩薩
名者皆悉斷壞即得解脫若三千大千
滿中怨賊有一商主將諸商人賫持重寶經
險路其中一人作是唱言諸善男子勿得恐
怖汝等應當一心稱觀世音菩薩名号是
薩能以无畏施於衆生汝等若稱名者於此
怨賊當得解脫衆商人聞俱發聲言南无觀
世音菩薩稱其名故即得解脫无盡意觀世
音菩薩摩訶薩威神之力巍巍如是若有衆
生多於婬欲常念恭敬觀世音菩薩便得離
欲若多瞋恚常念恭敬觀世音菩薩便得離
瞋若多愚癡常念恭敬觀世音菩薩便
癡无盡意觀世音菩薩有如是等大威神力
多所饒益是故衆生常應心念若有女人設
欲求男礼拜供養觀世音菩薩便生福德智慧
之男設欲求女便生端正有相之女宿殖德本
衆人愛敬无盡意觀世音菩薩有如是力
若有衆生恭敬礼拜觀世音菩薩福不唐
捐是故衆生皆應受持觀世音菩薩名号
无盡意若有人受持六十二億恒河沙菩薩
名字復盡形供養飲食衣服卧具醫藥於汝意
云何是善男子善女人功德多不无盡意言甚

BD01037 號　妙法蓮華經（八卷本）卷七　（6–2）

捐是故衆生皆應受持觀世音菩薩名号
无盡意若有人受持六十二億恒河沙菩薩
名字復盡形供養飲食衣服卧具醫藥於汝意
云何是善男子善女人功德多不无盡意言甚
多世尊佛言若復有人受持觀世音菩薩名
号乃至一時礼拜供養是二人福正等无異
於百千万億劫不可窮盡无盡意受持觀世
音菩薩名号得如是无量无邊福德之利无
盡意菩薩白佛言世尊觀世音菩薩云何遊
此娑婆世界云何而為衆生說法方便之力其事
云何佛告无盡意菩薩善男子若有國土
衆生應以佛身得度者觀世音菩薩即
佛身而為說法應以辟支佛身得度者即
現辟支佛身而為說法應以聲聞身得度
者即現聲聞身而為說法應以梵王身得度
者即現梵王身而為說法應以帝釋身得度者
即現帝釋身而為說法應以自在天身得度
者即現自在天身而為說法應以大自在天
身得度者即現大自在天身而為說法應以天
大將軍身得度者即現天大將軍身而為說
法應以毗沙門身得度者即現毗沙門身
而為說法應以小王身得度者即現小王身
而為說法應以小王身得度者即現小王身
而為說法應以長者身得度者即現長者身
而為說法應以居士身得度者即現居士身
而為說法應以宰官身得度者即現宰官身

BD01037 號　妙法蓮華經（八卷本）卷七　（6–3）

而為說法應以小王身得度者即現小王身
而為說法應以長者身得度者即現長者身
而為說法應以居士身得度者即現居士身
而為說法應以宰官身得度者即現宰官身
而為說法應以婆羅門身得度者即現婆羅
門身而為說法應以比丘比丘尼優婆塞優
婆夷身得度者即現比丘比丘尼優婆塞優
婆夷身而為說法應以長者居士宰官婆羅
門婦女身得度者即現婦女身而為說法應
以童男童女身得度者即現童男童女身
為說法應以天龍夜叉乾闥婆阿脩羅迦樓
羅緊那羅摩睺羅伽人非人等身得度者即
皆現之而為說法應以執金剛神得度者即
現執金剛神而為說法無盡意是觀世音菩
薩成就如是功德以種種形遊諸國土度脫衆
生是故汝等應當一心供養觀世音菩薩是
觀世音菩薩摩訶薩於怖畏急難之中能
施無畏是故此娑婆世界皆號之為施無畏
者無盡意菩薩白佛言世尊我今當供養觀
世音菩薩即解頸衆寶珠瓔珞價直百千兩金
而以與之作是言仁者受此法施珎寶
時觀世音菩薩不肯受之無盡意復
音菩薩言仁者愍我等故受此瓔珞
告觀世音菩薩當愍此無盡意菩
衆天龍夜叉乾闥婆阿脩羅迦樓
羅摩睺羅伽人非人等故受是

BD01037號　妙法蓮華經（八卷本）卷七　（6–4）

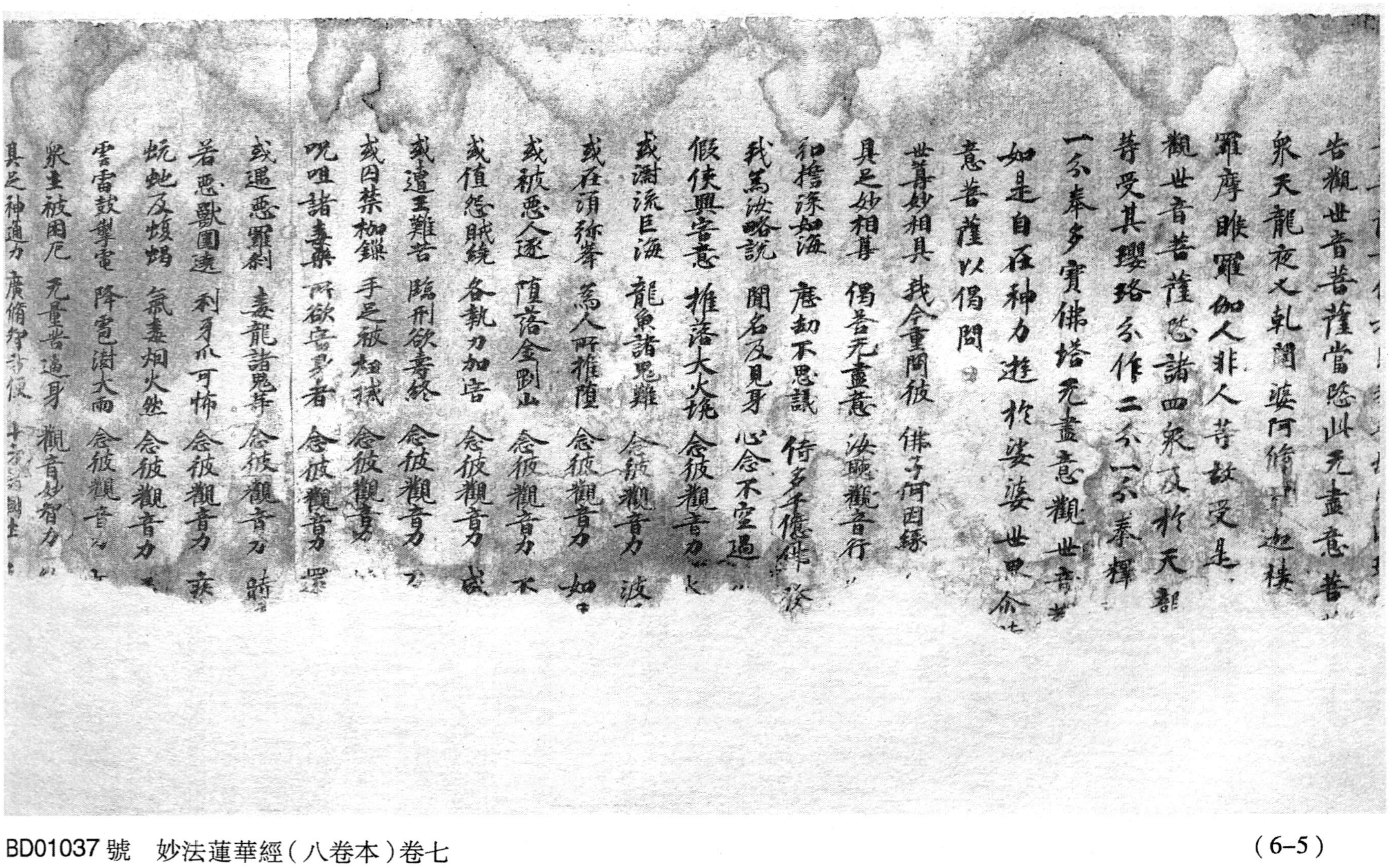

告觀世音菩薩當愍此無盡意菩
衆天龍夜叉乾闥婆阿脩羅迦樓
羅摩睺羅伽人非人等故受是
觀世音菩薩愍諸四衆及於天龍
等受其瓔珞分作二分一分奉釋
一分奉多寶佛塔無盡意觀世音菩
如是自在神力遊於娑婆世界爾
意菩薩以偈問曰
世尊妙相具　我今重問彼　佛子何因緣
具足妙相尊　偈答無盡意　汝聽觀音行
弘誓深如海　歷劫不思議　侍多千億佛
我為汝略說　聞名及見身　心念不空過
假使興害意　推落大火坑　念彼觀音力
或漂流巨海　龍魚諸鬼難　念彼觀音力　波
或在須弥峯　為人所推墮　念彼觀音力　如
或被惡人逐　墮落金剛山　念彼觀音力　不
或值怨賊繞　各執刀加害　念彼觀音力　咸
或遭王難苦　臨刑欲壽終　念彼觀音力
或囚禁枷鎖　手足被杻械　念彼觀音力
呪咀諸毒藥　所欲害身者　念彼觀音力　還
或遇惡羅剎　毒龍諸鬼等　念彼觀音力　時
若惡獸圍遶　利牙爪可怖　念彼觀音力　疾
蚖蛇及蝮蝎　氣毒烟火然　念彼觀音力
雲雷鼓掣電　降雹澍大雨　念彼觀音力
衆生被困厄　無量苦逼身　觀音妙智力
具足神通力　廣脩智方便　十方諸國土

BD01037號　妙法蓮華經（八卷本）卷七　（6–5）

或遇惡羅刹 毒龍諸鬼等 念彼觀音力 時
若惡獸圍遶 利牙爪可怖 念彼觀音力 疾
蚖蛇及蝮蝎 氣毒煙火然 念彼觀音力
雲雷鼓掣電 降雹澍大雨 念彼觀音力
衆生被困厄 无量苦逼身 觀音妙智力
具足神通力 廣修智方便 十方諸國土
種種諸惡趣 地獄鬼畜生 生老病死苦 以漸
真觀清淨觀 廣大智慧觀 悲觀及慈觀
无垢清淨光 慧日破諸闇 能伏災風火
悲體戒雷震 慈意妙大雲 澍甘露法雨
諍訟經官處 怖畏軍陣中 念彼觀音力 衆
妙音觀世音 梵音海潮音 勝彼世間音
念念勿生疑 觀世音淨聖 於苦惱死厄
具一切功德 慈眼視衆生 福聚海无量
尒時持地菩薩即從座起
有衆生聞是觀世音
示現神通力者當知
普門品時衆中八万
阿耨多羅三[藐]三菩提心
妙法蓮華經陀羅尼品第二十六

BD01037號　妙法蓮華經（八卷本）卷七　　（6–6）

非作
動轉无動轉者即真
來如來者即是法也又解脫者名爲屋宅譬
如有人行於曠野則有嶮難解脫不尒无有
嶮難无嶮難者即真解脫真解脫者即是如
來又解脫者是无所畏如師子王於諸百獸
不生怖畏解脫之尒於諸魔衆不生怖畏
怖畏者即真解脫真解脫者即是如來又解
脫者无有迮陿譬如隘路乃至不受二人並
行解脫不尒如是解脫即是如來又有不迮
譬如有人畏帝隨井解脫不尒如是解脫即
是如來又有不迮如大海中檜艭小舩得堅
牢舩乘之度海到安隱處心得快樂解脫之
尒心得快樂得快樂者即真解脫真解脫者
即是如來又解脫者拔諸因緣譬如因乳得
酪因酪得穌因穌得醍醐真解脫中都无是
因无是因者即真解脫真解脫者即是如來
解脫者離高慢譬如大王慢於小王解

BD01038號　大般涅槃經（北本　異卷）卷五　　（13–1）

尒心得快樂得快樂者即真解脫真解脫者
即是如来又解脫者拔諸因緣譬如因乳得
酪因酪得穌因穌得醍醐真解脫中都无是
因无是因者即真解脫真解脫者即是如来
又解脫者能伏憍慢譬如大王慢於小王解
脫不尒如是解脫即是如来如来者即是法
也又解脫者伏諸放逸又放逸者多有貪欲
真解脫中无有是名无是名者即真解脫真
解脫者即是如来又解脫者能除无明如上
妙穌除諸滓穢乃名醍醐解脫之尒除无明
滓生於真明如是真明即真解脫真解脫者
即是如来又解脫者名為寂静純一无二如
空野鳥獨一无侶解脫之尒獨一无二獨一无
二即真解脫真解脫者即是如来又解脫者
名為堅實如竹葦蜱麻莖幹空虚而子堅實
除佛如来具餘人天皆不堅實真解脫者遠
離一切諸有流等如是解脫即是如来又解
脫者名能覺了增益於我真解脫者之復如
是如是解脫即是如来又解脫者名捨諸有
譬如有人飽食已而吐解脫之尒捨於諸有
捨諸有者即真解脫真解脫者即是如来又
解脫者名曰決定如婆師華香七葉中无解脫
之尒如是解脫即是如来又解脫者名曰水
大譬如水大於諸大勝能潤一切草木穀子
解脫之尒能潤一切有生之類如是解脫即
是如来又解脫者名曰為入如有門戶則通

BD01038號　大般涅槃經（北本　異卷）卷五　（13–2）

之尒如是解脫即是如来又解脫者名曰水
大譬如水大於諸大勝能潤一切草木穀子
解脫之尒能潤一切有生之類如是解脫即
是如来又解脫者名曰為入如有門戶則通
入路有金性處金則可得解脫之尒如彼門
戶脩无我者則得入中如是解脫即是如来
又解脫者名曰為善譬如弟子隨逐於師善
奉教勅得名為善解脫之尒如是解脫即是
如来又解脫者名出世法於一切法中最為
出過如衆中味穌乳最勝解脫之尒如是解
脫即是如来又解脫者名曰不動譬如門閫
風不能動真解脫者之復如是如是解脫即
是如来又解脫者名无濤波如彼大海其水
濤波解脫不尒如是解脫即是如来又解脫
者譬如宮殿解脫之尒當知解脫即是如来
又解脫者名曰所用如閻浮檀金多有所任
无有能說是金過惡解脫之尒无有過惡无
有過惡即真解脫真解脫者即是如来又解
脫者名捨嬰兒行譬如大人捨小兒行解脫
之尒除捨五陰除捨五陰即真解脫真解脫
者即是如来又解脫者名曰究竟如被繫者
從繫得脫洗浴清淨然後還家解脫之尒畢
竟清淨畢竟清淨即真解脫真解脫者即
是如来又解脫者名无作樂无作樂者貪欲瞋
恚愚癡吐故喻如有人誤飲蛇毒為除毒故即
服吐藥既得吐已毒則除愈身得安樂解

BD01038號　大般涅槃經（北本　異卷）卷五　（13–3）

者即是如来又解脱者名曰究竟如被[illegible]
從繫得脱洗浴清淨然後還家解脱亦尒畢
竟清淨畢竟清淨即真解脱真解脱者即
是如来又解脱者名无作樂无作樂者貪欲瞋
恚愚癡吐故喻如有人誤飲虵毒為除毒故即
服吐藥既得吐已毒則除愈身得安樂解
脱亦尒吐於煩惱諸結縛毒身得安樂名无
作樂无作樂者即真解脱真解脱者即是如
来又解脱者名断四種毒虵煩惱断煩惱者
即真解脱真解脱者即是如来又解脱者
名離諸有滅一切苦得一切樂永断貪欲瞋
恚愚癡拔断一切苦惱根本拔根本者即真
解脱真解脱者即是如来
又解脱者名断一切有為之法出生一切无
漏善法断塞諸道所謂若我无我非我非无
我唯断取著不断我見我見者名為佛性佛
性者即真解脱真解脱者即是如来又解脱
者名不空空空空者名无所有无所有者即
是外道尼乾子等所計解脱而是尼乾實无
解脱故名空空真解脱者則不如是故不空
空不空空者即真解脱真解脱者即是如来
又解脱者名曰不空如水酒酪蘇蜜等瓶雖
无水酒酪蘇蜜時猶故得名為水等瓶而是
瓶等不可說空及以不空若言空者則不得
有色香味觸若言不空而復无有水酒等實
解脱亦尒不可說色及以非色不可說空及
以不空若言空者則不得有常樂我淨若言
不空誰復受是常樂我淨者以是義故不

解脱亦尒不可說色及以非色不可說空及
以不空若言空者則不得有常樂我淨若言
不空誰復受是常樂我淨者以是義故不
可說空及以不空空者謂无廿五有及諸煩惱
一切苦一切相一切有為行如瓶无酪則名為
空不空者謂真實善色常樂我淨不動不
變猶如彼瓶色香味觸故名不空是故解脱
猶如彼瓶彼瓶遇緣則有破壞解脱不尒不可
破壞不可破壞即真解脱真解脱者即是如
来又解脱者名曰離愛譬如有人愛心悕望
釋提桓因大梵天王自在天王解脱不尒若得
成於阿耨多羅三藐三菩提已无愛无疑无
愛无疑即真解脱真解脱者即是如来若言
解脱有愛疑者无有是處又解脱者断諸有
貪断一切相一切繫縛一切煩惱一切生死一
切因緣一切果報如是解脱即是如来如来
即是涅槃一切衆生怖畏生死諸煩惱故故
受三歸譬如群鹿怖畏獦師既得免離若
得一跳則喻一歸如是三跳則喻三歸以三跳
故得受安樂衆生亦尒怖畏四魔惡獦師故
受三歸依受三歸依故則得安樂受安樂者即
真解脱真解脱者即是如来如来者即是涅
槃涅槃者即是无盡无盡者即是佛性佛性
者即是決定決定者即是阿耨多羅三藐三
菩提迦葉菩薩白佛言世尊若涅槃佛性決
定如来是一義者云何說言有三歸依佛告

者即是決定決定者即是阿耨多羅三藐三
菩提迦葉菩薩白佛言世尊若涅槃佛性決
定如来是一義者云何說言有三歸依佛告
迦葉善男子一切衆生怖畏生死故求三歸
以三歸故則知佛性決定涅槃善男子有法
名一義異有法名義俱異名一義異者佛常
法常比丘僧常涅槃虛空皆亦是常是名名
一義異名義俱異者佛名為覺法名不覺僧
名和合涅槃名解脫虛空名非善亦名无㝵
是為名義俱異善男子三歸依者亦復如是
名義俱異云何為一是故我告摩訶波闍波
提憍曇弥莫供養我當供養僧若供養僧
則得具足供養三歸摩訶波闍波提即荅我
言衆僧之中无佛无法云何說言供養衆僧
則得具足供養三歸我復告言汝隨我語則供
養佛為解脫故即供養法衆僧受者即供養
僧善男子是故三歸不得為一善男子如来
或時說一為三說三為一如是之義諸佛境
界非是聲聞緣覺所知迦葉復言如佛所說
畢竟安樂名涅槃者是義云何夫涅槃者捨
身捨智若捨身智誰當受樂佛言善男子
譬如有人食已心悶出外欲吐既得吐已而復
迴還同伴問之汝今所患竟為差不而復来
還荅言已差身得安樂如来之尒畢竟遠離
廿五有永得涅槃安樂之處不可動轉无有
盡滅斷一切受名无受樂如是无受名為常

BD01038號　大般涅槃經（北本　異卷）卷五　（13–6）

廿五有永得涅槃安樂之處不可動轉无有
盡滅斷一切受名无受樂如是无受名為常
樂若言如来有受樂者无有是處是故畢竟
樂者即是涅槃涅槃者即真解脫真解脫
者即是如来迦葉復言不生不滅是解脫耶
如是如是善男子不生不滅即是解脫如是
解脫即是如来迦葉復言若不生不滅是解
脫者虛空之性亦无生滅應是如来如来性
即是解脫佛告迦葉善男子是事不然世
尊何故不然善男子如迦蘭伽鳥及命命鳥
具聲清淨寧可同於烏鵲音不不也世尊烏
鵲之聲比命命等百千万倍不可為比迦葉
復言迦蘭伽等其聲微妙身亦不同如来云何
比之烏鵲无異亭歷比須弥山佛與虛空
亦復如是迦蘭伽聲可喻佛聲不可以喻烏
鵲之聲尒時佛讚迦葉菩薩善哉善哉汝今
善解甚深難解如来有時以因緣故引彼虛
空以喻解脫如是解脫即是如来真解脫者
一切人天无能為匹而此虛空實非其喻為
化衆生故以虛空非喻為喻當知解脫即是如
来如来之性即是解脫解脫如来无二无別
善男子非喻者如无比之物不可引喻有因
緣故可得引喻如經中說面貌端政猶月盛
滿白象鮮潔猶如雪山滿月不得即同於面
雪山不得即是白象善男子不可以喻喻真

BD01038號　大般涅槃經（北本　異卷）卷五　（13–7）

滿白鳥鮮潔猶如雪山滿月不得即同於面
雪山不得即是白鳥善男子不可以喻喻真
解脫為化衆生故作喻耳以諸譬喻知諸法
性皆亦如是迦葉復言云何如來作二種說
佛言善男子譬如有人執持刀劍以瞋恚心
欲害如來如來和悅无瞋恨色是人當得
壞如來身成逆罪不不也世尊何以故如來
身界不可壞故所以者何以无身故唯有法
性法性之性理不可壞是人云何能壞佛身
直以惡心故成就无間以是因緣引諸譬喻
得知實法尒時佛讃迦葉菩薩善哉善哉善
男子我所欲說汝今已說又善男子譬如惡
人欲害其母住於野田在穀積下母為送食
其人見已尋生惡心便前磨刀母時知已北
入積中其人持刀遶積遍斫斫已歡喜生已
然想其母尋後從穀積出還至家中於意云
何是人成就无間罪不世尊不可定說何以
故若說有罪母身應壞身若不壞云何言有
若說无罪生已然想心懷歡喜云何言无是
人雖不具足逆罪而亦是逆以是因緣引諸
譬喻得知實法佛讃迦葉善哉善哉善男子
以是因緣我說種種方便譬喻以喻解脫雖
以无量阿僧祇喻而實不可以喻為比或有
因緣亦可喻說或有因緣不可喻說是故解
脫成就如是无量功德趣涅槃者涅槃如來
亦有如是无量功德以如是等无量功德成

因緣亦可喻說或有因緣不可喻說是故解
脫成就如是无量功德趣涅槃者涅槃如來
亦有如是无量功德以如是等无量功德成
就滿故名大涅槃迦葉菩薩白佛言世尊我
今始知如來至處為无有盡處若无盡處當
知壽命亦應无盡佛言善哉善哉善男子汝
今當能護持正法若有善男子善女人欲斷
煩惱諸結縛者當作如是護持正法善男子
是大涅槃微妙經中有四種人能護正法建
立正法憶念正法能多利益憐愍世間為世
間依安樂人天何等為四有人出世具煩惱
性是名第一須陁洹人斯陁含人是名第二
阿那含人是名第三阿羅漢人是名第四是
四種人出現於世能多利益憐愍世間為世
間依安樂人天云何為名具煩惱性若有人
能奉持禁戒威儀具足建立正法從佛所聞
解其文義轉為他人分別宣說所謂少欲多
欲非道廣說如是八大人覺有犯罪者教令
發露懺悔滅除善知菩薩方便所行秘藏之
法是名凡夫非第八人第八人者不名凡夫
名為菩薩不名為佛第二人者名須陁洹斯
陁含人若得正法受持正法從佛聞法如其
所聞聞已書寫受持讀誦轉為他說若聞法
已不寫不受不持不說而言奴婢不淨之物
佛聽畜者无有是處是名第二人如是之人
未得第二第三住處名為菩薩已得受記第
三人者名阿那含阿那含者誹謗正法若言聽

佛聽畜者无有是處是名第二人如是之人
未得第二第三住處名名為菩薩已得受記第
三人者名阿那含阿那含者誹謗正法若言聽
畜奴婢僕使不淨之物受持外道典籍書論
及為客塵煩惱所鄣諸舊煩惱之所覆蓋若
藏如來真實舍利及為外病之所惱害或為
四大毒虵所侵論說我者悉无是處若說无
我斯有是處說著世法无有是處若說大乘
相續不絶斯有是處若有受身有八万戶虫
二无是處永離婬欲乃至夢中不失不淨斯
有是處臨終之日生怖畏者亦无是處阿那
含者為何謂也是人不還如上所說所有過
患永不能汙往返周旋名為菩薩已得受記
不久得成阿耨多羅三藐三菩提是為第三
人也第四人者名阿羅漢阿羅漢者斷諸煩
惱捨於重擔逮得己利所作已辦住第十地
得自在智隨人所樂種種色像悉能示現如
所莊嚴欲成佛道即能得成能成如是无量
功德名阿羅漢是名四人出現於世能多利
益憐愍世間為世間依安樂人天於人天中
最尊最勝猶如如來名人中勝為歸依處迦
葉白佛言世尊我今不依是四種人何以故
如瞿師羅經中佛為瞿師羅說若天魔梵為
欲破壞變為佛像具足莊嚴三十二相八十
種好圓光一尋面根圓滿猶如盛明眉間豪
相白喻軻雪如是莊嚴来向汝者汝當校檢
之具虛實既覺知已應當降伏世尊魔等尚

BD01038號　大般涅槃經（北本　異卷）卷五　（13-10）

種好圓光一尋面根圓滿猶如盛明眉間豪
相白喻軻雪如是莊嚴来向汝者汝當校檢
之具虛實既覺知已應當降伏世尊魔等尚
能變作佛身況當不能作羅漢等四種之身
坐卧空中左脅出水右脅出火身出烟炎猶
如火聚以是因緣我於是中心不生信或有
所說不能稟受亦无敬念而作依止佛言善
男子於我所說若生疑者尚不應受況如是
等是故應當善分別知是善不善可作不
可作如是作已長夜受樂善男子譬如偷狗
夜入他舍其家婢使若覺知者即應駈罵汝
疾出去若不出者當奪汝命時偷聞之即去
不還汝等從今亦應如是降伏波旬應作是言
波旬汝今不應作如是像若故作者當以五
繫繫縛於汝魔聞是已便當還去如彼偷狗
更不復還迦葉白佛言世尊如佛為瞿師羅
長者說若能如是降伏魔者亦可得近
於大涅槃如来何必說是四人為依止處如
是四人所可言說未必可信佛告迦葉善男
子如我所說亦復如是非為不尒善男子我
為聲聞有肉眼者說言降魔不為脩學大乘
人說聲聞之人雖有天眼故曰肉眼學大乘
者雖有肉眼乃名佛眼何以故是大乘經名
為佛乘而此佛乘最上最勝善男子譬如有
人勇健威猛有怯弱者常来依附其勇健人
常教怯弱者汝當如是持弓執箭脩學稍道
長句羂索又復告言夫鬪戰者雖知履刃不

BD01038號　大般涅槃經（北本　異卷）卷五　（13-11）

人勇健威猛有怯弱者常来依附具勇健人
常教怯弱者汝當如是持弓執箭脩學梢道
長勾羂索又復告言夫鬪戰者雖知履刃不
應生於怖畏之想當視人天生輕弱想應自
生心作勇健想或時有人素无膽勇詐作健
想執持弓刀種種器仗以自莊嚴来在陣中
唱呼大喚汝於是人之復不應生於憂怖如
是輩人若見汝時不怖畏者當知是人不久
散壞如彼偷羂善男子如来之尒告諸聲聞
汝等不應畏魔波旬若魔波旬化作佛身至
汝所者汝當精懃堅固其心降伏於魔時魔
即當愁憂不樂服道而去善男子如彼健人
不從他習學大乘者之復如是得聞種種深
密經典其心欣樂不生驚怖何以故如是脩
學大乘之人已曾供養恭敬礼拜過去无量
万億佛故雖有无量億千魔衆欲来侵嬈於
是事中終不驚畏善男子譬如有人得阿竭
陁藥不畏一切毒虵等畏是藥力故之能消
除一切毒等是大乘經之復如是如彼藥力
不畏一切諸魔毒箭之能降伏令更不起復
次善男子譬如有龍性甚姤弊欲害人時或
以眼視或以氣噓是故一切師子虎豹豺狼
猶犬皆生怖畏是等惡獸或聞聲見形或觸
具身无不喪命有善呪者以呪力故能令如
是諸惡毒龍金翅鳥等惡象師子虎豹豺狼
皆悉調善任為御乘如是等獸見彼善呪即

猶犬皆生怖畏是等惡獸或聞聲見形或觸
具身无不喪命有善呪者以呪力故能令如
是諸惡毒龍金翅鳥等惡象師子虎豹豺狼
皆悉調善任為御乘如是等獸見彼善呪即
便調伏聲聞緣覺之復如是見魔波旬皆生
恐怖而魔波旬之復不生畏懼之心猶行魔
業學大乘者之復如是見諸聲聞怖畏魔
事於此大乘不生信樂先以方便降伏諸魔悉
令調善堪任為乘因為廣說種種妙法聲聞
緣覺見調魔已乃生怖畏於此大乘无上正
法乃生信樂作如是言我從今不應於此
正法之中而作鄣导復次善男子聲聞緣覺
於諸煩惱而生怖畏學大乘者都无恐懼脩
學大乘有如是力以是因緣先所說者為欲
令彼聲聞緣覺調伏諸魔非為大乘是大涅
槃微妙經典不可消伏甚奇甚特若有聞者
聞已信受能信如来是常住法如是之人甚
為希有如優曇華我涅槃後若有得聞如
是大乘微妙經典生信敬心當知是等於未
来世百千億劫不墮惡道

大般涅槃經卷第五

無上正等覺者性遠離故無縛無解無上正
等覺者性寂靜故無縛無解無上正等覺
者性空故無縛無解無上正等覺者性無相故
無縛無解無上正等覺者性無願故無縛無
解無上正等覺者性無生故無縛無解無上
正等覺者性無滅故無縛無解無上正等覺
者性無染故無縛無解無上正等覺者性無
淨故無縛無解世尊以要言之一切法皆無
縛無解何以故世尊一切法性無所有故無
縛無解一切法性遠離故無縛無解一切法
性寂靜故無縛無解一切法性空故無縛無
解一切法性無相故無縛無解一切法性無
願故無縛無解一切法性無生故無縛無解
一切法性無滅故無縛無解一切法性無染
故無縛無解一切法性無淨故無縛無解
時滿慈子問善現言尊者說色無縛無解
說受想行識等無縛無解邪善現荅言如是如
是滿慈子言何等色無縛無解何等受想行
識等無縛無解善現荅言如幻色無縛無解
如幻受想行識無縛無解如夢色無縛無解
如夢受想行識無縛無解如像色無縛無解
如象受想行識無縛無解如響色無縛無解

說受想行識等無縛無解邪善現荅言如是如
是滿慈子言何等色無縛無解何等受想行
識等無縛無解善現荅言如幻色無縛無解
如幻受想行識無縛無解如夢色無縛無解
如夢受想行識無縛無解如像色無縛無解
如像受想行識無縛無解如響色無縛無解
如響受想行識無縛無解如光影色無縛無
解如光影受想行識無縛無解如空花色無
縛無解如空花受想行識無縛無解如陽焰
色無縛無解如陽焰受想行識無縛無解如
尋香城色無縛無解如尋香城受想行識無
縛無解如變化事色無縛無解如變化事受
想行識無縛無解何以故滿慈子如幻色性
乃至如變化事色性無所有故無縛無解如
幻受想行識性乃至如變化事受想行識性
無所有故無縛無解如幻色性乃至如變化
事色性遠離故無縛無解如幻受想行識性
乃至如變化事受想行識性遠離故無縛無
解如幻色性乃至如變化事色性寂靜故無
縛無解如幻受想行識性乃至如變化事受
想行識性寂靜故無縛無解如幻色性乃至
如變化事色性空故無縛無解如幻受想行
識性乃至如變化事受想行識性空故無縛
無解如幻色性乃至如變化事色性無相故
無縛無解如幻受想行識性乃至如變化事
受想行識性無相故無縛無解如幻色性乃
至如變化事色性無願故無縛無解如幻受

無解如幻色性乃至如變化事色性無相故
無縛無解如幻受想行識性乃至如變化事
受想行識性無相故無縛無解如幻色性乃
至如變化事色性無願故無縛無解如幻受
想行識性乃至如變化事受想行識性無願
故無縛無解如幻色性乃至如變化事色性
無生故無縛無解如幻受想行識性乃至如
變化事受想行識性無生故無縛無解如幻
色性乃至如變化事色性無滅故無縛無解
如幻受想行識性乃至如變化事受想行識
性無滅故無縛無解如幻色性乃至如變化
事色性無染故無縛無解如幻受想行識性
乃至如變化事受想行識性無染故無縛無
解如幻色性乃至如變化事色性無淨故無
縛無解如幻受想行識性乃至如變化事受
想行識性無淨故無縛無解
滿慈子過去色無縛無解過去受想行識無
縛無解未來色無縛無解未來受想行識無
縛無解現在色無縛無解現在受想行識無
縛無解何以故滿慈子過去未來現在色性
無所有故無縛無解過去未來現在受想行
識性無所有故無縛無解過去未來現在色
性遠離故無縛無解過去未來現在受想行
識性遠離故無縛無解過去未來現在色性
寂靜故無縛無解過去未來現在受想行識
性寂靜故無縛無解過去未來現在色性空

BD01039號　大般若波羅蜜多經卷五一　（15–3）

性遠離故無縛無解過去未來現在受想行
識性遠離故無縛無解過去未來現在色性
寂靜故無縛無解過去未來現在受想行識
性寂靜故無縛無解過去未來現在色性空
故無縛無解過去未來現在受想行識性空
故無縛無解過去未來現在色性無相故無
縛無解過去未來現在受想行識性無相故
無縛無解過去未來現在色性無願故無縛
無解過去未來現在受想行識性無願故無
縛無解過去未來現在色性無生故無縛無
解過去未來現在受想行識性無生故無縛
無解過去未來現在色性無滅故無縛無解
過去未來現在受想行識性無滅故無縛無
解過去未來現在色性無染故無縛無解過
去未來現在受想行識性無染故無縛無解
過去未來現在色性無淨故無縛無解過去
未來現在受想行識性無淨故無縛無解
滿慈子善色無縛無解善受想行識無縛無
解不善色無縛無解不善受想行識無縛無
解無記色無縛無解無記受想行識無縛無
解何以故滿慈子善不善無記色性無所有
故無縛無解善不善無記受想行識性無所
有故無縛無解善不善無記色性遠離故無
縛無解善不善无記受想行識性遠離故無
縛無解善不善無記色性寂靜故無縛無解
善不善無記受想行識性寂靜故無縛無解
善不善無記色性空故無縛無解善不善無

BD01039號　大般若波羅蜜多經卷五一　（15–4）

縛無解善不善无記受想行識性遠離故無
縛無解善不善無記色性寂靜故無縛無解
善不善無記受想行識性寂靜故無縛無解
善不善無記色性空故無縛無解善不善無
記受想行識性空故無縛無解善不善無記
色性無相故無縛無解善不善無記受想行
識性無相故無縛無解善不善無記色性無
願故無縛無解善不善無記受想行識性
無願故無縛無解善不善無記色性無生故無
縛無解善不善無記受想行識性無生故無
縛無解善不善無記色性無滅故無縛無解
善不善無記受想行識性无滅故無縛無解
善不善無記色性無染故無縛無解善不善
無記受想行識性無染故無縛無解善不善
無記色性無淨故無縛無解善不善無記受
想行識性無淨故無縛無解
滿慈子有染色無縛無解有染受想行識無
縛無解無染色無縛無解無染受想行識無
縛無解有罪色無縛無解有罪受想行識無
縛無解無罪色無縛無解無罪受想行識無
縛無解有漏色無縛無解有漏受想行識無
縛無解無漏色無縛無解無漏受想行識無
縛無解雜染色無縛無解雜染受想行識無縛
無解清淨色無縛無解清淨受想行識無縛
解世間色無縛無解世間受想行識無縛無
解出世間色無縛無解出世間受想行
識無縛無解何以故滿慈子有染色性乃至

解世間色無縛無解世間受想行識無縛無
解出世間色無縛無解出世間受想行
識無縛無解何以故滿慈子有染色性乃至
出世間色性無所有故無縛無解有染受想
行識性乃至出世間受想行識性無所有故
無縛無解有染色性乃至出世間色性遠離
故無縛無解有染受想行識性乃至出世間
受想行識性遠離故無縛無解有染色性乃
至出世間色性寂靜故無縛無解有染受想
行識性乃至出世間受想行識性寂靜故無
縛無解有染色性乃至出世間色性空故無
縛無解有染受想行識性乃至出世間受想行
識性空故無縛無解有染色性乃至出世間
色性無相故無縛無解有染受想行識性
乃至出世間受想行識性無相故無縛無解
有染色性乃至出世間色性無願故無縛無
解有染受想行識性乃至出世間受想行識
性無願故無縛無解有染色性乃至出世間
色性無生故無縛無解有染受想行識性乃
至出世間受想行識性無生故無縛無解有
染色性乃至出世間色性無滅故無縛無解
有染受想行識性乃至出世間受想行識性
無滅故無縛無解有染色性乃至出世間色
性無染故無縛無解有染受想行識性乃至
出世間受想行識性無染故無縛無解有染
色性乃至出世間色性無淨故無縛無解有

性無染故無縛無解有染受想行識性乃至
出世間受想行識性無染故無縛無解有染
色性乃至出世間色性無淨故無縛無解有
染受想行識性乃至出世間受想行識性無
淨故無縛無解
滿慈子如是色受想行識無縛無解當知如
是眼處乃至意處色處乃至法處眼界色界
眼識界及眼觸眼觸爲緣所生諸受乃至意
界法界意識界及意觸意觸爲緣所生諸
受地界乃至識界苦聖諦乃至道聖諦無明
乃至老死愁歎苦憂惱內空乃至無性自性
空四靜慮乃至四無色定四念住乃至八聖
道支空解脫門乃至無願解脫門布施波羅
蜜多乃至般若波羅蜜多五眼六神通佛十
力乃至一切相智真如乃至無爲菩提薩埵
菩薩摩訶薩無上正等菩提無上正等覺者
一切法隨其所應無縛無解亦復如是
滿慈子諸菩薩摩訶薩於如是無縛無解法
門以無所得而爲方便應如實知於如是無
縛無解四靜慮四無量四無色定四念住四正
斷四神足五根五力七等覺支八聖道支空
無相無願解脫門布施淨戒安忍精進靜慮
般若波羅蜜多五眼六神通佛十力四無所
畏四無礙解大慈大悲大喜大捨十八佛不
共法一切智道相智一切相智以無所得而
爲方便應勤脩學滿慈子諸菩薩摩訶薩以
無所得而爲方便應住無縛無解四靜慮乃

BD01039號　大般若波羅蜜多經卷五一　（15–7）

畏四無礙解大慈大悲大喜大捨十八佛不
共法一切智道相智一切相智以無所得而
爲方便應勤脩學滿慈子諸菩薩摩訶薩以
無所得而爲方便應住無縛無解四靜慮乃
至應住無縛無解一切相智以無所得而爲
方便應成熟無縛無解有情應嚴淨無縛無
解佛土應親近供養無縛無解諸佛應聽受
無縛無解法門滿慈子是菩薩摩訶薩常不
遠離無縛無解諸佛世尊常不遠離無縛無
解清淨五眼常不遠離無縛無解殊勝六神
通常不遠離無縛無解陁羅尼門常不遠離
無縛無解三摩地門滿慈子是菩薩摩訶薩
當生無縛無解道相智當證無縛無解一切
智一切相智當轉無縛無解法輪當以無縛無
解三乘法安立無縛無解諸有情滿慈子若
菩薩摩訶薩脩行無縛無解六波羅蜜多
能證無縛無解一切法無所有故遠離故寂
靜故空故無相故無願故無生故無滅故無
染故無淨故無縛無解滿慈子當知是菩薩
摩訶薩名擐無縛無解大乘鎧者

初分辯大乘品第十五之一

尒時具壽善現白佛言世尊云何當知菩薩
摩訶薩大乘相云何當知菩薩摩訶薩發趣
大乘如是大乘從何處出至何處住如是大
乘爲何所住誰復乘是大乘而出佛告善現
汝問云何當知菩薩摩訶薩大乘相者謂六

BD01039號　大般若波羅蜜多經卷五一　（15–8）

大乘如是大乘從何處出至何處住如是大
乘為何所住誰復乘是大乘而出佛告善現
汝問云何當知菩薩摩訶薩大乘相者謂六
波羅蜜多是菩薩摩訶薩大乘相何等為六
謂布施波羅蜜多淨戒波羅蜜多安忍波羅
蜜多精進波羅蜜多靜慮波羅蜜多般若波
羅蜜多善現白佛言世尊云何菩薩摩訶薩
布施波羅蜜多佛言善現若菩薩摩訶薩發
應一切智智心大悲為上首以無所得而為
方便自施一切內外所有亦勸他施內外所有
持此善根與一切有情同共迴向阿耨多
羅三藐三菩提善現是為菩薩摩訶薩布施
波羅蜜多善現白佛言世尊云何菩薩摩訶
薩淨戒波羅蜜多佛言善現若菩薩摩訶薩
發應一切智智心大悲為上首以無所得而
為方便自住十善業道亦勸他住十善業道
持此善根與一切有情同共迴向阿耨多羅三
藐三菩提善現是為菩薩摩訶薩淨戒波羅
蜜多善現白佛言世尊云何菩薩摩訶薩
安忍波羅蜜多佛言善現若菩薩摩訶薩
發應一切智智心大悲為上首以無所得而為
方便自具增上安忍亦勸他具增上安忍持
此善根與一切有情同共迴向阿耨多羅三
藐三菩提善現是為菩薩摩訶薩安忍波羅
蜜多善現白佛言世尊云何菩薩摩訶薩精
進波羅蜜多佛言善現若菩薩摩訶薩發應
一切智智心大悲為上首以無所得而為方便

BD01039號　大般若波羅蜜多經卷五一　（15–9）

蜜多善現白佛言世尊云何菩薩摩訶薩精
進波羅蜜多佛言善現若菩薩摩訶薩發應
一切智智心大悲為上首以無所得而為方便
自於六波羅蜜多勤脩不息亦勸他於六
波羅蜜多勤脩不息持此善根與一切有情
同共迴向阿耨多羅三藐三菩提善現是為
菩薩摩訶薩精進波羅蜜多善現白佛言世
尊云何菩薩摩訶薩靜慮波羅蜜多佛言善
現若菩薩摩訶薩發應一切智智心大悲為
上首以無所得而為方便自能巧便入諸靜
慮無量無色終不隨彼勢力受生亦能勸他
入諸靜慮無量無色同已善巧持此善根與
一切有情同共迴向阿耨多羅三藐三菩提善
現是為菩薩摩訶薩靜慮波羅蜜多善現
白佛言世尊云何菩薩摩訶薩般若波羅蜜
多佛言善現若菩薩摩訶薩發應一切智智
心大悲為上首以無所得而為方便自能如實
觀一切法性於諸法性無所執著亦勸他
如實觀一切法性於諸法性無所執著持此
善根與一切有情同共迴向阿耨多羅三藐三
菩提善現是為菩薩摩訶薩般若波羅蜜多
善現當知是為菩薩摩訶薩大乘相
復次善現菩薩摩訶薩大乘相者謂內空外
空內外空空空大空勝義空有為空無為空
畢竟空無際空散空無變異空本性空自相
空共相空一切法空不可得空無性空自性空
無性自性空是為菩薩摩訶薩大乘相復次善現

BD01039號　大般若波羅蜜多經卷五一　（15–10）

空內外空空空大空勝義空有為空無為空
畢竟空無際空散空無變異空本性空自相
空共相空一切法空不可得空無性空自性空
無性自性空是菩薩摩訶薩大乘相善現
白佛言世尊云何內空佛言善現內謂內法
即是眼耳鼻舌身意此中眼由眼空何以故
非常非壞本性尒故耳鼻舌身意由耳鼻舌
身意空何以故非常非壞本性尒故善現是
為內空善現白佛言世尊云何外空佛言善
現外謂外法即是色聲香味觸法此中色由
色空何以故非常非壞本性尒故聲香味觸
法由聲香味觸法空何以故非常非壞本性
尒故善現是為外空善現白佛言世尊云何
內外空佛言善現內外謂內外法即是內六
處外六處此中內六處由外六處空何以故
非常非壞本性尒故外六處由內六處空何
以故非常非壞本性尒故善現是為內外空
善現白佛言世尊云何空空佛言善現空謂
一切法空此空由空空何以故非常非壞本
性尒故善現是為空空善現白佛言世尊云
何大空佛言善現大謂十方即是東南西北
四維上下此中東方由東方空何以故非常
非壞本性尒故南西北方四維上下由南西
北方四維上下空何以故非常非壞本性尒
故善現是為大空善現白佛言世尊云何勝
義空佛言善現勝義謂涅槃此勝義由勝
義空何以故非常非壞本性尒故善現是為勝

BD01039 號　大般若波羅蜜多經卷五一

（15–11）

北方四維上下空何以故非常非壞本性尒
故善現是為大空善現白佛言世尊云何勝
義空佛言善現勝義謂涅槃此勝義由勝
義空何以故非常非壞本性尒故善現是為勝
義空善現白佛言世尊云何有為空佛言善
現有為謂欲界色界無色界此中欲界由欲
界空何以故非常非壞本性尒故色無色界
由色無色界空何以故非常非壞本性尒故
善現是為有為空善現白佛言世尊云何無
為空佛言善現無為謂無生無住無異無滅
此無為由無為空何以故非常非壞本性尒
故善現是為無為空善現白佛言世尊云何
畢竟空佛言善現畢竟謂諸法究竟不可得
此畢竟由畢竟空何以故非常非壞本性尒
故善現是為畢竟空善現白佛言世尊云何
無際空佛言善現無際謂無初中後際可得
及無往來際可得此無際由無際空何以故
非常非壞本性尒故善現是為無際空善現
白佛言世尊云何散空佛言善現散謂有放
有棄有捨可得此散由散空何以故非常非
壞本性尒故善現是為散空善現白佛言世
尊云何無變異空佛言善現無變異謂無放
無棄無捨可得此無變異由無變異空何以
故非常非壞本性尒故善現是為無變異空
善現白佛言世尊云何本性空佛言善現本
性謂一切法本性若有為法性若無為法性
皆非聲聞所作非獨覺所作非菩薩所作非

BD01039 號　大般若波羅蜜多經卷五一

（15–12）

故非常非壞本性尒故善現是爲無變異空
善現白佛言世尊云何本性空佛言善現本
性謂一切法本性若有爲法性若無爲法性
皆非聲聞所作非獨覺所作非菩薩所作非
如來所作亦非餘所作此本性由本性空何
以故非常非壞本性尒故善現是爲本性空
善現白佛言世尊云何自相空佛言善現自
相謂一切法自相如變礙是色自相領納是
受自相取像是想自相造作是行自相了別
是識自相如是等若有爲法自相若無爲法
自相此自相由自相空何以故非常非壞本
性尒故善現是爲自相空善現白佛言世尊
云何共相空佛言善現共相謂一切法共相
如苦是有漏法共相無常是有爲法共相空
無我是一切法共相如是等有無量共相此
共相由共相空何以故非常非壞本性尒故
善現是爲共相空善現白佛言世尊云何一
切法空佛言善現一切法謂五蘊十二處十
八界若有色無色有見無見有對無對有漏
無漏有爲無爲法此一切法由一切法空何以
故非常非壞本性尒故善現是爲一切法空
善現白佛言世尊云何不可得空佛言善現
不可得謂此中一切法不可得若過去不可
得未來不可得現在不可得若過去無未來
現在可得若未來無過去現在可得若現在
無過去未來可得此不可得由不可得空何
以故非常非壞本性尒故善現是爲不可得

BD01039號　大般若波羅蜜多經卷五一　（15–13）

現在可得若未來無過去現在可得若現在
無過去未來可得此不可得由不可得空何
以故非常非壞本性尒故善現是爲不可得
空善現白佛言世尊云何無性空佛言善現
無性謂此中無少性可得此無性由無性空
何以故非常非壞本性尒故善現是爲無性
空善現白佛言世尊云何自性空佛言善現
自性謂諸法能和合自性此自性由自性空
何以故非常非壞本性尒故善現是爲自性
空善現白佛言世尊云何無性自性空佛言
善現無性自性謂諸法無能和合性有所和
合自性此無性自性由無性自性空何以故
非常非壞本性尒故善現是爲無性自性空
復次善現有性由有性空無性由無性空自
性由自性空他性由他性空云何有性由有
性空有性謂五蘊此有性由有性空五蘊生
性不可得故是爲有性由有性空云何無性
由無性空無性謂無爲此無性由無性空是
爲無性由無性空云何自性由自性空謂一
切法皆自性空此空非智所作非見所作亦
非餘所作是爲自性由自性空云何他性由
他性空謂若佛出世若不出世一切法法住
法定法性法界法平等性法離生性真如不
虛妄性不變異性實際皆由他性故空是爲
他性由他性空善現當知是爲菩薩摩訶薩
大乘相

BD01039號　大般若波羅蜜多經卷五一　（15–14）

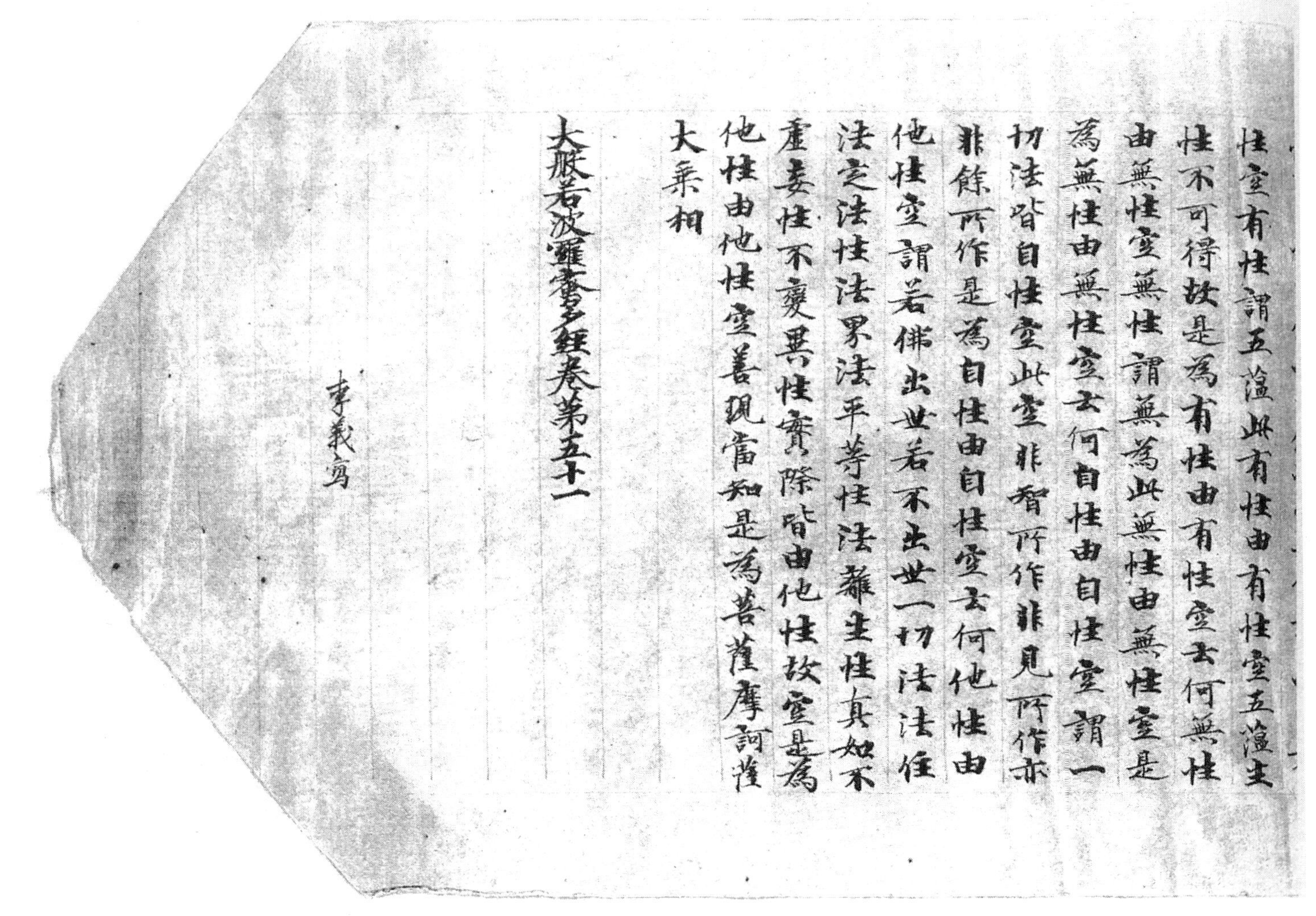
性空有性謂五蘊此有性由有性空五蘊生
性不可得故是爲有性由有性空云何無性
由無性空無性謂無爲此無性由無性空是
爲無性由無性空云何自性由自性空謂一
切法皆自性空此空非智所作非見所作亦
非餘所作是爲自性由自性空云何他性由
他性空謂若佛出世若不出世一切法法住
法定法性法界法平等性法離生性真如不
虛妄性不變異性實際皆由他性故空是爲
他性由他性空善現當知是爲菩薩摩訶薩
大乘相

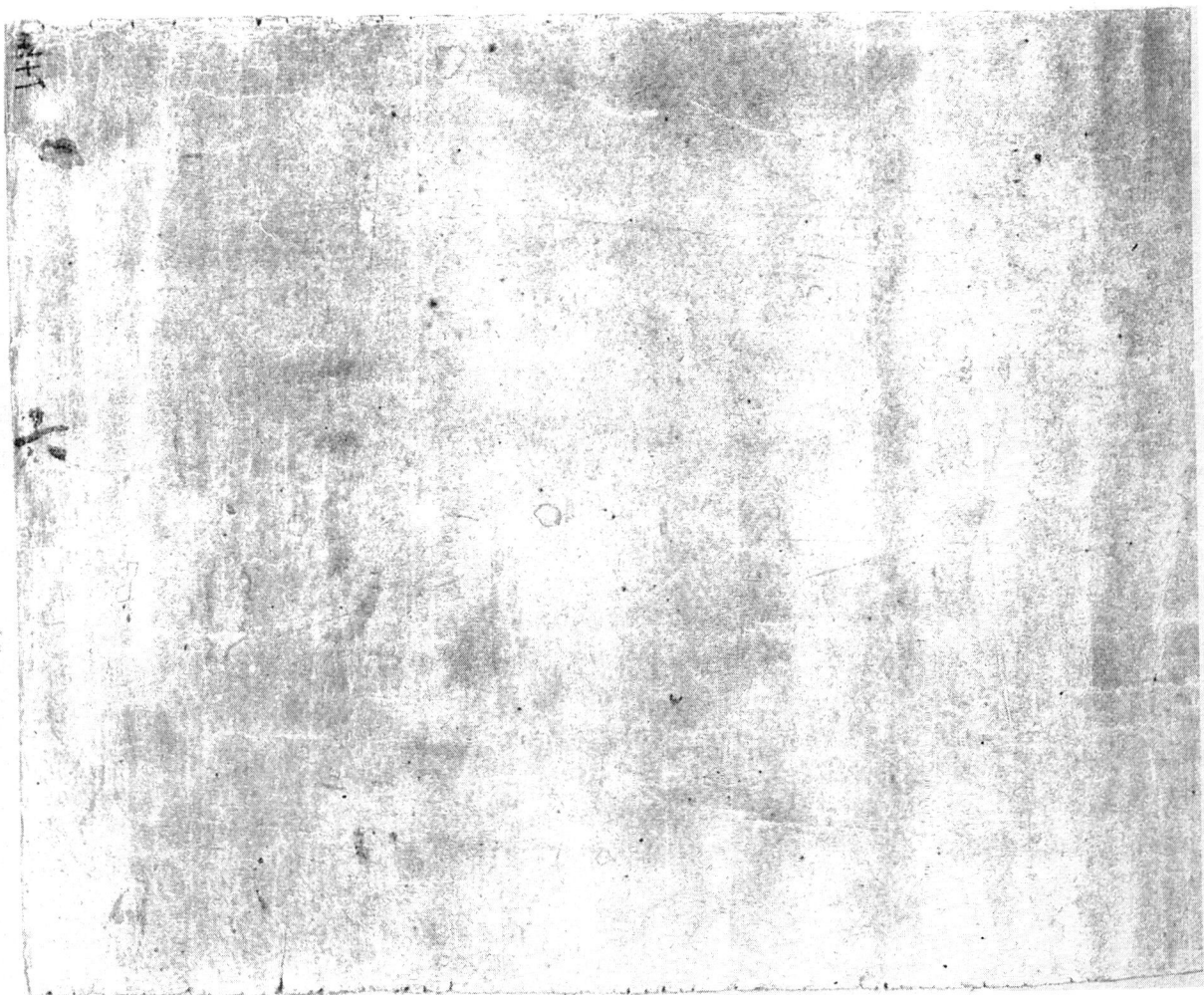

大般若波羅蜜多經卷第五十一

李義寫

BD01039號　大般若波羅蜜多經卷五一　（15–15）

BD01039號背　勘記　（1–1）

若波羅蜜目是世尊是般若波羅
諸佛菩薩辟支佛阿羅漢阿那含斯
陁洹般若波羅蜜中生十善道四禪四无量
心四无色定五神通內空乃至无法有法空
四念處乃至八聖道分是般若波羅蜜中生
佛十力十八不共法大慈大悲一切種智尒
時釋提桓因心念何因緣故舍利弗問是事
念已語舍利弗何因緣故問是事舍利弗語
釋提桓因言憍尸迦諸菩薩摩訶薩為般若
波羅蜜守護以漚和拘舍羅力故於過去未
來現在諸佛從初發心乃至法住於其中間
所作善根一切和合隨喜迴向阿耨多羅三
藐三菩提以是因緣故我問是事憍尸迦菩
薩摩訶薩般若波羅蜜勝檀那波羅蜜尸羅
波羅蜜羼提毗梨耶禪那波羅蜜譬如生盲
人若百若千若百千而无前導不能趣道入
城憍尸迦五波羅蜜亦如是離般若波羅蜜
如盲无導不能趣道不能得一切智憍尸迦
若五波羅蜜得般若波羅蜜將導是時五波
羅蜜名為有眼般若波羅蜜將導得波羅蜜
字釋提桓因語舍利弗如所言般若波羅

BD01040號　摩訶般若波羅蜜經（異卷）卷一六　（20–1）

城憍尸迦五波羅蜜亦如是離般若波羅蜜
如盲无導不能趣道不能得一切智憍尸迦
若五波羅蜜得般若波羅蜜將導是時五波
羅蜜名為有眼般若波羅蜜將導得波羅蜜
名字釋提桓因語舍利弗如所言般若波羅
蜜將導五波羅蜜故得波羅蜜名字舍利弗
若无檀那波羅蜜助五波羅蜜不得波羅蜜
名字若无尸羅波羅蜜羼提波羅蜜毗梨耶
波羅蜜禪那波羅蜜五波羅蜜不得波羅蜜
名字若尒者何以故獨讚般若波羅蜜舍利
弗言如是如是憍尸迦无檀那波羅蜜五波
羅蜜不得波羅蜜名字无尸羅波羅蜜羼提
波羅蜜毗梨耶波羅蜜禪那波羅蜜五波羅蜜
不得波羅蜜名字但菩薩摩訶薩住般若波
羅蜜中能具足檀那波羅蜜尸羅波羅蜜羼
提波羅蜜毗梨耶波羅蜜禪那波羅蜜以是
故憍尸迦般若波羅蜜於五波羅蜜中最上
第一最妙无上无与等舍利弗白佛言世尊
云何生般若波羅蜜佛告舍利弗色不生故
般若波羅蜜生受想行識不生故般若波羅
蜜生檀那波羅蜜不生故般若波羅蜜生乃
至禪那波羅蜜不生故般若波羅蜜生內空
乃至无法有法空四念處乃至八聖道分佛
十力乃至一切智一切種智不生故般若波
羅蜜生如是諸法不生故般若波羅蜜應生
舍利弗言世尊云何色不生故般若波羅蜜
生乃至一切諸法不生故般若波羅蜜應生
佛言色不起不生不得不失故乃至一切諸
法不起不作不得不失故般若波羅蜜生舍

BD01040號　摩訶般若波羅蜜經（異卷）卷一六　（20–2）

舍利弗言世尊云何色不生故般若波羅蜜
生乃至一切諸法不生故般若波羅蜜應生
佛言色不起不生不得不失故乃至一切諸
法不起不作不得不失故般若波羅蜜生舍
利弗曰佛言如是〻生般若波羅蜜与何等法
合佛言无所合以是故得名般若波羅蜜
世尊不合何等法佛言不与不善法合不
与善法合不与世間法合不与出世間法合
不与長安有法合不与世間法合不与出世間
合不与无罪法合不与有為法合不与无為
法合何以故般若波羅蜜不為得法故生以
是故於諸法无所合尒時釋提桓因白佛言
世尊是般若波羅蜜亦不合薩婆若佛言如
是憍尸迦般若波羅蜜亦不合薩婆若亦不
得釋提桓因言世尊云何般若波羅蜜亦不
合薩婆若亦不得佛言般若波羅蜜不如名
字不如相不如起作法合釋提桓因言云何
合佛言若菩薩摩訶薩如不取不受不住不著
不斷如是合亦无所合如是憍尸迦般若波
羅蜜一切法合亦无所合尒時釋提桓因白佛
言未曾有也世尊是般若波羅蜜為一切法
不起不作不得不失故生須菩提白佛言世
尊若菩薩摩訶薩行般若波羅蜜時作是念
般若波羅蜜一若切法合若不合是菩薩摩
訶薩則捨般若波羅蜜遠離般若波羅蜜佛
告須菩提復有因緣菩薩摩訶薩捨般若波
羅蜜遠離般若波羅蜜若菩薩摩訶薩作是
念是般若波羅蜜无所有空虛不牢固是菩
薩摩訶薩則捨般若波羅蜜遠離般若波羅

BD01040號　摩訶般若波羅蜜經（異卷）卷一六　（20-3）

告須菩提復有因緣菩薩摩訶薩捨般若波
羅蜜遠離般若波羅蜜若菩薩摩訶薩作是
念是般若波羅蜜无所有空虛不牢固是菩
薩摩訶薩則捨般若波羅蜜遠離般若波羅
蜜須菩提以是因緣故捨離般若波羅蜜須
菩提白佛言世尊信般若波羅蜜為信何法
佛告須菩提信般若波羅蜜則不信色不信
受想行識不信眼乃至意不信色乃至法不
信眼界乃至意識界不信檀那波羅蜜尸羅
波羅蜜羼提波羅蜜毗梨耶波羅蜜禪那波
羅蜜不信内空乃至无法有法空不信四念
處乃至八聖道分不信佛十力乃至十八不
共法不信須陁洹果斯陁含果阿羅漢果辟
支佛道不信菩薩道不信阿耨多羅三藐三
菩提乃至一切種智須菩提白佛言世尊云
何信般若波羅蜜時不信色乃至一切種智
佛告須菩提色不可得故信般若波羅蜜不
信色乃至一切種智不可得故信般若波羅
蜜不信一切種智以是故須菩提信般若波
羅蜜時不信色乃至不信一切種智須菩提
白佛言世尊是般若波羅蜜名為摩訶波羅
蜜須菩提何因緣故是般若波羅蜜名為摩
訶波羅蜜須菩提言世尊是般若波羅蜜不
作色大不作小受想行識不作大不作小眼
乃至意色乃至法眼識界乃至意識界不作
大不作小檀那波羅蜜乃至禪那波羅蜜不
作大不作小内空乃至无法有法空不作大
不作小四念處乃至阿耨多羅三藐三菩提

BD01040號　摩訶般若波羅蜜經（異卷）卷一六　（20-4）

大不作小檀那波羅蜜乃至禪那波羅蜜不
作大不作小内空乃至无法有法空不作大
不作小四念處乃至阿耨多羅三藐三菩提
不作大不作小諸佛法不作大不作小諸佛
不作大不作小是般若波羅蜜不作色合不
作色散受想行識不作合不作散乃至諸佛
不作合不作散色不作无量不作色非无量
乃至諸佛不作无量亦不作非无量色不作
廣不作狹乃至諸佛不作廣不作狹不作色
有力不作色无力乃至諸佛不作有力不作
无力世尊以是因緣故是般若波羅蜜名摩
訶波羅蜜世尊若新發意菩薩摩訶薩若不
遠離般若波羅蜜不遠離禪那波羅蜜不遠
離毗梨耶波羅蜜不遠離羼提波羅蜜不遠
離尸羅波羅蜜不遠離檀那波羅蜜如是念
是般若波羅蜜不作色大不作色小乃至諸
佛不作大不作小色不作合不作散不作色
无量不作色非无量不作色有力不作色无
力乃至諸佛不作有力不作无力世尊菩薩
摩訶薩若如是知是為不行般若波羅蜜可
以是非般若波羅蜜相所謂作色大小乃至
諸佛作大小色有力无力乃至諸佛有力无
力世尊是菩薩摩訶薩用有所得故有大過
失所謂行般若波羅蜜時作色大作色小乃
至諸佛作有力作无力何以故有所得相者
无阿耨多羅三藐三菩提所以者何衆生不
生故般若波羅蜜亦應不生色不生故般若
波羅蜜不生乃至佛不生故般若波羅蜜不
生衆生性无故般若波羅蜜性无色性无故

无阿耨多羅三藐三菩提所以者何衆生不
生故般若波羅蜜亦應不生色不生故般若
波羅蜜不生乃至佛不生故般若波羅蜜不
生衆生性无故般若波羅蜜性无色性无故
般若波羅蜜性无乃至佛性无故般若波羅
蜜性无衆生非法故般若波羅蜜非法色非
法故般若波羅蜜非法乃至佛非法故般若
波羅蜜非法衆生空故般若波羅蜜空色空
故般若波羅蜜空乃至佛空故般若波羅蜜
空衆生離故般若波羅蜜離色離故般若波
羅蜜離故乃至佛離故般若波羅蜜離衆生
无有故般若波羅蜜无有色无有故般若波
羅蜜无有乃至佛无有故般若波羅蜜无有衆
生不可思議故般若波羅蜜不可思議色不
可思議故般若波羅蜜不可思議乃至佛不
可思議故般若波羅蜜不可思議衆生不滅
故般若波羅蜜不滅色不滅故般若波羅蜜
不滅乃至佛不滅故般若波羅蜜不滅衆生
不可知故般若波羅蜜不可知色不可知故
般若波羅蜜不可知乃至佛不可知故般若
波羅蜜不可知衆生力不成就故般若波羅
蜜力不成就色力不成就故般若波羅蜜力
不成就乃至佛力不成就故般若波羅蜜力
不成就世尊以是因緣故諸菩薩摩訶薩般
若波羅蜜名為摩訶波羅蜜

摩訶般若波羅蜜泥犁品第卅

尒時慧命舍利弗白佛言世尊有菩薩摩訶
薩信解是般若波羅蜜者從何處終來生是
間發阿耨多羅三藐三菩提心來為幾時為
供養幾佛行檀那波羅蜜尸羅波羅蜜羼提

尒時慧命舍利弗白佛言世尊有菩薩摩訶
薩信解是般若波羅蜜者從何處終來生是
間發阿耨多羅三藐三菩提心來為幾時為
供養幾佛行檀那波羅蜜尸羅波羅蜜羼提
波羅蜜毗梨耶波羅蜜禪那波羅蜜般若波
羅蜜來幾時能隨順解深般若波羅蜜義佛
告舍利弗是菩薩摩訶薩供養十方諸佛來
生是間是菩薩發阿耨多羅三藐三菩提心
來无量无邊阿僧祇百千万億劫是菩薩摩
訶薩從初發心常行檀那波羅蜜尸羅波羅
蜜羼提波羅蜜毗梨耶波羅蜜禪那波羅蜜
般若波羅蜜供養无量无邊不可思議阿僧
祇諸佛來生是間舍利弗是菩薩摩訶薩若
見若聞般若波羅蜜作是念我佛見從佛聞
法舍利弗是菩薩摩訶薩能隨順解深般若
波羅蜜義以无相无二无所得故須菩提白
佛言世尊是般若波羅蜜可聞可見耶佛告
須菩提是般若波羅蜜无有聞者无有見者
般若波羅蜜无聞无見諸法鈍故禪那波羅
毗梨耶波羅蜜羼提波羅蜜尸羅波羅蜜檀
那波羅蜜无聞无見諸法鈍故內空无聞无
見諸法鈍故乃至无法有法空无聞无見諸
法鈍故四念處无聞无見諸法鈍故乃至八
聖道分无聞无見諸法鈍故佛十力乃至十
八不共法无聞无見諸法鈍故須菩提佛及
佛道无聞无見諸法鈍故須菩提白佛言世
尊是菩薩幾時行佛道能習行如是深般若
波羅蜜佛告須菩提是中應分別說須菩提
有菩薩摩訶薩初發意習行深般若波羅蜜

尊是菩薩幾時行佛道能習行如是深般若
波羅蜜佛告須菩提是中應分別說須菩提
有菩薩摩訶薩初發意習行深般若波羅蜜
禪那波羅蜜毗梨耶波羅蜜羼提波羅蜜尸
羅波羅蜜檀那波羅蜜以方便力故於法无
所破壞不見諸法无利益者亦終不遠離行
六波羅蜜亦不遠離諸佛從一佛國至一佛
國若欲以善根力供養諸佛隨意即得終不
生母人腹中終不離諸佛神通終不生諸煩
惱及聲聞辟支佛心從一佛國至一佛國成就
衆生淨佛國土須菩提如是等諸菩薩摩訶
薩能習行深般若波羅蜜須菩提有菩薩摩
訶薩久見諸佛若无量百千万億從諸佛所
行布施持戒忍辱精進一心智慧皆以有所
得故是菩薩聞說深般若波羅蜜時便從衆
中起去不恭敬深般若波羅蜜及諸佛是菩
薩今在此衆中坐聞是甚深般若波羅蜜不
樂便捨去何以故是善男子善女人等先世
聞深般若波羅蜜時棄捨去今世聞深般若
波羅蜜亦棄捨去身心不和是人種愚癡因
緣業種是愚癡因緣罪故聞說深般若波羅
蜜呰毀呰毀般若波羅蜜故呰毀過去未來
現在諸佛一切智一切種智呰毀三世諸佛
一切智故起破法業破法業因緣集故无量
百千万億歲墮大地獄中是破法人輩從一
大地獄至一大地獄若大劫起時至他方大
地獄中生在彼間從一大地獄至一大地獄
彼間若火劫起時復至他方大地獄中生在
彼間從一大地獄至一大地獄如是遍十方

地獄中生在彼間從一大地獄至一大地獄
彼間若火劫起時復至他方大地獄中生在
彼間從一大地獄至一大地獄如是遍十方
彼間若火劫起故從彼死破法業因緣未盡
故還來是間大地獄中生此間亦從一大地
獄至一大地獄受无量苦此間火劫起故復
至十方他世界生畜生中受破法罪業苦如
地獄中說重罪漸薄或得人身生盲人家生
旃陁羅家生除廁擔死人種種下賤家若无
眼若一眼若眼瞎无舌无耳无手所生處无
佛无法无佛弟子處何以故種破法業積集
厚重具足故受是果報尒時舍利弗白佛言
世尊五逆与破法罪相似耶佛告舍利弗不
應言相似所以者何若有人聽說是甚深般
若波羅蜜時毀呰不信作是言不應學是法
是非法非善非佛教諸佛不說是語是人自
呰毀般若波羅蜜亦教他人毀呰般若波羅
蜜自壞其身亦壞他人身自飲毒殺身亦飲
他人毒自失其身亦失他人身自不知不信
毀呰深般若波羅蜜亦教他人令不信不知
舍利弗如是人我不聽聞其名字何況眼見
何以故當知是人名為汙法人為闇棗濁黑
性如是人若有聽其言用其語亦受如是苦
舍利弗若人破般若波羅蜜當知是名為破
法人舍利弗白佛言世尊世尊說破法之人
所受更罪不說是人所受身躰大小佛告舍
利弗不須說是人受身大小何以故是破法
人若聞所受身大小便當吐熱血若死若近

人若聞所受身大小便當吐熱血若死若近
死苦是破法人聞如是身有如是重罪是人
便擲箭入心漸〻干枯作是念破法罪故得
如是大醜身受如是无量苦以是故佛不聽
舍利弗聞是人所受身大小舍利弗白佛言
願佛說之為未來世作大明令知破法業積
集故得如是大醜身受如是苦佛告舍利弗
後世人若聞是破法業積集厚重具足受大
地獄中久久无量苦聞是久久无量苦時足
為未來世作明舍利弗白佛言世尊若攝性
善男子善女人聞是法足作依止寧失身命
不破法自念我若破法當受如是苦尒時須
菩提白佛言世尊善男子善女人應好攝身
口意業无受如是諸苦或不見佛或不聞法
或不親近僧或生无佛國土中或生人中隨
貧窮家或人不信受其言須菩提白佛言世
尊以積集口業故有是破法重罪耶佛告須
菩提以積集口業故有是破法重罪須菩提
是愚癡人在佛法中出家受戒破深般若波
羅蜜毀呰不受須菩提若破般若波羅蜜毀
呰般若波羅蜜則為破十方諸佛一切智一
切智破故則為破佛寶佛寶破故破法寶法
寶破故僧寶破破三寶故則破世間正見破
世間正見故則破四念處乃至破一切種智
法破一切種智法故則得无量无邊阿僧祇
罪得无量无邊阿僧祇罪已則受无量无邊
阿僧祇憂苦須菩提白佛言世尊是愚癡人
毀呰破深般若波羅蜜有幾因緣佛告須菩

阿僧祇憂苦須菩提白佛言世尊是愚癡人
毀呰破深般若波羅蜜有幾因緣佛告須菩
提有四因緣是愚癡人毀呰破是深般若波
羅蜜須菩提言世尊何等四是愚癡人為魔
所使欲毀呰破壞深般若波羅蜜是名初因
緣是愚癡人不信深法不信不解心不得清
淨是第二因緣故是愚癡人欲毀呰破壞深
般若波羅蜜是愚癡人与惡知識相隨心沒
懈怠堅著五受衆是第三因緣故是愚癡人
欲毀呰破壞深般若波羅蜜是愚癡人多行
瞋恚自高輕人是第四因緣故是愚癡人欲
毀呰破壞深般若波羅蜜須菩提以是四因
緣故愚癡人欲破壞深般若波羅蜜須菩提
白佛言世尊是般若波羅蜜不懃精進種不
善根惡及相得人難信難解佛言如是如是
須菩提是深法般若波羅蜜不懃精進種不
善根惡及相得人難信難解須菩提白佛言
世尊是般若波羅蜜云何甚深難信難解須菩
提色不縛不解何以故色无所有性是色受想
行識不縛不解何以故无所有性是受想行
識檀那波羅蜜不縛不解何以故无所有性
是檀那波羅蜜尸羅波羅蜜不縛不解何以
故无所有性是尸羅波羅蜜羼提波羅蜜不
縛不解何以故无所有性是羼提波羅蜜毗
梨耶波羅蜜不縛不解何以故无所有性是
毗梨耶波羅蜜禪那波羅蜜不縛不解何以
故无所有性是禪那波羅蜜般若波羅蜜不
縛不解何以故无所有性是般若波羅蜜須

毗梨耶波羅蜜禪那波羅蜜不縛不解何以
故无所有性是禪那波羅蜜般若波羅蜜不
縛不解何以故无所有性是般若波羅蜜須
菩提內空不縛不解何以故无所有性是內
空乃至无法有法空不縛不解何以故无所
有性是无法有法空四念處不縛不解何以
故无所有性是四念處乃至一切智一切種
智不縛不解何以故无所有性是一切種智
須菩提色本際不縛不解何以故无所有性
是色受想行識乃至一切種智本際不縛不
解何以故无所有性是一切種智須菩提色
後際不縛不解何以故後際无所有性是色
受想行識乃至一切種智後際不縛不解何
以故无所有性是一切種智須菩提現在色
不縛不解何以故現在无所有性是色受想
行識乃至現在一切種智不縛不解何以故
現在无所有性是一切種智須菩提白佛言
世尊是般若波羅蜜不懃精進不種善根惡
及相得懈怠少進憙忘无巧便慧如此之人
實難信難解如是如是須菩提是般若波羅
蜜不懃精進不種善根惡及相隸得屬於魔
懈怠少進憙忘无巧便慧如此之人實難信
難解何以故色淨果亦淨受想行識淨果
亦淨乃至阿耨多羅三藐三菩提淨果亦淨
復次須菩提色淨故即般若波羅蜜淨般若
波羅蜜淨即色淨受想行識淨即般若波羅
蜜淨般若波羅蜜淨即受想行識淨乃至一
切種智淨即般若波羅蜜淨般若波羅蜜淨
即一切種智淨色淨般若波羅蜜淨无二无
別无斷无壞乃至一切智淨般若波羅蜜淨

波羅蜜淨即色淨受想行識淨即般若波羅
蜜淨般若波羅蜜淨即受想行識淨乃至一
切種智淨即般若波羅蜜淨般若波羅蜜淨
即一切種智淨色淨般若波羅蜜淨无二无
別无斷无壞乃至一切智淨般若波羅蜜淨
无二无別无斷无壞復次須菩提不二淨故
色淨不二淨故乃至一切智淨何以故是不
二淨色淨乃至一切智淨无二无別故我衆
生乃至知者見者淨故色淨受想行識淨乃
至一切智淨色淨乃至一切種智淨故我衆
生乃至知者見者淨何以故我衆生乃至知
者見者淨色淨乃至一切智淨不二不別无
斷无壞復次須菩提婬淨故色淨乃至一切
種智淨何以故婬淨色淨乃至一切種智
淨不二不別瞋癡淨故色淨乃至一切種智
淨何以故瞋癡淨色淨乃至一切種智淨不
二不別復次須菩提无明淨故諸行淨諸行
淨故識淨識淨故名色淨名色淨故六處淨
六處淨故觸淨觸淨故受淨受淨故愛淨愛
淨故取淨取淨故有淨有淨故生淨生淨故
老死淨老死淨故般若波羅蜜淨般若波羅
蜜淨故乃至檀那波羅蜜淨檀那波羅蜜淨
故內空淨內空淨故乃至无法有法空淨无
法有法空淨故四念處淨四念處淨故乃至
一切智淨一切智淨故一切種智淨何以故
是一切智淨一切種智淨不二不別无斷无
壞復次須菩提般若波羅蜜淨故色淨乃至
般若波羅蜜淨故一切智淨是般若波羅蜜
淨一切智淨不二不別故須菩提禪那波

BD01040 號　摩訶般若波羅蜜經（異卷）卷一六　（20–13）

是一切[illegible]
壞復次須菩提般若波羅蜜淨故色淨乃至
般若波羅蜜淨故一切智淨是般若波羅蜜
淨一切智淨不二不別故須菩提禪那波
羅蜜故乃至一切智淨毗梨耶波羅蜜羼提
波羅蜜尸羅波羅蜜檀那波羅蜜淨故乃至
一切智淨內空淨故乃至一切智淨四念處
淨故乃至一切智淨復次須菩提一切智淨
故乃至般若波羅蜜淨如是一一如先說復
次須菩提有為淨故无為淨何以故有為淨
无為淨不二不別无斷无壞故復次須菩提
過去淨故未來現在淨未來淨故過去現在
淨現在淨故過去未來淨何以故現在淨過
去未來淨不二不別无斷无壞故

摩訶般若波羅蜜嘆淨品第卌一

尒時慧命舍利弗白佛言世尊是淨甚深佛
言畢竟淨故舍利弗言何法淨故是淨甚深
佛言色淨故是淨甚深受想行識淨故四念
處淨故乃至八聖道分淨故佛十力淨故乃
至十八不共法淨故菩薩淨佛淨故一切智
一切種智淨故是淨甚深世尊淨明佛言畢
竟淨故舍利弗言何法淨故是淨明佛言般
若波羅蜜淨故是淨明乃至檀那波羅蜜淨
故是淨明四念處乃至一切智淨故是淨明
世尊是淨不相續佛言畢竟淨故舍利弗言
何法不相續故是淨不相續佛言色不去不
相續故是淨不相續乃至一切種智不去不
相續故是淨不相續世尊是淨无垢佛言畢
竟淨故舍利弗言何法无垢故是淨无垢佛

BD01040 號　摩訶般若波羅蜜經（異卷）卷一六　（20–14）

何法不相續故[illegible]
相續故是淨不相續乃至一切種智不去不
相續故是淨不相續世尊是淨无垢佛言畢
竟淨故舍利弗言何法无垢故是淨无垢佛
言色性常淨故是淨无垢乃至一切種智性
常淨故是淨无垢世尊是淨无得无着佛言
畢竟淨故舍利弗言何法无得无着故是淨
无得无着佛言色无得无着故是淨无得无
着乃至一切種智无得无着故是淨无得无
着世尊是淨无生佛言畢竟淨故舍利弗言
何法无生故是淨无生佛言色无生故是淨
无生乃至一切種智无生故是淨无生世尊
是淨不生欲界中佛言畢竟淨故舍利弗言
云何是淨不生欲界中佛言欲界性不可得
故是淨不生欲界中世尊是淨不生色界中
佛言畢竟淨故舍利弗言云何是淨不生色
界中佛言色界性不可得故是淨不生色界
中世尊是淨不生无色界中佛言畢竟淨故
舍利弗言云何是淨不生无色界中佛言无
色界性不可得故是淨不生无色界中世尊
是淨无知佛言畢竟淨故舍利弗言云何是
淨无知佛言諸法鈍故是淨无知世尊色无
知是淨淨佛言畢竟淨故舍利弗言云何色
无知是淨淨佛言色自性空故色无知是淨
淨世尊受想行識无知是淨淨佛言畢竟淨
故舍利弗言云何受想行識无知是淨淨佛
言受想行識自性空故无知是淨淨世尊一切
法淨故是淨淨佛言畢竟淨故舍利弗言云
何一切法淨故是淨淨佛言一切法不可得

BD01040號　摩訶般若波羅蜜經（異卷）卷一六　（20–15）

言受想行識自性空故无知是淨淨世尊一切
法淨故是淨淨佛言畢竟淨故舍利弗言云
何一切法淨故是淨淨佛言一切法不可得
故一切法淨是淨淨世尊是般若波羅蜜
於薩婆若无益无損佛言畢竟淨故舍利弗
言云何般若波羅蜜於薩婆若无益无損佛
言法住相故般若波羅蜜於薩婆若无益无
損世尊是般若波羅蜜淨於諸法无所受佛
言畢竟淨故舍利弗言云何般若波羅蜜淨
於諸法无所受佛言法性不動故是般若波
羅蜜淨於諸法无所受尒時慧命須菩提曰
佛言世尊我淨故色淨佛言畢竟淨故須菩
提言何因緣故我淨故色淨畢竟淨佛言我
无所有故色无所有畢竟淨世尊我淨故
受想行識淨佛言畢竟淨須菩提言何因緣
故我淨受想行識淨畢竟淨佛言我无所有
故受想行識无所有畢竟淨世尊我淨故檀
那波羅蜜淨我淨故尸羅波羅蜜淨我淨故
羼提波羅蜜淨我淨故毗梨耶波羅蜜淨我
淨故禪那波羅蜜淨世尊我淨故般若波羅
蜜淨世尊我淨故四念處淨世尊我淨故乃
至八聖道分淨世尊我淨故佛十力淨世尊
我淨故乃至十八不共法淨佛言畢竟淨故
須菩提言何因緣故我淨檀那波羅蜜淨我
淨乃至十八不共法淨佛言我无所有故檀
那波羅蜜无所有淨乃至十八不共法无所
有故淨世尊我淨故須陁洹果淨我淨故斯
陁含果淨我淨故阿那含果淨我淨故阿羅
漢果淨我淨故辟支佛道淨我淨故佛道淨
佛言畢竟淨須菩提言何因緣故我淨[illegible]

BD01040號　摩訶般若波羅蜜經（異卷）卷一六　（20–16）

有故淨世尊我淨故須陁洹果淨我淨故斯
陁含果淨我淨故阿那含果淨我淨故阿羅
漢果淨我淨故辟支佛道淨我淨故佛道淨
佛言畢竟淨須菩提言何因緣故我淨須陁
洹果淨斯陁含果淨阿那含果淨阿羅漢果
淨辟支佛道淨佛道淨佛言自相空故世尊
我淨故一切智淨佛言畢竟淨故須菩提言
何因緣故我淨故一切智淨佛言无相无念
故世尊以二淨故无得无著佛言畢竟淨須
菩提言何因緣故以二淨故无得无著是畢竟
淨佛言无垢无淨故世尊我无邊故色淨受
想行識淨佛言畢竟淨須菩提言何因緣故
我无邊故色淨受想行識淨佛言畢竟空无
始空故須菩提白佛言世尊若菩薩摩訶
薩能如是知是名菩薩摩訶薩般若波羅蜜
佛言畢竟淨故須菩提言何因緣故若菩薩
摩訶薩能如是知是名菩薩摩訶薩般若波
羅蜜佛言知道種故世尊若菩薩摩訶薩行
般若波羅蜜以方便力故作是念色不知色
受想行識不知識過去法不知過去法未來
法不知未來法現在法不知現在法佛言善
薩摩訶薩行般若波羅蜜以方便力故不作
是念我施与彼人我持戒如是持戒我脩忍
如是脩忍我精進如是精進我入禪如是入
禪我脩智慧如是脩智慧我得福德如是得
福德我當入菩薩法中我當淨佛國土成就
眾生我當得一切種智須菩提是菩薩摩訶
薩行般若波羅蜜以方便力故无諸憶想分
別內空外空內外空空空大空第一義空有

BD01040 號　摩訶般若波羅蜜經(異卷)卷一六　(20–17)

眾生我當得一切種智須菩提是菩薩摩訶
薩行般若波羅蜜以方便力故无諸憶想分
別內空外空內外空空空大空第一義空有
為空无為空无始空散空性空自相空諸法
空故須菩提是名菩薩摩訶薩行般若波
羅蜜以方便力故无所导尒時釋提桓因問
須菩提云何是求菩薩道善男子导法須菩
提報釋提桓因言憍尸迦有求菩薩道善男
子善女人取心相所謂取檀那波羅蜜相尸
羅波羅蜜相羼提波羅蜜相毗梨耶波羅蜜
相禪那波羅蜜相般若波羅蜜相取內空相
外空內外空乃至无法有法空相取四念處
相乃至八聖道分相取佛十力相乃至十八
不共法相取諸佛相取於諸佛種善根相是
一切福德和合取相迴向阿耨多羅三藐三
菩提憍尸迦是名求菩薩道善男子善女人
导法用是法故不能无导行般若波羅蜜何
以故憍尸迦是色相不可迴向受相行識相
不可迴向乃至一切智相不可迴向復次憍
尸迦若菩薩摩訶薩示教利喜他人阿耨多
羅三藐三菩提應示教利喜一切諸法實相
若求菩薩道善男子善女人行檀那波羅蜜
時不應作是分別言我施与我持戒我忍辱
我精進我入禪我脩智慧我行內空外空內
外空乃至我行无法有法空我脩四念處乃
至我行阿耨多羅三藐三菩提善男子善女
人應如是示教利喜他人阿耨多羅三藐三
菩提若如是示教利喜阿耨多羅三藐三菩

BD01040 號　摩訶般若波羅蜜經(異卷)卷一六　(20–18)

至我行阿耨多羅三藐三菩提善男子善女
人應如是示教利喜他人阿耨多羅三藐三
菩提若如是示教利喜阿耨多羅三藐三菩
提自无錯謬亦如佛所許法示教利喜令是
善男子善女人遠離一切㝵法尒時佛語須
菩提善哉善哉如汝為諸菩薩說諸㝵法須
菩提汝今更聽我說微細㝵相須菩提一心
好聽佛告須菩提有善男子善女人發阿耨
多羅三藐三菩提心取相念諸佛須菩提所
可有相皆是㝵相又於諸佛從初發意乃至
法住於其中間所有善根取相憶念取相憶
念已迴向阿耨多羅三藐三菩提須菩提所
可有相皆是㝵相又於諸佛及弟子所有善
根及餘衆生善根取相迴向阿耨多羅三藐
三菩提須菩提所可有相皆是㝵相何以故
不應取相憶念諸佛亦不應取相念諸佛善
根須菩提白佛言世尊是般若波羅蜜甚深
佛言一切法常離故須菩提言世尊我當礼
般若波羅蜜佛告須菩提是般若波羅蜜无
起无作故无有能得者須菩提言世尊一切
諸法亦不可知不可得佛言一切法一性非
二性須菩提是一切法性是亦无性是无性
即是性是性不起不作如是須菩提菩薩摩
訶薩若知諸法一性所謂无性无起无作遠
離一切㝵須菩提白佛言世尊是般若波羅
蜜知難解佛言如所言是般若波羅蜜无見
者无聞者无知者者无識者无得者世尊是
般若波羅蜜不可思議佛言如所言是般若

BD01040號　摩訶般若波羅蜜經（異卷）卷一六　（20–19）

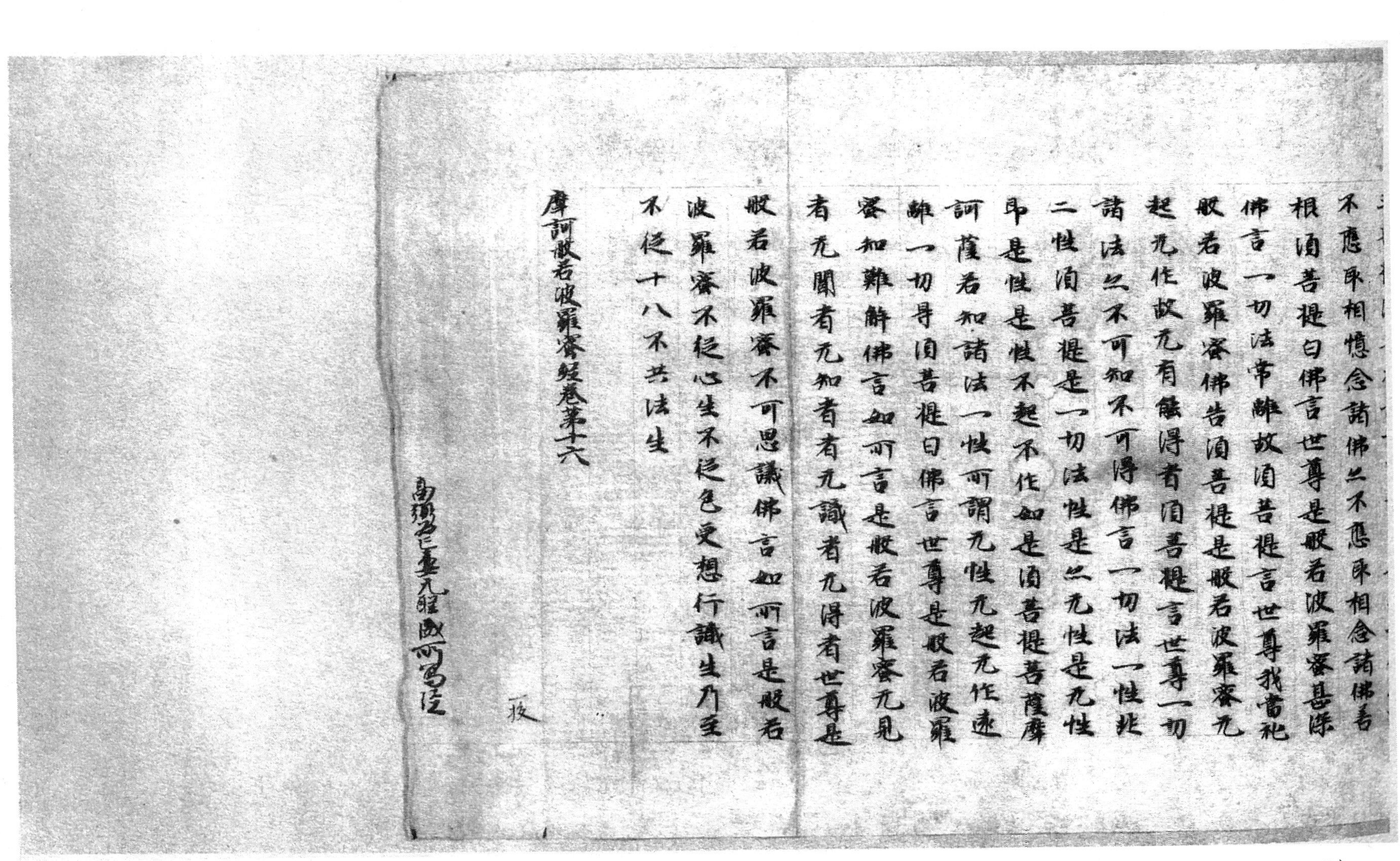

不應取相憶念諸佛亦不應取相念諸佛善
根須菩提白佛言世尊是般若波羅蜜甚深
佛言一切法常離故須菩提言世尊我當礼
般若波羅蜜佛告須菩提是般若波羅蜜无
起无作故无有能得者須菩提言世尊一切
諸法亦不可知不可得佛言一切法一性非
二性須菩提是一切法性是亦无性是无性
即是性是性不起不作如是須菩提菩薩摩
訶薩若知諸法一性所謂无性无起无作遠
離一切㝵須菩提白佛言世尊是般若波羅
蜜知難解佛言如所言是般若波羅蜜无見
者无聞者无知者者无識者无得者世尊是
般若波羅蜜不可思議佛言如所言是般若
波羅蜜不從心生不從色受想行識生乃至
不從十八不共法生

摩訶般若波羅蜜經卷第十六

BD01040號　摩訶般若波羅蜜經（異卷）卷一六　（20–20）

就衆生淨……為佛
名為三藐三佛陁名為……不能
陁阿難若我廣說此三句
盡受正使三千大千世界滿中衆生皆如阿
難多聞第一得念揔持此諸人等以劫之壽
亦不能受如是阿難諸佛阿耨多羅三藐三
菩提無有限量智慧辯才不可思議阿難白
佛我從今已往不敢自謂以為多聞佛告阿
難勿起退意所以者何我說汝於聲聞中為
最多聞非謂菩薩且止阿難其有智者不應
限度諸菩薩也一切海淵尚可測量菩薩禪
定智慧持揔辯才一切功德不可量也阿難
汝等捨置菩薩所行是維摩詰一時所現神
通之力一切聲聞辟支佛於百千劫盡力變
化所不能作
尒時衆香世界菩薩來者合掌白佛言世尊
我等初見此土生下劣想今自悔責捨離是
心所以者何諸佛方便不可思議為度衆生
故隨其所應現佛國異唯然世尊願賜少法
還於彼土當念如來佛告諸菩薩有盡無
盡解脫法門汝等當學何謂為盡有為法何
謂無盡謂無為法如菩薩者不盡有為不住

BD01041 號　維摩詰所說經卷下　（5–1）

尒時衆香世界菩薩來者合掌白佛言世尊
我等初見此土生下劣想今自悔責捨離是
心所以者何諸佛方便不可思議為度衆生
故隨其所應現佛國異唯然世尊願賜少法
還於彼土當念如來佛告諸菩薩有盡無
盡解脫法門汝等當學何謂為盡有為法何
謂無盡謂無為法如菩薩者不盡有為不住
無為何謂不盡有為謂不離大慈不捨大悲
深發一切智心而不忽忘教化衆生終不猒
惓於四攝法常念順行護持正法不惜軀命
種諸善根無有疲猒志常安住方便迴向求
法不懈說法無悋懃供諸佛不畏生死於若
榮辱心無憂喜不輕未學敬學如佛墮煩惱
者令發正念於遠離樂不以為貴不著己樂
慶於彼樂在諸禪定如地獄想於生死中如
園觀想見來求者為善師想捨諸所有具
一切智想見毀戒人起救護相諸波羅蜜為
父母想道品之法為眷屬想發行善根無有
齊限以諸淨國嚴飾之事成己佛土行不限施
具足相好除一切惡淨身口意生死無數劫
意而有勇聞佛無量德志而不倦以智慧劒
破煩惱賊出陰界入荷負衆生永使解脫以
大精進摧伏魔軍常求無念實相之慧行
少欲知足而不捨世法不壞威儀而能隨俗
起神通智引導衆生得念揔持所聞不妄善
別諸根斷衆生疑以樂說辯才演法无㝵淨

BD01041 號　維摩詰所說經卷下　（5–2）

少欲知足而不捨世法不壞威儀而能隨俗
起神通智引導衆生得念揔持所聞不妄善
別諸根斷衆生疑以樂說辯才演法无㝵淨
十善道受天人福修四無量開梵天道勸請說法
隨喜讚善得佛音聲身口意善得佛威儀深
修善法所行轉勝以大乘教成菩薩僧心無放
逸不失衆善行如此法是名菩薩不盡有
爲何謂菩薩不住無爲謂修學空不以空爲
證修學無相無作不以無相無作爲證修學
無起不以無起爲證觀於無常而不猒善本
觀世間苦而不惡生死觀於無我而誨人不
惓觀於寂滅而不永寂滅觀於遠離而身
心修善觀無所歸而歸趣善法觀於無生而
以生法荷負一切觀於無漏而不斷諸漏觀无
所行而以行法教化衆生觀於空無而不捨
大悲觀正法位而不隨小乘觀諸法虛妄無
牢無人無主無相本願未滿而不虛福德禪
定智慧修如此法是名菩薩不住無爲又具
福德故不住無爲具智慧故不盡有爲大慈
悲故不住無爲滿本願故不盡有爲集法藥
故不住無爲隨授藥故不盡有爲知衆生病
故不住無爲滅衆生病故不盡有爲諸正士
菩薩已修此法不盡有爲不住無爲是盡无
盡解脫法門汝等當學尒時彼諸菩薩聞
說是法皆大歡喜以衆妙華若干種色若干種
香散遍三千大千世界供養於佛及此經法
幷諸菩薩已稽首佛足歎未曾有言釋迦牟

BD01041號　維摩詰所說經卷下　（5-3）

說是法皆大歡喜以衆妙華若干種色若干種
香散遍三千大千世界供養於佛及此經法
幷諸菩薩已稽首佛足歎未曾有言釋迦牟
尼佛乃能於此善行方便言已忽然不現還
到彼國

見阿閦佛品第十二

尒時世尊問維摩詰汝欲見如來爲以何等
觀如來乎維摩詰言如自觀身實相觀佛亦
然我觀如來前際不來後際不去今則不住
不觀色不觀色如不觀色性不觀受想行識
不觀識如不觀識性非四大起同於虛空六
入無積眼耳鼻舌身心已過不在三界三垢
已離順三脫門具足三明與無明等不一相
不異相不自相不他相非無相非取相不此
岸不彼岸不中流雖化衆生而觀寂滅亦不
永滅不此不彼不以此不以彼不可以智知
不可以識識無晦無明無名無相無強無弱
非淨非穢不在方不離方非有爲非無爲無
示無說不施不慳不戒不犯不忍不恚不進
不怠不定不亂不智不愚不誠不欺不來不
去不出不入一切言諸道斷非福田非不福
田非供養非不應供養非取非捨非相非无
相同真際等法性不可稱不可量過諸稱量
非大非小非見非聞非覺非知離衆結縛等
諸智同衆生於諸法無分別一切無失無濁
無惱無作無起無生無滅無畏無憂無喜

BD01041號　維摩詰所說經卷下　（5-4）

相同真際等法性不可稱不可量過諸稱量
非大非小非見非聞非覺非知離衆結縛等
諸智同衆生於諸法無分別一切無失無濁
無惱無作無起無生無滅無畏無憂無喜
无猒無着無已有無當有無今有不可以一切
言說分別顯示世尊如來身為若此作如是
觀以斯觀者名為正觀若他觀者名為邪觀
尒時舍利弗問維摩詰汝於何沒而來生此
維摩詰言汝所得法有沒生乎舍利弗言無
沒生也若諸法無沒生相云何問言汝於何
沒而來生此於意云何譬如幻師幻作男女
寧沒生耶舍利弗言無沒生也汝豈不聞佛
說諸法如幻相乎荅曰如是若一切法如幻
相者云何問言汝於何沒而來生此舍利弗
沒者為虛誑法壞敗之相生者為虛誑法相
續之相菩薩雖沒不盡善本雖生不長諸惡
是時佛告舍利弗有國名妙喜佛号無動是
維摩詰於彼國沒而來生此舍利弗言未曾
有也世尊是人乃能捨清淨土而來樂此多
怒害處維摩詰語舍利弗於意云何日光出
時與冥合乎荅曰不也日光出時則無衆冥
維摩詰言夫日何故行閻浮提荅曰欲以明
照為之除冥維摩詰言菩薩如是雖生不淨
佛土為化衆生不與愚闇而共合也但滅衆
生煩惱闇耳

BD01041號　維摩詰所說經卷下　（5–5）

衆自在佛壽命滿足六千歲
過大衆自在世尊復有佛名聲自在彼
聲自在佛壽命滿足一億歲
過聲自在世尊復有佛名勝聲彼勝
聲佛壽命滿足百億歲
過彼勝聲世尊有佛名月面彼月面佛
壽一日一夜
過月面世尊復有佛名日面彼日面佛
壽命滿足千八百歲
過日面世尊復有佛名梵面彼梵面佛
壽命滿足卌三千歲
過梵面世尊復有佛名梵河莎婆彼梵
河莎婆佛壽命滿足千八百歲
舍利弗汝應當一心歸命如是等佛
舍利弗復過一劫中二百佛出世我說彼
佛名汝當歸命
南无不可嫌身佛　南无稱名佛
南无威德佛　南无稱吼佛
南无稱佛　南无聲清淨佛

BD01042號　佛名經（十六卷本）卷一〇　（6–1）

佛名汝當歸命
南无不可燃身佛　南无稱名佛
南无威德佛　南无稱吼佛
南无稱佛　南无聲清淨佛
南无智勝佛　南无智解佛
南无黠慧佛　南无智通佛
南无智成就佛　南无智供養佛
南无智妙佛　南无智奕佛
南无智勇猛佛　南无淨上佛
南无梵天佛　南无善梵天佛
南无淨婆藪佛　南无妙梵聲佛
南无梵自在佛　南无梵天自在佛
南无因那陁佛　南无梵吼佛
南无梵德佛　南无威德力佛
南无威德自在佛　南无善威德佛
從此以上七千八百佛十二部經一切賢聖
南无威德目在佛　南无威德起佛
南无善決定威德佛　南无威德天佛
南无威德勝佛　南无无驚怖佛
南无驚怖意佛　南无驚怖慧佛
南无驚怖衆生佛　南无驚怖面佛
南无驚怖起佛　南无威德決定畢竟佛
南无威德天佛　南无驚怖實佛
南无見驚怖佛　南无善眼佛
南无目□佛　南无□聲佛

南无驚怖起佛　南无威德決定畢竟佛
南无威德天佛　南无驚怖實佛
南无見驚怖佛　南无善眼佛
南无月勝佛　南无深聲佛
南无无邊聲佛　南无淨聲佛
南无清淨聲佛　南无无量聲佛
南无放聲佛　南无降伏魔力聲佛
南无住持聲佛　南无善目佛
南无清淨面佛　南无善照佛
南无无邊眼佛　南无普眼佛
南无稱眼佛　南无眼莊嚴佛
南无不可燃眼佛　南无調柔語佛
南无調勝佛　南无善調心佛
南无善寂根佛　南无善寂意佛
南无善寂妙佛　南无善寂行佛
南无善寂去佛　南无善寂彼岸佛
南无善寂勇猛佛　南无住勝佛
南无善寂淨心佛　南无衆上首自在王佛
南无有衆佛　南无衆自在佛
南无衆勝佛　南无清淨智佛
南无大衆自在佛　南无衆勇猛佛
南无放妙香佛　南无法方佛
南无法難勝佛　南无法行佛
南无法實佛　南无法力佛
南无法佛　南无善法佛

南无法難兜佛　南无法行佛
南无法實佛　南无法力佛
南无法佛　南无善法佛
南无法勇猛佛　南无法樂決定佛
南无寶貫法決定一劫中八十億同名佛
第二劫中八十億亦同名定佛
過決定佛　名勝成就佛　亦應一心敬礼
南无安隱佛　南无拘隣佛
南无善歡喜佛　南无善眼佛
南无頭陁羅吒佛　南无毗留愽叉佛
南无善眼佛　南无妙眼佛
南无善見佛　南无善解佛
南无釋迦牟尼佛　南无妙去佛
南无勝佛　南无旃檀佛
南无度佛　南无滅惡佛
南无大功德佛　南无摩梨支佛
南无光明佛　南无滿月佛
南无淨名佛　南无淨德佛
南无淨住佛　南无喜勝佛
南无月幢佛　南无寶起佛
南无无畏佛　南无然燈佛
南无妙法佛　南无高鐼佛
南无稱妙佛　南无次勝釋迦牟尼佛
從此以上七千九百佛十二部經一切賢聖
南无吉沙佛　南无弗沙佛

BD01042號　佛名經（十六卷本）卷一〇　（6–4）

南无妙法佛　南无高鐼佛
南无稱妙佛　南无次勝釋迦牟尼佛
從此以上七千九百佛十二部經一切賢聖
南无吉沙佛　南无弗沙佛
南无毗婆尸佛　南无尸棄佛
南无毗舍浮佛　南无拘留孫佛
南无拘那含佛　南无迦葉佛
佛復告舍利弗現在東方可樂世界中名
阿閦佛應當一心敬礼
南无日藏佛　南无龍王自在王佛
南无日作佛　南无龍歡喜佛
南无自在佛　南无稱光明佛
南无城佛　南无普次佛
南无普寶佛　南无稱自在王佛
南无行法行稱佛　南无初智慧佛
南无智山佛　南无因光明佛
南无生勝佛　南无弥留藏佛
南无智海佛　南无大精進佛
南无高山勝佛　南无功德藏佛
南无智法果佛　南无无畏自在佛
南无大精進成就佛　南无智成就佛
南无无㝵王佛　南无地力精進佛
南无持佛　南无力王佛
南无善見佛　南无法光明王佛

BD01042號　佛名經（十六卷本）卷一〇　（6–5）

南无智海佛
南无高山勝佛
南无智法界佛
南无大精進成就佛
南无无㝵王佛
南无持佛
南无善見佛
南无降伏魔佛
南无功德山佛
南无无障力王佛
南无師子歡喜佛
南无快勝王佛
南无寶面勝佛
南无決定彌佛
南无法華雨佛
南无高山王佛

南无大精進佛
南无功德藏佛
南无无畏自在佛
南无智成就佛
南无地力精進佛
南无力王佛
南无法光明王佛
南无不斷疾佛
南无智齊佛
南无善思惟佛
南无式光明佛
南无盡智藏佛
南无智波婆佛
南无无邊觀王佛
南无任光明佛
南无成就法輪王佛
名聲德佛

BD01042號　佛名經（十六卷本）卷一〇

（6–6）

王轉輪聖王等是
未曾　歡喜合掌一心觀佛尒時
如來　開白豪相光照東方万八千佛土
靡不周遍如今所見是諸佛土弥勒當知尒
時會中有二十億菩薩樂欲聽法是諸菩薩
見此光明普照佛土得未曾有欲知此光所
為因緣時有菩薩名曰妙光有八百弟子是
時日月燈明佛從三昧起因妙光菩薩說大
乘經名妙法蓮華教菩薩法佛所護念六十
小劫不起于座時會聽者亦坐一處六十小
劫身心不動聽佛所說謂如食頃是時衆中
无有一人若身若心而生懈惓日月燈明佛
於六十小劫說是經已即於梵魔沙門婆羅
門及天人阿脩羅衆中而宣此言如來於今
日中夜當入无餘涅槃時有菩薩名曰德藏
日月燈明佛即授其記告諸比丘是德藏菩
薩次當作佛号曰淨身多陁阿伽度阿羅訶
三藐三佛陁佛授記已便於中夜入无餘涅
槃佛滅度後妙光菩薩持妙法蓮華經滿八
十小劫為人演說日月燈明佛八子皆師妙
光妙光教化令其堅固阿耨多羅三藐三菩

（16–1）

BD01043號　妙法蓮華經卷一

日月燈明佛便授其記告諸比丘是德藏菩
薩次當作佛号曰淨身多陁阿伽度阿羅訶
三藐三佛陁佛授記已便於中夜入无餘涅
槃佛滅度後妙光菩薩持妙法蓮華經滿八
十小劫為人演說日月燈明佛八子皆師妙
光妙光教化令其堅固阿耨多羅三藐三菩
提是諸王子供養无量百千万億佛已皆成
佛道其最後成佛者名曰然燈八百弟子中
有一人号曰求名貪著利養雖復讀誦衆經
而不通利多所忘失故号求名是人亦以種
諸善根因緣故得值无量百千万億諸佛供
養恭敬尊重讚歎彌勒當知尒時妙光菩薩
豈異人乎我身是也求名菩薩汝身是也今
見此瑞與本无異是故惟忖今日如来當說
大乘經名妙法蓮華教菩薩法佛所護念尒
時文殊師利於大衆中欲重宣此義而說偈
言

我念過去世　无量无數劫　有佛人中尊　号日月燈明
世尊演說法　度无量衆生　无數億菩薩　令入佛智慧
佛未出家時　所生八王子　見大聖出家　亦隨脩梵行
時佛說大乘　經名无量義　於諸大衆中　而為廣分別
佛說此經已　即於法座上　跏趺坐三昧　名无量義處
天雨曼陁華　天鼓自然鳴　諸天龍鬼神　供養人中尊
一切諸佛土　即時大震動　佛放眉間光　現諸希有事
此光照東方　万八千佛土　示一切衆生　生死業報處

天雨曼陁華　天鼓自然鳴　諸天龍鬼神　供養人中尊
一切諸佛土　即時大震動　佛放眉間光　現諸希有事
此光照東方　万八千佛土　示一切衆生　生死業報處
有見諸佛土　以衆寶莊嚴　瑠璃頗梨色　斯由佛光照
及見諸天人　龍神夜叉衆　乾闥緊那羅　各供養其佛
又見諸如来　自然成佛道　身色如金山　端嚴甚微妙
如淨瑠璃中　内現真金像　世尊在大衆　敷演深法義
一一諸佛土　聲聞衆无數　因佛光所照　悉見彼大衆
或有諸比丘　在於山林中　精進持淨戒　猶如護明珠
又見諸菩薩　行施忍辱等　其數如恒沙　斯由佛光照
又見諸菩薩　深入諸禪定　身心寂不動　以求无上道
又見諸菩薩　知法寂滅相　各於其國土　說法求佛道
尒時四部衆　見日月燈佛　現大神通力　其心皆歡喜
各各自相問　是事何因緣　天人所奉尊　適從三昧起
讚妙光菩薩　汝為世間眼　一切所歸信　能奉持法藏
如我所說法　唯汝能證知　世尊既讚歎　令妙光歡喜
說是法華經　滿六十小劫　不起於此座　所說上妙法
是妙光法師　悉皆能受持　佛說是法華　令衆歡喜已
尋即於是日　告於天人衆　諸法實相義　已為汝等說
我今於中夜　當入於涅槃　汝一心精進　當離於放逸
諸佛甚難值　億劫時一遇　世尊諸子等　聞佛入涅槃
各各懷悲惱　佛滅一何速　聖主法之王　安慰无量衆
我若滅度時　汝等勿憂怖　是德藏菩薩　於无漏實相
心已得通達　其次當作佛　号曰為淨身　亦度无量衆
佛此夜滅度　如薪盡火滅　分布諸舍利　而起无量塔

各各懷悲惱　佛滅一何速　聖主法之王　安慰無量衆
我若滅度時　汝等勿憂怖　是德藏菩薩　於无漏實相
心已得通達　其次當作佛　号曰為淨身　亦度无量衆
佛此夜滅度　如薪盡火滅　分布諸舍利　而起无量塔
比丘比丘尼　其數如恒沙　倍復加精進　以求无上道
是妙光法師　奉持佛法藏　八十小劫中　廣宣法華經
是諸八王子　妙光所開化　堅固无上道　當見无數佛
供養諸佛已　隨順行大道　相繼得成佛　轉次而授記
最後天中天　号曰燃燈佛　諸仙之導師　度脫无量衆
是妙光法師　時有一弟子　心常懷懈怠　貪著於名利
求名利无猒　多遊族姓家　棄捨所習誦　廢忘不通利
以是因緣故　号之為求名　亦行衆善業　得見无數佛
供養於諸佛　隨順行大道　具六波羅蜜　今見釋師子
其後當作佛　号名曰弥勒　廣度諸衆生　其數无有量
彼佛滅度後　懈怠者汝是　妙光法師者　今則我身是
我見燈明佛　本光瑞如此　以是知今佛　欲說法華經
今相如本瑞　是諸佛方便　今佛放光明　助發實相義
諸人今當知　合掌一心待　佛當雨法雨　充足求道者
諸求三乘人　若有疑悔者　佛當為除斷　令盡无有餘

妙法蓮華經方便品第二

尒時世尊從三昧安詳而起告舍利弗諸佛
智慧甚深无量其智慧門難解難入一切聲
聞辟支佛所不能知所以者何佛曾親近百
千万億无數諸佛盡行諸佛无量道法勇猛
精進名稱普聞成就甚深未曾有法隨宜所
說意趣難解舍利弗吾從成佛已來種種因

BD01043號　妙法蓮華經卷一　（16–4）

千万億无數諸佛盡行諸佛无量道法勇猛
精進名稱普聞成就甚深未曾有法隨宜所
說意趣難解舍利弗吾從成佛已來種種因
緣種種譬喻廣演言教无數方便引導衆生
令離諸著所以者何如來方便知見波羅蜜
皆已具足舍利弗如來知見廣大深遠无量
无礙力无所畏禪定解脫三昧深入无際成
就一切未曾有法舍利弗如來能種種分別
巧說諸法言辭柔軟悅可衆心舍利弗取要
言之无量无邊未曾有法佛悉成就止舍利
弗不須復說所以者何佛所成就第一希有
難解之法唯佛與佛乃能究盡諸法實相
所謂諸法如是相如是性如是體如是力如是
作如是因如是緣如是果如是報如是本末
究竟等尒時世尊欲重宣此義而說偈言
世雄不可量　諸天及世人　一切衆生類　无能知佛者
佛力无所畏　解脫諸三昧　及佛諸餘法　无能測量者
本從无數佛　具足行諸道　甚深微妙法　難見難可了
於无量億劫　行此諸道已　道場得成果　我已悉知見
如是大果報　種種性相義　我及十方佛　乃能知是事
是法不可示　言辭相寂滅　諸餘衆生類　无有能得解
除諸菩薩衆　信力堅固者　諸佛弟子衆　曾供養諸佛
一切漏已盡　住是最後身　如是諸人等　其力所不堪
假使滿世間　皆如舍利弗　盡思共度量　不能測佛智
正使滿十方　皆如舍利弗　及餘諸弟子　亦滿十方刹

BD01043號　妙法蓮華經卷一　（16–5）

一切漏已盡　住是最後身　如是諸人等　其力所不堪
假使滿世間　皆如舍利弗　盡思共度量　不能測佛智
正使滿十方　皆如舍利弗　及餘諸弟子　亦滿十方刹
盡思共度量　亦復不能知　辟支佛利智　无漏最後身
亦滿十方界　其數如竹林　斯等共一心　於億无量劫
欲思佛實智　莫能知少分　新發意菩薩　供養无數佛
了達諸義趣　又能善說法　如稻麻竹葦　充滿十方刹
一心以妙智　於恒河沙劫　咸皆共思量　不能知佛智
不退諸菩薩　其數如恒沙　一心共思求　亦復不能知
又告舍利弗　无漏不思議　甚深微妙法　我今已具得
唯我知是相　十方佛亦然　舍利弗當知　諸佛語无異
於佛所說法　當生大信力　世尊法久後　要當說真實
告諸聲聞衆　及求緣覺乘　我令脫苦縛　逮得涅槃者
佛以方便力　示以三乘教　衆生處處著　引之令得出
尒時大衆中有諸聲聞漏盡阿羅漢阿若憍
陳如等千二百人及發聲聞辟支佛心比丘
比丘尼優婆塞優婆夷各作是念今者世尊
何故慇懃稱歎方便而作是言佛所得法甚
深難解有所言說意趣難知一切聲聞辟支
佛所不能及佛說一解脫義我等亦得此
法到於涅槃而今不知是義所趣尒時舍利弗
知四衆心疑自亦未了而白佛言世尊何因
何緣慇懃稱歎諸佛第一方便甚深微妙難
解之法我自昔來未曾從佛聞如是說今者
四衆咸皆有疑唯願世尊敷演斯事世尊

BD01043號　妙法蓮華經卷一　　（16–6）

解之法我自昔來未曾從佛聞如是說今者
四衆咸皆有疑唯願世尊敷演斯事世尊
何故慇懃稱歎甚深微妙難解之法尒時舍
利弗欲重宣此義而說偈言
慧日大聖尊　久乃說是法　自說得如是　力无畏三昧
禪定解脫等　不可思議法　道場所得法　无能發問者
我意難可測　亦无能問者　无問而自說　稱歎所行道
智慧甚微妙　諸佛之所得　无漏諸羅漢　及求涅槃者
今皆墮疑網　佛何故說是　其求緣覺者　比丘比丘尼
諸天龍鬼神　及乾闥婆等　相視懷猶豫　瞻仰兩足尊
是事為云何　願佛為解說　於諸聲聞衆　佛說我第一
我今自於智　疑惑不能了　為是究竟法　為是所行道
佛口所生子　合掌瞻仰待　願出微妙音　時為如實說
諸天龍神等　其數如恒沙　求佛諸菩薩　大數有八万
又諸万億國　轉輪聖王至　合掌以敬心　欲聞具足道
尒時佛告舍利弗止止不須復說若說是事
一切世間諸天及人皆當驚疑舍利弗重白
佛言世尊唯願說之唯願說之所以者何是
會无數百千万億阿僧祇衆生曾見諸佛諸
根猛利智慧明了聞佛所說則能敬信尒時
舍利弗欲重宣此義而說偈言
法王无上尊　唯說願勿慮　是會无量衆　有能敬信者
佛復止舍利弗若說是事一切世間天人阿
脩羅皆當驚疑增上慢比丘將墜於大坑尒
時世尊重說偈言

BD01043號　妙法蓮華經卷一　　（16–7）

脩羅皆當驚疑增上慢比丘將墜於大坑尒
時世尊重說偈言
止止不須說　我法妙難思　諸增上慢者　聞必不敬信
尒時舍利弗重白佛言世尊唯願說之唯願
說之今此會中如我等比百千万億世世已
曾從佛受化如此人等必能敬信長夜安隱
多所饒益尒時舍利弗欲重宣此義而說偈
言
无上兩足尊　願說第一法　我為佛長子　唯垂分別說
是會无量眾　能敬信此法　佛已曾世世　教化如是等
皆一心合掌　欲聽受佛語　我等千二百　及餘求佛者
願為此眾故　唯垂分別說　是等聞此法　則生大歡喜
尒時世尊告舍利弗汝已慇懃三請豈得不
說汝今諦聽善思念之吾當為汝分別解說
說此語時會中有比丘比丘尼優婆塞優婆
夷五千人等即從座起禮佛而退所以者何此
輩罪根深重及增上慢未得謂得未證謂
證有如此失是以不住世尊嘿然而不制止
尒時佛告舍利弗我今此眾无復枝葉純
有貞實舍利弗如是增上慢人退亦佳矣汝今
善聽當為汝說舍利弗言唯然世尊願樂欲
聞佛告舍利弗如是妙法諸佛如來時乃說
之如優曇鉢華時一現耳舍利弗汝等當信
佛之所說言不虛妄舍利弗諸佛隨宜說法
意趣難解所以者何我以无數方便種種因

BD01043號　妙法蓮華經卷一　（16–8）

之如優曇鉢華時一現耳舍利弗汝等當信
佛之所說言不虛妄舍利弗諸佛隨宜說法
意趣難解所以者何我以无數方便種種因
緣譬喻言辭演說諸法是法非思量分別之
所能解唯有諸佛乃能知之所以者何諸佛
世尊唯以一大事因緣故出現於世舍利弗
云何名諸佛世尊唯以一大事因緣故出現
於世諸佛世尊欲令眾生開佛知見使得清
淨故出現於世欲示眾生佛之知見故出現於
世欲令眾生悟佛知見故出現於世欲令眾
生入佛知見道故出現於世舍利弗是為諸
佛以一大事因緣故出現於世
諸佛如來但教化菩薩諸有所作常為一事
唯以佛之知見示悟眾生舍利弗如來但以
一佛乘故為眾生說法无有餘乘若二若三
舍利弗一切十方諸佛法亦如是舍利弗過
去諸佛以无量无數方便種種因緣譬喻言
辭而為眾生演說諸法是法皆為一佛乘故
是諸眾生從諸佛聞法究竟皆得一切種智
舍利弗未來諸佛當出於世亦以无量无數
方便種種因緣譬喻言辭而為眾生演說諸
法是法皆為一佛乘故是諸眾生從佛聞法
究竟皆得一切種智舍利弗現在十方无量
百千万億佛土中諸佛世尊多所饒益安樂
眾生是諸佛亦以无量无數方便種種因緣
譬喻言辭而為眾生演說諸法是法皆為一

BD01043號　妙法蓮華經卷一　（16–9）

眾生是諸佛亦以无量无數方便種種因緣
譬喻言辭而為眾生演說諸法是法皆為一
佛乘故是諸眾生從佛聞法究竟皆得一切
種智舍利弗是諸佛但教化菩薩欲以佛之
知見示眾生故欲以佛之知見悟眾生故欲
令眾生入佛之知見故舍利弗我今亦復如是
知諸眾生有種種欲深心所著隨其本性以
種種因緣譬喻言辭方便力故而為說法舍
利弗如此皆為得一佛乘一切種智故舍利
弗十方世界中尚无二乘何況有三舍利弗
諸佛出於五濁惡世所謂劫濁煩惱濁眾生
濁見濁命濁如是舍利弗劫濁亂時眾生垢
重慳貪嫉妬成就諸不善根故諸佛以方
便力於一佛乘分別說三舍利弗若我弟子
自謂阿羅漢辟支佛者不聞不知諸佛如來
但教化菩薩事此非佛弟子非阿羅漢非辟
支佛又舍利弗是諸比丘比丘尼自謂已得
阿羅漢是最後身究竟涅槃便不復志求阿
耨多羅三藐三菩提當知此輩皆是增上慢
人所以者何若有比丘實得阿羅漢若不信
此法无有是處除佛滅度後現前无佛所以
者何佛滅度後如是等經受持讀誦解義
者是人難得若遇餘佛於此法中便得決了舍
利弗汝等當一心信解受持佛語諸佛如來
言无虛妄无有餘乘唯一佛乘尒時世尊欲

BD01043號　妙法蓮華經卷一　（16–10）

者何佛滅度後如是等經受持讀誦解義
者是人難得若遇餘佛於此法中便得決了舍
利弗汝等當一心信解受持佛語諸佛如來
言无虛妄无有餘乘唯一佛乘尒時世尊欲
重宣此義而說偈言
比丘比丘尼　有懷增上慢　優婆塞我慢　優婆夷不信
如是四眾等　其數有五千　不自見其過　於戒有缺漏
護惜其瑕疵　是小智已出　眾中之糟糠　佛威德故去
斯人尠福德　不堪受是法　此眾无枝葉　唯有諸貞實
舍利弗善聽　諸佛所得法　无量方便力　而為眾生說
眾生心所念　種種所行道　若干諸欲性　先世善惡業
佛悉知是已　以諸緣譬喻　言辭方便力　令一切歡喜
或說脩多羅　伽陀及本事　本生未曾有　亦說於因緣
譬喻并祇夜　優波提舍經　鈍根樂小法　貪著於生死
於諸无量佛　不行深妙道　眾苦所惱亂　為是說涅槃
我設是方便　令得入佛慧　未曾說汝等　當得成佛道
所以未曾說　說時未至故　今正是其時　決定說大乘
我此九部法　隨順眾生說　入大乘為本　以故說是經
有佛子心淨　柔軟亦利根　无量諸佛所　而行深妙道
為此諸佛子　說是大乘經　我記如是人　來世成佛道
以深心念佛　脩持淨戒故　此等聞得佛　大喜充遍身
佛知彼心行　故為說大乘　聲聞若菩薩　聞我所說法
乃至於一偈　皆成佛无疑　十方佛土中　唯有一乘法
无二亦无三　除佛方便說　但以假名字　引導於眾生
說佛智慧故　諸佛出於世　唯此一事實　餘二則非真
終不以小乘　濟度於眾生　佛自住大乘　如其所得法

BD01043號　妙法蓮華經卷一　（16–11）

乃至於一偈　皆成佛无疑　十方佛土中　唯有一乘法
无二亦无三　除佛方便說　但以假名字　引導於衆生
說佛智慧故　諸佛出於世　唯此一事實　餘二則非真
終不以小乘　濟度於衆生　佛自住大乘　如其所得法
定慧力莊嚴　以此度衆生　自證无上道　大乘平等法
若以小乘化　乃至於一人　我則墮慳貪　此事為不可
若人信歸佛　如來不欺誑　亦无貪嫉意　斷諸法中惡
故佛於十方　而獨无所畏　我以相嚴身　光明照世間
无量衆所尊　為說實相印　舍利弗當知　我本立誓願
欲令一切衆　如我等无異　如我昔所願　今者已滿足
化一切衆生　皆令入佛道　若我遇衆生　盡教以佛道
无智者錯亂　迷惑不受教　我知此衆生　未曾修善本
堅著於五欲　癡愛故生惱　以諸欲因緣　墜墮三惡道
輪迴六趣中　備受諸苦毒　受胎之微形　世世常增長
薄德少福人　衆苦所逼迫　入邪見稠林　若有若无等
依止此諸見　具足六十二　深著虛妄法　堅受不可捨
我慢自矜高　諂曲心不實　於千萬億劫　不聞佛名字
亦不聞正法　如是人難度　是故舍利弗　我為設方便
說諸盡苦道　示之以涅槃　我雖說涅槃　是亦非真滅
諸法從本來　常自寂滅相　佛子行道已　來世得作佛
我有方便力　開示三乘法　一切諸世尊　皆說一乘道
今此諸大衆　皆應除疑惑　諸佛語无異　唯一无二乘
過去无數劫　无量滅度佛　百千萬億種　其數不可量
如是諸世尊　種種緣譬喻　无數方便力　演說諸法相
是諸世尊等　皆說一乘法　化无量衆生　令入於佛道

BD01043號　妙法蓮華經卷一　（16–12）

如是諸世尊　種種緣譬喻　无數方便力　演說諸法相
是諸世尊等　皆說一乘法　化无量衆生　令入於佛道
又諸大聖主　知一切世間　天人群生類　深心之所欲
更以異方便　助顯第一義　若有衆生類　值諸過去佛
若聞法布施　或持戒忍辱　精進禪智等　種種修福德
如是諸人等　皆已成佛道　諸佛滅度已　若人善軟心
如是諸衆生　皆已成佛道　諸佛滅度已　供養舍利者
起萬億種塔　金銀及頗梨　車渠與馬瑙　玫瑰琉璃珠
清淨廣嚴飾　莊校於諸塔　或有起石廟　栴檀及沉水
木櫁并餘材　塼瓦泥土等　若於曠野中　積土成佛廟
乃至童子戲　聚沙為佛塔　如是諸人等　皆已成佛道
若人為佛故　建立諸形像　刻雕成衆相　皆已成佛道
或以七寶成　鍮鉐赤白銅　白鑞及鉛錫　鐵木及與泥
或以膠漆布　嚴飾作佛像　如是諸人等　皆已成佛道
綵畫作佛像　百福莊嚴相　自作若使人　皆已成佛道
乃至童子戲　若草木及筆　或以指爪甲　而畫作佛像
如是諸人等　漸漸積功德　具足大悲心　皆已成佛道
但化諸菩薩　度脫无量衆　若人於塔廟　寶像及畫像
以華香幡蓋　敬心而供養　若使人作樂　擊鼓吹角貝
簫笛琴箜篌　琵琶鐃銅鈸　如是衆妙音　盡持以供養
或以歡喜心　歌唄頌佛德　乃至一小音　皆已成佛道
若人散亂心　乃至以一華　供養於畫像　漸見无數佛
或有人禮拜　或復但合掌　乃至舉一手　或復小低頭
以此供養像　漸見无量佛　自成无上道　廣度无數衆
入无餘涅槃　如薪盡火滅　若人散亂心　入於塔廟中

BD01043號　妙法蓮華經卷一　（16–13）

以此供養像 漸見无量佛 自成无上道 廣度无數衆
入无餘涅槃 如薪盡火滅 若人散亂心 入於塔廟中
一稱南无佛 皆已成佛道 於諸過去佛 在世或滅後
若有聞是法 皆已成佛道 未來諸世尊 其數无有量
是諸如來等 亦方便說法 一切諸如來 以无量方便
度脫諸衆生 入佛无漏智 若有聞法者 无一不成佛
諸佛本誓願 我所行佛道 普欲令衆生 亦同得此道
未來世諸佛 雖說百千億 无數諸法門 其實為一乘
諸佛兩足尊 知法常无性 佛種從緣起 是故說一乘
是法住法位 世間相常住 於道場知已 導師方便說
天人所供養 現在十方佛 其數如恒沙 出現於世間
安隱衆生故 亦說如是法 知第一寂滅 以方便力故
雖示種種道 其實為佛乘 知衆生諸行 深心之所念
過去所習業 欲性精進力 及諸根利鈍 以種種因緣
譬喻亦言辭 隨應方便說 今我亦如是 安隱衆生故
以種種法門 宣示於佛道 我以智慧力 知衆生性欲
方便說諸法 皆令得歡喜 舍利弗當知 我以佛眼觀
見六道衆生 貧窮无福慧 入生死險道 相續苦不斷
深著於五欲 如犛牛愛尾 以貪愛自蔽 盲瞑无所見
不求大勢佛 及與斷苦法 深入諸邪見 以苦欲捨苦
為是衆生故 而起大悲心 我始坐道場 觀樹亦經行
於三七日中 思惟如是事 我所得智慧 微妙最第一
衆生諸根鈍 著樂癡所盲 如斯之等類 云何而可度
爾時諸梵王 及諸天帝釋 護世四天王 及大自在天
并餘諸天衆 眷屬百千万 恭敬合掌禮 請我轉法輪

BD01043號 妙法蓮華經卷一 （16-14）

於三七日中 思惟如是事 我所得智慧 微妙最第一
衆生諸根鈍 著樂癡所盲 如斯之等類 云何而可度
爾時諸梵王 及諸天帝釋 護世四天王 及大自在天
并餘諸天衆 眷屬百千万 恭敬合掌禮 請我轉法輪
我即自思惟 若但讚佛乘 衆生沒在苦 不能信是法
破法不信故 墜於三惡道 我寧不說法 疾入於涅槃
尋念過去佛 所行方便力 我今所得道 亦應說三乘
作是思惟時 十方佛皆現 梵音慰喻我 善哉釋迦文
第一之導師 得是无上法 隨諸一切佛 而用方便力
我等亦皆得 最妙第一法 為諸衆生類 分別說三乘
少智樂小法 不自信作佛 是故以方便 分別說諸果
雖復說三乘 但為教菩薩 舍利弗當知 我聞聖師子
深淨微妙音 喜稱南无佛 復作如是念 我出濁惡世
如諸佛所說 我亦隨順行 思惟是事已 即趣波羅奈
諸法寂滅相 不可以言宣 以方便力故 為五比丘說
是名轉法輪 便有涅槃音 及以阿羅漢 法僧差別名
從久遠劫來 讚示涅槃法 生死苦永盡 我常如是說
舍利弗當知 我見佛子等 志求佛道者 无量千万億
咸以恭敬心 皆來至佛所 曾從諸佛聞 方便所說法
我即作是念 如來所以出 為說佛慧故 今正是其時
舍利弗當知 鈍根小智人 著相憍慢者 不能信是法
今我喜无畏 於諸菩薩中 正直捨方便 但說无上道
菩薩聞是法 疑網皆已除 千二百羅漢 悉亦當作佛
如三世諸佛 說法之儀式 我今亦如是 說无分別法
諸佛興出世 懸遠值遇難 正使出于世 說是法復難

BD01043號 妙法蓮華經卷一 （16-15）

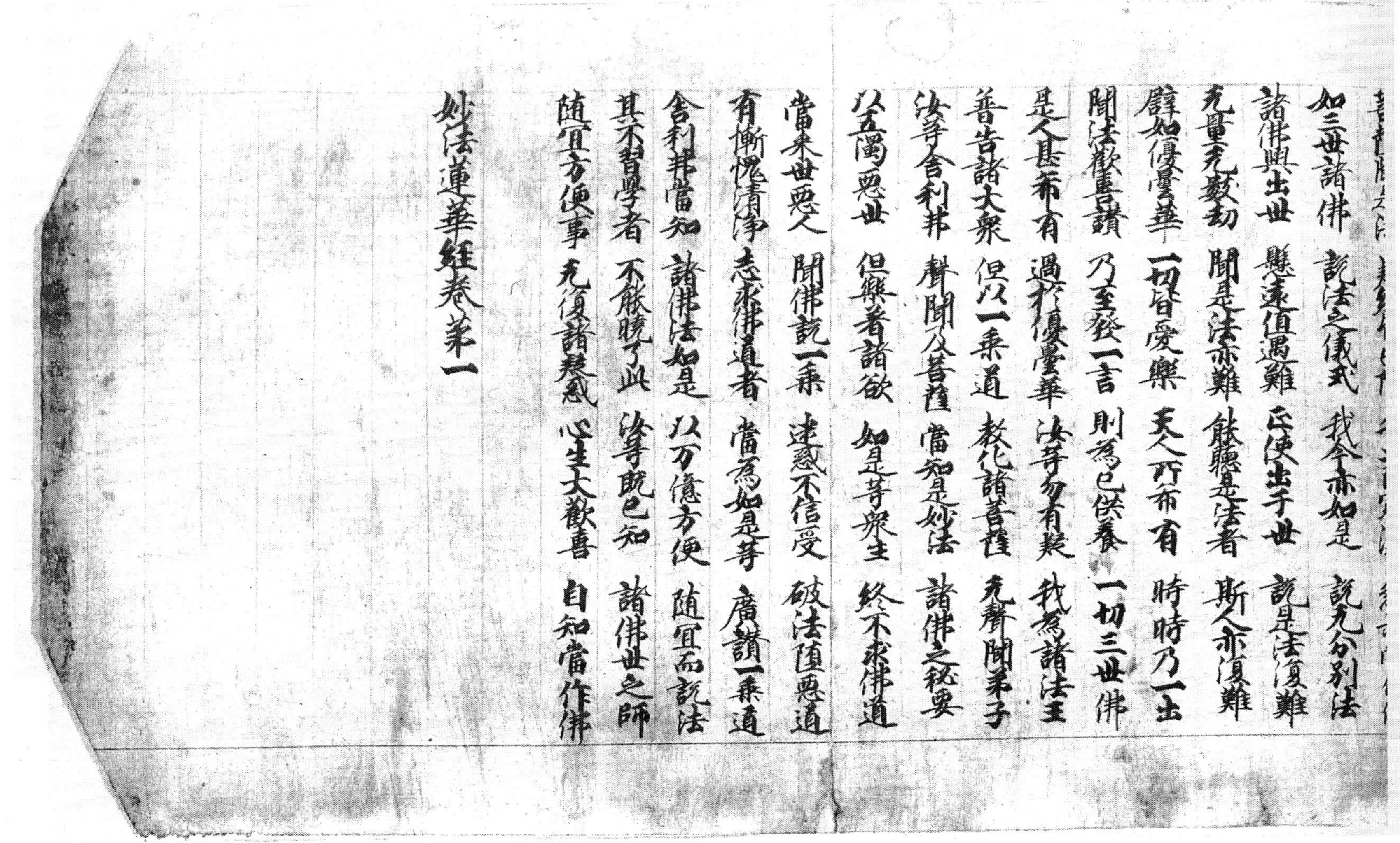

如三世諸佛　說法之儀式　我今亦如是　說无分別法
諸佛興出世　懸遠值遇難　正使出于世　說是法復難
无量无數劫　聞是法亦難　能聽是法者　斯人亦復難
譬如優曇華　一切皆愛樂　天人所希有　時時乃一出
聞法歡喜讚　乃至發一言　則為已供養　一切三世佛
是人甚希有　過於優曇華　汝等勿有疑　我為諸法王
普告諸大衆　但以一乘道　教化諸菩薩　无聲聞弟子
汝等舍利弗　聲聞及菩薩　當知是妙法　諸佛之秘要
以五濁惡世　但樂著諸欲　如是等衆生　終不求佛道
當來世惡人　聞佛說一乘　迷惑不信受　破法墮惡道
有慚愧清淨　志求佛道者　當為如是等　廣讚一乘道
舍利弗當知　諸佛法如是　以万億方便　隨宜而說法
其不習學者　不能曉了此　汝等既已知　諸佛世之師
隨宜方便事　无復諸疑惑　心生大歡喜　自知當作佛

妙法蓮華經卷第一

BD01043號　妙法蓮華經卷一　（16–16）

今奉世尊此　　乹
天諸龍神所居宮
悉見世間諸所有　十力
衆覩希有皆歎佛　今我稽首三界
大聖法王衆所歸　淨心觀佛靡不欣
各見世尊在其前　斯則神力不共法
佛以一音演說法　衆生隨類各得解
皆謂世尊同其語　斯則神力不共法
佛以一音演說法　衆生各各隨所解
普得受行獲其利　斯則神力不共法
佛以一音演說法　或有恐畏或歡喜
或生猒離或斷疑　斯則神力不共法
稽首十方大精進　稽首已得无所畏
稽首住於不共法　稽首一切大導師
稽首能斷衆結縛　稽首已到於彼岸
稽首能度諸世間　稽首永離生死道
悉知衆生來去相　善於諸法得解脫
不著世間如蓮華　常善入於空寂行
達諸法相无罣㝵　稽首如空无所依
尒時長者子寶積說此偈已白佛言世尊是
五百長者子……

BD01044號　維摩詰所說經卷上　（22–1）

悉知衆生来去相　善於諸法得解脫
不著世間如蓮華　常善入於空寂行
達諸法相无罣㝵　稽首如空无所依
尒時長者子寶積說此偈已白佛言世尊是
五百長者子皆已發阿耨多羅三藐三菩提
心願聞得佛國土清淨唯願世尊說諸菩
薩淨土之行佛言善哉寶積乃能為諸菩薩
問於如来淨土之行諦聽諦聽善思念之當為
汝說於是寶積及五百長者子受教而聽佛
言寶積衆生之類是菩薩佛土所以者何菩
薩隨所化衆生而取佛土隨所調伏衆生而
取佛土隨諸衆生應以何國入佛智慧而取
佛土隨諸衆生應以何國起菩薩根而取佛
土所以者何菩薩取於淨國皆為饒益衆生
故譬如有人欲於空地造立宮室隨意无
㝵若於虛空終不能成菩薩如是為成就衆
生故願取佛國願取佛國者非於空也寶積
當知直心是菩薩淨土菩薩成佛時不諂衆
生来生其國深心是菩薩淨土菩薩成佛時
具足功德衆生来生其國大乘心是菩薩淨
土菩薩成佛時大乘衆生来生其國布施是
菩薩淨土菩薩成佛時一切能捨衆生来生
其國持戒是菩薩淨土菩薩成佛時行十善
道滿願衆生来生其國忍辱是菩薩淨土菩
薩成佛時卅二相莊嚴衆生来生其國精進
是菩薩淨土菩薩成佛時懃脩一切功德衆

其國持戒是菩薩淨土菩薩成佛時行十善
道滿願衆生来生其國忍辱是菩薩淨土菩
薩成佛時卅二相莊嚴衆生来生其國精進
是菩薩淨土菩薩成佛時懃脩一切功德衆
生来生其國禪定是菩薩淨土菩薩成佛時
攝心不亂衆生来生其國智慧是菩薩淨土
菩薩成佛時正定衆生来生其國四无量心
是菩薩淨土菩薩成佛時成就慈悲喜捨衆
生来生其國四攝法是菩薩淨土菩薩成佛
時解脫所攝衆生来生其國方便是菩薩淨
土菩薩成佛時於一切法方便无㝵衆生来
生其國卅七道品是菩薩淨土菩薩成佛時
念處正懃神足根力覺道衆生来生其國迴
向心是菩薩淨土菩薩成佛時得一切具足
功德國土說除八難是菩薩淨土菩薩成佛
時國土无有三惡八難自守戒行不譏彼闕
是菩薩淨土菩薩成佛時國土无有犯禁之
名十善道是菩薩淨土菩薩成佛時命不中
夭大富梵行所言誠諦常以濡語眷屬不離
善和諍訟言必饒益不嫉不恚正見衆生来
生其國如是寶積菩薩隨其直心則能發行
隨其發行則得深心隨其深心則意調伏隨
意調伏則如說行隨如說行能迴向隨其迴
向則有方便隨其方便則成就衆生隨成就
衆生則佛土淨隨佛土淨則說法淨隨說法
淨則智慧淨隨智慧淨則其心淨隨其心淨
則一切功德淨是故寶積若菩薩欲得淨土

衆生則佛土淨隨佛土淨則說法淨隨說法
淨則智慧淨隨智慧淨則其心淨隨其心淨
則一切功德淨是故寶積若菩薩欲得淨土
當淨其心隨其心淨則佛土淨
尒時舍利弗承佛威神作是念若菩薩心淨
則佛土淨者我世尊本為菩薩時意豈不淨
而是佛土不淨若此佛知其念即告之言於
意云何日月豈不淨耶而盲者不見對曰不
也世尊是盲者過非日月咎舍利弗衆生罪
故不見如來佛國嚴淨非如來咎舍利弗我
此淨土而汝不見尒時螺髻梵王語舍利弗
勿作是意謂此佛土以為不淨所以者何我
見釋迦牟尼佛土清淨譬如自在天宮舍利
弗言我見此土丘陵坑坎荊蕀沙礫土石諸
山穢惡充滿螺髻梵言仁者心有高下不依
佛慧故見此土為不淨耳舍利弗菩薩於一
切衆生悉皆平等深心清淨依佛智慧則能
見此佛土清淨於是佛以足指案地即時三
千大千世界若干百千珎寶嚴飾譬如寶莊
嚴佛无量功德寶莊嚴土一切大衆歎未曾
有而皆自見坐寶蓮華佛告舍利弗汝且觀
是佛土嚴淨舍利弗言唯然世尊本所不見
本所不聞今佛國土嚴淨悉現佛語舍利弗
我佛國土常淨若此為欲度斯下劣人故示
是衆惡不淨土耳譬如諸天共寶器食隨其
福德飯色有異如是舍利弗若人心淨便見
此功德莊嚴當佛現此國土嚴淨之時寶積

BD01044號　維摩詰所說經卷上

（22–4）

是衆惡不淨土耳譬如諸天共寶器食隨其
福德飯色有異如是舍利弗若人心淨便見
此功德莊嚴當佛現此國土嚴淨之時寶積
所將五百長者子皆得无生法忍八万四千
人發阿耨多羅三藐三菩提心佛攝神足於
是世界還復如故求聲聞乘三万二千天及
人知有為法皆悉无常遠塵離垢得法眼
淨八千比丘不受諸法漏盡意解
方便品第二
尒時毗耶離大城中有長者名維摩詰已曾
供養无量諸佛深殖善本得无生忍辯才无
导遊戲神通逮諸揔持獲无所畏降魔勞
怨入深法門善於智度通達方便大願成就
了衆生心之所趣又能分別諸根利鈍久於
佛道心以淳淑决定大乘諸有所作能善思
量住佛威儀心大如海諸佛咨嗟弟子釋
梵世主所敬
欲度人故以善方便居毗耶離資財无量攝
諸貧民奉戒清淨攝諸毀禁以忍調行攝
諸恚怒以大精進攝諸懈怠一心禪寂攝諸亂
意以決定慧攝諸无智雖為白衣奉持沙門
清淨律行雖處居家不著三界示有妻子
常脩梵行現有眷屬常樂遠離雖服寶飾
以相好嚴身雖服飲食而以禪悅為味若至博
弈戲處輒以度人受諸異道不毀正信雖明
世典常樂佛法一切見敬為供養中最執持
正法攝諸長幼一切治生諧偶雖獲俗利不

BD01044號　維摩詰所說經卷上

（22–5）

以相好嚴身雖服飲食而以禪悅為味若至博
弈戲處輒以度人受諸異道不毀正信雖明
世典常樂佛法一切見敬為供養中最執持
正法攝諸長幼一切治生諧偶雖獲俗利不
以喜悅遊諸四衢饒益衆生入治正法救護
一切入講論處導以大乘入諸學堂誘開童
矇入諸婬舍示欲之過入諸酒肆能立其志
若在長者長者中尊為說勝法若在居士
居士中尊斷其貪著若在剎利剎利中尊教
以忍辱若在婆羅門婆羅門中尊除其我慢若
在大臣大臣中尊教以正法若在王子王子中
尊示以忠孝若在內宮內宮中尊化正宮女
若在庶民庶民中尊令興福力若在梵天
梵天中尊誨以勝慧若在帝釋帝釋中尊
示現无常若在護世護世中尊護諸衆生長者
維摩詰以如是等无量方便饒益衆生其以
方便現身有疾以其疾故國王大臣長者居
士婆羅門等及諸王子并餘官屬无數千人
皆往問疾其往者維摩詰因以身疾廣為說
法諸仁者是身无常无強无力无堅速朽之
法不可信也為苦為惱衆病所集諸仁者如
此身明智者所不怙是身如聚沫不可撮磨
是身如泡不得久立是身如炎從渴愛生是
身如芭蕉中无有堅是身如幻從顛倒起是
身如夢為虛妄見是身如影從業緣現是
身如嚮屬諸因緣是身如浮雲須臾變滅
是身如電念念不住是身无主為如地是身无

身如夢為虛妄見是身如影從業緣現是
身如嚮屬諸因緣是身如浮雲須臾變滅
是身如電念念不住是身无主為如地是身无
我為如火是身无壽為如風是身无人為如水
是身不實四大為家是身為空離我我所是
身无知如草木瓦礫是身无作風力所轉是
身不淨穢惡充滿是身為虛偽雖假以澡浴
衣食必歸磨滅是身為災百一病惱是身如
丘井為老所逼是身无定為要當死是身如
毒蛇如怨賊如空聚陰界諸入所共合成諸
仁者此可患厭當樂佛身所以者何佛身者
即法身也從无量功德智慧生從戒定慧解
脫解脫知見生從慈悲喜捨生從布施持戒
忍辱柔和懃行精進禪定解脫三昧多聞智
慧諸波羅蜜生從方便生從六通生從三明生
從三十七道品生從止觀生從十力四无所
畏十八不共法生從斷一切不善法集一
切善法生從真實生從不放逸生從如是无
量清淨法生如來身諸仁者欲得佛身斷一
切衆生病者當發阿耨多羅三藐三菩提心
如是長者維摩詰為諸問病者如應說法
令无數千人皆發阿耨多羅三藐三菩提心

弟子品第三

尒時長者維摩詰自念寢疾于床世尊大
慈寧不垂愍佛知其意即告舍利弗汝行詣維
摩詰問疾舍利弗白佛言世尊我不堪任

尒時長者維摩詰自念寢疾于床世尊大
慈寧不垂愍佛知其意即告舍利弗汝行詣維
摩詰問疾舍利弗白佛言世尊我不堪任
詣彼問疾所以者何憶念我昔曾於林中宴坐
樹下時維摩詰来謂我言唯舍利弗不必是
坐為宴坐也夫宴坐者不於三界現身意是
為宴坐不起滅定而現諸威儀是為宴坐不
捨道法而現凡夫事是為宴坐心不住内亦
不在外是為宴坐於諸見而不動而脩行卅
七品是為宴坐不斷煩惱而入涅槃是為宴
坐若能如是坐者佛所印可時我世尊聞是
語嘿然而止不能加報故我不任詣彼問疾
佛告大目揵連汝行詣維摩詰問疾目連白
佛言世尊我不堪任詣彼問疾所以者何憶
念我昔入毗耶離大城於里巷中為諸居士
說法時維摩詰来謂我言唯大目連為白衣
居士說法不當如仁者所說夫說法者當如
法說法无衆生離衆生垢故法无有我離我
垢故法无壽命離生死故法无有人前後際
斷故法常寂然滅諸相故法離於相无所緣
故法无名字言語斷故法无有說離覺觀故
法无形相如虚空故法无戲論畢竟空故法
无我所離我所故法无分別離諸識故法无
有比无相待故法不屬因不在緣故法同法性
入諸法故法隨於如无所隨故法住實際諸
邊不動故法无動搖不依六塵故法无去来
常不住故法順空隨无相應无作法離好

入諸法故法隨於如无所隨故法住實際諸
邊不動故法无動搖不依六塵故法无去来
常不住故法順空隨无相應无作法離好
醜法无增損法无生滅法无所歸法過眼耳
鼻舌身心法无高下法常住不動法離一切
觀行唯大目連法相如是豈可說乎夫說法
者无說无示其聽法者无聞无得譬如幻師
為幻人說法當建是意而為說法當了衆生
根有利鈍善於知見无所罣㝵以大悲心讚
于大乘念報佛恩不斷三寶然後說法維摩
詰說是法時八百居士發阿耨多羅三藐三
菩提心我无此辯是故不任詣彼問疾
佛告大迦葉汝行詣維摩詰問疾迦葉白佛
言世尊我不堪任詣彼問疾所以者何憶念
我昔於貧里而行乞食時維摩詰来謂我言唯
大迦葉有慈悲而不能普捨豪富從貧乞
迦葉住平等法應次行乞食為不食故應行
乞食為壞和合相故應取揣食為不受故應
受彼食以空聚想入於聚落所見色與盲等
所聞聲與響等所嗅香與風等所食味不分
別受諸觸如智證知諸法如幻相无自性无他
性本自不然今則无滅迦葉若能不捨八耶
入八解脫以耶相入正法以一食施一切供養
諸佛及衆賢聖然後可食如是食者非有
煩惱非離煩惱非入定意非起定意非住世間
非住涅槃其有施者无大福无小福不為益
不為損是為正入佛道不依聲聞迦葉若如

煩惱非離煩惱非入定意非起定意非住昔聞
非住涅槃其有施者无大福无小福不為益
不為損是為正入佛道不依聲聞迦葉若如
是食為不虛食人之施也時我世尊聞說是
語得未曾有即於一切菩薩深起敬心復作
是念斯有家名辯才智慧乃能如是誰不
發阿耨多羅三藐三菩提心我從是來不復
勸人以聲聞辟支佛行是故不任詣彼問疾
佛告須菩提汝行詣維摩詰問疾須菩提
佛言世尊我不堪任詣彼問疾所以者何憶
念我昔入其舍從乞食時維摩詰取我鉢盛
滿飯謂我言唯須菩提若能於食等者諸法
亦等諸法等者於食亦等如是行乞乃可取
食若須菩提不斷婬怒癡亦不與俱不壞於
身而隨一相不滅癡愛起於明脫以五逆相而
得解脫亦不解不縛不見四諦非不見諦非
得果非不得果非凡夫非離凡夫法非聖人
非不聖人雖成就一切法而離諸法相乃可
取食若須菩提不見佛不聞法彼外道六師
富蘭那迦葉末伽梨拘賒梨子刪闍夜毗
羅胝子阿耆多翅舍欽婆羅迦羅鳩馱迦
旃延尼揵陀若提子等是汝之師因其出家
彼師所墮汝亦隨墮乃可取食若須菩提入
諸邪見不到彼岸住於八難不得无難同於
煩惱離清淨法汝得无諍三昧一切衆生亦
得是定其施汝者不名福田供養汝者墮三

煩惱離清淨法汝得无諍三昧一切衆生亦
得是定其施汝者不名福田供養汝者墮三
惡道為與衆魔共一手作諸勞侶汝與衆魔
及諸塵勞等无有異於一切衆生而有怨心
謗諸佛毀於法不入衆數終不得滅度汝若
如是乃可取食時我世尊聞此茫然不識是
何言不知以何荅便置鉢欲出其舍維摩詰
言唯須菩提取鉢勿懼於意云何如來所作
化人若以是事詰寧有懼不我言不也維摩
詰言一切諸法如幻化相汝今不應有所懼
也所以者何一切言說不離是相至於智者
不著文字故无所懼何以故文字性離无有
文字是則解脫解脫相者則諸法也維摩
詰說是法時二百天子得法眼淨故我不任
詣彼問疾
佛告富樓那彌多羅尼子汝行詣維摩詰問
疾富樓那白佛言世尊我不堪任詣彼問疾
所以者何憶念我昔於大林中在一樹下為
諸新學比丘說法時維摩詰來謂我言唯富
樓那先當入定觀此人心然後說法无以穢
食置於寶器當知是比丘心之所念无以瑠
璃同彼水精汝不能知衆生根原无得發起
以小乘法彼自无創勿傷之也欲行大道莫
示小徑无以大海內於牛跡无以日光等彼螢
火富樓那此比丘久發大乘心忠忘此意如
何以小乘法而教導之我觀小乘智慧微淺

亦小徑无以大海内於牛跡无以日光等彼螢
火冨樓那此比丘久發大乘心忠忘此意如
何以小乘法而教導之我觀小乘智慧微淺
猶如盲人不能分別一切衆生根之利鈍
時維摩詰即入三昧令此比丘自識宿命曽
於五百佛所殖衆德本迴向阿耨多羅三藐
三菩提即時豁然還得本心於是諸比丘稽
首礼維摩詰足時維摩詰因為說法於阿
耨多羅三藐三菩提不復退轉我念聲聞不
觀人根不應說法是故不任詣彼問疾
佛告摩訶迦旃延汝行詣維摩詰問疾迦
旃延白佛言世尊我不堪任詣彼問疾所以者
何憶念我昔佛為諸比丘略說法要我即於
後敷演其義謂无常義苦義空義无我義
寂滅義時維摩詰来謂我言唯迦旃延无以
生滅心行說實相法迦旃延諸法畢竟不生不
滅是无常義五受陰通達空无所起是苦義
諸法究竟无所有是空義於我无我而不二
是无我義法本不然今則无滅是寂滅義說
是法時彼諸比丘心得解脫故我不任詣彼
問疾佛告阿那律汝行詣維摩詰問疾阿那
律白佛言世尊我不堪任詣彼問疾所以者
何憶念我昔於一處經行時有梵王名曰嚴
淨與万梵俱放淨光明来詣我所稽首作礼
問我言幾何阿那律天眼所見我即答言仁
者吾見此釋迦牟尼佛三千大千世界如觀掌
中阿摩勒菓時維摩詰来謂我言唯阿那

BD01044 號　維摩詰所說經卷上　（22–12）

何憶念我昔於一處經行時有梵王名曰嚴
淨與万梵俱放淨光明来詣我所稽首作礼
問我言幾何阿那律天眼所見我即答言仁
者吾見此釋迦牟尼佛三千大千世界如觀掌
中阿摩勒菓時維摩詰来謂我言唯阿那
律天眼所見為作相耶无作相耶假使作相則
與外道五通等若无作相即是无為不應有
見世尊我時嘿然彼諸梵聞其言得未曽有
即為作礼而問曰世孰有真天眼者維摩詰
言有佛世尊得真天眼常在三昧悉見諸佛
國不以二相於是嚴淨梵王及其眷屬五百
梵天皆發阿耨多羅三藐三菩提心礼維摩
詰足已忽然不現故我不任詣彼問疾
佛告優波離汝行詣維摩詰問疾優波離
白佛言世尊我不堪任詣彼問疾所以者何
憶念昔者有二比丘犯律行以為耻不敢問
佛来問我言唯優波離我等犯律誠以為耻
不敢問佛願解疑悔得免斯咎我即為其如
法解說時維摩詰来謂我言唯優波離无重
增此二比丘罪當直除滅勿擾其心所以者何
彼罪性不在内不在外不在中間如佛所說
心垢故衆生垢心淨故衆生淨心不在内不
在外不在中間如其心然罪垢亦然諸法亦
然不出於如如優波離以心相得解脫時寧
有垢不我言不也維摩詰言一切衆生心
相无垢亦復如是唯優波離妄相是垢无妄
想是淨顛倒是垢无顛倒是淨取我是垢不

BD01044 號　維摩詰所說經卷上　（22–13）

有垢不我言不也維摩詰言一切衆生心
相无垢亦復如是唯優波離妄相是垢无妄
想是淨顛倒是垢无顛倒是淨取我是垢不
取我是淨優波離一切法生滅不住如幻如
電諸法不相待乃至一念不住諸法皆妄見
如夢如炎如水中月如鏡中像以妄相生其
知此者是名奉律其知此者是名善解於是
二比丘言上智哉是優波離所不及持律之
上而不能說我即荅言自捨如來未有聲聞
及菩薩能制其樂說之辯其智慧明達為
若此也時二比丘疑悔即除發阿耨多羅三藐
三菩提心作是願言令一切衆生皆得是辯
故我不任詣彼問疾
佛告羅睺羅汝行詣維摩詰問疾羅睺羅
白佛言世尊我不堪任詣彼問疾所以者何憶
念昔時毗耶離諸長者子来詣我所稽首作
礼問我言唯羅睺羅汝佛之子捨轉輪王位
出家為道其出家者有何等利我即如法為
說出家功德之利時維摩詰来謂我言唯羅
睺羅不應說出家功德之利所以者何无利
无功德是為出家有為法者可說有利有功
德夫出家者為无為法无為法中无利无功
德唯羅睺羅夫出家者无彼无此亦无中間
離六十二見處於涅槃智者所受聖所行處
降伏衆魔度五道淨五眼得五力立五根不
惱於彼離衆雜惡摧諸外道超越假名出

離六十二見處於涅槃智者所受聖所行處
降伏衆魔度五道淨五眼得五力立五根不
惱於彼離衆雜惡摧諸外道超越假名出
於泥无繫著无我所无所受无擾亂内懷喜護
彼意隨禪定離衆過若能如是是真出家
於是維摩詰語諸長者子汝等於正法中宜共
出家所以者何佛世難值諸長者子言居士
我聞佛言父母不聽不得出家維摩詰言然
汝等便發阿耨多羅三藐三菩提心是即出
家是即具足尒時卅二長者子皆發阿耨多
羅三藐三菩提心故我不任詣彼問疾
佛告阿難汝行詣維摩詰問疾阿難白佛言
世尊我不堪任詣彼問疾所以者何憶念昔
時世尊身小有疾當用牛乳我即持鉢詣大
婆羅門家門下立時維摩詰来謂我言唯阿
難何為晨朝持鉢住此我言居士世尊身小
有疾當用牛乳故来至此維摩詰言止止阿
難莫作是語如来身者金剛之體諸惡已斷
衆善普會當有何疾當有何惱嘿往阿難勿
謗如来莫使異人聞此麁言无令大威德諸
天及他方淨土諸来菩薩得聞斯語阿難轉
輪聖王以少福故尚得无病豈況如来无量
福會普勝者哉行矣阿難勿使我等受斯
恥也外道梵志若聞此語當作是念何名為師
自疾不能救而能救諸疾人可密速去勿使
人聞當知阿難諸如来身即是法身非思欲
身佛為世尊過於三界佛身无漏諸漏已盡

自疾不能救而能救諸疾人可塞速去勿使
人聞當知阿難諸如來身即是法身非思欲
身佛為世尊過於三界佛身无漏諸漏已盡
佛身无為不墮諸數如此之身當有何疾時
我世尊實懷慚愧得无近佛而謬聽耶即聞
空中聲曰阿難如居士言但為佛出五濁惡世
現行斯法度脱衆生矣行阿難取乳勿慚
世尊維摩詰智慧辯才為若此也是故不
任詣彼問疾如是五百大弟子各各向佛說其
本緣稱述維摩詰所言皆曰不任詣彼問疾

菩薩品第四

於是佛告弥勒菩薩汝行詣維摩詰問疾
弥勒白佛言世尊我不堪任詣彼問疾所以者
何憶念我昔為兜率天王及其眷屬說不退
轉地之行時維摩詰來謂我言弥勒世尊
授仁者記一生當得阿耨多羅三藐三菩提為
用何生得受記乎過去耶未來耶現在耶若
過去生過去生已滅若未來生未來生未至
若現在生現在生无住如佛所說比丘汝今
即時亦生亦老亦滅若以无生得受記者无
生即是正位於正位中亦无受記亦无得阿
耨多羅三藐三菩提者云何弥勒受一生記
乎為從如生得受記耶為從如滅得受記耶
若以如生得受記者如无有生若以如滅得
受記者如无有滅一切衆生如皆也一切法亦
如也衆聖賢亦如也至於弥勒亦如也若

若以如生得受記者如无有生若以如滅得
受記者如无有滅一切衆生如皆也一切法亦
如也衆聖賢亦如也至於弥勒亦如也若
弥勒得受記者一切衆生亦應受記所以者
何夫如者不二不異若弥勒得阿耨多羅三
藐三菩提者一切衆生皆亦應得所以者何
一切衆生即菩提相若弥勒滅度者一切衆
生亦當滅度所以者何諸佛知一切衆生畢
竟寂滅即涅槃相不復更滅是故弥勒无以
此法誘諸天子實无衆生發阿耨多羅三藐
三菩提心者亦无退者弥勒當令此諸天子
捨於分別菩提之見所以者何菩提者不可
以身得不可以心得寂滅是菩提滅諸相故
不觀是菩提離諸緣故不行是菩提无憶念
故斷是菩提捨諸見故離是菩提離諸妄
相故鄣是菩提鄣諸願故不入是菩提无貪
着故順是菩提順於如故住是菩提住法性故
至是菩提至實際故不二是菩提離意法
故等是菩提等虛空故无為是菩提无生住
滅故知是菩提了衆生心行故不會是菩提諸
入不會故不合是菩提離煩惱習故无處是
菩提无形色故假名是菩提名字空故如化
是菩提无取捨故无亂是菩提常自靜故善
寂是菩提性清淨故无取是菩提離攀緣故
无異是菩提諸法等故无比是菩提无可喻
故微妙是菩提諸法難知故世尊維摩詰

[illegible]
寂是菩提性清淨故无取是菩提離攀緣故
无異是菩提諸法等故无比是菩提无可喻
故微妙是菩提諸法難知故世尊維摩詰
說是法時二百天子得无生法忍故我不任詣彼問疾
佛告光嚴童子汝行詣維摩詰問疾光嚴
白佛言世尊我不堪任詣彼問疾所以者何憶
念我昔出毗耶離大城時維摩詰方入城我
即作禮而問言居士從何所來答我言吾
從道場來我問道場者何所是答曰直心是道
場无虛假故發行是道場能辦事故深心
是道場增益功德故菩提心是道場无錯謬故
布施是道場不望報故持戒是道場得願具
故忍辱是道場於諸衆生心无㝵故精進是
道場不懈退故禪定是道場心調柔故智慧
是道場現見諸法故慈是道場等衆生故悲
是道場忍疲苦故喜是道場悅樂法故捨是
道場憎愛斷故神通是道場成就六通故解
脫是道場能背捨故方便是道場教化衆生
故四攝是道場攝衆生故多聞是道場如聞
行故伏心是道場正觀諸法故卅七品是道
場捨有為法故四諦是道場不誑世間故緣
起是道場无明乃至老死皆无盡故煩惱是
道場知如實故衆生是道場知无我故一切
法是道場知諸法空故降魔是道場不傾
動故三界是道場无所趣故師子吼是道場
无所畏故力无畏不共法是道場无諸過故三

[illegible]
法是道場知諸法空故降魔是道場不傾
動故三界是道場无所趣故師子吼是道場
无所畏故力无畏不共法是道場无諸過故三
明是道場无餘㝵故一念知一切法是道場成
就一切智故如是善男子菩薩若應諸波羅
蜜教化衆生諸有所作舉足下足當知皆從
道場來住於佛法矣說是法時五百天人皆
發阿耨多羅三藐三菩提心故我不任詣彼
問疾
佛告持世菩薩汝行詣維摩詰問疾持世白
佛言世尊我不堪任詣彼問疾所以者何憶
念我昔住於靜室時魔波旬從万二千天女
狀如帝釋鼓樂弦歌來詣我所與其眷屬稽
首我足合掌恭敬於一面立我意謂是帝釋
而語之言善來憍尸迦雖福應有不當自恣
當觀五欲无常以求善本於身命財而脩堅
法即語我言正士受是万二千天女可備掃
灑我言憍尸迦无以此非法之物要我沙門釋
子此非我宜所言未訖時維摩詰來謂我
言非帝釋也是為魔來嬈固汝耳即語魔言
是諸女等可以與我如我應受魔即驚懼念
維摩詰將无惱我欲隱形去而不能隱盡其
神力亦不得去即聞空中聲曰波旬以女與之
乃可得去魔以畏故俛仰而與尒時維摩詰
語諸女言魔以汝等與我今汝皆當發阿耨
多羅三藐三菩提心即隨所應而為說法
令發道意復言汝等已發道意有法樂可

語諸女言魔以汝等與我今汝皆當發阿耨
多羅三藐三菩提心即隨所應而為說法
令發道意復言汝等已發道意有法樂可
以自娛不應復樂五欲樂也天女即問何謂法樂
荅言樂常信佛樂欲聽法樂供養眾樂離
五欲樂觀五陰如怨賊樂觀四大如毒蛇樂
觀內入如空聚樂隨護道意樂饒益眾生樂
敬養師樂廣行施樂堅持戒樂忍辱柔和
樂懃集善根樂禪定不亂樂離垢明慧樂廣
菩提心樂降伏眾魔樂斷諸煩惱淨佛國土
樂成就相好故脩諸功德樂嚴道場樂聞深
法不畏樂三脫門不樂非時樂近同學樂於
非同學中心无罣㝵樂將護惡知識樂近善
知識樂心喜清淨樂脩无量道品之法是為
菩薩法樂於是波旬告諸女言我欲與汝俱
還天宮諸女言以我等與此居士有法樂我
等甚樂不復樂五欲樂也魔言居士可捨此
女一切所有施於彼者是為菩薩維摩詰言
我以捨矣汝便將去令一切眾生得法願具
足於是諸女問維摩詰我等云何止於魔宮
維摩詰言諸姊有法門名无盡燈汝等當
學无盡燈者譬如一燈燃百千燈冥者皆明明
終不盡如是諸姊夫一菩薩開導百千眾生
令發阿耨多羅三藐三菩提心於其道意亦
不滅盡隨所說法而自增益一切善法是名
无盡燈也汝等雖住魔宮以是无盡燈令无

BD01044 號　維摩詰所說經卷上　（22-20）

令發阿耨多羅三藐三菩提心於其道意亦
不滅盡隨所說法而自增益一切善法是名
无盡燈也汝等雖住魔宮以是无盡燈令无
數天子天女發阿耨多羅三藐三菩提心者
為佛報恩亦大饒益一切眾生尒時天女頭
面礼維摩詰足隨魔還宮忽然不現世尊
維摩詰有如是自在神力智慧辯才故我
不任詣彼問疾
佛告長者子善德汝行詣維摩詰問疾善
德白佛言世尊我不堪任詣彼問疾所以者何
憶念我昔自於父舍設大施會供養一切沙
門婆羅門及諸外道貧窮下賤孤獨乞人期
滿七日時維摩詰來入會中謂我言長者子
夫大施會不當如汝所設當為法施之會何
用是財施會為我言居士何謂法施之會法
施會者无前无後一時供養一切眾生是名
法施之會何謂也謂以菩提起於慈心以救
眾生起大悲心以持正法起於喜心以攝智慧
行於捨心以以攝慳貪起檀波羅蜜以化犯
戒起尸波羅蜜以无我法起羼提波羅蜜以
離身心相起毗梨耶波羅蜜以菩提相起
禪波羅蜜以一切智起般若波羅蜜教化眾
生而起於空不捨有為法而起无相示現受
生而起无作護持正法起方便力以度眾生
起四攝法以敬事一切起除慢法於身命財
起三堅法於六念中起思念法於六和敬起
質直心正行善法起於淨命心淨歡喜起近

BD01044 號　維摩詰所說經卷上　（22-21）

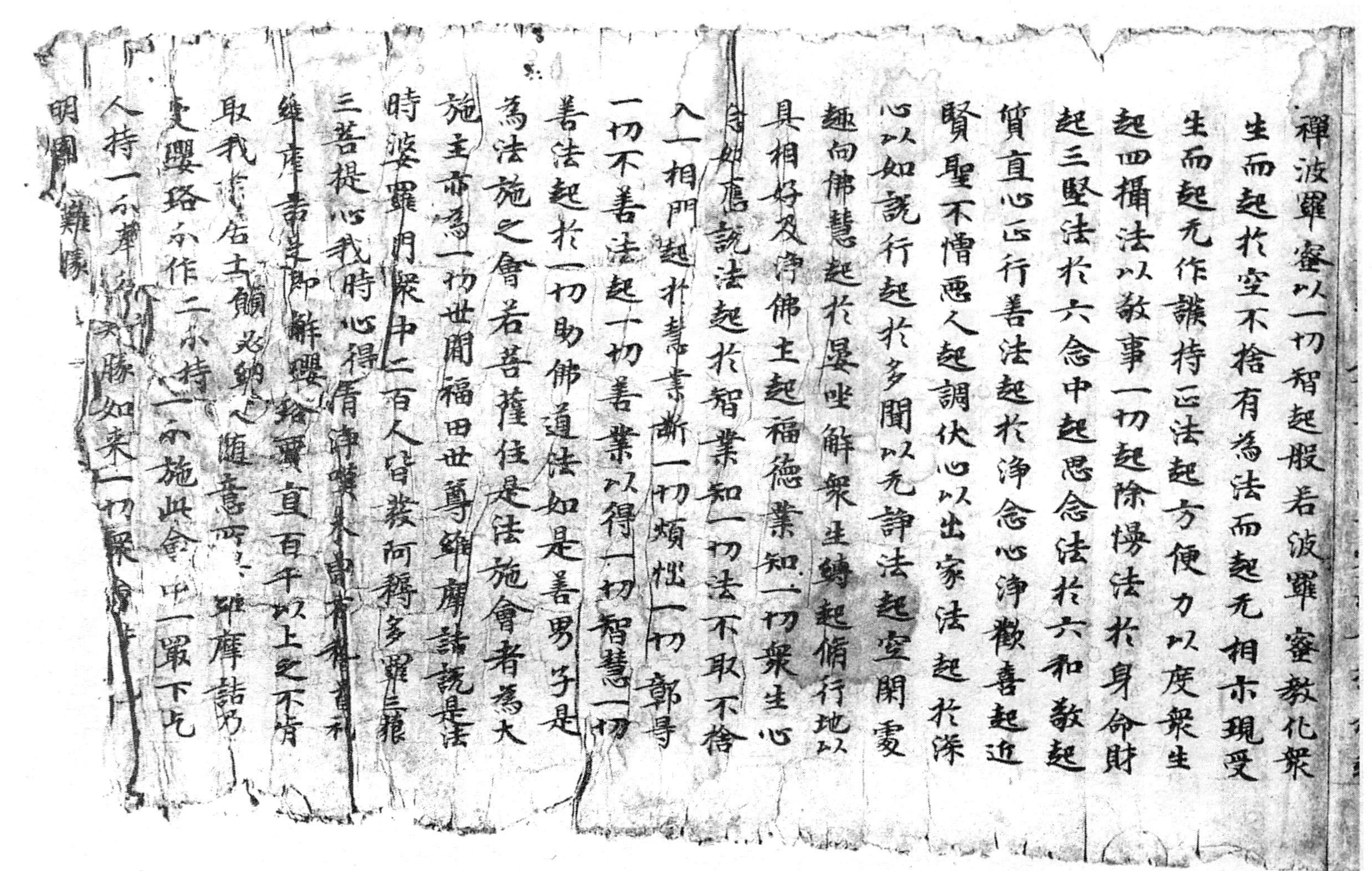
禪波羅蜜以一切智起般若波羅蜜教化衆
生而起於空不捨有為法而起无相示現受
生而起无作護持正法起方便力以度衆生
起四攝法以敬事一切起除慢法於身命財
起三堅法於六念中起思念法於六和敬起
質直心正行善法起於淨命心淨歡喜起近
賢聖不憎惡人起調伏心以出家法起於深
心以如說行起於多聞以无諍法起空閑處
趣向佛慧起於晏坐解衆生縛起脩行地以
具相好及淨佛土起福德業知一切衆生心
如應說法起於智業知一切法不取不捨
入一相門起於慧業斷一切煩惱一切鄣导
一切不善法起一切善業以得一切智慧一切
善法起於一切助佛道法如是善男子是
為法施之會若菩薩住是法施會者為大
施主亦為一切世間福田世尊維摩詰說是法
時婆羅門衆中二百人皆發阿耨多羅三藐
三菩提心我時心得清淨歎未曾有稽首禮
維摩詰足即解瓔珞價直百千以上之不肯
取我言居士願必納受隨意所與維摩詰乃
受瓔珞分作二分持一分施此會中一最下乞
人持一分奉彼難勝如來一切衆會
明國難勝

BD01044 號　維摩詰所說經卷上　（22–22）

說不与脩多羅毗尼法律相應違背於法應語彼
比丘汝所誦者非佛所說或是長老不審得佛語何
以故我尋究脩多羅毗尼法律不与相應違背於
法長老不須誦習亦莫敎餘比丘今應捨棄
若聞彼比丘所說尋究脩多羅若毗尼法律共与相
應語言長老所說是佛所說審得佛語何以故我尋
究脩多羅毗尼法律与共相應而不違背長老應
善持誦習敎餘比丘勿令忘失此是初廣說第二句從和合僧
從前聞第三句從知法毗尼持摩夷三比丘前聞第四句從一知法毗尼摩夷比丘所聞作句違順受捨亦如是是為四廣
說是故諸比丘汝當隨順文句勿令增減違法毗尼當
如是學佛說如是諸比丘聞歡喜信樂受持

四分律刪補隨機羯磨一卷下

BD01046 號　四分律刪補隨機羯磨卷下　（2–1）

究脩多羅毗尼法律与共相應所不違背長老應
善持誦習教餘比丘勿令忘失此是初廣說 第二句從和合僧上
従前聞第三句從知法毗尼持摩夷三比丘前聞第四句從一知法毗尼摩夷比丘所聞作句違順受捨亦如是 是為四廣
說是故諸比丘汝當隨順文句勿令增減違法毗尼當
如是學佛說如是諸比丘聞歡喜信樂受持

四分律删補隨機羯磨一卷下

至六月三日畢而復記焉
卷莫不研精畫思無流教而用之也
之内為本寺上座金耀 寫此羯磨一
年秉五月八日金光明寺僧利濟初夏

BD01046 號　四分律删補隨機羯磨卷下

（2–2）

三法應捨僧伽婆尸沙
若比丘尼有餘比丘尼群黨若一若二若三乃至无數彼比丘尼語是
比丘尼言大姊汝莫諫此比丘此比丘尼法語比丘尼律語比丘尼此比丘
尼所說我等忍可是比丘尼語彼比丘尼言
大姊莫作是說言此比丘尼法語比丘尼律語比丘尼此比丘尼所說我
等喜樂此比丘尼所說我忍可何以故此比丘尼所說非法語非律
語大姊莫欲破壞和合僧當樂欲和合僧與僧和合歡喜不諍同
一師學如水乳合於佛法中有增益安樂住是比丘尼諫彼比丘尼時
堅持不捨是比丘尼應三諫捨此事故乃至三諫捨者善不捨者是
比丘尼犯三法應捨僧伽婆尸沙
若比丘尼依城邑若村落住汙他家行惡行行惡行亦見亦聞汙他
家亦見聞是比丘尼諫彼比丘尼言大姊女汝汙他家行惡行行惡亦見
亦聞汙他家亦見亦聞大姊汝汙他家行惡行今可離此村落去不須
住此彼比丘尼語此比丘尼言作如是言大姊諸比丘尼有愛有恚有怖
有癡有如是同罪比丘尼有駈者有不駈者是諸比丘尼語彼比丘尼
言大姊莫作是語有愛有恚有怖有癡亦莫言有如是同罪比丘尼
有駈者有不駈者何以故而諸比丘尼不愛恚不怖不癡有如是同罪
比丘尼有駈者有不駈者大姊汙他家行惡行行惡行亦見聞汙他家
亦見亦聞是比丘尼諫彼比丘時堅持不捨是比丘尼應三諫捨此事故
乃至三諫捨者善不捨者是比丘尼犯三法應捨僧伽婆尸沙
若比丘尼惡性不受人語於戒法中諸比丘尼如法諫時已自身受
人語大姊汝莫向我說若好若惡我亦不向汝說若好若惡諸大姊

BD01047 號　四分比丘尼戒本

（19–1）

比丘尼有駈者有不駈者大姊汙他家行惡行行惡行亦見聞汙他家
亦見亦聞是比丘尼諫彼比丘尼時堅持不捨是比丘尼應三諫捨此事故
乃至三諫捨者善不捨者是比丘尼犯三法應捨僧伽婆尸沙
若比丘尼惡性不受人語於戒法中諸比丘尼如法諫時自身受
人語大姊汝莫向我說若好若惡我亦不向汝說若好若惡諸大姊
且止莫諫我是比丘尼當諫彼比丘尼言大姊汝莫自身不受諫
語大姊自身當受諫語大姊汝法諫諸比丘尼諸比丘亦當如法諫
大姊如是佛弟子衆得增益展轉相諫展轉相教展轉懺悔是
比丘尼如是諫時堅持不捨是比丘尼應三諫捨此事故乃至三諫捨者善
不捨者是比丘尼犯三法應捨僧伽婆尸沙
若比丘尼相親近共作惡行惡聲流布展轉共相覆罪是比丘
尼當諫彼比丘尼言大姊汝莫相親近共住作惡行惡聲流布
相覆罪汝等若不相親近於佛法中得增益安樂住是比丘諫彼比
丘尼時堅持不捨是比丘尼應三諫捨此事故乃至三諫捨者善不捨
者是比丘尼犯三法應捨僧伽婆尸沙
若比丘尼比丘尼僧作呵諫是餘比丘尼教作如是言汝等莫別住當共住
我亦見餘比丘尼不別住共作惡行惡聲流布共相覆罪僧以
恚故教汝別住今正有此二比丘尼共住共作惡是比丘尼應諫彼比丘尼
言大姊汝莫教餘比丘尼言汝等莫別住我亦見餘比丘尼共住共作惡行惡
聲流布共相覆罪僧以恚故教汝別住今正有此二比丘尼共住共作
惡聲流布共相覆罪更无有餘若此比丘尼住於佛法中有僧安樂
比丘尼諫彼比丘尼時堅持不捨是比丘尼應三諫令捨此事故乃
捨此者善不捨者是比丘尼犯三法應捨僧伽婆尸沙
若比丘尼趣以一小事瞋恚不喜便作是言我捨佛捨法捨僧不獨有此沙門釋子
亦更有餘沙門婆羅門梵行者我等亦可修梵行是比丘尼當諫彼比
丘尼言大姊汝趣以一小事瞋恚不喜便作是我捨法捨僧不獨有此沙門
釋子亦更有沙門婆羅門修梵行者我等亦可共彼修梵行若是比丘尼諫
彼比丘尼時堅持不捨彼比丘尼應三諫捨此事故乃至三諫捨者善不捨者
是比丘尼犯三法應捨僧伽婆尸沙

釋子亦更有沙門婆羅門修梵行者我等亦可共彼修梵行若是比丘尼諫
彼比丘尼時堅持不捨彼比丘尼應三諫捨此事故乃至三諫捨者善不捨者
是比丘尼犯三法應捨僧伽婆尸沙
若比丘尼喜鬪諍不善憶持諍事後瞋恚作如是語僧有愛有恚有怖有
癡汝自有愛有恚有怖有癡是比丘尼應諫彼比丘尼妹汝莫喜鬪諍不善
憶持後瞋恚作如是語僧有愛恚有有怖有有癡而僧不愛恚有
有怖有癡汝有愛有恚有怖有癡是比丘尼諫彼比丘尼堅持不捨彼
比丘尼時應三諫捨此事故乃至三諫捨者善不捨者是比丘尼犯三法應捨
僧伽婆尸沙
諸大姊我已說十七僧伽婆尸沙法九初犯罪八乃至三諫若比丘尼
犯一一法應半月二部僧中行摩那埵行摩那埵已餘有出罪應
二部四十僧中出是比丘尼罪若少一人不滿四十衆出是比丘尼罪是
比丘尼罪是不得除諸比丘尼亦可呵此是時今問諸大姊是中清
淨不如是三　諸大姊是中清淨默然故是事如是持
諸大姊是三十尼薩耆波逸提法半月半月說戒經中來
若比丘尼衣已竟迦絺那衣已捨畜長衣經十日不淨施得畜若過者
尼薩耆波逸提
若比丘尼衣已竟迦絺那衣已捨五衣中若離一一衣異處宿經一夜除
僧羯磨尼薩耆波逸提
若比丘尼衣已竟迦絺那衣已捨若得非時衣欲須便受受已疾疾
成衣若足者善若不足者得畜一月為滿足故若過畜者尼薩耆波
逸提
若比丘尼從非親里居士居士婦乞衣除餘時尼薩耆波逸提餘時者
若奪衣失衣燒衣漂衣是名餘時
若比丘尼奪衣失衣燒衣漂衣若非親里居士若居士婦自恣請多與
衣是比丘尼當知足受衣若過受尼薩耆波逸提
若比丘尼居士居士婦為比丘尼辦衣價且如是衣價與某甲比丘尼是比
丘尼先不授自恣請到居士家作如是說善哉居士為我辦如是如
是衣價與我為好故若得衣者尼薩耆波逸提

若比丘尼居士居士婦爲比丘尼辦衣價具如是衣價與某甲比丘尼是比
丘尼先不授自恣請到居士家作如是說善哉居士爲我辦如是如
是衣價與我爲好故若得衣者尼薩耆波逸提
若比丘尼二居士居士婦與比丘尼辦衣價我曹辦如是衣價與某甲比丘尼
是比丘尼先不受自恣請到二居士家作如是言善哉居士辦如是如是
衣價與我共作一衣爲好故若得衣者尼薩耆波逸提
若比丘尼若王若大臣若婆羅門若居士居士婦遣使爲比丘尼送衣價持
如是衣價與某甲比丘尼彼使至比丘尼所語言阿姨爲汝送衣價受
取是比丘尼語彼使如是如是言我不應受此衣價我若須衣合時清淨
當受彼使語比丘尼言阿姨有執事不須衣比丘尼言有若僧伽藍民
若優婆塞此是比丘尼執事人常爲比丘尼執事彼使至執事所與衣
價已還到比丘尼所如是言阿姨所示某甲執事人我已與衣價大姊如是
往彼當得衣阿姨所示某甲執事人我已與衣價大姊如是
比丘尼若須衣者當往執事人所二反三反語言我須衣若二反三反
爲作憶念得衣者善若不得衣四反五反六反在前默然立令彼憶
念若四反五反六反在前默然住得衣者善若不得衣過是求得衣者尼薩
耆波逸提
若不得衣從所得價處若自往若遣使往語言汝先遣使持衣價與
某甲比丘尼是比丘尼竟不得衣汝還取莫使失此是時
若比丘尼自取金銀若錢若教人取若口可受者尼薩耆波逸提
若比丘尼種種買賣寶物者尼薩耆波逸提
若比丘尼種種販賣者尼薩耆波逸提
若比丘尼鉢減五綴不漏更求新鉢爲好故尼薩耆波逸提
是比丘尼當持此鉢於尼衆中捨從次第貿至下鉢以下座鉢與此比丘尼
言妹持此鉢乃至破此是時
若比丘尼自求縷使非親里織師織作衣耆薩波逸提
若比丘尼居士居士婦使織師爲比丘尼織作衣彼比丘尼先不受自恣請便
往到彼所語織師言此衣爲我極好織令廣長堅緻齊整好我當少
多與汝價若比丘尼與價乃至一食直得者尼薩耆波逸提

若比丘尼自求縷使非親里織師織作衣耆薩波逸提
若比丘尼居士居士婦使織師爲比丘尼織作衣彼比丘尼先不受自恣請便
往到彼所語織師言此衣爲我極好織令廣長堅緻齊整好我當少
多與汝價若比丘尼與價乃至一食直得者尼薩耆波逸提
若比丘尼與比丘尼衣已後瞋恚故若自奪若教人奪取還我衣來
不與汝是比丘尼應還衣彼取衣者尼薩耆波逸提
若比丘尼有病畜藥蘇油生蘇蜜石蜜得食殘宿乃至七日得服若
過七日服者尼薩耆波逸提
若比丘尼十日未滿夏三月若有急施衣比丘尼知急施衣應受
受已乃至衣時應畜若過畜者尼薩耆波逸提
若比丘尼知物向僧自求入已者尼薩耆波逸提
若比丘尼欲索是更索彼者尼薩耆波逸提
若比丘尼知檀越所爲僧施異還作餘用者尼薩耆波逸提
若比丘尼所爲施物異自求爲僧迴作異用者尼薩耆波逸提
若比丘尼檀越所施物異迴作餘用者尼薩耆波逸提
若比丘尼檀越所施物異自求爲僧迴餘用者尼薩耆波逸提
若比丘尼畜長鉢者尼薩耆波逸提
若比丘尼多畜好色器者尼薩耆波逸提
若比丘尼許他比丘尼病衣後不與者尼薩耆波逸提
若比丘尼以非時衣受作是衣者尼薩耆波逸提
若比丘尼與比丘尼貿易衣後時瞋恚還自奪取若使人奪妹還
我衣來我不與汝汝衣屬汝我衣還我者尼薩耆波逸提
若比丘尼乞重衣齊價直四張氎過者尼薩耆波逸提
若比丘尼欲乞輕衣極重價直兩張半氎過者尼薩耆波逸提
諸大姊我已說三十尼薩耆波逸提法今問諸大姊是中清淨不三說
諸大姊是中清淨默然故是事如是持　蓮華色
諸大姊是一百七十八波逸提法半月半月說戒中來
若比丘尼故妄語者波逸提
若比丘尼毀呰語者波逸提
若比丘尼兩舌語者波逸提
若比丘尼與男子同室宿者波逸提

諸大姊是一百七十八波逸提法半月半月說戒中來
若比丘尼故妄語者波逸提　若比丘尼毀呰語者波逸提
若比丘尼兩舌語者波逸提　若比丘尼與男子同室宿者波逸提
若比丘尼共未受大戒女人同一室宿若過二宿者波逸提
若比丘尼與未受具戒人共誦法者波逸提
若比丘尼知他犯麤惡罪向未大戒人說除僧羯磨波逸提
若比丘尼向未受大戒人說過人法言我知是我見是實者波逸提
若比丘尼與男子說法過五六語除有知女人波逸提
若比丘尼自掘地若教人掘波逸提
若比丘尼壞鬼神村者波逸提
若比丘尼妄作異語惱他者波逸提
若比丘尼嫌罵者波逸提
若比丘尼取僧繩床若木床若卧具坐褥露地自敷若教人敷捨去
不自舉不教人舉波逸提
若比丘尼於僧房中取僧卧具自敷若教人敷在中若坐若卧
從處捨去自舉不教人舉波逸提
若比丘尼知比丘尼先住處後來於中間敷卧具止宿念言彼若嫌迮
者自當避我去作如是因緣非餘非威儀波逸提
若比丘尼瞋他比丘尼不喜眾僧房中自牽出若教人牽出者
波逸提
若比丘尼若在重閣上脫腳繩床若木床若坐若卧波逸提
若比丘尼知水有虫自用澆泥若草若教人澆者波逸提
若比丘尼作大房戶扉窗牖及餘莊飾具指授覆苫齊二三節
若過者波逸提
若比丘尼施一食處无病比丘尼應一食若過授者波逸提
若比丘尼別眾食除異時波逸提　異時者病時作衣時施衣
時道行時是船上時大會時沙門施食是此是時
若比丘尼至檀越家慇懃請與餅麨飯比丘尼欲須者當二三鉢
應受持至寺內分與餘比丘尼食若比丘尼无病過二三鉢受至寺

BD01047號　四分比丘尼戒本　（19–6）

時道行時是船上時大會時沙門施食是此是時
若比丘尼至檀越家慇懃請與餅麨飯比丘尼欲須者當二三鉢
應受持至寺內分與餘比丘尼食若比丘尼无病過二三鉢受至寺
寺中不分與餘比丘尼食者波逸提
若比丘尼非時食者波逸提
若比丘尼殘宿噉者波逸提
若比丘尼不受食及藥著口中除水楊枝波逸提
若比丘尼先受請已若前食後食行詣餘家不囑餘比丘尼除餘時
波逸提餘時者病時作衣時施衣時此是時
若比丘尼食家中有寶強安坐者波逸提
若比丘尼食家中有寶在屏處坐者波逸提
若比丘尼獨與男子露地一處共坐者波逸提
若比丘尼語比丘尼如是語大姊其汝至聚落當與汝食彼比
丘尼竟不教與是比丘尼食如是言大姊去我與汝一處共
坐共語不樂我獨坐獨語樂以是因緣非餘方便遣去波逸提
若比丘尼請比丘尼四月與藥无病比丘尼應受若過受除常請
更請分請盡形請波逸提
若比丘尼往觀軍陣除是因緣波逸提
若比丘尼有因緣至軍中若二宿三宿過者波逸提
若比丘尼軍中住若二宿三宿或時觀軍鬥諍若觀遊軍象馬
勢力波逸提　若比丘尼飲酒者波逸提
若比丘尼水中戲者波逸提　若比丘尼以指相擊攊者波逸提
若比丘尼不受諫者波逸提　若比丘尼恐怖他比丘尼波逸提
若比丘尼半月洗浴无病比丘尼應受若過受除餘時波逸提
異時者熱時病時作時風時雨時遠行來時此是時
若比丘尼无病為炙身故露地然火若教人然除餘時波逸提
若比丘尼藏他比丘尼若衣若坐具鍼筒自藏教人藏下至戲笑者
波逸提
若比丘尼淨施比丘尼式叉摩那沙彌沙彌尼衣後不問主取著波逸提

BD01047號　四分比丘尼戒本　（19–7）

異時者熱時病時作時風時雨時遠行來時此是時
若比丘尼无病爲炙身故露地然火若教人然除餘時波逸提
若比丘尼藏他比丘尼若衣若坐具鉢筒自藏教人藏下至戲笑者
波逸提
若比丘尼淨施比丘尼式叉摩那沙弥沙弥尼衣後不問主取者波逸提
若比丘尼得新衣當作三種染壞色青黑木蘭若比丘尼得衣不三
種染壞色青黑木蘭新衣持者波逸提　蓮華色
若比丘尼故斷畜生命者波逸提
若比丘尼知水有蟲飲者波逸提
若比丘尼故惱他比丘尼乃至少時不樂波逸提
若比丘尼知比丘有麁惡罪覆藏者波逸提
若比丘尼知僧諍事起如法懺悔已後更發舉者波逸提
若比丘尼知是賊伴共期一道行乃至一聚落波逸提
若比丘尼作如是語我知佛所說法行婬欲非鄣道法彼比丘尼諫此比
丘尼言大姊莫作是語莫謗世尊謗世尊者不善世尊不作是語世
尊无數方便說婬欲是鄣道法彼比丘尼諫此比丘尼時堅持不捨彼
比丘尼乃至三諫令捨是事乃至三諫時捨者善不捨者波逸提
若比丘尼知如是語人未作法如是邪見而不捨若畜同一羯磨同止宿
波逸提
若比丘尼知沙弥尼作如是語我知佛所說法行婬欲非鄣道法彼比丘尼
諫此沙弥尼言汝莫是語莫誹謗世尊謗世尊者不善世尊不作
是語沙弥世尊无數方便說婬欲是鄣道法犯婬欲是鄣道法彼
比丘尼諫此沙弥尼時堅持不捨彼比丘尼應乃至三呵諫彼比丘尼捨此
事故乃至三諫時捨者善不捨者彼比丘尼應語是沙弥尼言汝自
今已去非佛弟子不得隨餘比丘尼行如諸沙弥尼得與比丘尼二三
宿汝今無是事故汝出去滅去不須住此中住若比丘尼知如是被擯沙弥
尼若畜共同止宿者波逸提
若比丘尼如法諫時作如是語我今不與是戒乃至問有智慧持律者
當難問波逸提若爲求解應當難問

BD01047號　四分比丘尼戒本　（19–8）

宿汝今無是事故汝出去滅去不須住此中住若比丘尼知如是被擯沙弥
尼若畜共同止宿者波逸提
若比丘尼如法諫時作如是語我今不與是戒乃至問有智慧持律者
當難問波逸提若爲求解應當難問
若比丘尼說戒時作如是語大姊用是雜碎戒爲說是戒時令人惱愧
懷疑輕訶戒故波逸提
若比丘尼說戒時作如是語大姊我今始知是戒半月半月說戒經
中來餘比丘尼知是比丘尼若二若三說戒中座何況多彼比丘尼无知
无解若犯罪應如法治更重增无知法大姊汝无利不善得汝說戒
時不用心念不一心兩耳聽法彼无知故波逸提
若比丘尼共同羯磨已後作如是說說比丘尼隨親厚以衆僧物與者
波逸提
若比丘僧斷事時不與欲而起去者波逸提
若比丘尼與欲竟後更呵者波逸提
若比丘尼比丘尼共鬪諍後聽此語已向彼說波逸提
若比丘尼瞋恚故不喜打彼比丘尼者波逸提
若比丘尼瞋恚故不喜以手博比丘尼者波逸提
若比丘尼瞋恚故不喜以無僧伽婆尸沙法謗者波逸提
若比丘尼剎水澆頭王王未出未藏寶若入宮過門閫者波逸提
若比丘尼若寶及寶莊飾具自捉若教人捉除僧伽藍中及寄宿處
波逸提　若僧伽藍中若寄宿處若寶若以寶莊飾自捉
若教人捉若識者當取如是因緣非
若比丘尼非是入取落不屬授比丘尼者波逸提
若比丘尼作繩牀若木牀足應高如來八指除入陛孔上若截竟
過者波逸提
若比丘尼持兜羅綿貯作繩床木牀若臥具坐具波逸提
若比丘尼噉蒜者波逸提　若比丘尼剃三處毛者波逸提
若比丘尼以水作淨齊兩指各一節若過者波逸提
若比丘尼以胡膠作男根者波逸提

BD01047號　四分比丘尼戒本　（19–9）

[illegible]
若比丘尼噉蒜者波逸提　若比丘尼剃三處毛者波逸提
若比丘尼以水作淨齊兩指各一節若過者波逸提
若比丘尼以胡膠作男根者波逸提
若比丘尼共相拍者波逸提
若比丘尼無病時供給水以扇扇者波逸提
若比丘尼乞生穀者波逸提　若比丘尼在生草上大小便者波逸提
若比丘尼夜便大小便器中晝不看擲外棄者波逸提
若比丘尼往觀看伎樂者波逸提
若比丘尼與男子共入屏障處者波逸提
若比丘尼入村內與男子在屏處共立共語者波逸提
若比丘尼入村內巷陌中遣伴遠去在屏處與男子共立耳語者波逸提
若比丘尼入白衣家內坐不語主人捨去者波逸提
若比丘尼入白衣家內不語主人輒坐牀者波逸提
若比丘尼入白衣家內不語主人輒自敷坐宿者波逸提
若比丘尼入與男子共入闇室中者波逸提
若比丘尼不審諦受語便向人說者波逸提
若比丘尼有小因緣事便呪詛墮三惡道不生佛法中若我有如是事墮
三惡道不生佛法中若汝有如是事亦墮三惡道不生佛法中波逸提
若比丘尼共鬪諍不善憶持諍事推胸哭者波逸提
若比丘尼無病二人共牀臥者波逸提
若比丘尼共一褥同一被臥者波逸提
若比丘尼知先住後至住先惱故在前誦經問義教授者波逸提
若比丘尼同活比丘尼病不瞻視者波逸提
若比丘尼安居聽餘比丘尼在房中安床後瞋恚駈出者波逸提
若比丘尼春夏冬一切時人間遊行除因緣者波逸提
若比丘尼夏安居訖不去者波逸提
若比丘尼邊界有疑恐怖處人間遊行者波逸提
若比丘尼界內有疑恐怖處人間遊行者波逸提
若[illegible]不隨順行餘比丘尼諫此比丘尼言妹汝莫親

若比丘尼夏安居訖不去者波逸提
若比丘尼邊界有疑恐怖處人間遊行者波逸提
若比丘尼界內有疑恐怖處人間遊行者波逸提
若比丘尼親近居士居士兒共住作不隨順行餘比丘尼諫此比丘尼言妹汝莫親
近居士居士兒共住作不隨順行大姊可別住若住者於佛法中有增益安
樂住彼比丘尼諫此比丘尼時堅持不捨彼比丘尼應三諫捨此事故乃至三諫捨
者善不捨者波逸提
若比丘尼往觀王宮文飾畫堂園林浴池者波逸提
若比丘尼露身形在河水泉流池水中浴者波逸提
若比丘尼作浴衣應量作應量作者長佛六磔手廣二磔手半若過者
波逸提　若比丘尼縫僧伽梨過五日者波逸提
若比丘尼過五日不看僧伽梨者波逸提　若比丘尼與眾僧衣作留難者波逸提
若比丘尼不問主便著他衣者波逸提　若比丘尼持沙門衣施與外道白衣者波逸提
若比丘尼作如是意眾僧如法分衣遮令不分恐弟子不得者波逸提
若比丘尼作如是意令眾僧今不得出迦絺那衣後當出欲令五事故
放捨者波逸提
若比丘尼作如是意遮比丘僧不出迦絺那衣欲令久得五事放捨者波
逸提
若比丘尼餘比丘語言為我滅此諍事而不與作方便令滅者波逸提
若比丘尼自手持食與白衣入外道食者波逸提
若比丘尼為白衣作使者波逸提　若比丘尼自手紡績者波逸提
若比丘尼入白衣舍內小牀大牀上若坐若臥者波逸提
若比丘尼至白衣舍語主人敷坐止宿明日不辭主人而去者波逸提
若比丘尼誦習世俗呪術者波逸提　若比丘尼教人誦習俗呪術者波逸提
若比丘尼知女人身任便度出家受具足戒者波逸提
若比丘尼知婦女乳兒與受具足戒者波逸提
若比丘尼知年不滿廿與受具足戒者波逸提
若比丘尼年十八童女不與二歲學戒年滿二十便與受具足戒者波逸提
若比丘尼年十八童女與二歲學戒不與六法滿二十便與受具足戒者

若比丘尼知婦女乳兒與受具足戒者波逸提
若比丘尼年不滿廿與受具足戒者波逸提
若比丘尼年十八童女不與二歲學戒年滿二十便與受具足戒者波逸提
若比丘尼年十八童女與二歲學戒不與六法滿二十便與受具足戒者
波逸提
若比丘尼年十八童女與二歲學戒與六法滿二十衆僧不聽便與受具
足戒者波逸提
若比丘尼度曾嫁婦女年十歲與與二歲學戒年滿十二聽與受具足戒
若減十二與受具足戒者波逸提
若比丘尼度他小年曾嫁婦女與二歲學戒年滿十二不白衆僧便與授
具足戒波逸提
若比丘尼知如是人與受具足戒者波逸提
若比丘尼多度弟子不教二歲學戒不以二法攝取者波逸提
若比丘尼不以二歲隨和上尼者波逸提
若比丘尼僧不聽而授人具足戒波逸提
若比丘年未滿十二歲授人具足戒者波逸提
若比丘尼僧不聽授人具足戒便授人具足戒波逸提
若比丘尼僧不聽授人具足戒便言衆僧有愛有恚有怖有癡欲聽者便
聽不欲聽者便不聽如是語者波逸提
若比丘尼父母夫主不聽與受具足戒者波逸提
若比丘尼知女人與童男男子相敬愛愁憂瞋恚女人度令出家受具
足戒者波逸提
若比丘尼語式叉摩那言汝妹捨是學是當與汝受具足戒若不方便
與受具足戒者波逸提
若比丘尼語式叉摩那言持衣來與我我當與汝受具足戒而不便
與受具足戒波逸提
若比丘尼不滿一歲授人具足戒者波逸提
若比丘尼與人授具足戒已經宿方便往比丘僧受具足戒者波逸提
若比丘尼不病不往受教授者波逸提

與受具足戒波逸提
若比丘尼不滿一歲授人具足戒者波逸提
若比丘尼與人授具足戒已經宿方便往比丘僧受具足戒者波逸提
若比丘尼不病不往受教授者波逸提
若比丘尼半月應往比丘僧中求教授若不求者波逸提
若比丘尼僧夏安居竟應往比丘僧中說三事自恣見聞疑若不者
波逸提
若比丘尼在无比丘處夏安居者波逸提
若比丘尼知比丘僧伽藍不白而入者波逸提
若比丘尼罵比丘者波逸提
若比丘尼喜鬪諍不善憶持諍事後瞋恚不喜罵比丘衆者波逸提
若比丘尼身生癰及種種瘡不白衆及餘人輒使男子破若裹者波逸提
若比丘尼先受請若足食已後食飯麨乾飯魚及肉者波逸提
若比丘尼於家生嫉妬心者波逸提　若比丘尼以香塗摩身者波逸提
若比丘尼故麻滓塗摩身者波逸提　若比丘尼使比丘尼塗摩身者波逸提
若比丘尼使式叉摩那塗摩身者波逸提　若比丘尼使沙彌尼塗摩身者波逸提
若比丘尼使白衣婦女塗摩身者波逸提　若比丘尼著襌髁衣者波逸提
若比丘尼畜婦女莊嚴身具除時因緣波逸提
若比丘尼著革屣持蓋行除是因緣波逸提
若比丘尼无病乘行除時緣波逸提
若比丘尼不著僧祇支入村者波逸提
若比丘尼向暮至白衣家先不喚者波逸提
若比丘尼向暮開僧伽藍不囑受餘比丘尼者出去波逸提
若比丘尼日没開僧伽藍門不囑授而出者波逸提
若比丘尼不前安居不後安居者波逸提
若比丘尼知女人常漏大小便涕唾常出者与受具足戒者波逸提
若比丘知二形人與受具足戒者波逸提
若比丘尼知二道合者與受具足戒者波逸提
若比丘尼知有負債難者與受具足戒波逸提
若比丘尼與世俗伎術以自活命者波逸提

若比丘尼知二道合者與受具足戒者波逸提
若比丘尼知有負債難者與受具足戒波逸提
若比丘尼與世俗伎術以自活命者波逸提
若比丘尼以世俗伎術教授白衣者波逸提
若比丘尼被擯沙彌尼不去者波逸提
若比丘尼欲問比丘義先不求而問者波逸提
若比丘尼先住後至後至先住欲惱彼故在前經行若立若坐若臥者波逸提
若比丘尼在有比丘僧伽藍內起塔者波逸提
若比丘尼見新受戒比丘應起迎送恭敬禮拜問訊請與坐不者除因緣波逸提
若比丘尼為好故搖身趨行者波逸提
若比丘尼作莊嚴具塗摩身者波逸提
若比丘尼使外道女香塗身者波逸提
諸大姊我已說一百七十八波逸提法今問諸大姊是中清淨不 三說
諸大姊是中清淨默然故是事如是持
諸大姊是八波羅提提舍尼法半月半月說戒經中來　金邑
若比丘尼無病乞蘇而食者犯應懺悔可呵法應向餘比丘尼說言大姊我犯
可呵法所不應為我今向大姊懺悔是法名悔過法
若比丘尼不病乞油而食者犯應懺悔可呵法應向餘比丘尼言大姊我犯
可呵法所不應為我今向大姊懺悔是法名悔過法
若比丘尼應不病乞蜜食者犯應懺悔可呵法應向餘比丘尼說言大
姊我犯可呵法所不應為我今向大姊懺悔是法名悔過法
若比丘不病乞黑食蜜而食者犯應懺悔可呵法應向餘比丘說言大姊
我犯可呵法所不應為我今向大姊懺悔是法名悔過法
若比丘尼不病乞乳而食者犯應懺悔可呵法應餘比丘尼說言大姊我犯
可呵法所不應為我今向大姊懺悔是法名悔過法
若比丘尼不病乞酪而食者犯應懺悔可呵法應餘比丘尼說言姊大姊
我犯可呵法所不應為我今向大姊懺悔是法名悔過法
若比丘尼不病乞魚而食者犯應懺悔可呵法應向餘比丘尼說言大姊我

BD01047 號　四分比丘尼戒本　（19–14）

若比丘尼不病乞酪而食者犯應懺悔可呵法應餘比丘尼說言姊大姊
我犯可呵法所不應為我今向大姊懺悔是法名悔過法
若比丘尼不病乞魚而食者犯應懺悔可呵法應向餘比丘尼說言大姊我
犯可呵法所不應為我今向大姊懺悔是法名悔過法
若比丘尼不病乞肉食者犯應懺悔可呵法應向餘比丘尼說言大姊我犯
可呵法所不應為我今向大姊懺悔是法名悔過法
諸大姊我已說八波羅提提舍尼法今問諸大姊是中清淨不 三說
諸大姊是中清淨默然故是事如是持
諸大姊是衆學戒法半月半月說戒經中來
當齊整著涅槃僧應當學　當齊整著三衣應當學
不得反抄衣入白衣舍應當學　不得反抄衣入白衣舍坐應當學
不得衣纏頸入白衣舍應當學　不得衣纏頸入白衣舍坐應當學
不得覆頭入白衣舍應當學　不得覆頭入白衣舍坐應當學
不得跳行入白衣舍應當學　不得跳行入白衣舍坐應當學
不得白衣舍內蹲坐應當學　不得叉腰行入白衣舍應當學
不得叉腰行入白衣舍坐應當學　不得搖身行入白衣舍應當學
不得搖身行入白衣舍座應當學　不得掉臂行入白衣舍應當學
不得掉臂行入白衣舍坐應當學　好覆身入白衣舍應當學
好覆身入白衣舍坐應當學　不得左右顧視行入白衣舍應當學
不得左右顧視行入白舍坐應當學　靜默入白衣舍應當學
靜默入白衣舍坐應當學　不得戲笑行入白衣舍應當學
不得戲笑行入白衣舍坐應當學　用意受食應當學
平鉢受食應當學　平鉢受羹飯應當學
羹飯等食應當學　以次食應當學
不得挑鉢中而食應當學　不得無病自為己索羹飯應當學
不得以飯覆羹更望得應當學　不得視比坐鉢中食應當學
當繫鉢想食應當學　不得大摶飯食應當學
不得大張口待飯食應當學　不得含飯語應當學

BD01047 號　四分比丘尼戒本　（19–15）

不得挑鉢中而食應當學　不得无病自爲己索羹飯應當學
不得以飯覆羹更望得應當學　不得視比坐鉢中食應當學
當繫鉢想食應當學　不得大摶飯食應當學
不得大張口待飯食應當學　不得含飯語應當學
不得摶飯擲口中應當學　不得遺落飯食應當學
不得頰食食應當學　不得嚼飯作聲食應當學
不得大噏飯應當學　不得舌舐食應當學
不得振手食應當學　不得投散飯食應當學
不得汙手捉飯應當學　不得洗鉢水棄白衣舍內應當學
不得生草菜上大小便涕唾除病應當學
不得立大小便除病應當學
不得與反抄衣不恭敬人說法除病應當學
不得爲衣纏頸者說法除病應當學
不得爲覆頭者說法除病應當學
不得爲裹頭者說法除病應當學
不得爲叉腰者說法除病應當學
不得爲著革屐者說法除病應當學
不得爲著木屐者說法除病應當學
不得騎乘者說法除病應當學
不得藏佛塔中止宿除爲守護應當學
不得藏財物置佛塔中除爲堅牢應當學
不得著革屐入佛塔中應當學
不得手捉革屐入佛塔中應當學
不得著革屐遶佛塔行　應當學
不得著富羅　入佛中應當學
不得手捉富羅入佛塔中應當學
不得佛塔下坐食留草及食汙地　應當學
不得擔死屍從塔下過應當學
不得塔下埋死屍應當學　不得在塔下燒死屍應當學

BD01047號　四分比丘尼戒本　（19–16）

不得佛塔下坐食留草及食汙地　應當學
不得擔死屍從塔下過應當學
不得塔下埋死屍應當學　不得在塔下燒死屍應當學
不得向塔燒死屍應當學
不得佛塔四邊燒死屍使臭氣來入應當學
不得持死人衣及牀從塔下過除浣染香薰應當學
不得佛塔下大小便應當學　不得向佛塔大小便應當學
不得遶佛塔四邊大小便使臭氣來入應當學
不得持佛像至大小便處應當學　不得在佛塔下嚼楊枝應當學
不得向佛塔嚼楊枝應當學　不得佛塔四邊嚼楊枝應當學
不得在佛塔下涕唾應當學　不得向佛塔涕唾應當學
不得佛塔四邊涕唾應當學　不得佛塔舒脚坐應當學
不得安佛塔在下房已在上房住應當學
人坐己立不得爲說法除病應當學
人卧己坐不得爲說法除病應當學
人在坐己在非坐不得爲說法除病應當學
人在高坐己在下坐不得爲說法除病應當學
人前行己在後行不得爲說法除病應當學
人在高經行處己在下經行處不應爲說法除病應當學
人在道己在非道不應爲說法除病應當學
不得攜手在道行應當學　不得上樹過頭除時因緣應當學
不得絡囊盛鉢貫杖頭著肩上而行應當學
人持杖不恭敬不應爲說法除病應當學
人持劍不應爲說法除病應當學
人持鉾不應爲說法除病應當學
人持刀不應爲說法除病應當學
人持蓋不應爲說法除病應當學
諸大姊我已說衆學戒法今問諸大姊是中清淨　三說
諸大姊是中清淨默然故是事如是持

BD01047號　四分比丘尼戒本　（19–17）

人持鉢不應爲說法除病應當學
人持刀不應爲說法除病應當學
人持蓋不應爲說法除病應當學
諸大姊我已說衆學戒法今問 諸大姊是中清淨 三說
諸大姊是中清淨默然故是事如是持
諸大姊是七滅諍法半月半月說戒經中來
若比丘尼有諍事起即應除滅 應與現前毗尼當與現前毗尼
應與憶念毗尼當與憶念毗尼 應與不癡毗尼當與不癡毗尼
應與自言治當與自言治 應與覓罪相當與覓罪相
應與多人語當與多人語 應與如草覆地當與如草覆地
諸大姊我已說七滅諍法今問諸大姊是中清淨不 三說
諸大姊是中清淨默然故是事如是持
諸大姊我已說戒經序已說八波羅夷法已說十七僧伽婆尸沙法已說三十
尼薩耆波逸提已說一百七十八波逸提法已說八波羅提提舍尼法已說
衆學戒法已說七滅諍法此是佛所說戒經半月半月說戒經中來
若更有餘佛法是中皆共和合應當學
忍辱第一道 佛說无爲最 出家惱他人 不名爲沙門 此是毗婆尸
如來无所著等正覺說是戒經 譬如明眼人 能避險惡道
世有聰明人 能遠離諸惡 此是尸棄如來无所著等正覺說是戒經
不謗亦不嫉 當奉行於戒 飲食知止足 常樂在空閑 心定樂精進
是名諸佛教 此是毗葉羅如來无所著等正覺說是戒經
譬如蜂採花 不壞色與香 但取其味去 比丘入聚熱 不爲戾他事
不觀作不作 但自觀身行 若正若不正 此是拘樓孫如來无所著等正
覺說是戒經 心
心莫作放逸 聖法當勤學 如是无憂愁 心定入涅槃 此是拘那含牟尼
如來无所著等正覺說是戒經
一切惡莫作 當奉行於善 自淨其志意 是則諸佛教 此是迦葉
如來无所著等正覺說是戒經
善護於口言 自淨其志意 身莫作諸惡 此三業道淨 能得如是行

BD01047號　四分比丘尼戒本　（19–18）

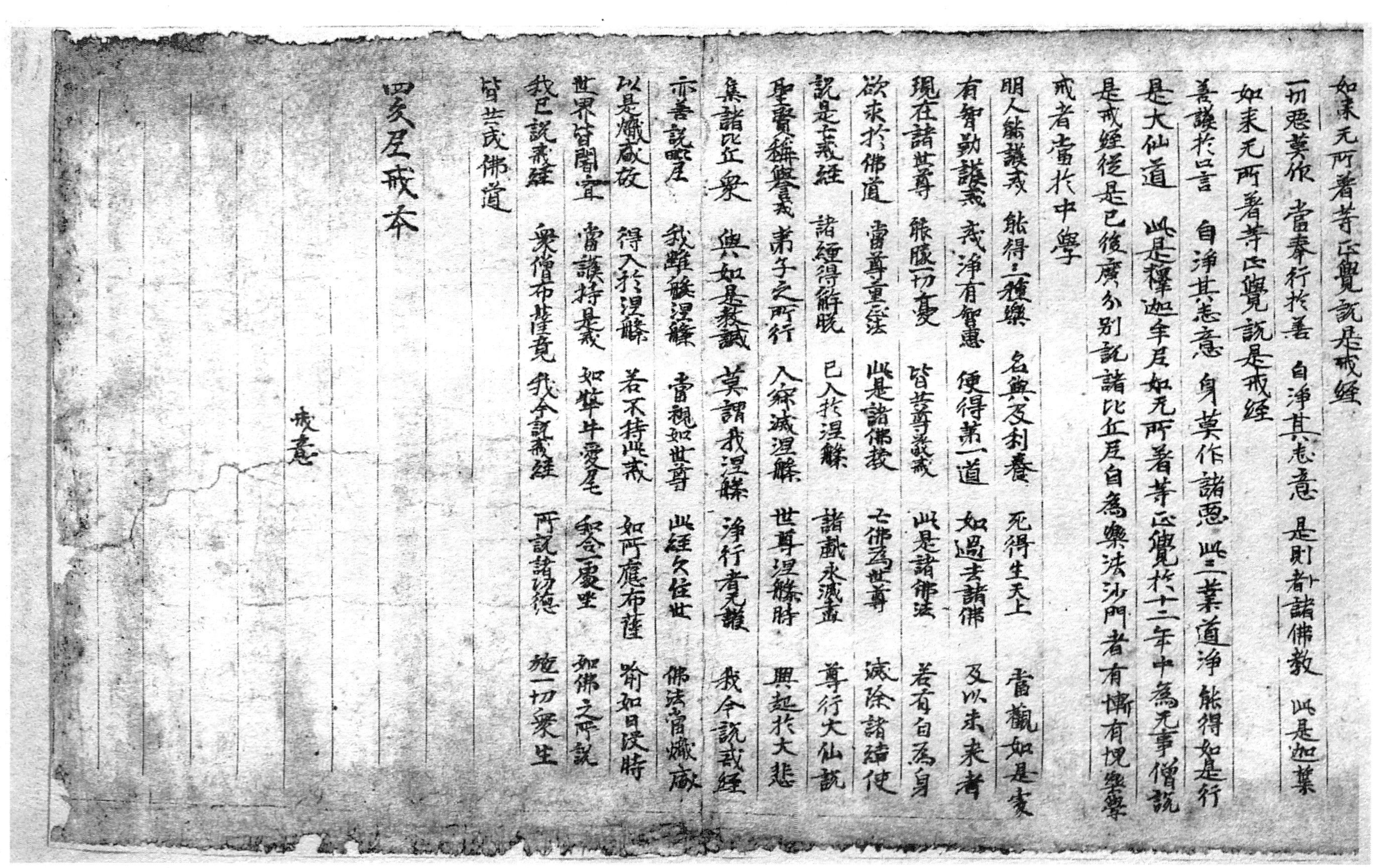
如來无所著等正覺說是戒經
一切惡莫作 當奉行於善 自淨其志意 是則諸佛教 此是迦葉
如來无所著等正覺說是戒經
善護於口言 自淨其志意 身莫作諸惡 此三業道淨 能得如是行
是大仙道 此是釋迦牟尼如來无所著等正覺於十二年中爲无事僧說
是戒經從是已後廣分別說諸比丘尼自爲樂法沙門者有慚有愧樂學
戒者當於中學
明人能護戒 能得三種樂 名譽及利養 死得生天上 當觀如是處
有智勤護戒 戒淨有智慧 便得第一道 如過去諸佛 及以未來者
現在諸世尊 能勝一切憂 皆共尊敬戒 此是諸佛法 若有自爲身
欲求於佛道 當尊重正法 此是諸佛教 七佛爲世尊 滅除諸結使
說是七戒經 諸縛得解脫 已入於涅槃 諸戲永滅盡 尊行大仙說
聖賢稱譽戒 弟子之所行 入寂滅涅槃 世尊涅槃時 興起於大悲
集諸比丘衆 與如是教誡 莫謂我涅槃 淨行者无護 我今說戒經
亦善說毗尼 我雖般涅槃 當視如世尊 此經久住世 佛法得熾盛
以是熾盛故 得入於涅槃 若不持此戒 如所應布薩 喻如日沒時
世界皆闇冥 當護持是戒 如犛牛愛尾 和合一處坐 如佛之所說
我已說戒經 衆僧布薩竟 我今說戒經 所說諸功德 施一切衆生
皆共成佛道
四分尼戒本
戒意

BD01047號　四分比丘尼戒本　（19–19）

佛說善信菩薩廿四戒經卷

BD01048號背　善信菩薩二十四戒經護首題名　（1–1）

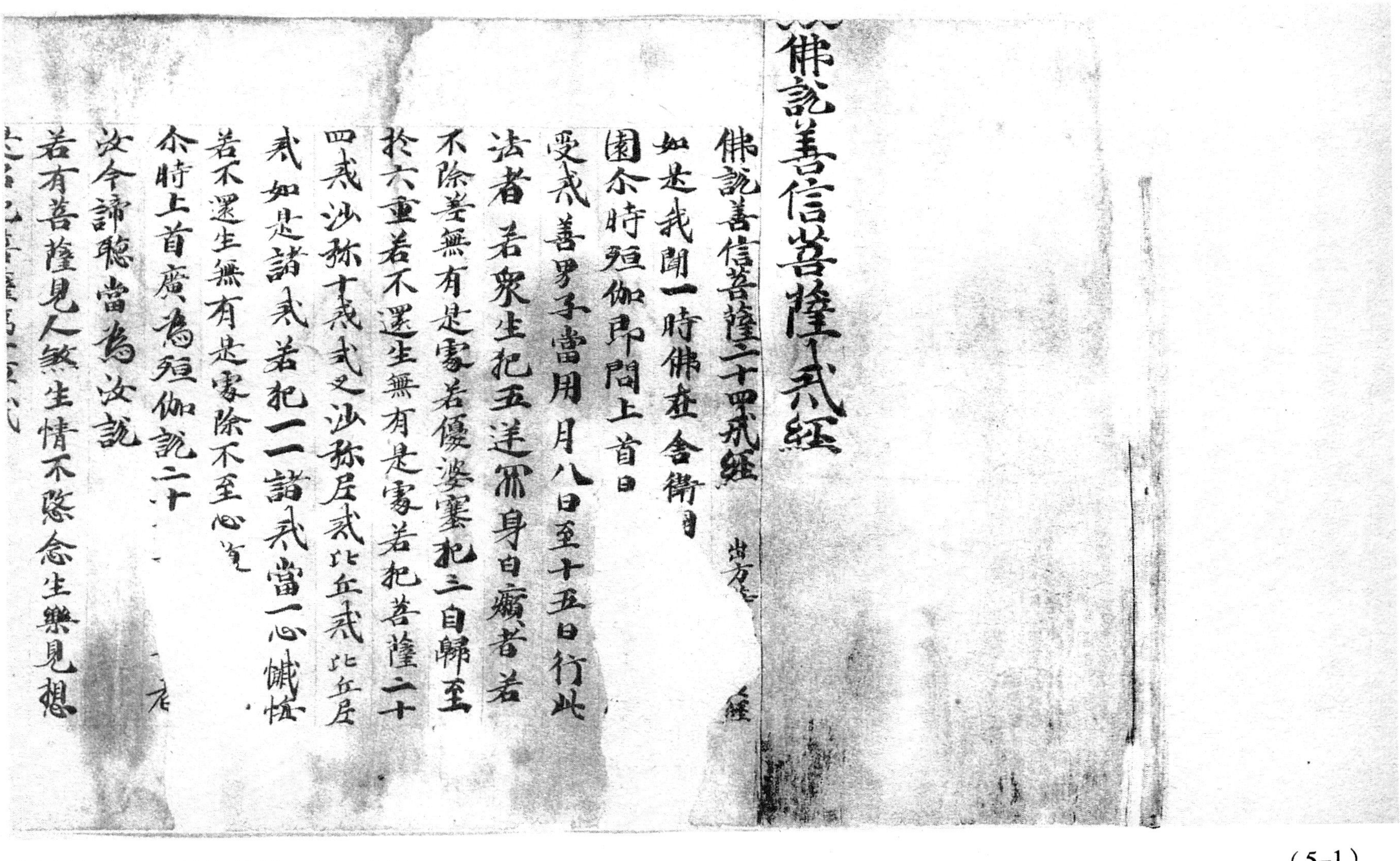

佛說善信菩薩廿四戒經

佛說善信菩薩二十四戒經

如是我聞一時佛在舍衛國

國爾時阿伽邪問上首曰

受戒善男子當用月八日至十五日行此

法者　若衆生犯五逆罪身白癩者若

不除差無有是處若優婆塞犯三自歸至

於六重若不還生無有是處若犯菩薩二十

四戒沙彌十戒式叉沙彌尼戒比丘戒比丘尼

戒如是諸戒若犯一一諸戒當一心懺悔

若不還生無有是處除不至心

爾時上首廣為阿伽說二十

汝今諦聽當為汝說

若有菩薩見人煞生情不慈念生樂見想

BD01048號　善信菩薩二十四戒經　（5–1）

者多者言者有二言者當一心懺悔

若不還生無有是處除不至心覓

尒時上首廣為短伽說二十

汝今諦聽當為汝說

若有菩薩見人煞生情不慈念生樂見想

是名犯菩薩第一重戒

若有菩薩見人偷盜借助藏避是名菩薩

第二重戒

若有菩薩婬他妻妾起煞害心是名犯菩薩

第三重戒

若有菩薩欺誑妄語是名犯菩薩第四

重戒

若有菩薩好食酒肉生美味想是名菩

薩第五重戒

若有菩薩於伽藍所行不淨行是名犯菩

薩第六重戒

若有菩薩樂說在家出家人過是名犯菩薩

第七重戒

若有菩薩見於他人隱諸惡事切激發為前

人說是名犯菩薩第八重戒

若有菩薩於出家人所生婬慾想是名犯

菩薩第九重戒

若有菩薩勸人沽酒是名犯菩薩第十

重戒

若有菩薩具食薰辛入塔寺中是名犯

菩薩第九重戒

若有菩薩勸人沽酒是名犯菩薩第十

重戒

若有菩薩具食薰辛入塔寺中是名犯

菩薩第十一重戒

若有菩薩靴鞋不淨便入佛殿不生慚愧

是名犯菩薩第十二重戒

若有菩薩於諸僧尼打罵訶責令退道

心不能進善是名犯菩薩第十三重戒

若有菩薩鬪乱兩舌讒搆語言離他善友

是名犯菩薩第十四重戒

若有菩薩來入諦肆心求慾色不重於法

是名犯菩薩第十五重戒

若有菩薩身手不淨動觸經像是名犯

菩薩第十六重戒

若有菩薩墮胎落子及持藥與人是名犯菩

薩第十七重戒

若有菩薩改易經像別賣與人是名犯

菩薩第十八重戒

若有菩薩眯目他人方便取物是名犯菩

薩第十九重戒

若有菩薩為於財色強力劫奪縱放諸

根不懼其罪是名犯菩薩第二十重戒

若有菩薩為婬慾事破齋夜食是名犯

菩薩第二十一重戒

若有菩薩貪於財色猶大表尊樂故諸
根不懼其罪是名犯菩薩第二十重戒
若有菩薩為婬慾事破齋夜食是名犯
菩薩第二十一重戒
若有菩薩見人有善不喜樂聞是名犯菩
薩第二十二重戒
若有菩薩撥無因果斷壞法論是名犯
菩薩第二十三重戒
若有菩薩常樂世俗躭染五慾不求無
上廣大菩提救度一切是名犯菩薩第二十四
重戒
若善男子善女人受持此戒時夜夢見諸
事相或見華林或見殿堂樓閣或見
天堂地獄及險難處必不得向師僧父母
姊妹兄弟善友知識及一切人皆不得說
若說此相令前人及自身得白癩病當墮
地獄經多億劫受大苦惱都由邪起見心
說異戒相以斯罪重故不得說
善男子善女人過去諸佛亦於此戒成等
正覺未來諸佛亦於此戒成等正覺現
在諸佛亦於此戒成等正覺十方諸佛亦於
此戒成等正覺善信菩薩說此語已是
時一切天人及諸大眾歡喜信受作禮而去

BD01048號　善信菩薩二十四戒經　（5–4）

事相或見華林或見殿堂樓閣或見
天堂地獄及險難處必不得向師僧父母
姊妹兄弟善友知識及一切人皆不得說
若說此相令前人及自身得白癩病當墮
地獄經多億劫受大苦惱都由邪起見心
說異戒相以斯罪重故不得說
善男子善女人過去諸佛亦於此戒成等
正覺未來諸佛亦於此戒成等正覺現
在諸佛亦於此戒成等正覺十方諸佛亦於
此戒成等正覺善信菩薩說此語已是
時一切天人及諸大眾歡喜信受作禮而去

善信菩薩戒經一卷

BD01048號　善信菩薩二十四戒經　（5–5）

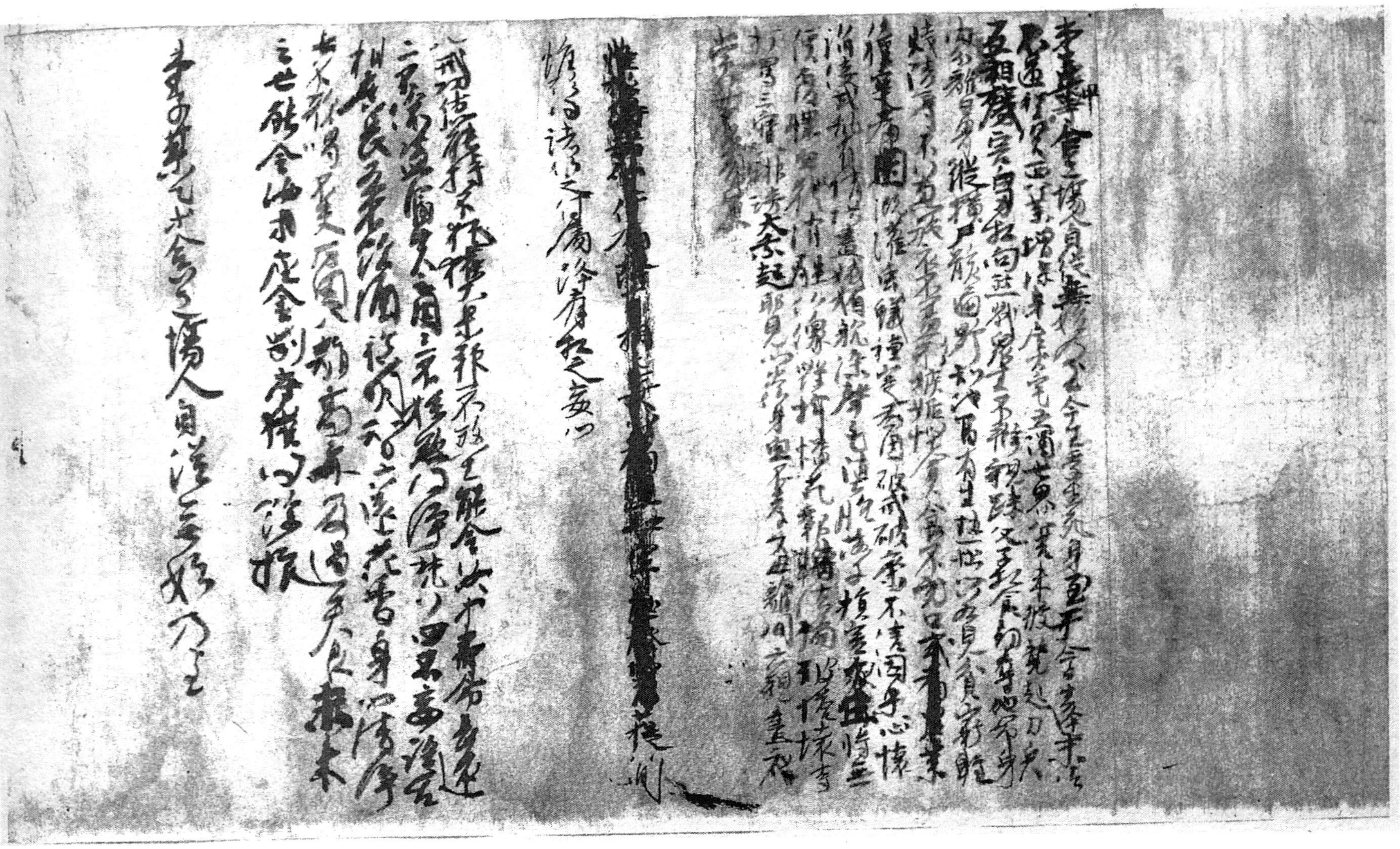

BD01048 號背 1　禮懺文（擬）雜寫　　（1–1）
BD01048 號背 2　八戒功德文（擬）雜寫

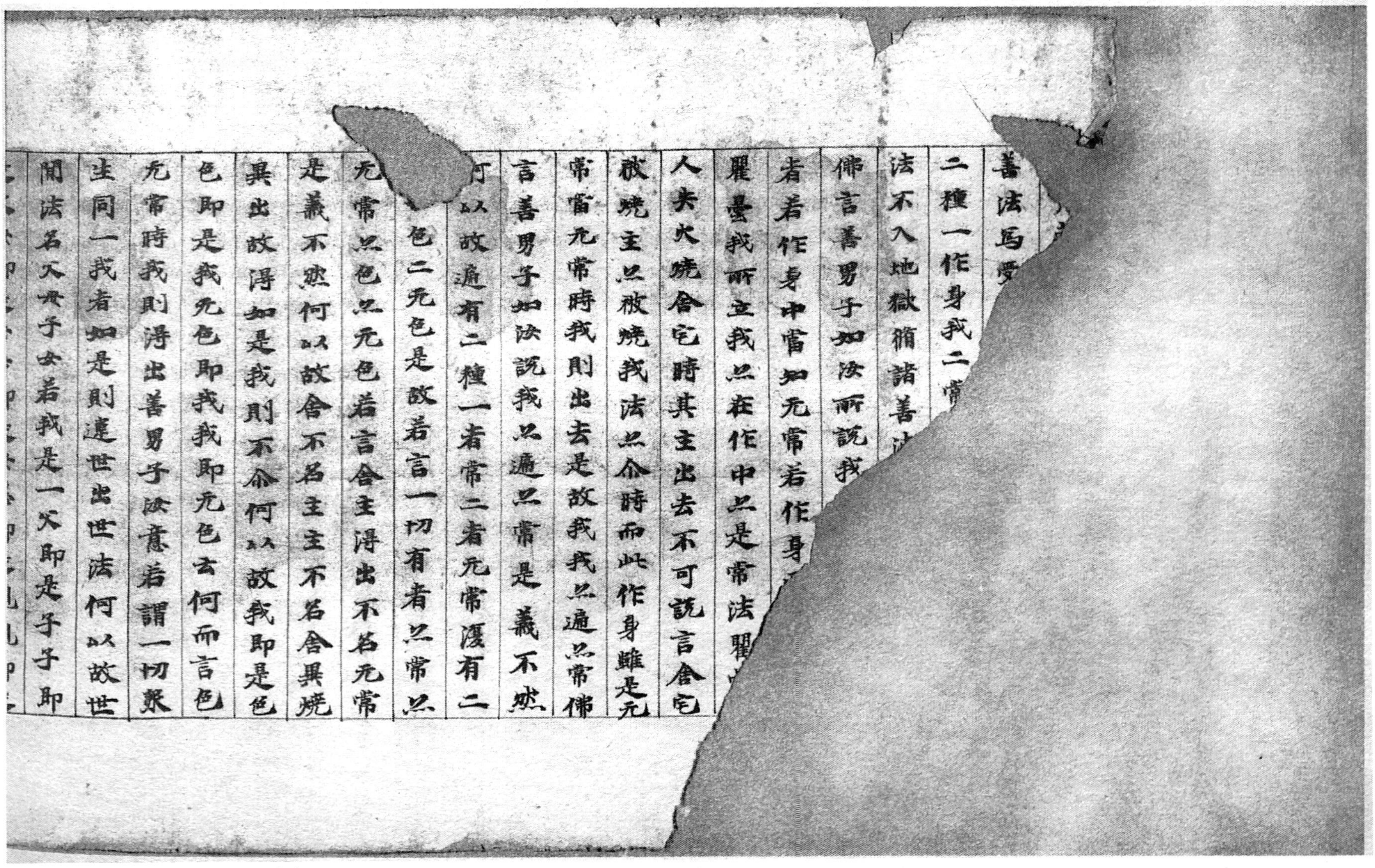

善法焉愛
二種一作身我二常
法不入地獄循諸善法
佛言善男子如汝所說我
者若作身中當知无常若作身
瞿曇我所立我常在作中是常法瞿
人夫火燒舍宅時其主出去不可說言舍宅
被燒主亦被燒我法亦尒時而此作身雖是无
常當无常時我則出去是故我我亦遍亦常佛
言善男子如汝說我亦遍亦常是義不然
何以故遍有二種一者常二者无常復有二
色二无色是故若言一切有者亦常亦
无常亦色亦无色若言舍主得出不名无常
是義不然何以故舍不名主主不名舍異燒
異出故得如是我則不尒何以故我即是色
色即是我无色即我我即无色云何而言色
无常時我則得出善男子汝意若謂一切衆
生同一我者如是則違世出世法何以故世
間法名父母子女若我是一父即是子子即

BD01049 號　大般涅槃經（北本　宮本）卷三九　　（18–1）

異出的淨如是我則不爾何以故我即是色
色即是我无色即我我即无色云何而言色
无常時我則得出善男子汝意若謂一切衆
生同一我者如是則違世出世法何以故世
間法名父母子女若我是一父即是子子即
是父母即是女女即是母怨即是親親即是
怨此即是彼彼即是此是故若說一切衆生
同一我者是即違背世出世法先尼言我不
說一切衆生同於一我乃說一人各有一
佛言善男子若言一人各有一我是為多
我是義不然何以故如汝先說我遍一切若
遍一切一切衆生業根應同天得見時佛
得亦見天得作時佛得亦作天得聞時佛得
亦聞一切諸法皆亦如是若天得見非佛得見
者不應說我遍一切處若不遍者是則无常
先尼言瞿曇一切衆生我遍一切法与非法
不遍一切以是義故佛得作異天得作異是
故瞿曇不應說言佛得見時天得應見佛得
聞時天得應聞佛言善男子法与非法非業
作耶先尼言瞿曇是業所作佛言善男子若法
法是業作者即是同法云何言異何以
故佛得業處有天得我天得業處有佛得我
是故佛得作時天得亦作法与非法亦應如
是善男子是故一切衆生法与非法若如是
者所得果報亦應不異善男子從子出果是
子終不思惟分別我唯當作婆羅門果不与

BD01049號　大般涅槃經（北本　宮本）卷三九　（18–2）

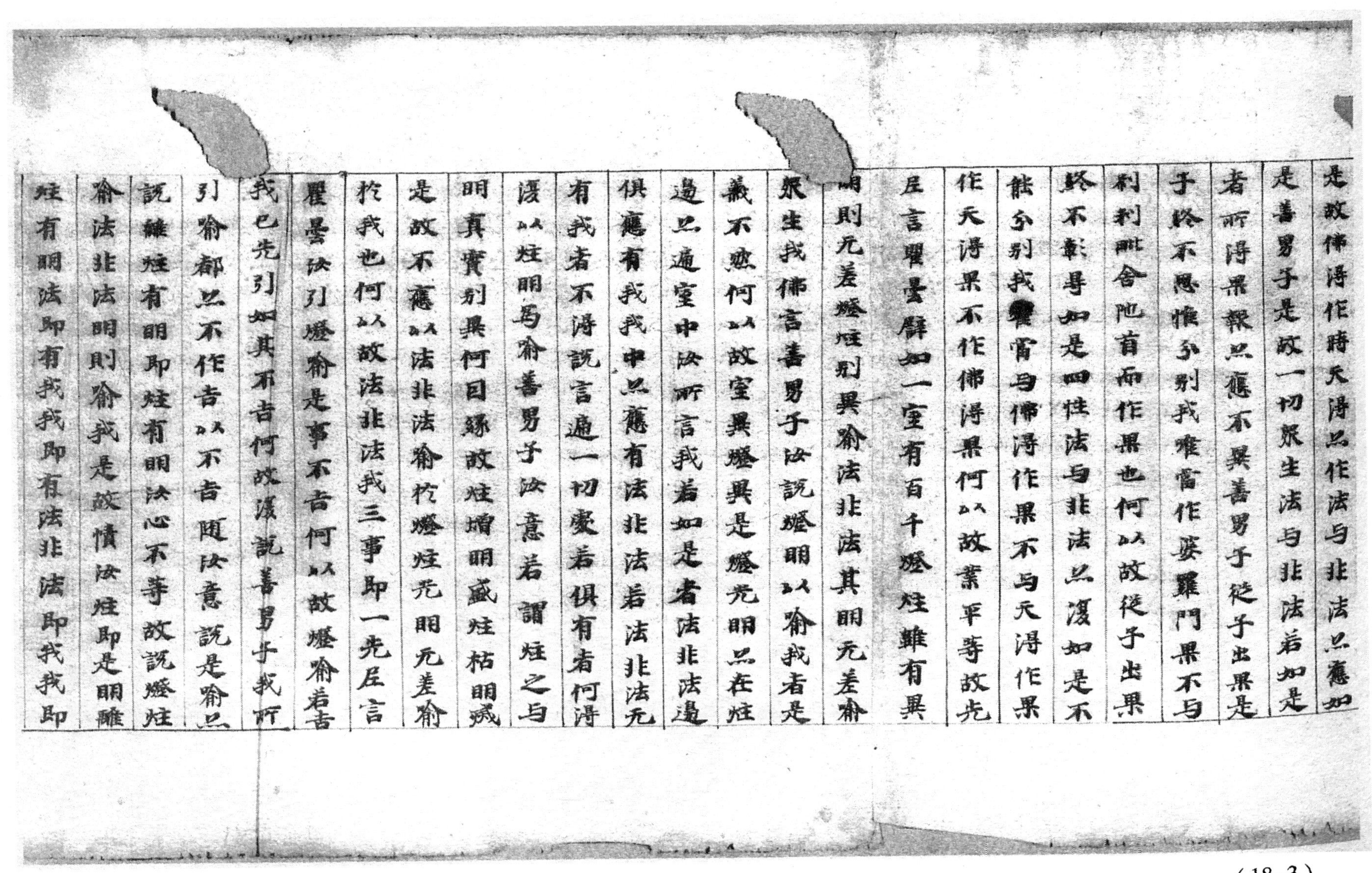
是故佛得作時天得亦作法与非法亦應如
是善男子是故一切衆生法与非法若如是
者所得果報亦應不異善男子從子出果是
子終不思惟分別我唯當作婆羅門果不与
剎利毗舍首陀而作果也何以故從子出果
終不障导如是四姓法与非法亦復如是不
能分別我[illegible]當与佛得作果不与天得作果
作天得果不作佛得果何以故業平等故先
尼言瞿曇譬如一室有百千燈炷雖有異
明則无差燈炷別異喻法非法其明无差喻
衆生我佛言善男子汝說燈明以喻我者是
義不然何以故室異燈異是燈光明亦在炷
邊亦遍室中汝所言我若如是者法非法邊
俱應有我我中亦應有法非法若法非法无
有我者不得說言遍一切處若俱有者何得
復以炷明爲喻善男子汝意若謂炷之与
明真實別異何因緣故炷增明盛炷枯明滅
是故不應以法非法喻於燈炷光明无差喻
於我也何以故法非法我三事即一先尼言
瞿曇汝引燈喻是事不吉何以故燈喻若吉
我已先引如其不吉何故復說善男子我所
引喻都亦不作吉以不吉隨汝意說是喻亦
說離炷有明即炷有明汝心不等故說燈炷
喻法非法明則喻我是故憤汝炷即是明離
炷有明法即有我我即有法非法即我我即

BD01049號　大般涅槃經（北本　宮本）卷三九　（18–3）

説離住有明即住有明汝心不等故説燈住
倒法非法明則倒我是故憒汝住即是明離
住有明法即有我我即有法非法即我我即
非法汝今何故但受一邊不受一邊如是倒
者於汝不吉是故我今還以教汝善男子如
是倒者即是非倒是非倒故於我則吉於汝
不吉善男子汝意若謂若我不吉汝亦不吉
是義不然何以故見世間人自刀自害自作他
用汝所引倒亦復如是於我則吉於汝不吉
先尼言瞿曇汝先憤我心不平等今汝所説
亦不平等何以故瞿曇今者以吉向己不吉
向我以是惟之真是不平佛言善男子如我
不平能破汝不平是故汝平我之不平即是
吉也我之不平破汝不平令汝得平即是我
平何以故同諸聖人得平等故先尼言瞿曇
我常是平汝云何言壞我不平一切衆生平
等有我云何言我是不平耶善男子汝亦説
言當受地獄當受餓鬼當受畜生當受人天
我若先遍五道中者云何方言當受諸趣汝
亦説言父母和合然後生子若子先有云何
復言和合已有是故一人有五趣身若是五
處先有有身者何因緣故爲身造業是故不
平善男子汝意若謂我是作者是義不然何以
故若我作者何因緣故自作苦事然今衆生
實有受苦是故當知我非作者若言是苦非

平善男子汝意若謂我是作者是義不然何以
故若我作者何因緣故自作苦事然今衆生
實有受苦是故當知我非作者若言是苦非
我所作不從因生一切諸法亦當如是不從
因生何因緣故説我作耶善男子衆生苦樂
實從因緣如是苦樂能作憂喜憂時无喜喜
時无憂或喜或憂智人云何説是常耶善男
子汝説我常若是常者云何説有十時別異
常法不應有歌羅羅乃至老時虛空常法尚
无一時況有十時善男子我者非是歌羅羅
時乃至老時云何説有十時別異
善男子若我作者是我亦有盛時衰時衆生
亦有盛時衰時若我命者云何是常善男子
若我作者云何一人有利有鈍善男子我若
作者是我能作身業口業口業若是我所作
者云何口説无有我耶云何自疑有耶无耶
善男子汝意若謂離眼有見是義不然何以
故若離眼已別有見者何須此眼乃至身根
亦復如是汝意若謂我雖能見要因眼見是
亦不然何以故如有人言須曼那華能燒大
村云何能燒因火能燒汝立我見亦復如是
先尼言瞿曇如人執鎌則能刈草我因五根
見聞至觸亦復如是善男子鎌人各異是故
執鎌能有所作離根之人外更无別我云何
説言我因諸根能有所作善男子汝意若謂

見聞至巢亦復如是善男子鑚人各異是故
執鑚能有所作離根之人外更无別我云何
說言我因諸根能有所作善男子汝意若謂
執鎌能刈我亦如是我有手耶爲无手耶若
有手者何不自執若无手者云何說言我是
作者善男子能刈草者即是鎌也非我非人
若我人能何故因鎌善男子人有二業一則
執草二則執鎌是鎌有能斷之功衆生見
法亦復如是眼能見色從和合生若從因緣
和合見者智人云何說言有我善男子汝意
若謂身作我受是義不然何以故世閒不見
天得作業佛得受果若言不是身作我非因
受汝等何故從於因緣求解脫耶汝先是身非
因緣生得解脫已亦應非因而更生身如身
一切煩惱亦應如是先尼言瞿曇我有二種
一者有知二者无知无知之我能得於身有
知之我能捨離身猶如坏瓶既被燒已失於
本色更不復生智者煩惱亦復如是既毀壞
已終不更生佛言善男子所言知者智能知
耶我能知耶若智能知何故說言我是知也
若我知者何故方便更求於知汝意若謂我
因智知因同華翕壞善男子譬如剚樹性自能
判不得說言樹執剚剚智亦如是智自能知云
何說言我執智知善男子如汝法中我得
解脫无知我得智我得耶若无知得當知猶

BD01049號　大般涅槃經（北本　宮本）卷三九　　（18–6）

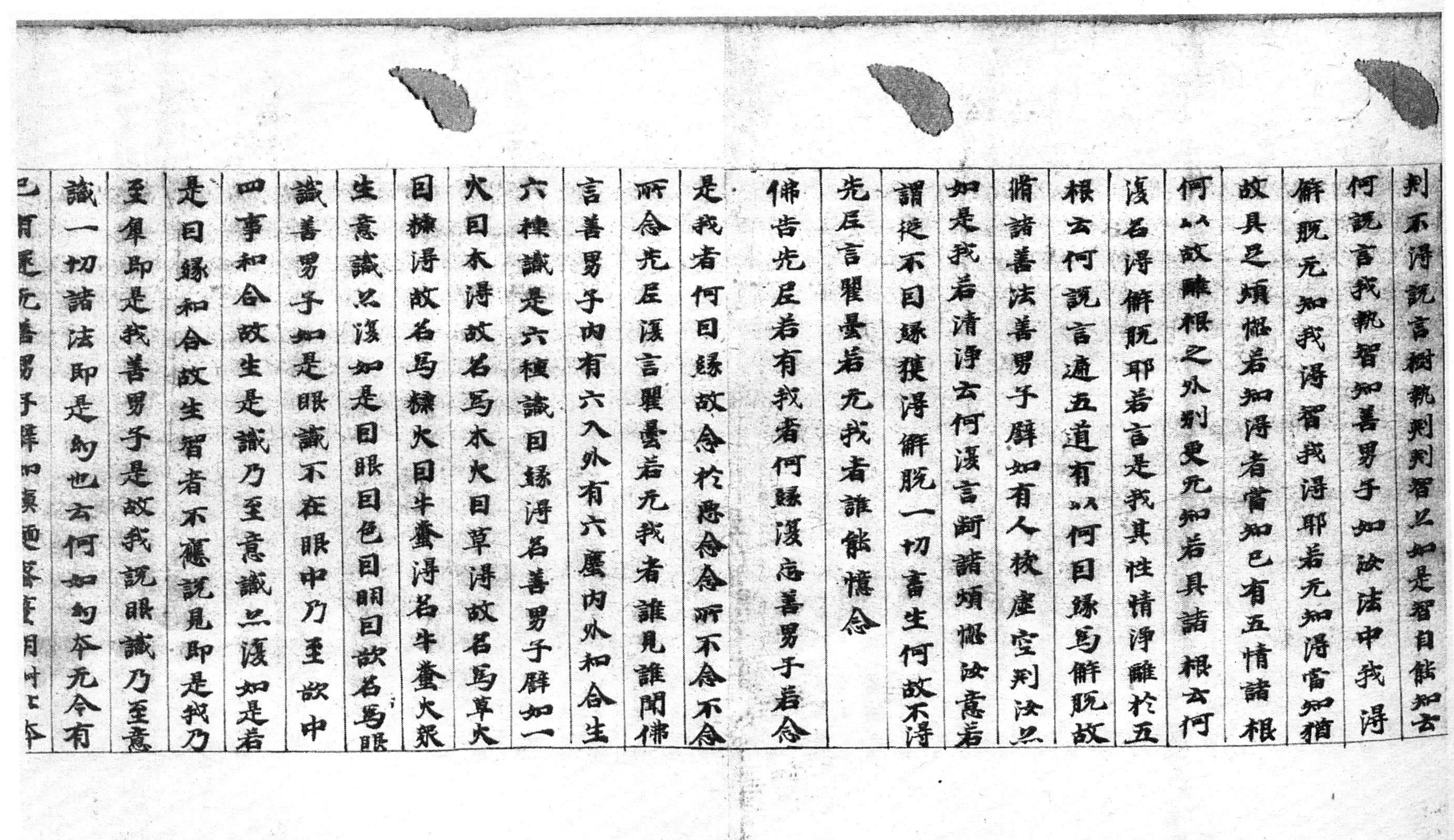
判不得說言樹執判判智亦如是智自能知云
何說言我執智知善男子如汝法中我得
解脫无知我得智我得耶若无知得當知猶
故具足煩惱若知得者當知已有五情諸根
何以故離根之外則更无知若具諸根云何
復名得解脫耶若言是我其性清淨離於五
根云何說言遍五道有以何因緣爲解脫故
脩諸善法善男子譬如有人拔虛空刺汝亦
如是我若清淨云何復言斷諸煩惱汝意若
謂從不因緣獲得解脫一切畜生何故不得
先尼言瞿曇若无我者誰能憶念
佛告先尼若有我者何緣復忘善男子若念
是我者何因緣故念於惡念念所不念不念
所念先尼復言瞿曇若无我者誰見誰聞佛
言善男子內有六入外有六塵內外和合生
六種識是六種識因緣得名善男子譬如一
火因木得故名爲木火因草得故名爲草火
因糠得故名爲糠火因牛糞得名牛糞火衆
生意識亦復如是因眼因色因明因欲名爲眼
識善男子如是眼識不在眼中乃至欲中
四事和合故生是識乃至意識亦復如是若
是因緣和合故生智者不應說見即是我乃
至身即是我善男子是故我說眼識乃至意
識一切諸法即是幻也云何如幻本无今有

BD01049號　大般涅槃經（北本　宮本）卷三九　　（18–7）

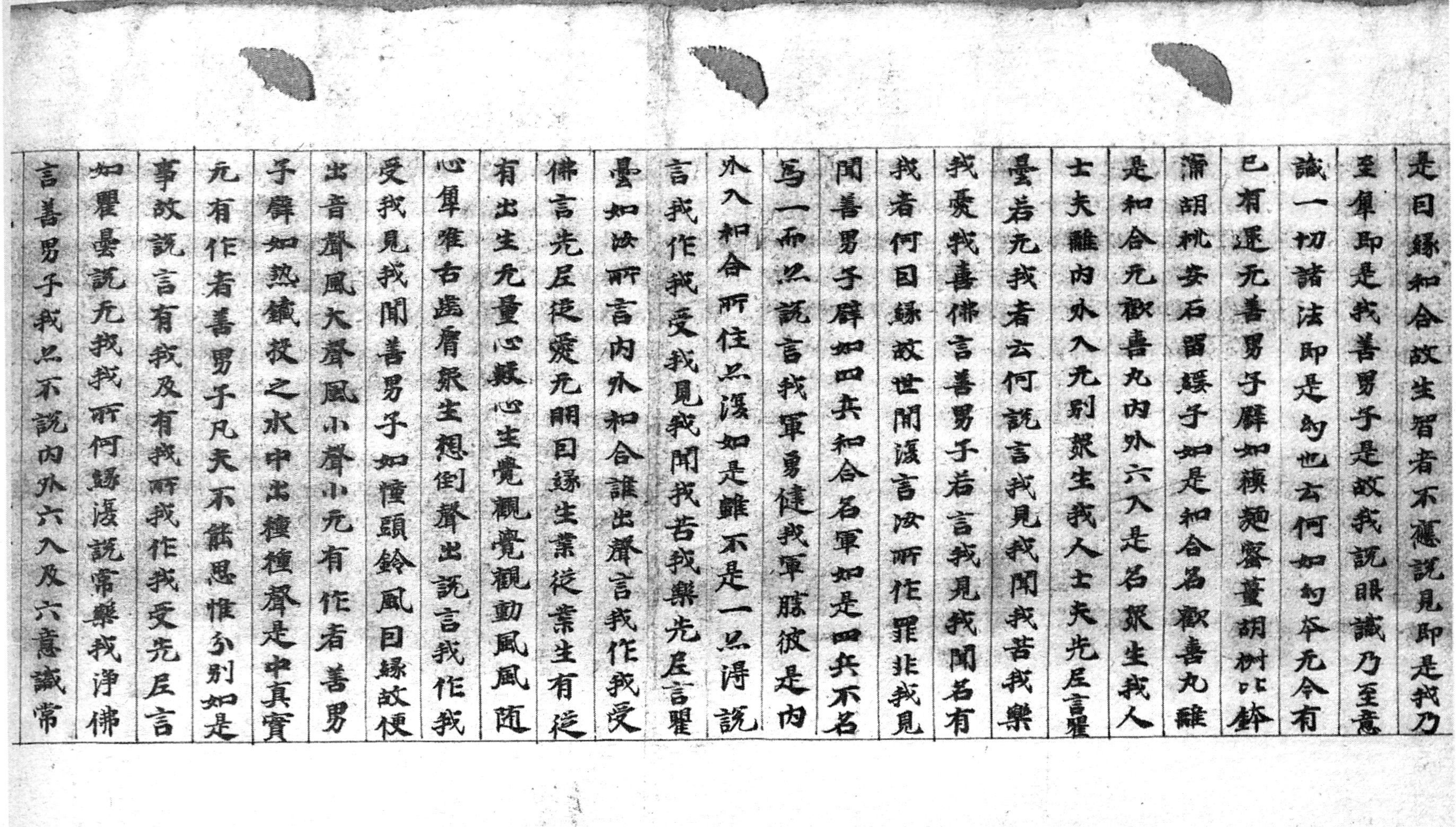
是因緣和合故生智者不應說見即是我乃
至章即是我善男子是故我說眼識乃至意
識一切諸法即是幻也云何如幻本无今有
已有還无善男子譬如穌麨蜜薑胡椒蓽鉢
滿胡桃安石留媛子如是和合名歡喜丸離
是和合无歡喜丸內外六入是名衆生我人
士夫離內外入无別衆生我人士夫先尼言瞿
曇若无我者云何說言我見我聞我苦我樂
我憂我喜佛言善男子若言我見我聞名有
我者何因緣故世間復言汝所作罪非我見
聞善男子譬如四兵和合名軍如是四兵不名
爲一而亦說言我軍勇健我軍勝彼是內
外入和合所作亦復如是雖不是一亦得說
言我作我受我見我聞我苦我樂先尼言瞿
曇如汝所言內外和合誰出聲言我作我受
佛言先尼從愛无明因緣生業從業生有從
有出生无量心數心生覺觀覺觀動風風隨
心觸喉舌齒脣衆生想倒聲出說言我作我
受我見我聞善男子如幢頭鈴風因緣故便
出音聲風大聲大風小聲小无有作者善男
子譬如熱鐵投之水中出種種聲是中真實
无有作者善男子凡夫不能思惟分別如是
事故說言有我及有我所我作我受先尼言
如瞿曇說无我我所何緣復說常樂我淨佛
言善男子我亦不說內外六入及六意識常

BD01049號　大般涅槃經（北本　宮本）卷三九　（18–8）

如瞿曇說无我我所何緣復說常樂我淨佛
言善男子我亦不說內外六入及六意識常
樂我淨我乃宣說滅內外入所生六識名之
爲常以是常故名之爲我有常我故名之爲
樂常我樂故名之爲淨善男子衆生厭苦斷
是苦因自在遠離是名爲我以是因緣我今
宣說常樂我淨先尼言世尊唯願大慈爲我
宣說我當云何獲得如是常樂我淨佛言善
男子一切世間從本已來具足大憍能增長
憍亦復如是作憍因憍業是故今者受憍果
報不能遠離一切煩惱得常樂我淨若諸衆生
欲得遠離一切煩惱先當離憍先尼言世尊如
是如是誠如聖教我有先憍因憍因緣故稱
如來稱瞿曇性我今已離如是大憍是故誠
心啓請求法云何當得常樂我淨佛言善男子
諦聽諦聽今當爲汝分別解說善男子若
能非自非他非衆生者遠離是法先尼言世
尊我已知解得正法眼佛言善男子汝云何
言知已解已得正法眼世尊所言色者非自
非他非諸衆生乃至識亦復如是我如是觀
得正法眼世尊我今甚樂出家脩道願見聽
許佛言善來比丘即時具足清淨梵行證阿
羅漢果外道衆中復有梵志姓迦葉氏復作
是言瞿曇身即是命身異命異如來嘿然弟
二第三亦復如是梵志復言瞿曇[illegible]

BD01049號　大般涅槃經（北本　宮本）卷三九　（18–9）

許佛言善來比丘即時具足清淨梵行證阿
羅漢果外道眾中復有梵志姓迦葉氏復作
是言瞿曇身即是命身異命異如來默然第
二第三亦復如是梵志復言瞿曇若人捨身
未得後身於其中間豈可不名身異命異若
是異者瞿曇何故默然不答善男子我說身
命皆從因緣非不因緣如身命一切法亦如
是梵志復言瞿曇我見世間有法不從因緣
佛言梵志汝云何見世間有法不從因緣梵志
言我見大火焚燒榛木風吹絕炎墮在餘處
是豈不名无因緣耶佛言善男子我說是炎
亦從因生非不從因梵志言瞿曇絕炎去時
不因薪炭云何而言因於因緣
佛言善男子雖无薪炭因風而去風因緣故
其炎不滅瞿曇若人捨身未得後身中間壽
命誰為因緣佛言梵志无明與愛而為因緣
是无明愛二因緣故壽命得住善男子有因
緣故身即是命命即是身有因緣故身異命
異智者不應一向而說身異命異梵志言世
尊唯願為我分別解說令我了了得知因果
佛言梵志因即五陰果亦五陰善男子若有
眾生不然火者是則无烟梵志言世尊我已
知已我已解已佛言善男子汝云何知汝云
何解世尊火即煩惱能於地獄餓鬼畜生人

BD01049號　大般涅槃經（北本　宮本）卷三九　（18–10）

眾生不然火者是則无烟梵志言世尊我已
知已我已解已佛言善男子汝云何知汝云
何解世尊火即煩惱能於地獄餓鬼畜生人
天燒然烟者即是煩惱果報无常不淨臭穢
可惡是故名烟若有眾生不作煩惱是人則
无煩惱果報是故如來說不然火則无有烟
世尊我已正見唯願慈矜聽我出家尒時世
尊告憍陳如聽是梵志出家受戒時憍陳
如受佛勅已和合眾僧聽其出家受具足戒經
五日已得阿羅漢果外道眾中復有梵志名
曰富那復作是言瞿曇汝見世間是常法已
說言常耶如是義者實耶虛耶常无常亦常
无常非常非无常有邊无邊亦有邊亦无邊非
有邊非无邊是身是命身異命異如來滅後
如去不如去亦如去亦不如去非如去非不如去
佛言富那我不說世間常虛實无常亦常亦无
常非常非无常有邊无邊亦有邊亦无邊非有
邊非无邊是身是命身異命異如來滅後如
去不如去亦如去亦不如去非如去非不如去
富那復言瞿曇今者見何罪過不作是說佛
言富那若有人說世間是常唯此為實餘妄
語者是名為見見所見處是名見行是名見
業是名見著是名見縛是名見苦是名見取
是名見怖是名見熱是名見纏富那凡夫之
人為見所纏不能遠離生老病死迴流六趣

BD01049號　大般涅槃經（北本　宮本）卷三九　（18–11）

業是名見著是名見縛是名見苦是名見取
是名見怖是名見熱是名見纏富那凡夫之
人爲見所纏不能遠離生老病死迴流六趣
受无量苦乃至非如去非不如去亦復如是
富那我見是見有如是過是故不著不爲人
説瞿曇若見如是罪過不著不説瞿曇今者
何見何著何所宣説佛言善男子夫見著者
名生死法如來已離生死法故是故不著善
男子如來名爲能見能説不名爲著瞿曇云
何能見云何能説佛言善男子我能明見苦
集滅道分別宣説如是四諦我見如是故能
遠離一切見一切愛一切流一切慢是故我
具清淨梵行无上寂静獲得常身是身亦非
東西南北富那言瞿曇何因緣故常身非是
東西南北佛言善男子我今問汝隨汝意答
於意云何善男子如於汝前燃大火聚當其
燃時汝知燃不如是瞿曇是火滅時汝知滅
不如是瞿曇富那若有人問汝前火聚從
何來滅何所至當云何答瞿曇若有問者我
當答言是火生時賴於衆緣本緣已盡新緣
未至是火則滅若復有問是火滅已至何方
面復云何答瞿曇我當答言緣盡故滅不至
方所善男子如來亦尒若有无常色乃至无
常識因愛故燃燃者即受廿五有是故燃時

面復云何答瞿曇我當答言緣盡故滅不至
方所善男子如來亦尒若有无常色乃至无
常識因愛故燃燃者即受廿五有是故燃時
可説是火東西南北現在愛滅廿五有果報
不然以不燃故不可説有東西南北善男子
如來已滅无常之色至无常識是故身常身
若是常不得説有東西南北富那言請説一
諭唯願聽採佛言善哉善哉隨意説之世尊
如大村外有娑羅林中有一樹先林而生已
一百年是時林主灌之以水隨時脩治其樹
陳朽皮膚枝葉悉皆顛落唯真實在如來亦
尒所有陳故悉以除盡唯有一切真實法在
世尊我今甚樂出家脩道佛言善來比丘説
是語已即時出家漏盡證得阿羅漢果復有
梵志名淨作如是言瞿曇一切衆生不知何
法見世間常无常亦常无常非有常非无常
乃至非如去非不如去佛言善男子不知色
故乃至不知識故見世間常乃至非如去非
不如去梵志言瞿曇衆生知何法故不見世
間常乃至非如去非不如去佛言善男子知
色故乃至知識故不見世間常乃至非如去
非不如去梵志言世尊唯願爲我分別解説
世間常无常佛言善男子若人捨故不造新業
是人能知常与无常梵志言世尊我已知解

[illegible]
世間常无常佛言善男子若人捨故不造新業
是人能知常与无常梵志言世尊我已知解
佛言善男子汝云何見汝云何知世尊故名
无明与愛新名耶有若人遠離是无明愛
不作耶有是人真實知常无常我今已得正
法淨眼歸依三寶唯願如來聽我出家佛告
憍陳如聽是梵志出家受戒時憍陳如受佛
勅已將至僧中為作羯磨令得出家十五日
後諸漏永盡得阿羅漢果犢子梵志復作是
言瞿曇我今欲問能見聽不如來嘿然第二
第三亦復如是犢子復言瞿曇我久与汝共
為親友汝之与我義无有二我欲諮問何故
嘿然介時世尊作是思惟如是梵志其性
儒雅純善質直常為知故而来諮問不為惱
亂彼若問者當隨意荅佛言犢子善哉善哉
隨所疑問吾當荅之犢子言瞿曇世有善耶如
是梵志有不善耶如是梵志瞿曇願為我說
令我得知善不善法佛言善男子我能分別
廣說其義令當為汝簡略說之善男子欲名
不善解脫欲者名之為善瞋恚愚癡亦復如
是殺名不善不殺名善乃至耶見亦復如是
善男子我今為汝已說三種善不善法及說
十種善不善法若我弟子能作如是分別三
種善不善法乃至十種善不善法當知是人

BD01049號　大般涅槃經（北本　宮本）卷三九　（18-14）

善男子我今為汝已說三種善不善法及說
十種善不善法若我弟子能作如是分別三
種善不善法乃至十種善不善法當知是人
能盡貪欲瞋恚愚癡一切諸漏斷一切有梵
志言瞿曇是佛中法頗有一比丘能盡如是
貪欲瞋恚愚癡一切諸漏一切有不佛言善男子
是佛法中非一二三乃至五百乃有无量諸
比丘等能盡如是貪欲恚癡一切諸漏一切
諸有瞿曇置一比丘是佛法中頗有一比丘
尼能盡如是貪欲瞋癡一切諸漏一切有不
佛言善男子是佛法中非一二三乃至五百
乃有无量諸比丘尼能斷如是貪欲瞋癡一
切諸漏一切諸有犢子言瞿曇置一比丘一
比丘尼是佛法中頗有一優婆塞持戒精懃
梵行清淨度疑彼岸斷疑因不佛言善男子
我佛法中非一二三乃至五百乃有无量諸
優婆塞持戒精懃梵行清淨斷五下結得阿
那含度疑彼岸斷於疑因犢子言瞿曇置一
比丘一比丘尼一優婆塞是佛法中頗有一
優婆夷持戒精懃梵行清淨度疑彼岸斷疑
因不佛言善男子我佛法中非一二三乃至
五百乃有无量諸優婆夷持戒精懃梵行清
淨斷五下結得阿那含度疑彼岸斷於疑因
犢子言瞿曇置一比丘一比丘尼盡一切漏

BD01049號　大般涅槃經（北本　宮本）卷三九　（18-15）

五百乃有无量諸優婆塞持戒精懃梵行清
淨斷五下結得阿那含度疑彼岸斷於疑网
幘子言瞿曇置一比丘一比丘尼盡一切漏
一優婆塞一優婆夷持戒精懃梵行清淨斷
於疑网是佛法中頗有優婆塞受五欲樂心
无疑网不佛言善男子是佛法中非一二三
乃至五百乃有无量諸優婆塞斷於三結得
須陁洹薄貪恚癡得斯陁含如優婆塞優婆
夷亦復如是世尊我於今者樂說譬喻佛言
善哉樂說便說世尊譬如難陁婆難陁龍王
等降注大雨如來法雨亦復如是平等雨於
優婆塞優婆夷世尊若諸外道欲來出家不
審如來幾月試之佛言善男子皆四月試不
必一種世尊若不一種唯願大慈聽我出家
爾時世尊告憍陳如聽是幘子出家受戒時
憍陳如受佛勑已立衆僧中爲作羯磨於出
家後滿十五日得須陁洹果既得果已復作
是念若有智慧從學得者我今已得堪任見
佛即往佛所頭面禮足脩敬已畢却住一面白
佛言世尊諸有智慧從學得者我今已得唯
願爲我重分別說令我獲得无學智慧
佛言善男子汝懃精進脩集二法一舍摩他
二毗婆舍那善男子若有比丘欲得須陁洹
果亦當懃脩如是二法若復欲得斯陁含果
阿那含果阿羅漢果亦當脩集如是二法善

BD01049號　大般涅槃經（北本　宮本）卷三九　（18–16）

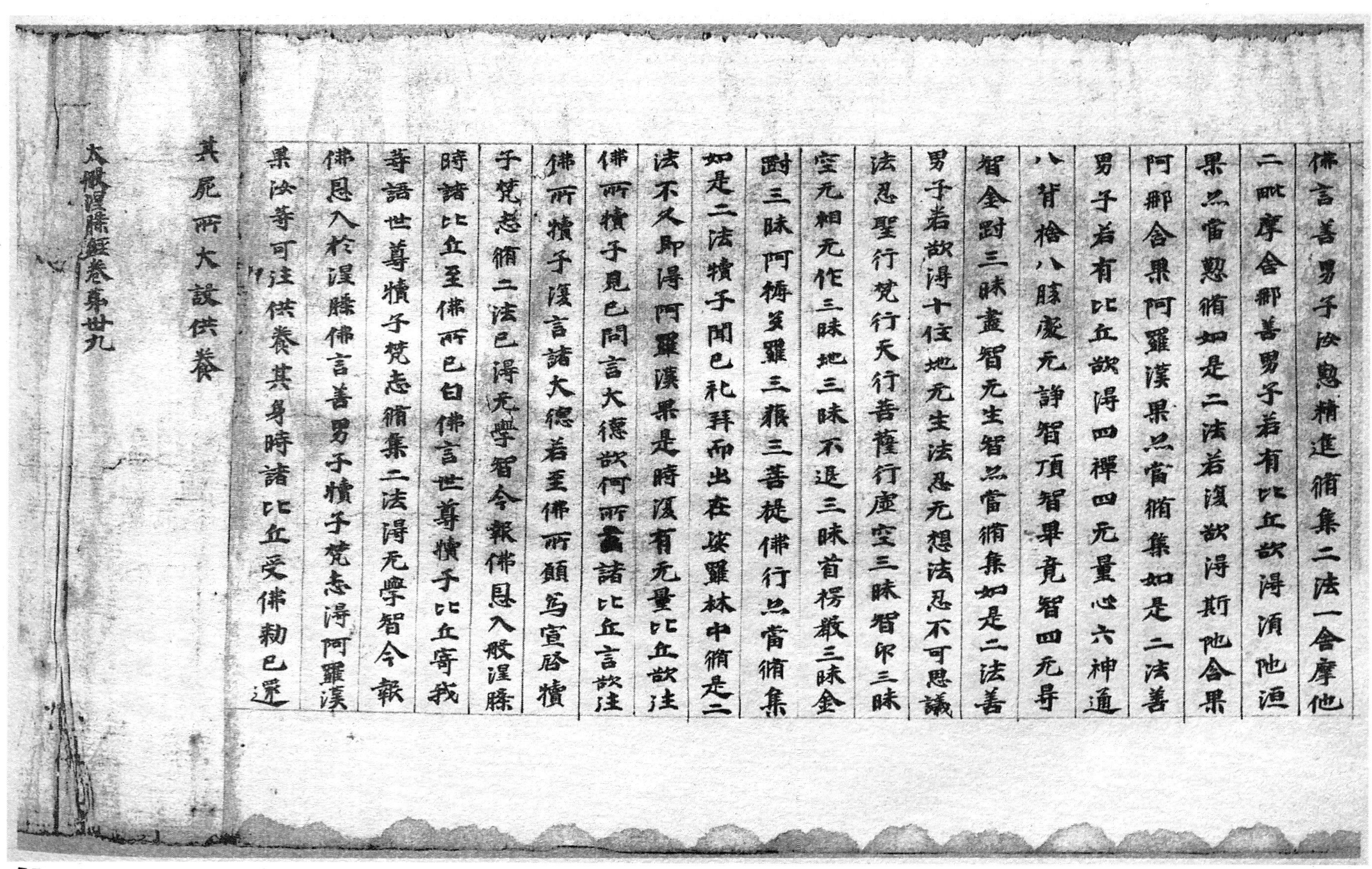

佛言善男子汝懃精進脩集二法一舍摩他
二毗婆舍那善男子若有比丘欲得須陁洹
果亦當懃脩如是二法若復欲得斯陁含果
阿那含果阿羅漢果亦當脩集如是二法善
男子若有比丘欲得四禪四无量心六神通
八背捨八勝處无諍智頂智畢竟智四无㝵
智金剛三昧盡智无生智亦當脩集如是二法善
男子若欲得十住地无生法忍无想法忍不可思議
法忍聖行梵行天行菩薩行虛空三昧智印三昧
空无相无作三昧地三昧不退三昧首楞嚴三昧金
剛三昧阿耨多羅三藐三菩提佛行亦當脩集
如是二法幘子聞已禮拜而出在娑羅林中脩是二
法不久即得阿羅漢果是時復有无量比丘欲往
佛所幘子見已問言大德欲何所爲諸比丘言欲往
佛所幘子復言諸大德若至佛所願爲宣啓幘
子梵志脩二法已得无學智今報佛恩入般涅槃
時諸比丘至佛所已白佛言世尊幘子比丘寄我
等語世尊幘子梵志脩集二法得无學智今報
佛恩入於涅槃佛言善男子幘子梵志得阿羅漢
果汝等可往供養其身時諸比丘受佛勑已還
其尸所大設供養

大般涅槃經卷第卅九

BD01049號　大般涅槃經（北本　宮本）卷三九　（18–17）

斷三昧門獲羅三藐三菩提佛行[illegible]
如是二法犢子聞已禮拜而出在娑羅林中脩是二
法不久即得阿羅漢果是時復有无量比丘欲往
佛所犢子見已問言大德欲何所至諸比丘言欲往
佛所犢子復言諸大德若至佛所願為宣啓犢
子梵志脩二法已得无學智今報佛恩入般涅槃
時諸比丘至佛所已白佛言世尊犢子比丘寄我
等語世尊犢子梵志脩集二法得无學智今報
佛恩入於涅槃佛言善男子犢子梵志得阿羅漢
果汝等可往供養其身時諸比丘受佛勅已還
其屍所大設供養

大般涅槃經卷苐卌九

BD01049 號　大般涅槃經（北本　宮本）卷三九　　（18–18）

上饌衆甘美　及種種衣服　供養是佛子　兾得須臾聞
若能於後世　受持是經者　我遣在人中　行於如來事
若於一劫中　常懷不善心　作色而罵佛　獲无量重罪
其有讀誦持　是法華經者　須臾加惡言　其罪復過彼
有人求佛道　而於一劫中　合掌在我前　以无數偈讚
由是讚佛故　得无量功德　歎美持經者　其福復過彼
於十八億劫　以冣妙色聲　及與香味觸　供養持經者
如是供養已　若得須臾聞　則應自欣慶　我今獲大利
藥王今告汝　我所說諸經　而於此經中　法華冣第一
尒時佛復告藥王菩薩摩訶薩我所說經典
无量千億已說今說當說而於其中此法華
經冣為難信難解藥王此經是諸佛祕要之
藏不可分布妄授與人諸佛世尊之所守護
從昔已來未曾顯說而此經者如來現在猶
多怨嫉況滅度後藥王當知如來滅後其能
書持讀誦供養為他人說者如來則為以衣
覆之又為他方現在諸佛之所護念是人有
大信力及志願力諸善根力當知是人與如
來共宿則為如來手摩其頭藥王在在處處
若說若讀若誦若書若經卷所住處皆應起
七寶塔極令高廣嚴飾不須復安舍利所以
者何此中已有如來全身此塔應以一切華

BD01050 號　妙法蓮華經卷四　　（9–1）

大信力及志願力諸善根力當知是人與如
来共宿則為如来手摩其頭藥王在在處處
若說若讀若誦若書若經卷所住處皆應起
七寶塔極令高廣嚴飾不須復安舍利所以
者何此中已有如来全身此塔應以一切華
香瓔珞繒蓋幢幡伎樂歌頌供養恭敬尊重
讃歎若有人得見此塔礼拜供養當知是等
皆近阿耨多羅三藐三菩提藥王多有人在
家出家行菩薩道若不能得見聞讀誦書持
供養是法華經者當知是人未善行菩薩道
若有得聞是經典者乃能善行菩薩之道其
有衆生求佛道者若見若聞是法華經聞已
信解受持者當知是人得近阿耨多羅三藐
三菩提藥王譬如有人渴乏須水於彼高原
穿鑿求之猶見乾土知水尚遠施功不已轉
見濕土遂漸至泥其心決定知水必近菩薩
亦復如是若未聞未解未能脩習是法華經
當知是人去阿耨多羅三藐三菩提尚遠若
得聞解思惟脩習必知得近阿耨多羅三藐
三菩提所以者何一切菩薩阿耨多羅三藐
三菩提皆屬此經此經開方便門示真實相
是法華經藏深固幽遠无人能到今佛教化
成就菩薩而為開示藥王若有菩薩聞是法
華經驚疑怖畏當知是為新發意菩薩聲聞
人聞是經驚疑怖畏當知是為增上慢者藥
王若有善男子善女人如来滅後欲為四衆
說是法華經者云何應說是善男子善女
人入如来室著如来衣坐如来座尒乃應為

BD01050號　妙法蓮華經卷四　（9–2）

人聞是經驚疑怖畏當知是為增上慢者藥
王若有善男子善女人如来滅後欲為四衆
說是法華經者云何應說是善男子善女
人入如来室著如来衣坐如来座尒乃應為
四衆廣說斯經如来室者一切衆生中大慈
悲心是如来衣者柔和忍辱心是如来座者
一切法空是安住是中然後以不懈怠心為
諸菩薩及四衆廣說是法華經藥王我於餘
國遣化人為其集聽法衆亦遣化比丘比丘
尼優婆塞優婆夷聽其說法是諸化人聞法
信受隨順不逆若說法者在空閑處我時廣
遣天龍鬼神乹闥婆阿脩羅等聽其說法我
雖在異國時時令說法者得見我身若於此
經忘失句逗我還為說令得具足尒時世尊
欲重宣此義而說偈言

欲捨諸懈怠　應當聽此經　是經難得聞　信受者亦難
如人渴須水　穿鑿於高原　猶見乾燥土　知去水尚遠
漸見濕土泥　決定知近水　藥王汝當知　如是諸人等
不聞法華經　去佛智甚遠　若聞是深經　決了聲聞法
是諸經之王　聞已諦思惟　當知此人等　近於佛智慧
若人說此經　應入如来室　著於如来衣　而坐如来座
處衆无所畏　廣為分別說　大慈悲為室　柔和忍辱衣
諸法空為座　處此為說法　若說此經時　有人惡口罵
加刀杖瓦石　念佛故應忍　我千万億土　現淨堅固身
於无量億劫　為衆生說法　若我滅度後　能說此經者
我遣化四衆　比丘比丘尼　及清信士女　供養於法師
引導諸衆生　集之令聽法　若人欲加惡　刀杖及瓦石
則遣變化人　為之作衛護　若說法之人　獨在空閑處

BD01050號　妙法蓮華經卷四　（9–3）

於无量億劫　為衆生說法　若我滅度後　能說此經者
我遣化四衆　比丘比丘尼　及清信士女　供養於法師
引導諸衆生　集之令聽法　若人欲加惡　刀杖及瓦石
則遣變化人　為之作衛護　若說法之人　獨在空閑處
寂寞无人聲　讀誦此經典　我尒時為現　清淨光明身
若忘失章句　為說令通利　若人具是德　或為四衆說
空處讀誦經　皆得見我身　若人在空閑　我遣天龍王
夜叉鬼神等　為作聽法衆　是人樂說法　分別无罣礙
諸佛護念故　能令大衆喜　若親近法師　速得菩薩道
隨順是師學　得見恒沙佛

妙法蓮華經見寶塔品第十一

尒時佛前有七寶塔高五百由旬縱廣二百
五十由旬從地踊出住在空中種種寶物而
莊校之五千欄楯龕室千万无數幢幡以為
嚴飾垂寶瓔珞寶鈴万億而懸其上四面皆
出多摩羅跋栴檀之香充遍世界其諸幡蓋
以金銀瑠璃車璖馬瑙真珠玫瑰七寶合成
高至四天王宮三十三天雨天曼陁羅華供
養寶塔餘諸天龍夜叉乾闥婆阿脩羅迦樓
羅緊那羅摩睺羅伽人非人等千万億衆以
一切華香瓔珞幡蓋伎樂供養寶塔恭敬尊
重讚歎尒時寶塔中出大音聲歎言善哉善
哉釋迦牟尼世尊能以平等大慧教菩薩法
佛所護念妙法華經為大衆說如是如是釋
迦牟尼世尊如所說者皆是真實尒時四衆
見大寶塔住在空中又聞塔中所出音聲皆
得法喜怪未曾有從座而起恭敬合掌却住
一面尒時有菩薩摩訶薩名大樂說知一切

得法喜怪未曾有從座而起恭敬合掌却住
一面尒時有菩薩摩訶薩名大樂說知一切
世間天人阿脩羅等心之所疑而白佛言世
尊以何因緣有此寶塔從地踊出又於其中
發是音聲尒時佛告大樂說菩薩此寶塔中
有如来全身乃往過去東方无量千万億阿
僧祇世界國名寶淨彼中有佛号曰多寶其
佛行菩薩道時作大誓願若我成佛滅度之
後於十方國土有說法華經處我之塔廟為
聽是經故踊現其前為作證明讚言善哉彼
佛成道已臨滅度時於天人大衆中告諸比
丘我滅度後欲供養我全身者應起一大塔
其佛神通願力十方世界在在處處若有說
法華經者彼之寶塔皆踊出其前全身在於
塔中讚言善哉善哉大樂說今多寶如来塔
聞說法華經故從地踊出讚言善哉善哉是
時大樂說菩薩以如来神力故白佛言世尊
我等願欲見此佛身佛告大樂說菩薩摩訶
薩是多寶佛有深重願若我寶塔為聽法華
經故出於諸佛前時其有欲以我身示四衆
者彼佛分身諸佛在於十方世界說法盡還
集一處然後我身乃出現耳大樂說我分身
諸佛在於十方世界說法者今應當集大樂
說白佛言世尊我等亦願欲見世尊分身諸
佛礼拜供養尒時佛放白毫一光即見東方
五百万億那由他恒河沙等國土諸佛彼諸
國土皆以頗梨為地寶樹寶衣以為莊嚴无

佛礼拜供養尒時佛放白毫一光即見東方
五百万億那由他恒河沙等國土諸佛彼諸
國土皆以頗梨為地寶樹寶衣以為莊嚴无
數千万億菩薩充滿其中遍張寶幔寶網羅
上彼國諸佛以大妙音而說諸法及見无量
万億菩薩遍滿諸國為衆說法南西北方四
維上下白毫相光所照之處亦復如是尒時
十方諸佛各告衆菩薩言善男子我今應往
娑婆世界釋迦牟尼佛所并供養多寶如来
寶塔時娑婆世界即變清淨瑠璃為地寶樹
莊嚴黄金為繩以界八道无諸聚落村營城
邑大海江河山川林藪燒大寶香曼陁羅華
遍布其地以寶網幔羅覆其上懸諸寶鈴唯
留此會衆移諸天人置於他土是時諸佛各
将一大菩薩以為侍者至娑婆世界各到寶
樹下一一寶樹高五百由旬枝葉華果次苐
莊嚴諸寶樹下皆有師子之座高五由旬亦
以大寶而校飾之尒時諸佛各於此座結跏
趺坐如是展轉遍滿三千大千世界而於釋
迦牟尼佛一方所分之身猶故未盡時釋迦
牟尼佛欲容受所分身諸佛故八方各更變
二百万億那由他國皆令清淨无有地獄餓
鬼畜生及阿脩羅又移諸天人置於他土所
化之國亦以瑠璃為地寶樹莊嚴樹高五百
由旬枝葉華果次苐嚴飾樹下皆有寶師子
座高五由旬種種諸寶以為莊校亦无大海
江河及目真隣陁山摩訶目真隣陁山鐵圍
山大鐵圍山須弥山等諸山王通為一佛國

BD01050號　妙法蓮華經卷四 （9–6）

座高五由旬種種諸寶以為莊校亦无大海
江河及目真隣陁山摩訶目真隣陁山鐵圍
山大鐵圍山須弥山等諸山王通為一佛國
土寶地平正寶交露幔遍覆其上懸諸幡蓋
燒大寶香諸天寶華遍布其地釋迦牟尼佛
為諸佛當来坐故復於八方各更變二百万億
那由他國皆令清淨无有地獄餓鬼畜生及
阿脩羅又移諸天人置於他土所化之國亦
以瑠璃為地寶樹莊嚴樹高五百由旬枝葉
華果次苐莊嚴樹下皆有寶師子座高五由
旬亦以大寶而校飾之亦无大海江河及目
真隣陁山摩訶目真隣陁山鐵圍山大鐵圍
山須弥山等諸山王通為一佛國土寶地平
正寶交露幔遍覆其上懸諸幡蓋燒大寶香
諸天寶華遍布其地尒時東方釋迦牟尼所
分之身百千万億那由他恒河沙等國土中
諸佛各各說法来集於此如是次苐十方諸
佛皆悉来集坐於八方尒時一一方四百万
億那由他國土諸佛如来遍滿其中是時諸
佛各在寶樹下坐師子座皆遣侍者問訊釋
迦牟尼佛各賫寶華滿掬而告之言善男子
汝往詣耆闍崛山釋迦牟尼佛所如我辭曰
少病少惱氣力安樂及菩薩聲聞衆悉安隱
不以此寶華散佛供養而作是言彼某甲佛
與欲開此寶塔諸佛遣使亦復如是尒時釋
迦牟尼佛見所分身諸佛悉已来集各各坐
於師子之座皆聞諸佛與欲同開寶塔即從
座起住虚空中一切四衆起立合掌一心觀佛

BD01050號　妙法蓮華經卷四 （9–7）

於師子之座皆聞諸佛與欲同開寶塔即從
座起住虛空中一切四衆起立合掌一心觀佛
於是釋迦牟尼佛以右指開七寶塔戶出大
音聲如却關鑰開大城門即時一切衆會皆
見多寶如來於寶塔中坐師子座全身不散
如入禪定又聞其言善哉善哉釋迦牟尼佛
快說是法華經我為聽是經故而來至此尒
時四衆等見過去无量千万億劫滅度佛說
如是言歎未曾有以天寶華聚散多寶佛及
釋迦牟尼佛上尒時多寶佛於寶塔中分半
座與釋迦牟尼佛而作是言釋迦牟尼佛可
就此座即時釋迦牟尼佛入其塔中坐其半
座結跏趺坐尒時大衆見二如來在七寶塔
中師子座上結跏趺坐各作是念佛座高遠
唯願如來以神通力令我等輩俱處虛空即
時釋迦牟尼佛以神通力接諸大衆皆在虛
空以大音聲普告四衆誰能於此娑婆國土
廣說妙法華經今正是時如來不久當入涅
槃佛欲以此妙法華經付囑有在尒時世尊
欲重宣此義而說偈言
聖主世尊 雖久滅度 在寶塔中 尚為法來
諸人云何 不勤為法 此佛滅度 无央數劫
處處聽法 以難遇故 彼佛本願 我滅度後
在在所往 常為聽法 又我分身 无量諸佛
見滅度 多寶如來
人龍神 諸供養事
坐諸佛 以神通力

BD01050 號　妙法蓮華經卷四　（9–8）

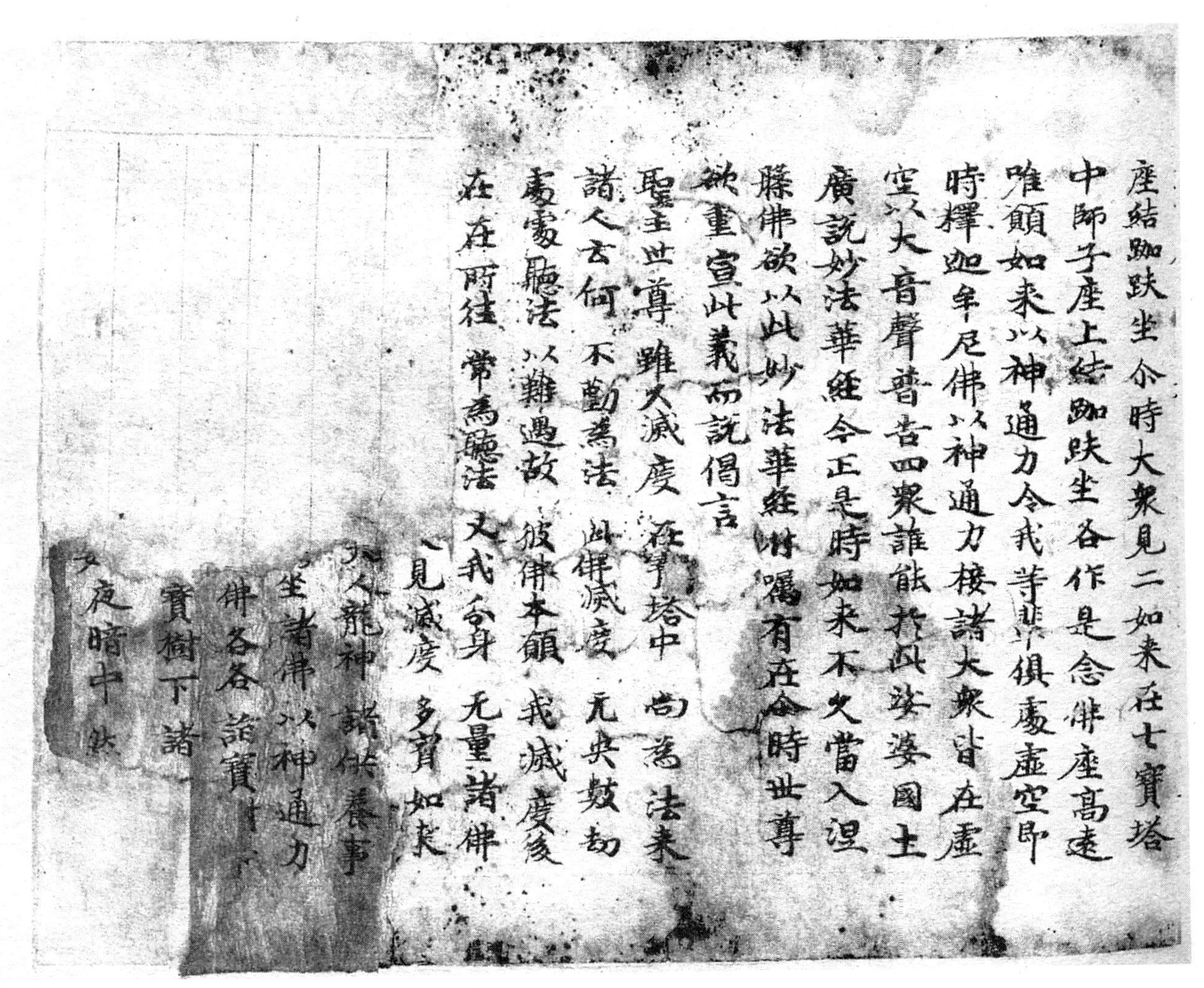
座結跏趺坐尒時大衆見二如來在七寶塔
中師子座上結跏趺坐各作是念佛座高遠
唯願如來以神通力令我等輩俱處虛空即
時釋迦牟尼佛以神通力接諸大衆皆在虛
空以大音聲普告四衆誰能於此娑婆國土
廣說妙法華經今正是時如來不久當入涅
槃佛欲以此妙法華經付囑有在尒時世尊
欲重宣此義而說偈言
聖主世尊 雖久滅度 在寶塔中 尚為法來
諸人云何 不勤為法 此佛滅度 无央數劫
處處聽法 以難遇故 彼佛本願 我滅度後
在在所往 常為聽法 又我分身 无量諸佛
見滅度 多寶如來
人龍神 諸供養事
坐諸佛 以神通力
佛各各 詣寶樹下
寶樹下諸
夜暗中然

BD01050 號　妙法蓮華經卷四　（9–9）

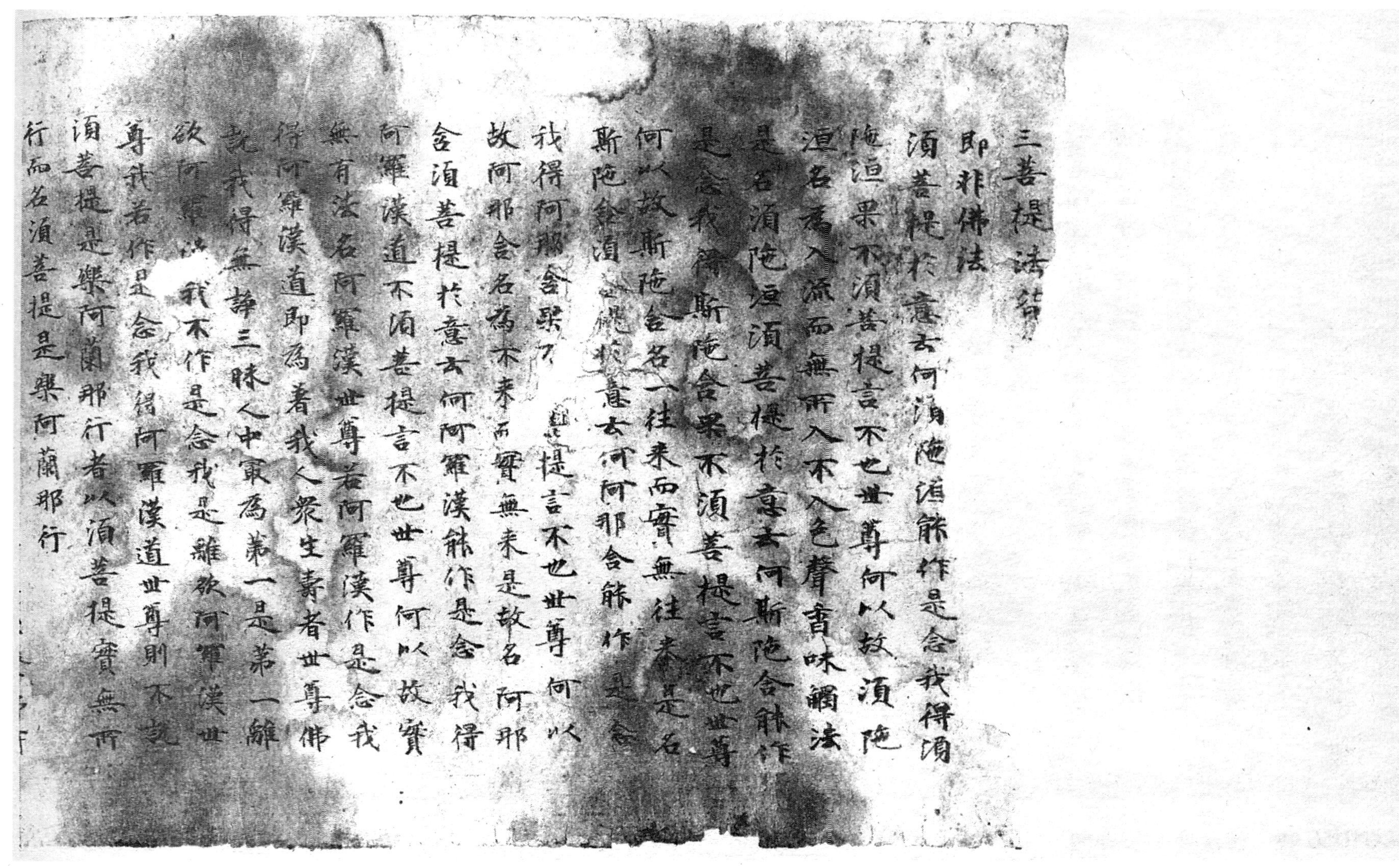
三菩提法者
即非佛法
須菩提於意云何須陀洹能作是念我得須
陀洹果不須菩提言不也世尊何以故須陀
洹名為入流而無所入不入色聲香味觸法
是名須陀洹須菩提於意云何斯陀含能作
是念我得斯陀含果不須菩提言不也世尊
何以故斯陀含名一往來而實無往來是名
斯陀含須菩提於意云何阿那含能作是念
我得阿那含果不須菩提言不也世尊何以
故阿那含名為不來而實無來是故名阿那
含須菩提於意云何阿羅漢能作是念我得
阿羅漢道不須菩提言不也世尊何以故實
無有法名阿羅漢世尊若阿羅漢作是念我
得阿羅漢道即為著我人衆生壽者世尊佛
說我得無諍三昧人中最為第一是第一離
欲阿羅漢我不作是念我是離欲阿羅漢世
尊我若作是念我得阿羅漢道世尊則不說
須菩提是樂阿蘭那行者以須菩提實無所
行而名須菩提是樂阿蘭那行

BD01051號　金剛般若波羅蜜經　（12–1）

說我得無諍三昧人中最為第一是第一離
欲阿羅漢我不作是念我是離欲阿羅漢世
尊我若作是念我得阿羅漢道世尊則不說
須菩提是樂阿蘭那行者以須菩提實無所
行而名須菩提是樂阿蘭那行
佛告須菩提於意云何如來昔在然燈佛所
於法有所得不世尊如來在然燈佛所於法
實無所得須菩提於意云何菩薩莊嚴佛土
不不也世尊何以故莊嚴佛土者即非莊嚴
是名莊嚴是故須菩提諸菩薩摩訶薩應如
是生清淨心不應住色生心不應住聲香味
觸法生心應無所住而生其心須菩提譬如
有人身如須彌山王於意云何是身為大不
須菩提言甚大世尊何以故佛說非身是名
大身
須菩提如恒河中所有沙數如是沙等恒河
於意云何是諸恒河沙寧為多不須菩提言
甚多世尊但諸恒河尚多無數何況其沙須
菩提我今實言告汝若有善男子善女人以
七寶滿尒所恒河沙數三千大千世界以用布
施得福多不須菩提言甚多世尊佛告須
菩提若善男子善女人於此經中乃至受持
四句偈等為他人說而此福德勝前福德復
次須菩提隨說是經乃至四句偈等當知此
處一切世間天人阿脩羅皆應供養如佛塔
廟何況有人盡能受持讀誦須菩提當知是

BD01051號　金剛般若波羅蜜經　（12–2）

次須菩提隨說是經乃至四句偈等當知此
處一切世間天人阿脩羅皆應供養如佛塔
廟何況有人盡能受持讀誦須菩提當知是
人成就最上第一希有之法若是經典所在
之處則為有佛若尊重弟子
尒時須菩提白佛言世尊當何名此經我等
云何奉持佛告須菩提是經名為金剛般若
波羅蜜以是名字汝當奉持所以者何須菩
提佛說般若波羅蜜則非般若波羅蜜須菩
提於意云何如來有所說法不須菩提白佛
言世尊如來無所說須菩提於意云何三千
大千世界所有微塵是為多不須菩提言甚
多世尊須菩提諸微塵如來說非微塵是名
微塵如來說世界非世界是名世界須菩提
於意云何可以三十二相見如來不不也世尊
何以故如來說三十二相即是非相是名
三十二相須菩提若有善男子善女人以恒
河沙等身命布施若復有人於此經中乃至
受持四句偈等為他人說其福甚多
尒時須菩提聞說是經深解義趣涕淚悲泣
而白佛言希有世尊佛說如是甚深經典我
從昔來所得慧眼未曾得聞如是之經世尊
若復有人得聞是經信心清靜則生實相當
知是人成就第一希有功德世尊是實相者
則是非相是故如來說名實相世尊我今得
聞如是經典信解受持不足為難若當來世

知是人成就第一希有功德世尊是實相者
則是非相是故如來說名實相世尊我今得
聞如是經典信解受持不足為難若當來世
後五百歲其有衆生得聞是經信解受持是
人則為第一希有何以故此人無我相人相
衆生相壽者相所以者何我相即是非相人
相衆生相壽者相即是非相何以故離一切
諸相則名諸佛
佛告須菩提如是如是若復有人得聞是經
不驚不怖不畏當知是人甚為希有何以故
須菩提如來說第一波羅蜜非第一波羅蜜
是名第一波羅蜜須菩提忍辱波羅蜜如來
說非忍辱波羅蜜何以故須菩提如我昔為
歌利王割截身體我於尒時無我相無人相
無衆生相無壽者相何以故我於往昔節節
支解時若有我相人相衆生相壽者相應生
瞋恨須菩提又念過去於五百世作忍辱仙
人於尒所世無我相無人相衆生相無壽者
者相是故須菩提菩薩應離一切相發阿耨
多羅三藐三菩提心不應住色生心不應住
聲香味觸法生心應生無所住心若心有住
則為非住是故佛說菩薩心不住色布施須
菩提菩薩為利益一切衆生應如是布施如
來說一切諸相即是非相又說一切衆生則
非衆生須菩提如來是真語者實語者如語
者不誑語者不異語者須菩提如來所得法

來說一切諸相即是非相又說一切衆生則
非衆生須菩提如來是真語者實語者如語
者不誑語者不異語者須菩提如來所得法
此法無實無虛須菩提若菩薩心住於法而
行布施如人入暗則無所見若菩薩心不住
法而行布施如人有目日光明照見種種色
須菩提當來之世若有善男子善女人能於
此經受持讀誦則為如來以佛智慧悉知是
人悉見是人皆得成就無量無邊功德
須菩提若有善男子善女人初日分以恒河
沙等身布施中日分復以恒河沙等身布施
後日分亦以恒河沙等身布施如是無量百
千萬億劫以身布施若復有人聞此經典信
心不逆其福勝彼何況書寫受持讀誦為人
解說須菩提以要言之是經有不可思議不
可稱量無邊功德如來為發大乘者說為發
最上乘者說若有人能受持讀誦廣為人說
如來悉知是人悉見是人皆得成就不可量不
可稱無有邊不可思議功德如是人等則為
荷擔如來阿耨多羅三藐三菩提何以故須
菩提若樂小法者著我見人見衆生見壽者
見則於此經不能聽受讀誦為人解說須菩
提在在處處若有此經一切世間天人阿脩
羅所應供養當知此處則為是塔皆應恭
敬作禮圍繞以諸花香而散其處

BD01051 號　金剛般若波羅蜜經　（12–5）

羅所應供養當知此處則為是塔皆應恭
敬作禮圍繞以諸花香而散其處
復次須菩提善男子善女人受持讀誦此經
若為人輕賤是人先世罪業應墮惡道以今
世人輕賤故先世罪業則為消滅當得阿耨
多羅三藐三菩提須菩提我念過去無量阿
僧祇劫於然燈佛前得值八百四千萬億那
由他諸佛悉皆供養承事無空過者若復有
人於後末世能受持讀誦此經所得功德於
我所供養諸佛功德百分不及一千萬億分
乃至算數譬喻所不能及須菩提若善男子
善女人於後末世有受持讀誦此經所得功
德我若具說者或有人聞心則狂亂狐疑不
信須菩提當知是經義不可思議果報亦不
可思議
尒時須菩提白佛言世尊善男子善女人發
阿耨多羅三藐三菩提心云何應住云何降
伏其心佛告須菩提善男子善女人發阿耨
多羅三藐三菩提者當生如是心我應滅度
一切衆生滅度一切衆生已而無有一衆生
實滅度者何以故若菩薩有我相人相衆生
相壽者相則非菩薩所以者何須菩提實無
有法發阿耨多羅三藐三菩提者須菩提於
意云何如來於然燈佛所有法得阿耨多羅
三藐三菩提不不也世尊如我解佛所說義

BD01051 號　金剛般若波羅蜜經　（12–6）

有法發阿耨多羅三藐三菩提者須菩提於
意云何如來於然燈佛所有法得阿耨多羅
三藐三菩提不不也世尊如我解佛所說義
佛於然燈佛所無有法得阿耨多羅三藐三
菩提佛言如是如是須菩提實無有法如來
得阿耨多羅三藐三菩提須菩提若有法如
來得阿耨多羅三藐三菩提然燈佛則不與我
受記汝於來世當得作佛号釋迦牟尼以實
無有法得阿耨多羅三藐三菩提是故然
燈佛與我受記作是言汝於來世當得作佛
号釋迦牟尼何以故如來者即諸法如義若
有人言如來得阿耨多羅三藐三菩提須菩
提實無有法佛得阿耨多羅三藐三菩提須
菩提如來所得阿耨多羅三藐三菩提於是
中無實無虛是故如來說一切法皆是佛法
須菩提所言一切法者即非一切法是故名
一切法須菩提譬如人身長大須菩提言世
尊如來說人身長大則為非大身是名大身
須菩提菩薩亦如是若作是言我當滅度無
量衆生則不名菩薩何以故須菩提實無有
法名為菩薩是故佛說一切法無我無人無
衆生無壽者須菩提若菩薩作是言我當
莊嚴佛土是不名菩薩何以故如來說莊嚴佛
土者即非莊嚴是名莊嚴須菩提若菩薩通
達無我法者如來說名真是菩薩
須菩提於意云何如來有肉眼不如是世尊

BD01051號　金剛般若波羅蜜經　（12–7）

土者即非莊嚴是名莊嚴須菩提若菩薩通
達無我法者如來說名真是菩薩
須菩提於意云何如來有肉眼不如是世尊
如來有肉眼須菩提於意云何如來有天眼
不如是世尊如來有天眼須菩提於意云何
如來有慧眼不如是世尊如來有慧眼須菩
提於意云何如來有法眼不如是世尊如來
有法眼須菩提於意云何如來有佛眼不如
是世尊如來有佛眼須菩提於意云何恒河
中所有沙佛說是沙不如是世尊如來說是
沙須菩提於意云何如一恒河中所有沙有
如是等恒河是諸恒河所有沙數佛世界如
是寧為多不甚多世尊佛告須菩提尒所國
土中所有衆生若干種心如來悉知何以故
如來說諸心皆為非心是名為心所以者何
須菩提過去心不可得現在心不可得未來
心不可得須菩提於意云何若有人滿三千
大千世界七寶以用布施是人以是因緣得
福多不如是世尊此人以是因緣得福甚多
須菩提若福德有實如來不說得福德多以
福德無故如來說得福德多
須菩提於意云何佛可以具足色身見不不
也世尊如來不應以色身見何以故如來說
具足色身即非具足色身是名具足色身須
菩提於意云何如來可以具足諸相見不不
也世尊如來不應以具足諸相見何以故如
來說諸相具足即非具足是名諸相具足須

BD01051號　金剛般若波羅蜜經　（12–8）

菩提於意云何如來可以具足諸相見不不
也世尊如來不應以具足諸相見何以故如
來說諸相具足即非具足是名諸相具足須
菩提汝勿謂如來作是念我當有所說法莫
作是念何以故若人言如來有所說法即為
謗佛不能解我所說故須菩提說法者無法
可說是名說法須菩提白佛言世尊佛得阿
耨多羅三藐三菩提為無所得耶如是如是
須菩提我於阿耨多羅三藐三菩提乃至無
有少法可得是名阿耨多羅三藐三菩提復
次須菩提是法平等無有高下是名阿耨多
羅三藐三菩提以無我無人無衆生無壽者
脩一切善法則得阿耨多羅三藐三菩提須
菩提所言善法者如來說非善法是名善法
須菩提若三千大千世界中所有諸須弥山
王如是等七寶聚有人持用布施若人以此
般若波羅蜜經乃至四句偈等受持讀誦為
他人說於前福德百分不及一百千萬億分
乃至筭數譬喻所不能及
須菩提於意云何汝等勿謂如來作是念我
當度衆生須菩提莫作是念何以故實無有
衆生如來度者若有衆生如來度者如來則
有我人衆生壽者須菩提如來說有我者則
非有我而凡夫之人以為有我須菩提凡夫
者如來說則非凡夫須菩提於意云何可以
三十二相觀如來不須菩提言如是如是以

BD01051號　金剛般若波羅蜜經　（12–9）

非有我而凡夫之人以為有我須菩提凡夫
者如來說則非凡夫須菩提於意云何可以
三十二相觀如來不須菩提言如是如是以
三十二相觀如來佛言須菩提若以三十二
相觀如來者轉輪聖王則是如來須菩提白
佛言世尊如我解佛所說義不應以三十二
相觀如來尒時世尊而說偈言
若以色見我　以音聲求我　是人行耶道　不能見如來
須菩提汝若作是念如來不以具足相故得
阿耨多羅三藐三菩提須菩提莫作是念如
來不以具足相故得阿耨多羅三藐三菩提
須菩提汝若作是念發阿耨多羅三藐三菩
提者說諸法斷滅莫作是念何以故發阿耨
多羅三藐三菩提者於法不說斷滅相須菩
提若菩薩以滿恒河沙等世界七寶布施若
復有人知一切法無我得成於忍此菩薩勝
前菩薩所得功德須菩提以諸菩薩不受福
德故須菩提白佛言世尊云何菩薩不受福
德須菩提菩薩所作福德不應貪著是故說
不受福德須菩提若有人言如來若來若去
若坐若卧是人不解我所說義何以故如來者
無所從來亦無所去故名如來須菩提若
善男子善女人以三千大千世界碎為微塵
於意云何是微塵衆寧為多不甚多世尊
何以故若是微塵衆實有者佛則不說是微
塵衆所以者何佛說微塵衆則非微塵衆是名
微塵衆世尊如來所說三千大千世界則非

BD01051號　金剛般若波羅蜜經　（12–10）

於意云何是微塵衆寧為多不甚多世尊
何以故若是微塵衆實有者佛則不說是微
塵衆所以者何佛說微塵衆則非微塵衆是名
微塵衆世尊如來所說三千大千世界則非
世界是名世界何以故若世界實有者則是一
合相如來說一合相則非一合相是名一合
相須菩提一合相者則是不可說但凡夫之
人貪著其事須菩提若人言佛說我見人見
衆生見壽者見須菩提於意云何是人解我
所說義不世尊是人不解如來所說義何以
故世尊說我見人見衆生見壽者見即非
我見人見衆生見壽者見是名我見人見衆
生見壽者見須菩提發阿耨多羅三藐三菩
提心者於一切法應如是知如是見如是信
解不生法相須菩提所言法相如來說即非
法相是名法相須菩提若有人以滿無量阿
僧祇世界七寶持用布施若有善男子善女人
發菩薩心者持於此經乃至四句偈等受持
讀誦為人演說其福勝彼云何為人演說
不取於相如如不動何以故
一切有為法　如夢幻泡影　如露亦如電　應作如是觀
佛說是經已長老須菩提及諸比丘比丘尼
優婆塞優婆夷一切世間天人阿脩羅聞佛所
說皆大歡喜信受奉持
金剛般若波羅蜜經

BD01051號　金剛般若波羅蜜經　（12–11）

生見壽者見須菩提發阿耨多羅三藐三菩
提心者於一切法應如是知如是見如是信
解不生法相須菩提所言法相如來說即非
法相是名法相須菩提若有人以滿無量阿
僧祇世界七寶持用布施若有善男子善女人
發菩薩心者持於此經乃至四句偈等受持
讀誦為人演說其福勝彼云何為人演說
不取於相如如不動何以故
一切有為法　如夢幻泡影　如露亦如電　應作如是觀
佛說是經已長老須菩提及諸比丘比丘尼
優婆塞優婆夷一切世間天人阿脩羅聞佛所
說皆大歡喜信受奉持
金剛般若波羅蜜經

BD01051號　金剛般若波羅蜜經　（12–12）

維摩詰經卷上

BD01052 號背　維摩詰所說經卷上護首　　（1–1）

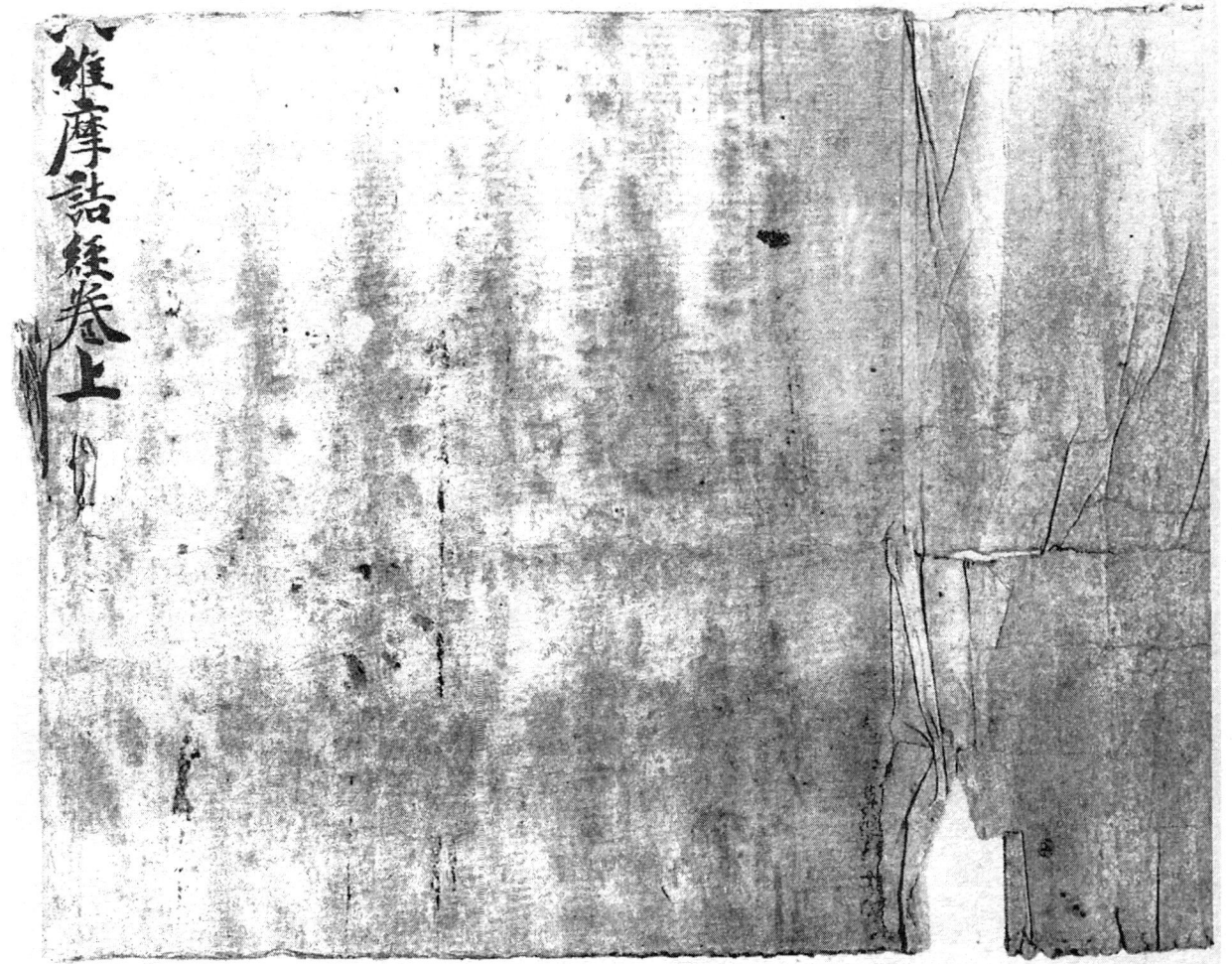

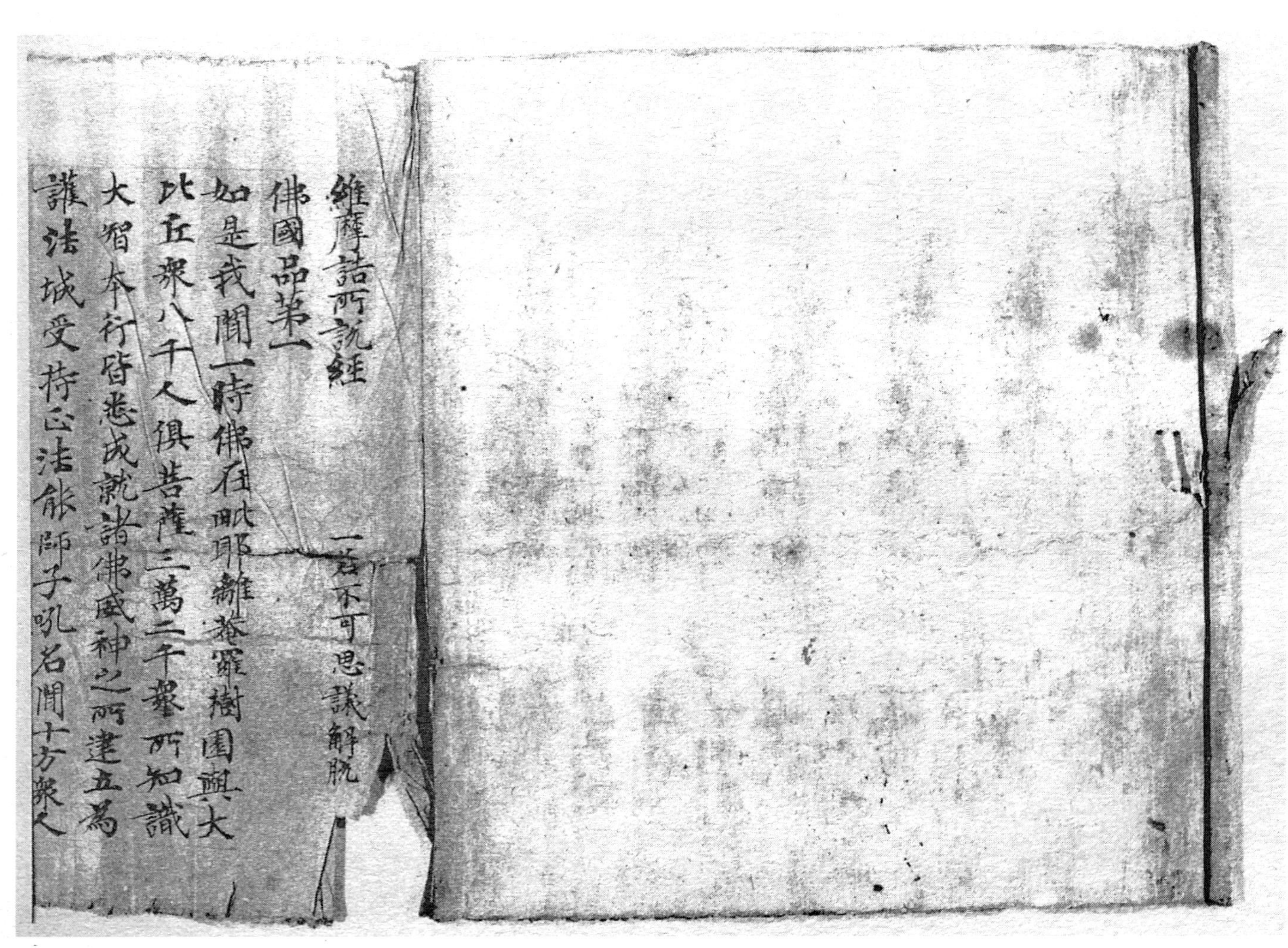
維摩詰所説經　一名不可思議解脫
佛國品第一
如是我聞一時佛在毗耶離菴羅樹園與大
比丘衆八千人俱菩薩三萬二千衆所知識
大智本行皆悉成就諸佛威神之所建立爲
護法城受持正法能師子吼名聞十方衆人

BD01052 號　維摩詰所說經卷上　　（6–1）

如是我聞一時佛在毗耶離菴羅樹園與大
比丘衆八千人俱菩薩三萬二千衆所知識
大智本行皆悉成就諸佛威神之所建立爲
護法城受持正法能師子吼名聞十方衆人
不請友而安之紹隆三寶能使不絶降伏魔
怨制諸外道悉已清淨永離蓋纏心常安住
无导解脫念定摠持辯才不斷布施持戒忍
辱精進禪定智慧及方便力无不具足逮无
所得不起法忍已能隨順轉不退輪善解法
相知衆生根蓋諸大衆得无所畏功德智慧
以脩其心相好嚴身色像第一捨諸世間所
有飾好名稱高遠踰於須弥深信堅固猶若
金剛法寶普照而雨甘露於衆言音微妙第
一深入緣起斷諸邪見有无二邊无復餘習
演法无畏猶師子吼其所講說乃如雷震无
有量已過量集衆法寶如海導師了達諸法
深妙之義善知衆生往來所趣及心所行近
无等等佛自在慧十力无畏十八不共關閉
一切諸惡趣門而生五道以現其身爲大醫
王善療衆病應病與藥令得服行无量功德皆
皆成就无量佛土皆嚴淨其見聞者无不蒙益
諸有所作亦不唐捐如是一切功德皆悉具足
其名曰等觀菩薩不等觀菩薩等不等觀菩
薩定自在王菩薩法自在王菩薩法相菩薩
光相菩薩光嚴菩薩大嚴菩薩寶積菩薩辯
積菩薩寶手菩薩寶、菩薩常舉菩薩
常下手菩薩常慘菩薩喜根菩薩喜王菩薩

BD01052號　維摩詰所說經卷上　（6–2）

薩定自在王菩薩法自在王菩薩法相菩薩
光相菩薩光嚴菩薩大嚴菩薩寶積菩薩辯
積菩薩寶手菩薩寶、菩薩常舉菩薩
常下手菩薩常慘菩薩喜根菩薩喜王菩薩
辯音菩薩虛空藏菩薩執寶炬菩薩寶勇菩
薩寶見菩薩帝網菩薩明網菩薩无緣觀菩
薩慧積菩薩寶勝菩薩天王菩薩壞魔菩薩
電德菩薩自在王菩薩功德相嚴菩薩師子
吼菩薩雷音菩薩山相擊音菩薩香象菩薩
白香象菩薩常精進菩薩不休息菩薩妙生
菩薩華嚴菩薩觀世音菩薩得大勢菩薩梵
網菩薩寶杖菩薩无勝菩薩嚴土菩薩金髻
菩薩珠髻菩薩弥勒菩薩文殊師利法王子
菩薩如是等三万二千人俱
復有万梵天王尸棄等從餘四天下來詣佛
所而聽法復有万二千天帝亦從餘四天下
來在會坐并餘大威力諸天龍神夜叉乾闥
婆阿脩羅迦樓羅緊那羅摩睺羅伽等悉來
會坐諸比丘比丘尼優婆塞優婆夷俱來會
坐彼時佛與无量百千之衆恭敬圍遶而爲
說法譬如須弥山王顯于大海安處衆寶師
子之坐蔽於一切諸來大衆
尒時毗耶離城有長者子名曰寶積與五百
長者子俱持七寶蓋來詣佛所頭面禮足各
以其蓋共供養佛佛之威神令諸寶蓋合成
一蓋遍覆三千大千世界而此世界廣長之

BD01052號　維摩詰所說經卷上　（6–3）

長者子俱持七寶蓋来詣佛所頭面礼足各
以其蓋共供養佛佛之威神令諸寶蓋合成
一蓋遍覆三千大千世界而此世界廣長之
相悉於中現又此三千大千世界諸須弥山
雪山目真隣陁山摩訶目真隣陁山香山寶
山金山黑山鐵圍山大鐵圍山大海江河川
流泉源及日月星辰天宮龍宮諸尊神宮悉
現於寶蓋中又十方諸佛諸佛說法亦現於
寶蓋中尒時一切大衆覩佛神力歎未曾有
合掌礼佛瞻仰尊顔目不暫捨長者子寶
積即於佛前以偈頌曰

目淨脩廣如青蓮　心淨已度諸禪定
久積淨業稱无量　導衆以寂故稽首
既見大聖以神變　普現十方无量土
其中諸佛演說法　於是一切悉見聞
法王法力超羣生　常以法財施一切
能善分別諸法相　於第一義而不動
已於諸法得自在　是故稽首此法王
說法不有亦不无　以因緣故諸法生
无我无造无受者　善惡之業亦不亡
始在佛樹力降魔　得甘露滅覺道成
已无心意无受行　而悉摧伏諸外道
三轉法輪於大千　其輪本来常清淨
天人得道此為證　三寶於是現世間
以斯妙法濟群生　一受不退常寂然
度老病死大醫王　當礼法海德无邊

BD01052號　維摩詰所説經卷上　（6–4）

已无心意无受行　而悉摧伏諸外道
三轉法輪於大千　其輪本来常清淨
天人得道此為證　三寶於是現世間
以斯妙法濟群生　一受不退常寂然
度老病死大醫王　當礼法海德无邊
毀譽不動如須弥　於善不善等以慈
心行平等如虛空　孰聞人寶不敬承
今奉世尊此微蓋　於中現我三千界
諸天龍神所居宮　揵闥婆等及夜叉
悉見世間諸所有　十力哀現是化變
衆覩希有皆歎佛　今我稽首三界尊
大聖法王衆所歸　淨心觀佛靡不欣
各見世尊在其前　斯則神力不共法
佛以一音演說法　衆生隨類各得解
皆謂世尊同其語　斯則神力不共法
佛以一音演說法　衆生各各隨所解
普得受行獲其利　斯則神力不共法
佛以一音演說法　或有恐畏或歡喜
或生猒離或斷疑　斯則神力不共法
稽首十力大精進　稽首已得无所畏
稽首住於不共法　稽首一切大導師
稽首能斷衆結縛　稽首已到於彼岸
稽首能度諸世間　稽首永離生死道
悉知衆生來去相　善於諸法得解脫
不著世間如蓮華　常善入於空寂行
達諸法相无罣㝵　稽首如空无所依
尒時長者子寶積說此偈已白佛言世尊是

BD01052號　維摩詰所説經卷上　（6–5）

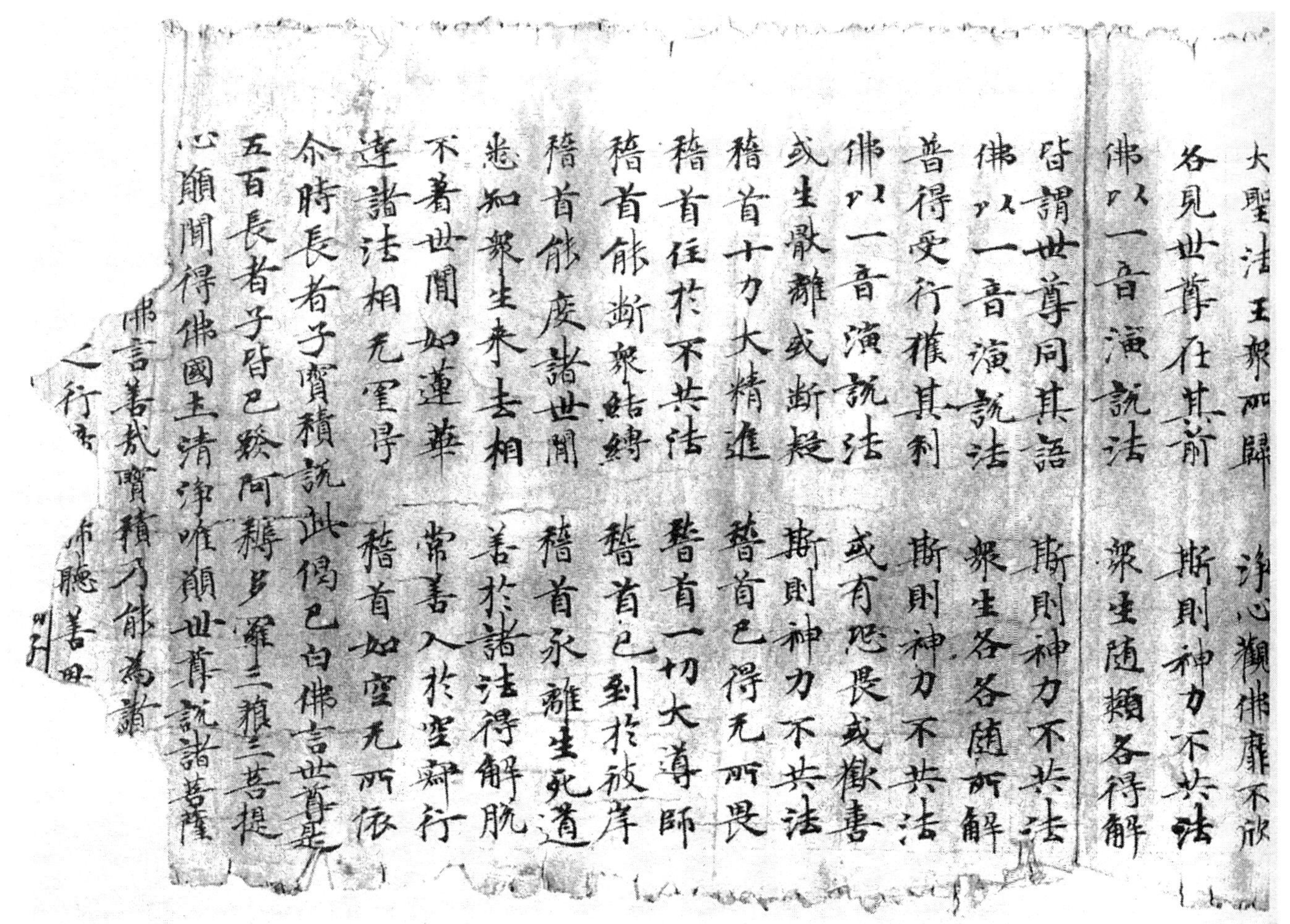

大聖法王衆所歸　淨心觀佛靡不欣
各見世尊在其前　斯則神力不共法
佛以一音演說法　衆生隨類各得解
皆謂世尊同其語　斯則神力不共法
佛以一音演說法　衆生各各隨所解
普得受行獲其利　斯則神力不共法
佛以一音演說法　或有恐畏或歡喜
或生厭離或斷疑　斯則神力不共法
稽首十力大精進　稽首已得无所畏
稽首住於不共法　稽首一切大導師
稽首能斷衆結縛　稽首已到於彼岸
稽首能度諸世間　稽首永離生死道
悉知衆生來去相　善於諸法得解脫
不著世間如蓮華　常善入於空寂行
達諸法相无罣㝵　稽首如空无所依
尒時長者子寶積說此偈已白佛言世尊是
五百長者子皆已發阿耨多羅三藐三菩提
心願聞得佛國土清淨唯願世尊說諸菩薩
佛言善哉寶積乃能為諸
之行[illegible]聽善思

BD01052 號　維摩詰所説經卷上　（6–6）

BD01052 號背　藏文雜寫　（1–1）

法界墳

于等上二直云所為平等无得已下正明進

堅固乘仏貂乘為本故也鄣有十種称云離煩惱

真心清淨者離於貂鄣煩惱鄣者有三四住異心之

染者亦淨薄如皮等於真用故云鄣也二者實鄣垢了

之義暗理轉深未盡理原故云鄣也三者骨鄣无明住地

大義之本暗理深極故云骨鄣諸結後山皆以堆識者

使乃塵沙義云有十四可有三皆能驅歐後人名為使

也五地已還斷害伴後不俱生煩惱与心為伴也六地七

地斷於意識後是曰心之義俱生煩惱也八地已上斷於細

使俱生煩惱上品也若依毗曇中說三界四諦明九十八

欲界見諦有卅二苦諦下有十後集諦有七滅諦下

七道諦下有八循道中有四訣合有卅六後色界見

諦下有十九苦諦下有九集諦下有六滅諦下有六道

諦下有七循道中有三合有卅一後无色界見諦下有

十九苦諦下有九集諦下有六滅諦下有六道諦下有七

循道中有三合有卅一後想三界五行為九十八後也見苦

斷卅八見集斷十九見滅斷十九見道斷卅二　若廣辯其

斷義位之高下但諸大乘經辟窮无量對機本發根叅

于後階位万品雖可俻盡耳　觀仏海願已下但釋上三觀

善仏也所以者何者所以有此三種淨益者何由如來大悲

則勸善攝衆生稟化來久故能平等行感應拘无方難

……若廣辨其
斷惑位之高下但諸大乘經辯无量對機本教根義
千後階位万品難可備盡耳　覩仏境願已下摠釋上三觀
皆仏也所以者何者所以有此三種得益者何由如來大悲
與勸善攝衆生令化來大乾能平等行感應於无方斯
斯近彼入仏願須如涅槃經所以依如來恩重三千難多
恩重難報義无異也皆隨本行皆得出要者要有五種
一入住位出外化之要二入初地出我見之要三入六地出有
相之要四入八地出无相之要五入仏地位出生滅之要々者
真也要真遠近悉由如來惠光明故若欲横對要乃千種
耳乘解脫力入如來海者有二義一由具前三德名乘解脫
力二者攝衆要為言乘无垢脩力入如來增海故云於仏法
門悉得自在也列名嘆德既在於上　從善海摩醯首羅天
已下說海惠第二明藏供也中有二種意一料簡有供无供之
別二料簡偈中嘆仏數有增減　初明有供无供之別者自下十
八衆皆有所費隱而不列餘有廿衆者明藏供也而供有二
種所謂財法財有內外法有理教此十大天王皆甚所得
法門說偈嘆仏即用嘆仏顯理利益衆生稱悅醒意故稱
供也如食怡悅神性保安為受故也第二明偈中嘆仏數有
增減者自下與偈誦前所得法門明義對機廣略有別
初首羅廿门果費十九偈遍淨廿二光音廿偈大梵十六门
自在廿偈化樂廿二兜率十六偈夜摩十六行帝釋廿偈四
天廿二月天十六偈持國廿门鳩槃廿偈博叉廿门毗沙十六
偈力士廿门普賢廿偈海惠十九行諸王不說偈々既多少不
同頌上法門並有廣略或一偈頌上一法門或有二偈頌上一
法門或有三偈頌上一法門雖初一王說偈皆通頌諸王法
門義也藏法供者非直以偈為是上長行十法門中各皆解
仏功德證仏所證乘仏所乘其德与普賢不異今但云略嘆
淨法門者欲彰法門无邊證人无限是故各互舉一門並

法門義有三偈頌上一法門雖初一王說偈皆通頌諸王法
門義也讚法供者非直以偈為是上長行十法門中各皆辯
仏功德讚仏所證兼仏所兼具德与普賢不異今但云嘆
得法門者欲歎法門无邊證人无很是故各立嘆一相豈
无粮持三世平等辯也如想嘆中以具想顯首羅天於法界
虛空寂靜方便光明法門亦得自在法界者一切万法色
心无作善惡无記若有若无一切所為智知皆為法界也虛
空寂靜者實絹也方便光明者方便門也於空有中生絹用
自在名法門也法門者多以想各因以想為門今此唯以義
能詮理〻能通解〻能通人故為門也自下諸門皆亦人法雖
眾觀嘆法供無以嘆仏應實二身及以注因三輪益物為
宗所以亦名嘆仏為讚者食已怡悅人情保安無度
為義此感恩重嘆仏古今因果理趣遠悅醒心保安
法身照量復令眾生得見聞之益是供也前嘆
眾得時從人向天此嘆仏德從天向人此中二應有財供
經家略故不顯准下諸會皆具財法或徐傍子歎名
目就中十九播說偈初首羅果實光普照沙此四皆初
嘆法身後二嘆因也其餘通淨化果一十五天等或前
顯因在光果在於後或在初偈中三四乃至七八顯
其因門後還嘆果也首羅中初十八門嘆果後二門嘆
注因初十八門中前二門嘆法身次十六門嘆應身形教
及淨出有所除淨目下力士普賢雖說中處亦依經二
偈說上一章門与上諸王无異也力士得示現如來无量
色像法門於護內此偈有廿門初有六門嘆法仏身業次
有七門嘆口業次有七門眾生見聞形教之益與供養
也普賢是此會稟說之主成就十二種不可思議法
門初二為想前句此化後句自行下十法門釋前二義
行謂此生初中一門釋初化化也語諸仏所釋前能入自

色像法門外護內此偈有廿門初有六門嘆法身業次
有七門嘆口業次有七門衆生見聞形教之益與供養
也。普賢是此會稟說之主成就十二種不可思議法
門初二爲總前句外化後句自行下十法門釋前二義
所謂出生初對一句釋初外化也謂諸仏所釋前能入自
行也。善薩諸地已下第二對初句自門示現已下釋外
化也。持諸仏土已下第三對初口句釋自門一切衆中已下
釋外化。於一念中已下第四對初句自行分別者外化也
其身已下第五對初句自行一切已下外化也是十法門皆
具三業自利利物五中初具不具相對次因果相對三境
智相對四一念已下劫与諸根依正相對五身智相對也
普賢偈有廿門初一行嘆仏依正次半行嘆僧實充滿次
半行嘆法實利物不思議次九行重嘆仏實次三行重
嘆法實次二行重嘆僧實軍後四行結仏法二寶略不
結僧實。就海慧中有二初長門二說偈長行中有三
初列仏坐嚴衆具二列坐中大衆三明獻供第二坐中有
三句一者總列大衆二從其名曰已下別列十名三從如是
已下還總結數諸供養已下第三供獻也供有二種初明
財供不可稱結誠善薩已下九句畢是第二獻法供之
明列得道之衆彼名嘆德皆嘆自分三業行願自利之德
略不顯利他也於第九句云是名供養諸仏也嘆德九句
中有三分德一始分德二往分德三滿分德清淨者自分
德於仏者他分德悉入者教益也此三爲始又得已下
往分功德又得不可思議照明法門自分功德正往已下
共分功德三世智地已下滿分功德具足已下滿分中初
句无量功德已下滿中第二句常行已下滿中第三句
悉已具足已下總結前九句也大方法受法者入地已上
无功用行既无相之義之亦不著也常門法界照一切智也

共分功德三世難也已下讚分功德具足已下讚分用乘
句无量功德已下滿中第二句常行已下滿中第三句
為已具足已下總結前九句也大力法處法者八地已上
无功用行成无相之處之亦不暑也常行法界照万有也
畢竟空性者照空也空有併滿故云具足也 偈有
十九行直作嘆仏三業平等益物初一行嘆意業平
次十二行嘆身業平等後六行嘆口業平等皆以利
物為喻畢明三輪也上來至此同聞二義成上生下
既本於上畢是證信序竟 ·動地已下第二明發起
序也亦名如來序前亦名經前序經前何以亦來可有
二意一有機緣二由大慈雖有機緣如來无慈則不動
地諸王大衆則不興其念請大衆不集何得顯其果因
行之義也以仏慈悲神力動地皆動衆情故有念請衆
集酬咨廣顯果因行利物也·就中有三一總明動數
二列數相三列歎供總中復有其三初顯能動二蓮華已
下列所動三六種已下總列動數也所謂已下別列數相
謂動勇震吼起覺一中有三起等起等遍起乃至旋覺
一中有三三六以為十八·又令一切已下第三明歎供也就
中有二初明財供二從此世界中已下列得道人亦若列法
供也以其證道稱暱意故名為歎供財供有二一明此方
供養二一切十方已下列他方供養各隨其力者隨感
多少也法供養中復有其二初十句明此方法供二十方一
切已下明他方法供前此方之中直作五對十句初歎色
相對二折散相對三法勇相對四證不證相對五度未度
相對此等十句皆嘆自利行顯隱歎利他也
盧舍那仏品第二 ·盧舍那者聞名清淨圓滿
与釋迦一仏亦異名寄化主以彰品目故日盧舍那
仏品又云毗盧為法盧舍為報釋迦為應也自下明

相對二折徵相對三祛惑相對四證不證相對五度未度
相對此等十句皆嘆自利行顯隱於利他也
盧舍那仏品第二　·盧舍那者同名清淨圓滿
与釋迦一仏而異名寄化主以彰品目故曰盧舍那
仏品又云毗盧為法盧舍為報釋迦為應也自下明
其品說此品科簡有二●謹宗遂生起二科文解義
通則有六科文有三六義者一機法相對二藥病相
當三意言相順四三教相成五伏本大解六悲心於
起·二科文解義者就中有三周說法初後已下至名
号已來一周略明因果以勸於時·第二從名号已下
訖於十忍第二周廣明因果以勸於時·第三從僧祇
品已下訖於離世間品已下明結勸循成顯前二宗以
益經時若取法界重顯因果許方舉勸流通物悕
中廣果而略因第二名号廣因而略果第三心王已下
因果俱廣許是僑互彰義也法界重舉者不異前
釋亦可得名廣略四周說法為於利鈍耳如大涅槃道
取陳如三周因果无異也目有異體因果目有目黔因
果然既云目體亭有因果勝者但體用互興義无攝
德无不積於因果殊致与如仏性涅槃是自體因果緣
脩方便顯真實體為異黔因果如金鑛冶鑠承水
土皆有同異也然一示以先果後因者勸於川人忻果川
因故也下廣明因者勸於行人因圓則果滿也若依品
初科釋由是果未竟淨行已下始顯因門心王已下重顯
果門性起已下顯果以因法界已下名流通也·就此品中
有三分一從初說清淨法輪已來名序分·二從尒時普
賢菩薩承仏神神力已下明正說真應圓果以不思議
為宗·三從乃往過去已下顯證流通也亦云顯圓果之目

…下名流通也。說此品中

有三分一從初說清淨法輪已來名序分。二從尔時普

賢菩薩承仏神神力已下明正說真應圓果以不思議

為宗。三從乃往過去已下顯證流通也尔云顯圓果之因

也。初序分之中仍有六𢌿長门及偈皆是發起義也初

長行及偈明大念衆請　第二長行及偈直明放光意

在召衆　第三長行及偈正明集衆　第四長行及偈放

眉間光顯現普賢於十方三業示於大衆勗是此會

稟資之者　第五長行及偈明舊逕菩薩領嘆如來

受加之義也　若准下諸會皆有六義一處所二獻供三集

衆四放光五說偈六入定此中序分應有六義与下相似

而文小異者以此念請一長行及偈故有八𢌿經文其八

者何一上道場昇是其處也二上顯财法昇是獻供

也三者動地四明念請五者放光六者集衆七者說偈八

者入定此品通序如十地品異此道場獻供動地等昇

与盧舍一品為通序与下九會為序而九會之中復別

有序正流通如論釋初地八分前六為序近与初地為

序遠通九地為序而九地之中復別為序正流通也若另

品中文不異具六者處等不異於此也不思議已下不具

六者顯前略後也然此之念請由上動地獻供而起之

所以偏如前釋說中有三一初從已下明其念請二唯顯

已下請次之辞三普中說十八行偈嘆仏功德說前念

請之中問有卅二句大問有四初之九句問真極圓果次

九句問應化法身次十一句問應化所被後三句問因门也

初問仏地者㧾問仏因果一切功德安立如地也尔可廣生物

善叫仏地妙法唯仏所知故云覺果地大悲羅足之通…

九句問應化法身次十一句問應化所被後三句問因行也
初問仏地者總問因仏果一切功德安立如地也亦可廣生物
善如仏地妙法唯仏所知故云境界也大陁羅尼之極說
云持順益理周爲門无畏三昧目在已下爲仏勝等也示
現菩提已下應道八相也六根者應身也光明音聲
者聲光益物也諸仏娼海已下說應化所及爲問也仏
娼海者舉娼以明所知也世界者衆生所依也衆生海
者語主正報也法界方便海者巧化之極也仏海者舉
主以明所化也波羅蜜海者化周備也法門海者軌
諸无方皆爲通化故名法門現八相等爲化身海亦
可覺寬覺身也名号壽量海者如此名号品壽命
品說真果圓妙衆聖所歸故先問焉有真必有應
故次問應有應必有所化故次問化之所及也此果
真應必有其因故次問行也因雖无量略問於二言一所
菩薩所循海者懷藴是因也發大乘心者懷初心也初
心是難故別問焉示以圓果由乎因備因備由乎初心
故問之也下答中先答真中九句十世界海已下答應
九句畢并答所備被十句也最後乃注已下答因四三句也然
則一部之始終皆答上疑但後雖有諸菩薩重問大栢
多同於此是以說經多是答前後問也雖處異衆而
見聞是同共爲一部故得通答亦可爲於刹根一周答上
根領解中下之流由自未悟是故諸菩薩等更須重問
辞无別答亦如前如似涅槃再周明常亦復无妨想別問答
並通任情也所以供養具中復說偈問者明上諸菩薩疑
問情慇故能感瑞令供具之中出音而請也亦以疑
念之問唯可如來玄鑒自餘諸衆何容得知故令供具表

並通任情也所以供養具中復說偈問者明上諸菩薩現
問情態啟能感歸令供具之中出目晝音而請也亦以疑
念之問唯可如來玄鑒目餘諸衆何容得知故令供具表
上疑問善令大衆偈仰醒吾也・偈有十八行前六偈嘆
揚後十二行頌前大衆疑念之事偈中亦問卅二事但與長
行疑問中前後廣略名句小異余无二也・從尒於面門已
下八中第五長行及偈放光召集他方衆也中有二分初
明放光召衆二從仏神力已下說偈嘆仏初中四句一云
如初心二光出處所從三列光之數相有十種也四列他方
見此面門及齒間者明教有揔別也所以面門及齒者表
明多以言教為仏事也如來仏事者多以面門放光涅槃
口光者心章斷句也偈有十九行中有二義初十偈明讚
仏德後九偈勸勧聽也・從尒時蓮華藏世界已下第六
長行及偈明他方衆集也前直放光遍興十方此明因光
新衆集也就中有二初長行列十方新衆因光來集二光
中說世偈嘆德初衆集中有二初明別列十方衆集二合
有十億已下揔結衆集也亦名嘆德也就一方中有八句
一列世界海名二列仏刹名三顯仏号四列菩薩上首仏光
閒覺六明菩薩眷屬七明獻供八隨方就坐十方皆亦
也就第二結嘆之中復有二一從如是已下揔結嘆衆集
并列財法供養眷屬等二明仏益物之方九重種教化在下
是也初化功之中揔結上列光列塵數世界海次列菩薩修
妙蜜次列淨光次列菩提次列其道次列衆生此之八句
皆云塵數也昇是嘆德不可思議事畢九種法門教化
者始從凡夫終于十地是所化衆生也目下有九種化宜亦
種對治深淺難側且復約位為九有就中大判為三
初三法明地也前化句[illegible]

BD01053號　華嚴略疏卷一

（25–9）

皆云塵數也畢是嘆德不可思議事畢九種法門教化
者始從凡夫終于十地是所化衆生也自下有九種化冝六
種對治深淺難側且復約位為九耳就中大判為三
初三法門化地前内外凡夫也次三法門化初地已上七地
已還三忍位人也後三法門化八地已上終于十地二忍位人
也初三中一法門在外凡之始耶定聚人也第二法門外凡之終
不定聚人也第三法門内凡之位三賢菩薩正定聚人也次
三法門者初一法門位在三地已還信忍行人也第二法門
位在六地已還順忍行人也第三法門位在七地无生忍下
品也後三法門者初一位在八地第二位九〻在地第三位在十地
也教門對機理自万差寧可復顯且寄大況約之為九可
以是不具收也上云九種是化儀方軌自下六種對治是第
二處化者蒙利也初功德能對治外凡衆生也第二功德
能對治内凡夫人也此之二句總九句中初三化門地前内
外凡夫為二也第三功能者對治六地已還為聲聞也第
四功能對治七地為緣覺也此二能收前三忍菩薩約
之為二也第五功能者對治八地九地无生忍中上也第六
功能者對治十地大窮忍下品也与仏同哭故云盧
舍那仏額性海中也此二收上後三門化以為二也若以
賢三乘者迴心在於初住解時種〻對治釋異於前初
治在外凡第二在内凡第三第四並在内凡此對治並在
十住位中亦可配在住行回也第五對治在初地已上終
于七地第六對治八地已上終于十地作此解時識无不收
无藥不被何妨迴小在於三賢也若依此解前釋初略而
後廣也前作二對治為略地上亦四為廣也今解地前作
四對治名前廣地上作二名後略也雖復六句廣略不

无藥不接何妨迴小向於三歷也若依此解前釋初略而
後廣也前作二對治為略地上亦四為廣也今解地前作
四對治名前廣地上作二名後略也雖復六句廣略不
同以解或注判大宗有二以下〻〻絹斷上〻〻或以上〻〻之絹
除下〻之或若論其起始微終著善惡具有論其斷也
始麁終細亦通善惡耳且據始終起盡而辯中間對治
縛脫不可具論縛解之義略顯於上也　第二光中說
偈〻有廿行中有二義初有一十二偈明功行滿足次有八
行明神力普遍微塵毛孔中也・從尒世尊欲令一切菩
薩大衆已下是序中第七現顯普身賢相爲此
會稟說之人也依下諸會界是序中第七說偈嘆仏也
中間雖有二菩薩說三長行及上處偈也眾後四天
下一長行者結衆集也初中有二〻長行〻說偈長行中
有五句一明所為二明放光是光之體相三光所及
處四現一大蓮華五現一大菩薩若依此偈上已有放光
集衆竟此中更放眉間光者欲加示普賢顯中道義
也顯現普賢收光是下者表明至極之道可傳於下也
第二說偈嘆仏偈有六行皆嘆如來二身於十方界中現
不思議益物也・從尒時師子奮迅音已下明說
偈嘆仏也亦云領於十方三業益物也依下諸會界是
偈讚之中第二播說偈也偈有十七行前三五言後十四七
言也五七雖殊並嘆如來十方界說普賢行三業利物耳
從尒時普賢於如來前坐蓮華藏師子坐已下第八普
賢入定也就中有二初長行後廿行偈頌長行有二一明入
定入三昧尒是也二釋入定界加尒是也初入定中有二
一入定并列三昧名如來淨藏二列三昧與境乃至一切仏

□尔時普賢[illegible]蓮華藏師子坐已下第八普
賢入定也就中有二初長行後廿行偈頌長行有二一明入
定入三昧分是也二釋入定畢加分是也初入定中有二
一入定并列三昧名如來淨藏二列三昧嬰境乃至一切仏
刹亦同於此就加分中有三初加之相所已下加之所爲緒
已下正三業加普賢菩薩入此三昧已下顯十如來示現三
業此特加相也二所謂已下有十句明加之所爲亦名入定所
爲也第三与緒已下正明加分也就前加相之中內外因緣有
緣句也又此已下第二句內因也內外因緣有二句也若不取
二乎句初云三業加相盧舍本願第一句通前三業皆是外
三業時但有內外二句也　就加所爲中有十句前四句外
化次四句目行後兩句通化方軌正就加之中應　有三業略
无初口業也　第二意加之中有十一句前五句加世緒次二
句加第一義歸緒後四加化衆生緒也　摩頂已下第三身
加也第二偈頌中有廿行初十一偈歎普賢三業遍一切處
益物後九偈請說法也。如是四天下已第三結上也
從尔時普賢以下是大段第二正說文也亦是品中第二
二正說有二種釋一者直作六分第一舉十緒明圓極妙果
以不思議爲宗。第二應用處所寄應以顯真也三名号
无邊四明說法无五光覺土田衆生无邊六明注復顯理
此並是果道也有復一解猶是正宗之說一注有二一者五
句領問辭二者答上問也五句者一領依報二領正報三依
正合領四領根性此四是領上十句所被及因中三也五云
三世諸仏者領上二九十八句真應問告言已答問也就
中有二一明十緒略顯十真果昂遠答上問真中九句亦云舉
顯用也。二就十世界海已下廣明應用處所寄土以顯應
也應用義遍昂答上應中九句及所被十句處所也

三世諸仏者能上二九十八句真應問告言已荅問也就中有二一明十智略顯十真果界遠荅上問真中九句亦云舉顯用也・二就十世界海已下廣明應用處所寄土以顯應也應用義遍界荅上應中九句及所被十句處所也・乃往已下荅因中三句十世界海者寄土顯應寄應顯真亦云舉用顯體也就荅初真中有七一明與境十智以表真身也第二出定三明列得道人四列地動五列讚供六如來毛頭光明說偈十四行並嘆三業遍一切處七普賢說廿行偈重顯前百依下論釋上云序分入定為三昧分三業為加分・普吉菩薩大衆已下身是本分前定後偈中已有請分初明真中有十句智皆從境為名故是境智是真解假言相相對豈有境智也寄言以顯无言寄對以彰无對十句清文如顯如是皆不可思議者非下情所測故云承仏神力舉十智可以知万故云具足演說亦得云道具是在下十世界海顯依下諸會皆初嘆入法此始舉真智者攝果行因也界是顯真耳從彼三昧起者上已出定告衆嘆說十智竟此云始起者以真智理深重入故出也亦可經說之前後也・時彼已下第三列得道之人中有二初揔列三昧海列此方得道人一切世界已下列他方得道人如來毛頭說十四偈者歎普賢三業遍十方盡物也文言本願藏者如盧舍那本所願時三乘大哉盡虛空遍法界故云願藏普賢身相猶如盡空遍法界故云願藏普賢身相猶如虛空者等法性也依於如之不依仏國者上如理如下智如言智會理、如智幹亦如明法身依於真如之智之是妙本也不依仏國之是化迹也依於如之者歎真身也現身无量者歎應身也真身二種一依虛空二依真如也普賢身應法前

法性也依於如々不依仏國者上如理如下智如言智會理、
如智幹亦如明法身依於真如之智々是妙本也不依仏
國々是化迹也依於如々者歎真身也現身无量者歎應
身也真身二種一依虗空二依真如也普賢偈應在前
但諸仏偈隔故在後・第七普賢説偈廿三行重顯前普
物十行歎如來三業益物後十行普賢自歎三業利
物除積滯益也・從世界海有十種事品是答仏
果中第二明法身應用處也上宣應以顯真此説處以
表應皆階汲以明義也今并至是圖果亦説世界海者
但理絶言頌非藉應无迹以顯本故就世界海中説應用之
處以明應身有宣化之益既明應身圓被界亦顯真
極之妙非處无以明應非應无以表實故須假處以通應
藉應以顯真界遠答應中九句所被十句因中三句合
廿三句問也亦可道乃注乙下益因中三句　就中有五一舉
數二列名三辯義四釋成世界義五七十偈乙下摠結十世
界義也中有生起十世界義也説世界者如娑婆阿弥陁
等起具者成也具八因緣故起應知或仏神力故衆生業
行所成也三住者謂依約業為因瞿力金剛大龍等為緣
也四形者方圓等也五體者謂金銀玉石等六莊嚴者謂
一寶二寶乃至无量寶也七清淨者謂善知識生波羅蜜
等也八仏出世界者謂現三輪壽命長短應化隨所宜等
九劫者謂仏刹住可數劫等十壞者緣盡三灾等此十摠
攝一切世界海皆同若一々別説則塵沙因緣但説其八輪
論説壞者説通始終壞穢先後故不論也又復始十智初
云如來智成敗智彼以顯故不重説亦可先後隱斷表
始終相盡故不説也中間八事顯其依報明法身亦於
中化也自下諸偈皆頌前長行也起具廿行至世界成十七行

BD01053號　華嚴略疏卷一

(25–14)

論說境者說道始終壞樣先後故不論也又復始十始初
云如來始成敗始依以顯故不重說亦可先後除斷表
始終相盡故不說也中間八事顯其依報明法身亦於
中化也自下諸偈皆頌前長行也起具廿行偈并形廿七行
手體有十行莊嚴廿行清淨十八偈出世行廿劫世不顯
偈依果者果依於因故云依果二人身為正因宅為依々
正果亦有餘報故云依果也・從尒時普賢欲分別開示
已下第四釋成世界義就中有二一直先告眾顯本所
行二從風輪已下正釋成世界義初中有四子句一直告
大眾二總顯法時三別顯法時四顯時中供仏脩菩薩
行成此世界也但觧一蓮華藏世界成義一切皆尒且寄
一蓮華世界海以明盧舍那仏本脩菩薩行時經阿僧
祇微塵數劫之所莊嚴也餘既云十種風輪者寄表
因中十地行也始云初住終云十住地寄風輪者表先除
无住行為本也就此成中有八義以釋成世界海之由第
一光明風輪世界持二金剛臺圍山三金剛圍山中地四
地中有香水海五明海有諸河為眷屬六河中間本地七
明香水上有不可思議性住八
就中初不可說香水海中取一樣中者名集光明廣第
仏剎義就中初十三播顯塵數仏剎成世界性次有八
播明世界性成香水海所以但就一香水辯十三仏剎者
為明一世界性中有眾多仏剎也但觧上方則九方同
然此明積性以成海積剎以成性也自此已下八播偈
皆頌前長行并顯成世界雜事就中但除第二十七偈第
六四偈自外六播各廿偈也然積剎成性積性成海多以
十為一數下經積十三剎至性八性至海此亦有々次第
也以三千世界為一仏剎於一方積十仏剎為一級塵一

皆頌前長行并顯成世界雜事就中但除第二十七偈第
六四偈自外六播各廿偈也然積剎成性積性成海多以
十為一數下經積十三剎至性八性至海此亦有〻次第
也以三千世界為一仏剎於一方積十仏剎末為微塵一塵
一仏剎十方皆尒積尒所塵數以剎為世界性也故下香
水海云從剎至剎塵數也乃至積性成海皆尒此是蓮
華藏世界海義也積性成海者數如積剎成性十
方皆尒若數三千者從一四天下乃至千百億四天下為
一三千成一剎也積性成海義如上自有小剎小海非一定也
犍大位解有相成剎性海義也此是臨明世界名号已
下偈明世界餘九方原然是仏菩薩常轉法輪處
從說偈已下第五重結前四義初卅行頌上起具因緣
世界海及住世界海也次有十行頌上幹及莊嚴清淨
三種世界海義也次六行頌前次二行頌上劫及壞世界
二海義也次五行頌上仏出後七偈頌上說世界也今乃領
壞在前顯說在後者欲表先〻不定方法皆尒可是
斷常之患也　・從乃往過去已下品中第三明引證流
通又云果不自有由因而尅果遠荅上問又歎慈悲心
遠益於二世故流通文與也何故名顯證者廣引往昔
賢菩薩循行時處行成果就故名顯也就中有二一明
行時處・二從彼世界過百歲已有仏出世已下明過仏
家剎初時處中有三一列時節久近二列世界海三列世
界性名幹相莊嚴其中須弥寶地衆山香水山林樓閣
香雲及八部城中道場等皆莊嚴世界性幹也彼世
界已下第二見仏家剎也就中有二周信仏就初中
有四周長行及偈初長行及八偈明莊嚴童子遇仏家
剎聲及四人第二長行及九偈明愛見父王与聞法初國

衆已下見第二見仏家剎也就中有二周偈仏就初中
有四周長行及偈初長行及八偈明莊嚴童子遇仏家
剎聲及四人第二長行及九偈明愛見父王与聞法勅國
臣民嚴辯欲往第三長行及九偈明愛見父王聞法剎勅
臣民八部詣仏聽法第四長行及九偈列得道五人并如
來述成也初中有四一摠列仏出世二別列仏名光明益物三
愛見大王已下列所度之衆四童子得益仰歎如來也
第二長行及偈中有二一普告國人二嚴辦行具第三長
行及偈中有四一王与人天大衆往詣仏所二列循多羅
名字〻〻三聞法得益四偈中勸循勸學第四長行及
偈中有二一列大衆得道二如來嘆讚述成授記第二周見
仏中有二初直見仏得三昧門第二周聞法得三昧門三旨
童者表三大阿僧祇劫行〻也

名号品第三 為名數曰名号品 •名以定形字以稱德号曰顯號令從化三
仏在已下有二種釋一家解時果中作六分經文一以不思議
妙智為宗二寄玉顯應此二如上三既有應身名号是
故名号品興既有人名理須說法故次第四〻諦品興也
教不虛設必有所被土境衆生故第五光覺品興生解
有由理須注復故次第六明難興也又復一解從此已下第
二廣明因果上略此廣也与大涅槃純陀哀歎對形言方便
明果也心王已下如大衆聞品已下廣明果也就初顯果之
中始一品明身業益物次四諦一品明口業益物光覺一品明
意業也亦名勸解三輪理須注復顯理故明難一品注復顯
理後解勝因。初中有二一明其身二承仏神力已下正說名
号身中有六一列住處二嘆仏德三歎他方來衆德四作
念問五者召衆六文殊受加歎大衆昂是入定分也如是

理彼能國初中有二一明其身二示仏神力已下正說名
号身中有六一列住處二嘆仏德三歎他方來衆德四作
念問五者召衆六文殊受加歎大衆昇是入定分也如是
等六句身中義也歎仏德十句中前四歎真身後六歎
應身示可通嘆真應也菩薩歎德中有三章門謂法機
對治後三句重釋三門疑問之中大門作卅二句果有十
句行有九句隨意已下十句重問果十句為卅二大問也
子門一百廿九門初十句門果次九十句問行因也隨喜為一句
不斷如來性而句道下能除所除八句為十句重下門果有
十四中間雜出六情根為六句是別為一百廿九句別門也衆
後為總也示淨作一百卅句門中有新滿在行品初也卅門
初十句總答餘別答也。昇以神力已下第五集衆新也
中有三一云知物念二現神力三列衆集衆集中一方有
句一列方所二列近遠三列世界名四列仏号五列菩
薩六列眷屬七供養供敬八各坐已方。從文殊師利
已下第六文殊受加也。從諸仏子已下品中第二正
說也就中有二一總答上門先領上門辭九句果通領
恩也二何以故已下釋上及化主不同故是以名号說法
先覺乃至一方行皆不同也中有三何以故初一釋十方
不同二釋三千三釋四天下。中有五翻初一四天下作本
二善護十方者是三千世界三叅詞十方者是世界
性也四无量十大數者是十蓮華藏世界海也五總遍
說第三世界性中一東方叅詞南方罪勇西方離垢北
方有寶境東方北呵梨東南方饒益西南方斯步西北
方有下賁境東北方呵梨東南二方知是下方无求上方
衡脱音示名離稀食第四世界海中直東方有十一无量
二不可數三不思議四不可稱五无等六无邊七无分量

方有下負境東北方呵梨東南二方知是下方无求上方
掰脫音亦名離㨨食第四世界海中亘東方有十一无量
二不可數三不思議四不可稱五无等六无邊七无分齊
八不可說九如虛空十等法界東方既尒餘九亦然皆是
盧舍那仏所化衆生處亦是蓮華藏世界一仏土也此
則荅前問果ミ中九句仏剎等也上盧舍那品中險辯世
界就成時語傍義不顯此中傍辯世界說時竪語不顯上下
二處皆辯蓮華藏世界起具因緣爲倚争歎名生辯
叙也第五摠結也其中雖就四天下十方容訓十大數而
積剎成性積性成海彼言猶俠六說而已可

四諦品第四　有作无作有爲二无爲二四也教行及理
淨云身次口嚟意業也五門境錯之別並有所以有此
品荅上五句外示佛所說法示仏剎騂二句也就中唯有三
周一三千二容訓十方三如虛空等法界盡大數略不顯
大數四天下也与上名号品相似三周廣略說法皆云隨
識所說不可盡也然皆集二諦性相是滅道二諦性
相是淨也　光覺品　此品來意上明身品口示現此明
意業也又來上二云誅未若界事自此已下十周放光因
光覩相示現三輪并仏号剎土說法歎仏根器衆生此
則所化根器衆生覺悟開現也名号是發生四諦是法業
此是根器猶明果義未盡尒可荅上仏剎等十句中外
死功德勢力示隨仏剎起成示正覺三句也相輪光者表
從下向上ミ眉間放光表上可傳下亦可慈心樓下也光无
十周蔵就十也一四天上界見廿八天地方及等法界四天
四天上皆尒十周者一娑婆根本出也十百千万百万億十
億百億此十周放光也外猶有一億那由他十億那由他

四天上皆亦十周者一娑婆根本坐也十百千万百一万億十
億百億此十周放光也外猶有一億那由他十億那由他
百億那由他千億那由他万億那由他十万億那由他百
万億那由他一千万那由他十千万那由他百千万億那由他第
三大數者一世界性二世界海三世界輪四世界圓五世界六
別六世界旋七世界轉八世界蓮華九世界須弥十世界
相一无量二不可數三不思議四不可稱五无等六无邊七
无分齊八不可說九如虚空十等法界此四播大數第一
大數中依前初大數法數月初一周長行中有四句一列
東方一切世界二明以此類彼三彼同於此四列一菩薩
仏世界及仏号界是第四句中分作三句也下之九周
所列乃可寬俠不同其中塵數世界各各所列与此不
異也十周長行及偈相似偈如有異此十周說偈皆歎
仏功德為宗旨也前五周各十偈第六十七偈後四周各
廿偈十周中初一明文殊勸觧上相莫作存執而知二明如
來惠盡德脩勸衆識知三如來知著万法如引而齊應六
道四用而常寂五勸循勸學六相者不見仏望相者見
仏七歎仏法无為勸衆識知八法身方便巧會有无九大
慧普覆接衆生普十平等大惠而應接群有无來去相
行者應知
明難品第六　上雖明理解解未堅固
要假注復故此品興就中有十周長行及偈前三就衆生
業報及七寄化主為言畧後長行摠結前二初一歎心
外有神能造万物者以緣假相緣續无性幹空衰
破斷常二閉若无衆生不應有十隨教化者以相續
故有无幹叔空三门四大造善惡苦樂者以思造業
无性叔空實法不定空无造也四门會空理一不應
同應衆者以根不同別故有衆生乏门真同是一下

所謂二門之身生不應有十隨教化答以相續
故有无對故空三門四大造善惡苦樂答以思造業
无性故空實法不定空无造也四門會空理一不應
用應緣答以根不同別故有緣也五門真用是一不
應施者歎別答以用心不等故別也六門教行顯對
不應須二答以教行相藉故須二也七門答聞法斷惑
者何故聞而不斷答以依教熏修乃斷八門歎智為
勝不應須九及五四等也答以對相貿故須十行偈
中又作五分初一行勸聽次一行不見一仏不藉多行成
者次一行緣根不同次三行對惑故須次四行功用相成
故須九也問若唯一乘不假諸法答以器故次須第九
九門中初二行顯一仏唯一道下八行悉緣根不同故不一
也十門仏境界有十一句初云境界二國三所入四所度五
隨順智六隨順法七分別智八聞識仏境界九門分別知
仏境界十聞照用十聞境界廣前之十句皆境界略不
著初偈答第一仏境界義第十一亦通去也下之九句次
第而答文无隱趣。寂後界是第三長行總結前二衆生
化主果分說　淨行品第七　・此品猶屬人中第二會
說六品中前是方便此二是行成也此品來意者有三
一遠答上問二明對果之因三教行相資答問因果可成
意得釋第三教行相資者上化主法門光照世界相照衆
生菩薩復顯理生解依興淨行及身口業故此品興焉並
上放相輪光明為此一段衆生聞覺始入似為外化都定
及不定聚人也或於想信之身是下放光明為於下善
凡夫人也下果天品放是指光明表漸進位上果義也
此品始生善相遠離仏果義復有三明相資以相无相
滿无漏乃至仏果之与體皆是相資相莊故經云一念之

此品始生善相逐證仏果義復有三〻明相資以相无相
滿无滿乃至伍至之与聖皆是相資相莪故經云一念之
善直向菩提不受世報故經云一念之善受一切常樂之
果不受生滅之果也三明階級次第者至忍十四忍三賢十
聖是也三明順而通真問凡聖頓行自利〻他一切万善並通
順極故名順通也而一人善惡等分者先受善報惡理在後
故以真金鍱花白霜等喻是其事也並就此中長行及
偈頌 起始終一儀而後伍至聖立行一周也就中有三一
問二答三鍵長行問中有十一句問一〻問中皆含多問无
量行相十一句中始九句問三業得一切勝妙功德〻次九句淨
生報勝也三次九句問生報上惠勝四次八句以發惠之緣五
次十句以惠之所除六次十句七覺三空問能幹也七次十
句以六度四攝能除相行八次十句十力者明能除功用而
名得果也九次十句問八部恭敬十次九句問菩薩陰護
釋上恭敬眾後第十一有七句問遵首陰護之專善不
忘發起必照欒惠不虛空起生必感昔因果相當故曰是
處若由罪對處因善樂總因果理異名非是處也生因
報報故云處也力義可知解所達到為至而可因至示果
處也通物為道前至因處此至果處為異也答中有二初
長行十句略後偈廣顯長行中初句因後句果第二尊導
者除仏為第二也而可除四依已外為第二也偈中有一百卌
行前一十一行顯在家菩薩行願下一百廿九行是出家菩
薩行願而可名世間也此之一位皆攘始行為言故從是下
光明表始行之人也

賢首品第八　　賢首者行以人目

品故云賢首品也經記云賢首剎來故云賢首也上淨行
品似如論行法相而會通學竟有二行利他行少自利

薩门顯示可名世間也此之一位皆據始行為言故從是下
先明表始门之人也　賢首品第八　賢首者行ㄟ以入自
品就云賢首品也經記云賢首剎乘故云賢首也上淨行
品似如踰行法相命會通學示有二行利他行少自利
行徧廣此中次第觀行辦心成就遍會法相利他行
多自利行少菩薩以他業為己業亦是倚手歎名
也如聖行品初修戒定惠初自利後利他初淺後深
始末一周仏事滿足梵行十功德亦示初微終著初自利
後利他論心三業並屬一衆生也觀此經意似是初行
如聖行品初發心淨三寶示如瓔珞仁王始從發心終
于灌頂之元異也亦此應在淨行品輪　賢首辯者此以二
品並有二品菩薩始終行成也亦可倚手亦說有斷
菩薩不同二乘凡夫迭觀與行一發昇一切万行並習故
經云一地攝一切地發心畢竟二元別乃至量与羅漢等
及量同惠先後際等三日月八日月五十日月並普眼
也就此品偈有七百一十九行合文有二初……一偈
條賢首菩薩行相義二從賢首答已下正說十三法明
及十四忍行相義就賢首答中復分為二初正說三賢十
聖顯行義二從元畏大士已下明受持流通分也就初
復分為二初有十三行明地前三堅菩薩行顯第二從深
心淨信不可壞已下有六百七十八行明初地已上行顯義
也前中有三初二執聽次五行想歎發心功德不可說五
行答別有為也始偈明菩薩發心功德堅固二偈說之難
盡三以少況多四說難究竟前就一仏此就多仏也五六
少分也次有六行明發心因緣內心為因三寶為緣中
中初一總第二所依第三所皆第四所除第五所為
……所學……

BD01053號　華嚴略疏卷一　（25–23）

少分也。次有六行明發心因緣。如心為因三寶為緣也
中初一摠第二所依第三所皆第四所除第五所[illegible]
所得也。疏第二地上之中初十八行偈以信一
行相也。次十行明二地也。次三地四地五地六[illegible]各有八行
偈顯其行相。次有十六偈明八地他行相。次十五偈明九
地行法身功德智惠具已下有五百七十九行廣摠明第
十地行相所為或是外化內化亦自下乃顯十地行相者
欲令始學遠樹勝行以廣其壞又辭如淨行品初具顯
竟此中宗始從發心終于十地第是始終行疏中辨文自
行外化或以三輪益物貴相具辯以為四分初十九行
自行殊滿法界。二從或有仏刹已下卅四行明外化義也。三
從若欲供養已下有卅四行重明自行前摠此别也。四從
欲知一切衆生類已下說不思議劫住有五百二偈[illegible]
大士定道之力於十方界三輪化衆生也。中間有二初
三百卌四行廣顯大士三業行類種種教化。二從一
說已下有一百五十八行明以下況上何況[illegible]有漏道力
寧可思量何況不周也。亦可以近通遠。初中有三初八十
三行明以定道力於十方界三業利物遍或於口業。次安
隱衆生勝三昧已下一百九十行明以定道力就光明二
以益物遍或於身業。三十方世界有緣已下有七十一行
明以定道力就三業自在於十方界以益物遍或於意業
尋文三業恒别不遠說音亦可云初就對治以益物一[illegible]
光明以益物三就自在以益物三皆以定為幹以三為用
身是幹用之義也前三周明自行外化者亦不[illegible]幹用
第二光中有三初南行摠次百五十[illegible]
如是等此光明門已下卅一行明結勸也。三從十[illegible]

BD01053號　華嚴略疏卷一

（25–24）

光明以益於三貪自在以益於三皆以定為體以三為用
尋是體用之義也前三周明自行外化當成不[illegible]於[illegible]
第二光中有三初兩行總次百五十[illegible]
如是等此光明門已下廿一行明結勸也三從十[illegible]
已下七十二行明定道之力三業或以神變光明
生所或以菩薩心靜一切善惡淨心源中調
行總次六十七行別後兩行結勸也別中自[illegible]
方中自在次䟽入等中自在童子身已下
天文諸蘊空有色心等中自在以下洗上中
界等行也光畏大士已下廿六行明顯發滿通也

華嚴略疏卷第一

比丘弘開供養流通

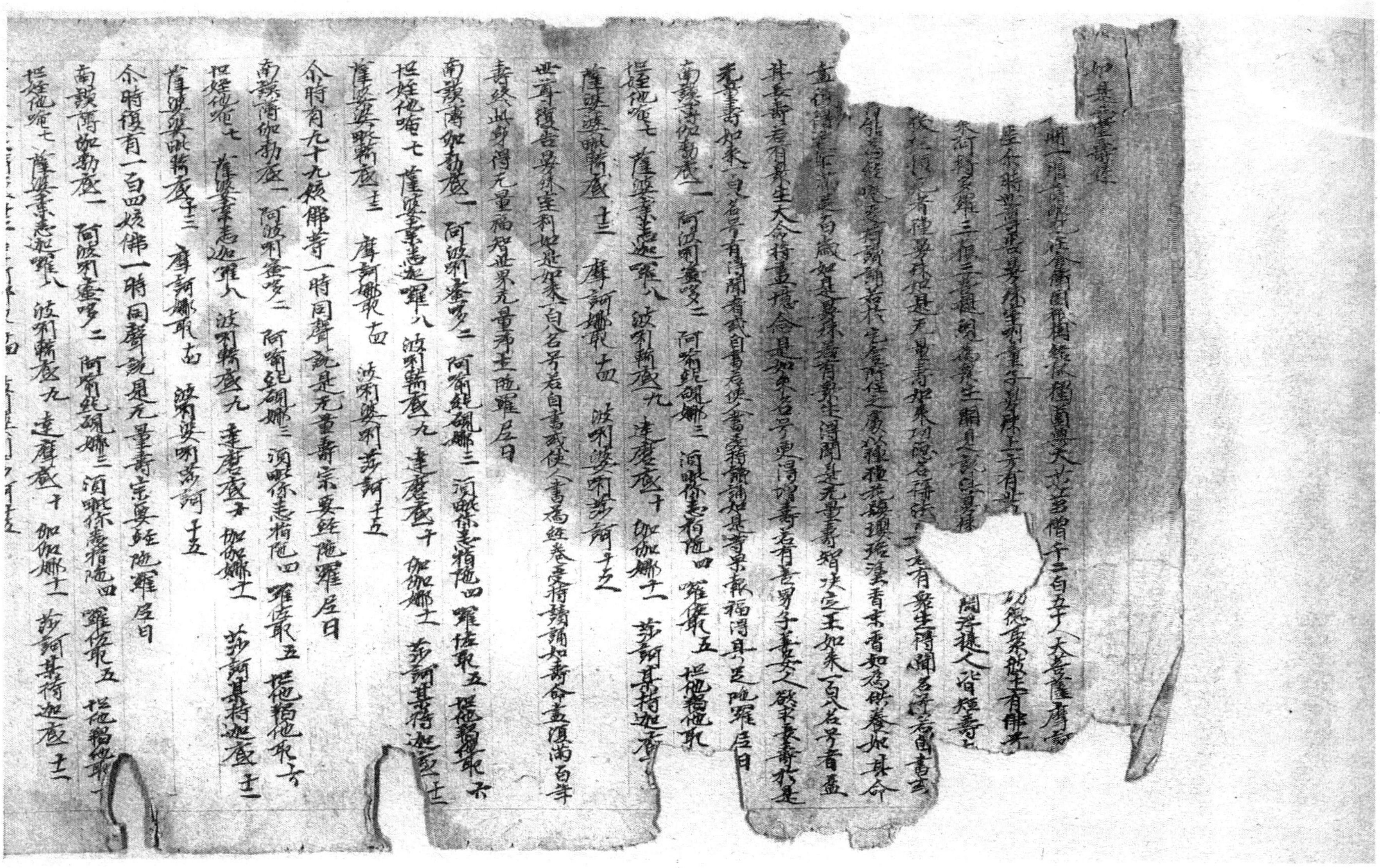

BD01054號　無量壽宗要經　　　　（6–1）

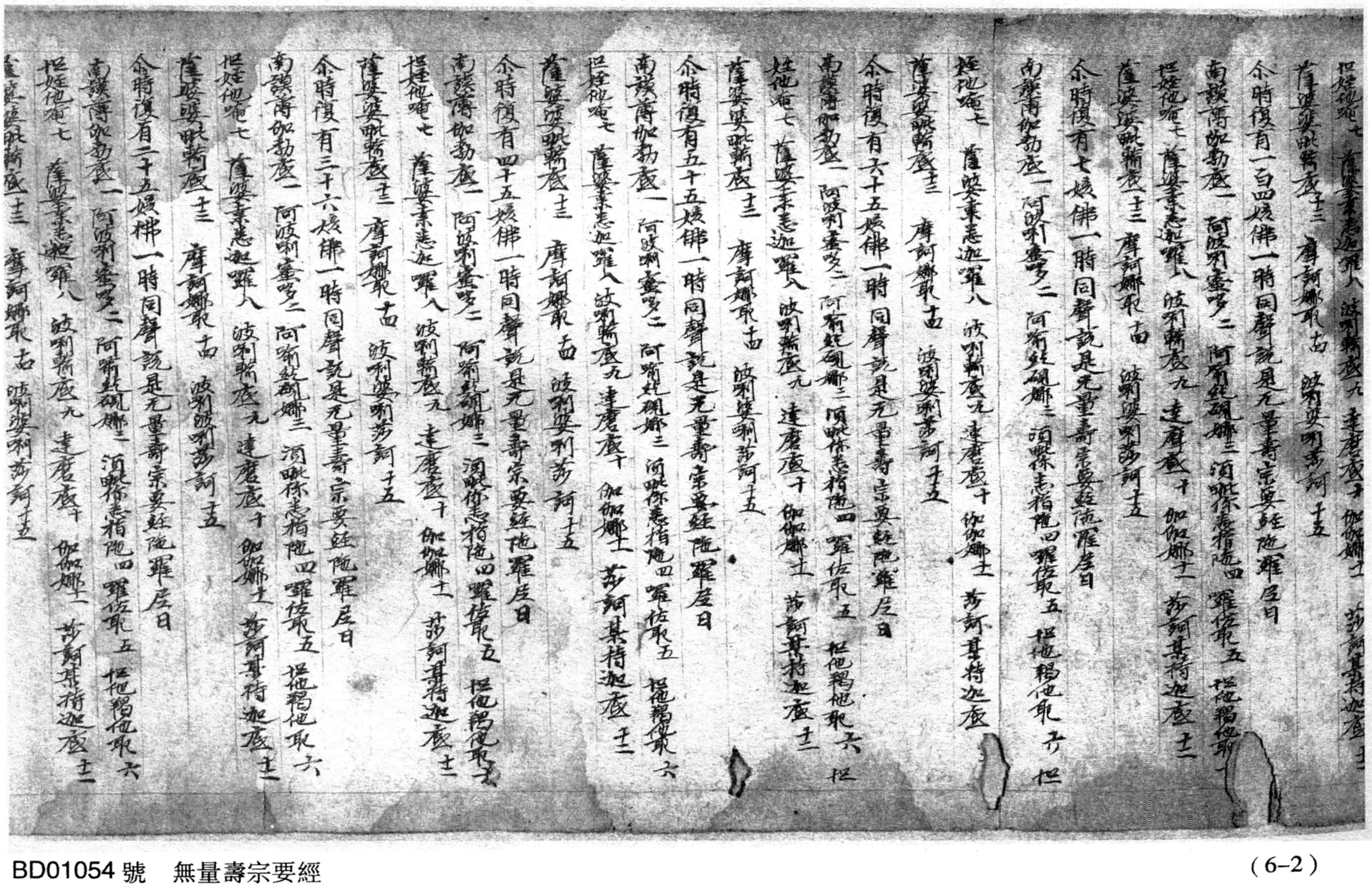

BD01054號　無量壽宗要經　　　　（6–2）

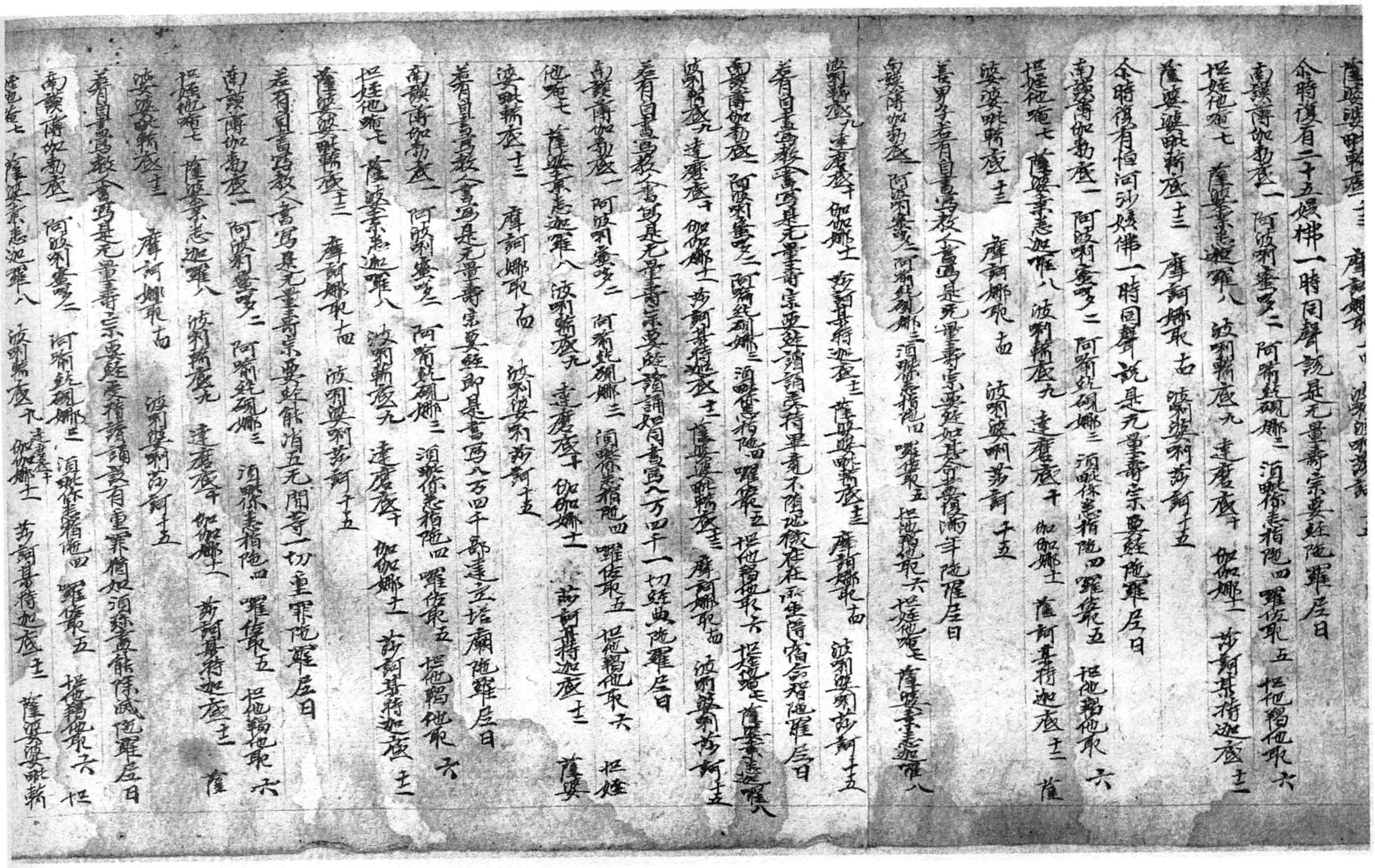

薩婆婆毗輸底十三　摩訶娜耶十四　波唎婆唎莎訶十五
尒時復有二十五姟佛一時同聲說是无量壽宗要經陁羅尼曰
南謨薄伽勃底一　阿波唎蜜多二　阿喻紇硯娜三　須毗你悉指陁四　囉佐耶五　怛他揭他耶六
怛姪他唵七　薩婆桑悉迦囉八　波唎輸底九　達磨底十　伽伽娜十一　莎訶甚揭迦底十二　薩
婆婆毗輸底十三　摩訶娜耶十四　波唎婆唎莎訶十五
尒時復有恒河沙姟佛一時同聲說是无量壽宗要經陁羅尼曰
南謨薄伽勃底一　阿波唎蜜多二　阿喻紇硯娜三　須毗你悉指陁四　囉佐耶五　怛他揭他耶六
怛姪他唵七　薩婆桑悉迦囉八　波唎輸底九　達磨底十　伽伽娜十一　莎訶甚揭迦底十二　薩
婆婆毗輸底十三　摩訶娜耶十四　波唎婆唎莎訶十五
善男子若有自書寫教人書寫是无量壽宗要經如其命盡復滿百年陁羅尼曰
南謨薄伽勃底一　阿波唎蜜多二　阿喻紇硯娜三　須毗你悉指陁四　囉佐耶五　怛他揭他耶六　怛姪他唵七　薩婆桑悉迦囉八
波唎輸底九　達磨底十　伽伽娜十一　莎訶甚揭迦底十二　薩婆婆毗輸底十三　摩訶娜耶十四　波唎婆唎莎訶十五
若有自書寫教人書寫是无量壽宗要經讀誦者得畢竟不墮地獄在在所生隨宿命智陁羅尼曰
南謨薄伽勃底一　阿波唎蜜多二　阿喻紇硯娜三　須毗你悉指陁四　囉佐耶五　怛他揭他耶六　怛姪他唵七　薩婆桑悉迦囉八
波唎輸底九　達磨底十　伽伽娜十一　莎訶甚揭迦底十二　薩婆婆毗輸底十三　摩訶娜耶十四　波唎婆唎莎訶十五
若有自書寫教人書寫是无量壽宗要經讀誦如同書寫八万四千一切經典陁羅尼曰
南謨薄伽勃底一　阿波唎蜜多二　阿喻紇硯娜三　須毗你悉指陁四　囉佐耶五　怛他揭他耶六　怛姪
他唵七　薩婆桑悉迦囉八　波唎輸底九　達磨底十　伽伽娜十一　莎訶甚揭迦底十二　薩婆
婆毗輸底十三　摩訶娜耶十四　波唎婆唎莎訶十五
若有自書寫教人書寫是无量壽宗要經即是書寫八万四千部建立塔廟陁羅尼曰
南謨薄伽勃底一　阿波唎蜜多二　阿喻紇硯娜三　須毗你悉指陁四　囉佐耶五　怛他揭他耶六
怛姪他唵七　薩婆桑悉迦囉八　波唎輸底九　達磨底十　伽伽娜十一　莎訶甚揭迦底十二
薩婆婆毗輸底十三　摩訶娜耶十四　波唎婆唎莎訶十五
若有自書寫教人書寫是无量壽宗要經能消五无間等一切重罪陁羅尼曰
南謨薄伽勃底一　阿波唎蜜多二　阿喻紇硯娜三　須毗你悉指陁四　囉佐耶五　怛他揭他耶六
怛姪他唵七　薩婆桑悉迦囉八　波唎輸底九　達磨底十　伽伽娜十一　莎訶甚揭迦底十二　薩
婆婆毗輸底十三　摩訶娜耶十四　波唎婆唎莎訶十五
若有自書寫教人書寫是无量壽宗要經受持讀誦設有重罪猶如須弥盡能除滅陁羅尼曰
南謨薄伽勃底一　阿波唎蜜多二　阿喻紇硯娜三　須毗你悉指陁四　囉佐耶五　怛他揭他耶六　怛
姪他唵七　薩婆桑悉迦囉八　波唎輸底九　達磨底十　伽伽娜十一　莎訶甚揭迦底十二　薩婆婆毗輸

BD01054 號　無量壽宗要經

（6–3）

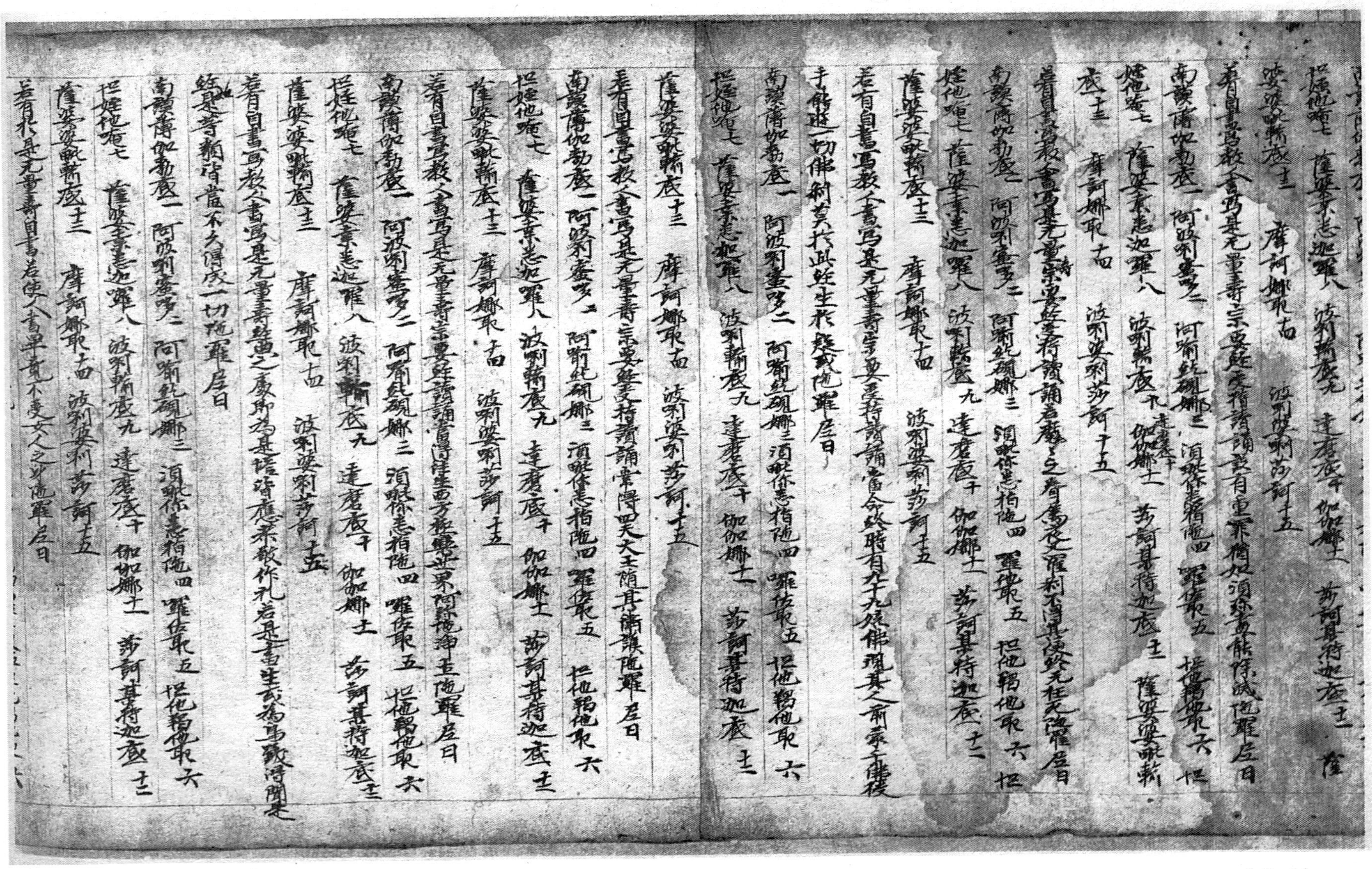

怛姪他唵七　薩婆桑悉迦囉八　波唎輸底九　達磨底十　伽伽娜十一　莎訶甚揭迦底十二　薩
婆婆毗輸底十三　摩訶娜耶十四　波唎婆唎莎訶十五
若有自書寫教人書寫是无量壽宗要經受持讀誦設有重罪猶如須弥盡能除滅陁羅尼曰
南謨薄伽勃底一　阿波唎蜜多二　阿喻紇硯娜三　須毗你悉指陁四　囉佐耶五　怛他揭他耶六　怛
姪他唵七　薩婆桑悉迦囉八　波唎輸底九　達磨底十　伽伽娜十一　莎訶甚揭迦底十二　薩婆婆毗輸
底十三　摩訶娜耶十四　波唎婆唎莎訶十五
若有自書寫教人書寫是无量壽宗要經受持讀誦者魔魔之眷屬夜叉羅剎不得其便終无枉死陁羅尼曰
南謨薄伽勃底一　阿波唎蜜多二　阿喻紇硯娜三　須毗你悉指陁四　囉佐耶五　怛他揭他耶六　怛
姪他唵七　薩婆桑悉迦囉八　波唎輸底九　達磨底十　伽伽娜十一　莎訶甚揭迦底十二
薩婆婆毗輸底十三　摩訶娜耶十四　波唎婆唎莎訶十五
若有自書寫教人書寫是无量壽宗要經受持讀誦當命終時有九十九姟佛現其人前來千佛授
手能遊一切佛剎莫於此經生於疑惑陁羅尼曰
南謨薄伽勃底一　阿波唎蜜多二　阿喻紇硯娜三　須毗你悉指陁四　囉佐耶五　怛他揭他耶六
怛姪他唵七　薩婆桑悉迦囉八　波唎輸底九　達磨底十　伽伽娜十一　莎訶甚揭迦底十二
薩婆婆毗輸底十三　摩訶娜耶十四　波唎婆唎莎訶十五
若有自書寫教人書寫是无量壽宗要經受持讀誦常得四天大王隨其衛護陁羅尼曰
南謨薄伽勃底一　阿波唎蜜多二　阿喻紇硯娜三　須毗你悉指陁四　囉佐耶五　怛他揭他耶六
怛姪他唵七　薩婆桑悉迦囉八　波唎輸底九　達磨底十　伽伽娜十一　莎訶甚揭迦底十二
薩婆婆毗輸底十三　摩訶娜耶十四　波唎婆唎莎訶十五
若有自書寫教人書寫是无量壽宗要經讀誦當得往生西方極樂世界阿弥陁淨土陁羅尼曰
南謨薄伽勃底一　阿波唎蜜多二　阿喻紇硯娜三　須毗你悉指陁四　囉佐耶五　怛他揭他耶六
怛姪他唵七　薩婆桑悉迦囉八　波唎輸底九　達磨底十　伽伽娜十一　莎訶甚揭迦底十二
薩婆婆毗輸底十三　摩訶娜耶十四　波唎婆唎莎訶十五
若有自書寫教人書寫是无量壽宗要經典之處即為是塔應當恭敬作礼若是畜生或為耳聞是
經是等類皆當不久得成一切陁羅尼曰
南謨薄伽勃底一　阿波唎蜜多二　阿喻紇硯娜三　須毗你悉指陁四　囉佐耶五　怛他揭他耶六
怛姪他唵七　薩婆桑悉迦囉八　波唎輸底九　達磨底十　伽伽娜十一　莎訶甚揭迦底十二
薩婆婆毗輸底十三　摩訶娜耶十四　波唎婆唎莎訶十五
若有於是无量壽自書若使人書畢竟不受女人之身陁羅尼曰

BD01054 號　無量壽宗要經

（6–4）

若有自書寫教人書寫是无量壽宗要經之處所在是諸[illegible]
經是等類皆當不久得成一切陀羅尼曰
南謨薄伽勃底一　阿波唎蜜哆二　阿喻紇硯娜三　須毗你悉指陀四　囉佐耶五　怛他羯他耶六
怛姪他唵七　薩婆桑悉迦囉八　波唎輸底九　達磨底十　伽伽娜十一　莎訶娑持迦底十二
薩婆婆毗輸底十三　摩訶娜耶十四　波唎婆唎莎訶十五
若有於是无量壽宗要經自書若使人書畢竟不受女人之身陀羅尼曰
南謨薄伽勃底一　阿波唎蜜哆二　阿喻紇硯娜三　須毗你悉指陀四　囉佐耶五　怛他羯他耶六
怛姪他唵七　薩婆桑悉迦囉八　波唎輸底九　達磨底十　伽伽娜十一　莎訶娑持迦底十二
薩婆婆毗輸底十三　摩訶娜耶十四　波唎婆唎莎訶十五
若有於是經少分能惠施者等於三千大千世界滿中七寶布施陀羅尼曰
南謨薄伽勃底一　阿波唎蜜哆二　阿喻紇硯娜三　須毗你悉指陀四　囉佐耶五　怛他羯他耶六　怛
姪他唵七　薩婆桑悉迦囉八　波唎輸底九　達磨底十　伽伽娜十一　莎訶娑持迦底十二
薩婆婆毗輸底十三　摩訶娜耶十四　波唎婆唎莎訶十五
若有能於供養是經者則是供養一切諸經等无有異陀羅尼曰　南謨薄伽勃底一
阿波唎蜜哆二　阿喻紇硯娜三　須毗你悉指陀四　囉佐耶五　怛他羯他耶六　怛姪他唵七　薩婆桑悉迦囉八
波唎輸底九　達磨底十　伽伽娜十一　莎訶娑持迦底十二　薩婆婆毗輸底十三　摩訶娜耶十四　波唎婆唎莎訶十五
如是婆尸佛　尸弃佛　俱舍浮佛　俱留孫佛　俱那含牟尼佛　迦葉佛　釋迦牟尼佛
若有人以七寶供養如是七佛其福有限書寫是无量壽宗要經所有功德不可限量陀羅尼曰
南謨薄伽勃底一　阿波唎蜜哆二　阿喻紇硯娜三　須毗你悉指陀四　囉佐耶五　怛他羯他耶六
怛姪他唵七　薩婆桑悉迦囉八　波唎輸底九　達磨底十　伽伽娜十一　莎訶娑持迦底十二
薩婆婆毗輸底十三　摩訶娜耶十四　波唎婆唎莎訶十五
若有七寶等於須彌山用布施其福上能知其限量是无量壽宗要經其福不可知數陀羅尼曰
南謨薄伽勃底一　阿波唎蜜哆二　阿喻紇硯娜三　須毗你悉指陀四　囉佐耶五　怛他羯他耶六
怛姪他唵七　薩婆桑悉迦囉八　波唎輸底九　達磨底十　伽伽娜十一　莎訶娑持迦底十二
薩婆婆毗輸底十三　摩訶娜耶十四　波唎波唎莎訶十五
如是四大海水可知滴數是无量壽宗要經所生果報不可數量陀羅尼曰
南謨薄伽勃底一　阿波唎蜜哆二　阿喻紇硯娜三　須毗你悉指陀四　囉佐耶五　怛他羯他耶六
怛姪他唵七　薩婆桑悉迦囉八　波唎輸底九　達磨底十　伽伽娜十一　莎訶娑持迦底十二
薩婆婆毗輸底十三　摩訶娜耶十四　波唎婆唎莎訶十五
若有自書使人書寫是无量壽宗要經能護持供養即如禮敬供養一切十方佛土如來无有別異陀羅尼曰

BD01054 號　無量壽宗要經　（6–5）

薩婆婆毗輸底十三　摩訶娜耶十四　波唎波唎莎訶十五
如是四大海水可知滴數是无量壽宗要經所生果報不可數量陀羅尼曰
南謨薄伽勃底一　阿波唎蜜哆二　阿喻紇硯娜三　須毗你悉指陀四　囉佐耶五　怛他羯他耶六
怛姪他唵七　薩婆桑悉迦囉八　波唎輸底九　達磨底十　伽伽娜十一　莎訶娑持迦底十二
薩婆婆毗輸底十三　摩訶娜耶十四　波唎婆唎莎訶十五
若有自書使人書寫是无量壽宗要經能護持供養即如禮敬供養一切十方佛土如來无有別異陀羅尼曰
南謨薄伽勃底一　阿波唎蜜哆二　阿喻紇硯娜三　須毗你悉指陀四　囉佐耶五　怛他羯他耶六
怛姪他唵七　薩婆桑悉迦囉八　波唎輸底九　達磨底十　伽伽娜十一　莎訶娑持迦底十二
薩婆婆毗輸底十三　摩訶娜耶十四　波唎婆唎莎訶十五
布施力能成正覺　悟布施力人師子　布施力能聲普聞　慈悲隨漸能取入
持戒力能成正覺　悟持戒力人師子　持戒力能聲普聞　慈悲隨漸取能入
忍辱力能成正覺　悟忍辱力人師子　忍辱力能聲普聞　慈悲隨漸取能入
精進力能成正覺　悟精進力人師子　精進力能聲普聞　慈悲隨漸取能入
禪定力能成正覺　悟禪定力人師子　禪定力能聲普聞　慈悲隨漸取能入
智慧力能成正覺　悟智慧力人師子　智慧力能聲普聞　慈悲隨漸取能入
尒時如來說是經已一切世間天人阿脩羅乾闥婆等聞佛所說皆大歡喜信
受奉行

佛說无量壽宗要經

BD01054 號　無量壽宗要經　（6–6）

者佛所頭面礼足却坐一面白佛言
世尊天人之中誰為繫縛憍尸迦慳貪嫉妬
又言慳貪嫉妬因何而生答言因无明生又
復因何生答言因顛倒生又言顛倒復因何
生答言因疑心生世尊顛倒之法因疑生者
實如聖教何以故我有疑心以疑心故則生
顛倒於非世尊生世尊想我今見佛疑网即
除疑网除故顛倒亦盡顛倒盡故无有慳心
乃至妬心佛言汝言无有慳妬心者汝今已
得阿那含耶阿那含者无有貪心若无貪心
云何為命来至我所而阿那含實不求命世
尊有顛倒者則有求命无顛倒者則不求命
然我今者實不求命所欲求者唯佛法身及
佛智慧憍尸迦求佛法身及佛慧者將来之
世必當得之尒時帝釋聞佛說已五衰没相
即時消滅便起作礼遶佛三匝恭敬合掌而
白佛言世尊我今即死即生失命得命又聞
佛記當得阿耨多羅三藐三菩提是為更生
為更得命世尊一切人天云何增益復以何
緣而致損減憍尸迦闘諍因緣人天損減善
脩和敬則得增長世尊若以闘諍而損減者
我從今日更不復與阿脩羅戰佛言善哉善
哉憍尸迦諸佛世尊說忍辱法是阿耨多羅

BD01055 號　大般涅槃經（北本）卷一九　　（1–1）

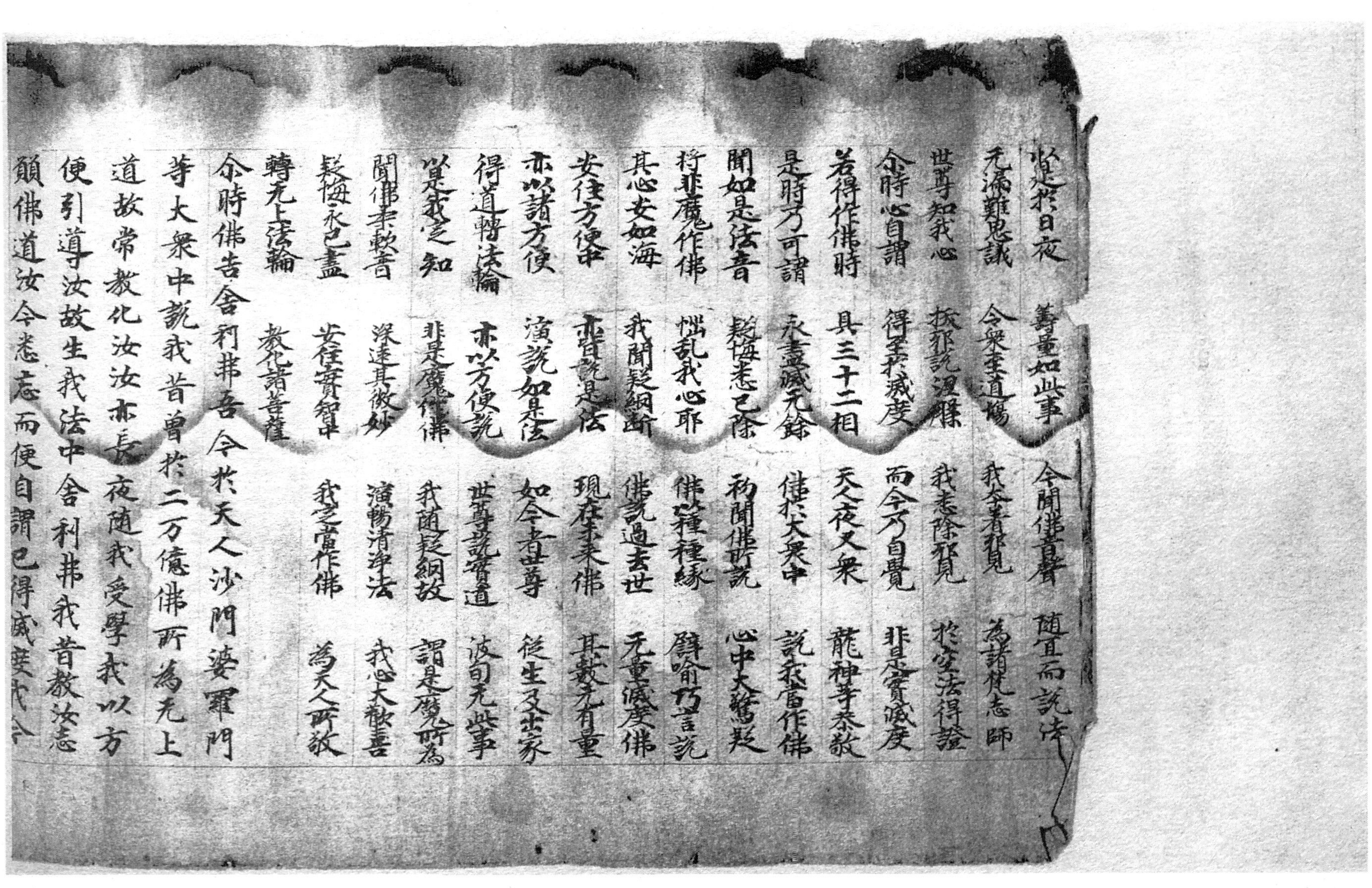
以是於日夜　籌量如此事　今聞佛音聲　隨宜而說法
无漏難思議　令衆至道場　我本著邪見　為諸梵志師
世尊知我心　拔邪說涅槃　我悉除邪見　於空法得證
尒時心自謂　得至於滅度　而今乃自覺　非是實滅度
若得作佛時　具三十二相　天人夜叉衆　龍神等恭敬
是時乃可謂　永盡滅无餘　佛於大衆中　說我當作佛
聞如是法音　疑悔悉已除　初聞佛所說　心中大驚疑
將非魔作佛　惱亂我心耶　佛以種種緣　譬喻巧言說
其心安如海　我聞疑網斷　佛說過去世　无量滅度佛
安住方便中　亦皆說是法　現在未来佛　其數无有量
亦以諸方便　演說如是法　如今者世尊　從生及出家
得道轉法輪　亦以方便說　世尊說實道　波旬无此事
以是我定知　非是魔作佛　我墮疑網故　謂是魔所為
聞佛柔軟音　深遠甚微妙　演暢清淨法　我心大歡喜
疑悔永已盡　安住實智中　我定當作佛　為天人所敬
轉无上法輪　教化諸菩薩
尒時佛告舍利弗吾今於天人沙門婆羅門
等大衆中說我昔曾於二万億佛所為无上
道故常教化汝汝亦長夜隨我受學我以方
便引導汝故生我法中舍利弗我昔教汝志
願佛道汝今悉忘而便自謂已得滅度我今

BD01056 號　妙法蓮華經卷二　　（3–1）

轉无上法輪　教化諸菩薩
尒時佛告舍利弗吾今於天人沙門婆羅門
等大衆中說我昔曾於二万億佛所為无上
道故常教化汝汝亦長夜隨我受學我以方
便引導汝故生我法中舍利弗我昔教汝志
願佛道汝今悉忘而便自謂已得滅度我今
還欲令汝憶念本願所行道故為諸聲聞說
是大乘經名妙法蓮華教菩薩法佛所護念
舍利弗汝於未來世過无量无邊不可思議
劫供養若干千万億佛奉持正法具足菩薩
所行之道當得作佛号曰華光如來應供正
遍知明行足善逝世間解无上士調御丈夫天
人師佛世尊國名離垢其土平正清淨嚴
飾安隱豐樂天人熾盛琉璃為地有八交道
黃金為繩以界其側其傍各有七寶行樹常
有華菓華光如來亦以三乘教化衆生舍利
弗彼佛出時雖非惡世以本願故說三乘法
其劫名大寶莊嚴何故名曰大寶莊嚴其國
中以菩薩為大寶故彼諸菩薩无量无邊不
可思議筭數譬喻所不能及非佛智力无能
知者若欲行時寶華承足此諸菩薩非初發
意皆久殖德本於无量百千万億佛所淨脩
梵行恒為諸佛之所稱歎常脩佛慧具大神
通善知一切諸法之門質直无偽志念堅固
如是菩薩充滿其國舍利弗華光佛壽十二

BD01056號　妙法蓮華經卷二　（3–2）

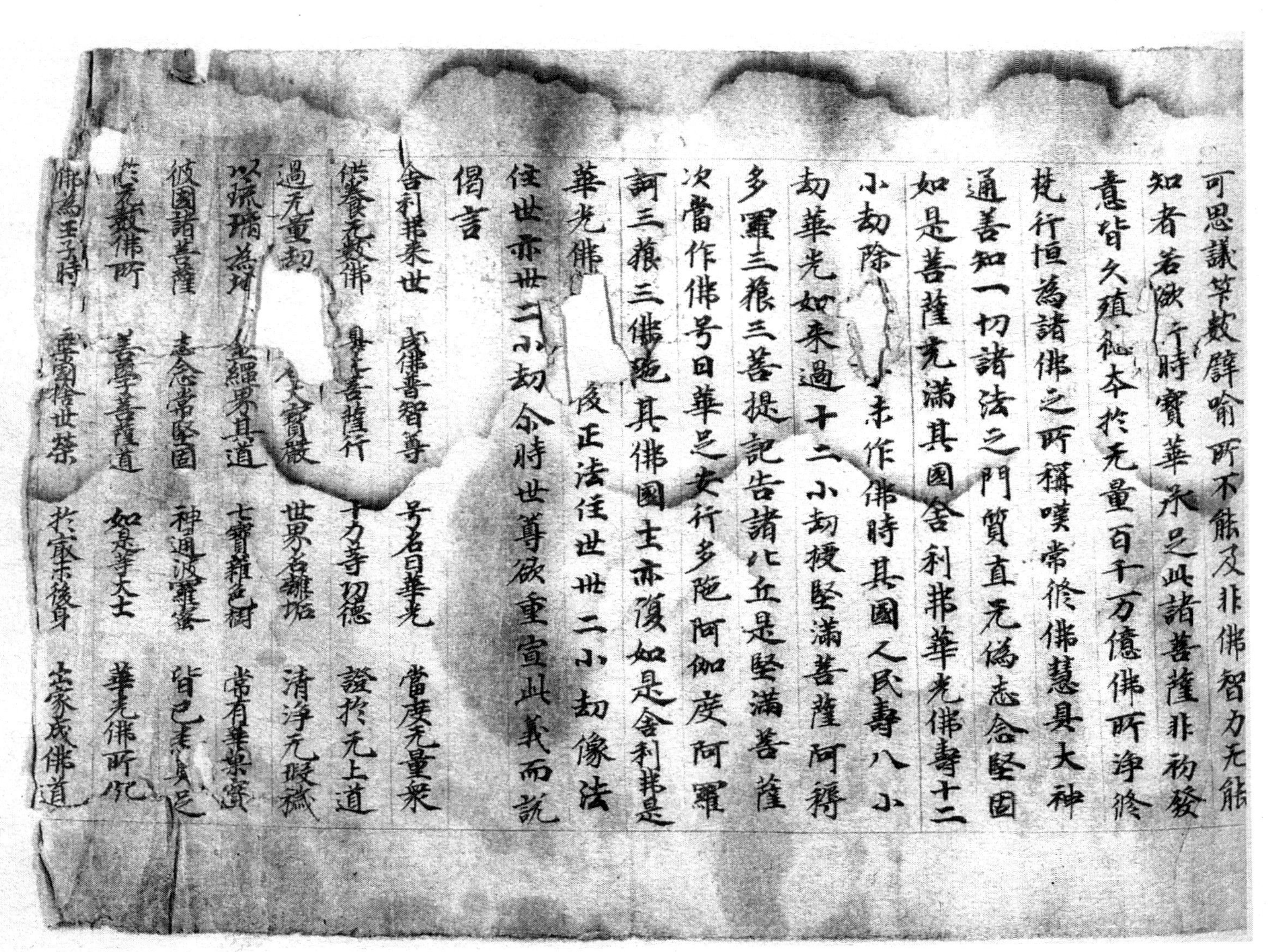
可思議筭數譬喻所不能及非佛智力无能
知者若欲行時寶華承足此諸菩薩非初發
意皆久殖德本於无量百千万億佛所淨脩
梵行恒為諸佛之所稱歎常脩佛慧具大神
通善知一切諸法之門質直无偽志念堅固
如是菩薩充滿其國舍利弗華光佛壽十二
小劫除為王子未作佛時其國人民壽八小
劫華光如來過十二小劫授堅滿菩薩阿耨
多羅三藐三菩提記告諸比丘是堅滿菩薩
次當作佛号曰華足安行多陁阿伽度阿羅
訶三藐三佛陁其佛國土亦復如是舍利弗是
華光佛滅度之後正法住世卅二小劫像法
住世亦卅二小劫尒時世尊欲重宣此義而說
偈言
舍利弗來世　成佛普智尊　号名曰華光　當度无量衆
供養无數佛　具足菩薩行　十力等功德　證於无上道
過无量劫已　劫名大寶嚴　世界名離垢　清淨无瑕穢
以琉璃為地　金繩界其道　七寶雜色樹　常有華菓實
彼國諸菩薩　志念常堅固　神通波羅蜜　皆已悉具足
於无數佛所　善學菩薩道　如是等大士　華光佛所化
佛為王子時　棄國捨世榮　於最末後身　出家成佛道

BD01056號　妙法蓮華經卷二　（3–3）

善現復問云何為不二世尊告曰
色想乃至識想為二色想空乃至識想空為
不二眼處想乃至意處想為二眼處想空乃
至意處想空為不二色處想乃至法處想為
二色處想空乃至法處想空為不二眼界想
乃至意界想為二眼界想空乃至意界想空
為不二色界想乃至法界想為二色界想空
乃至法界想空為不二眼識界想乃至意識
界想為二眼識界想空乃至意識界想空為
不二眼觸想乃至意觸想為二眼觸想空乃
至意觸想空為不二眼觸為緣所生諸受想
乃至意觸為緣所生諸受想為二眼觸為緣
所生諸受想空乃至意觸為緣所生諸受想
空為不二地界想乃至識界想為二地界想
空乃至識界想空為不二因緣想乃至增上
緣想為二因緣想空乃至增上緣相空為不
二無明想乃至老死想為二無明想空乃至
老死想空為不二布施波羅蜜多想乃至般
若波羅蜜多想為二布施波羅蜜多想空乃
至般若波羅蜜多想空為不二內空想乃至

BD01057 號　大般若波羅蜜多經卷四六五　（6–1）

二無明想乃至老死想為二無明想空乃至
老死想空為不二布施波羅蜜多想乃至般
若波羅蜜多想為二布施波羅蜜多想空乃
至般若波羅蜜多想空為不二內空想乃至
無性自性空想為二內空想空乃至無性自
性空想空為不二真如想乃至不思議界想
為二真如想空乃至不思議界想空為不二
苦集滅道聖諦想為二苦集滅道聖諦想空
為不二四念住想乃至八聖道支想為二四
念住想空乃至八聖道支想空為不二四靜
慮四無量四無色定想為二四靜慮四無量
四無色定想空為不二八解脫想乃至十遍
處想為二八解脫想空乃至十遍處想空為
不二空無相無願解脫門想為二空無相無
願解脫門想空為不二淨觀地想乃至如來
地想為二淨觀地想空乃至如來地想空為
不二極喜地想乃至法雲地想為二極喜地
想空乃至法雲地想空為不二陀羅尼門三
摩地門想為二陀羅尼門三摩地門想空為
不二五眼六神通想為二五眼六神通想空
為不二如來十力想乃至十八佛不共法想
為二如來十力想空乃至十八佛不共法想
空為不二三十二大士想八十隨好想為二
三十二大士想八十隨好想空為不二無忘
失法恒住捨性想為二無忘失法恒住捨性
想空為不二一切智道相智一切相智想為

BD01057 號　大般若波羅蜜多經卷四六五　（6–2）

空為不二三十二大士想八十隨好想為二
三十二大士想八十隨好想空為不二無忘
失法恒住捨性想為二無忘失法恒住捨性
想空為不二一切智道相智一切相智想為
二一切智道相智一切相智想空為不二預
流果想乃至獨覺菩提想為二預流果想空
乃至獨覺菩提想空為不二一切菩薩摩訶
薩行諸佛無上正等菩提想為二一切菩薩
摩訶薩行諸佛無上正等菩提想空為不二
有為界無為界想為二有為界無為界想空
為不二善現乃至一切想皆為二乃至一切
二皆是有乃至一切有皆有生死有生死者
不能解脫生老病死愁歎苦憂惱善現諸想
空者皆為不二諸不二者皆是非有諸非有
者皆無生死無生死者便能解脫生老病死
愁歎苦憂惱善現由是因緣當知一切有二
想者定無布施淨戒安忍精進靜慮般若波
羅蜜多無得無現觀下至順忍彼尚非有況
能遍知色受想行識如是乃至況能遍知一
切智智彼尚不能脩四念住乃至八聖道支
況能得預流果乃至獨覺菩提況復能得一
切智智及能永斷一切煩惱習氣相續
第二分漸次品第七十三
尒時具壽善現白佛言世尊住有想者若無
順忍亦無脩道得果現觀住無想者豈有順
忍若淨觀地如是乃至若如來地若脩聖道
因脩聖道斷諸煩惱由此煩惱所覆障故尚

BD01057號　大般若波羅蜜多經卷四六五

（6–3）

第二分漸次品第七十三
尒時具壽善現白佛言世尊住有想者若無
順忍亦無脩道得果現觀住無想者豈有順
忍若淨觀地如是乃至若如來地若脩聖道
因脩聖道斷諸煩惱由此煩惱所覆障故尚
不能證聲聞獨覺相應之地況入菩薩正性
離生若不能入菩薩正性離生豈能證得一
切智智若不能證得一切智智何能永斷一
切煩惱習氣相續世尊若一切法都無所有
無生無滅無染無淨如是諸法既都不生豈
能證得一切智智佛告善現如是如是如汝
所說住無想者亦無順忍乃至亦無永斷煩
惱習氣相續若一切法都無所有無生無滅
無染無淨如是諸法既都不生豈能證得一
切智智具壽善現復白佛言諸菩薩摩訶薩
行深般若波羅蜜多時為有有想有無想不
為有色想受想行識想不如是乃至為有一
切智智想不為有永斷一切煩惱習氣相續
想不為有色想有色斷想不為有受想行識
想有受想行識斷想不為有眼處乃至意處
想有眼處乃至意處斷想不為有色處乃至
法處想有色處乃至法處斷想不為有眼界
乃至意界想有眼界乃至意界斷想不為有
色界乃至法界想有色界乃至法界斷想不
為有眼識界乃至意識界想有眼識界乃至
意識界斷想不為有眼觸乃至意觸想有眼
觸乃至意觸斷想不為有眼觸為緣所生諸

BD01057號　大般若波羅蜜多經卷四六五

（6–4）

色界乃至法界想有色界乃至法界斷想不
為有眼識界乃至意識界想有眼識界乃至
意識界斷想不為有眼觸乃至意觸想有眼
觸乃至意觸斷想不為有眼觸為緣所生諸
受乃至意觸為緣所生諸受想有眼觸為緣
所生諸受乃至意觸為緣所生諸受斷想不
為有地界乃至識界想有地界乃至識界斷
想不為有因緣乃至增上緣想有因緣乃至
增上緣斷想不為有貪瞋癡想有貪瞋癡斷
想不為有無明乃至老死愁歎苦憂惱想有
無明乃至老死愁歎苦憂惱斷想不為有苦
聖諦想有苦聖諦斷想不為有苦集聖諦想
有苦集聖諦斷想不為有苦滅聖諦想有苦
滅聖諦斷想不為有證苦滅道聖諦想有證
苦滅道聖諦斷想不如是乃至為有一切智智
想有證一切智智想不為有所斷一切煩惱
習氣相續想有永斷一切煩惱習氣相續想
不佛告善現諸菩薩摩訶薩行深般若波羅
蜜多時於一切法皆無有想亦無無想若無
有想亦無無想當知即是菩薩順忍亦是脩
道亦是得果亦是現觀
復次善現諸菩薩摩訶薩以無性為聖道以
無性為現觀達一切法皆以無性而為自性
由是因緣當知一切法皆以無性為其自性
具壽善現即白佛言若一切法皆以無性為
自性者云何如來應正等覺於一切法無性
為性現等覺已說名為佛於一切法及諸境

BD01057號　大般若波羅蜜多經卷四六五　（6–5）

想不為有無明乃至老死愁歎苦憂惱想有
無明乃至老死愁歎苦憂惱斷想不為有苦
聖諦想有苦聖諦斷想不為有苦集聖諦想
有苦集聖諦斷想不為有苦滅聖諦想有苦
滅聖諦斷想不為有證苦滅道聖諦想有證
苦滅道聖諦斷想不如是乃至為有一切智智
想有證一切智智想不為有所斷一切煩惱
習氣相續想有永斷一切煩惱習氣相續想
不佛告善現諸菩薩摩訶薩行深般若波羅
蜜多時於一切法皆無有想亦無無想若無
有想亦無無想當知即是菩薩順忍亦是脩
道亦是得果亦是現觀
復次善現諸菩薩摩訶薩以無性為聖道以
無性為現觀達一切法皆以無性而為自性
由是因緣當知一切法皆以無性為其自性
具壽善現即白佛言若一切法皆以無性為
自性者云何如來應正等覺於一切法無性
為性現等覺已說名為佛於一切法及諸境
界得自在轉佛告善現如是如是一切法皆
以無性為自性我本脩學菩薩道時無倒脩

BD01057號　大般若波羅蜜多經卷四六五　（6–6）

□摩勝菩薩阿耨多羅三藐三菩提記
南无波頭摩住世界名智住如来彼如来授
名寶滿足菩薩阿耨多羅三藐三菩提記
南无智力世界名釋迦牟尼如来彼如来授名
寶牟尼菩薩阿耨多羅三藐三菩提記
南无十方稱世界名智稱如来彼如来授名
无邊精進菩薩阿耨多羅三藐三菩提記
南无善世界名堅自在王如来彼如来授名
寶堅菩薩阿耨多羅三藐三菩提記
南无月世界名寶莎羅如来彼如来授名
音香菩薩阿耨多羅三藐三菩提記
南无娑婆世界名大勝如来彼如来授名大
勝天王菩薩阿耨多羅三藐三菩提記
南无一蓋世界名寶輪如来彼如来授名星
宿王菩薩阿耨多羅三藐三菩提記
南无過一切憂障世界名不空說如来彼如来
授名不空說菩薩阿耨多羅三藐三菩提記

BD01058號　佛名經（十六卷本）卷三　（27–1）

南无娑婆世界名大勝如来彼如来授名大
勝天王菩薩阿耨多羅三藐三菩提記
南无一蓋世界名寶輪如来彼如来授名星
宿王菩薩阿耨多羅三藐三菩提記
南无過一切憂障世界名不空說如来彼如来
授名不空說菩薩阿耨多羅三藐三菩提記
南无遠離憂惱世界名一切德成就如来彼如来
授名无邊勝威德菩薩阿耨多羅三藐三菩提記
南无寂靜世界名稱王如来彼如来授名勇
德菩薩阿耨多羅三藐三菩提記
南无不空見世界名不空見奮迅如来彼如来
授名不空發行菩薩阿耨多羅三藐三菩提記
南无香世界名香光明如来彼如来授名寶
藏菩薩阿耨多羅三藐三菩提記
南无无量吼聲世界名无障导如来彼如来
授名无分別發行菩薩阿耨多羅三藐三菩提記
南无月輪光明世界名稱力王如来彼如来授名
智稱菩薩阿耨多羅三藐三菩提記
南无寶輪世界名寶上勝如来彼如来授名
大導師菩薩阿耨多羅三藐三菩提記
南无寶輪世界名善眼如来彼如来授名樂
行菩薩阿耨多羅三藐三菩提記
南无法世界名波頭摩勝如来彼如来授名
大法菩薩阿耨多羅三藐三菩提記
南无名須弥頂上王如来彼如来授名智力
菩薩阿耨多羅三藐三菩提記

BD01058號　佛名經（十六卷本）卷三　（27–2）

大法菩薩阿耨多羅三藐三菩提記
南无名須弥頂上王如来彼如来授名智力
菩薩阿耨多羅三藐三菩提記
南无名波頭摩賸如来彼如来授名賸得菩
薩阿耨多羅三藐三菩提記
南无陁羅尼輪世界名香光明如来彼如来授
名陁羅尼自在王菩薩阿耨多羅三藐三菩提記
南无金光明世界名十方稱發如来彼如来授
名智稱發行菩薩阿耨多羅三藐三菩提記
南无智起世界名普清淨增上雲聲王如来彼
如来授名星宿王菩薩阿耨多羅三藐三菩提記
南无常光明世界名无量光明如来彼如来授
名大光明菩薩阿耨多羅三藐三菩提記
南无燃燈世界名无量智成如来彼如来授
名功德王光明菩薩阿耨多羅三藐三菩提記
南无然燈住世界名无量種奮迅如来彼如来
授名无障㝵菩薩阿耨多羅三藐三菩提記
南无種種幢世界名上首如来彼如来授名那
延菩薩阿耨多羅三藐三菩提記
南无十方稱世界名佛花成就賸如来彼如来
授名无畏奮迅菩薩阿耨多羅三藐三菩提記
南无金剛住世界名佛花增上王如来彼如来授
名寶大菩薩阿耨多羅三藐三菩提記
南无旃檀窟世界寶住如来彼如来授名觀世
音菩薩阿耨多羅三藐三菩提記

BD01058號　佛名經（十六卷本）卷三　（27–3）

名寶大菩薩阿耨多羅三藐三菩提記
南无旃檀窟世界寶住如来彼如来授名觀世
音菩薩阿耨多羅三藐三菩提記
從此以上一千八百佛十二部經一切賢聖
南无藥王世界名不空說如来彼如来授名不空
發行菩薩阿耨多羅三藐三菩提記
南无藥王賸上世界名无邊功德精進發如来
彼如来授名不受戒攝受菩薩阿耨多羅三藐三
菩提記
南无普莊嚴世界名發心生莊嚴一切衆生心如来
彼如来授名佛華手菩薩阿耨多羅三藐三菩提記
南无普蓋世界名蓋鬘如来彼如来授名寶
行菩薩阿耨多羅三藐三菩提記
南无花上光明世界名日輪威德王如来彼如来
授名善住菩薩阿耨多羅三藐三菩提記
南无善莊嚴世界名衆生光明如来彼如来
授名寶面菩薩阿耨多羅三藐三菩提記
南无賢世界名无畏如来彼如来授名不
驚怖菩薩阿耨多羅三藐三菩提記
南无波頭摩世界名波頭摩賸光明如来彼如
来授名智爲菩薩阿耨多羅三藐三菩提記
南无憂鉢羅世界名智憂鉢賸如来彼如来
授名无境界行菩薩阿耨多羅三藐三菩提記
南无寶上世界名寶住如来彼如来受名法
住菩薩阿耨多羅三藐三菩提記

BD01058號　佛名經（十六卷本）卷三　（27–4）

授名无境界行菩薩阿耨多羅三藐三菩提記
南无寶上世界名寶作如来彼如来受名法
作菩薩阿耨多羅三藐三菩提記
南无月世界名量顛如来彼如来受名散花
菩薩阿耨多羅三藐三菩提記
南无善住世界名寶聚如来彼如来受名藥
王菩薩阿耨多羅三藐三菩提記
南无香光明世界名莎羅自在王如来彼如
来授名勝慧菩薩阿耨多羅三藐三菩提記
南无花手世界名寶光明如来彼如来授名
日德菩薩阿耨多羅三藐三菩提記
南无普山世界名寶山如来彼如来受名大
得菩薩阿耨多羅三藐三菩提記
南无憂蓋入世界名上首如来彼如来授名上
莊嚴菩薩阿耨多羅三藐三菩提記
南无无憂世界名發无邊功德如来彼如来
受名不發觀菩薩阿耨多羅三藐三菩提記
南无一切功德住世界名善上首如来彼如来受名普
至菩薩阿耨多羅三藐三菩提記
南无寶光明世界名須弥光明如来彼如来
受善住菩薩阿耨多羅三藐三菩提記
南无一切得住世界名无量境界如来彼如来
授名藥王菩薩阿耨多羅三藐三菩提記
南无莊嚴菩提世界名高妙去如来彼如来
受名思益勝慧菩薩阿耨多羅三藐三菩提記

授名藥王菩薩阿耨多羅三藐三菩提記
南无莊嚴菩提世界名高妙去如来彼如来
受名思益勝慧菩薩阿耨多三藐三菩提記
南无无垢世界名寶花成就功德如来彼如来
受名得勝慧菩薩阿耨多羅三藐三菩提記
南无雲世界名奮迅如来彼如来受名自在觀
菩薩阿耨多羅三藐提記
南无花网覆世界名一切發衆生信發心如来彼如
来授名勝惠菩薩阿耨多羅三藐三菩提記
南无星宿行世界名樂星宿起如来彼如来授
名无憂菩薩阿耨多羅三藐三菩提記
南无寶花世界名勝衆如来彼如来受名妙
勝菩薩阿耨多羅三藐三菩提記
南无无量至世界名无量花如来彼如来受
名香烏菩薩阿耨多羅三藐三菩提記
南无花世界名寶勝如来彼如来受名遠離
諸有菩薩阿耨多羅三藐三菩提記
南无種種幢世界名月功德如来彼如来受名
斷一切諸難菩薩阿耨多羅三藐三菩提記
南无可樂世界名即發心轉法輪如来彼如来
受名不退轉輪菩薩阿耨多羅三藐三菩提記
南无无畏世名十方稱名如来彼如来授名
智稱菩薩阿耨多羅三藐三菩提記
南无自在世界迦陵伽佛　南无安樂世界日輪燈明佛

智稱菩薩阿耨多羅三藐三菩提記
南无自在世界迦陵伽佛　南无安樂世界日輪燈明佛
南无无畏世界寶勝佛　南无智成就世界智起佛
南无純樂世界功德王住佛　南无盡行花世界无障㝵眼佛
南无金剛輪世界无畏佛　南无發起世界智積佛
南无善清淨世界无觀相發行佛
南无普光明世界光明輪威德王勝佛
南无高憧世界因慧佛　南无得世界那羅延佛
南无垢世界无垢憧佛　南无速離一切憂障世界安隱佛
南无賢上世界速離諸煩惱佛
南无一切安樂清淨慧佛
南无无量功德具足世界善思惟發佛
南无平等世界降伏諸惡佛
南无无畏世界憂波羅勝佛
南无十方光明世界勝力王佛
南无常光明世界无量光明雲香弥留佛
南无常莊嚴世界降伏男女佛
南无沉水香世界種種花佛
南无香蓋世界无邊智
南无旃檀香世界寶上王佛
南无香世界弥留佛
南无普喜世界知見一切衆生信佛
南无不可量世界无邊聲
南无佛花莊嚴世界智功德勝佛
南无善住世界不動步佛　南无花世界无障㝵吼聲佛

BD01058號　佛名經（十六卷本）卷三　（27-7）

南无不可量世界无邊聲
南无佛花莊嚴世界智功德勝佛
南无善住世界不動步佛　南无花世界无障㝵吼聲佛
南无月世界普寶蓋佛　南无堅住世界迦葉佛
南无普波頭摩世界觀一切境界鏡佛
南无旃檀世界上首佛　南无寶世界成就義佛
南无有月世界成就勝佛　南无无障㝵世界名稱佛
南无安樂世界斷一切疑佛　南无王世界智勝佛
南无普畏世界月佛　南无種種成就世界功德幢佛
南无種種花世界星宿王佛　南无廣世界无量憧佛
南无羅网世界羅网光明佛　南无无驚怖世界淨聲佛
南无可樂世界現寶勝佛　南无離觀世界一切法无所畏佛
南无常稱世界不斷一切衆生發行佛
南无常歡喜世界无量奮迅佛
南无普鏡世界遠一切濤佛　南无普照世界普見一切佛
南无一切功德成就世界成就无邊勝功德佛
南无无垢世界智起光佛
南无怖憂鈴羅世界波頭摩勝王佛
南无波頭摩怖世界十方勝佛
南无天世界堅固衆生佛　南无光明世界智光明佛
南无安樂調伏世界備智佛　南无安樂世界速離胎佛
南无无添世界明王佛　南无雲世界斷一切煩惱佛
南无普色世界无邊智稱佛
從此以上一千九百佛十二部經一切賢聖
南无堅固世界旃檀屋勝佛

BD01058號　佛名經（十六卷本）卷三　（27-8）

南无普色世界无邊智稱佛

從此以上一千九百佛十二部經一切賢聖

南无堅固世界旃檀屋勝佛

南无无比功德世界成就无比勝花佛

次礼十二部尊經大藏法輪

南无道神足經　南无轉輪夲起經

南无瑞應夲起經　南无法敎經

南无阿阜量薩經　南无日光三昧經

南无住形像經　南无轉女身經

南无威儀經　南无比羅三昧經

南无摭食五種福經　南无梵經

南无龍樹因緣經　南无龍樹所問經

南无阿難四事經　南无七婦經

南无灌佛經　南无五福德子經

南无五濁世經　南无滅十方冥經

南无時食經　南无大頭陁經

南无孚妙經　南无門妙不起經

南无四帝經　南无屋宅迴王經

南无菩提經　南无稱楊佛經

次礼十方諸大菩薩摩訶薩

南无堅勝菩薩　南无斷諸惡道菩薩

南无不疲惓菩薩　南无須弥山菩薩

南无大須弥山菩薩　南无心勇猛菩薩

南无師子奮迅行菩薩　南无不可思識菩薩

南无不疲惓菩薩　南无須弥山菩薩

南无大須弥山菩薩　南无心勇猛菩薩

南无師子奮迅行菩薩　南无不可思識菩薩

南无善勝菩薩　南无善意菩薩

南无寶語菩薩　南无愛見菩薩

南无无障㝵菩薩　南无斷諸疑菩薩

南无寶住菩薩　南无廣德菩薩

南无讓賢刧菩薩　南无寶月菩薩

南无湧陁婆香菩薩　南无樂住菩薩

南无无垢稱菩薩　南无思益菩薩

南无普華菩薩　南无月勝菩薩

南无月山菩薩　南无智山菩薩

南无君㠀羅菩薩　南无速㠀羅菩薩

南无㠀陁羅菩薩　南无秀伽伽羅菩薩

南无日陳羅菩薩

歸命如是等十方无量无邊菩薩

復次應稱辟支佛

南无善使辟支佛　南无違陁辟支佛

南无吉沙辟支佛　南无憂波吉沙辟支佛

南无斷有辟支佛　南无憂波支羅辟支佛

南无斷愛辟支佛　南无陁婆羅辟支佛

南无轉覺辟支佛　南无去垢辟支佛

南无高去辟支佛　南无阿恙多辟支佛

歸命如是等无量无邊辟支佛

礼三寶已次復懺悔

歸命如是等无量无邊辟支佛

礼三寶已次復懺悔

弟子今以捴相懺悔一切諸業今當次弟更復一一別相懺悔若捴若別若麁若細若輕若重若説不説品類相從願消滅別相者先懺身三次懺口四其餘諸障次弟稽顙身三業者弟一殺害如經所明恕己可為喻勿煞勿行杖雖復禽獸之殊保命畏死其事是一若尋此衆生无始以来或是我父母兄弟六親眷屬以業因緣輪迴六道出生入死改形易報不復相識而今興害食噉其肉傷慈之甚是故佛言設得餘食當知飢世食子肉想何况食噉此魚肉耶又言為利煞衆生以錢納衆生肉二俱是惡業死墮叫呼地獄故知殺害及以食噉罪深河海過重丘岳然弟子等无始以来不遇善友皆為此業是故經言殺害之罪能令衆生墮於地獄餓鬼受苦若在畜生則受虎豹豺狼鷹鷂等身或受毒蛇蝮蝎等身常懷惡心或受麞鹿熊羆等身常懷恐怖若生人中得二種果報一者多病二者斷命煞害食噉既有如是无量種種諸悪果報是故弟子至到稽顙歸依佛

南无東方滅諸怖畏佛　南无南方日月燈明佛

南无西方覺華光佛　南无北方發功德佛

南无東南方除衆惑冥佛　南无西南方无生自在佛

南无西北方大通王佛　南无東北方空離垢心佛

BD01058號　佛名經（十六卷本）卷三　（27–11）

南无西方覺華光佛　南无北方發功德佛

南无東南方除衆惑冥佛　南无西南方无生自在佛

南无西北方大通王佛　南无東北方空離垢心佛

南无下方圓像空无佛　南无上方瑠璃藏勝佛

如是十方盡虛空界一切三寶

弟子自從无始以来至于今日有此心識常懷毒害无慈愍心或因貪起煞因瞋因癡因及以慢煞或興惡方便誓煞願煞及以呪煞或決湖池焚燒山野田獵魚捕或因風放火飛鷹放犬惱害一切如是等罪今悉懺悔　或以檻弶坑撥叉弩彈射飛鳥走獸之類以罛網罾釣撩漉水性魚鱉黿鼉鰕蜆螺蚌濕居之屬使水陸之與空行藏竄无地或畜養雞豬牛羊犬豕鵝鴨之屬自供庖廚或貨他宰殺使其哀聲未盡毛羽脫落鱗甲傷毀身首分離骨肉銷碎剝裂屠割炮燒煑炙楚毒酸切横加无辜但取一時之快口得味甚寡不過三寸舌根而已然其罪報殃累永劫如是等罪今日至誠皆悉懺悔　又復无始以来至于今日或復興師相伐疆場交諍兩陣相向更相煞害或自殺教殺聞殺歡喜或習屠膾儈為形戮身宰他命行於不忍或恣忿怒揮戈舞刃或斬或刺或推著坑塹或以水沉溺或塞穴壞巢土石磓砰或以車馬雷轢踐踏一切衆生如是等罪无量无邊今日發露皆悉懺悔

又復无始以来或墮胎破卵毒藥蠱道傷殺衆

BD01058號　佛名經（十六卷本）卷三　（27–12）

石[illegible]或以車[illegible]一切衆生如是等罪
无量无邊今日發露皆悉懺悔
又復无始以来或墮胎破卵毒藥蠱道傷煞衆
生懇土掘地種殖田園養蠶煑蠒傷煞滋甚或
打撲蚊蚋[illegible]唶蚤虱或燒除糞掃開决溝渠枉害
一切或噉菓實或用穀米或水或菜橫煞衆生或
然樵薪或露燈燭燒諸虫類或食醬酢不看
摇動或寫湯水澆煞虫蟻如是乃至行住坐卧四威
儀中恒常傷煞飛空著地細微衆生弟子以
凡夫識暗不覺不知今日發露皆悉懺悔
又復弟子无始以来至于今日或以鞭杖枷鏁桁
械壓拉考掠打擲手脚蹴蹹拘縛籠繫斷絶水
穀如是種種諸惡方便苦惱衆生今日至誠向
十方佛尊法聖衆皆悉懺悔
願弟子等承是懺悔煞害等罪所生功德生生世
世得金剛身壽命无窮永離怨憎无煞害想於
諸衆生得一子地若見危難厄之者不惜身命
方便救解令得解脫然後為說微妙正法使諸衆
生覩形見影皆蒙安樂聞名聽聲恐怖悉除 礼一拜
南无寶世界善住力王佛 南无十方上首世界起月光佛
南无龍王世上首 佛 南无善住世界善高聚佛
南无无怖畏世界住稱佛 南无受香世界斷諸難佛
南无成就一切功德善住世界稱觀佛
南无憂慧世界遠離諸憂佛
南无成就一切勢善住世界稱堅固佛

南无成就一切功德善住世界稱觀佛
南无憂慧世界遠離諸憂佛
南无成就一切勢善住世界稱堅固佛
南无憂慧世界遠離諸憂佛
南无稱世界起波頭摩功德王佛
南无花俱蘇摩住世界善散花幢佛
南无十方名稱世界放光明普至佛
南无十方上首世界名稱眼佛
南无炎慧世界放炎佛
從此以上二千佛十二部經一切賢聖
南无吼世界十方稱名佛 南无光明世界自在弥留佛
南无寶光世界大光明佛 南无常歡喜世界炎熾佛
南无有世界三界自在奮起佛 南无无畏世界放明輪佛
南无常憐愍世界衆[illegible]勝佛 南无波頭摩王世界无盡勝佛
南无普吼世界妙鼓聲佛 南无无畏世界普勝佛
南无十方名稱世界智稱佛 南无地世界山王 佛
南无地功德世界波頭摩勝王佛
南无然燈輪世界善住佛
南无普莊嚴世界大莊嚴佛
南无倚世界住一切功德佛
南无歡喜世界畢竟成就佛
南无量宿行世界智上勝佛
南无善行莊嚴世界智起光明威德王勝佛
南无波頭摩世界波頭摩生王佛 胡本中自此以下皆 [illegible]
南无法境界自在佛

南无波頭摩世界波頭摩生王佛
南无法境界自在佛 胡本中自此以下皆有世界略不明矣
南无月中光明佛 南无香為佛
南无阿弥陁光明佛 南无波頭山佛
南无波頭摩生勝佛 南无栴檀勝佛
南无寶積佛 南无智慧佛
南无无畏住王佛 南无功德成就勝佛
南无光明幢佛 南无无量功德住佛
南无功德成就勝佛 南无一切功德成就勝佛
南无波頭摩成就勝佛 南无炬住持佛
南无寶上勝佛 南无金色花佛
南无上王佛 南无星宿王佛
南无无量弥留佛 南无虛空輪清淨王佛
南无无量聲佛 南无寶山佛
南无種種寶俱蘇摩花佛 南无勝衆佛
南无无塵離塵佛 南无不宿發脩行佛
南无金色光佛 南无寶舍佛
南无種種花成就佛 南无放光明佛
南无俱蘇摩成佛 南无放蓋佛
南无稱力王佛 南无淨聲佛
南无淨勝佛 南无无量衆佛
南无上首佛 南无无障导眼佛
南无破散一切起諸佛 南无斷一切疑佛
南无无相聲佛 南无畢竟得无邊功德佛
南无寶成就勝佛 南无波頭摩上勝佛

BD01058號 佛名經（十六卷本）卷三 （27–15）

南无破散一切起諸佛 南无斷一切疑佛
南无无相聲佛 南无畢竟得无邊功德佛
南无寶成就勝佛 南无波頭摩上勝佛
南无寶上佛 南无无障导發脩佛
南无无邊佛 南无寶弥留佛
南无日然燈上勝佛 南无智成就勝佛
南无憂鉢羅然燈佛 南无十方然燈佛
南无賢勝佛 南无娑羅自在王佛
南无師子佛 南无大寶弥留佛
南无毗婆尸佛 南无妙勝光明佛
南无功德王光明佛 南无花王佛
南无无量明佛 南无功德一味佛
南无十方然燈佛 南无賢勝佛
南无娑羅自在王佛 南无師子王佛
南无寶弥留堅佛 南无毗婆尸羅佛
南无明王佛 南无上首佛
南无月上王佛 南无大龍佛
南无香上勝佛 南无香勝幢佛
南无栴檀屋佛 南无香幢佛
南无栴檀香佛 南无无邊精進佛
從此以上三千一百佛十二部經一切賢聖
南无十方光明佛 南无波頭摩上佛
南无驚怖波頭摩花成就上王佛
南无寶同佛 南无善住王佛
南无香為王佛 南无與一切樂佛

BD01058號 佛名經（十六卷本）卷三 （27–16）

南无寶同佛　南无善住王佛
南无香為王佛　南无興一切樂佛
南无示一切念佛　南无不空說佛
南无能滅一切怖畏佛　南无不住王佛
南无寶光明佛　南无与一切衆生安隱佛
南无觀无邊境界佛　南无虛空莊嚴勝佛
南无无憂莊嚴佛　南无脩行幢佛
南无成就驚怖勝花佛　南无賢勝佛
南无清淨眼佛　南无大將軍佛
南无上勝高佛　南无不可勝憶佛
南无可依佛　南无无量无邊佛
南无香弥留佛　南无月輪聞王佛
南无妙弥留寶成就勝佛　南无閻弥留善勝佛
南无清勝佛　南无无障导眼佛
南无无邊功德作佛　南无威德王佛
南无顛善思惟成就佛　南无清淨輪王佛
南无智上佛　南无精進山佛
南无智山佛　南无方作佛
南无大會上首佛　南无家上首佛
南无智讓佛　南无上勝佛
南无不成境界佛　南无現示衆生境界鄣見佛
南无現示衆生境界无障导佛
南无无障导光明佛　南无發光明无导佛
南无佛波頭摩上成就勝佛　南无觀一切佛境界現佛形佛

南无現示衆生境界无障导佛
南无无障导光明佛　南无發光明无导佛
南无佛波頭摩上成就勝佛　南无觀一切佛境界現佛形佛
南无說堅佛　南无化聲佛
南无波頭摩勝佛　南无寶成就勝佛
南无海弥留佛　南无无垢慧佛
南无智花成就佛　南无積勝上威德寂靜佛
南无離貪境界佛　南无離一切取佛
南无不可思議功德成就勝佛
南无現成就勝佛　南无无畏去佛
南无香風佛　南无无等香光佛
南无雲妙鼓聲佛　南无功德成就勝佛
南无功德成就勝佛　南无无量衆過境界弥留佛
南无香勝弥留佛　南无无量弥留佛
南无无量光明佛　南无普見佛
南无无畏佛　南无得无畏佛
南无月然燈佛　南无大然燈佛
南无勝脩佛　南无勝衆佛
南无金剛成佛　南无智自在王佛
南无智力稱佛　南无无畏勝佛
南无功德王光明佛　南无善眼佛
南无堅自在王佛　南无弥留王佛
南无虛空弥留寶勝佛　南无堅上勝佛
南无梵吼聲佛　南无寶花佛
南无波頭摩成就勝佛　南无旃檀香佛

南无堅自在王佛　南无弥留王佛
南无盧空弥留寶勝佛　南无堅上勝佛
南无梵吼聲佛　南无寶花佛
南无波頭摩成就勝佛　南无旃檀香佛
南无須弥劫佛　南无勝荘嚴佛
南无寶蓋佛　南无香烏佛
南无无邊勝佛　南无不空説名佛
南无不可思議功德光明佛　南无无畏王佛
南无波頭摩上勝佛
從此已上二千二百佛十二部經一切賢聖
南无常得精進佛　南无藥王佛
南无安隱佛　南无无邊意行佛
南无无邊境界佛　南无无邊光明佛
南无无邊眼佛　南无无邊盧空境界佛
南无金色境界佛　南无星宿王佛
南无香上勝佛　南无盧空勝佛
南无妙勝佛　南无方作佛
南无妙弥留佛　南无无障导眼佛
南无金剛堅固經佛　南无然燈炬佛
歸命如是等无量无邊佛應知
南无火幢佛　南无賢无垢威德光佛
南无智積佛　南无稱力王佛
南无功德王光明佛　南无見智佛
南无波頭摩妙勝佛　南无成就勝佛
南无寶光佛　南无寶蓮華勝佛

BD01058 號　佛名經（十六卷本）卷三　（27–19）

南无智積佛　南无稱力王佛
南无功德王光明佛　南无見智佛
南无波頭摩妙勝佛　南无成就勝佛
南无寶光佛　南无寶蓮華勝佛
南无遠離疑成就佛　南无衆上首佛
南无拘留孫佛　南无幢王佛
南无波頭摩功德佛　南无放光明佛
南无弥勒佛　南无光明波頭摩光佛
南无勝王佛　南无法幢佛
南无无量奮迅佛　南无海須弥佛
南无妙佛　南无釋迦牟尼佛
南无不空見佛　南无无障导吼聲佛
南无无量功德勝名光明佛
南无无分別脩行佛　南无无邊光明佛
南无善眼佛　南无南方普寶藏佛
南无无垢遠離垢解脫佛
歸命如是等无量无邊佛應知
南无西方无量華佛　南无无量照佛
南无无量光明佛　南无无量明佛
南无无量境界佛　南无无量自在佛
南无无量奮迅佛　南无普蓋佛
南无蓋行佛　南无寶蓋佛
南无星宿王佛　南无善星宿佛
南无光明輪佛　南无明王佛
南无光明上勝佛　南无无邊見佛

BD01058 號　佛名經（十六卷本）卷三　（27–20）

南无盖[illegible]佛　南无[illegible]寶盖佛
南无星宿王佛　南无善星宿佛
南无光明輪佛　南无明王佛
南无光明上勝佛　南无无邊見佛
南无勝佛　南无无邊境界奮迅佛
南无无障导吼聲佛　南无大雲光明佛
南无羅网王佛　南无善得平等光明佛
南无波頭摩勝華佛　南无山王佛
南无月衆增上佛　南无高光明佛
南无含衆佛　南无不空光明佛
南无頂勝王佛　南无北方不空然燈佛
南无不空奮迅佛　南无不空境界佛
南无不空光明佛　南无无邊精進佛
南无涉羅自在王佛　南无寶涉羅王佛
南无普盖佛　南无盖莊嚴佛
南无寶積佛　南无旃檀屋佛
南无旃檀香佛　南无无量光明佛
南无光明輪莊嚴称佛　南无无障导眼佛
南无无量眼佛　南无寶成就佛
南无一切功德佛　南无佛華成就功德佛
南无善住慧佛　南无无量步佛
南无不空勝佛　南无寶步佛
南无无邊脩行佛　南无无邊莊嚴勝佛
南无盧空輪光明佛　南无无量聲佛
南无藥王佛　南无无畏佛

南无无邊脩行佛　南无无邊莊嚴勝佛
南无盧空輪光明佛　南无无量聲佛
南无藥王佛　南无无畏佛
次礼十二部尊經大藏法輪
南无枯樹經　南无當来變經
南无放牛經　南无乇真羅經
南无相漬經　南无灌食經
從此以上二千三百佛十二部經一切賢聖
南无夲文丈經　南无目連問經
南无持戒而經　南无太子思休經
南无忍辱經　南无微密經
南无離沮經　南无菩薩經
南无孔雀王呪經　南无迦羅子經
南无重生太子暮魄經　南无弥勒成佛經
南无唯意長者子經　南无龍女經
南无梵網長者子經　南无燎滿經
南无泥梨經　南无沙弥五母子經
南无月光童子經　南无太子須達拏經
南无勝鬘經　南无賓頭盧經
次礼十方諸大菩薩摩訶薩
南无勝山菩薩　南无光山菩薩
南无賢首菩薩　南无功德山菩薩
南无勝讃菩薩　南无那羅延菩薩
南无龍德菩薩　南无龍勝菩薩
南无住持色菩薩　南无摩留大菩薩

南无勝護菩薩　南无那羅延菩薩
南无龍德菩薩　南无龍勝菩薩
南无住持色菩薩　南无摩留大菩薩
南无入切德菩薩　南无然燈首菩薩
南无常舉手菩薩　南无光明常照王菩薩
南无寶手菩薩　南无普光菩薩
南无星宿王菩薩　南无金剛步菩薩
南无不動華步菩薩　南无步三界菩薩
南无无邊步奮迅菩薩　南无海慧菩薩
南无善光无垢住持威德菩薩
南无智山菩薩　南无常觀菩薩
南无高精進菩薩　南无遠多羅菩薩
南无邊陁羅菩薩　南无因陁羅菩薩
南无无量明菩薩　南无勇力菩薩
南无寶藏菩薩　南无寶藏菩薩
歸命如是等十方世界无量无邊菩薩
次礼聲聞緣覺一切賢聖
南无无漏辟支佛　南无憍慢辟支佛
南无盡憍慢辟支佛　南无觀辟支佛
南无得脫辟支佛　南无无垢辟支佛
南无獨辟支佛　南无雖蓋辟支佛
南无能住憍慢辟支佛　南无退辟支佛
南无不退去辟支佛　南无尋辟支佛
歸命如是等无量无邊辟支佛
礼三寶已次復懺悔

南无不退去辟支佛　南无尋辟支佛
歸命如是等无量无邊辟支佛
礼三寶已次復懺悔
次懺劫盜之業經中說言若物屬他他所守
護於此物中一草一葉不与不取何况盜竊但
自衆生唯見現在利故以種種不道而取致
使未來受此殃累是故經言劫盜之罪能令
衆生墮於地獄餓鬼受苦若在畜生則受牛
馬驢騾駝駱等形以其所有身力血肉償他
宿債若生人中為他奴婢衣不蔽形食不充命
貧寒困苦人理殆盡劫盜既有如是苦報是
故弟子今日至到稽首歸依佛
南无東方壞諸煩惱佛　南无南方妙音自在佛
南无西方大雲光佛　南无北方雲自在王佛
南无東南方无緣藏佛　南无西南方過諸魔界佛
南无西北方見无恐懼佛　南无東北方一切德嚴佛
南无上方蓮華藏光佛　南无下方妙善住王佛
如是十方盡虛空界一切三寶
弟子自從无始以來至于今日或盜他財寶興
刃强奪或自恃身逼迫而取或恃公王或
假勢力高桁大械枉砷良善吞納姦貨考直
為曲為此因緣身羅憲網或任邪治領他財物
侵公益私侵私益公損彼利此損此利彼割他
自饒口与心違或竊沒租佑偷度關稅匿公課
俞藏……

侵公益私侵私益公損彼利此損此利彼劫他
自饒口与心𢙣或竊没祖佑偷度關稅隱公課
輸藏隱使役如是等罪今悉懺悔或是佛法
僧物不与而取或經像物或治塔寺物或供養
常住僧物或擬招提僧物或盜取悞用恃勢
不還或自借或借人或復摻濫漏妄或三寶物混
亂雜用或以衆物穀米蒭薪鹽豉醬酢菜
茹菓實錢帛竹木繒綵幡蓋香花油燭隨
情逐意或自用或与人或摘佛花菓用僧鬘
物因三寶財私自利己如是等罪无量无邊
今日慚愧皆悉懺悔
又復无始以来至於今日或住周旋朋友師僧
同學父母兄弟六親眷屬共住同止百一所
須更相欺罔或於鄉隣比近移籬拓墻侵他田
宅改標易相捴略田園因公託私奪人邸店
及以毛野如是等罪今悉懺悔
又復无始以来或攻城破邑燒村壞柵偷賣良
民誘他奴婢或復枉壓无罪之人使其形殞血刃身
被徒鎖家業散骨肉支離乖張異域生死隔絶如是
罪无量无邊今悉至到皆悉懺悔
又復无始以来至於今日或商估博貨邸店市
易輕秤小升減割尺寸盜竊分銖欺罔圭合
以麁易好以短換長巧欺百端希望毫利如
是等罪今悉懺悔
又復无始以来至於今日穿踰墻壁斷道抄

BD01058號　佛名經（十六卷本）卷三　（27–25）

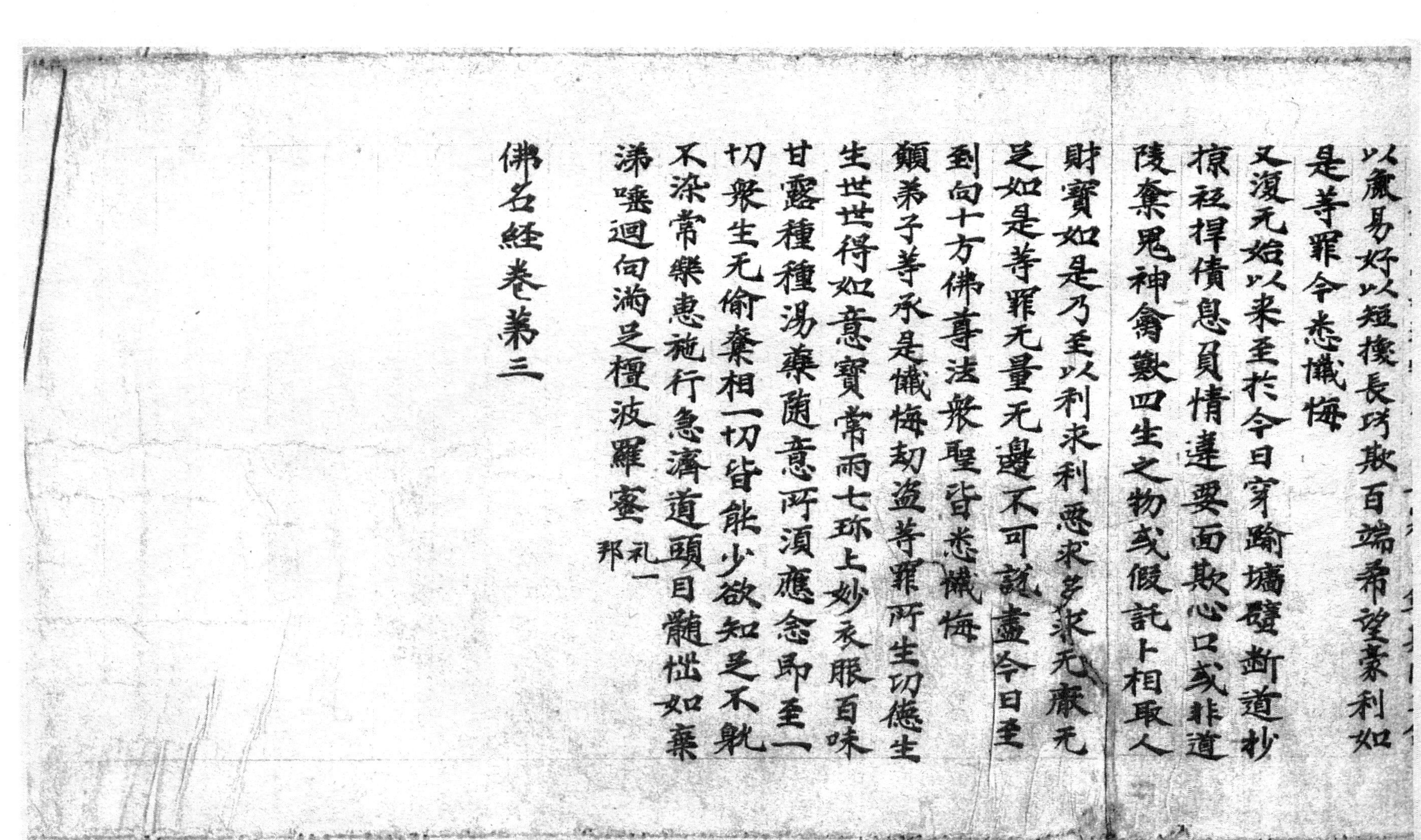
以麁易好以短換長巧欺百端希望毫利如
是等罪今悉懺悔
又復无始以来至於今日穿踰墻壁斷道抄
掠抵捍債息負情違要面欺心口或非道
陵奪鬼神禽獸四生之物或假託卜相取人
財寶如是乃至以利求利惡求多求无厭无
足如是等罪无量无邊不可說盡今日至
到向十方佛尊法衆聖皆悉懺悔
願弟子等承是懺悔劫盜等罪所生功德生
生世世得如意寶常雨七珍上妙衣服百味
甘露種種湯藥隨意所須應念即至一
切衆生无偷奪相一切皆能少欲知足不耽
不染常樂惠施行急濟道頭目髓惱如棄
涕唾迴向滿足檀波羅蜜 礼一拜

佛名經卷第三

BD01058號　佛名經（十六卷本）卷三　（27–26）

足如是等罪无量无邊不可說盡今日至
到向十方佛尊法衆聖皆悉懺悔
願弟子等承是懺悔劫盗等罪所生功德生
生世世得如意寶常雨七珎上妙衣服百味
甘露種種湯藥隨意所須應念即至一
切衆生无偷奪相一切皆能少欲知足不耽
不染常樂惠施行急濟道頭目髓惱如棄
涕唾迴向滿足檀波羅蜜 礼一拜

佛名經卷第三

BD01058號　佛名經（十六卷本）卷三　（27–27）

為他人說其福勝彼何以
故須菩提一切諸佛及諸佛阿耨多羅三藐
三菩提法皆從此經出須菩提所謂佛法者
即非佛法
須菩提於意云何須陁洹能作是念我得
須陁洹果不須菩提言不也世尊何以故須陁
洹名為入流而无所入不入色聲香味觸法
是名須陁洹須菩提於意云何斯陁含能作
是念我得斯陁含果不須菩提言不也世尊
何以故斯陁含名一往來而實无往來是名
斯陁含須菩提於意云何阿那含能作是念
我得阿那含果不須菩提言不也世尊何以
故阿那含名為不來而實无來是故名阿那
含須菩提於意云何阿羅漢能作是念我
得阿羅漢道不須菩提言不也世尊何以故實
无有法名阿羅漢世尊若阿羅漢作是念我
得阿羅漢道即為著我人衆生壽者世尊佛
說我得无諍三昧人中最為第一是第一離
欲阿羅漢我不作是念我是離欲阿羅漢
世尊我若作是念我得阿羅漢道世尊則不

BD01059號　金剛般若波羅蜜經　（12–1）

得阿羅漢道即為著我人衆生壽者世尊佛
說我得无諍三昧人中最為第一是第一離
欲阿羅漢我不作是念我是離欲阿羅漢
世尊我若作是念我得阿羅漢道世尊則不
說須菩提是樂阿蘭那行者以須菩提實无所
行而名須菩提是樂阿蘭那行
佛告須菩提於意云何如來昔在然燈佛所
於法有所得不世尊如來在然燈佛所於法
實无所得須菩提於意云何菩薩莊嚴佛土
不不也世尊何以故莊嚴佛土者則非莊嚴
是名莊嚴是故須菩提諸菩薩摩訶薩應
如是生清淨心不應住色生心不應住聲香味
觸法生心應无所住而生其心須菩提譬如
有人身如須弥山王於意云何是身為
須菩提言甚大世尊何以故佛說非
名大身須菩提如恒河中所有沙數如
等恒河於意云何是諸恒河沙寧為
菩提言甚多世尊但諸恒河尚多无
沙須菩提我今實言告汝若有善男
女人以七寶滿尒所恒河沙數三千大
以用布施得福多不須菩提言甚多
須菩提若善男子善女人於此經中乃至受持
四句偈等為他人說而此福德勝前福德
復次須菩提隨說是經乃至四句偈等當知
此處一切世間天人阿脩羅皆應供養如佛
塔廟何況有人盡能受持讀誦須菩提當
知是人成就最上第一希有之法若是經典
所在之處則為有佛若尊重

BD01059號　金剛般若波羅蜜經　（12–2）

此處一切世間天人阿脩羅皆應供養如佛
塔廟何況有人盡能受持讀誦須菩提當
知是人成就最上第一希有之法若是經典
所在之處則為有佛若尊重弟子
尒時須菩提白佛言世尊當何名此經我等云
何奉持佛告須菩提是經名為金剛般若波
羅蜜以是名字汝當奉持所以者何須菩提佛
說般若波羅蜜則非般若波羅蜜須菩提於意
云何如來有所說法不須菩提白佛言世尊如來
无所說須菩提於意云何三千大千世界所有
微塵是為多不須菩提言甚多世尊須菩提
諸微塵如來說非微塵是名微塵如來說世
界非世界是名世界
須菩提於意云何可以卅二相見如來不不也世尊
不可以卅二相得見如來何以故如來說卅二相即是
非相是名卅二相須菩提若有善男子善女人以恒
河沙等身命布施若復有人於此經中乃至受持
四句偈等為他人說其福甚多
尒時須菩提聞說是經深解義趣涕淚悲泣而白
佛言希有世尊佛說如是甚深經典我從昔來
所得慧眼未曾得聞如是之經世尊若復有人得
聞是經信心清淨則生實相當知是人成就第一
希有功德世尊是實相者則是非相是故如來
說名實相世尊我今得
不足為難若當來世後五
衆生信解受持是人則為
无我相人相衆生相壽者

BD01059號　金剛般若波羅蜜經　（12–3）

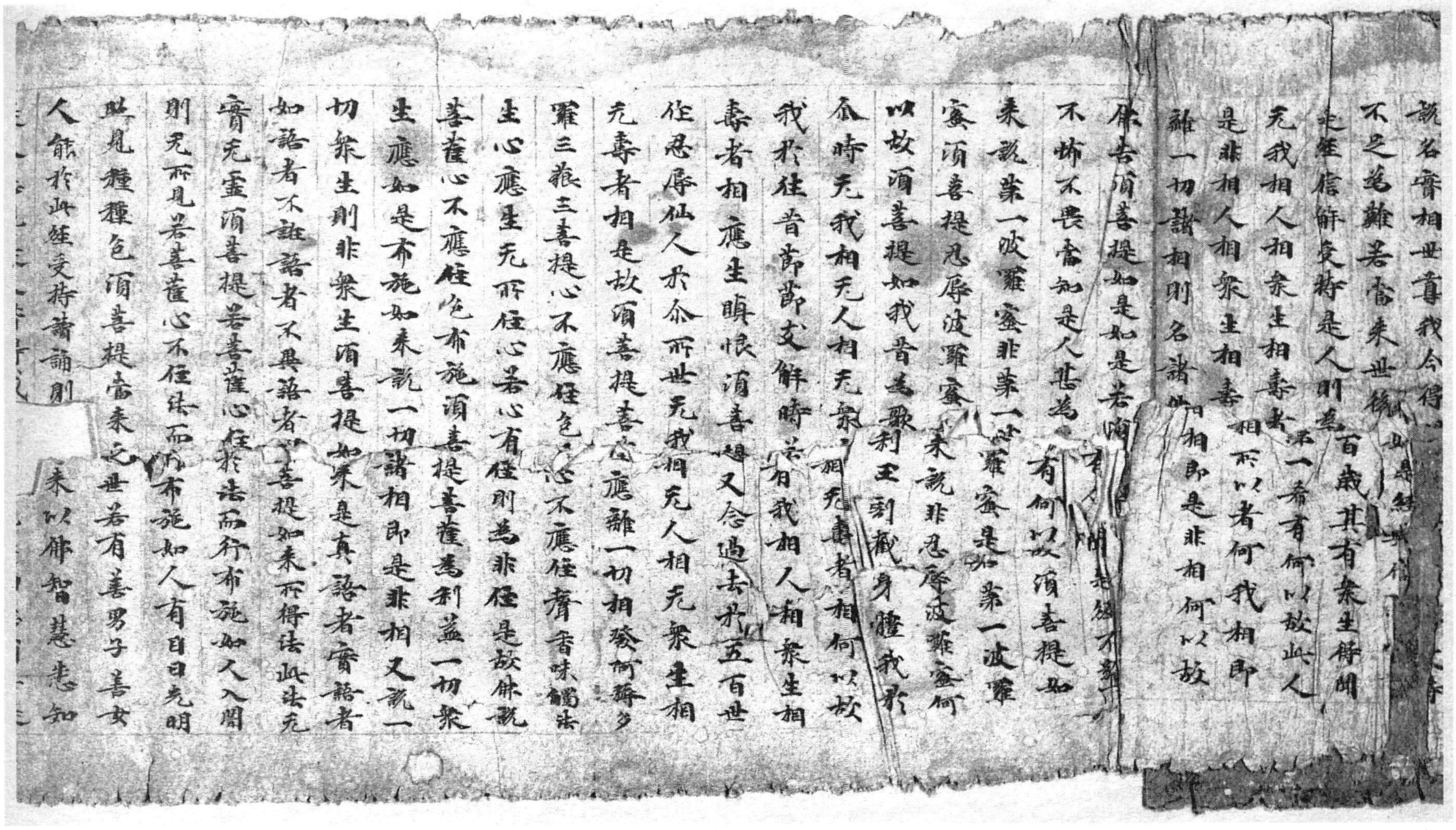

說名實相世尊我今得聞如是經典信
不足為難若當來世後五百歲其有衆生得聞
是經信解受持是人則為第一希有何以故此人
无我相人相衆生相壽者相所以者何我相即
是非相人相衆生相壽者相即是非相何以故
離一切諸相則名諸佛
佛告須菩提如是如是若復有人得聞是經不驚
不怖不畏當知是人甚為希有何以故須菩提如
來說第一波羅蜜非第一波羅蜜是名第一波羅
蜜須菩提忍辱波羅蜜如來說非忍辱波羅蜜何
以故須菩提如我昔為歌利王割截身體我於
尒時无我相无人相无衆生相无壽者相何以故
我於往昔節節支解時若有我相人相衆生相
壽者相應生瞋恨須菩提又念過去於五百世
作忍辱仙人於尒所世无我相无人相无衆生相
无壽者相是故須菩提菩薩應離一切相發阿耨多
羅三藐三菩提心不應住色生心不應住聲香味觸法
生心應生无所住心若心有住則為非住是故佛說
菩薩心不應住色布施須菩提菩薩為利益一切衆
生應如是布施如來說一切諸相即是非相又說一
切衆生則非衆生須菩提如來是真語者實語者
如語者不誑語者不異語者須菩提如來所得法此法无
實无虛須菩提若菩薩心住於法而行布施如人入闇
則无所見若菩薩心不住法而行布施如人有目日光明
照見種種色須菩提當來之世若有善男子善女
人能於此經受持讀誦則為如來以佛智慧悉知

BD01059 號　金剛般若波羅蜜經　（12–4）

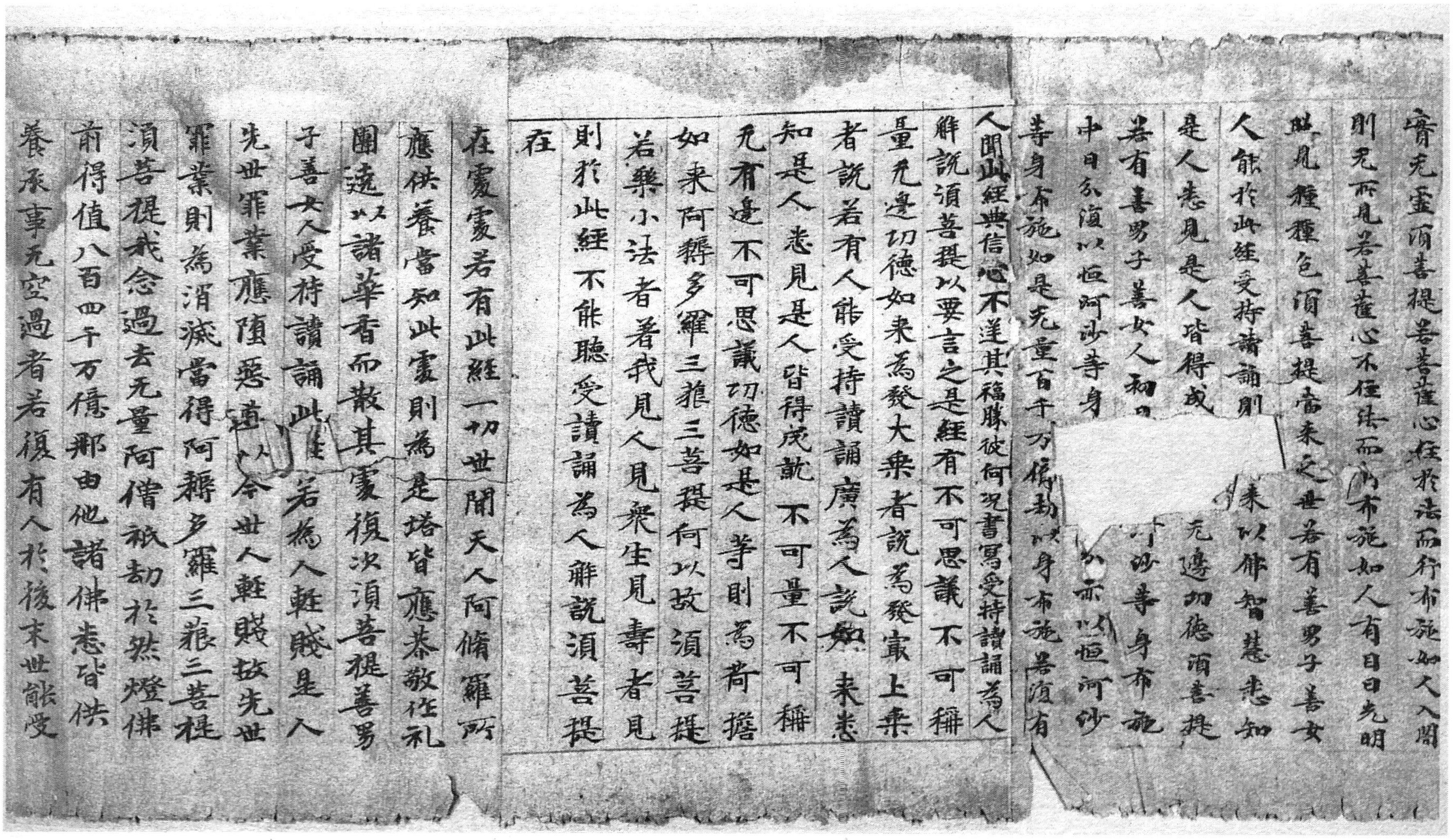

實无虛須菩提若菩薩心住於法而行布施如人入闇
則无所見若菩薩心不住法而行布施如人有目日光明
照見種種色須菩提當來之世若有善男子善女
人能於此經受持讀誦則□來以佛智慧悉知
是人悉見是人皆得成□无邊功德須菩提
若有善男子善女人初日□沙等身布施
中日分復以恒河沙等身□亦以恒河沙
等身布施如是无量百千万億劫以身布施若復有
人聞此經典信心不逆其福勝彼何況書寫受持讀誦為人
解說須菩提以要言之是經有不可思議不可稱
量无邊功德如來為發大乘者說為發最上乘
者說若有人能受持讀誦廣為人說如來悉
知是人悉見是人皆得成就不可量不可稱
无有邊不可思議功德如是人等則為荷擔
如來阿耨多羅三藐三菩提何以故須菩提
若樂小法者著我見人見衆生見壽者見
則於此經不能聽受讀誦為人解說須菩提
在
在處處若有此經一切世間天人阿脩羅所
應供養當知此處則為是塔皆應恭敬作禮
圍遶以諸華香而散其處復次須菩提善男
子善女人受持讀誦此經若為人輕賤是人
先世罪業應墮惡道以今世人輕賤故先世
罪業則為消滅當得阿耨多羅三藐三菩提
須菩提我念過去无量阿僧祇劫於然燈佛
前得值八百四千万億那由他諸佛悉皆供
養承事无空過者若復有人於後末世能受

BD01059 號　金剛般若波羅蜜經　（12–5）

罪業則為消滅當得阿耨多羅三藐三菩提
須菩提我念過去无量阿僧祇劫於然燈佛
前得值八百四千万億那由他諸佛悉皆供
養承事无空過者若復有人於後末世能受
持讀誦此經所得功德於我所供養諸佛功
德百分不及一千万億分乃至算數譬喻所
不能及須菩提若善男子善女人於後末世
有受持讀誦此經所得功德我若具說者或
有人聞心則狂亂狐疑不信須菩提當知是
經義不可思議果報亦不可思議
尒時須菩提白佛言世尊善男子善女人發
阿耨多羅三藐三菩提心云何應住云何降
伏其心
佛告須菩提善男子善女人發阿耨多羅三
藐三菩提者當生如是心我應滅度一切衆
生滅度一切衆生已而无有一衆生實滅度
何以故若菩薩有我相人相衆生相壽者相
則非菩薩所以者何須菩提實无有法發
阿耨多羅三藐三菩提者
須菩提於意云何如来於然燈佛所有法得
阿耨多羅三藐三菩提不不也世尊如我解
佛所說義佛於然燈佛所无有法得阿耨多
羅三藐三菩提佛言如是如是須菩提實无
有法如来得阿耨多羅三藐三菩提須菩提
若有法如来得阿耨多羅三藐三菩提然燈

BD01059 號　金剛般若波羅蜜經　（12–6）

羅三藐三菩提佛言如是如是須菩提實无
有法如来得阿耨多羅三藐三菩提須菩提
若有法如来得阿耨多羅三藐三菩提然燈
佛則不與我受記汝於来世當得作佛号釋
迦牟尼以實无有法得阿耨多羅三藐三菩
提是故然燈佛與我受記作是言汝於来世
當得作佛号釋迦牟尼何以故如来者即諸
法如義若有人言如来得阿耨多羅三藐三
菩提須菩提實无有法佛得阿耨多羅三藐
三菩提須菩提如来所得阿耨多羅三藐三
菩提於是中无實无虛是故如来說一切法
皆是佛法須菩提所言一切法者即非一切
法是故名一切法須菩提譬如人身長大須
菩提言世尊如来說人身長大則非大身是
名大身
須菩提菩薩亦如是若作是言我當滅度无
量衆生則不名菩薩何以故須菩提實无有
法名為菩薩是故佛說一切法无我无人无
衆生无壽者須菩提若菩薩作是言我當莊
嚴佛土是不名菩薩何以故如来說莊嚴佛
土者即非莊嚴是名莊嚴須菩提若菩薩通
達无我法者如来說名真是菩薩
須菩提於意云何如来有肉眼不如是世尊
如来有肉眼須菩提於意云何如来有天眼
不如是世尊如来有天眼須菩提於意云何
如来有慧眼不如是世尊如来有慧眼須菩

BD01059 號　金剛般若波羅蜜經　（12–7）

如来有肉眼須菩提於意云何如来有天眼
不如是世尊如来有天眼須菩提於意云何
如来有慧眼不如是世尊如来有慧眼須菩
提於意云何如来有法眼不如是世尊如来
有法眼須菩提於意云何如来有佛眼不如
是世尊如来有佛眼須菩提於意云何恒河
中所有沙佛說是沙不如是世尊如来說是
沙須菩提於意云何如一恒河中所有沙有
如是等恒河是諸恒河所有沙數佛世界如
是寧為多不甚多世尊佛告須菩提尒所國
土中所有衆生若干種心如来悉知何以故
如来說諸心皆為非心是名為心所以者何
須菩提過去心不可得現在心不可得未来
心不可得
須菩提於意云何若有人滿三千大千世界
七寶以用布施是人以是因緣得福多不如
是世尊此人以是因緣得福甚多須菩提若
福德有實如来不說得福德多以福德无故
如来說得福德多
須菩提於意云何佛可以具足色身見不不
也世尊如来不應以具足色身見何以故如
来說具足色身即非具足色身是名具足色
身須菩提於意云何如来可以具足諸相見
不不也世尊如来不應以具足諸相見何以
故如来說諸相具足即非具足是名諸相具
足

BD01059號　金剛般若波羅蜜經　（12-8）

身須菩提於意云何如来可以具足諸相見
不不也世尊如来不應以具足諸相見何以
故如来說諸相具足即非具足是名諸相具
足
須菩提汝勿謂如来作是念我當有所說法
莫作是念何以故若人言如来有所說法即
為謗佛不能解我所說故須菩提說法者
无法可說是名說法
須菩提白佛言世尊佛得阿耨多羅三藐三
菩提為无所得耶如是如是須菩提我於阿
耨多羅三藐三菩提乃至无有少法可得是
名阿耨多羅三藐三菩提復次須菩提是法
平等无有高下是名阿耨多羅三藐三菩提
以无我无人无衆生无壽者脩一切善法則
得阿耨多羅三藐三菩提須菩提所言善法
者如来說非善法是名善法
須菩提若三千大千世界中所有諸須弥山
王如是等七寶聚有人持用布施若人以此
般若波羅蜜經乃至四句偈等受持讀誦為
他人說於前福德百分不及一百千万億分
乃至筭數譬喻所不能及
須菩提於意云何汝等勿謂如来作是念我
當度衆生須菩提莫作是念何以故實无
有衆生如来度者若有衆生如来度者如来
則有我人衆生壽者須菩提如来說有我者

BD01059號　金剛般若波羅蜜經　（12-9）

須菩提於意云何汝等勿謂如來作是念我
當度衆生須菩提莫作是念何以故實无
有衆生如來度者若有衆生如來度者如來
則有我人衆生壽者須菩提如來說有我者
則非有我而凡夫之人以為有我須菩提凡夫
者如來說則非凡夫須菩提於意云何可以
三十二相觀如來不須菩提言如是如是以三
十二相觀如來佛言須菩提若以三十二相
觀如來者轉輪聖王則是如來須菩提白佛
言世尊如我解佛所說義不應以三十二相
觀如來尒時世尊而說偈言
若以色見我　以音聲求我　是人行邪道　不能見如來
須菩提汝若作是念如來不以具足相故得
阿耨多羅三藐三菩提須菩提莫作是念如
來不以具足相故得阿耨多羅三藐三菩提
須菩提汝若作是念發阿耨多羅三藐三菩
提者說諸法斷滅相莫作是念何以故發阿
耨多羅三藐三菩提者於法不說斷滅相須
菩提若菩薩以滿恒河沙等世界七寶持用
布施若復有人知一切法无我得成於忍此菩
薩勝前菩薩所得功德須菩提以諸菩薩不
受福德故須菩提白佛言世尊云何菩薩不
受福德須菩提菩薩所作福德不應貪著是
故佛說不受福德須菩提若有人言如來若來
若去若坐若卧是人不解我所說義何以故
如來者无所從來亦无所去故名如來
須菩提若善男子善女人以三千大千世界

BD01059 號　金剛般若波羅蜜經　（12–10）

故佛說不受福德須菩提若有人言如來若來
若去若坐若卧是人不解我所說義何以故
如來者无所從來亦无所去故名如來
須菩提若善男子善女人以三千大千世界
碎為微塵於意云何是微塵衆寧為多不甚
多世尊何以故若是微塵衆實有者佛則不
說是微塵衆所以者何佛說微塵衆則非微
塵衆是名微塵衆世尊如來所說三千大千
世界則非世界是名世界何以故若世界實
有者則是一合相如來說一合相則非一合
相是名一合相須菩提一合相者則是不可
說但凡夫之人貪著其事須菩提若人言佛
說我見人見衆生見壽者見須菩提於意云
何是人解我所說義不世尊是人不解如來
所說義何以故世尊說我見人見衆生見壽
者見即非我見人見衆生見壽者見是名我
見人見衆生見壽者見須菩提發阿耨多羅
三藐三菩提心者於一切法應如是知如是見
如是信解不生法相須菩提所言法相者如
來說即非法相是名法相須菩提若有人以
滿无量阿僧祇世界七寶持用布施若有
善男子善女人發菩薩心者持於此經乃至
四句偈等受持讀誦為人演說其福勝彼云
何為人演說不取於相如如不動何以故
一切有為法　如夢幻泡影　如露亦如電　應作如是觀
佛說是經已長老須菩提及諸比丘比丘尼優
婆塞優婆夷一切世間天人阿脩羅聞佛所

BD01059 號　金剛般若波羅蜜經　（12–11）

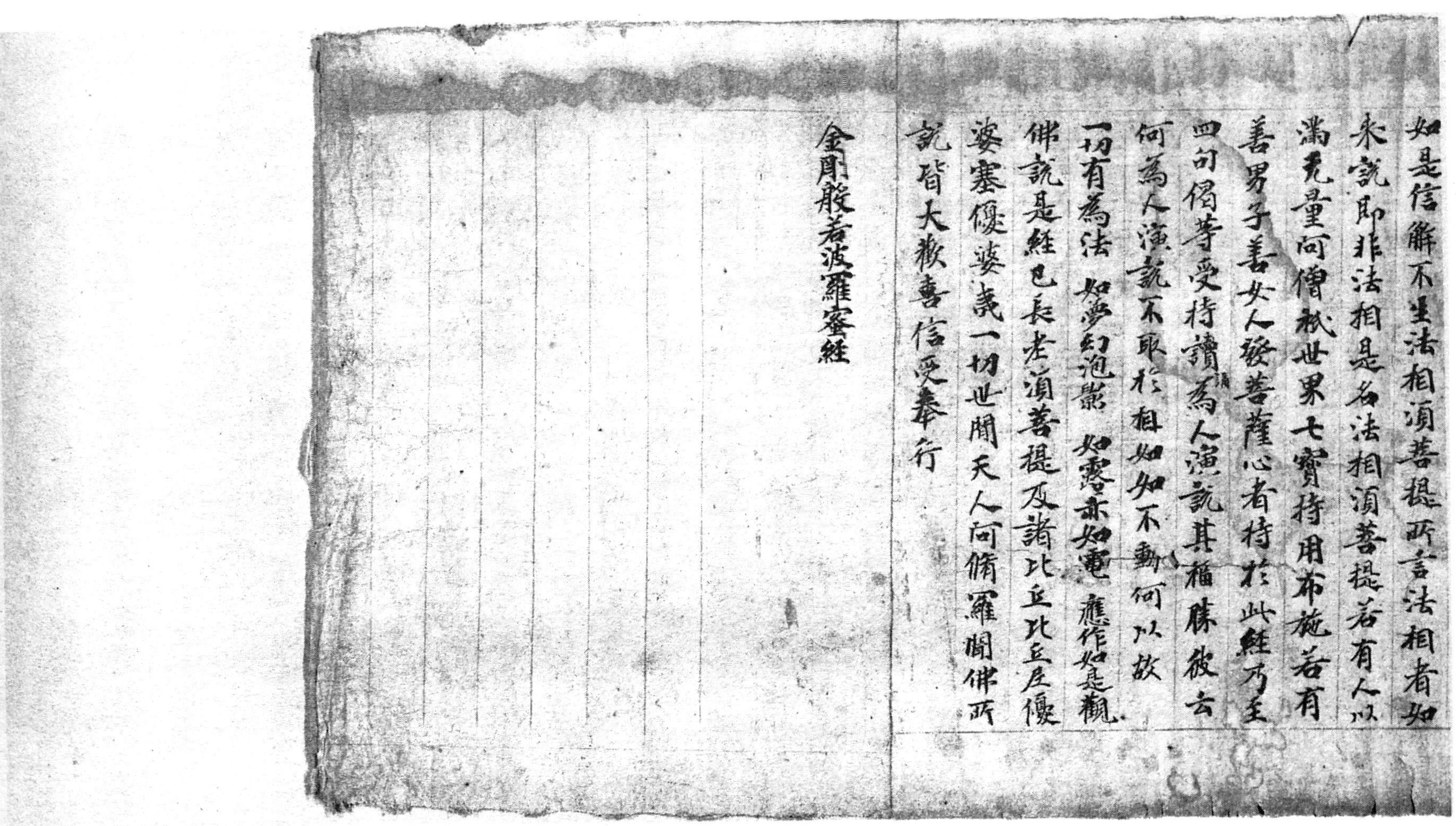

BD01059 號　金剛般若波羅蜜經　（12–12）

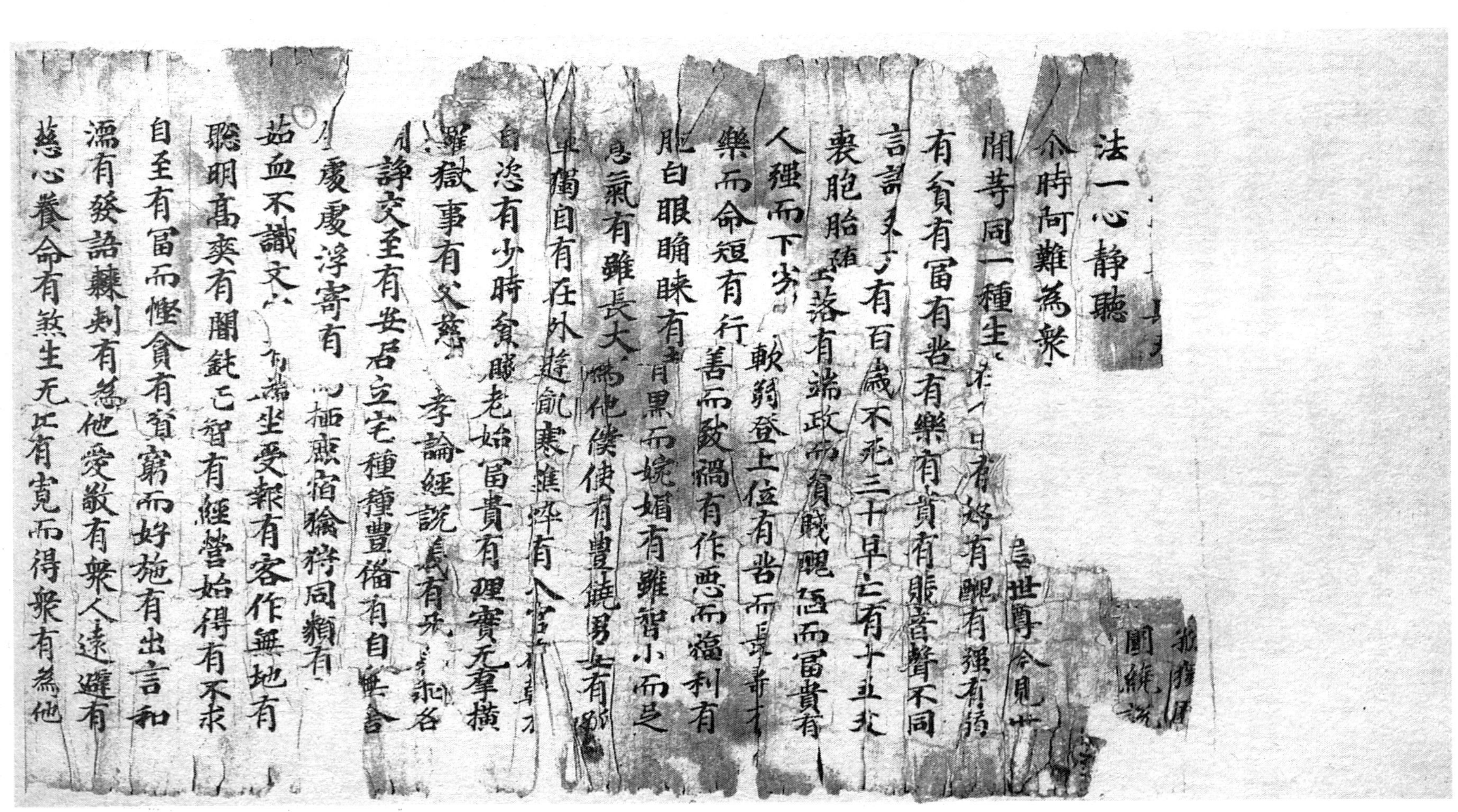

BD01060 號　善惡因果經　（14–1）

聰明高爽有闇鈍忘智有經營始得有不求
自至有富而慳貪有貧窮而好施有出言和
濡有發語麁剌有慈他愛敬有衆人遠避有
慈心養命有煞生无比有寬而得聚有爲他
所棄有婦姑相憎有妯娌歡戲有惠聽法語
有聞經眼睡有武夫无禮有好學文義有作
畜生之形種種異類唯願世尊廣說因果大
衆知聞一心從善
佛告阿難如汝所問受報不同者皆由先世用
心不等是以所受千差万別
今身端政者從忍辱中来爲人醜陋者從瞋
恚中来爲人貧窮者從慳貪中来爲人高貴
者從礼拜中来爲人下賤從憍慢中来爲人
長大從恭敬中来爲人座短從慢法中来爲
人恨戾從羊中来爲人黒瘦從鄣佛光明中
来爲人緊脣從嘗齋食中来爲人赤眼從
惜火光明中来爲人雀目從縫鷹眼合中来
爲人瘖瘂從謗法中来爲人耳聾從不憙聞
法中来爲人齞齒從憙咬骨肉中来爲人囊
鼻從然好香供養佛中来爲人脣齞從穿魚
鰓中来爲人黃髮從藏睹中来爲人穴耳從
穿耳中来爲人蚰體從著鞋衣湯突佛像
中来爲人黒色從安佛像著屋簷下烟薰中
来爲人聽䠒從見師長不起長不起中来爲
[illegible]從輕衣出入背佛像中来爲人脛額

穿耳中来爲人蚰體從著鞋衣湯突佛像
中来爲人黒色從安佛像著屋簷下烟薰中
来爲人聽䠒從見師長不起長不起中来爲
人僂脊從輕衣出入背佛像中来爲人脛額
從見佛不礼捉手打額中来爲人短項者從
見尊長縮頭走避中来爲人心痛病者從斫
剌衆生身體中来爲人癩病從枉取他物中
来爲人氣嗽從冬月與人冷食。下為〻
无男女者從煞他諸鳥子中来爲人饒兒息
者從憙養生物命中来爲人長命者從慈心
中来爲人短命者從煞生中来爲人大富者
從布施中来爲人有車馬者從施三寶車馬
中来爲人聰明從學問誦經中来爲人闇鈍
從畜生中来爲人奴婢從負債中来爲人瘀
撓從獼猴中来爲人病癩者從破壞寶塔中来
爲人手脚不隨者從縛勑衆生手脚中来
人惡性從蚰蝎中来爲人六根具足者從持
戒中来爲人諸根不具足者從破戒中来爲
人不淨潔者從猪中来爲人憙歌舞者從伎
兒中来爲人多貪從狗中来爲人項有癭肉
者從獨食中来爲人口氣臭者從惡罵中来
爲人男根不具足者從揵豬狗中来爲人右
短者從屏處盜罵尊長中来爲人憙婬他
婦女者從死墮鵝鴨中来爲人憙婬九族親
者死墮雀中来爲人慳惜經書藏匿智慧不

為人男根不具是者從揵豬狗中来為人舌
短者從屏處盜罵尊長中来為人憙嫉他
婦女者從死墮鵝鴨中来為人憙嫉九族親
者死墮雀中来為人慳惜經書藏匿智慧不
為人說者死作土木中虫好帶弓箭騎乘死墮
六夷中好獵煞生者死墮豺狼中好著釵花者
死作戴勝虫喜著長衣者死作長尾虫喜臥
食者死墮豬中好著綵色衣服者死作駮鳥
憙學人語調弄者死作鸚鵡鳥憙讒人者死
墮蟒蚰惡毒中橫惚他人憙傳惡信者死作
鵄梟鳥為人喜作狹禍語者死作野狐喜驚
怨人者死作麞麃虫前身著木屐入寺者今
身生在駒蹄馬中先身憙放下氣者今作蜣
蜋虫先身用眾僧碓磑者今作叩頭虫先身
斟量人食者今作喙木虫盜用僧水者今作
水中魚鱉汙眾僧地者作屏中虫盜僧菓子
者作食泥土虫偷僧物者今作碾碓牛驢
强從僧乞貸者今作白鴿鳥罵辱眾僧者
今作牛領中虫食眾僧菜者作糞中虫坐僧
床者作蚰蜒虫用僧雜物者作飛蛾投火虫
搕骨挿入寺者今作長嘴鳥著胭脂胡粉朱
脣入寺者今作赤嘴鳥著綵色衣入寺者今
作黃鯸鱸夫婦在寺中止宿者今作青頭臺
虫却坐佛塔者今作駱駝身著鞋靴入浮圖
精舍中者今者今作鰕蟇虫聽法乱語者今

BD01060 號　善惡因果經　（14–4）

脣入寺者今作赤嘴鳥著綵色衣入寺者今
作黃鯸鱸夫婦在寺中止宿者今作青頭臺
虫却坐佛塔者今作駱駝身著鞋靴入浮圖
精舍中者今者今作鰕蟇虫聽法乱語者今
作百舌鳥汙淨行尼僧者死墮鐵窟地獄
中百万刀輪一時来下斬截其身尒時阿難
白佛言如佛所說犯眾僧物實是大重若如
是者四輩檀越云何得詣寺中恭敬礼拜
佛言往僧伽藍中有二種心一者善心二者惡
心云何名為善心若至僧中見佛礼拜見僧
恭敬請經問義受戒懺悔捨於財物經營三
寶不惜身命護持大法如是之人舉足一步
天堂自至未来受果如樹提伽是則為最上
善人也
云何名為惡心若有眾生入寺之時唯從眾
僧乞索借貸或求僧長短專欲破壞或噉僧
食都無愧心餅菓菜茹懷挾歸家如是之人
死墮鐵丸地獄鑊湯爐炭刀山劍樹靡所不經是
則名為最下惡心人
佛語阿難試語来世是我弟子者於三寶所
謹慎莫犯努力崇成勿生退心用佛語者稱
勒出世得度無疑
佛言今身劫剥人衣者死墮寒氷地獄又生蠶
中為他煮剥今身不憙然燈照經像者死墮
鐵圍山間黑闇地獄中今身屠煞斬截眾生

BD01060 號　善惡因果經　（14–5）

乾出世得度無疑

佛言今身劫剝人衣者死墮寒氷地獄又生蠶
中為他養剝今身不憙然燈照經像者死墮
鐵圍山閒黑闇地獄中今身屠煞斬截衆生
者死墮刀山劒樹地獄中今身飛鷹走狗憙
獵射者死墮鐵鋸地獄中今身多耶行者死
墮銅柱鐵床地獄中今身畜多婦者死墮鐵
磑地獄中今身畜多夫主者死墮毒蛇地獄
中今身燒養雞子者死墮灰河地獄中今身
織賭雞者死墮濩湯地獄中今身摴蒱狗者
死墮尖石地獄中今身飲酒醉乱者死墮飲銅
地獄中今身斬截衆生者死墮鐵輪地獄中
今身偷衆僧菓子者死墮鐵丸地獄中今身
食賭狗肉者死墮糞屎地獄中今身作生魚
食者死墮刀林劒樹地獄中今身作後母訕
剋前母兒者死墮火車地獄中今身兩舌鬭
乱者死墮鐵犁地獄中今身惡口罵人者死
墮拔舌地獄中今身多妄語者死墮鐵釘地獄
中今身煞生祠祀耶神者死墮鐵碓地獄中今
身作師母鬼語誑他取物者死墮肉山地獄中
今身作師母合眼眠地誑他上天取你魂神者
死墮斬腰地獄中今身作師母教他煞生求其
大神或祠五道土地社公向魔女郎諸如是等
皆是誑惑愚人死墮斧斫地獄中為諸獄卒
剉斬其身鐵嘴之鳥啄兩眼精今身作師公

死墮斬腰地獄中今身作師母教他煞生求其
大神或祠五道土地社公向魔女郎諸如是等
皆是誑惑愚人死墮斧斫地獄中為諸獄卒
剉斬其身鐵嘴之鳥啄兩眼精今身作師公
或葬埋死人占宅吉凶五姓便利安宅謝墓厭
鎮襄禍誑其癡人多取財物妄作吉凶之語
者如此之徒死墮鐵網地獄中無量惡鳥集
在其身食噉肉盡啄其筋骨受苦無窮今
身在其醫師不能差病誑他取物死墮針灸
地獄中舉身火然今身破塔壞寺及殺師僧
不孝父母者死墮向鼻大地獄中備經八大地
地獄復入諸小地獄一百三十六所悉皆入中
或經一劫乃至五劫然後得出值善知識發
菩提心若不值遇還墮地獄
佛言為人身大臭穢健瞋難解者從駱駝中來
為人憙行健食不避嶮難者從馬中來為人
堪履寒熱無記錄心者從牛中來為人高聲
無愧多所愛念不別是非者從驢中來為人
恒貪肉食所作無畏者從師子中來為人身
長眼圓多遊曠野憎嫉妻子者從虎中來為
人長眼小不樂一處者從飛鳥中來為人性無
返復喜煞害者從野狐中來為人勇健少於
婬慾不愛妻子者從狼中來為人不好妙服
伺捕軒非小眼多怒者從狗中來為人好婬

返復喜煞害者從野狐中來為人勇健少於
婬慾不愛妻子者從狼中來為人不好妙服
伺捕奸非小眼多怒者從狗中來為人好婬
喜讒衆人所愛者從鸚鵡中來為人樂人
衆中言語多煩者從鸜鵒中來為人體小好
婬意不專定見色心惑者從雀中來為人眼
赤齒短語便吐沫卧則纏身者從虵蚖中來
為人語則瞋恚不察來義口出火毒者從蝎
中來為人獨處貪食夜則少眠者從狸中來
為人穿墻竊盜貪財健忘無有親踈者從
鼠中來
佛言為人破塔壞寺隱藏三寶物作已用者
死墮阿鼻大地獄中從地獄出受畜生身所謂
鴿雀鴛鴦鸚鵡青雀魚鼈獼猴麞鹿若得
人身受黃門形女人二根無根婬女為人憙瞋
恚者死墮毒虵師子虎狼熊羆猫狸鷹鷂之
屬若得人身憙養鷄豬屠兒獵師網捕獄卒
為人愚癡不解道理者死墮象豬牛羊水牛
蚤虱蚊虻蟻子等形若得人身聾盲瘖瘂
癃殘背僂諸根不具不能受法
為人憍慢者死墮糞虫駞驢大馬若生人中
受奴婢身貧窮乞匃衆所輕賤
為人曰官形勢貪取民物者死墮肉山地獄
中百千万人割肉而噉
今身喜立他人者死墮白烏中脚直不得眠

BD01060號　善惡因果經　（14–8）

受奴婢身貧窮乞匃衆所輕賤
為人曰官形勢貪取民物者死墮肉山地獄
中百千万人割肉而噉
今身喜立他人者死墮白烏中脚直不得眠
卧今身破齋夜食者死墮餓鬼中百千万歲
不得飲食若行之時節頭火出
今身憙露形坐者死作寒鶉虫
今身懷挾齋殘飲食者死墮熱鐵地獄中
又生人間著咽塞病短命而死
今身礼佛頭不至地者死墮倒懸地獄又生
人間多為欺誑
今身礼佛不合掌者死墮邊地多用切力
死所收穫
今身聞鍾聲不起者死墮蜂虵中其身長
大為諸小虫之所唼食
今身不拱手礼佛者墮反縛地獄又生人中
橫遭惡事
今身合掌五體投地至心礼佛者常處尊
貴恒受快樂
今身健瞋懊食者從顛狂中來
今身眼目瞤睞者從耶看他婦女中來
今身謗婦罵父母者死墮斬石地獄中
今身加水著酒中沽與人者死作水中虫又
生人間水腫斷氣而死
佛告阿難如向所說種種衆苦皆由十惡之

BD01060號　善惡因果經　（14–9）

令身讒婦罵父母者死墮斬石地獄中
令身加水著酒中沽與人者死作水中虫又
生人間水腫斷氣而死
佛告阿難如向所說種種衆苦皆由十惡之
業上者地獄因緣中者畜生因緣下者餓鬼
因緣
於中煞生之罪能令衆生墮於地獄畜生餓
鬼若生人中得二種果報一者短命二者多
病劫盜之罪亦令衆生墮於地獄畜生餓鬼
若生人中得二種果報一者貧窮二者共財
不得自在
邪婬之罪亦令衆生墮於地獄畜生餓鬼若
生人中得二種果報一者婦不貞良二者二
妻相諍不隨己心
妄語之罪亦令衆生墮於地獄畜生餓鬼若
生人中得二種果報一者多被誹謗二者恒
為多人所誑
兩舌之罪亦令衆生墮於地獄畜生餓鬼若
生人中得二種果報一者得破壞眷屬二者
得弊惡眷屬
惡口之罪亦令衆生墮於地獄畜生餓鬼若
生人聞得二種果報一者常聞惡聲二者所
有言說恒有諍訟
綺語之罪亦令衆生墮於地獄畜生餓鬼若
生人聞有二種果報一者說正人不信受二

得弊惡眷屬
惡口之罪亦令衆生墮於地獄畜生餓鬼若
生人聞得二種果報一者常聞惡聲二者所
有言說恒有諍訟
綺語之罪亦令衆生墮於地獄畜生餓鬼若
生人聞有二種果報一者說正人不信受二
者所有言說不能辯了
貪欲之罪亦令衆生墮於地獄畜生餓鬼若
生人中得二種果報一者貪財無有厭足二
者多求恒無從意
瞋恚之罪亦令衆生墮於地獄畜生餓鬼若
生人中得二種果報一者常為他人求其長
短二者常為他所惱害
邪見之罪亦令衆生墮於地獄畜生餓鬼若
生人聞得二種果報一者常生邪見家二者
心恒諂曲
諸佛子如是十惡業道皆是衆苦大聚因緣
尒時大衆之中有作十惡業者聞佛說斯地
獄苦報皆大悲哭而白佛言世尊弟子作何
善行得免斯苦
佛言當復教化一切衆生共同福業云何脩
若有衆生今身作大化主造立浮圖寺舍者
未來必作國王統領萬民無往不伏今身作
邑主中正維那輪主者未來必作王臣輔相
州郡令長衣馬具足所須自恣今身率化諸

若有衆生今身作大化主造立浮啚寺舍者
未來必作國王統領萬民無往不伏今身作
邑主中正維那輪王者未來必作王臣輔相
州郡令長衣馬具足所須自恣今身率化諸
人作諸功德者未來世中必作豪富長者衆
人敬仰四道開通所向諧偶今身好憙然燈
續明者生在日月天中光明自照
今身憙布施慈心養命者生處大富衣食
自然
今身好憙施人飲食者所生之處天廚自至
色力具足聰明辯才壽命長遠若施畜生
得百倍報施一闡提得千倍報施持戒比丘
得萬倍報若施法師流通大乘講宣如來秘
密之藏令使大衆開其心眼者得無量報若
施菩薩諸佛受報无窮
又復施三種人果報无盡一者諸佛二者父
母三者病人一食之施尚穫无量之報況能
常施何可窮盡
今身洗浴衆僧者所生之處面目端正自然
衣裳衆人敬仰
今身憙讚嘆讚誦經法者所生之處音聲
雅妙聞者懽欣
今身憙持戒者所生端政人中最勝
今身好憙造作義井橥竟在道種樹蔭蓋
諸人者所生之處常作王百味飲食隨念即至

BD01060號　善惡因果經　（14–12）

又復施三種人果報无盡一者諸佛二者父
母三者病人一食之施尚穫无量之報況能
常施何可窮盡
今身洗浴衆僧者所生之處面目端正自然
衣裳衆人敬仰
今身憙讚嘆讚誦經法者所生之處音聲
雅妙聞者懽欣
今身憙持戒者所生端政人中最勝
今身好憙造作義井橥竟在道種樹蔭蓋
諸人者所生之處常作王百味飲食隨念即至
今身憙妙寫經法施人讀者所生之處口辯
多才所學之法一聞領悟諸佛菩薩常加擁
護人中最勝恒爲上首
今身憙造橋舩濟渡人者所生之處七寶具
足衆人敬歎莫不瞻仰行來入出爲人扶接
佛告阿難如我處經中所説因果勸諸衆生
讀誦脩行得度苦難若聞是經生誹謗者
其人現世舌則墮落
尒時阿難白佛言世尊當何名斯經以何勸
發之
佛告阿難此經名爲善惡因果亦名菩薩發
願脩行經如此受持佛説是經時衆中八萬
天人發阿耨多羅三藐三菩提心百千女人
現轉女身得成男子千二百惡人捨其毒意
自知宿命無量善人得无生忍恒受快樂无

BD01060號　善惡因果經　（14–13）

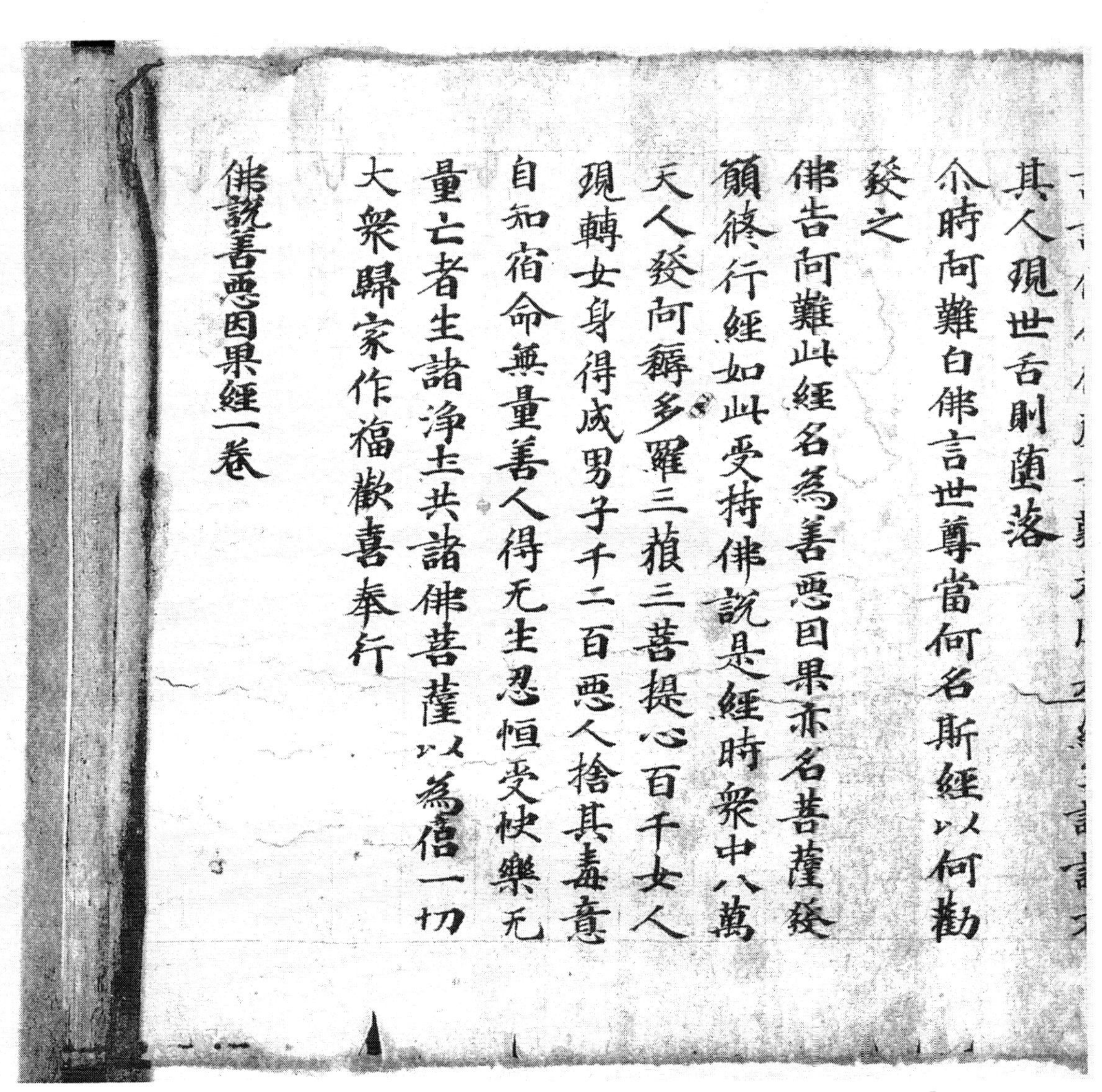
其人現世舌則墮落
尒時阿難白佛言世尊當何名斯經以何勸
發之
佛告阿難此經名為善惡因果亦名菩薩發
願修行經如此受持佛說是經時衆中八萬
天人發阿耨多羅三藐三菩提心百千女人
現轉女身得成男子千二百惡人捨其毒意
自知宿命無量善人得无生忍恒受快樂无
量亡者生諸淨土共諸佛菩薩以為侶一切
大衆歸家作福歡喜奉行

佛說善惡因果經一卷

BD01060號　善惡因果經　　（14–14）

事畢具觸壞色遮色衰仏便制戒　若比丘於僧房中敷僧卧具若自敷若坐若
卧去時不自舉不教人舉波逸提　言滿足戒本文有五句：一人犯二屏處三用僧物四為
己受用五結罪。已下結不舉罪。比丘義如上。僧房中屏處僧卧具者謂僧床木床褥草
具下至卧拪。言若自敷若教人敷者為己受用故。五言去時不自舉不教人舉波逸
提者不舉之罪。律云彼去時應語舊住比丘言与我守舉。若无人不畏失者應移床
離壁高枝床脚拪蓐卧具置上更以餘重物覆。若恐壞敗取卧具著置衣架上
竪床而去。若不作如是出界犯墮。欲去還悔者若即日還不久願二宿界外第三宿
明相未出若自至房中若遣使至語知事人當見攝。不者明相出便犯。不犯者作如上方便藏求
除道斷命梵等者緣開

強敷卧具戒第十六　制意者欲物有限事局彼情同則我
為彼有意滿即事須進奈然知先得住處意心辛苦量輙便於中強敷卧具並相逼惱非
出家之式，故仏制制。別緣有六：一先得住處安止已定二知先住三作惱彼意四強敷卧具
五无因緣謂親舊人及病与三難等緣六隨所犯提。已下正明戒本文有五句一群比丘知十七群比丘
故仏制斯戒　若比丘知先比丘住處後來強於中間敷卧具止宿念言彼若嫌者自當
避我去作如是因緣非餘非威儀波逸提　言滿足戒本文有四句：一犯人二知他先得住
處三後來下強敷相惱而作是下結非威儀罪。初二兩句可知。三言強於中間敷卧具者
中間者若頭邊若脚邊若兩脇邊。是敷卧具者若草敷葉敷下至地敷。舊而言作如是因緣
者謂故惱因緣。言非餘者非病等諸緣。言非威儀者彰顯其過。言波逸提者是犯罪名。律所言
知他先得住處後來強於中間敷卧具心有隨轉側脇著床結犯。寸去若為惱他故開戶
賊大者唄呪願讀經法說隨他不樂事作一一隨一一犯者。律云若先不知若語已住若与開閒若
間寬不相妨惱若親舊教言但敷我自語主若倒地若病轉側墮上若命梵等難一切不犯

牽他出房戒第十七　制意者然四方僧房衆人共有理无遮隔先斜理安心受後來
徒宜共受用。瞋心牽出自壞惱他諍競之本。橫處不輕，是以須制。別緣有六：一四方僧房
二先來安已定三作惱彼意四瞋心牽出五无因緣六隨舉著不犯故二隨出門便犯。已下正明戒本
因六群比丘与十七群比丘道行至小住處十七群先入寺掃灑房舍令淨。六群知彼得好住處逐
牽出房故仏便制戒　若比丘瞋他比丘不喜僧房中若自牽出若教人牽出

間寬不相妨故若親舊教言但敷我自當去若倒地若病轉側墮上若令其著難一切不犯

牽他出房戒第十七　制意者然四方僧房衆人共有理无遮礙若斟理安心受除來已

使宜共受用瞋心牽出自懷惱他誹謗之本損處不輕是以須制　犯緣有六一四方僧舍二房

主先在三已在四作惱心五瞋心牽出六出自屬房聚落著不犯故云隨出門便犯已下云明戒本此

因六群比丘共十七群比丘道行至小住處十七群先入寺掃灑房舍令淨六群知彼得好住處遂

牽出房比丘舉過佛便制戒　若比丘嗔他比丘不喜僧房舍中若自牽出若教人

他牽出波逸提　律論呈戒本文有四句上犯人二所牽之處三是衆僧房私房不犯四若

自己下牽出結罪前三句可知第四言自牽出乃至波逸提已來是違犯罪故律云隨所牽

多少一一皆犯若牽多人出多戶多提若牽一人出多戶多提若遣一人出一戶提若遣多人

出多戶多提若後屋牽至前屋牽至戶外牽至庭中牽至庭外一一犯提若持他物

擲出者戶外關他外並吉衹云牽他出時若抱挂戶倚壁一一提若可呵隨語一一離一一提若

瞋恐罪駈出若云此无益初駈出无罪十云若害若斷將癡去經行不能經行應起牀

處不應惱他若降依弟子師牽者不犯若將不善人歡令自出不出吉羅律云犯

者无瞋恨心隨次出共宿過限遣未受具人出若破戒見戒儀為他擧及償應償出

諍破有命梵難駈出並皆不犯向前房內親厚間淨識此戒局淨下除親者三句前是他物

為先借者親則无難非僧住處不敢間淨此是僧房涉有共住不淨无共駈出无犯

重屋上坐脫脚牀戒第十八　制意者凡事宜審危險須慎重屋薄滑脫脚之牀

破身坐卧之者有墜墮傷於下人惱處不輕是故聖制　犯緣有四一重屋二薄屋三脫脚牀

四放身坐卧已下云戒本此戒同房重屋比丘起過制此戒　若比丘若房若重閣上脫脚繩

牀若坐若卧波逸提　律論呈戒本文有四句上犯人二重屋三脫脚牀四坐卧結犯初句可知

二言若房若重閣者謂僧私兩種房重閣者謂之頭不至上三言脫脚牀者律云脫脚者脚入陛

四言若坐若卧者律云隨脇著牀隨轉側言波逸提者是違犯罪故律云比丘知坐卧者

隨轉側一一犯提除脫脚牀外坐獨坐牀或一板牀浴牀一切吉羅不犯者律云若重屋板覆若木

作花覆若覆若板牀坐若脫脚牀坐若脚支細要並不犯　用虫水戒第十九

制意者恐濟物命道之所要知水有虫故而受用特損物命遠其慈道違害存自營

所為无理事是非輕故所以制　犯緣有四一是虫水二知有虫水三不作濾法四隨所用犯

已下云明戒本此戒因闡陀比丘起過造屋虫水和泥居士譏嫌佛便制戒　若比丘知水有

虫若澆泥若澆草若教人澆者波逸提　律論呈戒本文有三句上犯人二所犯事三犯罪

比丘者義如上釋已下二句可知故律云若不知水有虫无用知即犯提言虫水者濾盡囊所遮

肉眼所見十云眼所見濾囊所遮若用此水隨虫多少一一犯提祇云用虫水一息一提隨息

多少一一得提四分云若以草土擲虫水中若生隨酪漿清酪漿若清麥漿若酢有虫澆

泥草以草土擲中一切皆提要人為同五分云隨用虫一一墮律云若以虫草土擲虫水中隨河池中

多虫一一墮大集云虫有主身細當如微塵十分之一及至大者百千万由旬祇云細故但

此苐者義如上釋之下二句可知故律云若不知水有虫无虫用知即犯提言虫水者濾囊所遮
肉眼所見十誦眼所見濾囊所遮若用安水隨虫多少一一犯提祇云用虫水一息一提隨身
多少一一得提四分云若以草土擲虫水中若虫隨醋漿清醋漿若清麦漿若酢有虫澆
泥草以草土擲中一切皆吉若人分同五分云隨用虫之殺律云若以虫草土擲虫水中隨河池中
魚虫一一提大集云畜生身細猶如微塵十分之一乃至大者百千万由旬祇云細故雍
作三重濾猶有者捨去故多云若作住處先應看水用已濾羅著器中向日細看若
看若故意者有虫者應三重作濾羅若猶故有虫去處任四分雜法犍度中云无濾
囊不得半由旬行若无濾囊應用衣角濾水律云不犯者若不知有虫若作无虫想若
大以手動水令虫去若濾水用不犯若教人濾用　覆屋過三節戒第廿　制意者凡物有限事
成為要貪不知量重覆不已令屋崩倒損壞一切傷業識不輕是以聖制　別緣有四一白衣為作
屋二使人覆三至三節未竟不離見聞處四第三節竟即犯　已下正明戒本云闡陀
此起房重覆不已便摧屋主嫌言施者雖无厭受者應知足佛隨制戒　若比丘作大房
舍戶扉窗牖及餘莊飾具指授覆苫齊二三節若過者波逸提　律備足戒本文
有四一犯人二作房法三指授已下明限齊過限結罪言比丘者義如上弁三言作大房者多用秘物
及餘莊飾者刻鏤彩畫三言指授覆苫者覆者有二種一者縱覆二者橫覆言齊二三節
者是開限律云第三節未竟指授无犯過者若過波逸提者是限之罪故律云若比丘指授三
節未竟自至不見聞處若不至不見聞處者即犯提罪若身離見聞處犯吉見云若過
三節竟無邊看用隨草把一一提律云不犯者如指授過覆第三節若水陸道断賊難惡
獸難命梵難故不過第三節无犯　輒教授教尼戒第廿一　制意者有三一尼須教
意者尼是女弱闇於進趣諸業未閑進於理行一教宜資若有進故須教授由未行儀大僧丈夫於
无障导處處諮承故不許教授二須差意者教授事難須備德行故委任衆量簡遣有德應
心剋誨開曉心懷令生解行終登道益故須差遣三往罪意者今不祇僧差輒往
教授濫行紊教乘愧道之方於失化儀法自尊損處不輕故得後罪
次釋名專任自由不崇僧命稱之為輒宣傳行德開曉未聞名為教授故曰不輒
教授尼文明具緣通緣如上別緣有三一有少德行為僧全无德者不教授尼義理不合
差故无輒教尼罪少謂盖立如僧立設有立法得教誡尼僧十德中初二八九十等是難
倫上德若彼僧差本天過故次第二僧不差難不故是為作衆法雖教儀已亦自无犯
故第三集尼衆集若說八敬生過義微但得小罪故須第四說法除八敬第五
隨所說法言了便犯　已下正明戒本云戒因愛道尼來請教授佛令差往僧無隨往彼
說法六群次往為說世論愛道白佛令羯磨而差曰制戒　若比丘僧不差教授比丘
尼者波逸提　律備足戒本文有四句一犯人二僧不差三輒往教授四結罪僧不差衆之罪
言比丘義如上二若僧不差者律云僧中白二羯磨不差要具十德方始成差少謂盖立增立
[illegible]

說…六群…佛令羯磨而差因制戒　一若比丘僧不差教授比丘
尼者波逸提　二滿足戒本文有四句一犯人二僧不差三聽往教授四結罪僧不差說法之罪
言比丘義如上　三若僧不差者律云僧中白二羯磨不差　要具十德方始成差十謂極五臘之
法中說　三言聽往教授者律云說八不違法如律廣說　四言波逸提者是僧不差說法之罪
若僧餘法即得提罪若說八敬尼衆常聞故但得吉羅律云若於說戒時上座問尼已若僧
差若隨尼請彼比丘赴時到尼不赴時迎若遠迎俱犯吉羅若聞來者當出半由旬迎供給所須
不者吉羅若僧不差非教授日與說八敬法若不差與說者墮若僧病不和合衆不滿應
遣人禮拜問訊尼衆病等亦遣信禮拜問訊若不者吉羅律云非是前三僧二衆不應往也前三者說戒
僧三日後二者去後說戒言雖後僧差去五日中不應往也時謂往尼寺教誡不犯者若僧差若
時往若尼為求陸道斷諸難緣不迎禮拜問訊者並不犯　說法至日暮戒第二十二
一制意者凡男女有別居不同處僧衆舉動須避譏涉生人信敬日沒群衆致外情疑謗
自脩行過檢不輕故聖制斷緣有六一是僧差二差不二集尼衆三教授說法四日暮五暮復
六說法不止便犯已下正明戒本　二釋戒因兩難陀教授尼日暮不　本寺為俗所譏佛便制戒
若比丘為僧差教授比丘尼乃至日暮者波逸提　二滿足戒本文有三句一犯人二為僧所差三
教授下說法過時結罪　一言若比丘者如上　二言僧差者白二羯磨差令授教　三教授至日暮
提者是結罪句輕重文四一若至日暮教授提五分云日暮語語提若　教授外授經若誦經
言犯吉三若為餘女授經誦至暮一切吉羅四讓想亦吉律云不犯者若教授至日未暮
便休除婦女已為餘人若船濟處說法尼自聽若與估客伴夜說法若尼寺中若因人請但說
便聽者一切不犯　二釋義就大僧寺教授有日暮罪尼寺犯准此就尼寺僧尼二寺俱得教尼
譏訶教授師戒第二十三　一制意者然俗德之人為僧差遣意在教授情存為法不悕飲食
而見他得利內生嫉妬發言譏訶謗賢善事絕兼益積衆不輕是故聖制　別緣有五
是僧差二情存為法不悕飲食三生嫉妬心四發譏訶五言辭了了前人聞知犯已下正明戒本
二釋戒因尼迎教授師供給六群生嫉妬意言彼無實但為飲食故教授尼比丘白佛佛便制戒
若比丘語諸比丘作如是語諸比丘為飲食故教授比丘尼波逸提　二滿足本文有三句一犯人
二譏訶三結犯初句可知二言譏者訶見他得利心生妬忌故起譏訶三言波逸提者是犯句律
云若如上譏訶說了了提罪不了了吉羅不犯者其事實爾為飲食供養故教授若戲
若錯說並皆不犯　與非親尼衣戒第二十四　一制意者凡男女形殊理無交雜無
緣取與事招外譏因交致染容壞梵行損敗不輕是故聖制　別緣有四一是比丘尼
二非親里三覆心與衣從彼尼領受便犯已下正明戒本　二釋戒因乞食比丘與尼衣後因嫌
責數向人說比丘譏過白佛佛便制　若比丘與非親里比丘尼衣除貿易波逸
提　二滿足戒本文有五句一犯人二非親尼三所與衣四除貿易五結罪上三可知第四
言衣者有十種如上多論度量衣提不應量吉鉢亦犯提非應量鉢犍鎡等吉
四言貿易者義如上下至藥草一斤相易得　五言波逸提者結罪律云若二衆共與

提　上滿足戒本文有五句一犯人二非親尼三所与衣四除貿易五結罪上三可知第五
言衣者有十種如上多論應量衣提不應量吉鉢亦犯提非應量鉢犍鎡等吉
四言貿易者義如上下至藥草一斤相易得五言波逸提者結犯律云若二尼共与
一尼衣或一衣与二尼並犯提多論云犯吉羅律但言与尼提与下衆吉若依多論与尼三
衆俱犯提義亦然應不同浣衣綖業多少中制又有希數文律云尼与大僧吉
羅若說希數大僧与希應犯輕尼与義數尼是下衆奉於上尊生識了義微故
所以輕不犯者五分律云若為料理汎事若為說法若為多誦經衣与衣作衣
並不犯十律与親尼衣并相貿易若与塔与佛与僧无犯　与非親尼作衣戒第廿五
制意同前俱作衣為異ゝ別緣有五ゝ一是比丘尼二非里親三自送衣遣比丘作四无因緣律云
若錯著浣染持還三罪无犯五隨所作便犯已下云明戒本上戒如留陀夷為尼作衣裁
作婬像戒已付已尼令在衆著居士譏嫌仏便制戒　若比丘与非親里比丘尼作衣者
波逸提　上滿足戒本文有四句一犯人二非親尼三作衣四結犯上三句可知言波逸提者
是遠犯罪故律云彼比丘隨刀截多少隨一縫一鍼皆墮一問所以不待作成而針針得罪
者何答是中多過故不大僧上尊為下人作衣多生染患又招外譏癈脩正業居
作非法之衣具斯諸過故隨縫隨針得罪如尼造塔壇之得罪也多無過故不爾淨法
披看牽挽熨治以手摩捫著捉角頭挽方正若安緣紐鉤一切吉羅之不犯者与親
尼作若与僧作為塔若借著浣染治還主並開不犯　獨与尼屏露坐戒第廿六
此戒過与女人同室宿无異屏為坐別ゝ別緣有四一是尼二无第三人三在屏處
四共坐便犯已下云明戒本上戒同起留陀夷与偷蘭難陀尼躬狗諸正寺有
欲意見在門外坐居士共譏罵其為有壁ゝ比丘舉過仏便制戒　若比丘与比丘尼
在屏處坐者波逸提　上滿足戒本文有四句一犯人二尼三處四罪初二兩句可知三言
屏處者律云屏有二種一見屏若塵若霧若烟雲中若闇不明見二聞屏處乃至不聞常
語聲言坐者一尼一僧无餘人故名屏處坐四言波逸提者是遠犯句律云比丘与尼屏露
坐ゝ得提罪若二人俱坐ゝ云犯一罪十云屏坐相去一丈提丈五吉二丈不犯祇云若二尼屏坐
或尼請食已尼益食有時ゝ提比丘應起不得望起使尼起應語言我欲起不示尼起若尼
吉者不犯多論屏處者无敷現處可作婬處是名屏處律云除人若聾若盲不或睡
亦提盲而不聾聾而不盲吉羅若俱女住者吉羅尼犯吉羅問尼所以輕者答上尊
尊共坐盖容教授去不自由情過是微故所以輕律云不犯者若比丘有伴若有知人有二
不盲不聾若行過倒地若病若力勢所持命梵等難並開不犯
與尼同道行戒第廿七　上過不異前以行為別ゝ別緣有六一是尼三衆五衆三衆俱犯理在
應多譏嫌不殊故不簡戒名同也二共期除遇相逢者不離見聞處行論少故須除
言同道行願去異路為无其德四不離見聞處行多論俱離夫過五離吉羅俱不離
犯提五无因緣除自大伴行有怖因緣等不犯故云六隨所度界ゝ提罪多論水陸二路同行善

言同道行戒者界路為先其德四不離見處行多論俱離无過之離言罪但不離
犯提五无因緣除二六伴行有怖因緣等不犯故云六通所度界一一提罪多論水陸二路同行並
屬此戒故僧尼与尼各別乘船同水路行越界得罪多屬此戒同乘一船落在後戒已下四
明戒本此戒因六群比丘与六群尼人間遊行居士譏嫌比丘舉過佛便制戒　一若比丘與比丘尼期
同道行從一村乃至一村除異時彼逸提異時者與估客行若疑畏怖時是謂異時
此滿足戒本文有五句犯分二共期二同行四除緣五結犯初二兩句可知三言期者期共至某
處三言同一道行乃至一村者是同道行者村間有分齊行處是四除異時者開緣不犯
五言波逸提者越界結犯句偈云隨村分齊眾多界多少犯提言眾多界者謂眾多
村界非村落空處行乃至十里提若減一村若減十里得吉若多村間同一界行吉方便共期
不行各吉尼名吉羅尼是女弱要須丈夫以為伴援情過是微五分云從此聚落到彼聚落
及无聚落處半由旬犯提律云不犯者若不共期及估客伴行一疑處疑有賊盜三恐
處怖畏有賊盜四若往彼得安隱五若勢所持命梵等難八無犯不犯十開讀為尼无
過波逸提　与尼期同乘船戒第十八　一譏過前六船為異別緣有六一是尼二眾三共期
乘一船四除異船不犯此戒須作順流上下之意五除為直渡船失濟不犯六天因緣難
力勢所持或彼此不得安隱入隻脚入船便犯已下四明戒本此戒緣如前　一若比丘与比丘
尼共期同乘一船上水下水除直渡者波逸提　一此滿足戒本文有五句犯分三一与尼共期二言
同乘一船上水下水者此乘船之意以其相隨欲得久往故四言除直渡者是開限以其直渡非
久故无過五言波逸提者是結犯結罪律云共期之隻脚入船提一脚入吉多論若船
有多白衣期无罪或船有一比丘多尼或多比丘一尼隨情業多少犯不所提縱有俗人為第三
名犯以其將同久處譏損非輕不故並行是暫故開有邊人不犯若期別船並去及東犯
同道行隨聚落界多者十里犯若期与俗女人同船亦是犯此略不載下房元舍共女人上
船離俗言聽直渡故知上下明是同犯祇云十多三文並言越界方犯不同此律不犯者
除期直渡彼岸若入船已船師失濟上下彼岸不得安隱乃至難緣如上所說并皆不犯
食尼嘆食戒第廿九　有四種過故制一者使尼嘆德行相義求利長已貪壞
正命知足心故二偏心曲嘆現情親厚節招致外譏損處不輕三令施主隨言供養元
德之人即是損惱施主闕奉福田及報之益四致令好人令他施主於於勝福不生敬重
又是惱亂賢善具斯多義過是故聖制　別緣有四一是尼歎德教化食二知歎三受得
四食之咽咽犯提已下四明戒本此戒居士請舍利弗等偷蘭難陀尼言所請並是下賤若
請者應請達等龍中之龍食還具說佛便制戒　一若比丘知比丘尼讚歎教化得食除
檀越先有意者波逸提　一此滿足戒本文有六句一犯人二知三讚嘆四得食五開緣六結
罪初句可知二言知者律云若不知食无犯三言尼讚歎教化者律云讚言謂阿練若乞食
人乃至持三衣讚多聞法師律坐禪四言得食者從旦至中得食五言除檀越先有意
者律云彼有施心故開不犯六言波逸提者是犯句律云若食所讚食者咽咽犯是敢常

BD01061 號　四分戒本疏卷三

（23–6）

又是旋訶讃善，是其多義過，是故聖制。別緣有四：一是尼歎德教化食，二知歎，三受得
四食，三咽咽犯提。已下四明戒本。此戒居士請舍利弗等，偷蘭難陀尼言：所請並是下賤，若
請者應請達善龍中之龍。食還具說，仏便制戒。
檀越先意有請者波逸提 若比丘尼知比丘尼讃歎教化得食，除
三滿足戒本文有六句：一犯人，二知，三讃歎，四得食，五開緣，六結
罪。初句可知。二言知者，律云若不知食無犯。三言尼讃歎教化者，律云讃言阿練若乞食
人，乃至持三衣，讃歎多聞法師、律師、坐禪。四言得食者，從旦至中得食。五言除檀越先有意
者，律云彼有施心故，開不犯。六言波逸提者是犯句。律云若食，咽咽犯提。飯除
食得餘觸衣、燈油犯吉。減云除舊檀越乃至下食已得等供，食時更有餘比丘尼來，居
更言有比丘施主言善哉者不犯。若尼言此十二頭陀者，實若言多與好食，手等與不
犯。通讃一眾，一切不犯提。若某甲眾坐禪精進，爲是比丘故，通請廿一人名讃歎，餘者不
犯。若有讃歎食，不得含吉，當慶持貸食。若比丘坐禪識，不淨不善，與貧者當念中食，
是某比丘尼許我當食，不犯吉。若先不知，臨時言說，與比丘尼食者不犯。問：所以得觸衣、燈
油犯者吉？答：財物利重，情著難捨，又是別囑，理無通用，勸捨義深，致受不數，是以犯
輕。食無獨食，勸轉義易，致義數，是故制重。燈油外用，讃勸意希，是以制輕。又大僧
讃尼義希，致受不數，故尼犯提。律云不犯者，若不知，若先有意，若無教化想，若尼自作，
若檀越令尼經營，若不教化而乞食與者，並開不犯。 與女人期同道行戒第卅
制意者，同前，唯以俗女爲異。別緣有六：一是女人，二共期，三同道行，四不離見聞處，行五無
難等緣，六隨所越界分齊便犯。但使共期，不問第三人多少，皆犯，以非同法，不類於尼，
開多伴行。已下四明戒本。此戒因那律於村爲緣起。 若比丘與女人共期同道行，乃
至村間，波逸提。 三滿足戒本文有五句：一犯人，二同行，三共期，四同道行，五結犯。
初句可知。二言婦女如上。三言共期者，律云共至某村城國去。四同道行，村間者，律云有分
齊行處是。五言波逸提者，律云若村內一界行，一墮；多村內多界行，多墮。餘義如前
與尼同行界說。不犯者，先不知，若不共期，須往彼得安，若力勢，諸難等，皆開不犯。
施一食處過受戒第卅一 制意者，驚信居士，割捨家珍，造立住處，擬心食
俟施眾僧，宜量其分，稱意而受，即彰內有廉節之心，外不惱施主。今大眾不善，過
受依施食，長貪惱物，賊善增惡，過損不輕，是故聖制。別緣有五：一非親居士限施
一食，二知限一食，三無病，又請住，四過受，五過受食，咽咽便犯。已下四明戒本。此戒因六
群比丘起過故制。 若比丘施一食處，無病比丘應一食，若過受者，波逸提。 三滿足戒
本文有五句：一食處，二無病者，及勢用緣，三比丘者犯，四應一食者，食已[illegible]，五若過結犯。
三言施一食處者，律在中一宿也。食者，謂時食，除餘三事[illegible]。言無病者及勢用緣，律云
病者離彼村增劇者是。三言比丘應一犯食人，四言應食者，明食之多寡，五言若過波逸提者，
律云無病比丘一宿處過食結墮。若受餘觀身衣及燈油犯吉。問：所以食重衣輕？答：食資
最急，人喜過受，又復受用體損傷，施主故所以重。施主造立福舍，[illegible]觀身衣，睡一夜受用不

本文有五句一食處二无病者三受四開緣三段五者犯四應一食者食之多受五若過結犯
言施一食處者律在中一宿也食者謂時食除餘二罪等故三言无病者及受開緣律云
病者離彼村增劇者是三言此應一犯食人四言應食者明食之多少五言若過受提者
律云无病比丘一宿處過食結墮若受餘儭身衣及燈油犯吉問所以食重衣輕答食資
最急人喜過受又復受用體壞損施主故所以重施主造立福舍并儭身衣聽一夜受用不
聽將去過受義希雖過受用衣體不壞損壞施主損惱義微故所以輕燈油資益
雖難量壞身外受用過受義希是故犯輕問別食亦緣揭開者覆是為然病人善
惱者即成惱損住則有益施主體知不生譏惱是故聖開別衆食中施主請與開六
无損失戒一食後无施以善之緣開便成損惱故无餘六事律云不犯者一宿受食若
病過受若居士請住與食若次第請食若水陸道斷等緣並開不犯

展轉食戒第卅二　制意者然篤信居士供辦美食延請衆僧並希受用而今許而
後復使他飲食徒設不已无信僧之益損惱施主其過非輕所以聖制　釋名者受前請
已復受後請主皆彼此稱為展轉故曰展轉食戒　具緣如上別緣有五一先受前家五正食
請二食體清淨堪飽足三更異處受四正食請無開緣謂除有病及施衣時獲清
因緣不犯五隨食即犯　以初二緣前請對第二緣請對可為三對四句前後俱正請中
一次一俱不正下三皆吉羅須足下足為四初前後口皆犯提罪須三句著至得吉羅隨
淨為四俱淨前淨後二皆提餘二皆吉　已下正明戒本此戒食踰後受正食揀越違
律過佛便制戒　若比丘展轉食除餘時波逸提餘時者病時施衣時是謂時
此滿足戒本文有四句一犯人二所犯事三開緣四結罪時者已下消前第三初句可知二言展
轉食者律云皆請食也請有種一僧次二者別請食謂五正食飯麨乾飯等三言除餘
時者是開緣如下說四言波逸提者是犯句言開緣中病時者為病比丘不能一坐好食令
足故聽无犯言施衣時者有二一月衣時為迦提月二五月衣為功德衣月故律云自恣竟无
功德衣一月若有衣五月更求復有餘施食及衣受聽背請問所以開病者答病苦人惱甚若不開
所宜無命難存又施主體知不生譏嫌故皆无罪非情所以十二月中開衣為時限施衣開者有
二義故一為益比丘有待之形假衣資養若施時不受後須難得恐无理求多生惠累
二者為利家施主使衣食兩穫得兩種福報之福為斯二益聖制許衣利既重或長
貪結故以時開之非一切時故文言一月五月律云有餘施食及衣施受者前言一月是時提時堂
衣食是時家之餘單時无開要假施食及衣故言有請後衣請取衣无犯還前家食
不食違信故言三前家食請後五食請皆犯提罪衣作頭多有三句前衣食請亦衣
食請聽皆无罪以本後或多及勝二前家食請後單衣請背前三前家衣食後雖食請犯
提祇律云若到俗家言與我家食即名請處作食未熟要往他家雖自常起不白而起者
至彼得正食犯二提罪不白故二背請故四分律云若得多請應捨前請而受後請不爾者
咽咽犯墮若不捨後請食前請咽咽吉若一日受十請食最後犯提八吉以其間一是前餘八是後

會結故以時開之非一切時故文言一月五月律云有餘施食及衣職受者前言一月是時提時堂
衣食是時家之餘單時无開畏飯施食及衣故云有請後衣請取衣无犯還之前家食
不食違信故云三前家食請後后食請皆犯提罪衣作頭后有三句一前衣食請前衣
食請聽皆无罪以本後戒多反勝二前家食請後單衣請如前二前家衣食後准食請犯
提秖律云若到俗家言今我家食即名請處作食未熟多往他家應白而起不白而起者
至彼得正食犯二提罪不白故二背請故四分律云若得多請應捨前請而受後請不爾者
咽咽犯隨其不捨後請食前請咽咽言若一日受十請食最後犯一提八吉以其初一是前餘八是後
若皆後九得九吉罪若食中间比議可知伽論云若受前請往至請家坐上未食若更
有異家送食若食後家食犯皆請食前請已即坐食後家食犯一律云不犯者
若病時施衣時一日得多請自受一請餘者迴与施人若請非正食或不足食或无請處隨
食不犯戒一處再設五正施主一致无背請一切開不犯

別眾食戒第卅三

制意有三一息惡白衣毀呰不擇食有限事難等因人少易供多則傾竭生惱損事故制別
食二為攝難調人故恐自結別眾擾以惱眾僧故制不聽別食三為釋名若能別三人食
處成眾以眾絕不共同時故曰別眾食戒次解具緣通緣如上別緣有七一有施主二別請別
乞三五正食體清淨大時中食處成眾五知界内不盡集六无同緣七食便犯已下正明戒本
此戒同提婆達多五比丘家家乞食故佛制戒

若比丘別眾食除餘時波逸提餘時者病時
作衣時施衣時道行時乘船時大眾集時沙門施食時此是時 此滿足戒本文有四句一者
犯人二別眾食三除開緣四結犯罪下言餘時謂前第二句五言若比丘者義如上釋三言
別眾食律云若四人若過四人名眾食者飯麨乾飯魚肉可知四言除餘時者謂
前第三開緣言病時作衣時施衣時此三緣如前戒說第四言道行時者律云下至半由旬内有
來去者作聽別眾第五言乘船時下至半由旬乘上下者是第六言大眾集時者人已上
名為大眾食无儲供又是難得開使不犯已下小眾食非得容有兼濟故亦不開又言
大眾者四人已上名為伽大眾故律云食足四人長一人為患乃至百人長一人為患是兩
家聚落東家限与四人西家為与一人彼此二家施心有限為各不相妨辦餘處乞食復
是難得若不開者西家一人与東家四人作患由是患故開使不犯此謂是患以開不患如是乃
至百人長一人為患者但使食足難得悉皆不犯故云大眾集時第七言沙門施食時者律
云諸外道中出家者是名沙門施食緣如律中廣說准此可言比丘施食不開別眾誡勸比丘
无別眾食復當言我於此別眾食无緣應集求此者三三人随意受食若四人應作二部更
番入食律云為攝難調人故制不聽別眾食若依多論界内不集名別眾若作四相有客
比丘來遠不聽入亦是別眾若依僧祇僧次差往者名別眾足若先別請後不遮入聽別客次
餘義廣如大疏說 律云不犯者如上七緣開食无罪多論若四人各自乞食共一處食无有過
以非一家故善見云人各別乞至同處一時受皆无犯二各各去一時受犯罪三各去各受各食不
犯四若一人覆鉢不食待餘三食竟後一人食不犯多論三比丘一狂心三人在內一在界外三是大德

比丘未達不聽入亦是別衆若依僧次差往者名別衆若先別請後不違入請別名次
餘義廣如大疏說。律云不犯者如上七緣開食无罪多論若四人各自乞食共一處食无有過
罪一家設善見云人各別乞至同處一時受皆无犯二各各去一時受犯小罪三若去各受各食不
犯四若一人覆鉢不食待餘三食竟見後一人食不犯多論三比丘三狂心三人在内在界外三是大僧
一是沙弥悉皆不犯不成別衆不相足數故又有四句一食主是一羯磨不過二食一處二彼此不(?)
異故不犯三食別處四前後食故不犯四食別處別彼此二衆並請一人不犯善見云種足
界犯一不請足四衆主別請四人一人去不種越見少臨中見一比丘即喚与食情无簡別故名僧
次三乞食足四亦以別請一人不去臨中更乞食比丘至彼依次与食三沙弥足四衆並足
一別請四人二三人身至一人並請五病人足四狂等病並非別衆食皆不犯

取歸婦賈客道粮過三鉢戒第卅四　制意者欲顯婦賈客悟已塗粮施請比丘理
宜持護依限而取令乃過取三鉢令食者還長貪遠教損世宗稱故所以制　別緣具五
一歸婦食賈客道粮二知是三无因緣除有病緣不犯四過三鉢五出門便犯已下六明戒本此
戒因乞比丘往彼歸婦取塗粮又從商客數乞因起過失仏便制戒　若比丘至白衣家請
比丘与餅麨飯若比丘須者當二三鉢受還至僧伽藍中應分与比丘食若比丘无病過兩
三鉢受還僧伽藍中不分与比丘食者波逸提　手滿足戒本文有三句是犯人二開受
分齊食之方軌三若无病下已過取遠教結罪初句可知第二句中文有三節一施塗粮
若二比丘下教受分齊所以開齊三者為令施主獲其報之福亦令比丘資身長道三
還僧伽藍下教食方法第三句及上第二受等文並相中初可句知上三句中言食家者律云
有男有女故日言与餅麨飯者是正食三言二三鉢受者是教受分齊多論云若上鉢
取一鉢无罪取兩鉢犯中鉢取二不犯三乃便犯下鉢取三不犯四乃鉢方犯文云過三鉢者
下鉢為言第三言无病者是開緣律云為不能一坐好食飽足故聽不犯三過受犯提若是
第三句律云若一人取過三鉢前三人不犯以不過限故後人犯以前三人語莫持來而
往取過限後人出門彼限即犯提罪若方便損者吉羅五分云過不分比丘食但犯提
罪四分過受犯提不分故吉祇云女及賈客吉後不犯律云不犯者若兩三鉢受若
病過受若自己共分若彼自送僧寺若送居寺但受不犯　足食戒第卅五
制意凡食以充飢軀為用過則長貪以後不事須節量但四大身力報有羸(?)弱致(?)聖
持補有四種之善始於一佛終至作餘食法滅是節量而攝之法令第四人不作殘法再
食之已長貪妨道遠教繁(?)故所以制　別緣有五一是足食二足食想三若威儀四更无因緣
除有病及作殘法得因緣不犯五更食隨犯已下六明戒本此戒因貪餐食不知足食更起過
故制斯戒　若比丘足食竟或時受請不作餘食法而食者波逸提　手滿足
戒本文有三句是犯人二食足三遠犯結罪初句可知二足食中文二初食竟者律云諸足
緣有五一知是飯二知正食犯足非正不犯足二知持來知彼為我持來壞身足三知遮去

故制斯戒　若比丘足食竟，或時受請，不作餘食法而食者，波逸提。　二滿足
戒本文有三句：一犯人，二食足，三違犯結罪。初句可知。二足食中文二：初食竟，二者律云謂足
緣有五：一知是飯，善知正食犯足，非正不犯足；二知持來，知彼為我持來，境多足；三知遮，三
食聖制不聽一日兩時飽食，故曰知遮。即知前坐食多堪能歡，於日中少食未歡，故曰
知遮；四知威儀，知往坐卧四儀，隨據一一犯足故；五知捨威儀者，離坐而食，前捨堪足處
往頭取與，後為離坐，故曰捨威儀。儀具斯五緣，即名食竟。言或時受請者，五僧(?)捏
越食五處成足故。第三句言不作餘食法者，違用緣。律云：若比丘食未足，應捨食對前
比丘言：我足食已，大德知是看是，我作殘食法。彼應取少食已，當語彼言：我止，汝食之。並言
食者波逸提，是違犯結罪。故律云：足食已捨威儀，不作餘食法，後若食已，不三咽咽犯
隨舉(?)言云：不作殘食法已犯提提。律云：不犯者，食作非食想，不受作餘食法，非食不作，若病不作
若病不作法，病人殘不作法者，已作餘食法，一切不犯。　勸足食戒第卅六　制意者
無出家之人，理無積蓄，相近道等勸修衆善，今乃惡心勸彼令他得罪，已招自懲(?)，故制
俱損理所不應，是故聖制。　別緣有五：一他足竟，二知他足食，三惡心勸彼欲令他犯，四不作
餘食法，五前人食便犯。已下正明戒本。此戒兄弟同作，比丘二者食竟，食者食不知足，食餘非
不餘食得而食之，以彼可責，是心懷惡見，彼食遇惡心殊勸食，似便衞(?)制戒　若比丘知他
比丘足食已，若受請，不作餘食法，慇懃請與食：長老取是食。以是因緣，非餘，欲令他
犯者，波逸提。　二滿足戒本文有四句：一能勸犯人，二知他足，三他二種食竟，四不作餘食法下勸
足結罪。以是因緣者，明能勸之意心。合相中初句可知。四釋勸意者，為使他犯，故勸令他生
非餘者，謂非不犯及供養食言(?)。善律云：彼若食者，二俱犯提；前人不食，若作法而食者，勸人
皆吉羅。若持病殘食，欲令他犯，勸者犯吉，由惡心故，制同罪。律云：不犯者，勸令作法，
謂不犯者故，及養供言(?)悉故，勸食者悉皆不犯。　非時食戒第廿七　凡食是時節，數則
致患，事須限約，軌趾合宜。是以始從平旦資終，至日午事須應法，名之為時；過斯(?)非宜，長
貪妨道，招世譏過，事不應法，廣生罪累，名為非時。故毗羅三昧經云：平旦諸天食，日中應
法食，日西畜生食，日暮鬼神食。出家應(?)佛法，故制同天法一種食名時。多論云：四義故佛
制中前食：一始從日出乃至日中，其明轉盛，名之為時，聽食無過；從中後乃至後夜，其明轉沒，
是非時而聽食。二從旦中至是作食時節，乞不生惱，故聽而食；從中後乃至後夜，俗人醼
會遊戲，若乞生惱，故制不聽。三從旦至中，俗人事務營(?)未竟，乞不生諺，故聽乞食；從
中已後事務休息，婬(?)喜(?)飲(?)，入村乞食，多被譏謗，受諸惱辱，故不聽食。四從旦至中正是乞
時，為清身命，故聽乞食；從中已後，宜應靜緣脩道，坐禪(?)存念，宜時禪，非是往來時節，是故聖
制不聽入乞。犯緣有四：一非時，二非想(?)，三時食，四食咽咽犯。已下正明戒本。此戒因難陀、跋難陀及迦
留陀夷起過，故制斯戒。　若比丘非時受食食者，波逸提。　此滿足本文有四句：一犯人，二非時，
三食，四結罪。初句可知。二言非時者，從日中乃至明相未出。三言食者，律云：食有二種，佉闍尼食及

時在家白衣食後中已前宜應靜處修道坐禪持禪非是往來時節是故聖
制不聽。八之犯緣有四：一非時，二非想，三時食，四食咽咽犯。已下正明戒本，此戒同難陀跋難陀及迦
留陀夷起過，故制斯戒。　若比丘非時受食食者波逸提　此滿足本文有四句：一犯人，二非時，
三食，四結罪。初句可知。二言非時者，從日中乃至明相未出。三言食者，律云食有二種：佉闍尼食、蒲闍尼食。及
蒲闍尼食。僧祇云：一五正食，二雜正食，枝葉花果細末磨等名佉闍尼食者；
末麥作飯麨等是蒲闍尼者，一切藥是。四言波逸提者，是遠犯結罪句。故律云若非食咽咽
墮。若非時將明相出，若七日藥過七日，皆犯。已食過時，故藥過限，失受故；若盡形藥无限，故犯吉
羅。律云不犯者，作黑石蜜和米作漿，若有病服藥時過者，若以食沙攤汁飲，若喉中哯出還
咽不犯。五云病人不復食，腹中空悶，聽以蘇塗身，猶故不差，蘇和麨塗，又不差
以湯洗，若不差，瓦盛肉汁米中，知是等足以至曉，一切不得過食　食殘宿食戒第卅八
制意者，凡飲食餐穢，近則長貪，令人不節，又特現變盡三義，无貯畜，故宜別處理，无苦宿
是故聖制。緣有三：一是殘宿食，二知是殘，三食即犯。釋名者，今日所食是時日之餘殘，經宿
夜日宿，故名殘宿食戒。已下正明戒本，此戒迦羅比丘坐禪，畏惟疾苦，食先得者，
佛因制戒　若比丘殘宿食食者波逸提　此滿足戒本文有三句：一犯人，二殘宿食，三食便
結犯。初句可知。二言殘宿者，食律云今日受已至明日，於一切沙門釋子受大戒者皆不清淨。
食有二種：一正食，二非正食。正食者，飯等五正是；非正食者，根莖葉食乃至細末食等。三言食
波逸提者，律云若食宿食，咽咽犯墮。一問殘宿為一為異？答：有四不同：一殘而非宿，且受四藥不
過口法過中，若犯吉；二宿而殘，謂未受食，或共同宿食，犯吉，不宿无犯；三亦殘亦宿，若食犯墮；四
非殘非宿食，无罪。殘宿內宿亦作四句：一是殘宿非內，今日受食，在界外不共宿，非內宿，若
食得提；二是內宿非殘；三四句類知。善見云：多比丘一沙彌共行，比丘各自擔食，至時各自受
已，沙彌語比丘言：我已分與德大，易之易得。已復與第二比丘，易乃至下座。又若沙彌不解者，比丘
自擔食與救共易得，无犯。以不殘宿受解等過，乃至精來行。沙彌小，比丘得作飯，唯不得從大若
滞不得以洗，吉羅。數已如上分處轉易者，得更分。比丘殘藥與淨人，已不作還意，後淨人還與
仍言離手已名淨食，无犯。祇云：莫問時非時受，若過非時，如錢珣，若食得提，停過須臾
淺停食食提。五謂旦起受食至中，過中已去限，須臾若過二時，名曰非時。十言沙彌持不淨鉢
與比丘，若先急事不應使持，應從受；若洗鉢已，不得更拭食時，先須淨手，若摩頭口
手相揩者，即須却洗。若捉架衆衣，應須洗。律云不犯者，若病受食與女，若諸作人計
價與後乞食，无犯。若鉢孔有孔鐶，食入中，如法洗除不出者，得食。故律云若鉢鉄餘
著罢，極用意三洗，以職用食不犯。若宿食灑由灌鼻，若隨唾出，應棄餘，不犯
不受食食戒第卅九　多論云：五義制，故不聽自取食：一為斷盜竊因緣故；二為作證明
故，從非人受食得成，受不成證明，謂在曠野非人，人之所為，是制聽。若人中非畜无知小兒，未成受；
三為正非譏嫌，為成少欲知足故；四為生他信敬心故；五為令外道得益故。七別緣具四：一是食，二
不受，三知不受，四食即犯。已下正明戒本，此戒同頭陀乞食比丘，冢間自取食，居士譏嫌比丘，舉過佛

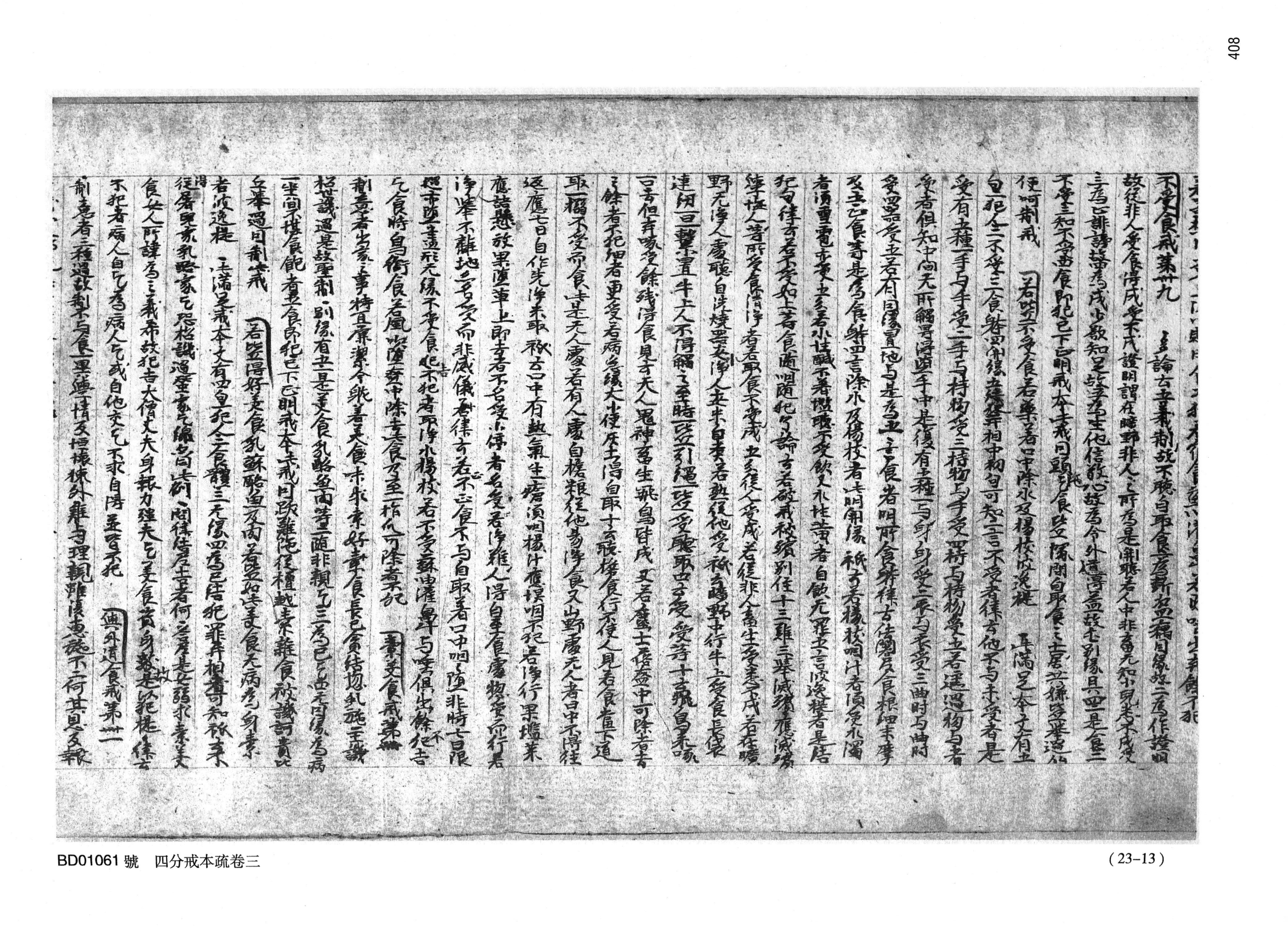

BD01061號　四分戒本疏卷三

（23–13）

從屠兒家乞肥家乞惡指識道屠家乞偏多日告訶訶僧伽婆尸沙者何答屠是女弱求索美
食女人所諱為三義希故犯吉大僧丈夫身報力強夫乞美食貴身故是以犯提僧云
不犯者病人自乞為病人乞或自他乞乞不求自得並皆不犯 [與外道食戒第卅一]
制意者三種過故制不與食一異學情反恒擯俗外離乎理觀難後惠施下二何其見反報
生譏謗三耶見乘宗非真福田今以施主之食授與外道損他施主不得勝田獲反報之福
三衆自持食授與外道容生惑倒謂外道是勝比丘不如以斯過故不許自手與食一別緣有
文二是出家外道飄去在家
外道白衣犯輕故十二知是出家外道不知犯輕三非親若與父母外道是重故出聽四是食與
衣義希故犯十罪五自手與除置地遣人與不犯六彼手受即犯已下三明戒本此戒因阿難多殘
食與乞人致天外道得食反謗故佛制斯戒 [若比丘外道男外道女自手與食波逸提]
此第三戒本文有四句一犯人二所與處三與□四結罪言比丘者義如上釋言外道男女者
裸形異學人此衆外出家者是三自手與食者若正非正食乃至蘇油等不置地不使人
與者名自手與四言波逸提者是通句律云彼若受與者提若不受若五分亦持已食不
犯別者使自取不得持僧食與若與乞兒狗鳥等應量食多分少分後持減不得持多外
與十方外道伺求長短與食不名汙家多云與時人見者白與不犯若僧苦與僧食無過准不
得自手與律云不犯者若置地若使人與若與父母外道若作仙塔僧房人計價與若勢力強奪
並皆不犯 [先受前請後食他家不囑戒第卅二] 三過故制一者凡俗累多務為善難
擬其家兼壽榮稱會已許受請行詣他家假若事義擾處不擾二既有食處宜息緣
脩道無事遊散妨廢所習三共衆受請皆入衆落令他施主見僧不集意不歡悅稽留是
衆使不得飽滿惱衆除樂故聖舉制 一別緣有五一先受他請不受故佛制不囑入村二食前
後三不囑授四白衣家除諸伽藍又除病作衣等緣五入門犯 已下三明戒本此戒因跋難
陀故令僧食時不得食好美故制斯戒 [若比丘先受請已前食後食詣餘家不囑]
授餘比丘除餘時波逸提餘時者病時作衣時施衣時是謂餘時 此戒文有三段初略制乃隨
制後廣制為前食故初略結為後食故隨結為請喚故廣制就廣戒本句有其
五已明是比丘先受他請二食前食後至他家三不囑授四除開緣五結犯除時者已下
請前第四句并相具釋初句可知言前食後食者從明相出至食時名前食從食時
至日中名後食三言不囑餘比丘者律云若同房同住同界者應令知受請處四言除餘
時者是開緣於中有三一病二作衣三施衣義如別衆食戒五言波逸提者是通犯結
罪句律云若受請已食至餘家不囑同界同受請者若入門便犯不同衆持食戒囑
異為囑同界者容有見義故律云若囑授指村中道還至若至餘家或至寺內庫
藏處及衆落邊房若尼寺若至彼白衣還家出並須前囑更若囑他若不囑
不者入門即犯律云不犯者如戒本開緣及無比丘可囑至餘庫藏及尼寺若家家
多數且坐請比丘或一一令隨至皆是請處是故不犯十方若食不足若不…除處

業處須向界者若得若有林樹村市中道還至若餘家或至寺內庫
藏處及聚落邊房若尼寺若空發白衣還家出至無夫前囑受更者屈囑他若不囑
亦者入門即犯律云不犯者如戒本開緣及无比丘可囑至餘庫藏及尼寺若家家
多敷具坐請比丘戒一命隨至皆是請處是故不犯十言者食不足若不足餘處
亦不犯多云種越明訣供比丘令自往犯提除愛不犯　食家強坐戒第卅三
天
制意者凡在家俗人飲食會時皆欲事不舍情欲相心逆相逼屏裡非所宜又復出家離欲像
之所事須防遠若自操心行外亦識醜故所以制　別緣有四一是家現有寶欲家又
復受齋不犯二夫婦齋所居屏處三无第三人四申手不戶處坐便犯　此戒因加起密義
起過從便制斯　若比丘在食家中有寶強安坐者波逸提　此滿足戒本文有三
句一犯人二食家有寶三強坐便結犯并相中初句可知二言食家有寶者律云男以女
為食女以男為食故名食家寶者七寶夫妻相重如寶故名中有寶又名男女情相
共食名食家十誦律云家者夫婦俱受齋戒名非食家三言強安坐者律云若舒手可及戶處坐
防其事故名強安坐三言波逸提者律云若比丘在食家夫婦俱不受齋強坐犯提若三俱
自犯吉若俱受齋不犯祇云見色多者故名食也此食為四食之中是觸食以眼根對色
故名觸食五分云若知其事者犯十誦云舍多人出入不犯多云言有寶者以著寶衣輕明
蘩多故四罪第四人若盲若聾俱有此提多有吉羅一盲一聾共成又不犯比丘立而不坐吉羅
不犯者若食家有寶舒手及戶處坐若有二比丘為伴有識別人若作人在一處或從前
逕過不住若病發倒地若為勢所持或被繫縛或命梵難不犯　屏與女人坐戒第卅四
制意同前唯第三人為異　別緣有四一是俗女二是屏處三无第三人四申手不及戶處
坐犯　已下文明戒本此戒因前同戒　若比丘在食家中有寶在屏處坐者波逸提
文有四句一者犯人二食家有寶三屏處四居犯并相中文前二後一可知三言屏處者若樹牆
壁籬柵若衣及餘物障故名屏處此中犯者謂夫主不在獨与其妻屏坐故犯提多論云閑
戶外有淨人吉戶內有淨人不犯祇云若母姊妹若大小淨睡眠癡狂聾盲雖有是人名獨
不堪為證故同犯住若淨人作務來往不斷若閣上閣下淨人看見者不犯餘緣如前戒
獨与俗女露坐戒第卅五　制意同前別緣有四一是俗女二是露處三无第三人此是雜
見聞屏而非重物障故稱露故与前戒差別第三人四在身手內坐犯若申手外吉
已下文明戒本此犯戒緣与前戒同　若比丘獨与女人露地坐者波逸提　子滿足戒本
文有四句一犯人二犯境三犯處四居犯初句可知二言獨者一女一比丘第三言女人者是犯境律云
人女有知命根不斷第三言露地者是犯處謂在家見聞屏處相去申手內坐故律
律云相去一丈犯第四言波逸提者是違犯句故律云獨与坐无第三人為證隨起還坐隨
尒數隨相去一尋內犯提一尋二尋犯吉二尋已外无犯十誦相去一丈提一丈五吉二丈不犯
餘相緣並同前戒不犯　驅他出聚落戒第卅六　制意者凡出家之人鎮
懷貞實忠信自居先許他許他家食而意不与遂驅出時限已過使他一日不得食以無

律云相去一丈犯第四言波逸提者是遠犯句故律云獨與坐犯第三人爲證隨起還坐隨
尔數隨相去一尋内犯提一尋半犯吉二尋已外无犯十云相去一丈提丈五吉二丈不犯
辯相開緣並同前戒不犯　**駈他出聚落戒第卅六**　制意者凡出家之人理
懷貞實忠信自居先許他許他家食而意不与還心駈出時限已過使他一日不得食必
駈處至重故所以制、別緣有五一是大比丘二先許三不与食四无異緣謂有難緣令其人等難不犯
致不五惡心駈出六相離見聞處成犯去也已去故　已下正明戒本此戒因難除令餘比丘至食
時駈不得食作便制戒　**若比丘語餘比丘如是言大德共至聚落當与汝食等彼比**
丘不与教与是比丘食語言汝去我与汝一處若坐若語不樂我獨坐獨語以此因緣非方便
遣他去波逸提　二此滿足戒本文有二句一犯人二違緣下至与比食明正將至聚落許与
彼食三彼比丘貪不下已不与彼食遣去者得罪以此因緣者謂是嫌恨因緣非餘者非餘事
犯等如緣上无威儀等緣并相藏屏可知言聚落者有四種村如上言與食者謂是正明
律云若方便語見處至聞處犯吉手作多吉見聞俱離犯提律云不犯者与食遣去若
病若无威儀人見不善自送食与若破戒破見等若命梵等難若无惡限亦无慊心
悉皆不犯　**過四月受四月藥請戒第卅七**　一制意者欲蔫信士供辦美藥延請
僧衆度心供養施主有限宜應將護稱施而受今過受他藥長貪惱物毀善增過
損處不輕故今墮、別緣具六一是藥請二是施主心限三知其限四過限而受五无因緣六食
咽咽犯　已下正明戒本此戒六群比丘起過故制戒　**請比丘四月与藥无病比丘應受不**
得過受除常請更請分請盡形壽請波逸提　二此滿足戒本文有六句一犯人二藥請
三无病下教者四月受五開緣六過受得犯、并相中比丘者如上釋二四月請与藥者律云四月
者夏四月也祇云春夏冬三時俱犯三言无病比丘病應受者教者四月受也此是受藥方
法四言若過受者此明過四月受律云若夜受有分者夏四月應受若夜无分者隨施
時應受五言除常請者明開受緣律云常請者施主言我常与藥更請者斷已後
復更請与藥分請者持藥至伽藍中分与盡形壽請者施主言我盡形与藥六言開四
句通達開緣第六言波逸提者是遠犯句律云四藥三中過受三藥俱犯提罪故伽論過
受時藥非犯提罪七日盡形如律下文譬所教服藥故知是犯如施一食過受上犯吉若過
四月受前不犯提故七律云過四月已後後更請蘇等七日藥及終身中樹葉果餅比丘等
犯提若索酥醍勒等三吉羅非時藥賤又實患義微受義希故犯十誦問施一食中
過受酥油犯輕此受酥油何得重答檢身外僅足之權然既是外用過受義希故彼
犯輕此施内資過受義數故得提罪又善見云若櫃越四月与酥油等索酥吉羅故知索酥
藥罪輕過便受重所以爾者解云施主先有好心四月与藥期限已竟滿供養心
息過受費施損敗處深又後乘前供養人者過受故過受重藥索不藥
者以其居士先心无施心乞任彼量損惱義微又以施主先无心故乞希故輕与衣
不同衣資義寬与乞過受二俱是敗故希犯提罪律云不犯者如斷戒本同緣

BD01061號　四分戒本疏卷三　（23–16）

祇桓[illegible]罪又善[illegible]四月已[illegible]故知善[illegible]

乘罪數過便受。畫所以者，解言施主先有好心四月与乘期限已竟滿，供養心

息，過多受損敗處係。又復乘前供養，又善過受，故得多重樂等

者以其居士先心无施心，乞往彼量損他義。後又以施主先无心故，乞希故輕与衆

不同不資義。重与乞過受二俱是數故希犯提罪。律云不犯者如前戒本四緣

是

觀軍陣戒第卅八

初意者凡軍陣必陰兵刃交貿寶則傷毀戚不

戲便令心蕩逸招譏損道。縱使過極亦遠，是故不聽觀。列緣有四：一是軍陣，二發往

觀，三无因緣，謂被請及軍陣後至水陸難等不犯。若往見便犯。已下立明戒本，先戒因

六群觀陣彼斷逆見心甚不悅，仏便制戒

若比丘往觀軍陣除時因緣波逸提

並滿足戒本。文有四句：一犯人，二觀陣，三開緣，四結罪。前中初句可知。二言軍陣者於中有三：

一釋名，車幕者衆稱軍行列相對名陣。二奉數者律云軍有四種，謂象馬車步等兵離

種如律廣說。都有卅二軍。三并相者祇云象力最大四人從之成象軍，馬力次弱八人從之

成馬軍，車軍次弱十六人從成一車軍，卅二人舉成步軍。所言陣者行列相對，或方

或圓，或半月，或張或咸陣等。若戲若鬪戰。三言除時因緣者律云若有事須往

若彼請喚，乃至勢力持去，及餘種種不自在緣。四言波逸提者是遠犯結罪。四律云欲往觀

軍陣從道至道，從道至非道，乃至從下至高，吉。若見者犯提，不見者吉羅。若方便莊嚴欲

觀而不去，吉者。若先在道行，軍陣後至，應避下道；若不避者吉，乃至下戒亦尒。若見犯提，不

見吉羅。祇云若逆軍不作意見者无犯，若意作舉頭視望見提。若天王出作意看者越

乃至看象生鬪及看人諍口皆越。十誦无事觀故難觀不犯如前說

有緣至軍過限

宿戒第卅九

列緣有五：一有因緣至軍中宿，二過二宿，三第三宿不離見聞處，四无因

緣，謂二道新舍替雜衆去无罪，五過三宿明相出犯。已下立明戒本，先戒因六群有緣至軍中宿

居士譏嫌，比丘舉過，仏制戒

若比丘有因緣至軍中二宿三宿過者波逸提

並滿足戒

本。文有三句：一犯人，二開緣，三遠犯罪。初句可知。二言因有緣者律云有多，又自事等緣。多論解往者

為沙門果故，長養仏法故，長信敬心故，又道俗相須成就仏法，聽往有益。至三宿二言過者除

逸提是遠犯結罪。律云若至第三宿明相未出，應離見聞處；若不離，明相出犯提。見聞處不離

犯吉。若第四夜往處初夜即犯，不待明相。律云不犯者得二宿，至第三宿明相未出離見聞處

若水陸道斷恐畏賊等難並不犯

有緣至軍二宿住觀軍陣合戰戒第五十

過下異前。所有因緣聽至軍中宜應生住，復方便往觀，過同於初，故所以制。列緣有五：先者

緣在軍中宿二宿，二軍陣合戰，三方便往觀，四見便犯。已下立明戒本，先戒因六群有緣在軍觀

諍鬪力中有一人為箭所射，居士譏嫌，比丘白仏，因斯制戒

若比丘二宿三宿軍中住，或觀軍陣

鬪戰，若觀遊軍象馬力勢者波逸提

並滿足戒本。文有五句：一犯人，二有緣先在軍中三

宿或觀者，一明觀業，四軍陣已下所觀之境，於中有四：一軍陣，二鬪戰，四勢力，五者結罪并相中

初句可知。第二句如前戒所明。第三言觀軍陣者是觀業。第四言軍陣等者軍陣如前所明。鬪戰

諸比丘中有一人為箭所射居士譏嫌比丘白佛因斯制戒　若比丘二宿三宿軍中住或觀軍陣
鬪戰若觀遊軍象馬力勢者波逸提　二滿足戒本文有五句具犯至三有緣先在軍中三
或觀者一心明觀業四軍陣已下所觀之境於中有四一軍二陣三鬪戰四勢力五者結罪弁相中
初句可知第二句如前戒所明第三言觀軍陣者是觀業四言軍陣等者軍陣如前鬪明鬪戰
相狀若戲鬪若真鬪言勢力者第一象力馬力車力步力等五言波逸提者是遠犯自聚
重不同若比丘往見者犯提不見犯吉餘如前戒不犯者若有請喚及勢力等難命梵之難
並不犯　［飲酒戒第五十一］　制意者酒為毒水飲則處患令人志性昌狂廢興
諸惡妨脩廢業損道識招生之本寧容不禁是故聖制　別緣有三一是酒二無病三飲
即犯已下正明戒本云因婆伽陀比丘起過故制斯戒　若比丘飲酒者波逸提　二滿足戒
本文有三句一犯人二所飲之酒三飲而結犯罪　弁相中初句可知二言飲酒者於中有二初列五種
酒如律所明一木酒二粳米酒三餘米酒四大麥酒五餘法作酒者二祇木酒偏舉斛蘭律云
木酒者有六一梨汁酒二閻浮菓酒三甘蔗酒四舍樓伽菓酒五蕤汁酒六蒲桃酒者梨
酒者若以蜜石蜜雜作乃至蒲桃酒亦如是三言波逸提者是結罪律云俱使是酒乃至
草木作者無酒色香味若非酒而有酒色香味並不合飲若甜酒和之飲皆犯提甜酢酒
食麴酒糟一切吉羅十云若飲僧酢酒糟麴若麴能醉人唯之皆墮多酒之想酒疑酒
想一切墮罪無酒有酒想疑皆吉莫非取境犯謂前有方便又不得建勸酒與人若飲
勸者犯提不飲吉羅祇云一切果換令人醉越若麴飲相合食者提　善見云若酒煮
藥故有酒香味犯吉無者得飲四分云以戒為師者不得以草木內酒中滴口又以釋龍
故得酒醉衣鉢縱橫乃至佛說偈並曰佛今不能教者使毒龍今不能降蝦蟆　多云未戒
極重能作四逆除破僧又能破諸戒律行亦及能作眾作業故律重制律云不犯者
若有病餘藥持不差以酒為藥若酒塗瘡一切不犯五分云若先嘗酒人不酒者氣絕
欲死飲食不消聽嗅酒若不差者以酒著粥中令食不差者以酒與飲斷斷之
［水中嬉戲戒第五十二］　多論四義故制一佛法尊重理宜表敬今入水遊戲損壞難輕
二理宜威儀序摩外長信敬入水遊戲動越威儀招世譏過三有息脩道入水遊戲
妨廢正業四宜脩正念入水遊戲諠鬧令心散亂失正念是以聖制　別緣有三一是水二無緣
三戲即犯　已下正明戒本云因十七群阿耆羅河中遊戲波斯匿王遙見譏嫌佛便制
波逸提　戒本有三句一犯人二水戲三結罪　弁相中初句可知二言水中戲者律云放意自恣
從此至彼逆流順流從此沒彼出手畫水相灒乃至以鉢盛水戲弄者是三言波逸提者遠犯自
律云比丘知水上可戲意犯提罪除水已若酪漿清若酒麥汁器中弄戲皆犯吉羅　祇云水陸(?)浮(?)
讚歎俱水中者提五分轉雪及草頭露弄者亦吉乃至小滴地亦吉大雲經說王見遊
戲說偈夫人言吾聞諸比丘久已離塵羅(?)戲業況水中云何為人所諸比丘遊戲已至夫人
定知心遠以神力騰行而去夫人見而白王說偈吾家諸比丘久以離塵羅沙彌尚如是
何況擇加(?)師王因生信以業不犯者若道行渡水或水中牽材木擇(?)順流上下若索物沉

讚歎，俱水中者提。五分，持雪及草頭露得吉者，伽云乃至小濕地亦吉。大雲經說王見遊
戲說偈，夫人言：吾聞諸賢久已離塵羈，戲藥從水中。云何為人，將諸賢遊戲？已云夫人
定知心遠，以神力騰行而去。夫人見，而向王說偈：吾家諸賢久以離塵羈，汝終尚知是，
何況釋迦？得王因生信。律云：不犯者，若道行渡水，或水中牽材木，搏順流上下，若失物沉
入水底，出沒彼出，或出或從此岸渡至彼岸，或學知浮法而擢臂水中，償水者，一切不犯。
擊攊戒比丘戒第五十三　事雖是輕，遇容至重，人喜為特，宜須禁，故所以制。
前緣有五：一大比丘，二作擊攊意，三手腳十指，四無緣，若眠觸令覺，行來設觸等不犯，故五觸
著即犯。　此戒因六群中一人擊攊十七群中一人，乃至令命終，比丘舉過，佛便可制
戒。　若比丘以指擊攊者，波逸提。　戒本三句：一犯人，二擊攊，三結罪。弁相
中，初句可知。二言以指擊攊者，律云：指者，手腳廿指。三言波逸提者，遠犯罪名。四分
以手腳相擊攊，一切提罪。祇云：以指除手腳，已若杖，若拂柄，及戶鑰，餘一切物
擊攊者吉。若比丘尼提吉。指指五提，乃至善人會，以指某甲吉者，吉提。五分云：若擊攊
沙彌，乃至畜生，皆吉。律云：不犯者，若不故作，若睡觸令覺，若出入行來，若掃地，誤
觸，並不犯。　不受諫戒第五十四　制意：處出家之人，理宜離惡為善，然己
迷情，將欲作過，他以理諫，復不從順，為且為非，違損重，故須聖制。前緣有五：一己所作非
法事，二知他法說諫，三知己所作非，前人諫者是，四拒諫不受，五隨所作，犯根本，不從諫，波
逸提。　自下，明戒本。此戒因闡陀比丘犯戒，餘比丘諫言莫作此意，不獲，不從他諫，即犯
諫，諸罪皆白佛，佛可制戒。　若比丘不受諫者，波逸提。　此戒文有三句：一犯人，二不受
諫，三結罪。弁相中，初句可知。二言不受諫者，自知作非，他勸莫作，拒而不從，故曰不受諫。
三言波逸提者，是遠犯罪名。釋云：但使知己為非，前諫者是，故違情重，是以得提。若己
所作是，前諫者非，過輕，故得吉罪。隨所作事，邊遮諸事，故作不知得脫，猶犯
根本罪，此遠一人。諫不隨，前事是罪輕，但犯心許，虛故罪重，心責，故輕。文中先結心責
之吉，次結心虛提。是以律云：若他諫言莫作此事，然故犯根本不從語，吉。若自知所作非，然
故作，犯根本，不從提。　多論云：欲作前不受諫，犯吉；後作，以根本外別得提罪。為遠
僧諫中諫責，即犯。不諫作事，此中所以諫責未犯，要待作事，此戒既是一人設諫，无有僧
命衆法可遠，是以諫責未犯，要待作事，遠諫義成，是以不類。若不不拒勸學戒，亦
是人所諫，而无衆命可遠，何以諫責即犯，與此相遠？答：彼諫止犯，先是不犯學，已犯之人，難
言拒諫，道已不學，即是已犯，表已成，故前以犯。此諫作犯，雖言拒諫，遠義，作者仍猶未作，遠
未能，要待作事，遠諫義成，名非一類。律云：不犯者，前人无智慧，言可向汝師乃至知諫
法者，若諫者用若戲語，獨語，夢語，錯說等，一切不犯。　恐怖比丘戒第五十五
制意：凡出家之人，宜須將護，不相惱亂。今以六塵等事逆相恐怖，令彼惶懼，壞
修正業，事惱殊深，故須制斷。　前緣有五：一大比丘，二作恐怖意，三以六塵等事，四彼言[illegible]
[illegible]

未就買待作事違諫義成名非一類。律云不犯者前人无智教言可向汝師乃至知諫
法者若諫者用若戲語獨語夢語錯說等一切不犯　恐怖比丘戒第五十五
制意者凡出家之人宜須恃讓不相惱亂今以六塵等事迭相恐怖令彼惶懼癡
猶正業事惱殊深故須制斷。別緣有五一大比丘二作恐怖意三以六塵等事四言
辭了了五前人見聞解知便犯已下正明戒本此戒因那迦波羅叉欲將執衣鉢佛
令還入房化便呵責制戒本　若比丘恐怖他比丘者波逸提　此備足戒本文有三句初
人二恐怖三結罪并相中初句可知二言恐怖者律明恐業先列後釋言列名彼以色
聲香味觸法六事一一亦之言色恐怖者或作鳥形乃至現及獸形是如以色恐怖
前人言聲恐怖或貝聲鳥聲等以如是聲恐怖人前乃至以法恐怖語前人我見
如是相汝當死若失衣鉢及此和尚亦此文母得病若死等以是法恐怖者三言波逸提
是者違犯句律云若以六事隨一一事令彼見聞等若恐怖若不恐怖一一皆得提罪若不了前人不
等知一一吉羅。律云不犯者或闇地坐无燈火或大小便處遙見謂言惡賊乃至行聲等聲
鼻聲而恐怖者或以色等示人不作恐怖意或若實有是見夢者當死失衣乃至父母
重病若死語彼令知及誤一切不犯　過半月洗浴戒第五十六　律云若洗浴有
五過一除垢穢二清身淨三除身中寒冷病四除風五得安隱故溫室經洗除七病故凡身
多不淨事須澡除但貪著過當令身光澤就著色身无心厭背正遠出離
故須限半月一洗若過即犯。別緣有五一比丘二无因緣三洗浴四无因緣
五洗身已下正明戒本此戒因瓶沙王聽諸比丘於行園池中常浴六群浴次
王與采女詣池相值王竟不浴大臣譏嫌善比丘白佛佛呵制戒　若比丘半月洗浴
无病比丘應受不得過除餘時波逸提餘時者熱時病時風時雨道行時此是時
此滿足戒本文有四句一犯人二明半月一洗不得過三除開緣四結罪餘時者下誦所開
三句并相中初可知二言半月洗浴者明半月一洗不得過半月洗謂於半月內不得再
洗故曰不得過。祇云應隨浴日數要滿十五日乃應更洗三言除餘時者明開緣言餘
熱時律春後卅五日夏初一月是熱時天竺熱早從三月初至五月十五日此兩月半聽洗
无罪隨國土早晚熱用此限洗又此兩月半時日滿便足是名熱時言病時者四分云下至
身體臭穢是謂病時言作時者下至掃屋前地十五乃至掃僧房內地是多云走
六尺五分乃至掃屋內地　言風雨時者下至一旋風一渧雨著身　言道行者下至半由
旬若來若往者是。四言波逸提者是過洗結罪句律云若過限洗一遍洗身一
波逸提若洗半身已犯提若方便欲洗不者吉羅　五分云若共白衣同室浴
身偷蘭　多云露地不應浴若在室中知白衣善而无過者聽共浴比丘揩身
吉者自揩不用他揩者善若著僧祇支一當有慚愧亦不生他疑因說羅漢身軟有
凡見便起染失根乃至還俗得本男身。律云不犯者如上三緣開數洗不犯及被力勢
所持強令者　无事露地然火戒第五十七　制意者凡火性炎熾事要

身偷蘭　多言露地不應俗若在舍中知白衣善而无過者聽共若比丘擔皂
吉者自擔不用他擔者善要若借枝支一宿有慚愧二不生他疑同語罪漢自敬有
人見便起深失根乃至還悔得本罪身律云不犯者如上六緣開數洗不犯及被力勢
所持強令者

无事露地然火戒第五十七

制意者凡大性焚燒事變
无恒害有燒壞不可禁禁又復然火舉衆多者俗譏癡循正業是以聖制　別緣
有四一是无因緣歡喜二自緣不犯三雖无因緣若在覆郭處生惡義故四是不犯故須第
三是露地二然草木等歡喜然火生過義故但犯七眾非四燒便犯此中但制无事然
大罪不言壞地傷主生種罪上已制竟故無也戒因六群露地大枯樹有蛇得火氣出
遂致驚懼大燒仏講堂比丘舉過仏制斯戒　若比丘无病自為炙身故在露地然大
若教人然除時因緣波逸提　戒本三句一犯人二除病三為己然大結犯　并相中初句可
知二言自為己除病不用二三言波逸提者是遠犯結罪故律云彼於露地若然草木枝葉
牛屎糞掃等一切然者皆犯提罪若以大量草木乃至糠麩中然犯提罪五分為炙然炙高
四指者墮多論若他已然後隨作何事皆墮祇云燒大作擁或大中有草大樸聚一切
墮若壞生三罪一壞生二然大三若在生地理有墮被燒來難一擔大中者吉然炭大吉
不語前人知是看是吉律云不犯者語前人知是看是若病人自然教人然有緣
看病為病者煮糜粥羹飯餅等在死去及名并餘物上作大闇不犯若在厨屋中
浴室中若熏鉢煮染然燈一切无犯

藏他衣鉢戒第五十八

制意者一調戲譏煩因事相惱藏他衣鉢冕不時得令彼惶恐惱處悲聲之害生
盜心隱匿事險可懼之甚三假无盜心致彼言諍清白雜亂莫能自拔以斯諸過故須
聖制　別緣有四一是大比丘衣鉢事等二作戲弄動彼意三无因緣四戒物場藏及二
難等不犯四取藏舉便犯　此戒因六群十七群衣鉢等諸比丘白仏仏制斯戒
若比丘藏他比丘衣鉢坐具針筒若自藏若教人藏下至戲笑者波逸提　此滿
足本文有三句一犯人二所藏物三自他藏而結罪并相中三句可知律云上至隱他下至
戲笑皆犯提罪故云戲笑尚犯為故惱之多云若五大色衣及其淨衣吉羅未重鉢鍵
鎡衣鉢不作淨者吉者皆墮律云不犯者若實知彼人物相體若在露地風雨漂漬舉
之若物主為性慢藏衣物狼藉為誡勅之若借他而彼忘收舉若因此衣鉢有命
梵等難故藏一切不犯

真實淨施不問主取戒第五十九

制意者凡淨施
之法為去存著之情遠同大行事既付與彼用之時須語問輒取理遠聖教又復前人
既不見物謂我失奪集惱他不輕是故聖制　釋名者捨与前人不虛稱為真實此
物不復係心名為淨施故曰真實淨施輒取戒　別緣有四一是已物二作真淨施法三不語主令
知而取用便犯　此戒因六群真施親厚衣比丘已後輒取比丘白仏仏制戒
若比丘與比丘比丘尼式叉摩那沙彌沙彌尼衣還取著者波逸提　此滿足戒本文有三
句犯人二作淨施法三輒取結犯罪并相中初句可知二言与衣者律云淨施有二一真

[illegible]

細而取用便犯。此戒因六群直施親厚衣，比丘已後輒取，比丘白佛制戒

若比丘與比丘尼衣、叉摩那、沙彌、沙彌尼衣，還取著者，波逸提　　此滿足戒本文有三

白犯人，二作淨施法，三輒取。結犯罪并相中，初句可知。二言己衣者，律云淨施有二：真

實、二展轉。衣二展轉者，長衣戒說。三言波逸提者，是輒取遠犯句故。律云：若作真實

淨施，應問主，然後取著；不示者犯提。第二作淨主，又通五衆人，雖不定，又說此是同

戒。通僧尼三衆合說，豈有比丘從尼取衣也？各對同類僧二尼三作法。又說緣文通五衆

為主，任比所樂。問：沙彌身邊作法淨受已，云何？答：若稱其歲比丘。問：幾物應說淨？答：

謂衣鉢實著。問：衣物尺量如何？答：衣尺六八寸，故律云：長如來八指，廣四指是。若壬及金

減並悉不說，无罪。鉢量可知。藥无其量，謂非七日如口法者，餘非也。寶无多少，但金

錢。問：幾種人佛心念說淨？答：十誦律五種人作七種心念法。律云：不犯者，若真實

施主取，展轉者隨意取。　白色衣戒第六十　制意者，凡壞色衣道眼標式，

內遣著情，外長信敬。今不染畜著，非是沙門道眼之標，內長貪著，外招譏損，過

是不輕，故須聖制。　別緣有四：一是三衣，二是己物，三不染壞，四著便犯。此戒因六群著白色衣，

居士譏嫌，比丘白佛，佛呵制戒

若比丘得新衣，應三種壞色，一一色中隨意壞，若青、

若黑、若木蘭。若比丘不以三種壞色，若青、若黑、若木蘭，著餘衣者，波逸提

滿足戒本文有三：一句犯人，二得新衣已下教染壞法，三若比丘已下不壞故違遮聖教畜

著結罪并相中。初句可知。二言得新衣應三種壞色者，律云新衣者，若新、若物從人

得，俱名新衣。十誦云得他故者，初得名為新衣。言三種壞色者，青、黑、木蘭。三言不

以三色壞著新衣，波逸提者，是違遮聖教結罪句。律云彼得衣不作三種壞色著

者，隨著重衣若輕衣，不作淨而畜者吉羅。若非衣鉢囊及諸巾不作淨畜者

吉羅。謂點色作色淨。一切緣身所受用物皆須作淨而畜，若未染衣寄白衣家

者吉羅。准此，言淨者，謂以成色衣或餘物點著，名淨而畜，並須染壞，非謂三衣須染，

餘者但淨而已。若准律文，一切不染皆提，一切不淨皆吉。五分所以作淨者，異外道故，令与

俗別。作三種犯，故失則易覓。多論云：五大色衣不成受，若應量不應量，一切不得著，

若點著者吉羅。此律犯墮。要三色相現成壞色者，當无罪。結色悉犯。祇云作色不

點壞，提；著白色衣輕，點淨者不得並作，或一三五七九為點，極大齊四指，極小如豌豆。善見

如麻子大，名為四分。若白色衣提，不點犯輕。三色之中以一一色壞則成。沙彌衣重，衣不作

淨亦不得。如乳飛作浣，數有泥汙鳥足汙，即名為淨。若新大衣趣一角作，乃至一切衣

新細襍色若衆多碎衣，一處合補者，一處作；別者一一作淨。律云不犯者，若得白

衣染作三種色，餘輕重乃至內作淨者不犯

四分戒疏卷第三

淨僧衣新者十誦云得他故者衹得名新[illegible]三種壞色者青黑木蘭[illegible]

以三色壞者新衣故於捉者是遠離聖教結罪句律云彼得衣不作三種壞色著

者適著重衣若輕衣不作淨而畜者吉羅二者非衣鉢囊及諸巾不作淨畜者

吉羅謂點色作色淨一切隨身所受用物皆須作淨而畜若未染衣寄白衣家

者吉羅准此言淨者謂以戒色衣或餘物點著名淨而並須染壞非謂三衣須染

餘者但淨而已若准律文一切不染皆捉一切不淨皆吉五分所以作淨者異外道故令与

俗別作三種犯故失則易見多論云大色衣不成受若雇量不應量一切不得著

若點著者吉羅此律犯墮要三色相現成壞色者畜无罪結色悉犯衹方作色不

點壞捉著白色衣輕點淨者不用並作或一三五七九為點極大齊四指極小如豌豆善見

如蝨子大若為四分若白色衣捉不點犯輕三色之中以下色壞則成沙門衣重衣下作

淨吉示得如犯形作浣浆有泥汙鳥足汙即名為淨若新大衣趣一角作乃至一切衣

新細揲[illegible]若衆多弥衣一處合補者一處作別者一一作淨、律云不犯者若得白

衣染作三種色餘輕重乃至內作淨者不犯

四分戒疏卷第三

壬子年三月廿八日於沙州壽永寺寫

勘了

BD01061 號　四分戒本疏卷三

（23–23）

著　録　凡　例

本目録採用條目式著録法。諸條目意義如下：

1.1　著録編號。用漢語拼音首字“BD”表示，意為“北京圖書館藏敦煌遺書”，簡稱“北敦號”。文獻寫在背面者，標註為“背”。一件遺書上抄有多個文獻者，用數字 1、2、3 等標示小號。一號中包括幾件遺書，且遺書形態各自獨立者，用字母 A、B、C 等區別。

1.2　著録分類號。本條記目録暫不分類，該項空缺。

1.3　著録文獻的名稱、卷本、卷次。

1.4　著録千字文編號。

1.5　著録縮微膠卷號。

2.1　著録遺書的總體數據。包括長度、寬度、紙數、正面抄寫總行數與每行字數、背面抄寫總行數與每行字數。如該遺書首尾有殘破，則對殘破部分單獨度量，用加號加在總長度上。凡屬這種情況，長度用括弧標註。

2.2　著録每紙數據。包括每紙長度及抄寫行數或界欄數。

2.3　著録遺書的外觀。包括：（1）裝幀形式。（2）首尾存況。（3）護首、軸、軸頭、天竿、縹帶，經名是書寫還是貼簽，有無經名號，扉頁、扉畫。（4）卷面殘破情況及其位置。（5）尾部情況。（6）有無附加物（蟲繭、油污、線繩及其他）。（7）有無裱補及其年代。（8）界欄。（9）修整。（10）其他需要交待的問題。

2.4　著録一件遺書抄寫多個文獻的情況。

3.1　著録文獻首部文字與對照本核對的結果。

3.2　著録文獻尾部文字與對照本核對的結果。

3.3　著録録文。

3.4　著録對文獻的説明。

4.1　著録文獻首題。

4.2　著録文獻尾題。

5　著録本文獻與對照本的不同之處。

6.1　著録本遺書首部可與另一遺書綴接的編號。

6.2　著録本遺書尾部可與另一遺書綴接的編號。

7.1　著録題記、題名、勘記等。

7.2　著録印章。

7.3　著録雜寫。

7.4　著録護首及扉頁的内容。

8　著録年代。

9.1　著録字體。如有武周新字、合體字、避諱字等，予以説明。

9.2　著録卷面二次加工的情況。包括句讀、點標、科分、間隔號、行間加行、行間加字、硃筆、墨塗、倒乙、删除、兑廢等。

10　著録敦煌遺書發現後，近現代人所加内容，裝裱、題記、印章等。

11　備註。著録揭裱互見、圖版本出處及其他需要説明的問題。

上述諸條，有則著録，無則空缺。

為避文繁，上述著録中出現的各種參考、對照文獻，暫且不列版本説明。全目結束時，將統一編制本條記目録出現的各種參考書目。

本條記目録為農曆年份標註其公曆紀年時，未經行歲頭年末之换算，請讀者使用時注意自行换算。

條 記 目 錄

BD01001—BD01061

1.1 BD01001 號
1.3 金剛般若波羅蜜經
1.4 辰 001
1.5 094:3752
2.1 (7.5+432)×26 厘米;10 紙;268 行,行 17 字。
2.2 01:7.5+24,19; 02:45.3,28; 03:45.3,27;
04:45.4,28; 05:45.5,28; 06:45.2,28;
07:45.5,28; 08:45.0,28; 09:45.5,28;
10:45.3,26。
2.3 卷軸裝。首殘尾全。卷面有殘損破裂及殘洞,接縫處有開裂。有烏絲欄。已修整。
3.1 首 5 行下殘→大正 235,8/749A28-B4。
3.2 尾全→8/752C3。
4.2 金剛般若波羅蜜經(尾)。
8 7~8 世紀。唐寫本。
9.1 楷書。
11 圖版:《敦煌寶藏》,80/169A~175A。

1.1 BD01002 號
1.3 維摩詰所說經卷上
1.4 辰 002
1.5 070:0906
2.1 350×25.5 厘米;8 紙;195 行,行 17 字。
2.2 01:07.0,護首; 02:49.0,27; 03:49.0,28;
04:49.0,28; 05:49.0,28; 06:49.0,28;
07:49.0,28; 08:49.0,28。
2.3 卷軸裝。首全尾殘。有護首。前 4 紙殘破嚴重,接縫處有開裂。有烏絲欄。已修整。
3.1 首全→大正 475,14/537A3。
3.2 尾殘→14/539B5。
4.1 維摩詰所說經,一名不可思議解脫,佛國品第一,卷上(首)。
8 9~10 世紀。歸義軍時期寫本。
9.1 楷書。
9.2 有刮改。
11 圖版:《敦煌寶藏》,63/662A~666B。

1.1 BD01003 號
1.3 金剛般若波羅蜜經
1.4 辰 003
1.5 094:4128
2.1 (3.5+286.5)×26 厘米;7 紙;168 行,行 17 字。
2.2 01:3.5+39.5,25 02:48.0,28; 03:47.7,28;
04:47.8,28; 05:48.0,28; 06:47.5,28;
07:08.0,03。
2.3 卷軸裝。首殘尾全。首紙有殘裂,接縫處有開裂。有燕尾。有烏絲欄。已修整。
3.1 首 2 行上下殘→大正 235,8/750B26-27。
3.2 尾全→8/752C3。
4.2 金剛波(般)若羅蜜經(尾)。
7.3 第 2 紙背有雜寫及佛名雜寫 6 行。
8 7~8 世紀。唐寫本。
9.1 楷書。
11 圖版:《敦煌寶藏》,82/182A~186A。

1.1 BD01004 號
1.3 金剛般若波羅蜜經
1.4 辰 004
1.5 094:4168
2.1 (6.5+270.8)×26 厘米;8 紙;152 行,行 17 字。
2.2 01:06.5,04; 02:43.0,24; 03:42.8,24;
04:42.8,25; 05:42.5,24; 06:43.0,24;
07:42.7,24; 08:14.0,03。
2.3 卷軸裝。首殘尾全。接縫處有開裂,卷面有水漬印,紙張變色。有燕尾。有烏絲欄。已修整。
3.1 首 4 行上殘→大正 235,8/750C15-17。

3.2　尾全→8/752C3。
4.2　金剛般若波羅蜜經（尾）。
8　7～8 世紀。唐寫本。
9.1　楷書。
11　圖版：《敦煌寶藏》，82/296A～299B。

1.1　BD01005 號
1.3　無量壽宗要經
1.4　辰 005
1.5　275:7970
2.1　（10+75.5）×31 厘米；3 紙；正面 53 行，行 30 餘字。背面 9 行，行字不等。
2.2　01：10+13，15；　02：44.0，28；　03：18.5，10。
2.3　卷軸裝。首殘尾全。有烏絲欄。
2.4　本遺書包括 2 個文獻：（一）《無量壽宗要經》，53 行，抄寫在正面，今編為 BD01005 號。（二）《彌勒下生緣》（擬），9 行，抄寫在背面，今編為 BD01005 號背。
3.1　首 7 行上下殘→大正 936，19/83C6。
3.2　尾全→19/84C29。
4.2　佛說無量壽宗要經（尾）。
7.1　第 3 紙尾題之後有題名“田廣談”。
8　8～9 世紀。吐蕃統治時期寫本。
9.1　行楷。
9.2　有校改。有刪除號“卜”。
11　圖版：《敦煌寶藏》，108/401B～403A。

1.1　BD01005 號背
1.3　彌勒下生緣（擬）
1.4　辰 005
1.5　275:7970
2.4　本遺書由 2 個文獻組成，本號為第 2 個，9 行，抄寫在背面。餘參見 BD01005 號之第 2 項、第 11 項。
3.3　錄文：

其時無中妖（夭）死，至於老須□…□/
自投塚墓，而取捨壽。/
□生□…□/
於□…□萬四千歲，得三千歲。/
彌勒世尊爲壤佉王行化說時。/
轉輪世王，名曰壤佉。/
彌勒於當來世三會說法。第一大會度九十三億，第二/
會九十六億，第三會九十九億之類。/
象寶、女寶、藏寶應現，珠寶、兵寶、馬寶、輪/
寶普見（此三字寫在前一行下端，最後二字倒書）。
（錄文完）

8　9～10 世紀。歸義軍時期寫本。
9.1　楷書。

1.1　BD01006 號
1.3　摩訶般若波羅蜜經（異卷）卷二七
1.4　辰 006
1.5　088:3463
2.1　（4+892.5）×27.7 厘米；23 紙；473 行，行 17 字。
2.2　01：4+33，19；　02：40.2，21；　03：40.4，21；
04：40.3，21；　05：40.3，21；　06：40.3，22；
07：40.3，22；　08：40.2，22；　09：40.4，22；
10：40.6，22；　11：26.8，15；　12：40.4，22；
13：40.5，22；　14：40.8，22；　15：40.3，22；
16：40.5，22；　17：40.5，22；　18：40.2，22；
19：40.2，22；　20：40.2，22；　21：40.1，22；
22：40.0，22；　23：26.0，03。
2.3　卷軸裝。首殘尾全。卷尾有原軸，兩端塗黑漆。紙張較薄。首紙有殘洞，上邊下邊有殘損。有烏絲欄。
3.1　首 2 行上殘→大正 223，8/396C2～3。
3.2　尾全→8/402B18。
4.2　大品經卷第廿七（尾）
5　與《大正藏》本對照，分卷、品名、品次不同。此卷經文相當於卷第二十四第七十八品後中部、第七十九品及卷第二十五第八十品之前半部。文字亦略有參差。
8　5～6 世紀。南北朝寫本。
9.1　隸書。
9.2　有重文號。
11　圖版：《敦煌寶藏》，78/96A～107B。

1.1　BD01007 號
1.3　金光明最勝王經卷一〇
1.4　辰 007
1.5　083:1983
2.1　（2.4+283.4）×26.3 厘米；7 紙；168 行，行 17 字。
2.2　01：2.4+9，06；　02：45.7，28；　03：45.7，28；
04：46.0，28；　05：46.0，28；　06：45.5，28；
07：45.5，22。
2.3　卷軸裝。首殘尾全。有燕尾。有烏絲欄。
3.1　首行上殘→大正 665，16/454B19。
3.2　尾全→16/456C19。
4.2　金光明最勝王經卷第十（尾）。
5　尾附音義。
8　8 世紀。唐寫本。
9.1　楷書。
11　圖版：《敦煌寶藏》，71/263A～266B。

1.1　BD01008 號
1.3　妙法蓮華經卷三
1.4　辰 008
1.5　105:5172

2.1　(2.1+92.4)×26.2 厘米；3 紙；58 行，行 17 字。
2.2　01：2.1+18，12；　02：49.9，31；　03：24.5，15。
2.3　卷軸裝。首尾均殘。打紙，砑光上蠟。首尾紙殘破較重。有烏絲欄。已修整。
3.1　首行上下殘→大正 262，9/24A25～26。
3.2　尾殘→9/25A15。
8　5～6 世紀。南北朝寫本。
9.1　隸書。
11　圖版：《敦煌寶藏》，89/315B～316B。

1.1　BD01009 號
1.3　大方廣佛華嚴經（晉譯）卷一八
1.4　辰 009
1.5　375：8471
2.1　(15.4+213.7+4.5)×27.6 厘米；5 紙；138 行，行 17 字。
2.2　01：15.4+32.1，28；　02：47.5，28；　03：47.0，28；
04：47.1，28；　05：40+4.5，26。
2.3　卷軸裝。首脫尾殘。首紙有破裂，卷面有殘洞；卷中大片字跡墨色洇開，似被水濕；卷尾有深棕色污跡。有烏絲欄。已修整。
3.1　首 9 行上殘→大正 278，9/516A12～21。
3.2　尾 2 行中下殘→9/517C12～13。
8　7～8 世紀。唐寫本。
9.1　楷書。
9.2　上邊有校改字“欲”、“磨”。
11　圖版：《敦煌寶藏》，110/427A～430B。

1.1　BD01010 號
1.3　無量壽經卷上
1.4　辰 010
1.5　070：0101
2.1　(2.8+465.5+10.3)×25.2 厘米；9 紙；279 行，行 17 字。
2.2　01：2.8+34.5，22；　02：52.0，26；　03：56.0，33；
04：55.8，33；　05：55.8，33；　06：55.8，33；
07：55.8，33；　08：55.8，33；　09：44+10.3，33。
2.3　卷軸裝。首尾均殘。首尾兩紙破損嚴重，第 8 紙有破損。前 3 紙背有古代裱補。第 31 行、32 行殘，古人裱補錯粘接爲 1 行。第 2 紙末抄滿。有烏絲欄。
3.1　首 1 行下殘→大正 360，12/266A22～24。
3.2　尾 5 行下殘→12/269C17～21。
5　與《大正藏》對照，文字有三處殘脫：
　　第 1 處在第 30 行後，闕文見《大正》12/266B26～29，係原卷殘缺所致。
　　第 2 處在第 47 行後，漏抄一句，因此將第 48 行廢棄，而從漏處重抄，漏文見大正 12/266C17。
　　第 3 處在第 127 行後，所漏文字爲大正 12/267C23、24。
8　6 世紀。南北朝寫本。
9.1　隸楷。
9.2　有校改。
11　圖版：《敦煌寶藏》，56/440A～447B。

1.1　BD01011 號
1.33　四分律刪繁補闕行事鈔下卷之上
1.4　辰 011
1.5　166：7022
2.1　2301.5×26.5 厘米；64 紙；1400 行，行 21 字。
2.2　01：04.0，02；　02：35.5，22；　03：35.0，23；
04：35.0，23；　05：35.0，24；　06：35.0，26；
07：35.5，25；　08：35.0，22；　09：35.0，21；
10：35.0，23；　11：35.5，23；　12：35.5，24；
13：36.0，22；　14：36.0，22；　15：36.0，21；
16：36.0，21；　17：36.0，21　18：36.0，21；
19：36.0，21；　20：36.0，21；　21：36.0，21；
22：36.0，21；　23：36.0，21；　24：36.0，21；
25：36.0，21；　26：36.0，21；　27：36.0，21；
28：36.0，21；　29：36.0，20；　30：36.0，20；
31：36.0，20；　32：36.0，20；　33：36.0，20；
34：36.0，21；　35：36.0，21；　36：36.0，20；
37：37.0，21；　38：37.0，21；　39：37.0，21；
40：37.0，22；　41：37.0，21；　42：37.0，21；
43：37.5，22；　44：37.5，22；　45：37.5，23；
46：37.5，22；　47：37.5，23；　48：37.5，23；
49：37.5，23；　50：37.5，23；　51：37.5，23；
52：37.5，23；　53：37.5，23；　54：37.5，23；
55：37.5，23；　56：37.5，23；　57：37.5，24；
58：37.5，24；　59：37.5，24；　60：37.5，26；
61：37.5，22；　62：37.5，26；　63：37.5，25；
64：37.0，25。
2.3　卷軸裝。首殘尾全。卷首有殘裂及殘洞，接縫處有開裂，尾紙下部殘裂，有殘洞。已修整。
3.1　首殘→大正 1804，40/105C10。
3.2　尾全→40/129A14。
4.2　四分律刪繁補闕行事鈔下卷之上(尾)。
8　7～8 世紀。唐寫本。
9.1　楷書。
9.2　有硃筆校改、科分及行間加行。
11　圖版：《敦煌寶藏》，103/459A～488A。

1.1　BD01012 號
1.3　妙法蓮華經卷七
1.4　辰 012
1.5　105：5878

2.1　(10＋750)×24.5 厘米；17 紙；446 行，行 17 字。
2.2　01：10＋35，26；　02：46.7，28；　03：46.7，28；
04：46.3，28；　05：46.7，28；　06：46.7，28；
07：46.7，28；　08：46.6，28；　09：46.8，28；
10：45.8，28；　11：45.6，28；　12：45.8，28；
13：45.7，28；　14：45.6，28；　15：45.7，28；
16：45.6，28；　17：22.0，拖尾。
2.3　卷軸裝。首殘尾全。經黄打紙。尾有原軸，兩端塗黑漆，頂端點硃漆。卷面油污。第 3 紙下邊有殘裂，第 9 紙上邊有殘缺。有燕尾。有烏絲欄。
3.1　首 6 行上殘→大正 262，9/55C17～22。
3.2　尾全→9/62A29。
7.3　軸上有字“上大尖□…□”。
8　7～8 世紀。唐寫本。
9.1　楷書。
11　圖版：《敦煌寶藏》，95/549B～559B。

1.1　BD01013 號
1.3　梵網經盧舍那佛説菩薩心地戒品第十卷下
1.4　辰 013
1.5　143:6715
2.1　541.3×27.5 厘米；13 紙；304 行，行 17～22 字。
2.2　01：32.8，19；　02：46.7，26；　03：46.8，27；
04：46.8，27；　05：46.8，27；　06：46.9，27；
07：47.0，27；　08：47.0，27；　09：46.8，27；
10：47.0，27；　11：46.7，27；　12：28.0，16；
13：12.0，素紙。
2.3　卷軸裝。首殘尾全。有烏絲欄。已修整。
3.1　首 3 行下殘→大正 1484，24/1004C9～14。
3.2　尾殘→24/1009C8。
8　8～9 世紀。吐蕃統治時期寫本。
9.1　楷書。
9.2　有行間校加字、行間加行，有刪除符號，有刮改。
11　圖版：《敦煌寶藏》，101/310A～316B。

1.1　BD01014 號
1.3　大般若波羅蜜多經卷五七一
1.4　辰 014
1.5　084:3367
2.1　(15.1＋728.8)×26.1 厘米；17 紙；466 行，行 17 字。
2.2　01：15.1＋19.3，21　02：44.6，28；　03：44.1，28；
04：44.2，28；　05：44.4，28；　06：44.6，28；
07：44.4，28；　08：44.6，28；　09：44.1，28；
10：44.4，28；　11：44.5，28；　12：44.5，28；
13：44.4，28；　14：44.3，28；　15：44.3，28；
16：44.2，28；　17：43.9，25。
2.3　卷軸裝。首殘尾全。首紙上下有殘裂，第 3 紙下邊有殘裂，接縫處有開裂。有燕尾。有烏絲欄。已修整。
3.1　首 9 行上下殘→大正 220，7/947B28～C7。
3.2　尾全→7/953A1。
4.2　大般若波羅蜜多經卷第五百七十一（尾）。
8　8～9 世紀。吐蕃統治時期寫本。
9.1　楷書。
11　圖版：《敦煌寶藏》，7/415A～424B。

1.1　BD01015 號
1.3　妙法蓮華經卷二
1.4　辰 015
1.5　105:4945
2.1　(10.8＋312.3)×26.4 厘米；8 紙；207 行，行 17 字。
2.2　01：10.8＋19.6，20　02：41.9，28；　03：41.8，28；
04：41.8，28；　05：41.8，28；　06：41.9，28；
07：41.8，28；　08：41.7，19。
2.3　卷軸裝。首殘尾全。卷前部有殘裂及大小殘洞，卷尾下邊殘損。有燕尾。有烏絲欄。已修整。
3.1　首 7 行下殘→大正 262，9/16B1～8。
3.2　尾全→9/19A12。
4.2　妙法蓮華經卷第二（尾）。
8　7～8 世紀。唐寫本。
9.1　楷書。
11　圖版：《敦煌寶藏》，87/287A～291A。

1.1　BD01016 號
1.3　大般若波羅蜜多經卷一〇九
1.4　辰 016
1.5　084:2294
2.1　(5.5＋71.5)×25.8 厘米；2 紙；43 行，行 17 字。
2.2　01：5.5＋43，28；　02：28.5，15。
2.3　卷軸裝。首脱尾全。首紙有等距殘洞及下邊殘缺，接縫處下開裂。有烏絲欄。已修整。
3.1　首 3 行下殘→大正 220，5/604A22～25。
3.2　尾全→5/604C6。
4.2　大般若波羅蜜多經卷第一百九（尾）。
8　8～9 世紀。吐蕃統治時期寫本。
9.1　楷書。
11　圖版：《敦煌寶藏》，72/567A～568A。

1.1　BD01017 號
1.3　洞真上清諸經摘抄（擬）
1.4　辰 017
1.5　372:8456
2.1　535.4×25.9 厘米；12 紙；300 行，行 17 字。
2.2　01：03.0，01；　02：48.5，28；　03：48.6，28；
04：48.5，28；　05：48.5，28；　06：48.6，28；

07：48.7，28；　08：48.7，28；　09：48.6，28；
10：48.6，28；　11：48.6，28；　12：46.5，19。
2.3　卷軸裝。首斷尾缺。經黄紙。尾紙有餘空。有燕尾。有烏絲欄。
3.4　説明：
根據卷末題記，疑本遺書係道士習字本，非正式經文寫本。内容係摘抄早期上清派數種經書中詩歌頌章及有關經文，雜湊而成。情況如下：
第1～65行抄自《上清高聖玉晨太上大道君列記》（《道藏》未收）。
第66～81行頌詩二首，見於《道藏》正一部所收《洞真太一帝君太丹隱書洞真玄經》。
第82～118行頌詩六首，抄自《上清真人三天君列記》（《道藏》未收）。
第119～133行歌詩二首，見於《道藏》洞神部讚頌類所收《諸真歌頌》。
第134～215行抄錄《洞真十方迴旋頌章》，見於《道藏》洞玄部讚頌類所收《上清諸真章頌》。
第216行以下經文出處不明，但其中有論述"三界三十六天"文字，見於《雲笈七籤》卷三十一引《消魔經》，疑係《洞真太上説智慧消魔真經》之佚文。
該文獻全篇抄自上清派諸經，故擬定此件經名為《洞真上清經摘抄》。
參見《敦煌道教文獻研究》，第91頁。
7.1　卷尾有題記"寫未了，語不盡，覓本勘"1行。
8　7～8世紀。唐寫本。
9.1　楷書。
11　圖版：《敦煌寶藏》，110/366B～373A。

1.1　BD01018號
1.3　金剛般若波羅蜜經
1.4　辰018
1.5　094:4359
2.1　（1.5＋113）×25.3厘米；3紙；63行，行16～18字。
2.2　01：1.5＋12，08；　02：48.0，28；　03：53.0，27。
2.3　卷軸裝。首殘尾全。經黄紙。接縫處有開裂，尾紙左下角有缺損。有烏絲欄。
3.1　首行上殘→大正235，8/751C24。
3.2　尾全→2358/752C3。
4.2　金剛般若波羅蜜經（尾）。
8　7～8世紀。唐寫本。
9.1　楷書。
11　圖版：《敦煌寶藏》，83/54A～55A。

1.1　BD01019號
1.3　大般涅槃經（北本　宮本）卷三五
1.4　辰019
1.5　115:6499
2.1　（39.2＋752.1）×25厘米；23紙；496行，行17字。
2.2　01：25.0，護首；　02：14.2＋12.4，17；
03：36.0，23；　04：35.0，23；　05：35.3，23；
06：35.5，23；　07：35.1，23；　08：35.3，23；
09：35.3，23；　10：35.4，23；　11：35.3，23；
12：35.4，23；　13：35.5，23；　14：35.6，23；
15：35.5，23；　16：35.4，23；　17：35.5，23；
18：35.5，23；　19：35.5，23；　20：35.5，23；
21：35.3，23；　22：35.3，23；　23：31.5，19。
2.3　卷軸裝。首尾均全。有護首，護首殘破。尾有原軸，鑲嵌蓮蓬形軸頭，有螺鈿鑲嵌花瓣。首紙上部撕裂，接縫處有開裂。有烏絲欄。
3.1　首9行下殘→大正374，12/568B22。
3.2　尾全→12/574B7。
4.1　大般涅槃經卷第卌五（首）。
4.2　大般涅槃經卷第卌五（尾）。
5　與《大正藏》本對照，分卷不同，經文相當於《大正藏》卷三十四迦葉菩薩品第十二之二至卷三十五迦葉菩薩品第十二之三。分卷情況與日本宮内寮本相同。
8　5～6世紀。南北朝寫本。
9.1　隸書。
9.2　有行間校加字。
11　圖版：《敦煌寶藏》，99/587B～597B。

1.1　BD01020號
1.3　思益梵天所問經卷二
1.4　辰020
1.5　043:0422
2.1　（9＋178.2）×26.8厘米；4紙；正面102行，行17字。背面5行，行字不等。
2.2　01：9＋26.2，20；　02：51.0，29；　03：51.0，29；
04：50.0，24。
2.3　卷軸裝。首殘尾全，卷尾碎裂。有烏絲欄。已修整。
2.4　本遺書包括2個文獻：（一）《思益梵天所問經》卷二，102行，抄寫在正面，今編為BD01020號。（二）《當寺轉帖》，5行，抄寫在背面，今編為BD01020號背。
3.1　首5行上中殘→大正586，15/46A1～5。
3.2　尾全→15/47A19。
4.2　思益經卷第二（尾）。
8　9～10世紀。歸義軍時期寫本。
9.1　楷書。
9.2　有硃筆校加字。
11　圖版：《敦煌寶藏》，59/30B～33B。

1.1　BD01020號背
1.3　當寺轉帖

1.4　辰 020
1.5　043:0422
2.4　本遺書由 2 個文獻組成，本號為第 2 個，5 行，抄寫在背面。餘參見 BD01020 號之第 2 項、第 11 項。
3.3　錄文：
　　當寺轉帖。右常主請刈麥一日，／
　　書請諸公等。帖至，限今月一日卯時，／
　　於寺内取齊。捉二人後到，罰／
　　酒一角。全不來者，罰酒半［瓮］。其帖立［遞］，各／
　　自是名遞過者。／
　　（錄文完）
8　9～10 世紀。歸義軍時期寫本。
9.1　行書。
11　圖版：《敦煌寶藏》，59/33B。

1.1　BD01021 號
1.3　大般若波羅蜜多經卷四七〇
1.4　辰 021
1.5　084:3184
2.1　65.6×25.2 厘米；2 紙；26 行，行 17 字。
2.2　01：21.1，護首；　02：44.5，26。
2.3　卷軸裝。首全尾脱。有護首，前端上下有殘損；護首有經名及經名號；有竹製天竿，有灰黄色絹縹帶，長 21 厘米。尾紙下有殘裂。有烏絲欄。
3.1　首全→大正 220，7/377A2。
3.2　尾殘→7/377B1。
4.1　大般若波羅蜜多經卷第四百七十，／第二分衆德相品第七十六之三，三藏法師玄奘奉詔譯／（首）。
7.4　護首有經名“大般若波羅蜜多經卷第四百七十，卌七”。“卌七”是本文獻所屬袟次。
8　8～9 世紀。吐蕃統治時期寫本。
9.1　楷書。
9.2　有武周新字“正”。
11　圖版：《敦煌寶藏》，76/573B～574A。

1.1　BD01022 號
1.3　大般若波羅蜜多經卷四六六
1.4　辰 022
1.5　084:3175
2.1　67.1×25.3 厘米；2 紙；26 行，行 17 字。
2.2　01：22.0，護首；　02：45.1，26。
2.3　卷軸裝。首全尾脱。有護首，上下及前部有横豎殘裂；護首有竹製天竿。尾紙下有殘裂破損。有烏絲欄。已修整。
3.1　首全→大正 220，7/354C15。
3.2　尾殘→7/355A15。
4.1　大般若波羅蜜多經卷第四百六十六，／第二分漸次品第七十三之二，三藏法師玄奘奉詔譯／（首）。
7.1　護首有經名“大般若波羅蜜多經卷第四百六十六，卌七”。“卌七”是本文獻所屬袟次。
8　8～9 世紀。吐蕃統治時期寫本。
9.1　楷書。
9.2　有武周新字“正”，使用周遍。又，“聖”字非武周新字。
11　圖版：《敦煌寶藏》，76/557B～558A。

1.1　BD01023 號
1.3　寶雲經卷三
1.4　辰 023
1.5　392:8524
2.1　（4+81+3）×26.5 厘米；3 紙；51 行，行 17 字。
2.2　01：4+19.5，13；　02：48.0，28；　03：13.5+3，10。
2.3　卷軸裝。首尾均殘。第 2 紙殘裂。有烏絲欄。
3.1　首 2 行上、中殘→大正 658，16/227C15～16。
3.2　尾殘→16/228B6。
8　8～9 世紀。吐蕃統治時期寫本。
9.1　楷書。
9.2　有刮改。
11　圖版：《敦煌寶藏》，110/507B～508B。

1.1　BD01024 號
1.3　大方廣佛華嚴經（唐譯八十卷本）卷二二
1.4　辰 024
1.5　002:0045
2.1　67.8×27 厘米；1 紙；共 38 行，行 17 字。
2.3　卷軸裝。首全尾殘。卷面有殘洞。有烏絲欄。已修整。
3.1　首全→大正 279，10/115A9。
3.2　尾殘→10/115B21。
4.1　大方廣佛華嚴經昇兜率天宫品第廿三，卷廿二，新譯（首）。
6.2　尾→BD07277 號。
8　7～8 世紀。唐寫本。
9.1　楷書。
11　圖版：《敦煌寶藏》，56/217B～218A。

1.1　BD01025 號
1.3　梵網經盧舍那佛説菩薩心地戒品第十卷下
1.4　辰 025
1.5　143:6733
2.1　527.5×24 厘米；12 紙；正面 315 行，行 17 字。背面 4 行，行字不等。
2.2　01：20.0，12；　02：47.0，28；　03：47.0，28；
　　04：47.0，28；　05：47.0，28；　06：48.0，28；
　　07：48.0，28；　08：48.0，28；　09：46.0，28；
　　10：45.5，28；　11：46.0，28；　12：38.0，23。
2.3　卷軸裝。首斷尾殘。首紙上下斷開，第 2 紙上下斷開並殘

裂，卷中有殘裂及等距離水漬印。背有多處古代裱補。有烏絲欄。已修整。
2.4　本遺書包括2個文獻：（一）《梵網經盧舍那佛說菩薩心地戒品第十》卷下，315行，抄寫在正面，今編為BD01025號。（二）藏文，4行，抄寫在背面古代裱補紙上，今編為BD01025號背。
3.1　首殘→大正1484，24/1005C15。
3.2　尾殘→24/1009C8。
8　8世紀。唐寫本。
9.1　楷書。
9.2　有行間校加字。
11　圖版：《敦煌寶藏》，101/393B～401A。

1.1　BD01025號背
1.3　藏文
1.4　辰025
1.5　143:6733
2.4　本遺書由2個文獻組成，本號為第2個，4行，抄寫在背面古代裱補紙上。餘參見BD01025號之第2項、第11項。
3.4　說明：
背面有古代裱補紙多張。其中一張有藏文4行。另有2張亦有藏文殘字。
8　8～9世紀。吐蕃統治時期寫本。

1.1　BD01026號
1.3　大般若波羅蜜多經卷三一二
1.4　辰026
1.5　084:2850
2.1　47.7×25.2厘米；1紙；28，行17字；
2.3　卷軸裝。首尾均脫。卷面殘破，有殘洞。脫落1塊殘片，已綴接。背有古代裱補。有烏絲欄。已修整。
3.1　首殘→大正220，6/591A24。
3.2　尾殘→6/591B23。
7.1　背面有勘記"卅二，永"。"卅二"為本文獻所屬袟次，"永"為本文獻所屬敦煌永安寺之簡稱。
8　8～9世紀。吐蕃統治時期寫本。
9.1　楷書。
11　圖版：《敦煌寶藏》，75/234A。圖版錯將殘片接在第10行至12行末端。

1.1　BD01027號
1.3　大般若波羅蜜多經卷八
1.4　辰027
1.5　084:2028
2.1　142.1×25.6厘米；3紙；84行，行17字。
2.2　01：47.5，28；　02：47.3，28；　03：47.3，28。
2.3　卷軸裝。首尾均脫。首紙有殘洞及橫向破裂。有烏絲欄。
3.1　首殘→大正220，5/42B16。
3.2　尾殘→5/43B13。
8　7～8世紀。唐寫本。
9.1　楷書。
9.2　有行間校加字。
11　圖版：《敦煌寶藏》，71/404A～405B。

1.1　BD01028號
1.3　梵網經盧舍那佛說菩薩心地戒品第十卷下
1.4　辰028
1.5　143:6721
2.1　83.2×24.5厘米；4紙；49行，行17字。
2.2　01：31.0，17；　02：12.5，08；　03：13.2，08；
04：26.5，16。
2.3　卷軸裝。首尾均斷。通卷破碎嚴重，第1紙為歸義軍時期補接。背有古代裱補。後3紙有烏絲欄。已修整。
3.1　首殘→大正1484，24/1005A16。
3.2　尾殘→24/1005C14。
8　8世紀。唐寫本。
9.1　楷書。
11　圖版：《敦煌寶藏》，101/342B～343B。

1.1　BD01029號
1.3　金剛般若波羅蜜經
1.4　辰029
1.5　094:3788
2.1　（12.5+463.9）×25厘米；12紙；277行，行17字。
2.2　01：12.5+，13；　02：43.0，25；　03：43.9，25；
04：44.0，25；　05：44.0，25；　06：43.6，25；
07：43.5，25；　08：43.8，25；　09：43.5，25；
10：43.6，25；　11：43.5，25；　12：27.5，14。
2.3　卷軸裝。首殘尾全。前11紙上部有等距離殘缺。有烏絲欄。已修整。
3.1　首13行上、下殘→大正235，8/749A29－B13。
3.2　尾全→8/752C3。
4.2　金剛般若波羅蜜經（尾）。
8　7～8世紀。唐寫本。
9.1　楷書。
11　圖版：《敦煌寶藏》，80/344B～351A。

1.1　BD01030號
1.3　無常經
1.4　辰030
1.5　139:6670
2.1　（2+123.5）×25.3厘米；3紙；63行，行17字。
2.2　01：2+40，24；　02：49.0，28；　03：34.5，11。
2.3　卷軸裝。首殘尾全。有圓弧形拖尾。有烏絲欄。已修整。

3.1　首1行上殘→大正801，17/745B11。
3.2　尾全→17/746B8。
4.2　佛說無常經，一名三啓經（尾）。
8　7~8世紀。唐寫本。
9.1　楷書。
11　圖版：《敦煌寶藏》，101/119B~121A。

1.1　BD01031號
1.3　金光明最勝王經卷五
1.4　辰031
1.5　083:1716
2.1　(3.5+627.1)×26.7厘米；15紙；384行，行17字。
2.2　01：3.5+10，08；　02：44.3，28；　03：44.3，28；
04：44.2，28；　05：44.1，28；　06：44.3，28；
07：44.1，28；　08：45.0，28；　09：43.5，28；
10：44.0，28；　11：43.8，28；　12：43.9，28；
13：43.9，28；　14：43.9，28；　15：43.8，12。
2.3　卷軸裝。首殘尾全。有烏絲欄。
3.1　首2行上殘→大正665，16/422C17~18。
3.2　尾全→16/427B13。
4.2　金光明最勝王經卷第五（尾）。
5　尾附音義。
7.1　卷端背有經名勘記"最勝王第五"。
8　9~10世紀。歸義軍時期寫本。
9.1　楷書。
9.2　有行間校加字。
11　圖版：《敦煌寶藏》，69/396B~405A。

1.1　BD01032號
1.3　維摩經義記（釋瓊本）卷三
1.4　辰032
1.5　071:1305
2.1　(15+1154.5)×26.3厘米；32紙；755行，行20餘字。
2.2　01：5+23，19；　02：36.5，24；　03：36.5，24；
04：36.5，24；　05：36.5，24；　06：36.5，24；
07：36.5，24；　08：36.5，24；　09：36.5，24；
10：36.5，24；　11：36.5，24；　12：36.5，24；
13：36.5，24；　14：36.5，24；　15：36.5，24；
16：36.5，24；　17：36.5，24；　18：36.5，24；
19：36.5，24；　20：36.5，24；　21：36.5，24；
22：36.5，24；　23：36.5，24；　24：36.5，24；
25：36.5，24；　26：36.5，24；　27：36.5，24；
28：36.5，24；　29：36.5，24；　30：36.5，24；
31：36.5，22；　32：36.5，18。
2.3　卷軸裝。首殘尾全。首紙上下邊有殘損和殘缺。後2紙紙色與前紙不同，有折疊欄。已修整。
3.4　說明：

本文獻首4行上下殘，尾全。未為歷代大藏經所收。與斯02732號《維摩經義記》卷第四為同一文獻。
4.2　維摩經義記卷第三（尾）。
7.1　尾有題記："一校流通。/釋瓊許。/大統三年正月十九日寫訖。/"其後硃筆題記："二月廿五日觀之訖，記之也。/"1行。
7.3　有硃筆雜寫"瓊瓊"。
8　537年。南北朝寫本。
9.1　隸書。
9.2　有行間校加字。有硃筆點標。有倒乙、重文、刪節符號。
11　圖版：《敦煌寶藏》，66/454A~468A。

1.1　BD01033號
1.3　妙法蓮華經卷二
1.4　辰033
1.5　105:4753
2.1　(7.4+777)×25.2厘米；18紙；468行，行17字。
2.2　01：7.4+14.6，13；　02：46.1，28；　03：45.9，28；
04：46.2，28；　05：45.9，28；　06：46.2，28；
07：46.2，28；　08：46.3，28；　09：46.4，28；
10：46.3，28；　11：46.2，28；　12：46.6，28；
13：46.3，28；　14：46.3，28；　15：46.2，28；
16：46.2，28；　17：46.2，28；　18：22.9，07。
2.3　卷軸裝。首殘尾全。卷面有殘損，第9紙有大小殘洞，接縫處下方有開裂。有水漬印。有燕尾。有烏絲欄。已修整。
3.1　首4行下殘→大正262，9/12B23~28。
3.2　尾全→9/19A12。
4.2　妙法蓮華經卷第二（尾）。
8　7~8世紀。唐寫本。
9.1　楷書。
9.2　有刮改。
11　圖版：《敦煌寶藏》，86/293B~304A。

1.1　BD01034號1
1.3　四分律刪補隨機羯磨鈔（擬）
1.4　辰034
1.5　461:8716
2.1　459.5×25.5厘米；10紙；正面283行，行字不等。背面252行（附圖），行字不等。
2.2　01：17.0，01；　02：47.0，28；　03：48.0，34；
04：48.0，28；　05：50.0，45；　06：50.0，28；
07：50.0，28；　08：50.0，35；　09：50.0，28；
10：49.5，28。
2.3　卷軸裝。首全尾脫。第5紙下邊有殘裂，第5、6紙接縫處上邊開裂。第3至10紙有烏絲欄。
2.4　本遺書包括13個文獻：（一）《四分律刪補隨機羯磨鈔》（擬），20行，抄寫在正面，今編為BD01034號1。（二）《大智度論鈔》（擬），54行，抄寫在正面，今編為BD01034號2。

（三）《太上一乘海空智藏經》卷九，166 行，抄寫在正面，今編為 BD01034 號 3。（四）《佛教名數手記》（擬），43 行，抄寫在正面，今編為 BD01034 號 4。（五）《印佛文》，13 行，抄寫在背面，今編為 BD01034 號背 1。（六）《齋儀號頭》（擬），8 行，抄寫在背面，今編為 BD01034 號背 2。（七）《上皇勸善斷肉文》，4 行，抄寫在背面，今編為 BD01034 號 3。（八）《出家功德經》（出賢愚經），27 行，抄寫在背面，今編為 BD01034 號背 4。（九）《戒律疏釋鈔》（擬），70 行，抄寫在背面，今編為 BD01034 號 5。（十）《斷三界見修煩惱之圖》，前後共 32 行，中間附圖，抄寫在背面，今編為 BD01034 號背 6。（十一）《明〈大般若經〉四處十六會文》（擬），21 行，抄寫在背面，今編為 BD01034 號背 7。（十二）《沙彌十戒法並威儀》，57 行，抄寫在背面，今編為 BD01034 號背 8。（十三）《四分律删繁補闕行事鈔剃髮羯磨鈔》（擬），20 行，抄寫在背面，今編為 BD01034 號背 9。

3.4 說明：

本文獻抄寫《四分律删補隨機羯磨》卷上兩段，情況如下：

（1）3～11 行，大正 1808，40/496B19～C4。

（2）12～20 行，大正 1808，40/500B14～17。

行文與《大正藏》本偶有參差。

7.3 首有雜寫“廣大如法界，究竟等虛空”、“言方便者，方謂方圓；便為要便。包含衆德曰方，所作順宜曰便”2 行。

8 8～9 世紀。吐蕃統治時期寫本。

9.1 行楷。

9.2 有行間校加字。有行間加行。有間隔號。

11 圖版：《敦煌寶藏》，111/263A～276B。

1.1 BD01034 號 2

1.3 大智度論鈔（擬）

1.4 辰 034

1.5 461:8716

2.4 本遺書由 13 個文獻組成，本號為第 2 個，54 行，抄寫在正面。餘參見 BD01034 號 1 之第 2 項、第 11 項。

3.4 說明：

本文獻抄寫《大智度論》卷一二兩段，情況如下：

（1）1～26 行，大正 1509，25/149C23～150A21。

（2）27～54 行，大正 1509，25/151B18～C18。

5 卷面空白處及行間均寫有 BD01034 號 4《佛教名數手記》之文字。

8 7～8 世紀。唐寫本。

9.1 楷書。

9.2 第 2、3 紙上邊均有“兑”字。

1.1 BD01034 號 3

1.3 太上一乘海空智藏經卷九

1.4 辰 034

1.5 461:8716

2.4 本遺書由 13 個文獻組成，本號為第 3 個，166 行，抄寫在正面。餘參見 BD01034 號 1 之第 2 項、第 11 項。

3.1 首全→《道藏》本卷九捨受品，首行“爾時天尊”。

3.2 尾殘→《道藏》本卷九捨受品，9a9 行“動為彼衆”。

3.4 說明：

筆跡近似 S. 7292 等抄本。參見《敦煌道教文獻研究》第 213 頁。

5 行間寫有 BD01034 號 4《佛教名數手記》的文字。

4.1 太上一乘海空經舍愛品第九，卷第九，一名七寶莊嚴（首）。

8 7～8 世紀。唐寫本。

9.1 楷書。

1.1 BD01034 號 4

1.3 佛教名數手記（擬）

1.4 辰 034

1.5 461:8716

2.4 本遺書由 13 個文獻組成，本號為第 4 個，43 行，抄寫在正面紙張餘空及 BD01034 號 2、BD01034 號 3 的行間。餘參見 BD01034 號 1 之第 2 項、第 11 項。

3.4 說明：

本文獻為對佛教名數的釋義。分別在第 2、3、5、8 紙餘空及行間書寫。共 43 行。

其中第 2、第 3 紙所寫主要是關於戒律的名詞，如邊罪、賊住、外道、黄門、生像、五戒、遮難、僧祇、袈裟、法（沙）彌遮難問答、具戒、加沙（袈裟）等，其中大部分可以在《四分律删繁補闕行事鈔》中找到出處。

第 5 紙所抄大抵為關於教義的名詞，如八智八忍、二苦法智、三苦法智、四苦斷智、二集法智、三滅法忍、四道法忍等，大部分在《阿毘達磨發智論》中可以找到出處。

第 8 紙所抄，又為與戒律有關内容。

從總體看，本文獻乃佛教僧人在學習佛教時，隨手利用廢舊道教經典所作的札記。

8 8～9 世紀。吐蕃統治時期寫本。

9.1 行楷。

1.1 BD01034 號背 1

1.3 印佛文（擬）

1.4 辰 034

1.5 461:8716

2.4 本遺書由 13 個文獻組成，本號為第 5 個，13 行，抄寫在背面。餘參見 BD01034 號 1 之第 2 項、第 11 項。

3.4 說明：

本文獻首尾均全。内容為讚頌節兒為贊普印佛功德。

4.1 印佛（首）。

7.3 前有“想第四”3 字。或為前一文獻的殘文。

8 9～10 世紀。歸義軍時期寫本。

9.1　行楷。

1.1　BD01034 號背 2
1.3　齋儀號頭（擬）
1.4　辰 034
1.5　461:8716
2.4　本遺書由 13 個文獻組成，本號為第 6 個，抄寫在背面，8 行。餘參見 BD01034 號 1 之第 2 項、第 11 項。
3.4　説明：
本號爲僧人抄寫以供舉行齋儀時參考的齋儀號頭，包括患文，3 行；禪師文，3 行；尼師文，2 行。
8　9～10 世紀。歸義軍時期寫本。
9.1　行楷。有合體字“菩薩”。

1.1　BD01034 號背 3
1.3　上皇勸善斷肉文
1.4　辰 034
1.5　461:8716
2.4　本遺書由 13 個文獻組成，本號為第 7 個，抄寫在背面，4 行。餘參見 BD01034 號 1 之第 2 項、第 11 項。
3.1　首全→《敦煌詩集殘卷輯考》，第 893 頁第 12 行。
3.2　尾全→《敦煌詩集殘卷輯考》，第 893 頁第 14 行。
8　9～10 世紀。歸義軍時期寫本。
9.1　行楷。

1.1　BD01034 號背 4
1.3　出家功德經（出賢愚經）
1.4　辰 034
1.5　461:8716
2.4　本遺書由 13 個文獻組成，本號為第 8 個，抄寫在背面，27 行。餘參見 BD01034 號 1 之第 2 項、第 11 項。
3.4　説明：
本文獻首尾均全。與《大正藏》所收失譯人名附東晉錄之《出家功德經》雖係同名，卻並非同一種經典。本文獻乃從《賢愚經》卷四“出家功德尸利苾提品”中抄出，可參見大正 202，4/376B04～c13。
4.1　佛說出家功德經（首）。
4.2　佛說出家功德經一卷（尾）
8　9～10 世紀。歸義軍時期寫本。
9.1　行楷。

1.1　BD01034 號背 5
1.3　戒律疏釋鈔（擬）
1.4　辰 034
1.5　461:8716
2.4　本遺書由 13 個文獻組成，本號為第 9 個，抄寫在背面，70 行。餘參見 BD01034 號 1 之第 2 項、第 11 項。
3.4　説明：
本文獻是關於戒律的疏釋鈔，中有“犯八事戒第六”、“隨舉戒第八”等子目。詳情待考。
8　9～10 世紀。歸義軍時期寫本。
9.1　行楷。有 3 行爲硃筆書寫。
9.2　有行間加行、行間加字。有倒乙。

1.1　BD01034 號背 6
1.3　斷三界見修煩惱之圖
1.4　辰 034
1.5　461:8716
2.4　本遺書由 13 個文獻組成，本號為第 10 個，抄寫在背面，前後共 32 行，中間附三界見修煩惱及對治圖。餘參見 BD01034 號 1 之第 2 項、第 11 項。
3.4　説明：
本文獻首尾均全。未為歷代大藏經所收。《大正藏》根據斯 02313 號收入第 85 卷，但斯 02313 號本身有竄亂、漏缺，《大正藏》錄文又有錯漏。可據本號為底本，校以斯 02313 號，纂為定本。
8　9～10 世紀。歸義軍時期寫本。
9.1　行楷。

1.1　BD01034 號背 7
1.3　明《大般若經》四處十六會文（擬）
1.4　辰 034
1.5　461:8716
2.4　本遺書由 13 個文獻組成，本號為第 11 個，抄寫在背面，21 行。餘參見 BD01034 號 1 之第 2 項、第 11 項。
3.4　説明：
本文獻首尾均全。記載《大般若經》之四處十六會。有關内容可參見《金剛般若經依天親菩薩論贊略釋秦本義記》、《佛祖統記》卷三，《法苑珠林》卷一百，《開元釋教錄》卷十一。
8　9～10 世紀。歸義軍時期寫本。
9.1　行楷。
9.2　有行間校加字。有倒乙。有塗改。

1.1　BD01034 號背 8
1.3　沙彌十戒法並威儀
1.4　辰 034
1.5　461:8716
2.4　本遺書由 13 個文獻組成，本號為第 12 個，抄寫在背面，57 行。餘參見 BD01034 號 1 之第 2 項、第 11 項。
3.1　首全→大正 1471，24/926B1。
3.2　尾全→24/927A22。
4.1　沙彌十戒並威儀一卷（首）
8　9～10 世紀。歸義軍時期寫本。
9.1　行楷。

1.1　BD01034 號背 9
1.3　四分律刪繁補闕行事鈔剃髮羯磨鈔（擬）
1.4　辰 034
1.5　461:8716
2.4　本遺書由 13 個文獻組成，本號為第 13 個，抄寫在背面，20 行。餘參見 BD01034 號 1 之第 2 項、第 11 項。
3.4　説明：

本文獻所抄為《四分律刪繁補闕行事鈔》中關於剃髮羯磨的部分，可參見大正 1804，40/150A09 ~ b19。文字略有刪略參差。

7.3　文中有雜寫 3 行：

①“言商估（賈）者，行賣日。商謂商量物價，行貨人也。估者估守財物，當價方賣。/”

②~③“大風中引。明王及則天時，十日一風，五日一雨。夜下晝晴，不妨農務。又歡喜/龍王先七日布雲，然後施雨。風不鳴條，雨不破塊。即衆生善感也。/”

關於歡喜龍王，可參見《法華義疏》卷一（大正 1721）。

8　9 ~ 10 世紀。歸義軍時期寫本。
9.1　行楷。

1.1　BD01035 號
1.3　七俱胝佛母心大准提陀羅尼經
1.4　辰 035
1.5　274:7689
2.1　(20.2 + 107) × 25.3 厘米；4 紙；69 行，行 17 字。
2.2　01：20.2 + 2，13；　02：46.5，28；　03：46.3，28；　04：12.2，拖尾。
2.3　卷軸裝。首殘尾全。經黄紙。首紙有殘洞、殘裂，接縫處有開裂。有烏絲欄。有燕尾。已修整。
3.1　首 12 行上下殘→大正 1077，20/185A27 ~ B10。
3.2　尾全→20/186B1。
8　7 ~ 8 世紀。唐寫本。
9.1　楷書。
11　圖版：《敦煌寶藏》，107/323A ~ 324B。

1.1　BD01036 號 1
1.3　父母恩重經
1.4　辰 036
1.5　276:8203
2.1　212.5 × 25.5 厘米；6 紙；122 行，行 18 ~ 19 字。
2.2　01：08.0，05；　02：45.5，28；　03：46.5，26；　04：46.0，28；　05：46.5，28；　06：20.0，07。
2.3　卷軸裝。首尾均全。卷面油污變色，卷中有横裂、有殘洞。有烏絲欄。已修整，尾附《趙城藏》軸。
2.4　本遺書由 3 個主題文獻組成：（一）《佛說父母恩重經》，59 行，今編為 BD01036 號 1；（二）《天請問經》，47 行，今編為 BD01036 號 2；（三）《大乘四法經》，16 行，今編為BD01036號 3。
3.1　首全→大正 2887，85/1403B21。
3.2　尾全→85/1404A23。
4.1　佛說父母恩重經（首）。
4.2　佛說父母恩重經一卷（尾）。
8　8 ~ 9 世紀。吐蕃統治時期寫本。
9.1　楷書。
11　圖版：《敦煌寶藏》，109/226A ~ 228B。

1.1　BD01036 號 2
1.3　天請問經
1.4　辰 036
1.5　276:8203
2.4　本遺書由 3 個文獻組成，本號爲第 2 個，47 行。餘參見 BD01036 號 1 之第 2 項、第 11 項。
3.1　首全→大正 592，15/124B12。
3.2　尾全→15/125A7。
4.1　佛說天請問經一卷，三藏法師玄奘奉詔譯（首）
4.2　天請問經一卷（尾）
7.3　卷背雜寫“廿”二個。
8　8 ~ 9 世紀。吐蕃統治時期寫本。
9.1　楷書。

1.1　BD01036 號 3
1.3　大乘四法經（異本）
1.4　辰 036
1.5　276:8203
2.4　本遺書由 3 個文獻組成，本號爲第 3 個，16 行，餘參見 BD01036 號 1 之第 2 項、第 11 項。
3.4　説明：

本經為印度大乘佛教經典。譯者不詳，應為法成。篇幅簡短，三分具足。文中論述大乘菩薩應終生修持的四種法門。未為歷代經錄著錄，亦未為歷代大藏經所收。敦煌遺書中存有多號，並存有世親著《大乘四法經釋》，及《大乘四法經廣釋》、《大乘四法經廣釋開決記》等复疏。敦煌遺書中還存有同名異本（伯 2350 號），行文略有差異。歷代大藏經中亦有異譯本兩種，還有同名異經一種。參見《敦煌學大辭典》第 696 頁。

4.1　佛說大乘四法經（首）。
4.2　大乘四法經一卷（尾）。
7.1　尾有題記“爲師僧父母國戒安”。
8　8 ~ 9 世紀。吐蕃統治時期寫本。
9.1　楷書。
9.2　有行間校加字。
11　圖版：《敦煌寶藏》，109/226A ~ 228B。

1.1　BD01037 號
1.3　妙法蓮華經（八卷本）卷七
1.4　辰 037

1.5　105:5965
2.1　(10.5＋198)×25.5厘米；5紙；121行，行17。
2.2　01：10.5＋36.5，26；　02：42.0，25；　03：42.0，25；
　　04：43.5，25；　05：34.0，20。
2.3　卷軸裝。首全尾斷。有護首，已殘。通卷中下部殘缺破損嚴重，紙張變色。背有古代裱補。已修整。
3.1　首殘→大正262，9/56C2。
3.2　尾43行下殘→9/57B27～58B8。
4.1　妙法蓮華經觀世音菩薩普門品第二十五（首）。
5　本卷首部雖從“普門品”開始，但存文到第二十六品之品名，可見非《觀世音經》。其與《大正藏》之七卷本分卷不同，而與八卷本、十卷本相同。在此暫定為八卷本。
8　7～8世紀。唐寫本。
9.1　楷書。
11　從背面揭下古代裱補紙4張，今編為BD16458號。
　　圖版：《敦煌寶藏》，96/226B～229B。

1.1　BD01038號
1.3　大般涅槃經（北本　異卷）卷五
1.4　辰038
1.5　115:6318
2.1　(3＋486)×26.5厘米；11紙；287行，行17字。
2.2　01：3＋15，10；　02：49.5，29；　03：49.3，29；
　　04：49.0，29；　05：49.0，29；　06：49.0，29；
　　07：49.5，29；　08：49.4，29；　09：49.2，30；
　　10：49.3，29；　11：27.8，15。
2.3　卷軸裝。首殘尾全。前3紙下部有殘損，接縫處下方有開裂。有烏絲欄。已修整。
3.1　首行下殘→大正374，12/394C2～3。
3.2　尾全→12/398A12。
4.2　大般涅槃經卷第五（尾）。
5　與《大正藏》本對照，分卷不同，且本件不分品。經文相當於《大正藏》卷五如來性品第四之二的後部至卷六如來性品第四之三的前部。與現知其他諸藏經分卷亦不同。
8　5～6世紀。南北朝寫本。
9.1　隸書。
9.2　有刮改。
11　圖版：《敦煌寶藏》，98/120B～126B。

1.1　BD01039號
1.3　大般若波羅蜜多經卷五一
1.4　辰039
1.5　084:2131
2.1　562.4×26.1厘米；12紙；322行，行17字。
2.2　01：48.2，28；　02：47.7，28；　03：47.5，28；
　　04：47.7，28；　05：47.7，28；　06：47.7，28；
　　07：47.7，28；　08：47.7，28；　09：47.5，28；
　　10：47.5，28；　11：47.5，28；　12：38.0，14。
2.3　卷軸裝。首脱尾全。有燕尾。有烏絲欄。
3.1　首殘→大正220，5/288A26。
3.2　尾全→5/291C27。
4.2　大般若波羅蜜多經卷第五十一（尾）。
7.1　第1紙背端有勘記“五十一，六”。“六”為本文獻所屬袟次。卷尾有題記“李義寫”。
8　8世紀。唐寫本。
9.1　楷書。
9.2　有行間校加字。
11　圖版：《敦煌寶藏》，72/76B～83B。

1.1　BD01040號
1.3　摩訶般若波羅蜜經（異卷）卷一六
1.4　辰040
1.5　088:3440
2.1　(6.6＋760.9)×25.8厘米；21紙；483行，行17字。
2.2　01：6.6＋32.4，24；　02：37.7，24；　03：37.7，24；
　　04：37.8，24；　05：37.8，24；　06：37.8，24；
　　07：37.9，24；　08：37.9，24；　09：37.8，24；
　　10：37.9，24；　11：37.8，24；　12：38.0，24；
　　13：37.9，24；　14：37.7，24；　15：37.7，24；
　　16：37.5，24；　17：37.7，24；　18：36.9，23；
　　19：37.1，23；　20：37.0，23；　21：12.9，06。
2.3　卷軸裝。首殘尾全。有烏絲欄。
3.1　首3行下殘→大正223，8/302B11～14。
3.2　尾全→8/308B12。
4.2　摩訶般若波羅蜜經卷第十六（尾）。
5　與《大正藏》本對照，分卷、品次、品名不同。在四十卷本的日本《聖語藏》本中，本文獻相當於卷十八。在三十卷本的日本宮內寮本中，本文獻相當於卷十三與卷十四。在二十七卷本的《高麗藏》本中，本文獻相當於卷十一與卷十二。本文獻與已知諸藏卷本均不同。
7.1　卷尾有題記“一校”，“高弼爲亡妻元聖威所寫經”，共2行。
8　6世紀。南北朝寫本。
9.1　隸書。
9.2　有重文、倒乙符號。
11　圖版：《敦煌寶藏》，77/650A～659B。

1.1　BD01041號
1.3　維摩詰所說經卷下
1.4　辰041
1.5　070:1270
2.1　(6＋178.5)×26厘米；5紙；109行，行17字。
2.2　01：6＋24，18；　02：41.0，24；　03：41.0，24；
　　04：41.0，24；　05：31.5，19。

2.3　卷軸裝。首尾均殘。首紙中間有橫向殘裂，脫落1塊殘片，文可綴接。有烏絲欄。
3.1　首4行中下殘→大正475，14/554A12～16。
3.2　尾殘→14/555B14。
8　7～8世紀。唐寫本。
9.1　楷書。
11　圖版：《敦煌寶藏》，66/381A～383A。

1.1　BD01042號
1.3　佛名經（十六卷本）卷一〇
1.4　辰042
1.5　063:0704
2.1　203.5×25.5厘米；4紙；112行，行15字。
2.2　01：50.5，28；　02：51.0，28；　03：51.0，28；
04：51.0，28。
2.3　卷軸裝。首尾均脫。經黄紙。首紙殘破，接縫處有開裂。有烏絲欄。
3.1　首殘→《七寺古逸經典研究叢書》，3/第488頁，第81行。
3.2　尾殘→《七寺古逸經典研究叢書》，3/第496頁，第194行。
8　7～8世紀。唐寫本。
9.1　楷書。
11　圖版：《敦煌寶藏》，61/416B～419A。

1.1　BD01043號
1.3　妙法蓮華經卷一
1.4　辰043
1.5　105:4536
2.1　（5.8+623.9）×26.5厘米；13紙；342行，行17字。
2.2　01：5.8+45.1，28；　02：50.8，28；　03：50.8，28；
04：50.4，28；　05：50.4，28；　06：50.4，28；
07：50.6，28；　08：50.2，28；　09：50.3，28；
10：50.2，28；　11：50.3，28；　12：50.1，28；
13：24.3，06。
2.3　卷軸裝。首殘尾全。接縫處有開裂，部分紙的上邊下邊有殘損。有烏絲欄。有燕尾。
3.1　首3行上殘→大正262，9/4A16～18。
3.2　尾全→9/10B21。
4.2　妙法蓮華經卷第一（尾）
8　7～8世紀。唐寫本。
9.1　楷書。
11　圖版：《敦煌寶藏》，84/215B～225A。

1.1　BD01044號
1.3　維摩詰所說經卷上
1.4　辰044
1.5　070:0872
2.1　（7+838.5+1.5）×25厘米；19紙；504行，行17字。
2.2　01：7+2.5，5；　02：47.0，28；　03：47.0，28；
04：47.0，28；　05：47.0，28；　06：47.0，28；
07：47.0，28；　08：47.5，28；　09：47.0，28；
10：47.5，28；　11：47.0，28；　12：47.0，28；
13：47.0，28；　14：47.0，28；　15：47.0，28；
16：47.0，28；　17：47.0，28；　18：47.0，28；
19：36+1.5，23。
2.3　卷軸裝。首尾殘。經黄打紙。卷前部多水漬，紙張變色。卷面有殘洞，上下邊有殘裂，接縫處有開裂。卷尾有蟲繭。背有古代裱補。有烏絲欄。
3.1　首4行上下殘→大正475，14/537C25～28。
3.2　尾行中下殘→14/544A9。
8　7～8世紀。唐寫本。
9.1　楷書。
9.2　有行間校加字，有倒乙符號，有刮改。
11　圖版：《敦煌寶藏》，63/310B～322A。

1.1　BD01045號
1.3　空號（般若波羅蜜多心經贊）
1.4　辰045

1.1　BD01046號
1.3　四分律刪補隨機羯磨卷下
1.4　辰046
1.5　160:6986
2.1　41×26.6厘米；1紙；16行，行19字。
2.3　卷軸裝。首脫尾全。尾有原軸。卷首中部橫向殘裂。有烏絲欄。已修整。
3.1　首殘→大正1808，40/510B10。
3.2　尾全→40/510B24。
4.2　四分律刪補隨機羯磨一卷下（尾）。
7.1　尾端有題記4行："午年五月八日，金光明寺僧利濟，初夏/之內，爲本寺上座金耀寫此《羯磨》一/卷，莫不研精盡思，庶流教而用之也。/至六月三日畢而復記焉。"該題記係從左至右書寫。
8　8～9世紀。吐蕃統治時期寫本。
9.1　楷書。
11　圖版：《敦煌寶藏》，103/254A。

1.1　BD01047號
1.3　四分比丘尼戒本
1.4　辰047
1.5　157:6922
2.1　（1.5+735）×29.4厘米；19紙；466行，行27字。
2.2　01：01.5，01；　02：42.0，27；　03：42.0，27；
04：42.0，27；　05：42.0，27；　06：42.0，27；

07：42.0，27；　08：42.0，27；　09：42.0，27；
10：42.0，27；　11：42.0，27；　12：42.0，27；
13：42.0，27；　14：42.0，27；　15：42.0，27；
16：42.0，27；　17：42.0，27；　18：42.0，27；
19：21.0，06。

2.3　卷軸裝。首殘尾全。卷前部有殘裂，接縫處有開裂，卷尾殘裂。有烏絲欄。已修整。

3.1　首殘→大正 1431，22/1032B18。

3.2　尾全→22/1041A18。

4.2　四分尼戒本（尾）

7.1　卷尾有題記“戒意”。

7.3　卷中有雜寫“蓮華色”2 處。

8　8~9 世紀。吐蕃統治時期寫本。

9.1　楷書。

9.2　有刪除號。

11　圖版：《敦煌寶藏》，102/553B~562B。

1.1　BD01048 號

1.3　善信菩薩二十四戒經

1.4　辰 048

1.5　151:6787

2.1　154.7×26.8 厘米；5 紙；正面 74 行，行 15~18 字。背面 18 行（包括雜寫 3 行），行字不等。

2.2　01：12.07，護首；　02：29.0，16；　03：51.0，28；
04：51.0，28；　05：11.0，02。

2.3　卷軸裝。首尾均全。經黄紙。有護首，有竹製天竿。卷前部殘破嚴重。有烏絲欄。已修整。

2.4　本遺書包括 3 個文獻：（一）《善信菩薩二十四戒經》，74 行，抄寫在正面，今編為 BD01048 號 1。（二）《禮懺文》（擬），10 行，抄寫在背面，今編為 BD01048 號 2。（三）《八戒功德文》（擬），5 行，抄寫在背面，今編為 BD01048 號 2。

3.4　説明：

關於善信菩薩二十四戒，可見《灌頂章句拔除過罪生死得度經》。本文獻未為歷代大藏經所收。

4.1　佛說善信菩薩二十四戒經，出方等□…□經（首）。

4.2　善信菩薩戒經一卷（尾）

7.4　護首有題名“佛說善信菩薩廿四戒經卷，比丘惠真于甘卅修多寺寫。”扉頁有内題名“佛說善信菩薩戒經”，上有經名號。

8　7~8 世紀。唐寫本。

9.1　楷書。

11　圖版：《敦煌寶藏》，101/595A~597B。

1.1　BD01048 號背 1

1.3　禮懺文（擬）

1.4　辰 048

1.5　151:6787

2.4　本遺書由 3 個文獻組成，本號爲第 2 個，10 行，抄寫在背面。餘參見 BD01048 號 1 之第 2 項、第 11 項。

3.3　錄文：

弟子某甲等合道場人，自從無始，乃至今生，受生死身，至於今日。生逢末法，/
不遇聖賢。惡業增深，身居火宅。五濁世界，八苦來侵。竟起刀兵，/
互相殘害。白刃相向，煞戮衆生。不辨親疏，父子相食。劫奪他命，身/
肉分離。白骨縱横，屍骸遍野。知他富有，生熱惱心。若見貧窮，轉/
賤淩辱。不行惠施，衣不蓋形，嫉妬慳貪，食不充口。/
溉灌蟲蟻，種寔爲因。破戒破齋，不信因果。心懷/
諂佞，或〔惑〕亂有情。巧畫娥媚，耽染聲色。墮胎落子，損害衆生。將無/
◇◇膿血體。消融（鎔）佛像，毀拆幡花，障轉法輪，破塔壞寺。/
打罵三寶，誹謗大乘。起耶〔邪〕見心，出佛身血，不孝父母，離間六親。晝夜/
常◇◇◇。/

7.3　有雜寫“菩提間/惟願得諸佛之付屬（囑），降有相之妄心”2 行。有塗抹。

8　9~10 世紀。歸義軍時期寫本。

9.1　行書。

9.2　有塗抹。有行間校加字。

1.1　BD01048 號背 2

1.3　八戒功德文（擬）

1.4　辰 048

1.5　151:6787

2.4　本遺書由 3 個文獻組成，本號爲第 3 個，5 行，抄寫在背面。餘參見 BD01048 號 1 第 2 項、第 11 項。

3.3　錄文：

八戒功德能持不犯，獲大果報：一不煞生，能令汝等壽命長遠。/
二不偷盜，富貴之因。三不婬慾，得淨梵行。四不妄語，舌/
相廣長。五不飲酒，聰明智［慧］。六遠花香，身心清淨。/
七不歌唱，不失◇因。八離高床，及過午食，未來/
之世能令汝等座（坐）金剛座，獲得餘報。/

7.3　有雜寫“弟子某乙等合道場人，自從無始，乃至”1 行。

8　9~10 世紀。歸義軍時期寫本。

9.1　行書。

9.2　有塗抹。有行間校加字。

1.1　BD01049 號

1.3　大般涅槃經（北本　宮本）卷三九

1.4 辰049
1.5 115:6521
2.1 (13+648.6)×27厘米；17紙；361行，行18字。
2.2 01：13+28.5，22； 02：41.5，23； 03：41.0，23；
04：41.5，23； 05：41.5，23； 06：41.2，22；
07：41.3，23； 08：41.5，23； 09：41.3，22；
10：41.3，22； 11：41.3，22； 12：41.5，23；
13：41.5，22； 14：41.5，22； 15：41.2，22；
16：41.0，22； 17：17.0，02。
2.3 卷軸裝。首殘尾全。第1至13紙上方有等距離殘洞。有烏絲欄。
3.1 首6行下殘→大正374，12/594A23~28。
3.2 尾全→12/598B15。
4.2 大般涅槃經卷第卅九（尾）。
5 與《大正藏》本對照，分卷不同，經文相當於《大正藏》卷三十九憍陳如品第十三之一至卷四十憍陳如品第十三之二。與日本宮內寮本分卷相同。
8 5~6世紀。南北朝寫本。
9.1 隸書。
11 圖版：《敦煌寶藏》，100/97B~106A。

1.1 BD01050號
1.3 妙法蓮華經卷四
1.4 辰050
1.5 105:5337
2.1 (310.7+11)×25.5厘米；7紙；196行，行17字。
2.2 01：45.5，28； 02：45.8，28； 03：46.0，28；
04：45.8，28； 05：46.3，28； 06：45.8，28；
07：35.5+11，28。
2.3 卷軸裝。首尾均脫。卷面有殘裂及殘洞，接縫處有開裂，第4、5紙接縫處脫開。卷尾有黴斑、水漬，殘破嚴重。背有古代裱補。有烏絲欄。
3.1 首殘→大正262，9/31A27。
3.2 尾6行上殘→9/33C22~34A1。
8 7~8世紀。唐寫本。
9.1 楷書。
11 原卷斷爲兩截，《敦煌寶藏》圖版次序顛倒。
圖版：《敦煌寶藏》，91/77B~82A。

1.1 BD01051號
1.3 金剛般若波羅蜜經
1.4 辰051
1.5 094:3849
2.1 (3+417.6)×27.5厘米；9紙；247行，行17字。
2.2 01：3+39，25； 02：47.5，28； 03：47.5，28；
04：47.5，27； 05：47.5，28； 06：47.3，28；
07：47.8，28； 08：47.5，28； 09：46.0，27。
2.3 卷軸裝。首殘尾全。首紙有殘洞，卷面殘破，有黴斑；卷尾殘碎，有蟲繭。有烏絲欄。
3.1 首2行中下殘→大正235，8/749B24~25。
3.2 尾全→8/752C3。
4.2 金剛般若波羅蜜經（尾）。
8 9~10世紀。歸義軍時期寫本。
9.1 楷書。
11 圖版：《敦煌寶藏》，80/579B~585A。

1.1 BD01052號
1.3 維摩詰所說經卷上
1.4 辰052
1.5 070:0924
2.1 (178+4.5)×24.5厘米；5紙；100行，行17字。
2.2 01：13.0，護首； 02：46.5，27； 03：47.0，28；
04：47.0，28； 05：24.5+4.5，17。
2.3 卷軸裝。首全尾殘。有護首，護首有芨芨草天竿，有4厘米長土黄色綢縹帶；護首背有經名，上有經名號。通卷下邊殘損，第2紙上邊有殘裂，接縫處有開裂。背有古代裱補。有烏絲欄。
3.1 首全→大正475，14/537A3。
3.2 尾2行上下殘→14/538A18~19。
4.1 維摩詰所說經，一名不可思議解脫（首）。
7.3 第3紙背古代裱補紙上有藏文：
"Li-mtshar-gslo-ba" "mkham-po-mtha-yas-gyi-zha-sngar"（親教師喀葉……）。
7.4 護首有經名"維摩詰經卷上"，其上有經名號。
8 7~8世紀。唐寫本。
9.1 楷書。
11 圖版：《敦煌寶藏》，64/35A~38B。

1.1 BD01053號
1.3 華嚴略疏卷一
1.4 辰053
1.5 005:0080
2.1 (8+962.7)×25.2厘米；26紙；565行，行21~23字。
2.2 01：8+29，23； 02：37.8，23； 03：38.0，23；
04：37.8，23； 05：38.0，23； 06：37.5，22；
07：37.5，22； 08：37.5，22； 09：37.0，22；
10：37.0，22； 11：37.0，22； 12：37.0，22；
13：37.5，22； 14：37.5，22； 15：37.0，22；
16：37.0，22； 17：37.4，22； 18：37.3，22；
19：37.3，22； 20：37.3，22； 21：37.3，22；
22：37.0，22； 23：37.5，22； 24：37.0，22；
25：37.5，22； 26：37.0，10。
2.3 卷軸裝。首殘尾全。卷面多殘洞，各紙接縫處多有破裂、碎損，第24紙與25紙接縫處脫爲兩截，尾4紙殘缺嚴重。有烏

絲欄。已修整。
3.1　首殘→《藏外佛教文獻》，8/第 19 頁第 1 行。
3.2　尾全→《藏外佛教文獻》，8/第 52 頁第 6 行。
4.2　華嚴略疏卷第一（尾）。
7.1　尾有題記"比丘法淵供養流通"。
8　5 ~ 6 世紀。南北朝寫本。
9.1　隸書。
9.2　卷中有硃筆圈點，有行間校加字，有刪除、重文、倒乙符號。
11　圖版：《敦煌寶藏》，56/328B ~ 344A。

1.1　BD01054 號
1.3　無量壽宗要經
1.4　辰 054
1.5　275:7710
2.1　（11 + 204）×31 厘米；5 紙；134 行，行 30 餘字。
2.2　01：11 + 32，27；　02：43.0，28；　03：43.0，28；
　04：43.0，28；　05：43.0，23。
2.3　卷軸裝。首尾均全。首紙上下邊殘缺，第 1、2 紙有殘洞，接縫處有開裂，卷下部有等距離殘洞。有烏絲欄。
3.1　首 6 行上下殘→大正 936，19/82A3 ~ 13。
3.2　尾全→19/84C29。
4.1　大乘無量壽經（首）。
4.2　佛說無量壽宗要經（尾）。
8　8 ~ 9 世紀。吐蕃統治時期寫本。
9.1　楷書。
9.2　有刮改。
11　圖版：《敦煌寶藏》，107/392B ~ 395A。

1.1　BD01055 號
1.3　大般涅槃經（北本）卷一九
1.4　辰 055
1.5　412:8571
2.1　（1.3 + 39.8）×27.3 厘米；1 紙；23 行，行 17 字；
2.3　卷軸裝。首殘尾脫。卷下有橫向殘裂。尾有餘空。有烏絲欄。
3.1　首行上殘→大正 374，12/478B13。
3.2　尾缺→12/478C9。
8　7 ~ 8 世紀。唐寫本。
9.1　楷書。
11　圖版：《敦煌寶藏》，110/607B。

1.1　BD01056 號
1.3　妙法蓮華經卷二
1.4　辰 056
1.5　105:4827
2.1　（92.4 + 4）×27.6 厘米；2 紙；55 行，行 16 ~ 18 字。
2.2　01：49.2，28；　02：43.2 + 4，27。
2.3　卷軸裝。首脫尾殘。接縫處有殘洞，第 2 紙上方有等距殘洞，通卷變色。首紙尾部有 1 空行。有烏絲欄。
3.1　首殘→大正 262，9/11A7。
3.2　尾 2 行上下殘→9/11C23 ~ 26。
8　8 ~ 9 世紀。吐蕃統治時期寫本。
9.1　楷書。
11　圖版：《敦煌寶藏》，87/31B ~ 32B。

1.1　BD01057 號
1.3　大般若波羅蜜多經卷四六五
1.4　辰 057
1.5　084:3170
2.1　190.7 ×26 厘米；4 紙；112 行，行 17 字。
2.2　01：47.7，28；　02：47.9，28；　03：47.7，28；
　04：47.4，28。
2.3　卷軸裝。首尾均脫。首紙有殘洞，前 2 紙接縫處脫爲 2 截，第 2 紙下有殘裂，接縫處有開裂。有烏絲欄。
3.1　首殘→大正 220，7/352C18。
3.2　尾殘→7/354A14。
8　8 ~ 9 世紀。吐蕃統治時期寫本。
9.1　楷書。
9.2　有行間校加字。
11　圖版：《敦煌寶藏》，76/542B ~ 545A。

1.1　BD01058 號
1.3　佛名經（十六卷本）卷三
1.4　辰 058
1.5　063:0628
2.1　（1.5 + 1014.5）×25.8 厘米；21 紙；553 行，行 17 字。
2.2　01：1.5 + 18.5，11；　02：50.5，28；　03：50.5，28；
　04：50.5，28；　05：50.5，28；　06：50.5，28；
　07：50.5，28；　08：50.5，28；　09：50.5，28；
　10：50.5，28；　11：50.5，28；　12：50.5，28；
　13：50.5，28；　14：50.5，28；　15：50.5，28；
　16：50.5，28；　17：50.5，28；　18：50.5，28；
　19：50.5，28；　20：50.5，28；　21：36.5，10。
2.3　卷軸裝。首殘尾全。卷首上部等距離殘缺，下角殘破；接縫處有開裂。背有古代裱補。有烏絲欄。
3.1　首 1 行上中殘→《七寺古逸經典研究叢書》，3/第 117 頁第 14 行。
3.2　尾全→《七寺古逸經典研究叢書》，3/第 163 頁第 619 行。
4.2　佛名經卷第三（尾）。
8　7 ~ 8 世紀。唐寫本。
9.1　楷書。
9.2　有行間校加字。
11　圖版：《敦煌寶藏》，60/482B ~ 496B。

1.1　BD01059 號
1.3　金剛般若波羅蜜經
1.4　辰 059
1.5　094:3837
2.1　(2 +435.3) ×25.8 厘米；12 紙；248 行，行 17 字。
2.2　01：2 +44.6，29；　02：25.0，15；　03：41.5，25；
04：41.0，24；　05：16.0，10；　06：48.5，28；
07：48.5，28；　08：48.5，28；　09：08.3，04；
10：47.7，28；　11：47.7，28；　12：18.0，01。
2.3　卷軸裝。首殘尾全。卷前部破損嚴重。背有古代裱補。有烏絲欄。第 6、7、8 紙為唐代，其餘各紙為後補。
3.1　首行上殘→大正 235，8/749B22 ~23。
3.2　尾全→8/752C3。
4.2　金剛般若波羅蜜經（尾）。
8　7 ~8 世紀。唐寫本。
9.1　楷書。本件係由多種字體抄寫而成。
11　圖版：《敦煌寶藏》，80/518B ~524B。

1.1　BD01060 號
1.3　善惡因果經
1.4　辰 060
1.5　291:8272
2.1　(7.5 +481) ×25.3 厘米；10 紙；269 行，行 17 字。
2.2　01：7.5 +36.5，26；　02：50.0，28；　03：50.5，28；
04：50.5，28；　05：51.0，28；　06：50.5，28；
07：51.0，28；　08：50.5，28；　09：51.0，28；
10：39.5，19。
2.3　卷軸裝。首殘尾全。經黄紙。通卷殘破嚴重。尾有原軸，兩端鑲蓮蓬形軸頭，鑲嵌螺鈿花瓣。背有古代裱補。有烏絲欄。
3.1　首 5 行上中殘→大正 2881，85/1380B20 ~24。
3.2　尾全→85/1383B6。
4.2　佛說善惡因果經一卷（尾）。
8　7 ~8 世紀。唐寫本。
9.1　楷書。
11　圖版：《敦煌寶藏》，109/467A ~473B。

1.1　BD01061 號
1.3　四分戒本疏卷三
1.4　辰 061
1.5　169:7065
2.1　868.5 ×32.3 厘米；20 紙；623 行，行 33 字。
2.2　01：44.0，31；　02：43.5，32；　03：43.5，32；
04：43.5，32；　05：43.5，32；　06：43.5，32；
07：43.5，32；　08：44.0，32；　09：44.0，32；
10：44.0，32；　11：43.5，32；　12：43.5，32；
13：43.5，32；　14：43.5，32；　15：43.5，32；
16：43.5，32；　17：43.5，32；　18：43.5，32；
19：44.0，32；　20：39.5，16。
2.3　卷軸裝。首脫尾全。有烏絲欄。
3.1　首殘→大正 2787，85/601C14。
3.2　尾全→85/616C8。
4.2　四分戒疏卷第三（尾）。
6.1　首→BD01062 號。
7.1　卷尾有題記“壬子年三月廿八日於沙州永壽寺寫”。又有硃筆“勘了”2 字。
8　832 年。吐蕃統治時期寫本。
9.1　楷書
9.2　有硃筆校改、行間校加字，有科分、點標、刪除號、倒乙符號。
11　圖版：《敦煌寶藏》，104/46B ~57B。

新舊編號對照表

一、千字文號與北敦號、縮微膠卷號對照表

千字文號	北敦號	縮微膠卷號
辰 001	BD01001 號	094：3752
辰 002	BD01002 號	070：0906
辰 003	BD01003 號	094：4128
辰 004	BD01004 號	094：4168
辰 005	BD01005 號	275：7970
辰 005	BD01005 號背	275：7970
辰 006	BD01006 號	088：3463
辰 007	BD01007 號	083：1983
辰 008	BD01008 號	105：5172
辰 009	BD01009 號	375：8471
辰 010	BD01010 號	070：0101
辰 011	BD01011 號	166：7022
辰 012	BD01012 號	105：5878
辰 013	BD01013 號	143：6715
辰 014	BD01014 號	084：3367
辰 015	BD01015 號	105：4945
辰 016	BD01016 號	084：2294
辰 017	BD01017 號	372：8456
辰 018	BD01018 號	094：4359
辰 019	BD01019 號	115：6499
辰 020	BD01020 號	043：0422
辰 020	BD01020 號背	043：0422
辰 021	BD01021 號	084：3184
辰 022	BD01022 號	084：3175
辰 023	BD01023 號	392：8524
辰 024	BD01024 號	002：0045
辰 025	BD01025 號	143：6733
辰 025	BD01025 號背	143：6733
辰 026	BD01026 號	084：2850
辰 027	BD01027 號	084：2028
辰 028	BD01028 號	143：6721
辰 029	BD01029 號	094：3788
辰 030	BD01030 號	139：6670
辰 031	BD01031 號	083：1716
辰 032	BD01032 號	071：1305
辰 033	BD01033 號	105：4753
辰 034	BD01034 號 1	461：8716
辰 034	BD01034 號 2	461：8716
辰 034	BD01034 號 3	461：8716
辰 034	BD01034 號 4	461：8716
辰 034	BD01034 號背 1	461：8716
辰 034	BD01034 號背 2	461：8716
辰 034	BD01034 號背 3	461：8716
辰 034	BD01034 號背 4	461：8716
辰 034	BD01034 號背 5	461：8716
辰 034	BD01034 號背 6	461：8716
辰 034	BD01034 號背 7	461：8716
辰 034	BD01034 號背 8	461：8716
辰 034	BD01034 號背 9	461：8716
辰 035	BD01035 號	274：7689
辰 036	BD01036 號 1	276：8203
辰 036	BD01036 號 2	276：8203
辰 036	BD01036 號 3	276：8203
辰 037	BD01037 號	105：5965
辰 038	BD01038 號	115：6318
辰 039	BD01039 號	084：2131
辰 040	BD01040 號	088：3440
辰 041	BD01041 號	070：1270
辰 042	BD01042 號	063：0704
辰 043	BD01043 號	105：4536
辰 044	BD01044 號	070：0872
辰 045	BD01045 號	
辰 046	BD01046 號	160：6986
辰 047	BD01047 號	157：6922
辰 048	BD01048 號	151：6787
辰 048	BD01048 號背 1	151：6787
辰 048	BD01048 號背 2	151：6787
辰 049	BD01049 號	115：6521

辰 050	BD01050 號	105：5337	辰 056	BD01056 號	105：4827
辰 051	BD01051 號	094：3849	辰 057	BD01057 號	084：3170
辰 052	BD01052 號	070：0924	辰 058	BD01058 號	063：0628
辰 053	BD01053 號	005：0080	辰 059	BD01059 號	094：3837
辰 054	BD01054 號	275：7710	辰 060	BD01060 號	291：8272
辰 055	BD01055 號	412：8571	辰 061	BD01061 號	169：7065

二、縮微膠卷號與北敦號、千字文號對照表

縮微膠卷號	北敦號	千字文號	縮微膠卷號	北敦號	千字文號
	BD01045 號	辰 045	105：4945	BD01015 號	辰 015
002：0045	BD01024 號	辰 024	105：5172	BD01008 號	辰 008
005：0080	BD01053 號	辰 053	105：5337	BD01050 號	辰 050
043：0422	BD01020 號	辰 020	105：5878	BD01012 號	辰 012
043：0422	BD01020 號背	辰 020	105：5965	BD01037 號	辰 037
063：0628	BD01058 號	辰 058	115：6318	BD01038 號	辰 038
063：0704	BD01042 號	辰 042	115：6499	BD01019 號	辰 019
070：0101	BD01010 號	辰 010	115：6521	BD01049 號	辰 049
070：0872	BD01044 號	辰 044	139：6670	BD01030 號	辰 030
070：0906	BD01002 號	辰 002	143：6715	BD01013 號	辰 013
070：0924	BD01052 號	辰 052	143：6721	BD01028 號	辰 028
070：1270	BD01041 號	辰 041	143：6733	BD01025 號	辰 025
071：1305	BD01032 號	辰 032	143：6733	BD01025 號背	辰 025
083：1716	BD01031 號	辰 031	151：6787	BD01048 號	辰 048
083：1983	BD01007 號	辰 007	151：6787	BD01048 號背 1	辰 048
084：2028	BD01027 號	辰 027	151：6787	BD01048 號背 2	辰 048
084：2131	BD01039 號	辰 039	157：6922	BD01047 號	辰 047
084：2294	BD01016 號	辰 016	160：6986	BD01046 號	辰 046
084：2850	BD01026 號	辰 026	166：7022	BD01011 號	辰 011
084：3170	BD01057 號	辰 057	169：7065	BD01061 號	辰 061
084：3175	BD01022 號	辰 022	274：7689	BD01035 號	辰 035
084：3184	BD01021 號	辰 021	275：7710	BD01054 號	辰 054
084：3367	BD01014 號	辰 014	275：7970	BD01005 號	辰 005
088：3440	BD01040 號	辰 040	275：7970	BD01005 號背	辰 005
088：3463	BD01006 號	辰 006	276：8203	BD01036 號 1	辰 036
094：3752	BD01001	辰 001 號	276：8203	BD01036 號 2	辰 036
094：3788	BD01029 號	辰 029	276：8203	BD01036 號 3	辰 036
094：3837	BD01059 號	辰 059	291：8272	BD01060 號	辰 060
094：3849	BD01051 號	辰 051	372：8456	BD01017 號	辰 017
094：4128	BD01003	辰 003 號	375：8471	BD01009 號	辰 009
094：4168	BD01004 號	辰 004	392：8524	BD01023 號	辰 023
094：4359	BD01018 號	辰 018	412：8571	BD01055 號	辰 055
105：4536	BD01043 號	辰 043	461：8716	BD01034 號 1	辰 034
105：4753	BD01033 號	辰 033	461：8716	BD01034 號 2	辰 034
105：4827	BD01056 號	辰 056	461：8716	BD01034 號 3	辰 034

461：8716	BD01034 號 4	辰 034
461：8716	BD01034 號背 1	辰 034
461：8716	BD01034 號背 2	辰 034
461：8716	BD01034 號背 3	辰 034
461：8716	BD01034 號背 4	辰 034
461：8716	BD01034 號背 5	辰 034
461：8716	BD01034 號背 6	辰 034
461：8716	BD01034 號背 7	辰 034
461：8716	BD01034 號背 8	辰 034
461：8716	BD01034 號背 9	辰 034